CW00429093

SYNONYMWÖRTERBUCH

SYNONYM-WÖRTERBUCH

Der treffende Ausdruck –
das passende Wort

Völlig neu bearbeitet

BERTELSMANN LEXIKON VERLAG

Verfasst von Siegrid Kroeber und Martha Spalier
Neubearbeitung von Horst Leisering

Redaktion: Stefan Grosser, Christiane Hemkendreis
Satz und Layout: Brigitte Hell
Herstellung: Günter Hauptmann
Einbandgestaltung: Petra Dorkenwald

ZUR EINFÜHRUNG

Die Zielsetzung

Wer einen Gedanken in Worten ausdrücken, wer Gesehenes, Gehörtes, Erlebtes schildern, wer an Hörer oder Leser appellieren, zu ihrer Urteilsbildung beitragen möchte, der muss darauf bedacht sein, dass er gut und richtig verstanden wird und in seinem Gegenüber genau diejenigen Bilder, Vorstellungen und Emotionen erzeugt, die er hervorrufen möchte.

Manche Menschen haben offenbar eine natürliche Begabung, mühelos das zutreffende Wort, die richtige Wendung zu finden. Andere tun sich damit schwerer. Jeder aber, der sich präzise und abwechslungsreich in der Sprache ausdrücken will, sei es nun beim Schreiben eines Briefes oder Aufsatzes, sei es beim Übersetzen oder ganz einfach beim Verfassen verschiedenster Texte, kommt in Situationen, in denen er nicht immer *das* Wort parat hat, das gerade das nötige und richtige wäre. Bloßes Nachdenken genügt dann oft nicht, aus dem passiven Sprachschatz den gesuchten Ausdruck sofort abrufen zu können. Was uns einfällt, ist vielleicht zu allgemein oder zu speziell, zu anspruchsvoll oder zu gewöhnlich.

In solchen Situationen möchte dieses Buch helfen. Denn in ihm lässt sich schnell nachschlagen, was uns einfach nicht von selbst einfallen will. Zu dem Wort nämlich, das wir gerne durch ein anderes ersetzen wollen, bietet dieses Synonymbuch eine Fülle von austauschbaren Wörtern an, unter denen sicher ein passendes zu finden ist.

Was sind Synonyme?

Der strengen Definition nach sind Synonyme Wörter mit absolut *gleicher* Bedeutung, so dass man sie in einem Text austauschen kann, ohne dass sich dabei die Aussage ändert. Solche bedeutungsgleichen Wörter sind jedoch – falls es sie überhaupt gibt – äußerst selten. In aller Regel bedeuten verschiedene Wörter auch Verschiedenes.

Trotzdem lässt sich, wie jeder aus Erfahrung weiß, Gleiches auch verschieden ausdrücken oder anders sagen. Zum Beispiel kann man ja durchaus, je nach Zusammenhang, Gesicht durch Visage ersetzen, kostbar durch teuer oder lieben durch anhimmeln , obwohl jedes dieser Wörter eine andere Nuance hat oder auf einer anderen Stilebene liegt. Man kann dies, weil Wörter für sich alleine genommen noch nicht den Satzsinn ausmachen, sondern immer erst in Verbindung mit anderen zum Ausdruck bringen, was gemeint ist. Versteht man daher unter Synonymen nicht mehr absolut bedeutungsgleiche, sondern vielmehr *sinnverwandte* Wörter, eröffnet sich ein großes Feld von Ausdrucksmöglichkeiten, das dem Suchenden Alternativen der Wortwahl und der stilistischen Varianten aufzeigt und ganz nebenbei auch seinen passiven Sprachschatz zu aktivieren mithilft.

Aufbau des Buches
Das Werk enthält rund 20000 Stichwörter in alphabetischer Anordnung. Bei der Auswahl wurde verzichtet auf

– ausgefallene Wörter der Hoch- und Umgangssprache sowie ungeläufige Fremdwörter und Spezialausdrücke,

– Wörter, die nur ihrem Gattungsbegriff zuzuordnen, nicht aber durch inhaltsähnliche, sinnverwandte Wörter ersetzbar sind,

– Substantive und Partizipien, die ohne weiteres aus dem zugehörigen Verb abgeleitet werden können.

Das Stichwort ist halbfett gesetzt. Die zu ihm gehörenden Synonyme sind wie folgt gegliedert und gekennzeichnet.

Gliederung
Die angebotenen Ausdrücke sind nach verschiedenen Bedeutungsebenen durch einen Doppelstrich getrennt. Wo nötig, wird die jeweilige Bedeutungsebene mit einem Hinweiswort (in Klammern) angegeben. Erstreckt sich der Geltungsbereich eines gebotenen Wortes über mehrere Ebenen, so ist dies nur in einer Ebene angegeben. Aus diesem Grunde sollte der Benutzer jeweils den ganzen Artikel überfliegen.
Verben, die transitiv wie reflexiv vorkommen, ändern dabei sehr oft ihre Bedeutung. In diesem Fall wird zuerst die transitive Form, dann die reflexive in neuer Bedeutungsebene behandelt.

Beispiel: anstecken: ... ‖ sich a.: ...

Ähnliches gilt für Stichwörter, deren Bedeutung sich durch Präpositionen oder Funktionsverben ändert.

Beispiel: denken: ... ‖ d. an: ...
anstehen: ... ‖ a. lassen: ...

Nach der neuen Rechtschreibung wird bei einigen Wörtern mit zwei möglichen Schreibweisen zwischen Haupt- und Nebenvariante unterschieden. Dies ist im Wörterverzeichnis dadurch kenntlich gemacht, dass vor der Nebenvariante ein Verweis auf die Schreibung der Hauptvariante erfolgt, z. B. **phantastisch** → fantastisch.
Kann ein Begriff getrennt oder zusammengeschrieben werden, wird i. d. R. nur die Zusammenschreibung aufgeführt, z. B. **Happyend**.
Ähnlich wird bei möglicher Groß- oder Kleinschreibung i. d. R. nur die Kleinschreibung aufgeführt, z. B. potemkinsche Dörfer.
Komposita, die künftig getrennt oder zusammengeschrieben werden können, erscheinen i. d. R. nur in getrennter Schreibweise, z. B. Gewähr leisten.

Kennzeichnung
Die angegebenen Wörter sind gekennzeichnet durch
– Stilbewertungen (zum Beispiel umgangssprachlich, gehoben, veraltet),
– Zuordnung zu Fachbereichen (zum Beispiel medizinisch, Jägersprache),
– Verbreitungsgebiet (zum Beispiel österreichisch, schweizerisch).

Verweise
Wird von einem Stichwort auf ein anderes verwiesen, so erfolgt dies in der
Form: rennen → laufen.

Zeichen und Abkürzungen

Zeichen

‖	Trennung der Bedeutungsebenen;
/	Zusammenziehen von sich wiederholenden Wörtern, z. B. bis ins Einzelne/Detail gehend;
-	Abkürzung von sich wiederholenden Vor- und Nachsilben, z. B. eintragen, -setzen, Freundlich-, Herzlichkeit; Abkürzung von sich wiederholenden Verben mit wechselnden Vorsilben, z. B. aus-, durch-, vollführen.
( )	In Klammern stehen: Hinweiswörter zur Identifizierung der Bedeutungsebene, z. B. abbauen: fördern (Kohle); entbehrbare Vorsilben, z. B. abblättern: s. (ab)lösen; entbehrbare Erweiterungen zum Grundwort, z. B. feilschen: (herunter)handeln.

Abkürzungen

dicht.	dichterisch	med.	medizinisch
f.	feminin	milit.	militärisch
Fachspr.	Fachsprache	n.	neutral
iron.	ironisch	österr.	österreichisch
Jägerspr.	Jägersprache	pl.	plural
jmd.	jemand	reg.	regional
jmdm.	jemandem	s.	sich
jmdn.	jemanden	scherz.	scherzhaft
jmds.	jemandes	schweiz.	schweizerisch
Kinderspr.	Kindersprache	ugs.	umgangssprachlich
m.	maskulin	volkst.	volkstümlich

A

à: zu, je, pro, per

aalen, sich *(ugs.):* s. sonnen, s. rekeln, s. räkeln, s. behaglich ausstrecken, s. dehnen, in der Sonne liegen; *ugs.:* alle viere von s. strecken

aalglatt: schmierig, schlüpfrig, glitschig, schleimig, schlangenhaft, undurchschaubar

Aas: Kadaver, Tierleiche; *Jägerspr.:* Luder ‖ → Scheusal ‖ *ugs.:* Biest, Kanaille, Mist-, Weibsstück, Hexe, Luder

abändern → ändern

abarbeiten, sich → s. anstrengen

Abart: Variante, Varietät, Spiel-, Eigen-, Sonderart, Ausnahme, Abweichung, Besonderheit, Version; *Biologie:* Morphe

abartig: ano(r)mal, abnorm, -weichend, norm-, regelwidrig, pervers, fremdartig, anders, unüblich, atypisch, absonderlich, unnormal, wider-, unnatürlich, abseitig

Abbau: Gewinnung, Förderung ‖ Demontage, Abbruch, Zerlegung, Auflösung, Abtragung, Demontierung, Abriss ‖ → Kürzung ‖ → Rückgang

abbauen: abtragen, -brechen, de-, abmontieren, auseinander nehmen, zerlegen, entfernen, beseitigen, wegnehmen; *ugs.:* abmachen ‖ → vermindern ‖ fördern (Kohle), gewinnen, ausbeuten ‖ nachlassen, ermatten, kraftlos werden, verblühen, absteigen, im Abstieg begriffen sein, nicht Schritt halten, regredieren, s. verschlechtern; *ugs.:* abschlaffen

abbekommen → bekommen

abberufen: zurückbeordern, -holen, -ziehen, -(be)rufen, → entlassen; *ugs.:* zurückpfeifen ‖ **a. werden** → sterben

abbestellen: rückgängig machen, annullieren, zurückziehen, abrücken von, absagen, -melden, zurücktreten von, widerrufen, kündigen; *ugs.:* abblasen

abbezahlen → abzahlen

abbiegen: abdrehen, -zweigen, -gehen, ab-, einschwenken, um die Ecke biegen/schwenken, einbiegen, -lenken, einen Bogen machen, die Richtung/den Kurs ändern ‖ → verhindern

Abbiegung → Biegung

Abbild: Eben-, Spiegelbild, Abbildung, Wiedergabe, Spiegelung, Verdoppelung, Doublette; *ugs.:* Abklatsch

abbilden: wiedergeben, zeigen, darstellen, nach-, abformen, kopieren, abmalen, nachzeichnen, -bilden, fotografieren, illustrieren, einen Abguss machen, abgießen, reproduzieren, nachgestalten, -schaffen, -drucken, vervielfältigen

Abbildung → Bild ‖ → Fotografie ‖ → Abbild

abbinden: Blutungen stillen, abschnüren, -klemmen, -pressen ‖ losbinden (Schürze), abnehmen, ausziehen, aufmachen, abstreifen ‖ eindicken, binden

abbitten → s. entschuldigen

abblasen → absagen

abblättern: (ab)bröckeln, s. (ab-, los)lösen, abfallen, -gehen, -splittern, -schälen, -schuppen, -springen, -platzen, -brechen

abblenden: ab-, verdunkeln, abschirmen, die Blende klein stellen

abblitzen: *(ugs.):* abgewiesen/-gelehnt /zurückgewiesen /abgefertigt / versetzt werden, einen Korb bekommen, eine Niederlage erleiden, Misserfolg haben, eine Abfuhr erhalten; *ugs.:* abgewimmelt werden, auflaufen, eine Schlappe erleiden, nicht ankommen ‖ a. lassen → abfertigen

abblocken: (be)hindern, hemmen, einschränken, abwehren, -schneiden, -halten, blockieren, versperren, unterbinden, nicht zulassen; *ugs.:* bremsen

abbrausen → weggehen ‖ sich a.: unter die Dusche gehen, eine Dusche nehmen, duschen, s. abduschen, brausen

abbrechen: zerstören, nieder-, ab-, einreißen, abtragen, -bauen, -trennen, beseitigen, entfernen; *ugs.:* wegreißen ‖ in Stücke brechen, entzweigehen, durchbrechen, wegbrechen, abknicken, abgehen, abfallen, splittern ‖ zerstückeln, -teilen, -legen ‖ Schluss machen, die Beziehung auflösen, brechen mit, s. lösen, den Rücken kehren, s. abwenden von, die Verbindung lösen ‖ → aufgeben ‖ → pflücken

abbremsen → bremsen ‖ → hemmen

abbrennen: niederbrennen, Feuer (an)legen, in Flammen setzen/aufgehen lassen, in Schutt und Asche legen, einen Brand stiften/legen

abbringen: ausreden, verleiden, abraten, -halten, wegführen von ‖ → ablenken

abbröckeln → abblättern

Abbruch: Auflösung, Abbau, Demontage, Zerlegung, Abriss, Niederreißung, Zerstörung, Demontierung, Abtragung ‖ Einstellung, Aufgabe, Beendigung, Aufhebung, Beseitigung, Außerkraftsetzung, Annullierung, Abschaffung, Aufkündigung, -lösung

abbrummen → einsitzen

abbürsten → bürsten

abbüßen: (ver)büßen, (ab)sühnen, geradestehen für, Buße tun ‖ eine Strafe a. → einsitzen

Abc-Schütze: Schulanfänger; *reg., schweiz.:* Erstklässler; *öster.:* Taferlklassler

abchecken → prüfen

abdampfen → weggehen

abdämpfen → mildern

abdanken → kündigen

abdecken: zu-, ver-, bedecken, verhängen ‖ bewachen (Spiel, Sport), schützen, aufpassen auf, abschirmen ‖ → abräumen ‖ → tilgen

abdichten: zu-, verstopfen, isolieren, verfugen, abdämmen, dichten, schließen, ausfüllen

abdienen → absolvieren

abdrängen → verdrängen

abdrehen: ab-, ausstellen, ab-, ausschalten, stoppen, auslöschen, außer Betrieb setzen, ausdrehen ‖ Filmaufnahmen beenden, einen Film fertig stellen ‖ einen anderen Kurs nehmen, eine andere Richtung einschlagen, wenden, drehen, schwenken

abdrosseln → hemmen ‖ → drosseln

Abdruck: Abguss, Abbildung ‖ Veröffentlichung, Druck, Auflage, Publikation, Edition, Herausgabe ‖ Fuß(s)tapfen, Spur, Fährte, Trittsiegel

abdrucken → publizieren

abdrücken → schießen ‖ → liebkosen ‖ sich a.: s. abzeichnen, s. eindrücken, Spuren/einen Abdruck hinterlassen ‖ s. abstoßen/-stemmen, s. wegdrücken

abdunkeln → verdunkeln

abduschen, sich → s. abbrausen

abebben → abflauen

Abend: Tagesende, Dunkelheit, Nachteinbruch, Dämmerstunde, sinkende Nacht

Abendbrot → Abendessen

Abenddämmerung: Abend-, Dämmerlicht, Abendrot, Halbdunkel, Zwielicht, Sonnenuntergang, Schummer(stunde), blaue Stunde, Abendgrauen

Abendessen: Abendbrot, -mahl(zeit); *öster.:* Nachtmahl; *schweiz., reg.:* Nachtessen; *gehoben:* Abendtafel, Souper, Diner

Abendland: Europa, der Westen, Okzident, die Alte Welt; *dicht.:* Hesperien

Abendmahl: Kommunion, Altarsakrament, Eucharistie, Tisch des Herrn ‖ → Abendessen

abends: jeden/am Abend; *gehoben:* des Abends

Abenteuer: Erlebnis, gewagtes Unternehmen/Geschehen, Wagnis, Risiko, Vabanquespiel, Mutprobe; *ugs.:* Mordsgeschichte ‖ → Affäre

abenteuerlich: gewagt, waghalsig, tollkühn, gefährlich, riskant, verwegen, halsbrecherisch, fantastisch, selbstmörderisch ‖ ereignisreich, bewegt, spektakulär, aufregend

Abenteurer: Glücksritter, -jäger, -spieler, Hasardeur, Waghals

aber: (je)doch, allerdings, indes(sen), da-, wo-, hingegen, demgegenüber, dennoch, trotzdem, gleichwohl, nichtsdestoweniger, allein, freilich, sondern, dafür, wiederum, im Gegensatz

Aberglaube: Einbildung, Wahnvorstellung, Wunderglaube, Geisterfurcht

aberkennen: absprechen, entziehen, abjudizieren, abstreiten, ab-, wegnehmen, vorenthalten

abermals: wieder(holt), wiederum, noch einmal, nochmals, von neuem, erneut, nochmalig, zum zweiten Mal

Aberwitz → Unsinn

aberwitzig: wahn-, irr-, unsinnig, absurd, abwegig; *ugs.:* idiotisch, hirnverbrannt, -rissig

abfahren → abreisen ‖ → abgehen ‖ → fortschaffen ‖ abnutzen (Reifen), verschleißen, -brauchen ‖ **jmdn. a. lassen** → abfertigen ‖ **a. auf** → s. begeistern für

Abfall: Unrat, Dreck, Mist, Müll, Kehricht ‖ Rückstand, Rest ‖ → Ramsch ‖ → Neigung ‖ Sinneswechsel, Umkehr, Lossagung, (Treu)bruch, Preisgabe, Verrat, Loslösung

Abfalleimer: Asch(en)-, Kuttereimer, Abfall-, Mülltonne, Müllcontainer, Papierkorb; *öster.:* Colonia-, Mistkübel

abfallen → abblättern ‖ abtrünnig/untreu werden, s. (los)lösen, s. freimachen, brechen mit, s. befreien, abschütteln, s. abwenden/-kehren, s. lossagen, die Treue brechen, im Stich lassen, umschwenken, anderen Sinnes werden, s. anders besinnen, einen Wandel durchmachen, verraten, preisgeben; *ugs.:* abspringen, umfallen ‖ an Höhe verlieren, abstürzen, (herunter)fallen, ab-, ein-, versinken, zu Boden stürzen; *ugs.:* absacken ‖ s. neigen, s. senken, nach unten gehen ‖ erlahmen, nachlassen, abbauen, schlechter werden, nicht Schritt halten, → zurückbleiben; *ugs.:* abschlaffen ‖ → zurückbleiben ‖ **a. für:** abbekommen, erhalten, zufallen, übrig bleiben, einbringen, einträglich sein; *ugs.:* (ab)kriegen, ab-, herausspringen

abfallend → abschüssig

abfällig: ab-, geringschätzig, abwertend, verächtlich, missbilligend, pejorativ, despektierlich, missfällig, wegwerfend, respektlos, herabsetzend, entwürdigend, schlecht, schlimm, übel, unfreundlich, kritisch, scharf, tadelnd, vernichtend

Abfalltonne → Abfalleimer

abfangen: an-, aufhalten, abpassen, -warten ‖ → auffangen

abfärben: s. übertragen auf, beeinflussen, anstecken, einwirken, Einfluss nehmen/haben auf, infizieren ‖ Farbe verlieren/abgeben, auslaufen, -gehen, nicht farbecht sein

abfassen: verfassen, (nieder)schreiben, anfertigen, formulieren, arbeiten an, niederlegen, zu Papier bringen, festhalten, aufzeichnen, ausarbeiten

Abfassung: Niederschrift, Aufzeichnung, Anfertigung, Formulierung, Konzipierung, Entwurf

abfertigen: jmdn. abservieren/-speisen/-lehnen/-weisen, jmdm. die kalte Schulter zeigen, eine Abfuhr erteilen, einen Korb geben, nicht zulassen, den Laufpass geben; *ugs.:* abwimmeln, abblitzen/auflaufen/abfahren lassen ‖ bedienen (Schalter), fertig machen, kontrollieren (Zoll)

abfeuern → schießen

abfinden: abgelten, -lösen, entschädigen, zufrieden stellen, vergüten, ersetzen, -statten, be-, ausgleichen, auszahlen ‖ **sich a. mit:** akzeptieren, ertragen, s. zufrieden geben, zufrieden sein mit, vorlieb nehmen, s. bescheiden, keine Ansprüche mehr stellen, nicht mehr verlangen, dulden, resignieren, kapitulieren, zurückstecken, hinnehmen, s. fügen, s. schicken/ergeben in, s. begnügen, in Kauf nehmen; *ugs.:* in den sauren Apfel beißen

Abfindung → Ersatz

abflauen: ver-, abebben, im Schwinden/Rückgang begriffen sein, s. verringern/-mindern, ermatten, abnehmen, nachlassen, ver-, ab-, ausklingen, ver-, zurückgehen, (ab)sinken, s. beruhigen, s. abschwächen, an Kraft/Stärke/Wirkung verlieren, leiser/schwächer werden, aus-, verhallen, absterben, s. dem Ende zuneigen, ausgehen, erkalten (Gefühle), endigen, ausmünden, erlöschen, versiegen, abschwellen, zur Neige gehen, einschlafen, verbleichen, s. legen, auspendeln, zur Ruhe kommen, verstummen, austönen, seinen Abschluss finden, einschlummern, abreißen, erlahmen, versanden, -sickern, abflachen, -bauen, schwinden, schrumpfen, s. setzen, auslaufen, zu Ende gehen, aufhören, zum Stillstand/Erliegen kommen, still werden

abfliegen: weg-, davon-, fortfliegen, abreisen, starten, die Reise antreten

abfließen: ablaufen, -rinnen, -sickern, -strömen, aus-, wegfließen, s. leeren ‖ außer Landes/ins Ausland gehen (Geld)

Abflug: Start, Flugbeginn, Departure, Abfahrt, Take-off

Abfluss: Abwässerkanal, Ablauf, Aus-, Abguss, Kloake, Gully, Rinnstein, Ablaufrohr, -rinne, Abzug(srinne), Ausfluss, Abflussloch, -rohr, -rinne

Abfolge → Reihenfolge ‖ → Ablauf

abfordern → fordern

abfragen: abhören, (über)prüfen, testen, examinieren, kontrollieren, aufsagen lassen, Wissen feststellen, auf die Probe stellen, einer Prüfung unterziehen; *ugs.:* abklopfen, unter die Lupe nehmen, auf den Zahn fühlen

abfressen: abgrasen, -weiden, -äsen, kahl/leer fressen, abnagen, -knappern; *ugs.:* ratzekahl fressen

abfrottieren → abreiben

Abfuhr → Ablehnung ‖ → Transport

abführen → festnehmen ‖ zwangsweise wegbringen/mitnehmen/abholen, auf die Wache bringen ‖ → ablenken ‖ (be)zahlen, entrichten, überweisen, zuleiten ‖ den Darm leeren; *med.:* purgieren, laxieren ‖ Zitat/Gänsefüßchen / Anführungszeichen schließen

abfüllen → füllen

Abgabe: Gebühr, Beitrag(szahlung), (Geld)leistung, Tribut, Steuer, Taxe;

öster.: Maut ǁ → Übergabe ǁ Absatz, Vertrieb, -kauf, -äußerung ǁ Zu-, Abspiel (Sport), Pass, Flanke

Abgang: Abtritt, Abzug, Abtreten, Verlassen, Weggang ǁ → Austritt ǁ Fehlgeburt, Abort(us) ǁ Abfahrt, Start, Fahrtbeginn, Aufbruch ǁ → Tod

abgearbeitet → erschöpft

abgeben → übergeben ǁ → zuspielen ǁ → verkaufen ǁ → wählen ǁ verwahren lassen (Garderobe), hinterlegen, deponieren, in Verwahrung geben ǁ ausstrahlen (Wärme), ausströmen, verbreiten, spenden ǁ → darstellen ǁ **sich a. mit:** s. einlassen auf, verkehren mit, Umgang/Kontakt pflegen mit ǁ → s. beschäftigen mit

abgebrannt → zahlungsunfähig

abgebrüht → gefühllos ǁ → schlau

abgedroschen → phrasenhaft

abgefeimt → schlau

abgegriffen → abgenutzt ǁ → phrasenhaft

abgehackt: unzusammenhängend, zusammenhanglos, unter-, abgebrochen, stockend, stück-, stoßweise, stotternd, stotterig; *ugs.:* brocken-, kleckerweise

abgehärtet: widerstandsfähig, unempfindlich, zäh, immun, gestählt, nicht anfällig; *ugs.:* stabil

abgehen → abblättern ǁ abschreiten, -laufen, -suchen, entlang-, begehen, kontrollieren, besichtigen, patrouillieren; *ugs.:* abklappern, -grasen, -latschen, -rennen, belaufen, durchkämmen ǁ → fehlen ǁ ab-, wegfahren, ab-, wegfliegen, starten, auslaufen (Schiff), in See stechen, ablegen, die Anker lichten, losfahren, verlassen ǁ → ablaufen ǁ → austreten ǁ **a. von** → aufgeben

abgekämpft → erschöpft

abgekartet: heimlich verabredet/vereinbart/ausgemacht /abgestimmt/ -gesprochen /beschlossen/ ausge-

heckt/-gehandelt /festgelegt; *ugs.:* ausgekocht, -geklüngelt

abgeklärt → besonnen

abgelaufen → abgenutzt ǁ vorbei, -über, herum, vergangen, zu Ende

abgelegen: abgeschieden, entlegen, abseitig, fern, weit weg, abgeschnitten, entfernt, einsam, (gott)verlassen, schwer/ungünstig erreichbar, am Ende der Welt, abgeschlossen, isoliert; *ugs.:* weit vom Schuss, j. w. d.; *derb:* am Arsch der Welt

abgeleiert → phrasenhaft

abgelten → abfinden

abgemacht → ausgemacht

abgemagert → dünn

abgeneigt: ungern, widerwillig, lustlos, ablehnend, -weisend, negativ, kritisch, verneinend ǁ **a. sein:** s. sträuben, einer Sache negativ gegenüberstehen/abhold sein, etwas nicht mögen, dagegen sein

abgenutzt: abgetragen, -gewetzt, -geschabt, zerrissen, -lumpt, mitgenommen, verlottert, -nachlässigt, -braucht, abgegriffen, ausgedient, schäbig, verschlissen, abgerissen, -getreten (Sohlen), abgelaufen, aus-, abgefahren (Reifen), abgedroschen (Worte), zerfetzt (Bücher), zerfleddert, -lesen; *ugs.:* abgelatscht ǁ → phrasenhaft

Abgeordneter: Parlamentarier, Parlamentsmitglied, Volksvertreter, Repräsentant, Beauftragter, (Ab)gesandter, Funktionär, Delegierter, Bevollmächtigter, Deputierter; *öster.:* Mandatar

abgerechnet → abzüglich

abgerissen → abgenutzt ǁ → verwahrlost

Abgesandter: Sendbote, Kurier, Emissär, Botschafter, Unterhändler, → Abgeordneter

abgeschabt → abgenutzt

abgeschieden → abgelegen

abgeschlafft → erschöpft

abgeschlossen → geschlossen ‖ → fertig

abgeschmackt: geist-, takt-, geschmack-, stil-, witzlos, schal, seicht, töricht, flach, gedankenarm, unschön, kitschig, platt, nichts sagend, aus zweiter Hand

abgesehen → außer

abgespannt → erschöpft

abgesperrt → geschlossen

abgestanden → schal

abgestuft: hierarchisch, der Rangfolge nach, differenziert, aufgefächert, gegliedert, aufgeteilt, gestaffelt, strukturiert, geordnet, unterteilt

abgestumpft → gefühllos

abgetragen → abgenutzt

abgetreten: abgelaufen, -genutzt, -getragen, ausgetreten, schäbig, verschlissen; *ugs.:* abgelatscht

abgewetzt → abgenutzt

abgewirtschaftet → erschöpft ‖ → verwahrlost ‖ → zahlungsunfähig

abgewöhnen: entwöhnen, abbringen von, aberziehen, verwehren, nicht zulassen/gestatten, verbieten, -sagen, abschlagen, Einhalt gebieten, absetzen; *ugs.:* austreiben ‖ **sich a.** → aufgeben

abgezehrt → dünn

Abglanz → Widerschein

abgleiten: ab-, hinunter-, hinabrutschen, aus-, hinabgleiten, den Halt verlieren, schlittern; *ugs.:* ausglitschen ‖ → abschweifen ‖ niedergehen, absinken, -steigen, abwärts gehen, auf Abwege/die schiefe Bahn geraten, verfallen, aus der Art schlagen; *ugs.:* ab-, versacken

Abgott → Idol

abgöttisch: übertrieben, -schwänglich, blind, unverhältnismäßig, → sehr

abgrasen → abfressen ‖ → absuchen

abgrenzen: die Grenzen festlegen, umreißen, abstecken, fixieren, bestimmen, vereinbaren, festsetzen ‖ → einzäunen ‖ **sich a. von** → kontrastieren ‖ → s. distanzieren

Abgrenzung → Grenze

Abgrund → Schlucht ‖ Untergang, Ende, Sturz ‖ → Unglück

abgründig → tief ‖ → rätselhaft

abgucken → abschauen

Abguss → Abfluss ‖ Abdruck, Nachbildung, Wiedergabe, Reproduktion

abhacken → abschlagen

abhaken: (ab)zeichnen, ankreuzen, markieren, anstreichen, (mit einem Haken) kennzeichnen, kenntlich machen, als erledigt betrachten

abhalten: auffangen (Lärm), abwehren, nicht durchlassen, dämmen ‖ zurück-, fernhalten, bewahren, -hüten, schützen vor, bremsen, abschrecken, abraten, einschreiten gegen, abbringen von, ausreden ‖ → stören ‖ → veranstalten

abhandeln: abfeilschen, den Preis drücken, herunterhandeln, ablisten, -dingen; *ugs.:* abschachern, -schwätzen ‖ → darlegen

Abhandlung → Aufsatz

Abhang: Böschung, Abfall, Hang, Halde, Lehne, Bergwand, -seite; *öster.:* Leite

abhängen: abkoppeln, -kuppeln, (her)abnehmen, (ab)lösen, auseinander nehmen ‖ ablagern (Fleisch) ‖ → überholen ‖ **a. von:** angewiesen sein auf, jmdm. unterstehen/untertan sein ‖ bedingt/-stimmt sein durch, beruhen auf, gebunden sein an ‖ ankommen auf, etwas steht/liegt bei jmdm., etwas obliegt/untersteht jmdm.

abhängig: unselbständig, -frei, untertan, angewiesen auf, gebunden an, untergeordnet ‖ süchtig, verfallen ‖ **a. von** → abhängen von

abhärten, sich: s. festigen, s. kräftigen, s. stählen, s. stärken, s. widerstandsfähig / resistent / immun / gefühllos machen, s. gewöhnen an

abhauen → abschlagen ‖ → fliehen ‖ → weggehen

abheben: vom Konto Geld entnehmen/holen, s. ausbezahlen lassen ‖ abnehmen; *ugs.:* ans Telefon gehen, hingehen ‖ → s. begeistern für ‖ **a. auf** → abzielen auf ‖ **sich a.:** s. abzeichnen, Konturen bilden, heraus-, abstechen ‖ **sich a. von** → kontrastieren

abheften: ablegen, zu den Akten/ad acta legen, einordnen, in einen Ordner tun

abheilen: zu-, verheilen, vernarben, -schorfen, heil werden

abhelfen → bereinigen

abhetzen, sich: s. abhasten/-jagen, s. sputen, s. überstürzen/-eilen, schnell machen, s. abmühen, hasten, s. beeilen, hetzen, laufen, rennen

abhobeln → hobeln

abholen → holen ‖ (zwangsweise) mitnehmen, wegbringen ‖ → verhaften

abholzen: roden, kahl schlagen, fällen, absägen, entwalden, um-, abschlagen; *ugs.:* umhauen; *öster.:* schlägern

abhören → abfragen ‖ heimlich mithören/überwachen/lauschen ‖ *med.:* abhorchen, untersuchen, auskultieren

Abhörgerät: Spion, Wanze ‖ Hörrohr; *med.:* Stethoskop

abirren → abkommen ‖ → abschweifen

Abitur: Reifeprüfung, Gymnasialabschluss, Gymnasialexamen; *öster., schweiz.:* Matur(a); *ugs.:* Abi

abjagen → nehmen ‖ **sich a.** → s. abhetzen

abkämmen → absuchen

abkanzeln → schimpfen

abkapseln, sich: s. isolieren, s. abschließen/-sondern, s. separieren, s. ein-/verkapseln, s. einsperren/-spinnen, s. verbergen/-schließen, s. abseits stellen/halten, Kontakt(e) meiden, der Gesellschaft/Welt entsagen, das Leben fliehen, s. von der Außenwelt fernhalten/abwenden/-schneiden/-spalten/-sperren/-kehren, in Klausur gehen, eine Mauer um s. ziehen, s. ein-/ver-/zumauern, einsam leben, s. zurück-, entziehen; *ugs.:* s. verkriechen/-graben/-ziehen, s. einigeln/-puppen, s. in sein Kämmerchen/Schneckenhaus verkriechen

abkarten → abmachen

abkaufen → kaufen ‖ → glauben

abkehren: (ab)fegen, (auf)kehren, säubern, sauber machen, reinigen ‖ **sich a.** → s. abwenden ‖ → s. abkapseln

abklappern → absuchen

abklären → klären

Abklatsch → Imitation

abklingen → abflauen

abklopfen: beklopfen, untersuchen; *med.:* perkutieren ‖ ausklopfen, reinigen, Staub/Schmutz entfernen, säubern, sauber machen ‖ → absuchen ‖ → abfragen

abknallen → töten

abknicken → abbrechen

abknöpfen: abnehmen, (los)lösen, auf-, losmachen ‖ → ablisten

Abkomme: Nachkomme, -fahr, Abkömmling, Spross, Verwandter, Angehöriger, Deszendent, Nachwuchs

abkommen: abweichen, -schweifen, auf Abwege kommen, den Weg/s. verlieren, aus der Bahn/Richtung geraten, abgleiten, -irren, -treiben, den Kurs verlassen, vom Kurs abkommen, s. verlaufen/-irren ‖ → aufgeben ‖ → abschweifen

Abkommen: Vereinbarung, Übereinkommen, Abmachung, Beschluss, Abrede, Vertrag, Übereinkunft, Absprache, Kontrakt, Arrangement, Einvernehmen, Pakt, Fixierung, Einigung, Verpflichtung, Festlegung

abkömmlich → entbehrlich

abkoppeln → abhängen

abkratzen: abreiben, abziehen, abschaben, ablösen, abmachen ‖ → sterben

abkriegen → bekommen

abkühlen: kälter/frischer/kühler werden, erkalten ‖ kalt stellen/machen, (aus)kühlen, erkalten lassen, auf Eis legen ‖ ernüchtern (Gefühle), → abflauen

Abkühlung: Temperaturrückgang, -senkung, -abnahme, Wärmeabnahme ‖ Ernüchterung, Distanz(ierung), Entfremdung

Abkunft → Herkunft

abkuppeln → abhängen

abkürzen: abschneiden, einen kürzeren/schnelleren Weg nehmen, eine Abkürzung gehen/fahren, den Weg verkürzen, Zeit sparen ‖ Abkürzungen benutzen/machen

Abkürzung: (Ver)kürzung ‖ Abbreviatur, Kürzel, Kurzwort, Abbreviation, Akronym

abküssen → küssen

abladen: ent-, ausladen, (ent)leeren, löschen (Schiff), ausschiffen, -packen, -räumen, herunternehmen ‖ abwälzen (Schuld), übertragen, aufbürden, schieben auf; *ugs.:* jmdm. andrehen/unterjubeln

ablagern: anschwemmen, -treiben, -strömen, -spülen, absetzen, an Land/ans Ufer spülen abhängen, lagern, reifen; *reg.:* abliegen ‖ sich a.: s. (ab)setzen, sedimentieren, s. niederschlagen, einen Bodensatz/Rückstand bilden, s. ansammeln, zu Boden sinken

Ablagerung: Bodensatz, Sediment, Rückstand, Niederschlag

Ablass → Absolution

ablassen: ab-/(her)auslaufen/ausströmen/abfließen/-gehen /entweichen lassen, (ent)leeren ‖ → verkaufen ‖ → nachlassen ‖ **a. von** → aufgeben

ablatschen → abgehen ‖ → ablaufen

Ablauf: (Ver)lauf, Hergang, Gang der Handlung, Geschehen, (Vor)gang, Prozess, Entwicklung, Abfolge ‖ → Abfluss

ablaufen → abfließen ‖ → abgehen ‖ abnutzen (Schuhe), ab-, durchtreten, abwetzen; *ugs.:* ablatschen ‖ abrollen, -spulen, -spielen ‖ vonstatten/ vor s. gehen, s. abwickeln/-spielen, s. ereignen, s. zutragen, s. vollziehen, ab-, ausgehen, geschehen, erfolgen, stattfinden, verlaufen, hergehen; *ugs.:* über die Bühne gehen, auslaufen (Frist), fällig/ungültig werden, verfallen, -jähren, außer Kraft treten, die Gültigkeit verlieren, zu Ende gehen, enden ‖ vorüber-, vorbeigehen, unberührt lassen, abprallen

ableben → sterben

Ableben → Tod

ablecken → lecken

ablegen: fort-, niederlegen, einordnen, abheften, zu den Akten/ad acta legen ‖ → ausziehen ‖ → aufgeben ‖ ab-, wegfahren, auslaufen, absetzen, -stoßen ‖ (ab)leisten (Prüfung), machen, hinter s. bringen, absolvieren, bestehen, Examen machen ‖ → ausrangieren

Ableger: Spross, Setzling, Schößling, Steckling, (Ab)senker, Trieb, Steckreis, Keim(ling), Pflänzling

ablehnen: ab-, zurückweisen, ab-, ausschlagen, negieren, verneinen, -schmähen, -weigern, -werfen, -sagen, von s. weisen, dagegen sein, missbilligen, s. weigern, abschlägig bescheiden, absagen, zurückgeben, -schicken, Nein sagen, verurteilen, jmdm. einen Korb geben, eine Abfuhr erteilen, die kalte Schulter zeigen, nicht einverstanden sein/einwilligen/zustimmen/genehmigen/billigen/annehmen/zulassen /akzeptieren, abwinken, -speisen, -servieren, -fertigen; *ugs.:* jmdn. abblitzen/auflaufen/abfahren lassen, abwimmeln

ablehnend → negativ
Ablehnung: Absage, Nein, Ab-, Zurückweisung, abschlägiger Bescheid, negative Antwort, Versagung, (Ver)weigerung, Abfertigung, Niederlage, Debakel, Fiasko, Durchfall, Abfuhr; *ugs.:* Pleite, Blamage, Reinfall, Schlappe, kalte Dusche, Schiffbruch, Korb
ableisten → absolvieren
ableiten: herleiten, entwickeln aus, folgen, s. ergeben, (schluss)folgern, zurückführen auf, deduzieren, schließen, Folgerungen/einen Schluss ziehen, konkludieren, beziehen auf, hervorgehen aus, s. berufen auf, de-, induzieren ‖ ablenken, umleiten, wegführen, verlegen ‖ **sich a.** → stammen von
ablenken: in eine andere Richtung bringen, lenken, s. brechen (Licht), beugen, abfälschen (Sport), abbiegen, umleiten ‖ → ab-, wegbringen, auf andere Gedanken bringen, ab-, wegführen, verleiten, zerstreuen, stören ‖ **sich a.** → s. vergnügen
ablesen: vorlesen, eine Vorlage benutzen, nicht frei reden/vortragen ‖ den Stand feststellen/ersehen, registrieren, identifizieren, bestimmen ‖ scannen ‖ → erraten
ableuchten → absuchen
ableugnen → abstreiten
ablichten → fotokopieren
Ablichtung → Fotokopie
abliefern → übergeben ‖ abführen, (be-, ein)zahlen, überweisen
ablisten: jmdm. etwas abnötigen/ -schwindeln/-jagen/-betteln/-zwingen/-locken/-heucheln/rauben/abspenstig machen/entreißen/-locken/wegnehmen/herauslocken/ -schwindeln, erlisten; *ugs.:* jmdm. etwas abknöpfen/-gaunern/-luchsen/-zwacken/-zapfen/-handeln/ -schwätzen, jmdn. schröpfen/ausnehmen/ausziehen/erleichtern

ablocken → ablisten
ablösen: (los)lösen, entfernen, ab-, losmachen, (ab)trennen, abkratzen, -schaben ‖ an jmds. Stelle treten, jmds. Platz übernehmen, jmdn. ersetzen/freistellen/entlasten/erlösen/ entlassen ‖ → abfinden ‖ **sich a.:** miteinander wechseln, s. abwechseln, alternieren ‖ → abblättern
abluchsen → ablisten
abmachen: beschließen, entscheiden, festlegen, -setzen, -machen, aushandeln, vereinbaren, -abreden, absprechen, be-, abstimmen, s. einigen, einig werden, übereinkommen, fixieren, s. verpflichten, eine Abmachung / Vereinbarung / Absprache treffen, einen Vertrag abschließen; *ugs.:* abkarten, auskochen, -machen ‖ erledigen, durchführen, fertig stellen, abwickeln ‖ abbauen, -montieren, -nehmen, -lösen, -trennen, -schrauben, entfernen, beseitigen, wegnehmen
Abmachung → Vereinbarung
abmagern: schlank(er)/mager(er)/ dünn(er)/schmal/hager/dürr/knochig/hohlwangig werden, abnehmen, hungern, ab-, ein-, ver-, zusammenfallen, auszehren, an Gewicht verlieren, Diät/Schlankheitskur machen; *ugs.:* vom Fleisch fallen, die Pfunde/Kilos abwerfen, abspecken
Abmagerungskur: Diät, Hunger-, Schlankheits-, Fasten-, Entfettungskur
abmalen → abzeichnen
Abmarsch → Aufbruch
abmarschieren → weggehen
abmartern, sich → s. anstrengen
abmelden → abbestellen ‖ austreten, kündigen, verlassen, weggehen
abmessen → ausmessen
abmildern → entschärfen ‖ → mildern
abmontieren → abmachen
abmühen, sich → s. anstrengen

abmurksen → töten

abnabeln: abbinden, ab-, loslösen, abklemmen, durchschneiden, -trennen ‖ **sich a.:** s. frei/selbständig/unabhängig/autonom machen, s. emanzipieren, s. auf eigene Füße/Beine stellen, s. befreien, s. losmachen von; *ugs.:* s. freischwimmen

abnehmen → ausziehen ‖ → kontrollieren ‖ → abflauen ‖ → abmagern ‖ → ablisten ‖ → nehmen ‖ → beschlagnahmen ‖ abzapfen (Blut), zur Ader lassen, (ab)schröpfen ‖ amputieren (Bein), abtrennen ‖ → kaufen ‖ → glauben

Abnehmer → Kunde

Abneigung: Un-, Widerwille, Antipathie, Abscheu, Aversion, Ekel, Widerstreben, Degout, Widerstände, Ressentiment

abnorm → abartig

abnötigen → abzwingen

abnutzen/abnützen: ab-, verbrauchen, verschleißen, -scheuern, -wetzen, -tragen, -schaben, -fahren (Reifen), abstumpfen, -stoßen, -reiben, -schürfen, -laufen (Schuhe), abtreten, ausweiten, -leiern, -beulen, durchsitzen, -löchern, -tragen, -stoßen, schädigen, im Wert mindern, strapazieren, aufbrauchen

Abnutzung: Abnützung, Verschleiß, -brauch

abonnieren: bestellen, -ziehen, -ordern, kommen lassen, mieten (Theater), anfordern, halten, ein Abonnement haben

abordnen: entsenden, delegieren, deputieren, schicken, beordern, abkommandieren

Abordnung: Delegation, Deputation, Vertretung, die Beauftragten/Vertreter/Bevollmächtigten ‖ Entsendung, Deputierung, Abkommandierung, Delegierung

Abort: Toilette, Klosett, WC, 00, Pissoir (Männer); *ugs.:* gewisses Örtchen, Häusl, Lokus, Klo, Thron; *derb:* Scheißhaus, Pinkelbude

Abort(us): Fehlgeburt, Abgang

abpacken → einpacken

abpassen: ab-, erwarten, auflauern, abfangen, im Auge behalten, aufhalten

abpflücken → pflücken

abplagen, sich → s. anstrengen

abplatzen → abblättern

abprallen: zurückspringen, -prallen, -schnellen, -federn ‖ **an jmdm. a.:** an jmdm. vorbeigehen, jmdn. unberührt/gleichgültig/unbeeindruckt lassen, nicht (be)rühren/tangieren/beeindrucken, Abstand bewahren, s. nicht anfechten lassen; *ugs.:* kalt lassen, cool bleiben

abpressen → abzwingen ‖ → einschnüren

abputzen → sauber machen

abquälen, sich → s. anstrengen

abrackern, sich → s. anstrengen

abradieren: aus-, wegradieren, tilgen, entfernen, beseitigen, auslöschen

abraten: abbringen von, ab-, ausreden, widerraten, warnen, zu bedenken geben, entmutigen; *gehoben:* abmahnen

abräumen: den Tisch abdecken, wegschaffen, -räumen, ab-, weg-, herunternehmen, frei/leer machen, entfernen, hinaus-, abtragen; *gehoben:* abservieren

abrauschen → weggehen

abreagieren: entladen, (her)aus-, ablassen, fühlen/merken lassen, zu spüren geben, jmdm. zusetzen; *ugs.:* Dampf ablassen ‖ **sich a.:** s. abregen, s. beruhigen, s. entspannen/-krampfen, s. besänftigen/-schwichtigen, s. abkühlen

abrechnen: die (Schluss)rechnung/Bilanz aufstellen, Kasse(nsturz) machen, Bilanz ziehen, saldieren, verrechnen ‖ → abziehen ‖ **a. mit:** eine Quittung erteilen, jmdn. zur Rechen-

schaft/Verantwortung ziehen/maß-
regeln/belangen/zur Rede stellen/
zurechtweisen, jmdm. heimzahlen, s.
rächen, vergelten, Genugtuung fordern, s. revanchieren; *ugs.:* reinen
Tisch machen
abregen, sich → s. beruhigen
abreiben: trockenreiben, (ab)frottie-
ren, abtrocknen; *ugs.:* (ab)rubbeln;
reg.: ribbeln ‖ reinigen, schrubben,
scheuern, abkratzen, entfernen ‖
→ abnutzen
abreisen: ab-, wegfahren, verreisen, s.
auf die Reise begeben/machen, auf
Reise gehen, aufbrechen, starten, die
Reise antreten, auslaufen (Schiff), s.
einschiffen, den Hafen verlassen, abfliegen, weggehen
abreißen → abbrechen ‖ → pflücken
‖ abtrennen, los-, herunter-, wegreißen, abzupfen, -rupfen ‖ abfallen
(Knopf), ab-, loslösen, abgehen
abrichten → dressieren
abringen → abzwingen
Abriss: Übersicht, Zusammenfassung, -stellung, Überblick, -schau,
Leitfaden, Darstellung, Auszug, Resümee, Kurzfassung, Querschnitt ‖
→ Abbruch
abrollen → ablaufen ‖ abwickeln
(Spule), (ab)spulen, -haspeln,
-schnurren
abrücken: wegschieben, -rücken, beiseite schieben ‖ → weggehen ‖
→ fliehen ‖ **a. von:** s. distanzieren
von, Abstand nehmen, nichts zu tun/
schaffen haben wollen mit, s. abkeh-
ren/-grenzen, s. entfernen, zurücktreten, s. heraushalten; *ugs.:* s. drücken
abrunden: kürzen, mindern, reduzieren, bringen auf, rund machen ‖ ar-
rondieren (Land), zusammenlegen,
vereinheitlichen, -vollständigen ‖
vervollkommnen, ergänzen, perfektionieren, komplettieren; *ugs.:* den
letzten Schliff geben
abrupfen → abreißen ‖ → pflücken

abrupt → plötzlich
abrüsten: demobilisieren, Truppen
reduzieren, Streitkräfte verringern,
entmilitarisieren, -waffnen, Ent-
spannungspolitik betreiben, den Rüs-
tungsetat einschränken
abrutschen → abgleiten
absacken → abfallen
Absage → Ablehnung
absagen: widerrufen, rückgängig
machen, abrücken von, zurücknehmen, -ziehen, -treten von, abtelefo-
nieren, -bestellen ‖ ausfallen lassen,
absetzen, streichen, aufheben; *ugs.:*
abblasen, unter den Tisch fallen lassen, fahren lassen ‖ → aufgeben
absägen: (ab)trennen, abholzen,
-schneiden, -hacken, fällen ‖ → entlassen ‖ → entmachten
absahnen: entrahmen, -fetten,
Sahne/Rahm/Fett abschöpfen ‖ → s.
bereichern
Absatz: (Text)abschnitt, Passage, Artikel, Passus, Punkt, Kapitel, Teilstück, Stelle ‖ Stöckel, Hacken ‖ Bodensatz, Rückstand ‖ Verkauf, Umsatz, Vertrieb, (Waren)umschlag, Geschäft, Handel
Absatzgebiet: (Absatz)markt
absaufen → sinken
abschaben → abkratzen
abschachern → abhandeln
abschaffen: beseitigen, aufheben,
-geben, -lösen, auslöschen, zum Verschwinden bringen, entfernen, beheben, aufräumen mit, ab-, einstellen,
für ungültig/nichtig erklären, annullieren, vernichten, liquidieren,
Schluss machen mit, außer Kraft setzen, streichen, ein-, zurückziehen,
kassieren, aus der Welt schaffen, auslaufen lassen
abschälen → schälen
abschalten: ausstellen, -machen,
-schalten, abstellen, -drehen, löschen; *ugs.:* ausknipsen ‖ *ugs.:* s.
nicht mehr beteiligen, Konzentra-

tion/Aufmerksamkeit verlieren; *ugs.:* wegtreten ‖ → s. ausruhen
abschätzen → einschätzen
abschätzig → abfällig
abschauen: absehen, -schreiben, -gucken, nachmachen, kopieren, wiederholen, entlehnen, plagiieren; *ugs.:* spicken, abluchsen, -pinseln, -feilen, -klieren
Abschaum: Auswurf, Abhub, Gesindel, Pöbel, Lumpenpack, Mob, Asoziale; *ugs.:* Asos, Bagage, Pack, Bande, Meute, Gesocks
abschäumen: abschöpfen, klären
abscheiden → absondern
Abscheu: Ekel, Widerwille, Abneigung, Degout, Grauen, Greuel, Horror, Schau(d)er, Überdruss, Übelkeit
abscheuern → abnutzen ‖ → sauber machen
Abscheu erregend → ekelhaft
abscheulich: widerlich, -wärtig, scheußlich, garstig, unerträglich, ekelhaft, -erregend, grässlich, gräulich, Abscheu erregend, schauderhaft, hässlich, missgestaltet, verabscheuenswert, -würdig, schändlich, übel (riechend), verwerflich, schrecklich, wüst, ruchlos, gemein, niederträchtig, monströs, eklig, degoutant, abstoßend, wie die Pest; *veraltet:* abominabel; *ugs.:* ätzend, fies, zum Brechen; *derb:* zum Kotzen ‖ → sehr
abschicken: ver-, fort-, zu-, absenden, fort-, weg-, verschicken, abgehen/zugehen lassen, zu-, weiterleiten, einwerfen, aufgeben, zur Post bringen, in den Briefkasten stecken, expedieren
abschieben: ab-, wegrücken, wegschieben, beiseite schieben/rücken ‖ → ausweisen ‖ → entmachten ‖ → weggehen ‖ **a. auf** → aufbürden
Abschied: Trennung, Scheiden, Weggang, Auseinandergehen, Lebewohl, Aufbruch, Abfahrt, -reise, Fortgang

abschießen: außer Gefecht setzen; *ugs.:* herunterholen, abknallen ‖ → schießen ‖ → töten ‖ wegschießen (Bein), loslösen, abtrennen, -reißen ‖ → entmachten
abschinden, sich → s. anstrengen
abschirmen: ver-, abdunkeln, ver-, abdecken ‖ → schützen
abschlachten: schlachten, abstechen; *reg.:* metzgen, metzen, abtun ‖ → töten
abschlaffen → nachlassen
Abschlag: Abstoß (Tor) ‖ Teil-, Raten-, Abschlagszahlung ‖ → Preisnachlass
abschlagen: abhacken, -hauen, -trennen, -stoßen, -meißeln, -spalten, -lösen ‖ → ablehnen ‖ → abwehren
abschlägig: ablehnend, negativ, verneinend ‖ **a. bescheiden** → ablehnen
abschleifen → glätten
abschleppen: ziehen, entfernen, fort-, wegschaffen, fort-, wegbringen ‖ **sich a.** → s. anstrengen
abschließen: zu-, verschließen, ab-, zusperren, ab-, zu-, verriegeln, zumachen, den Riegel/das Schloss vorlegen ‖ beenden, fertig stellen, zum Abschluss bringen, zu Ende führen, vollenden, letzte Hand anlegen; *ugs.:* unter Dach und Fach bringen ‖ enden/aufhören/ein Ende haben/ausklingen/schließen mit ‖ → abmachen ‖ **sich a.** → s. abkapseln
Abschluss → Vereinbarung ‖ → Ende
abschmecken: (vor)kosten, probieren, versuchen, prüfen
abschmieren: (ein)fetten, (ein)ölen, einreiben, schmieren
abschneiden: wegschneiden, kürzen, kürzer machen, (ab)scheren, verkürzen, -kleinern, abtrennen, -zwicken, kupieren, stutzen; *ugs.:* abschnipseln, -schnippeln ‖ abkürzen, einen kürzeren/schnelleren Weg nehmen, eine Abkürzung gehen/fahren ‖ s. jmdm. entgegenstellen, den Weg ver-

sperren, aufhalten, blockieren ‖ jmdm. ins Wort fallen/über den Mund fahren/nicht ausreden lassen, dazwischenreden, unterbrechen; *ugs.:* übers Maul fahren, dreinreden ‖ isolieren, separieren, abschließen, -sondern, -sperren, trennen ‖ hinter s. bringen, aus-, durchführen, bestehen, absolvieren, schaffen, ablegen, vollbringen; *ugs.:* bei etwas wegkommen, ausgehen

Abschnitt: Teil, Teilstück, -bereich, Sektor, Teilstrecke, Segment, Ausschnitt, Bruchteil, -stück ‖ Zeitraum, -spanne, Etappe, Phase, Periode, Stadium ‖ Absatz, Kapitel, Passage, Passus, Artikel, Punkt, Stelle ‖ Kupon, Talon

abschnüren → abbinden ‖ → einschnüren

abschöpfen: abschäumen ‖ → absahnen

abschrauben → abmachen

abschrecken → kühlen ‖ jmdn. ab-, zurückhalten von, hindern, ein Exempel/Beispiel statuieren, warnen, hemmen, bekämpfen, entgegentreten, Halt gebieten, Steine in den Weg legen

abschreiben → abschauen ‖ kopieren, eine Rein-/Zweitschrift anfertigen, ins Reine schreiben ‖ im Wert mindern, abziehen, -setzen, tilgen, amortisieren ‖ abnutzen (Bleistift), verbrauchen, -schleißen ‖ → aufgeben

abschreiten → abgehen ‖ abmessen, ausschreiten, abschätzen

Abschrift: Zweitschrift, Kopie, Doppel, Duplikat, Durchschlag, -schrift, Abzug

abschuften, sich → s. anstrengen

abschürfen, sich: s. aufscheuern, s. abstoßen

abschüssig: steil, schräg, abfallend, -steigend, mit starkem Gefälle, jäh, schroff; *schweiz.:* stotzig

abschütteln: abschlagen, -klopfen, herunterschütteln, entfernen; *ugs.:* runterschütteln ‖ → aufgeben ‖ → s. befreien

abschwächen → mildern ‖ **sich a.** → abflauen

abschweifen: abweichen, -irren, -kommen, den Faden verlieren, abgleiten, auf Abwege kommen, vom Hundertsten ins Tausendste kommen, s. ins Uferlose verlieren, Gedankensprünge machen, vom Thema abgehen

abschwellen → abflauen ‖ dünner/ wieder normal werden

abschwenken → abbiegen

abschwindeln → ablisten

abschwirren → weggehen

absehbar: erkenn-, vorausseh-, überseh-, überschau-, vorherseh-, voraussagbar, vorauszusehen, zu erwarten

absehen → abschauen ‖ voraus-, vorhersehen, überschauen, (voraus)berechnen, prophezeien, überblicken, erkennen, durchschauen, kommen sehen; *ugs.:* s. selbst ausrechnen/zusammenreimen/an den fünf Fingern abzählen können ‖ **a. von:** unberücksichtigt/außer Acht/beiseite/unbeachtet lassen, verzichten auf, ausschließen, -lassen, hinwegsehen, abstrahieren von, ausnehmen, außer Betracht lassen, vernachlässigen, übergehen, weg-, fortlassen, aussparen; *ugs.:* unter den Tisch fallen lassen ‖ verzichten, unterlassen, Abstand nehmen von, s. enthalten, nicht tun; *ugs.:* sein/bleiben lassen ‖ **a. auf** → abzielen auf

abseilen: hinunter-, herunter-, hinab-, herablassen ‖ **sich a.** → weggehen ‖ → fliehen ‖ → aussteigen

abseitig → abgelegen ‖ → ausgefallen ‖ → abartig

abseits: fern, außerhalb, entfernt, weitab, fern liegend, in der Ferne, abgelegen; *ugs.:* weit weg, weg vom

Schuss ‖ seitab, beiseite, neben(an), seitlich

absenden → abschicken

Absender: Adressant

abservieren → abräumen ‖ → abfertigen ‖ → entmachten

absetzen: ab-, weg-, herunternehmen (Hut), ablegen, -ziehen, -tun ‖ hin-, herabstellen, zu Boden setzen, niedersetzen, -legen, platzieren ‖ abrechnen (Steuer), abziehen ‖ → absagen ‖ → verkaufen ‖ → entlassen ‖ → entmachten ‖ → aufgeben ‖ aussetzen, unter-, abbrechen, einen Absatz/eine Pause machen, an-, innehalten, verschnaufen ‖ sich a. → s. ablagern ‖ → s. abkapseln ‖ → fliehen ‖ → aussteigen

absichern → schützen

Absicht: Plan, Ziel, Bestreben, Wollen, Vorsatz, -haben, Intention, Zweck, Zielsetzung, -vorstellung, Sinnen, Trachten, Wunsch, Programm ‖ ohne A. → unabsichtlich

absichtlich: vorsätzlich, willentlich, beabsichtigt, -zweckt, -wusst, intentional, gewollt, wissentlich, geplant, vorbedacht, geflissentlich, absichtsvoll, mit Willen/Bewusstsein/Fleiß/Bedacht, (wohl)weislich, mutwillig, ausdrücklich, eigens, extra, ostentativ, intendiert

absichtslos → unabsichtlich

absitzen: absteigen ‖ → einsitzen

absolut: allein herrschend, unum-, unbe-, uneingeschränkt, repressiv, allgewaltig, absolutistisch, autoritär, diktatorisch, souverän ‖ völlig, vollkommen, -auf, total, reinweg, schlechtweg, schlechterdings, grundsätzlich, → ganz ‖ unbedingt, um jeden Preis, durchaus, zweifellos, auf alle Fälle, auf jeden Fall, überhaupt, unter allen Umständen, mit aller Gewalt, auf Biegen oder Brechen, so oder so, koste es, was es wolle, partout; *ugs.:* auf Teufel komm raus

Absolution: Sündenerlass, Frei-, Lossprechung, Vergebung, Ablass, Begnadigung

absolvieren: Absolution erteilen, los-, freisprechen, vergeben, von Sünden befreien ‖ ableisten, durchlaufen, hinter s. bringen, erfolgreich beenden/abschließen, bestehen, ablegen ‖ bewältigen (Pensum), erledigen, aus-, durchführen, erfüllen, aufarbeiten, schaffen, vollbringen, abdienen, fertig werden mit, bezwingen

absonderlich → merkwürdig

absondern: ab-, ausscheiden, von s. geben, ausdünsten, -schwitzen, -sondern, abstoßen, -geben; *med.:* sekretieren ‖ isolieren, vereinzeln, abspalten, ausschließen, scheiden, trennen, separieren, sondern, entfernen; *med.:* sezernieren ‖ sich a. → abkapseln

Absonderung: Ab-, Ausscheidung, Sekret(ion), Exkret(ion), Ausfluss, -dünstung, -wurf ‖ → Trennung

absorbieren: ein-, aufsaugen, in s. aufnehmen, resorbieren, einziehen ‖ beanspruchen, in Beschlag nehmen, beschäftigen, strapazieren, in Anspruch nehmen, mit Beschlag belegen, überfordern, in Atem halten; *ugs.:* auffressen

abspalten: abschlagen, -hauen, -hacken, -trennen ‖ → absondern ‖ sich a.: s. (los)lösen, s. absplittern, s. lossagen, brechen mit, abfallen, s. trennen; *ugs.:* abspringen, aussteigen ‖ → s. abkapseln

absparen, sich → sparen

abspeisen → abfertigen

absperren → abschließen ‖ sperren (Straße), blockieren, den Zugang verhindern, eine Blockade errichten, einen Kordon/eine Postenkette aufstellen

Absperrung → Sperre

abspielen: ablaufen lassen (Tonband) ‖ → zuspielen ‖ sich a.: geschehen, s. ereignen, s. zutragen, vor

s. gehen, vorfallen, -kommen, s. vollziehen, erfolgen, stattfinden, ab-, verlaufen, passieren, s. begeben; *ugs.:*
los sein, über die Bühne laufen
absplittern → abblättern ‖ **sich a.** → s.
abspalten
Absprache → Vereinbarung
absprechen → abmachen ‖ aberkennen, entziehen, ab-, bestreiten, wegnehmen, vorenthalten
abspringen → abblättern ‖ herab-,
herunter-, hinabspringen; *ugs.:* run-
terspringen, -hupfen ‖ → aufgeben ‖
→ s. abmelden ‖ → s. abspalten
abspulen: abwickeln, -rollen, -has-
peln, ablaufen/abschnurren lassen ‖
→ aufsagen
abspülen → abwaschen
abstammen → stammen von
Abstammung → Herkunft
Abstand: Unterschied, Kluft, Differenz ‖ Entfernung, Distanz, Zwischenraum, Strecke, Zwischenzeit,
Intervall, Pause ‖ Abfindung, Ab-
standszahlung, -summe, -geld, Abgeltung
abstauben: Staub wischen/entfer-
nen, entstauben, abwischen ‖ → stehlen
abstechen → kontrastieren ‖ → töten
Abstecher: Ausflug, (Spritz)tour,
Trip, (Spritz)fahrt; *ugs.:* Rutsch(er) ‖
Exkurs, Abschweifung
abstecken: ab-, be-, umgrenzen, ab-,
ein-, umzäumen, abpfählen, -pflo-
cken, -planken, einfassen, umschließen, abzirkeln, ausstecken, markieren ‖ festlegen, fixieren, verankern,
umreißen, bestimmen
Absteige → Unterkunft
absteigen: herunter-, herab-, hinun-
ter-, nieder-, hinabsteigen, hinabklet-
tern, hinuntergehen, nach unten/
bergab(wärts) gehen ‖ → absitzen
(Pferd) ‖ einkehren, besuchen; *ugs.:*
vorbeikommen, hereinschauen ‖
→ übernachten ‖ abgestuft/in die

niedrigere Klasse eingestuft werden,
abfallen, im Abstieg begriffen sein,
abgleiten, abwärts gehen, nicht
Schritt halten können
abstellen → absetzen (Gegenstand) ‖
parken (Auto), halten; *öster.:* garagieren; *schweiz.:* parkieren, lagern
(Kisten), unterstellen ‖ ab-, ausschalten, ausmachen, aus-, abdrehen,
stoppen, schließen, außer Betrieb
setzen; *ugs.:* ausknipsen ‖ → aufgeben ‖ **a. auf** → abzielen auf ‖ → abstimmen auf
Abstellraum: Besen-, Rumpel-, Vorratskammer, Nebenraum, Speicher,
Keller
abstempeln: mit einem Stempel/
(Amts)siegel versehen, stempeln ‖ **a.
als/zu:** erklären für, bezeichnen, cha-
rakterisieren/hinstellen/definieren/
darstellen als, kennzeichnen, klassifizieren
absterben: einschlafen, taub/
(ge)fühllos/blutleer werden ‖ → untergehen ‖ → abflauen ‖ vertrocknen,
-dorren, -welken, -blühen, eingehen
Abstieg: Abwärtssteigen, Talmarsch,
Rückweg, Heimkehr ‖ → Niedergang
abstimmen: seine Stimme abgeben,
stimmen, wählen, seine Wahl treffen,
rotieren, plädieren/s. entscheiden
für, beschließen, optieren ‖ in Einklang bringen, (einander) anpassen,
zusammenstellen, koordinieren,
ein-/abstellen auf, kombinieren, angleichen ‖ **sich a.:** s. besprechen, s. arrangieren, s. verständigen, eine Einigung erzielen, eine Übereinkunft/
Vereinbarung treffen, s. einigen, aus-,
abmachen
Abstimmung → Wahl
abstinent: enthaltsam, -sagend, asketisch, zurückhaltend, keusch, ver-
zichtend
Abstinenz → Mäßigkeit
abstoppen: mit der Stoppuhr messen
‖ → anhalten

abstoßen → verkaufen ‖ → abnutzen ‖ anwidern, widerstreben, nicht gefallen, weg-, zurückstoßen, ekeln, unangenehm/widerwärtig/unsympathisch sein, missfallen ‖ abschlagen, -hacken, -hauen, -spalten, -splittern ‖ **sich a.:** s. abdrücken/-stemmen ‖ s. abschürfen, s. aufscheuern
abstoßend → ekelhaft ‖ → hässlich
abstottern: *(ugs.):* ab(be)-, zurückzahlen, in Raten zahlen, tilgen, mit Teilzahlungen begleichen
abstrahieren: verallgemeinern, zum Begriff erheben, generalisieren ‖ **a. von** → absehen von
abstrakt: begrifflich, unanschaulich, -gegenständlich, ideell, abgezogen, nur gedacht, vorgestellt, theoretisch, nicht greifbar/dinggebunden, vereinzelt, losgelöst, zusammenhang-, beziehungslos
abstrampeln, sich → s. anstrengen
abstreifen → ausziehen ‖ abstreichen (Schuhe), reinigen, sauber machen, abputzen, -reiben, -treten ‖ (ab)häuten, (ab)schälen, enthäuten, abbalgen; *ugs.:* (ab)pellen; *öster.:* abhäuteln ‖ (ab)pflücken (Beeren), abreißen, -zupfen, -beeren; *ugs.:* abklauben, -rupfen ‖ → absuchen
abstreiten: (ab-, ver)leugnen, zurückweisen, bestreiten, in Abrede stellen, von s. weisen, nicht gelten lassen/stehen zu, s. nicht bekennen zu, verneinen, s. verwahren gegen, als unrichtig/-zutreffend/falsch/unwahr hinstellen, anfechten, negieren, nicht zugeben/wahrhaben wollen, widerrufen, dementieren, verwerfen ‖ → aberkennen
abstrus: verworren, unverständlich, abwegig, konfus, wirr, ungeordnet, -ausgegoren, -klar, kraus, dunkel, chaotisch, diffus
abstufen: staffeln, nuancieren, differenzieren, gliedern, unterteilen, graduell unterscheiden, abtreppen, klas-

sifizieren, fächern ‖ (ab)schattieren, abschatten, (ab)tönen
abstumpfen: gefühllos, teilnahmslos/gleichgültig/stumpf werden, abtöten ‖ **geistig a.** → verdummen
abstürzen: herunter-, herabstürzen, herunter-, hinunter-, hinab-, herab-, abfallen, niedergehen, -stürzen, hinunter-, herunter-, hinab-, herabsausen, in die Tiefe fallen/stürzen/sausen/segeln, ins Trudeln kommen, abtrudeln; *ugs.:* herunterpurzeln, runtersausen, -fliegen
abstützen → stützen
absuchen: durchsuchen, durch-, abstreifen, stöbern in, durchwühlen; *ugs.:* filzen, durchschnüffeln ‖ abgehen (Gebiet), ablaufen, -schreiten, durch-, abkämmen; *ugs.:* abgrasen, -rennen, -klappern, -latschen, ab-, durchstöbern ‖ abtasten, -leuchten, -klopfen ‖ scannen
absurd: sinnlos, un-, widersinnig, unlogisch, abwegig, beziehungslos, aber-, wahn-, irrwitzig, sinnwidrig, unvernünftig, lächerlich, grotesk, albern, dumm, töricht, ohne Sinn und Verstand; *ugs.:* hirnrissig, -verbrannt, witzlos, stussig, Quatsch, Humbug, blödsinnig, verrückt
Abszess → Geschwür
abtasten: an-, befühlen, betasten, -rühren; *ugs.:* befingern, -tatschen ‖ ab-, durchsuchen, abstreichen ‖ scannen
abtauen → auftauen
Abtei: Kloster, Stift
Abteil: Zug-, Eisenbahnabteil, Coupé; *öster.:* Kupee
abteilen: zerlegen, (ab)trennen, auf-, unterteilen, aufgliedern, parzellieren, anordnen, sondern, separieren, abspalten, in Stücke schneiden, in Teile teilen
Abteilung: (Ab)trennung ‖ Verband, Kommando, Einheit, Trupp(e), Teil, Schar, Kolonne, Zug, Pulk, Haufen,

Gruppe, Mann-, Belegschaft ‖
→ Fach ‖ Gattung, Klasse, Rubrik

abtöten → töten ‖ → unterdrücken

abtragen → abräumen ‖ → abzahlen
‖ → abnutzen ‖ (ein)ebnen, gleichmachen, (ein)planieren, glätten, nivellieren, applanieren ‖ abbrechen,
-bauen, -reißen, ein-, niederreißen,
nieder-, zerlegen, demontieren,
schleifen

abträglich → schädlich

abtreiben: von der Bahn/dem Kurs
abkommen, aus der Richtung trei-
ben/geraten, wegtreiben, abweichen,
-schweifen, -irren ‖ eine Fehlgeburt
herbeiführen, die Schwangerschaft
ab-/unterbrechen; *med.:* abortieren

Abtreibung → Schwangerschaftsabbruch

abtrennen → trennen

abtreten → kündigen ‖ → übergeben
‖ → abstreifen ‖ → ablaufen

abtrocknen: abwischen, trocken-, abreiben, (ab)frottieren, trocknen; *ugs.:*
abrubbeln

abtrotzen → abzwingen

abtrünnig: untreu, treulos, verräterisch, abgefallen, ketzerisch, irrgläubig, häretisch, sektiererisch

Abtrünniger: Abweichler, Häretiker,
Abgefallener, Sektierer, Renegat,
Verräter, Irrgläubiger, Schismatiker,
Deviationist

aburteilen → verurteilen

abverlangen: (ab)fordern, verlangen,
zumuten, ein Ansinnen stellen, eine
Forderung erheben/aufstellen/gel-
tend machen/anmelden, wollen, beanspruchen, -gehren, -stehen auf;
dicht.: ansinnen ‖ **sich etwas/zu viel
a.** → s. anstrengen

abwägen: be-, durchdenken, s. durch
den Kopf gehen lassen, zu Rate gehen, s. Gedanken machen, s. überlegen, s. fragen, überrechnen, -schla-
gen, vergleichen, gegenüberstellen,
beurteilen, einschätzen, ab-, ermes-

sen, in Betracht ziehen, drehen und
wenden, von allen Seiten betrachten

abwälzen → aufbürden

abwandeln → ändern ‖ beugen, flektieren, biegen

abwarten: die Dinge auf s. zukommen lassen, s. gedulden, abpassen,
(aus)harren, ausschauen, zuwarten,
-sehen, warten, Geduld haben, geduldig sein, s. Zeit lassen, die Hoffnung nicht aufgeben; *ugs.:* abwarten
und Tee trinken

abwärts: nach unten, her-, hinab,
hinunter, (her)nieder, berg-, strom-,
tal-, flussab, talwärts

abwaschen: Geschirr spülen, abspülen, aufwaschen; *ugs.:* ausputzen ‖
säubern, reinigen, sauber machen,
putzen, abseifen

abwechseln: s. ablösen, miteinander
wechseln, alternieren, die Rollen tauschen, aufeinander folgen

abwechselnd: wechselseitig, -weise,
umschichtig, alternierend, im Wechsel mit, periodisch, wahlweise, alternativ

Abwechslung: Zerstreuung, Wechsel,
Zeitvertreib, Veränderung, Ablen-
kung, Erholung, Wandel ‖ Ablösung,
Alternation, Alternanz

abwechslungslos → langweilig

abwechslungsreich: mannigfaltig,
vielfältig, -gestaltig, -artig, wechsel-
voll, kunterbunt, unterhaltend, -halt-
sam, kurzweilig, verschiedenartig,
bewegt, wechselnd, gemischt, variabel

abwegig: irrig, abseitig, fremd, ungereimt, verfehlt, weit hergeholt, unmöglich, -begründet, -logisch, -sin-
nig, -haltbar, -berechtigt, -realistisch,
-zutreffend, falsch, vernunftwidrig,
-stiegen, ausgefallen, entlegen, befremdlich, absonderlich, ohne Sinn
und Verstand, unausführbar, absurd;
ugs.: hirnrissig, -verbrannt, stussig,
blödsinnig, schief, daneben, verrückt

Abwehr: Defensive, Verteidigung, Gegenwehr

abwehren: verhindern, -eiteln, abwenden, -weisen, aufhalten, ab-, auffangen, verunmöglichen, parieren, standhalten, bewältigen, meistern, fertig werden mit, zurückweisen, zurück-, abschlagen ‖ s. wehren, s. verteidigen, s. erwehren, s. zur Wehr setzen, Widerstand leisten/bieten/entgegenstellen, s. nichts gefallen lassen ‖ fern halten, von s. abhalten, nicht herankommen lassen; *ugs.:* s. vom Halse/vom Leibe halten ‖ → ablehnen

abweichen → abkommen ‖ den Kurs/die Richtung ändern, abbiegen, -gehen, -schwenken, -drehen, -zweigen, den Weg verlassen ‖ verschieden sein, s. unterscheiden, kontrastieren, variieren, differieren, divergieren, s. abheben von, abstechen gegen, in Gegensatz/Kontrast/Opposition stehen zu; *ugs.:* aus der Rolle/Reihe/dem Rahmen fallen, aus der Reihe tanzen ‖ → übertreten

Abweichung: Abart, Spielart, Variante, abweichende Form, Sonderart, -fall, Ausnahme, Variation, Abwandlung, Veränderung, Modifikation ‖ → Unterschied ‖ Richtungsänderung, Abirrung, Aberration, Deviation, Abtrift, -schweifung ‖ Regelverstoß, Irregularität, Norm-, Regelwidrigkeit, Anomalie, Anomalität, Abnormität ‖ Ketzerei, Irrlehre

abweisen → ablehnen

abweisend: unfreundlich, verschlossen, unzugänglich, -nahbar, zugeknöpft, kühl, distanziert, barsch, ungefällig, -wirsch, -höflich, rüde, abstoßend, -lehnend, reserviert, kurz angebunden

abwenden → abwehren ‖ **sich a.:** s. weg-/umwenden, s. abkehren, den Rücken kehren/(zu)wenden/zeigen/zudrehen, s. zur Seite wenden, s. umdrehen ‖ **sich a. von:** abrücken von, s. zurückziehen, s. lösen, brechen mit, verlassen, s. lossagen, den Verkehr/Kontakt einstellen; *ugs.:* fallen lassen, abschreiben

abwerben: abspenstig machen, weglocken, überreden, gewinnen für; *ugs.:* ausspannen, loseisen, abziehen, wegschnappen, kapern

abwerfen: Gewinn bringen, einträglich sein, ein-, erbringen, ergeben, eintragen, s. bezahlt machen; *ugs.:* etwas springt heraus/schaut heraus/fällt dabei ab ‖ herunterwerfen, fallen lassen, absetzen, -schleudern; *ugs.:* abschmeißen

abwerten: entwerten, den Kurs/Wert/die Kaufkraft herabsetzen, vermindern ‖ herabwürdigen, -setzen, diskreditieren, diffamieren, abqualifizieren, verunglimpfen, in ein schlechtes Licht rücken, gering schätzen; *ugs.:* in den Dreck ziehen, madig machen

abwertend → abfällig

abwesend → fort ‖ → geistesabwesend

abwetzen → abnutzen

abwickeln: abspulen, -rollen, -haspeln, ablaufen/-schnurren lassen ‖ aus-, durchführen, erledigen, bewerkstelligen, -sorgen, in die Tat umsetzen, machen, vollbringen, -enden, -ziehen, verwirklichen, zustande/-wege bringen; *ugs.:* durchziehen, über die Bühne rollen, etwas schaukeln

abwiegen → wiegen

abwimmeln → abfertigen ‖ → aufbürden

abwinken → ablehnen

abwischen: aus-, wegwischen, abreiben, (ab-, aus)löschen, beseitigen, entfernen, tilgen ‖ abstauben, reinigen, säubern, sauber machen, putzen; *ugs.:* wienern

abwürgen → unterdrücken ‖ → töten

abzahlen: zurück-, abbezahlen, in Raten (be)zahlen, abtragen, tilgen, begleichen, abgelten, amortisieren; *ugs.:* abstottern

abzählen → zählen ‖ → abziehen

Abzeichen: Anstecknadel, Plakette, Emblem, Badge, Sticker, Kokarde, Insignien ‖ Zeichen (Tiere), Mal, Blesse

abzeichnen: nachmalen, -zeichnen, kopieren, nachbilden, abmalen, wiedergeben ‖ sein Zeichen setzen unter, → unterschreiben ‖ **sich a.:** Konturen bilden, s. abheben, abstechen, kontrastieren, sichtbar/erkennbar werden, s. zeigen ‖ → s. ankündigen

abziehen: abrechnen, subtrahieren, abzählen, -streichen, (ver)mindern, verringern, wegnehmen; *öster.:* wegzählen ‖ (ab)häuten, enthäuten, abbalgen, abstreifen; *reg.:* pellen ‖ abnehmen (Ring), entfernen, weg-, herunterziehen ‖ vervielfältigen, kopieren, hektographieren, vervielfachen, ablichten ‖ das Feld räumen, → weggehen ‖ abkommandieren, zurückziehen, abstellen, -berufen ‖ weg-, fort-, abfliegen (Vögel) ‖ → schießen ‖ absaugen, -pumpen, -zapfen, -füllen, entnehmen ‖ glätten, abhobeln ‖ schärfen, (ab)schleifen, (ab)feilen, wetzen

abzielen auf: abheben / (hin)zielen / abstellen / anspielen / absehen / aus sein / anlegen / hinauswollen / reflektieren / zu- / hinsteuern / gerichtet sein / hinarbeiten auf, an-, erstreben, beabsichtigen, -zwecken, planen, vorhaben, wollen, trachten / streben nach, im Sinn haben, s. in den Kopf setzen, aspirieren, s. bemühen um, zu erlangen/erreichen suchen, ins Auge fassen, spekulieren auf, rechnen mit; *ugs.:* ausgehen auf

abzischen → weggehen

Abzug: Rückzug, Abgang, -marsch, -wanderung, Räumung ‖ Luft-schacht, Kamin, Entlüfter, Abzugsrohr ‖ Abziehen, -rechnen, -rechnung, -strich, Kürzung, Abschlag, Streichung ‖ → Preisnachlass ‖ Abdruck, Positiv, Bild, Aufnahme, Fotografie, Foto ‖ (Foto)kopie, Vervielfältigung, Reproduktion, Ablichtung ‖ Steuern, Abgaben ‖ Abzugshebel, -bügel, -hahn

abzüglich: nach Abzug, abgerechnet, -gezogen, ohne, weniger, minus, un(ein)gerechnet, nicht inbegriffen, exklusive, ausgenommen, vermindert um

abzupfen → abreißen ‖ → pflücken

abzweigen: abbiegen, -gehen, -schwenken, den Kurs/die Richtung ändern ‖ s. gabeln, s. teilen, s. spalten, abgehen, s. trennen ‖ einsparen, weg-, entnehmen, zurücklegen, erübrigen; *ugs.:* abzwacken, -knapsen

abzwingen: abnötigen, -pressen, -dringen, -trotzen, -ringen, -gewinnen, entlocken, wegnehmen

abzwitschern → weggehen

Accessoires: Zubehör, Utensilien, Requisiten; *öster., schweiz.:* Zugehör; *ugs.:* Drum und Dran, Klimbim, Kinkerlitzchen

achtbar: geachtet, ehrenhaft, -wert, ehrbar, -sam, angesehen, honett, rechtschaffen, honorabel, reputierlich, (hoch)anständig, redlich, gediegen, anerkannt, solide, vertrauenswürdig, lauter ‖ → beachtlich

achten: schätzen, respektieren, hoch achten/schätzen/halten, wertachten, (ver)ehren, wertschätzen, aufsehen/-schauen/-blicken zu, voller Ehrfurcht sein, werthalten, in Ehren halten, jmdm. die Ehre/Achtung erweisen, würdigen, anerkennen, honorieren, den Hut ziehen vor, bewundern, eine hohe Meinung haben von, ästimieren, Tribut zollen, viel geben auf; *ugs.:* große Stücke halten auf ‖ **a. auf** → aufpassen

ächten: die Acht verhängen/ausspre-chen/erklären über, in Acht und Bann tun, (ver)bannen, in die Ver-bannung schicken, verfemen, aus-schließen, verdammen, ver-, aussto-ßen, für vogelfrei erklären, fortjagen, boykottieren ‖ → brandmarken

Acht geben → aufpassen

achtlos: unachtsam, gleichgültig, un-bedacht, gedanken-, sorglos, nach-lässig, leichtsinnig, -fertig, lieblos, unsorgfältig ‖ → unaufmerksam

achtsam → schonend ‖ → aufmerk-sam

Achtung → Ansehen ‖ → Ehrfurcht

Ächtung → Bann ‖ → Diskriminie-rung

achtungsvoll → ehrfürchtig

ächzen: (auf)stöhnen, -seufzen, einen Seufzer ausstoßen, krächzen ‖ knar-ren, knarzen, schnarren ‖ → klagen

Acker: Feld, Ackerland, -boden, Scholle, Flur; *reg.:* Pflugland, Stück; *schweiz.:* Land

Ackerbau: Feldwirtschaft, -bau, -ar-beit, -bestellung, Agrarwesen, Land-bebauung, -wirtschaft, -bau, Agrikul-tur

ackern → pflügen ‖ → s. anstrengen

adaptieren → anpassen

adäquat → angemessen

addieren: zusammen-, dazuzählen, hinzufügen, summieren, zusammen-ziehen, -rechnen, die Summe bilden

ade → Wiedersehen

Adel: Aristokratie, Oberschicht, No-bilität, Adelsstand, -kaste, -ge-schlecht; *veraltet:* Noblesse

adelig → adlig

Ader: Arterie, (Blut)gefäß, Blutbahn ‖ → Spürsinn ‖ → Fähigkeit

ad hoc: zu diesem Zweck, dafür, hier-für ‖ aus dem Augenblick heraus, spontan

adieu → Wiedersehen

ad infinitum: bis ins Unendliche, → dauernd

Adjutant: Adjunkt, Gehilfe, Bei-stand, Helfer, Assistent, Adlatus, Hilfe, Sekundant; *ugs.:* Hiwi

Adler: *dicht.:* König der Lüfte, Aar

adlig: edelmännisch, aristokratisch, von Adel, blaublütig, von blauem Blut, hoch(wohl)geboren, von hoher Abkunft, von erlauchter Geburt, er-laucht, feudal, hoffähig, junkerlich, von hohem Rang, von hohem Stand, (alt)adelig ‖ edel, vornehm, nobel, erhaben, distinguiert

Administration: Verwaltung(sbe-hörde), Bürokratie, Dienststelle, Amt

Adonis: Schönling, Beau, Paris, schöner Jüngling/Mann

adoptieren: an Kindes statt anneh-men

Adresse: Anschrift, Wohnungsan-gabe, Aufenthaltsort ‖ Schreiben, (Denk)schrift, Note

adrett: hübsch, nett, sauber, ordent-lich, gepflegt, fesch, flott, frisch, pro-per, schmuck; *ugs.:* wie geleckt/aus dem Ei gepellt, geschleckt, tipptopp

Advokat: (Rechts)anwalt, Rechtsbei-stand, -berater, Jurist ‖ Fürsprecher, Verfechter, -treter, -teidiger, Sach-walter

Affäre: Angelegenheit, (Vor)fall, Sa-che, Hergang, Umstand, Begeben-heit, Geschehnis, Ereignis, Vor-kommnis; *ugs.:* Geschichte, Chose, Ding; *derb:* Mist ‖ *pl.:* Liebelei, (Lie-bes)abenteuer, Liebeserlebnis, Lieb-schaft, Amouren, Verhältnis, Seiten-sprung, Flirt, Spiel, Episode, Ro-manze, Liebeshändel; *ugs.:* Techtel-mechtel; *öster.:* Pantscherl

Affe → Dummkopf ‖ → Geck

Affekt: Erregung, Gemütsbewegung, Aufregung, Erhitzung, Aufruhr, (Auf)wallung, Exaltation, Rausch, Impuls, Taumel, Emotion, Überrei-zung

affektiert → geziert

Affektiertheit → Gehabe

affig → eitel ‖ → geziert
Affigkeit → Gehabe
Affinität: (Wesens)verwandtschaft, Anziehungskraft, Gemeinsam-, Ähnlichkeit, Beziehung, Verhältnis
Affirmation: Bejahung, Zustimmung, Billigung, Bestätigung, Einverständnis, Akklamation, Einwilligung, Gutheißung, Anerkennung, Bekräftigung
Affront → Beleidigung ‖ → Herausforderung
Afrika: Schwarzer Erdteil/Kontinent
After: Darmausgang, Anus, Gesäß; *derb:* Arsch(loch)
Agens → Antrieb
Agent: Vertreter, -mittler, Beauftragter, Makler, Mittelsmann ‖ Spion, (Aus)kundschafter, Späher, Spitzel, Saboteur, Schnüffler, Lauscher, Zuträger; *öster.:* Schnoferl
Agentur: Vertretung, Geschäfts-, Vermittlungs-, Zweig-, Nebenstelle
aggressiv: streitsüchtig, angriffslustig, -greifend, streitbar, offensiv, zank-, hadersüchtig, zänkisch, kämpferisch, kampflustig, -bereit, kriegerisch, kriegslüstern, -treiberisch, -hetzerisch, provokativ, eroberungssüchtig, -lustig, unfriedlich
agieren: handeln, wirken, tätig sein, operieren, vorgehen, verfahren, tun, machen ‖ darstellen, spielen, auftreten, verkörpern, vorstellen, die Rolle übernehmen
agil → lebhaft
agitieren: Propaganda machen/treiben für, werben, propagieren, anlocken, ködern, aufwiegeln, überreden ‖ aufklären, politisieren, Licht bringen in, orientieren, die Augen öffnen, Aufschluss geben
Agonie: Todeskampf, -not, -pein, die letzte Stunde ‖ Untergang, Zer-, Verfall, Niedergang
agrarisch: landwirtschaftlich, bäuerlich

ahnden: (be)strafen, züchtigen, mit einer Strafe belegen, maßregeln, rächen, vergelten, Rache üben/nehmen, heimzahlen, abrechnen, belangen, zur Verantwortung ziehen, ins Gericht gehen
Ahn(e): Vorfahr, Ahnfrau, -herr, Urahn(e), Stammvater, -mutter; *pl.:* Vorväter, die Alten, Altvorderen
ähneln: ähnlich sein/(aus)sehen, erinnern an, anklingen an, geraten/schlagen/arten nach, in jmds. Art schlagen, gleichen, gleichsehen, übereinstimmen, etwas gemeinsam haben, gemahnen an, s. entsprechen, verwandt sein, jmdm. nachschlagen
ahnen: vermuten, (im Voraus) fühlen, (auf s. zu)kommen sehen, ein Vorgefühl/eine innere Stimme/einen Verdacht/eine Befürchtung haben, (be)fürchten, voraus-, erahnen, vorher-, voraussehen, annehmen, spüren, wittern, rechnen mit, erwarten, gefasst sein auf, dämmern, mutmaßen; *ugs.:* schwanen, tippen, Lunte riechen, einen Riecher haben
Ahnentafel: Stammbaum, -tafel, Abstammungstafel, Geschlechtsregister
ähnlich: verwandt, gleich(artig), entsprechend, etwa wie, vergleichbar, von gleicher/ähnlicher Art, übereinstimmend, wie aus dem Gesicht geschnitten, artgemäß, als ob, gerade so
Ahnung: innere Stimme, Vorgefühl, -ahnung, Vermutung, Gefühl, Intuition; *ugs.:* Animus, sechster Sinn, Riecher
ahnungslos → naiv ‖ → unwissend
Akademie: Fachhochschule, Forschungsanstalt, Bildungsstätte ‖ Forschergemeinschaft ‖ *öster.:* (Vormittags)veranstaltung
Akademiker: Hochschulabsolvent, Gelehrter, Wissenschaftler, Forscher, Akademiemitglied, Intellektueller; *ugs.:* studierter Mann, Studierter, gelehrtes Haus, Intelligenzler

akklimatisieren, sich → s. anpassen
Akkord: Zusammenklang ‖ Akkordarbeit ‖ Leistungs-, Stücklohn
Akkordeon: Hand-, Ziehharmonika, Bandoneon, Schifferklavier; *scherzh.:* Quetschkommode, -kasten, Quetsche; *öster.:* Maurerklavier
akkreditieren: beglaubigen, -stätigen, zulassen, konsignieren, bevollmächtigen, anerkennen
Akkumulator: Akku, Stromspeicher, -sammler, Kraftspeicher, Batterie, Speicher
akkumulieren → anhäufen
akkurat → genau ‖ → gewissenhaft
Akkuratesse → Sorgfalt
Akontozahlung: Abschlags-, An-, Teil-, Raten-, Voraus-, Abzahlung, Abschlag
Akribie → Sorgfalt
Akrobat: Artist, Zirkus-, Varieteekünstler, Gaukler, Schlangenmensch, Kaskadeur
Akt: Handlung, Tat, Verhalten, Tun, Vorgang, Handlungsweise, Aktion, Maßnahme ‖ Aufzug, -tritt, Szene, Bild ‖ Aktbild, -studie ‖ Zeremonie, Zeremoniell, Feierlichkeit ‖ → Geschlechtsverkehr
Akte: Dossier, Aktenbündel, -sammlung, -ordner, -mappe, Faszikel, Konvolut ‖ Urkunde, Dokument, Schriftstück, Unterlage, Papier ‖ *EDV:* Datei
aktenkundig: gerichtskundig, -notorisch ‖ belegbar, urkundlich, nachweisbar, belegt, nachweislich
Akteur → Schauspieler
Aktie: Wertpapier, Anteilschein, (Industrie)papier, Share
Aktion: Handlung, Tat, Unternehmung, Maßnahme, Tätigkeit, Unternehmen, Vorgehen, Procedere, Verfahren, Operation, Akt, Coup, Kampagne, Feldzug, Aktivität, Umtriebe, Machenschaften, Eingriff, Handstreich, Bravourstück

aktiv: wirksam, handelnd, tätig, zielstrebig, rührig, lebendig, tüchtig, engagiert, energisch, tatkräftig, rege, unternehmend, unternehmungslustig, betriebsam, geschäftig ‖ → fleißig
aktivieren: beleben, ankurbeln, -regen, -stacheln, -treiben, -spornen, verstärken, in Gang/Schwung bringen, in Bewegung/Tätigkeit setzen, Auftrieb geben, auf Touren bringen, intensivieren, steigern, mobilisieren, aktualisieren, lebendig/wirksam machen, auffrischen, -rütteln, stimulieren, inspirieren, beflügeln
aktuell: zeitnah, -gemäß, gegenwartsnah(e), akut, brisant, spruchreif, gegenwärtig, laufend, zur Zeit, mitlebend, derzeitig, neu, jetzig, bedeutsam, dringlich, belangvoll, von Wichtigkeit / Bedeutung / Gewicht / Belang ‖ → modern
akustisch: klanglich, phonetisch, klangmäßig, auditiv, gehörsmäßig
akut → wichtig
Akzent → Aussprache ‖ Betonung, Ton, Gewicht, Hervorhebung, Unterstreichung
akzentuieren: betonen, hervorheben, den Ton legen auf, mit Nachdruck aussprechen, herausstellen, -heben, unterstreichen, pointieren, prononcieren
akzeptabel → annehmbar
akzeptieren: annehmen, billigen, zustimmen, beipflichten, -stimmen, seine Zustimmung geben, anerkennen, gutheißen, einwilligen, befürworten, gelten/geschehen lassen, goutieren, zulassen, respektieren, einverstanden sein, dulden, tolerieren, konzedieren, gestatten, übereinstimmen, ja sagen zu, genehmigen, einig gehen, eingehen auf; *ugs.:* mitmachen, nichts dagegen haben
Alarm: Warnung, Alarmierung, Warnruf, -zeichen, (Gefahren)signal, (Not)ruf, SOS

alarmieren: zum Einsatz/zu Hilfe rufen, Alarm geben/schlagen, Lärm schlagen, ein Warnsignal abgeben, warnen, aufmerksam machen auf ‖ beunruhigen, besorgt machen/stimmen, in Unruhe versetzen, zusammenrufen, aufrütteln

albern: einfältig, töricht, kindisch, närrisch, läppisch, hanswurstig, blöd(sinnig), infantil, lächerlich, dumm, lachhaft; *ugs.:* quatschig, kalberig, kälberig ‖ → scherzen

Albernheiten → Unsinn

Album: Sammel-, Andenken-, Gedenkbuch

alias: anders/auch genannt, sonst, außerdem, oder, eigentlich, mit anderem Namen

Alibi: Abwesenheitsnachweis, Unschuldsbeweis, Rechtfertigung, Ausrede

Alimente: Unterhaltszahlung, -beitrag, -geld, Ziehgeld

alkalisch: laugenartig, basisch, laugenhaft

Alkoholiker: (Gewohnheits)trinker, Trunkenbold, Zecher, Trunksüchtiger; *ugs.:* Schluckbruder, -specht, Schnapsnase, -bruder, Sumpfhuhn, durstige Seele, nasser Bruder, Pichler, Schlauch; *derb:* Säufer, Saufbold, -bruder, -kumpan, -loch, -sack, -gurgel, versoffene Nudel; *reg.:* Schwiemel(kopf), Söffel; *öster.:* Tippler

Alkoholismus: Trunksucht; *med.:* Potomanie, Potatorium; *derb:* Suff, Versoffenheit, Sauflust

All: Weltall, Universum, (Makro)kosmos, Himmels-, Weltraum, Unendlichkeit, (kosmischer) Raum, Weltenraum, Himmel, Weltganzes

alle: sämtliche, jeder(mann), allesamt, jedweder, jeglicher, allerseits, vollzählig, -ständig, geschlossen, alle möglichen, wer auch immer, ausnahmslos, ohne Ausnahme, samt und sonders, alle Welt, die Gesamtheit,

Mann für Mann, in voller Zahl, ganz, total, in vollem Umfang, gesamt, von vorn bis hinten/A bis Z, Groß und Klein, mit Kind und Kegel/Mann und Maus, Männlein und Weiblein, Jung und Alt, Reich und Arm, die ganze Gesellschaft, jeder Couleur/Sorte, bis zum letzten Mann; *ugs.:* durch die Bank, Hinz und Kunz

Allee: Baumstraße, -reihe, Promenade

Allegorie → Sinnbild

allegorisch → bildlich

allein: von s. aus, im Alleingang, ohne (fremde) Hilfe/Anleitung, aus eigener Kraft, eigenständig, -verantwortlich, selbständig, autonom, unbeaufsichtigt ‖ → einsam ‖ allein stehend ‖ → aber ‖ → nur ‖ **von a.** → freiwillig

Alleinherrscher: Souverän, Autokrat, Diktator, Despot, Tyrann, Unterdrücker, Gewalt-, Schreckensherrscher

Alleinsein → Einsamkeit

allein stehend: ohne Familie/Verwandte, Anhang, ledig, allein, ehelos, unverheiratet, -vermählt, -gebunden; *öster.:* alleinig, einschichtig; *ugs.:* noch zu haben, den Anschluss verpasst habend ‖ einzeln stehend, für sich, vereinzelt, -waist, einsam

allemal: auf jeden Fall, sowieso, sicher, sehr wohl, gewiss, in der Tat, durchaus, versteht sich, zweifellos, natürlich, selbstverständlich; *ugs.:* dicke ‖ → dauernd

allenfalls: höchstens, im besten/äußersten/günstigsten Fall, gerade noch, äußersten-, günstigsten-, bestenfalls, im Notfall, zur Not ‖ möglicherweise, vielleicht, gegebenenfalls, unter Umständen, eventuell, womöglich, möglichenfalls, vermutlich, je nachdem; *öster., schweiz.:* allfällig

allenthalben → überall

allerdings: freilich, jedoch, aber, indes(sen), hingegen ‖ aber gewiss, natürlich, selbstverständlich, ja, wohl, ohne Frage, zweifellos, selbstredend, ohne weiteres, sicher; *ugs.:* klar, logisch

allergisch: (über)empfindlich, anfällig, reizbar

allerhand → allerlei ‖ → unerhört

allerlei: mancherlei, vielerlei, allerhand, manches, alles Mögliche, verschiedenerlei, mehrerlei, dieses und jenes, dies und das, verschiedenes, diverses, einiges, etliches

Allerlei: Kunterbunt, Durcheinander, Mischung, Konglomerat, Melange, Gemisch, -menge, Mixtur, Pêlemêle; *ugs.:* Mischmasch, Sammelsurium, Kuddelmuddel, Krimskrams

allerorten → überall

alles: (ins)gesamt, total, ganz, samt und sonders, das Ganze/Gesamte, restlos, vollständig, ausnahmslos, von A bis Z, rundweg, alles in Allem

allgemein: üblich, gängig, landläufig, verbreitet, bevorzugt, herkömmlich, gewohnt, -bräuchlich, regulär, herrschend ‖ universal, universell, (allgemein) gültig, (all)umfassend, absolut, allseitig, global, geltend, gemein, weltweit, gesamt ‖ durchgängig, -weg(s), -gehend, ausnahmslos, ohne Ausnahme, samt und sonders, schlechthin ‖ unbestimmt, leer, unklar, abstrakt, ungenau, nichts sagend, oberflächlich, verschwommen, verwaschen; *ugs.:* schwammig ‖ → überall ‖ **im Allgemeinen:** generell, prinzipiell, grundsätzlich, im Großen und Ganzen, mehr oder weniger, in summa, alles in Allem, weit-, gemeinhin, in aller Regel; *ugs.:* durch die Bank

Allgemeinheit: Gesamtheit, Totalität, das Ganze, Ganzheit ‖ Gemeinschaft, Öffentlichkeit, Publikum, Leute, Menschen, Menge, Gesellschaft, Umwelt ‖ → Gemeinplatz

Allianz: (Staaten)bündnis, Bund, Pakt, Zusammenschluss, Liga, Achse, Entente, Verbindung

Alliierter: Verbündeter, Bündnispartner, Bundesgenosse, (Kon)föderierter ‖ *pl.:* die Westmächte, der Westen

allmächtig: allgewaltig, uneingeschränkt, -beschränkt, -umschränkt, absolut, schrankenlos, omnipotent, mächtig ‖ göttlich, allsehend, -wissend, übermenschlich, -natürlich, vollkommen, allgegenwärtig

allmählich: langsam, nach und nach, kaum merklich, unmerklich, mit der Zeit, etappen-, schritt-, stück-, stufen-, gradweise, Schritt für Schritt, Stück für/um Stück, (all)gemach, graduell, sukzessiv(e); peu à peu, im Laufe der Zeit, in Etappen, nacheinander, nicht auf einmal

Alltag: Werk-, Arbeits-, Wochentag ‖ Alltäglichkeit, Regelmäßigkeit, Gewohnheit, Eintönigkeit, -förmigkeit, Monotonie, Öde, Einerlei; *ugs.:* Tretmühle, immer dasselbe, die alte Leier

alltäglich: üblich, durchschnittlich, (mittel)mäßig, gewöhnlich, normal, profan, gewohntermaßen, (all)vertraut, (wohl) bekannt, geläufig, regulär, routinemäßig, ein und dasselbe, immer dasselbe, grau, banal, ordinär, fade, farblos, belanglos, trivial ‖ täglich, Tag für Tag, immer, alle Tage, jeden Tag, tagein tagaus, werk-, wochentäglich, wiederholt

Allüren: Gehabe, Launen, Getue, Grillen, Flausen, Mucken, Marotten, Kapriolen, Kaprizen, Spleen

allzeit → dauernd

Alm: Bergwiese, -weide, Alp(e), Almwiese, Alpweide; *öster., schweiz.:* Mahd; *schweiz.:* Matte, Stafel ‖ Sennerei, Alm-, Vieh-, Milchwirtschaft

Almanach: Auswahlband, Brevier, Jahrbuch, Kalender

Almosen: milde Gabe, Spende, Gnadengeschenk, Scherflein

Alp → Alm ‖ → Angsttraum

Alpenrose: Almrausch; *volkst.:* Bergröschen, Schneerose

Alphabet: Buchstabenfolge, -reihe, Abc

alpin: bergig, gebirgig, steil, abschüssig, -fallend

Alpinist: Bergsteiger, Kletterer, Gipfelstürmer, Hochtourist; *ugs.:* (Berg)kraxler, Gletscherfloh

Alptraum → Angsttraum

als: zu der Zeit, da, nachdem, während, wie, wenn; *ugs.:* wo ‖ in Form/ Gestalt von, wie wenn, gleichsam, vergleichsweise, gewissermaßen

alsbald → bald, binnen kurzem, früh, zeitig, sofort

also: folglich, demnach, -zufolge, infolgedessen, danach, ergo, somit, -nach, logischerweise, mithin, jedenfalls, demgemäß, -entsprechend, deshalb, insofern, darum, daher, -durch, auf Grund dessen ‖ schließlich, endlich, zuletzt, kurz und gut

alt: (hoch)bejahrt, (hoch)betagt, bei Jahren, ältlich, stein-, uralt, greisenhaft, altersschwach, vergreist, in hohem/gesegnetem/vorgerücktem Alter, ergraut, greis, grau, senil; *schweiz.:* bestanden, verknorzt; *ugs.:* verkalkt, -knöchert, wackelig, schon viele Jahre auf dem Buckel/Rücken habend, alt wie Methusalem, bemoost, verblüht, -braucht, zum alten Eisen gehörend, klapprig ‖ gebraucht (Kleider), getragen, abgenutzt, -gewetzt, ausgeleiert, -dient, verschlissen ‖ vorherig, ehemalig, früher, einstig, vormalig, gewesen, vergangen, -flossen ‖ antiquarisch, aus zweiter Hand, antiquiert, altertümlich, archaisch, antik, altehrwürdig, aus alter Zeit stammend ‖ → altmodisch ‖ alt-

hergebracht, überliefert, -kommen, eingeführt, traditionell, bewährt, gewohnt, herkömmlich, konventionell, bekannt, langjährig ‖ ungenießbar (Lebensmittel), verdorben, faul(ig), verfault, nicht frisch, verschimmelt, ranzig (Butter), schlecht, sauer (Milch); *ugs.:* hinüber, einen Stich habend ‖ überholt (Witz), langweilig; *ugs.:* ein alter Hut/Bart/Zopf, olle Kamellen, kalter/aufgewärmter Kaffee, gruftig

Altar: Tisch des Herrn, Gottes-, Gnaden-, Opfertisch

altbacken: trocken, hart, nicht mehr frisch, alt; *ugs.:* vergammelt, gammelig ‖ → altmodisch

Alteisen: Schrott, Altmaterial, -metall, -waren, -stoff, Abfall; *ugs.:* Plunder, Schund, Ramsch

Alter: Lebensabend, -ausklang, -herbst, Ruhestand, die alten Tage, Greisentum, -alter; *gehoben:* Lebensneige, Abend/Herbst des Lebens ‖ Bejahrtheit, -tagtheit ‖ Lebensalter, -jahre ‖ Generation, Jahrgang, Altersklasse, -stufe ‖ → Ehemann ‖ → Vater ‖ → Greis

altern: älter/alt/grau/alt und grau werden, in die Jahre kommen, ergrauen, vergreisen, verfallen, welken, verknöchern; *ugs.:* verkalken, Moos/ Patina ansetzen

alternativ: abwechselnd, wahlweise, alternierend ‖ anders, abweichend, nonkonform(istisch), gegenläufig, unkonventionell, subkulturell; *ugs.:* anti, dagegen ‖ → grün

Alternativbewegung: Alternativkultur, -szene, Sub-, Gegenkultur, zweite Kultur ‖ die → Grünen

Alternative: Entscheidung, Wahl-(möglichkeit), andere Möglichkeit, Entweder - oder ‖ Gegenmodell, -entwurf, -vorschlag, das Andere/ Neue, Vorbild

Alternativer: Nonkonformist, Abweichler; *ugs.:* Alternativler, Aussteiger, Freak, Biofreak, Müslifresser, Sandalenträger, Öko ‖ die → Grünen

Altersheim: Alten-, Feierabend-, Pflege-, Altenwohnheim, Seniorenheim, -hotel, -zentrum, -wohnsitz; *reg.:* Feierabendhaus

altersschwach: gebrechlich, abgelebt, hinfällig, kraftlos, pflegebedürftig, abgespannt, -genutzt, -gezehrt, zittrig, kaduk, kachektisch, matt, (die Kräfte) verschlissen, verfallen; *ugs.:* tap(e)rig, tapprig, klapprig, tatterig; *reg.:* tuttelig, krachelig; *schweiz.:* bresthaft, schitter

Altersversorgung: Alters-, Rentnerfürsorge, Alters(ver)sicherung ‖ Rente, Pension, Ruhegeld, -gehalt

altertümlich → alt ‖ → altmodisch

altfränkisch → altmodisch

altjüngferlich: gouvernantenhaft, prüde, spröde, blaustrümpfig, altjungfraulich

altklug: unkindlich, frühreif, vorlaut, naseweis, vorwitzig; *ugs.:* neunmalklug

Altlast: Umweltgiftdepot, Halde, stillgelegte Müllkippe, Produktionsrückstand ‖ ungelöstes Problem, Restschwierigkeit, (politische) Erblast

altmodisch: unmodern, out, unzeitgemäß, -gebräuchlich, veraltet, -gangen, passé, anachronistisch, obsolet, vorbei, gestrig, aus der Mode, abgelebt, nicht mehr gefragt, rückständig, konservativ, zeitwidrig, überholt, -altert, -lebt, alt, zeitfremd, ver-, angestaubt, antik, antiquiert, altfränkisch, altertümlich; *ugs.:* vorsintflutlich, aus grauer Vorzeit, von gestern, bärtig, verzopft, zopfig, aus der Mottenkiste, abgetan, altbacken, hinterm Mond

Altwaren → Ramsch

Altwarenhändler: Trödler, Gebrauchtwaren-, Altstoff-, Altmaterial-, Schrotthändler, Lumpensammler, -händler; *ugs.:* Tandler, Kruschtler, Ramschhändler

Altweibersommer: Frauen-, Sommer-, Himmelfaden, Marienfäden, Indianer-, Spät-, Nach-, Fadensommer; *reg.:* der fliegende Sommer

Amateur: Nichtfachmann, Laie, Liebhaber, kein Profi

Amazone: (Turnier)reiterin ‖ Streiterin, Kämpferin ‖ → Feministin

Ambition → Ehrgeiz

ambivalent: doppelwertig, mehrdeutig, gespalten, -brochen, doppelbödig, zwiespältig, unentschieden

Amerika: die Vereinigten Staaten, die USA, das Land der unbegrenzten Möglichkeiten, die Neue Welt; *ugs.:* Uncle/Onkel Sam, hinter dem Teich

Amme: Nährmutter, Kindermädchen, -schwester, -frau, -fräulein, Säuglingsschwester, Erzieherin

Ammenmärchen: Erfindung, unwahre Geschichte/Erzählung/Bericht, Lügengeschichte, Münchhausiade, Fabel, Fiktion, Erdichtung, Ausgedachtes, Legende, Jägerlatein, Flunkerei, Hirngespinst

Amnestie → Straferlass

amnestieren → begnadigen

Amoklauf: Raserei, Besessenheit, Tob-, Tötungs-, Mordsucht, Wutausbruch, Wutanfall, Tobsuchtsanfall

amoralisch → anstößig

amorph: form-, gestaltlos, ungeformt, -gestaltet, -gegliedert, -strukturiert, strukturlos

amortisieren: Schuld tilgen, löschen, abdecken, be-, ausgleichen, abgelten, -zahlen, -tragen ‖ abschreiben

Amouren → Affäre

Ampel: Verkehrslicht ‖ Hängelampe, Gehänge

amputieren: abtrennen, -nehmen, entfernen; *med.:* resezieren, absetzen

Amt: Behörde, Dienststelle, Verwaltung, Instanz, Obrigkeit, Büro, Geschäftsstelle, Administration; *schweiz.:* Verweserei ‖ Posten, Stellung, Funktion, Charge, Arbeitsgebiet, -feld, -kreis, Tätigkeitsbereich, Wirkungskreis, Sachgebiet, Beruf, Stelle, Position ‖ Aufgabe, Verpflichtung, Pflicht ‖ Gottesdienst, Andacht, Messe, Hochamt; *ugs.:* Kirche

amtieren: ein Amt innehaben/einnehmen/bekleiden/ausüben, einen Rang/eine Stellung besetzen, tätig sein als, wirken, fungieren; *schweiz.:* amten

amtlich: behördlich, dienstlich, offiziell, öffentlich, geltend, maßgeblich, administrativ, amtshalber, von Amts wegen, ex officio, offiziös, verwaltungsmäßig ‖ zuverlässig, glaubwürdig, gewiss, urkundlich, beweiskräftig, bestätigt, -legt, -glaubigt, -zeugt, verbrieft, -bürgt, dokumentarisch, notariell ‖ → förmlich

Amtsweg: Dienst-, Instanzen-, Behördenweg, Geschäftsgang; *öster.:* Instanzenzug

Amtszimmer: Amtsstube, Dienstraum, -zimmer, Geschäftszimmer, -raum, Büro, Schreibstube

Amulett: Talisman, Glücksbringer, Maskottchen, Fetisch, Anhänger

amüsant → kurzweilig ‖ → komisch

Amüsement → Kurzweil

amüsieren: erheitern, belustigen, vergnügen, ergötzen, unterhalten, zerstreuen, Freude/Vergnügen bereiten, erfreuen, freudig stimmen, entzücken, Heiterkeit erregen, Spaß machen ‖ **sich a.:** s. vergnügen, s. die Zeit vertreiben, das Leben genießen, s. unterhalten, Spaß haben, s. zerstreuen, s. belustigen, s. verlustieren, fröhlich sein; *ugs.:* lumpen

an: bei, zu, bis, nach, neben ‖ **a. die** → annähernd ‖ **a. sich** → schlechthin

anachronistisch → altmodisch

anal: rektal, per anum

analog: entsprechend, ähnlich, vergleichbar, -gleichsweise, gleich(artig), übereinstimmend, parallel, kommensurabel, komparabel, annähernd, verwandt, kongruent, konvergierend, dem Sinne nach, sinngemäß

analysieren: untersuchen, durch-, ausforschen, durch-, hineinleuchten, auf den Grund gehen, kritisch/genau prüfen, ergründen, -klären ‖ zergliedern, -legen, -teilen, auseinander legen/nehmen, entwirren, zerpflücken, in Bestandteile trennen, atomisieren

Anarchie: Regel-, Plan-, Gesetzlosigkeit, Verwirrung, Desorganisation, Chaos, Unordnung, Wirrnis ‖ Herrschaftslosigkeit, -freiheit, Zwanglosigkeit, Libertinage, Freiheit

anarchisch: chaotisch, gesetzlos, ungeordnet, wirr, wild, plan-, regellos, verworren, wüst, ohne feste Ordnung

Anarchist → Terrorist ‖ gesetzloser Rebell, → Weltverbesserer

anarchistisch: umstürzlerisch, aufrührerisch, zersetzend, -störerisch, subversiv, gewalttätig, radikal, extremistisch, terroristisch

anästhesieren: betäuben, narkotisieren, einschläfern, schmerzunempfindlich machen

anbahnen: in die Wege leiten, vorbereiten, anknüpfen, -zetteln, einleiten, -fädeln, anspinnen, -fangen, den Anfang machen, beginnen, Kontakt aufnehmen, Initiative ergreifen ‖ **sich a.:** s. andeuten, s. zu entwickeln beginnen, entstehen, s. anspinnen, s. ankündigen, s. abzeichnen, s. kundtun, aufkommen, -keimen, s. entfalten/-spinnen, ausbrechen, erwachsen, s. ergeben; *ugs.:* s. zusammenbrauen

anbändeln: *(ugs.):* eine Beziehung anknüpfen, s. jmdn. anlachen, Fühlung nehmen, anbinden mit, s. bei-/zugesellen, s. aufdrängen, schäkern, flirten, tändeln, auf Fang gehen, schöntun, den Hof machen; *ugs.:* jmdn. anmachen, aufreißen, s. jmdn. angeln/fischen ‖ Streit anfangen/suchen/heraufbeschwören/vom Zaun brechen, Unfrieden stiften, Händel suchen; *ugs.:* stänkern

anbauen: erweitern, vergrößern, zubauen ‖ anpflanzen, (ein)setzen, bestellen, kultivieren, säen

anbei: bei-, an-, inliegend, als Anlage/Beilage, beigelegt, -gefügt, -geschlossen, innen

anbeißen: anessen, -knabbern, -nagen, -fressen ‖ an die Angel/den Köder gehen ‖ hereinfallen, auf den Leim/in die Falle/Schlinge gehen, aufsitzen ‖ Feuer fangen, annehmen, eingehen auf, zubeißen, Geschmack finden an, s. einlassen auf, zugreifen

anbelangen → betreffen

anberaumen: an-, festsetzen (Termin), bestimmen, festlegen, fixieren, auf den Plan/das Programm setzen, vorsehen, einberufen, disponieren

anbeten: schwärmen/glühen für, vergöttern, idealisieren, verherrlichen, hoch achten/schätzen, umschwärmen, verehren, bewundern, lieben, auf Händen tragen, jmdm. zu Füßen liegen, huldigen, aufsehen/-schauen zu, in den Himmel heben; *gehoben:* adorieren; *ugs.:* anhimmeln, -schmachten

anbetteln → betteln

anbiedern, sich: s. einschmeicheln, schöntun, zu Gefallen/nach dem Munde reden; *ugs.:* s. lieb Kind machen, s. an jmdn. heranmachen, s. anvettern, herumscharwenzeln um, s. anwanzen, s. anvettermicheln; *derb:* in den Hintern/Arsch kriechen

anbieten: zur Verfügung stellen, bereitstellen, reichen, hinhalten, bieten, vorsetzen, aufwarten mit, darbieten, kredenzen, auftischen, präsentieren ‖ auf den Markt werfen/bringen, zum Kauf vorschlagen, anpreisen, feilbieten, -halten, offerieren, ein Angebot machen, andienen, verkaufen ‖ vorschlagen (Posten), antragen, ein Angebot unterbreiten, (an)raten, empfehlen, nahe legen ‖ **sich a.:** s. erbieten, s. anheischig machen, s. andienen, s. bereit erklären, s. verpflichten, es auf s. nehmen

Anblick: Bild, Eindruck, (An)sicht, Erscheinung, Aussehen, das Äußere, Gestalt ‖ Betrachten, Anblicken

anblicken → anschauen

anbrechen → anfangen ‖ zu ver-/gebrauchen/verwenden beginnen, anreißen, in Benutzung/Gebrauch/Verwendung nehmen, öffnen, anstechen, -schneiden

anbrennen: anzünden, -stecken, -fachen, entzünden, in Brand setzen/stecken; *reg.:* gokeln, kokeln ‖ Feuer fangen, s. entzünden, brennen; *ugs.:* angehen ‖ schwarz werden, anbacken, -hängen

anbringen → befestigen ‖ vorbringen, zur Sprache bringen, ins Feld führen, in die Diskussion werfen, vortragen, ansprechen, erwähnen, bemerken, einwerfen; *ugs.:* aufs Tapet bringen ‖ → unterbringen ‖ → verkaufen ‖ → zeigen

anbrüllen: anschreien, -fahren, -herrschen, wettern, schelten; *ugs.:* anfauchen, -zischen, -knurren, -schnauben, schimpfen wie ein Rohrspatz, ein Donnerwetter loslassen, Gift und Galle speien, jmdm. den Marsch blasen, jmdn. zusammenstauchen/heruntermachen/runterputzen, anpfeifen, -schnauzen, -blaffen, -bellen, -donnern, -giften, -kläffen; *derb:* an-, zusammenscheißen

Andacht: Versunkenheit, Inbrunst, Sammlung, Konzentration, Aufmerksamkeit, Anspannung ‖ Gottesdienst, Messe, Amt, Gebet, Betstunde; *ugs.:* Kirche

andächtig: versunken, innig, aufmerksam, andachtsvoll, konzentriert, feierlich, ergriffen, gesammelt, angespannt, gerührt, bewegt

andauern: anhalten, fortbestehen, s. hinziehen, s. in die Länge ziehen, (fort)währen, kein Ende haben/ nehmen, s. erstrecken, (fort)dauern, weiterbestehen, s. erhalten, bleiben, weitergehen, s. fortsetzen, Bestand haben

andauernd → dauernd

Andenken: Erinnerung, Gedächtnis, -denken ‖ Souvenir, Erinnerungsstück, -zeichen, Reminiszenz, Überbleibsel, Mitbringsel, Geschenk, Gabe, Familien-, Erbstück ‖ Denkzettel

ändern: umarbeiten (Kleidungsstück), -schreiben (Text), -gestalten, abändern ‖ wechseln (Richtung), abweichen, -schwenken, -biegen ‖ anders machen, (ver)wandeln, verändern, umformen, -bilden, -stoßen, -ändern, -wandeln, -modeln, -setzen, -organisieren, -funktionieren, -münzen, -stürzen, -wälzen, -werfen, eine neue Situation schaffen, aus den Angeln heben, neu gestalten, erneuern, reformieren, revolutionieren, (ver)bessern, modifizieren, korrigieren, transformieren, variieren, etwas über den Haufen werfen; *ugs.:* umkrempeln ‖ **sich ä.:** s. (ver)wandeln, s. verändern, anders werden, s. wenden, s. entwickeln, im Wandel begriffen sein, eine andere Entwicklung nehmen, ein anderes Gesicht bekommen, im Fluss/noch nicht abgeschlossen sein, fortschreiten, umschlagen (Stimmung), anderen Sinnes werden, sein Leben ändern, s. bessern

andernfalls: sonst, im anderen Fall, ansonsten, oder, gegebenenfalls, beziehungsweise

anders → verschieden ‖ → alternativ

andersartig: von anderer Art/Weise, verschiedenartig, unterschiedlich, (grund)verschieden, abweichend, different, heterogen, divergent

andeuten: ahnen/anklingen/durchblicken lassen, hinweisen, in Andeutungen reden, anspielen, zu verstehen geben, bedeuten, eine Anspielung machen, einen Fingerzeig/Wink geben; *ugs.:* antippen, stecken, durch die Blume sagen, einblasen ‖ erwähnen, streifen, berühren, einfließen lassen, anführen, einflechten, bemerken ‖ → ansprechen ‖ → umschreiben ‖ **sich a.** → s. ankündigen

Andeutung → Hinweis ‖ → Anflug

andeutungsweise → indirekt ‖ → unklar

andichten → verdächtigen

Andrang: Zulauf, -strom, (An)sturm, Run, Gedränge, -triebe, Ansammlung, Wettlauf, Nachfrage

andrehen: ein-, anschalten, an-, einstellen, aufdrehen, in Gang setzen; *ugs.:* anknipsen, -machen ‖ aufreden, verkaufen, aufbürden, überreden, aufdrängen, -nötigen; *ugs.:* aufschwatzen, -hängen, unterbuttern, -jubeln

androhen → drohen

anecken: *(ugs.):* Missfallen/Anstoß/ Missbilligung / Ärger / Missbehagen erregen, Verärgerung/Unmut hervorrufen, anstoßen ‖ s. weh tun; *ugs.:* s. anhauen/-rempeln

aneignen, sich: in Besitz nehmen/ bringen, Besitz ergreifen, zu seinem Eigentum machen, an s. nehmen/ bringen, s. zu Eigen machen, nehmen, s. einer Sache bemächtigen, → stehlen; *ugs.:* einstreichen, -stecken, -sacken, -kassieren, grapschen, angeln, s. unter den Nagel reißen ‖ erlernen, -werben, s. anverwandeln, annehmen, s. angewöhnen

aneinander fügen → verbinden

aneinander geraten → s. streiten

anekeln → anwidern
anempfehlen → raten
anerkannt: geschätzt, angesehen, geachtet, arriviert, renommiert, respektabel, berühmt, -kannt, namhaft, ausgewiesen, prominent, von Weltgeltung/-rang/-ruf, verdient, populär, einen Namen/guten Ruf habend, gefeiert ‖ eingeführt, geltend, gültig, erprobt, bewährt, zuverlässig, unumstritten, -kontrovers, gang und gäbe, allgemein, üblich, gebräuchlich
anerkennen: achten, schätzen, würdigen, Anerkennung/Tribut/Beifall zollen, gelten lassen, billigen, loben, respektieren, honorieren, bewundern, gutheißen, zulassen, bei-, zustimmen, seine Zustimmung geben, eine hohe Meinung haben von, viel geben auf, für gut befinden, akzeptieren, ernst nehmen, beipflichten, s. anschließen ‖ bestätigen, für rechtmäßig/gültig erklären, beglaubigen, -vollmächtigen, akkreditieren, (in seiner Funktion) zulassen
anerkennenswert: lobenswert, löblich, beifallswürdig, rühmlich, verdienstvoll, achtens-, rühmenswert ‖ beachtlich, achtbar, bemerkens-, bewunderns-, beachtenswert, Achtung gebietend, beeindruckend, imposant, nennenswert; *ugs.:* anständig, nicht von schlechten Eltern, Hut ab, alle Achtung
Anerkennung → Lob ‖ → Ansehen
anfachen: entzünden, zum Brennen bringen, anblasen, -zünden, -schüren, -brennen, in Brand setzen/stecken, entfachen, einheizen, anstecken, Feuer legen; *reg.:* gokeln, kokeln ‖ auslösen, ins Rollen bringen, entfesseln, verursachen, initiieren, antreiben, den Anstoß geben, ins Werk setzen, herbeiführen, -vorrufen, bewirken, heraufbeschwören, erwecken, anstiften, -richten, -regen, -stacheln, animieren, inspirieren;

ugs.: anzetteln, böses Blut machen, Öl ins Feuer gießen, aufputschen
anfahren: s. in Bewegung setzen, starten, an-, losziehen ‖ ansteuern, -laufen, -fliegen, Kurs nehmen/zusteuern auf, s. zum Ziel nehmen ‖ heranbringen, -schaffen, antransportieren, herbeischaffen, anliefern, zustellen ‖ → auftischen ‖ anreisen, -kommen, vorfahren, angefahren/-gereist kommen, eintreffen, anlangen; *ugs.:* einlaufen ‖ rammen, streifen, zusammen-, umstoßen, kollidieren, prallen auf ‖ → anbrüllen
Anfall: Ausbruch, Kollaps, Insult, Attacke, Schock; *med.:* Paroxysmus ‖ Tobsuchtsanfall, Anwandlung, Erguss, Raptus, Erregung, Entladung, Zorn-, Wutausbruch, Aufwallung; *ugs.:* Koller, Rappel
anfallen → angreifen ‖ s. ergeben, entstehen, abfallen, s. herausstellen ‖ → überfallen
anfällig: empfindlich, zart, schwächlich, empfänglich, allergisch, labil, disponiert
Anfang → Beginn
anfangen: beginnen, anbrechen, einsetzen, starten, anheben, seinen Anfang nehmen, in Gang kommen, anlaufen, -lassen, hereinbrechen, in Funktion treten; *ugs.:* an-, losgehen, ins Rollen/in Schwung kommen ‖ tun, bewerkstelligen, in Angriff nehmen, in die Wege leiten, einleiten, versuchen, angreifen, s. begeben an, einfädeln, schreiten zu, etwas angehen, die Arbeit aufnehmen, anpacken, eröffnen, s. an etwas machen, in Gang setzen, Hand anlegen, anfassen, den Anfang machen, den ersten Schritt tun, ansetzen, s. anschicken, an die Arbeit gehen, darangehen, s. daransetzen, herangehen an, ans Werk gehen; *ugs.:* einsteigen, loslegen, s. hermachen über, s. daranmachen, s. werfen auf ‖ etwas a. **können**

mit: machen, anstellen, Zugang/Interesse/Sinn/Verständnis haben, zusagen, eine Antenne/ein Ohr haben für

Anfänger: Neuling, Debütant, Novize, Greenhorn, Unerfahrener; *abwertend:* Grünschnabel; *ugs.:* Kiekindiewelt, Grünling

anfänglich: anfangs, zu Beginn, am Anfang, (zu)erst, als Erstes, zunächst, ursprünglich, erstmalig

anfassen: berühren, (an-, er)greifen, in die Hand nehmen, anlangen, befühlen, (er-, zu)fassen, packen, an etwas fassen; *ugs.:* anpacken, an-, betatschen, befingern, an-, begrapschen ‖ → helfen ‖ → handhaben ‖ → anfangen

anfauchen → anbrüllen

anfechten: ab-, bestreiten, in Frage stellen, beanstanden, Einspruch erheben, Berufung einlegen, verneinen, streitig machen, nicht anerkennen, kritisieren, monieren, missbilligen, angehen gegen ‖ beunruhigen, aufregen, mit Sorge erfüllen, bekümmern, in Unruhe versetzen, alarmieren, bedrücken, plagen

Anfechtung: Versuchung, -lockung, -führung, Reiz, Kitzel, Anziehung, Zauber ‖ Einspruch, -wand, Widerspruch, Protest, Veto, Ablehnung

anfegen → schimpfen

anfeinden: bekämpfen, -fehden, an-/vorgehen gegen, angreifen, bekriegen, entgegentreten, -wirken, attackieren, unter Beschuss nehmen, Front machen/zu Felde ziehen gegen

anfertigen: herstellen, machen, erzeugen, produzieren, erstellen, bauen, fabrizieren, bereiten, basteln, arbeiten an, hervorbringen, auf die Beine stellen, (ver)fertigen, schmieden, formen, gestalten, bilden, zimmern, ausarbeiten, erschaffen, modellieren, Form/Gestalt geben ‖ → verfassen

anfeuchten: nass/feucht machen, nässen, (be)netzen, besprengen, -spritzen, -sprühen, einsprengen, -spritzen, besprenkeln, -feuchten

anfeuern: an-, einheizen, Feuer legen/anzünden, anschüren, -brennen, -fachen, -machen, -stecken, in Brand setzen ‖ (an)treiben, ermutigen, beflügeln, anregen, -stacheln, -spornen, entflammen, begeistern, Auftrieb geben, ermutigen, motivieren zu, inspirieren, animieren; *ugs.:* auf Trab/Touren bringen, einheizen, Dampf machen, einseifen

anflehen: erbitten, beschwören, -drängen, -stürmen, dringend/kniefällig/inständig bitten, anrufen, betteln; *ugs.:* zu Füßen fallen, anwinseln, jmdm. in den Ohren liegen/auf die Pelle rücken

anfliegen: angeflogen/-gesegelt kommen, heranfliegen, im Anzug sein, näherkommen, Kurs nehmen auf, an-, zusteuern ‖ → überfallen

Anflug: Heranfliegen, Ansteuerung ‖ Hauch, Spur, Andeutung, Schimmer, Anklang, Nuance, Touch, Stich, Kleinigkeit, Idee, Ansatz

anfordern: verlangen, bestellen, in Auftrag geben, eine Bestellung aufgeben, erbitten, beauftragen, kommen lassen

anfragen → fragen

anfreunden, sich → s. befreunden

anfügen: bei-, hinzufügen, beigeben, anreihen, -heften, beilegen, -ordnen, dazu tun, nachtragen, ansetzen, ergänzen, angliedern, -schließen

anführen → führen ‖ → zitieren ‖ → erwähnen ‖ → täuschen

Anführer: Anstifter, Haupt-, Banden-, Rädels-, Wortführer, Leiter, Chef, (Gang)leader, Initiator, Drahtzieher, Hauptmann, -person, Häuptling, Oberhaupt, Befehlshaber; *ugs.:* Leithammel, Kopf, Boss

anfüllen → füllen

Angabe: Angeberei, Prahlerei, Protzerei, Geprahle, -protze, Hochstapelei, Aufschneiderei, Wichtigtuerei, Übertreibung, Renommier-, Imponiergehabe, Großspurigkeit, -mäuligkeit, Aufgeblasenheit, Schaumschlägerei, Effekthascherei; *ugs.:* Windbeutelei, (Sensations)mache ‖ Aussage, Nennung, Anführung, Erwähnung, Behauptung, Versicherung

angaffen → anstarren

angeben: mitteilen, nennen, anführen, sagen, erwähnen, zeigen, bezeichnen, melden, Angaben machen, wissen lassen ‖ anordnen (Takt), bestimmen, festsetzen, anschlagen, -stimmen ‖ prahlen, großtun, s. spreizen, s. (auf)blähen, protzen, prunken, den großen Herrn spielen, auftrumpfen, -schneiden, renommieren, s. brüsten, s. rühmen, s. aufspielen/-blasen/-plustern, eingebildet sein, seine Vorzüge betonen/herausstellen, s. in die Brust werfen, Aufhebens von s./s. wichtig machen, s. in Szene setzen, s. in den Vordergrund stellen, übertreiben; *ugs.:* dicketun, dick auftragen, Schaum schlagen, eine Schau/Nummer abziehen, den Mund voll nehmen, Sprüche klopfen, fegen, ein großes Maul haben, auf die Pauke hauen, s. herausstreichen, große Töne spucken, Wind machen, große Reden schwingen

Angeber: Aufschneider, Wichtigtuer, Prahler, Prahlhans, Großtuer, -sprecher, Sprüch(e)macher, -klopfer, Protz, Schaumschläger, Wortheld, Möchtegern, Gernegroß, Renommist; *ugs.:* Großmaul, Maulheld, Großkotz, -schnauze, -fresse, Klugscheißer, Feger

angeberisch → prahlerisch

angeblich → anscheinend ‖ → mutmaßlich

angeboren: (v)ererbt, erblich, angestammt, eingeboren, vererbbar, von Geburt her, hereditär, kongenital, im Blut liegend, in die Wiege gelegt, von Haus aus, ursprünglich, natürlich, genuin

Angebot: Vorschlag, Anerbieten, Offerte, Anregung, Plan, Antrag, Einladung; *öster.:* Anbot, Offert ‖ Anzeige, Annonce, Inserat, Ausschreibung ‖ Warenangebot, -auswahl, Sortiment, Kollektion, Zusammenstellung, Palette

angebracht: sinnvoll, rätlich, richtig, zweckmäßig, angezeigt, -gemessen, opportun, adäquat, recht, geboten, am Platze, geraten, empfehlenswert ‖ passend, schicklich, geziemend, -bührlich, es steht an

angegriffen → erschöpft

angeheitert: angetrunken, beschwipst, unter Alkohol, alkoholisiert, feuchtfröhlich; *ugs.:* be-, angesäuselt, angedudelt, -geduselt, -getütet, -geschickert, benebelt

angehen → anfangen ‖ betreffen, gelten, s. beziehen auf, anbelangen, tangieren, Bezug/zu tun haben mit, berühren, s. erstrecken auf, → zusammenhängen ‖ **a. um** → bitten ‖ **a. gegen** → ankämpfen

angehören → gehören zu

Angehörige: Familienmitglieder, (An)verwandte, Verwandtschaft ‖ Mitglieder, Anhänger, Mitarbeiter, Beteiligte, Mitwirkende

Angeklagter: Be-, Verklagter, Beschuldigter

angelaufen: beschlagen, überzogen

Angelegenheit: (Vor)fall, Sache, Sachverhalt, Punkt, Frage, Affäre, Problem(atik), Geschehen, Begebenheit, Tatbestand, Her-, Vorgang, Gegenstand, Thema(tik), Sujet, Kasus, Ereignis; *ugs.:* Geschichte, Schose, Ding; *derb:* Mist, Scheiße

angeln: fischen, Fische fangen; *ugs.:* den Wurm baden, schnappen ‖ **sich jmdn. a.:** auf Fang gehen, anbändeln, den Hof machen, s. jmdn. anlachen, anbinden mit, einfangen, kriegen, bekommen, locken; *ugs.:* aufreißen, anbaggern

Angelpunkt: Hauptsache, Kernstück, Knack-, Schwerpunkt, A und O, der springende Punkt, Pol, Drehpunkt, Wesen, (Quint)essenz, Clou, (Haupt)attraktion, Höhe-, Mittelpunkt, Zentrum, Mark, Pointe

angemessen: angebracht, gebührend, -bührlich, -hörig, -ziemend, -ziemlich, -eignet, entsprechend, schuldig, gemäß, zustehend, -kommend, wie es s. gehört, gebührendermaßen, -weise, richtig, ordentlich, in Ordnung, (zu)treffend, passend, schicklich, angezeigt, adäquat, stimmig, gemessen, anständig

angenehm: wohl tuend, erfreulich, willkommen, erquicklich, gut, zusagend, gefällig, annehmlich ‖ → sympathisch ‖ gemütlich, behaglich, wohlig, recht/gelegen sein, bequem, praktisch

angenommen: wenn, gesetzt den Fall, für den Fall, hypothetisch, gedachtermaßen, vorgestellt, -ausgesetzt, fiktiv, imaginär, falls, sofern, fingiert, vorgetäuscht ‖ anerzogen, übernommen, erworben, angelernt, äußerlich

angepasst: konform, etabliert, gleichgeschaltet, spießig, uniform(iert), eingegliedert, integriert, angeglichen, in Einklang stehend

angeregt → lebhaft ‖ → intensiv

angeschlagen → erschöpft ‖ → defekt

angesehen: geachtet, Ansehen genießend, (hoch) geschätzt, anerkannt, einen guten Namen/Ruf habend, Geltung habend, renommiert, beleumundet, beleumdet, namhaft, einflussreich, ehrwürdig, beliebt, geehrt, bewundert, umschwärmt, populär, respektabel, ehrenhaft; *ugs.:* hoch im Kurs, gut angeschrieben

Angesicht → Gesicht

angesichts: im Hinblick auf, bei, in Anbetracht/Ansehung, im Angesicht, unter Berücksichtigung, wegen, beim Anblick, in Gegenwart von, vor, gegenüber, hinsichtlich, mit Rücksicht auf, im Zusammenhang mit

angespannt → kritisch ‖ → intensiv

Angestellter: Beschäftigter, -diensteter, Arbeitskraft, Gehaltsempfänger, Arbeitnehmer

angestrengt → intensiv

angetörnt → high

angetrunken → angeheitert

angeturned → high

angewiesen sein auf → abhängen von

angewöhnen: (an)erziehen, beibringen, anlernen, lehren ‖ **sich a.:** s. zur Gewohnheit/zu Eigen machen, s. aneignen, annehmen, zulegen

Angewohnheit → Gewohnheit

angezeigt → angemessen ‖ → ratsam

angleichen → anpassen

angliedern: hinzu-, anfügen, anschließen, -stückeln, -hängen, -reihen ‖ einverleiben, annektieren, inkorporieren, eingemeinden, verschmelzen, s. aneignen, in Besitz nehmen, Besitz ergreifen ‖ **sich a.:** bei-, eintreten, Mitglied werden, s. anschließen, s. beteiligen

anglotzen → anstarren

angreifen: den Kampf beginnen, über-, be-, anfallen, attackieren, losschlagen, zum Angriff übergehen, herfallen über, (an)stürmen, das Feuer/die Feindseligkeiten eröffnen, offensiv werden/vorgehen, den Frieden brechen, anrennen gegen ‖ kritisieren, bekämpfen, vorgehen/auftreten/Front machen/ankämpfen/zu Felde ziehen gegen, mit jmdm. (scharf) ins Gericht gehen, jmdn. anfallen/-gehen, s. werfen auf, zu Leibe gehen; *ugs.:* jmdn. zerfetzen, jmdm. ans Leder gehen, an den Kragen/die Gurgel fahren ‖ schwächen, schaden, die Kräfte beanspruchen, strapazieren, belasten, anstrengen, zehren, aufreiben, zersetzen, beschädigen ‖ → anfassen

angrenzen: anschließen, -stoßen, -rainen, -liegen, grenzen an, s. berühren mit, zusammenstoßen, in Nachbarschaft/nebenan/Haus an Haus/ Tür an Tür/in unmittelbarer Nähe liegen

angrenzend: benachbart, anliegend, -stoßend, -schließend, in unmittelbarer Nähe, an der Grenze, nebenan, Haus an Haus, Tür an Tür

Angriff: Überfall, Offensive, (An)sturm, Kampferöffnung, Attacke, Aggression, Gewaltstreich, Anschlag, Einfall, Vorstoß, Überrumpelung, Invasion, Einmarsch, Übergriff ‖ Kritik, Vorwurf, Feindseligkeit, Beleidigung, Anfeindung, Aus-, Anfall ‖ **in A. nehmen** → anfangen

angriffslustig → aggressiv

angrinsen → anlachen

Angst: Furcht, Beklemmung, Bange, Ängstlichkeit, Scheu, Panik, Todesangst, Furchtsamkeit, Horror, Bangigkeit, Grausen, Schreck; *ugs.:* Bammel, Zähneklappern, Heiden-, Höllenangst, Herzklopfen; *derb:* Schiss ‖ Sorge, Unruhe, Besorgnis, -fürchtung, Kümmernis, Beunruhigung ‖ Feigheit, Schwachherzigkeit, Mutlosigkeit, Kleinmut

Angsthase → Feigling

ängstigen: Angst/Furcht/Schrecken einjagen/erregen, in Angst/Furcht/ Schrecken versetzen, Angst/Furcht einflößen, verängstigen, bedrohen, den Teufel an die Wand malen, (er)schrecken, Panik machen, ver-, einschüchtern, Angst und Bange machen, quälen ‖ **sich ä.:** Angst/Furcht haben/empfinden, s. fürchten, in Angst/Furcht sein/geraten, bange (zumute) sein, zittern, beben,

(er)schaudern, Furcht hegen; *ugs.:* kalte Füße bekommen/haben, jmdm. rutscht das Herz in die Hose, eine Heidenangst/einen Horror haben, Blut und Wasser schwitzen, s. in die Hosen/ins Hemd machen, bibbern; *derb:* Schiss haben, die Hosen gestrichen voll haben, jmdm. geht der Arsch auf Grundeis ‖ **sich ä. um** → s. sorgen

ängstlich: furchtsam, scheu, unsicher, angstvoll, zag, bang, bänglich, schreckhaft, verängstigt, angsterfüllt, schüchtern, beklommen, eingeschüchtert, verschreckt, zaghaft, aufgeregt, sorgenvoll, besorgt, unruhig, nervös ‖ sorgsam, gewissenhaft, sorgfältig, peinlich/übertrieben genau, vorsichtig, penibel, akkurat ‖ feige, mutlos, schwachherzig; *ugs.:* zittrig, hasenfüßig, schlottrig

Angsttraum: Alp, Alpdruck, -drücken, Nachtmahr

angucken → anschauen

anhaben → tragen ‖ **jmdm. etwas a.** → schaden

anhaften: behaftet/-lastet sein mit, innewohnen, gehören zu, eigen sein, eignen, zukommen, enthalten, einschließen, aufweisen, besitzen, lasten auf, nach-, anhängen, inhärieren

anhalten: zum Stehen/Stillstand bringen/kommen, (ab)stoppen, halten, stehen bleiben, Halt machen, bremsen, parken, abstellen, stocken, aussetzen, einstellen, ein-, innehalten ‖ → andauern ‖ **a. zu:** (er)mahnen, veranlassen, dazu bringen, auffordern, einschärfen, -prägen, antreiben, zureden, bewegen, Sorge tragen, dass…, dafür sorgen, anregen, bestimmen, den Anstoß geben, anordnen, auftragen, befehlen, bitten ‖ **a. um:** s. bemühen um, den Hof machen, werben/freien um, umwerben, um jmds. Hand anhalten, die Ehe antragen, einen (Heirats)antrag machen, ansuchen, s. bewerben um, Brautschau halten, auf Brautschau gehen, s. eine Frau suchen, heiraten wollen; *ugs.:* auf die Freite gehen, nachlaufen ‖ **sich a.** → s. festhalten

anhaltend → dauernd

Anhalter: Tramper, Trampist; *ugs.:* Hitchhiker, Autostopper

Anhaltspunkt: Hinweis, (An)zeichen, Indiz, Symptom, Anknüpfungspunkt, Orientierungshilfe

Anhang: Ergänzung, Zusatz, Anfügung, Beilage, Appendix, Adnex, Anhängsel, Zugabe, Nachtrag ‖ Gefolge, -folgschaft, Anhänger-, Jüngerschaft, Gefolgsmänner, Mitstreiter, Getreue, Begleitung ‖ Familie, Sippschaft, Familienkreis, Sippe, Verwandtschaft, Angehörige; *ugs.:* Mischpoke, Clan ‖ Freunde, Freundeskreis, Kumpanen, Bekanntschaft, -kanntenkreis; *ugs.:* Bande

anhängen: befestigen, anbringen, -stecken, -heften, -nageln, verankern ankuppeln, -koppeln, verbinden, zusammenfügen, aneinander fügen, zusammenbringen; *ugs.:* anmachen ‖ an-, hinzufügen, ergänzen, anschließen, beifügen, angliedern, beigeben, nachtragen, anreihen, beiordnen, erweitern ‖ → anhaften ‖ Anhänger sein von, folgen, (treu) ergeben/verbunden sein, s. verbunden/zugehörig fühlen ‖ → verleumden ‖ → verdächtigen ‖ **sich a.** → s. anschließen

Anhänger: Beiwagen, Hänger ‖ Schild, Aufhänger, Anhängsel, Anhängeschild, -adresse, Etikett(e) ‖ Mitstreiter, -läufer, Gefolgsmann, Jünger, Fan, Freak, Zuschauer, Parteigänger, -genosse, Getreuer, Sympathisant, Schüler, Verehrer, Gefolgschaft, Vasall, Groupie, Helfer, Fanatiker, Schwärmer, Jasager, Linientreuer, Freund, Kamerad, Kumpan, Fußvolk, Satellit, Trabant

anhängig: schwebend, unerledigt, offen, in der Schwebe, unentschieden, ausstehend, unabgeschlossen, im Raum stehend; *schweiz.:* pendent, hängig

anhänglich: treu, ergeben, beständig, folgsam, loyal; *abwertend:* wie eine Klette; *ugs.:* klebrig

anhauen → beschädigen ‖ → ansprechen ‖ **a. um** → bitten ‖ **sich a.** → s. verletzen

anhäufen: (an)sammeln, zusammentragen, -bringen, scheffeln, aufhäufen, horten, (ak)kumulieren, (an)sparen, ein Konto anlegen, mehren, aufheben, sein Haus anfüllen, stapeln, (auf)speichern, auftürmen, agglomerieren, zurück-, weglegen, beiseite legen/bringen, lagern, (auf)bewahren; *ugs.:* hamstern ‖ **sich a.:** s. ansammeln, immer mehr werden, s. (auf-, an)stauen, zusammenkommen, s. aufspeichern, s. (zusammen)ballen, s. stapeln, s. mehren, s. summieren, s. steigern, zunehmen, wachsen, anschwellen, s. vervielfachen

Anhäufung → Ansammlung

anheben: anlupfen, hochheben, -wuchten, lüften; *ugs.:* (an)lüpfen ‖ → anfangen ‖ → steigern ‖ → verteuern

anheimelnd: vertraut, gemütlich, heimisch, heimelig, traulich, behaglich, wohlig, lauschig

anheim fallen → zufallen

anheim geben → anvertrauen

anheim stellen: überlassen, freistellen, anheim geben, in jmds. Ermessen stellen, einräumen, freie Hand/jmdn. selbst entscheiden lassen, jmdm. etwas vorbehalten

anheizen: entzünden, zum Brennen bringen, Feuer legen, (an)schüren, anzünden, -brennen, -stecken, -feuern, in Brand stecken/setzen, entfachen, einheizen; *reg.:* gokeln, kokeln ‖ zu einem Höhepunkt treiben, steigern, aufwiegeln, ankurbeln, -stacheln, -spornen, aufputschen, fanatisieren, in Schwung bringen; *ugs.:* Dampf machen, Dampf hinter etwas setzen, Öl ins Feuer gießen

anherrschen → anbrüllen

anheuern: heuern, anwerben, -mustern, -stellen, einstellen, annehmen, in Arbeit/Dienst nehmen

anhimmeln → anbeten

Anhöhe → Hügel

anhören: eingehen auf, sein Ohr/Gehör schenken/leihen, ein offenes Ohr haben für ‖ zu-, hinhören, horchen, lauschen, die Ohren offenhalten/spitzen, an den Lippen hängen, aufmerksam/ganz Ohr sein ‖ **sich a.:** klingen, wirken, einen Eindruck machen/hervorrufen, den Anschein haben, s. ausnehmen

animalisch: triebhaft, tierisch, kreatürlich

animieren → anregen

ankämpfen: etwas bekämpfen, Widerstand entgegensetzen/leisten, an-/vorgehen/Maßnahmen ergreifen/Schritte einleiten/Front machen/zu Felde ziehen/anstürmen/-rennen gegen, begegnen, entgegenwirken, -treten, hindern, vereiteln

Ankauf → Kauf

ankaufen → kaufen

ankern → anlegen

Anklage → Klage

anklagen: be-, anschuldigen, bezichtigen, -lasten, zur Last legen, Beschuldigungen vorbringen/ausstoßen, Angriffe richten gegen, anprangern, verdächtigen, zeihen, jmdm. die Schuld geben, jmdn. verantwortlich machen für/zur Rechenschaft/Verantwortung ziehen; *ugs.:* jmdm. die Schuld in die Schuhe schieben ‖ anzeigen, (ver)klagen, Anklage erheben, Klage führen gegen, vor Gericht gehen/laden, vor den Richter fordern, in Anklagezustand versetzen,

auf die Anklagebank bringen, gerichtlich belangen, den Rechtsweg beschreiten, das Gesetz anrufen, einen Prozess anstrengen/führen gegen, jmdm. den Prozess machen, prozessieren, Anzeige erstatten; *ugs.:* ans Messer liefern, vor Gericht ziehen, einen Prozess an den Hals hängen, vor den Kadi bringen

anklammern: fest klammern, befestigen, anstecken, -heften, -bringen ‖ **sich a.** → s. fest halten

Anklang → Anflug ‖ Ähnlichkeit, Verwandtschaft, Parallelität, Entsprechung, Analogie ‖ Echo, Beifall, Anerkennung, Zustimmung, Resonanz, Gefallen, Wertschätzung, Gunst, Lob, Würdigung, Zuspruch, Aufnahme, Applaus, Bewunderung, Verständnis, Billigung, Geltung ‖ **A. finden** → gefallen

ankleben: anleimen, fest-, aufkleben, befestigen, anbringen, -machen; *öster.:* an-, aufpicken; *ugs.:* anpappen, -klatschen ‖ kleben bleiben, anhaften

ankleiden → anziehen

Ankleideraum → Garderobe

anklingeln → anrufen

anklingen: hör-/sicht-/spürbar sein, s. andeuten, mitschwingen, -klingen, mit hereinspielen/-kommen, durchschimmern, s. ankündigen, s. kundtun, s. abzeichnen ‖ **a. an:** erinnern, gemahnen, heraufrufen, gleichen, ähneln, s. berühren, übereinstimmen, s. decken, gemein haben, korrespondieren, s. entsprechen ‖ **a. lassen** → andeuten

anklopfen: an die Türe pochen/klopfen, anpochen ‖ → fragen

anknipsen → einschalten

anknüpfen: fest binden, anschnüren, -leinen, -seilen, binden an, befestigen, fest machen; *ugs.:* anmachen ‖ s. beziehen auf, anschließen, Bezug nehmen, zurückkommen, aufgreifen,

-nehmen, ausgehen von, eingehen auf, fortsetzen, weiterführen, fortfahren mit ‖ beginnen (Beziehungen), aufnehmen, anbahnen, in die Wege leiten, einleiten, -fädeln, anfangen, -spinnen, Fühlung nehmen, Initiative ergreifen, anzetteln

ankommen: eintreffen, das Ziel erreichen, anlangen, kommen, s. einfinden/-stellen, landen, einlaufen; *ugs.:* anrollen, auftauchen, eintrudeln ‖ s. nähern, herankommen, nahen, zukommen auf ‖ s. wenden an, befallen, angehen, ansprechen um, herantreten, behelligen, -lästigen ‖ unterkommen, eine Stelle finden/bekommen/kriegen als, Anstellung finden, aufgenommen werden ‖ → gefallen ‖ → überfallen ‖ **nicht a.:** kein Gehör/Verständnis finden, Misserfolg haben, durchfallen, Schiffbruch erleiden, erfolglos sein, missfallen, → abblitzen ‖ **a. gegen** → s. durchsetzen ‖ **nicht a. gegen** → unterliegen ‖ **a. auf:** wichtig/von Bedeutung sein, abhängen von, s. handeln/drehen um, etwas steht/liegt bei jmdm. ‖ **es a. lassen auf:** abwarten, auf s. zukommen lassen, wagen, riskieren, das Herz/den Mut haben

ankotzen → anekeln

ankreiden → übel nehmen

ankreuzen: anstreichen, (ab)zeichnen, abhaken, markieren, hervorheben, kennzeichnen, kenntlich/ein Zeichen machen, ein Kreuz setzen

ankündigen: anmelden, -sagen, -künden, bekannt geben/machen, mitteilen, kundtun, verlautbaren, -künden, Kenntnis geben, kundgeben, wissen lassen, Mitteilung machen/erstatten, Nachricht/Bescheid geben, in Umlauf setzen, anschlagen, aufmerksam machen auf, avisieren, informieren, unterrichten ‖ anzeigen, Vorbote/(An)zeichen sein für,

schließen lassen auf, signalisieren, hindeuten auf, bedeuten, vorhersagen, androhen, in Aussicht stellen ‖ **sich a.:** s. abzeichnen, s. andeuten, bevorstehen, s. anbahnen, s. bemerkbar machen, sichtbar werden, aufziehen, herannahen, s. anmelden; *ugs.:* s. zusammenbrauen, seine Schatten vorauswerfen

Ankunft: das Eintreffen/Ankommen/Einlaufen/Kommen, Landung, Anreise, Erscheinen ‖ Geburt, Niederkunft, freudiges Ereignis, Entbindung, Partus

ankurbeln: beleben, vorantreiben, aktivieren, auffrischen, in Schwung/Gang/Bewegung bringen, anstacheln, verstärken, anregen, -spornen, -treiben, -heizen, intensivieren, forcieren, nachhelfen, fördern; *ugs.:* Dampf machen

anlachen: anstrahlen, -lächeln, -schmunzeln, zulachen, -lächeln; *ugs.:* angrinsen ‖ **sich jmdn. a.** → anbändeln

Anlage: Plan, Entwurf, (Auf)bau, Gliederung, Struktur, Anordnung, Gestaltung, Zusammenstellung, Komposition, Einteilung, Gefüge, Organisation, Konstruktion, Beschaffenheit ‖ Ein-, Errichtung, das Anlegen ‖ Investition, Kapital-, Geldanlage, Investierung ‖ Beilage, Inliegendes, Zugabe, Beigefügtes ‖ Anpflanzung, Park, Grünfläche, Garten ‖ Fabrik, Werk, Betrieb, Unternehmen, Komplex ‖ Apparat(ur), Vorrichtung ‖ Neigung, Veranlagung, Gen(e), Disposition, Empfänglichkeit, Konstitution, Charakter, Anfälligkeit, Art(ung), Beschaffenheit, Wesen(sart), Temperament, Natur(ell), Typ ‖ → Fähigkeit

anlangen → anfassen ‖ → ankommen ‖ betreffen, angehen, -belangen, s. handeln um, gehen um, s. drehen um, zusammenhängen, berühren, zu tun haben mit, s. beziehen auf, tangieren, Bezug haben auf

Anlass: Grund, Ursache, Anstoß, Motiv, Wurzel, Veranlassung, Beweggrund, Hintergrund, Impuls, Antrieb, Warum, Bedingung, Triebfeder, Grundlage, Entstehung, Einstieg, Legitimation, Aufhänger || Gelegenheit, besonderes Ereignis || **aus A.** → anlässlich

anlassen: in Gang/Betrieb/Bewegung setzen, anwerfen, starten, den Motor anlaufen lassen, ankurbeln, flottmachen, anstellen, in Betrieb nehmen, ein-, anschalten, aufdrehen, einstellen; *ugs.:* anmachen || anbehalten (Kleider), nicht ausziehen/ablegen || eingeschaltet/brennen lassen || **sich a.** → anfangen

anlässlich: aus Anlass, zu, bei, wegen, gelegentlich, bei Gelegenheit, auf Grund, infolge, ob, dank, weil

anlasten: zur Last legen, belasten, aufbürden, -laden, -(er)legen, nachtragen, verargen, ankreiden, verübeln, be-, anschuldigen, die Schuld geben, jmdn. für etwas verantwortlich machen, bezichtigen; *ugs.:* aufbuckeln, -brummen, -pelzen, -hängen, -halsen, die Schuld in die Schuhe schieben, aufs Brot schmieren

anlaufen: anspringen, starten, zu laufen beginnen, s. in Bewegung setzen || → anfangen || einfahren, -laufen, s. zum Ziel nehmen, ansegeln, -steuern, zusteuern/Kurs nehmen auf || beschlagen, s. be-/überziehen, seinen Glanz verlieren, feucht werden, schwitzen, belaufen, s. bedecken || s. vergrößern (Schulden), s. summieren, zunehmen, anschwellen, s. vermehren, anwachsen, -steigen, s. erhöhen || s. verfärben, rot werden, Farbe annehmen

anlegen: festmachen (Schiff), landen, ankern, vor Anker gehen, den Anker (aus)werfen || → anziehen || schaffen, ein-, errichten, gestalten, ausführen, erstellen, auf-, erbauen, gründen, bilden, installieren, anordnen || investieren, aufwenden, verausgaben, festlegen, platzieren, zur Verfügung stellen; *ugs.:* Geld in etwas stecken/reinstecken || bezahlen, ausgeben; *ugs.:* locker machen, springen lassen, loseisen || anlehnen, -setzen, lehnen/stellen/stützen/legen gegen || anheften, -nadeln, -stecken, befestigen, umhängen (Kette); *ugs.:* anmachen, -tun || an die Kette legen, anketten, -binden, -schließen, -seilen || zielen, anvisieren, -schlagen, aufs Korn nehmen, richten auf || **es a. auf** → abzielen auf || **sich a. mit:** zu streiten anfangen, einen Streit vom Zaune brechen, Streit/Händel suchen, anbändeln mit, → s. streiten

anlehnen: stützen/lehnen/stellen gegen, anlegen, -setzen, -stellen || **sich a.:** s. stützen gegen, s. anschmiegen || s. stützen/beziehen/verlassen/berufen auf, s. halten an, folgen, → nachahmen

anlehnungsbedürftig: liebebedürftig, anschmiegsam, Schutz suchend, unsicher, hilflos

Anleihe: Kredit, Darlehen, Schuldverschreibung, Wertpapier; *schweiz.:* Darlehen

anleimen → ankleben

anleiten: unter-, an-, einweisen, lehren, leiten, zeigen, einführen, anlernen, beraten, unterrichten, einarbeiten, Anleitung geben, ausbilden, Kenntnisse vermitteln, vertraut machen mit, instruieren, beibringen, schulen, vorbereiten; *ugs.:* an die Hand nehmen

Anleitung → Anweisung

anlernen → anleiten

anliegen: anschließen, s. anschmiegen, passen, wie angegossen sitzen, (wie) nach Maß || → angrenzen

Anliegen: Wunsch, Bitte, Wollen, Bedürfnis, Verlangen, Er-, Ansuchen, Gesuch, Begehren ‖ **ein A. haben:** etwas auf dem Herzen haben/ wollen, einen Wunsch hegen, s. wünschen, begehren, erbitten

anliegend → anbei ‖ → angrenzend

Anlieger: Anwohner, Anrainer

anlocken: anziehen, für s. einnehmen, begeistern, attraktiv sein, heranlocken, reizen, verleiten, -führen, in Versuchung führen ‖ ködern, anludern, -kirren ‖ → werben

anlügen → lügen

anmachen → befestigen ‖ → anknüpfen ‖ → anhängen ‖ → einschalten ‖ → anlassen ‖ → zubereiten ‖ → anfeuern ‖ → anbändeln ‖ → anpöbeln ‖ → reizen

anmalen: be-, übermalen, färben, Farbe geben, bestreichen, anzeichnen, -streichen, an-, bepinseln, tünchen ‖ **sich a.** → s. schminken

anmaßen, sich: in Anspruch nehmen, geltend machen, Anspruch erheben, s. ausbedingen, zur Bedingung machen s. unterstehen, wagen, s. erkühnen, s. vermessen, s. erdreisten, die Kühnheit / Vermessenheit / Dreistigkeit/Stirn/Frechheit besitzen, s. erlauben, s. nicht scheuen, nicht zurückschrecken, s. herausnehmen, s. die Freiheit nehmen, s. erkecken/ -frechen, s. versteigen zu, s. leisten; *ugs.:* s. nicht entblöden

anmaßend: überheblich, arrogant, vermessen, unbescheiden, hochmütig, dünkelhaft, süffisant, prätentiös, frech, großspurig, selbstgefällig, -herrlich, hoffärtig, herablassend, blasiert; *öster.:* präpotent; *ugs.:* hochnäsig, aufgeblasen

anmelden → ankündigen ‖ → beanspruchen ‖ **sich a.:** s. ansagen/-kündigen, s. einschreiben/-tragen, s. registrieren lassen, s. melden, Besuch in Aussicht stellen ‖ s. → ankündigen

anmerken: jmdm. etwas ansehen, an jmdm. feststellen/bemerken/spüren/registrieren/erkennen/beobachten/konstatieren/wahrnehmen, ablesen, auffallen; *ugs.:* an der Nasenspitze ablesen, an der Nase ansehen ‖ → erwähnen ‖ **sich nichts a. lassen** → s. beherrschen

Anmerkung: Fußnote, -bemerkung, Vermerk, Zusatz, Notiz, Ergänzung, Zwischen-, Randbemerkung, Glosse, Marginal(i)e, Erklärung ‖ Bemerkung, Hinweis, Äußerung, Kommentar, Feststellung, Zwischenruf, Einwurf, Auslassung

anmontieren → befestigen

anmotzen → schimpfen

Anmut: Liebreiz, Grazie, Charme, Reiz, Zauber, Zartheit, Lieblichkeit, Feinheit

anmuten → ausschauen

anmutig → graziös ‖ → charmant

annageln → befestigen

annähern: ähnlich machen, anpassen, -gleichen, aufeinander abstimmen/einstellen, einen Ausgleich schaffen ‖ **sich a.:** (s.) näher kommen, zukommen auf, Verbindung/Kontakt/Beziehungen aufnehmen, ins Gespräch kommen, das Eis brechen, Fühlung nehmen; *ugs.:* s. heranmachen

annähernd: ungefähr, fast, rund, zirka, ca., gegen, annäherungs-, schätzungsweise, etwa, beinahe, um, vielleicht, überschlägig, pauschal, sagen wir, an die, nahezu, einigermaßen, approximativ, bei, ziemlich, nach Augenmaß, abgerundet, bald, eventuell, möglicherweise; *öster.:* beiläufig; *ugs.:* über den Daumen gepeilt, um ... herum, so

Annahme: Empfang, Entgegen-, Übernahme, Erhalt ‖ Billigung, Zustimmung, Einwilligung, -verständnis, Befürwortung ‖ Vermutung, Ansicht, Meinung, Mutmaßung, Verdacht, Behauptung, Unterstellung, (Hypo)these, Anschauung, Auffassung, Vorstellung, Spekulation, Fiktion ‖ Aufnahme, Annahmestelle ‖ An-, Einstellung ‖ → Voraussetzung

Annalen → Chronik

annehmbar: zufrieden stellend, befriedigend, akzeptabel, passabel, ausreichend, leidlich, geeignet, vertretbar, zusagend, vernünftig, trag-, verwend-, brauchbar, tauglich, dienlich, passend

annehmen: entgegennehmen, empfangen, in Empfang nehmen, s. schenken lassen, an s. nehmen, erhalten ‖ → akzeptieren ‖ vermuten, glauben, für möglich/wahrscheinlich halten, voraussetzen, unterstellen, den Fall setzen, zugrunde legen, schätzen, ausgehen von, als selbstverständlich ansehen/betrachten, meinen, denken, fingieren, tun als ob, s. vorstellen, der Meinung/Ansicht sein; *ugs.:* tippen ‖ aufnehmen, an-, einstellen, Aufnahme gewähren, engagieren, verpflichten, in Dienst/Arbeit nehmen ‖ an s. ziehen (Geruch), aufsaugen, eindringen/haften lassen ‖ s. angewöhnen, s. eine Gewohnheit zulegen, s. aneignen, s. zu Eigen machen ‖ **sich a. um:** s. kümmern um, eintreten für, einer Sache das Wort reden, s. einsetzen für, s. widmen, s. engagieren, plädieren für, Partei ergreifen/sorgen für, jmdm. beispringen, jmdn. in Schutz nehmen, betreuen

annektieren: s. (gewaltsam) aneignen, (s.) einverleiben, in Besitz nehmen/bringen, Besitz ergreifen von, an s. bringen, s. zu Eigen machen, s. bemächtigen, an s. reißen, (ein)nehmen, angliedern, -schließen, usurpieren, wegnehmen

Annonce → Anzeige

annoncieren: inserieren, eine Anzeige/Annonce/ein Inserat aufgeben, bekannt machen/geben, anzeigen, in die Zeitung setzen, werben, anbieten

annullieren: für ungültig/nichtig erklären, rückgängig machen, aufheben, -lösen, außer Kraft setzen, absagen, -schaffen, zurücknehmen, -ziehen, zurücktreten von, s. lossagen, streichen, tilgen

anöden: langweilen, ennuyieren, Überdruss bereiten, ermüden, einschläfern, abstumpfen, entleeren; *ugs.:* anlaschen

anomal: anormal, abnorm, abartig, -weichend, norm-, regelwidrig, pervers, fremdartig, anders, unüblich, atypisch, ungewöhnlich, -normal, krankhaft, verrückt, absonderlich, irregulär, unnatürlich, naturwidrig, denaturiert; *öster.:* abnormal

anonym: ungenannt, ohne Namensnennung, namenlos, ohne Angabe des Namens, unbekannt, inkognito, unter einem Pseudonym/Decknamen, unter falschem/fremdem Namen ‖ kalt, unpersönlich, fremd, seelenlos ‖ steif, offiziell, amtlich, förmlich ‖ → geheim

anordnen: verfügen, erlassen, bestimmen, veranlassen, diktieren, anweisen, verordnen, ver-, vorschreiben, befehlen, reglementieren, administrieren, festlegen, Auftrag/Anweisung/Befehl/Order/ein Kommando geben, beordern, gebieten, heißen, eine Anordnung/Verfügung treffen, Auflage erteilen, auftragen, -erlegen, -geben, kommandieren; *öster.:* anschaffen; *schweiz.:* überbinden ‖ aufstellen, -bauen, komponieren, arrangieren, gruppieren, anlegen, zusammenstellen, -setzen, in eine bestimmte Ordnung/Reihenfolge bringen, reihen, einteilen, gliedern, ordnen, systematisieren, strukturieren, staffeln, einrichten, gestalten; *ugs.:* aufziehen

Anordnung → Aufstellung ‖ → Befehl

anormal → anomal

anpacken → anfangen ‖ → handhaben ‖ → helfen

anpassen: abstimmen auf, in Übereinstimmung/Einklang bringen, aufeinander einstellen, einander annähern, angleichen, gleichmachen, -schalten, vereinheitlichen, harmonisieren, adaptieren, koordinieren mit, einstellen auf ‖ **sich a.:** s. richten nach, s. assimilieren, s. akklimatisieren, s. gewöhnen an, s. eingewöhnen /-fügen /-ordnen /-leben /-gliedern, s. integrieren, s. unterordnen, s. angleichen, heimisch/vertraut werden, Fuß fassen, s. befreunden mit, s. umstellen, einschwenken auf, mit dem Strom schwimmen, konform gehen, gleichziehen; *ugs.:* seine Fahne nach dem Wind drehen, die Farbe wechseln, warm werden mit

anpassungsfähig: (an)schmiegsam, flexibel, geschmeidig; *abwertend:* rückgratlos, ohne Rückgrat

anpeilen: anvisieren, einen Richtpunkt nehmen, zielen auf ‖ den Blick richten auf, anschauen, -sehen, -starren, fixieren, ins Auge fassen, aufs Korn nehmen

Anpfiff: Startzeichen, Spielbeginn ‖ → Tadel

anpflanzen: (ein)pflanzen, an-, bebauen, (ein)setzen, stecken, säen

anpflaumen → necken ‖ → beanstanden

anpinseln → anmalen ‖ **sich a.** → s. schminken

anpöbeln: *(ugs.):* belästigen, -helligen, aufdringlich sein/werden, bedrängen, ansprechen, -reden, beleidigen; *ugs.:* anmachen, -hauen, -quatschen

Anprall: (An)stoß, Aufprall, -schlag, Zusammenstoß, -prall, Kollision

anprallen → anstoßen

anprangern: tadeln, anklagen, bloßstellen, an den Pranger stellen, brandmarken, geißeln, desavouieren, angreifen, maßregeln, der Kritik aussetzen, zum Gespött machen, blamieren, eine Blöße geben, beschämen, lächerlich machen, verpönen; *ugs.:* verreißen

anpreisen → empfehlen ‖ → anbieten

anprobieren: eine Anprobe machen, probieren, anpassen

anpumpen → leihen ‖ → betteln

anquatschen → ansprechen

anraten → raten

anrechnen: berechnen, in Rechnung stellen, veranschlagen, einkalkulieren ‖ ver-, aufrechnen, mit in Zahlung nehmen, gutschreiben, berücksichtigen, einbeziehen, beachten ‖ zugute halten, bewerten, anerkennen, honorieren, loben, respektieren, achten, würdigen, in Betracht ziehen, nicht vergessen, bedenken

Anrecht: Anspruch, Recht, Berechtigung, Forderung ‖ **ein A. haben auf** → zustehen

Anrede: Titulierung, Betitelung, Titel, Bezeichnung

anreden → ansprechen

anregen: den Anstoß/Impuls/Ansporn geben zu, eine Anregung geben, (an)empfehlen, einen Vorschlag machen, vorschlagen, (an)raten, einen Plan unterbreiten, ermuntern, inspirieren, veranlassen, anspornen, -reizen, -treiben, -stoßen, -feuern, -stacheln, -fachen, Auftrieb geben, initiieren, animieren, stimulieren, aufpeitschen, nachhelfen, vorwärts treiben, in Gang/jmdn. zu etwas bringen, motivieren zu, aufrütteln, entflammen, -zünden, beflügeln, -fruchten, encouragieren, ermutigen, Mut machen, begeistern für; *ugs.:* einheizen, jmdm. Dampf/Beine machen, Druck dahinter setzen, Tempo machen ‖ verursachen, beeinflussen,

verführen, -leiten, überreden ‖ beleben, aufmuntern, -frischen, in Stimmung/Schwung bringen, aktivieren; *ugs.:* aufpulvern, -möbeln, -putschen, auf Trab/Touren/in Fahrt/nach vorn bringen, anturnen
anregend: belebend, stimulierend, aufputschend, auf-, erheiternd, erfrischend, aufmunternd ‖ beflügelnd, interessant, unterhaltsam, ansprechend, spannungsreich, packend, ergreifend, lehr-, aufschlussreich, mitreißend, instruktiv, fesselnd, geistreich, -voll, einfallsreich
Anregung → Antrieb ‖ → Vorschlag
Anreise: Hinweg, Anfahrt ‖ → Ankunft
anreisen → anfahren
anreißen: anbrechen, zu ver-/gebrauchen/verwenden beginnen, in Benutzung/Gebrauch/Verwendung nehmen, öffnen ‖ an-, entzünden, anbrennen; *reg.:* anreiben ‖ → ansprechen
Anreiz: Antrieb, Verlockung, Reiz, Zugkraft, Anziehung(skraft), Attraktivität, Anregung, -lass, -stoß, -sporn, Stimulus, Kitzel, Zauber
anreizen → verführen
anrempeln → anstoßen
anrichten: (zu-, vor)bereiten, zu-, herrichten, bereitmachen, präparieren; *ugs.:* an-, zurechtmachen ‖ die Tafel/den Tisch richten/decken, auftischen ‖ anstellen, verursachen, herbeiführen, bewirken, auslösen, verschulden, mit s. bringen, Böses tun, eine Dummheit machen, zeitigen; *ugs.:* ausfressen, verbocken, falsch machen, verbrechen, auskochen, s. etwas einbrocken, bauen, s. etwas leisten
anrüchig: verrufen, berüchtigt, verschrien, übel/schlecht beleumundet, von zweifelhaftem Ruf, suspekt, obskur, zweifelhaft, → anstößig, fragwürdig, bedenklich, undurchsichtig,

zwielichtig, verdächtig, dubios, lichtscheu; *ugs.:* nicht ganz hasen-/astrein/sauber, halbseiden
anrücken → kommen
anrufen: (an)telefonieren, anläuten, Telefonverbindung aufnehmen, s. per Telefongespräch/Telefonat/Anruf melden; *ugs.:* anklingeln, s. ans Telefon/an die Strippe hängen ‖ rufen/verlangen nach, ansuchen, bitten, (an)flehen, beten (Gott)
anrühren: anfassen, -tasten, -langen, berühren, in die Hand nehmen, angreifen, befühlen; *ugs.:* hinlangen, befingern, -fummeln, -tatschen, -grapschen ‖ → ansprechen ‖ überkommen, ergreifen, bewegen, nahe gehen, tangieren, nicht gleichgültig lassen, rühren, zu Herzen gehen; *ugs.:* an die Nieren/unter die Haut gehen ‖ anquirlen, einrühren, mischen, ver-, durchmengen, mixen
ansagen → ankündigen
Ansager: Conférencier, Sprecher
ansammeln → anhäufen
Ansammlung: Ballung, Auflauf, Zusammenlauf, Anhäufung, Zusammenrottung, Aufmarsch, Gedränge, -tümmel, -wühl, Menge, Schar; *ugs.:* Versammlung, Haufen, Horde ‖ (Auf)häufung, Speicherung, (Ak)kumulation, Agglomeration, Fülle, Hortung, Vorrat ‖ → Menge
ansässig: wohnhaft, beheimatet, sesshaft, einheimisch, -gesessen, verwurzelt, zu Hause, ortsansässig, -fest, heimisch, niedergelassen, eingebürgert
Ansatz: Versuch, Anlauf, -fang, Beginn, Auftakt, Start, Vorstoß ‖ Keim, Entstehung, Anflug, Spur, Anklang ‖ Ausgangspunkt (Idee)
anschaffen → anordnen ‖ **a. (gehen)** → prostituieren ‖ **sich a.:** käuflich erwerben, kaufen, erstehen, s. zulegen, an s. bringen, s. eindecken/versorgen mit, s. beschaffen

anschalten: anstellen, (ein)schalten; *öster.:* aufdrehen; *ugs.:* anknipsen, -machen, -drehen

anschauen: (an-, zu-, be)sehen, betrachten, anblicken, einen Blick werfen auf, beschauen, -sichtigen, mustern, prüfen, in Augenschein nehmen, ins Auge fassen, den Blick richten/heften auf, beobachten, blicken auf, beaugscheinigen, anstarren, jmdn. (mit Blicken) messen, jmdm. einen Blick zuwerfen/schenken, begutachten, untersuchen, s. beschäftigen/-fassen mit, studieren, fixieren; *ugs.:* be-, angucken, beaugapfeln, -äugeln, anglotzen, gaffen, aufs Korn nehmen, unter die Lupe nehmen, anstieren, Stielaugen machen

anschaulich: deutlich, leicht verständlich, bildhaft, lebendig, bildlich, plastisch, sinnfällig, farbig, einprägsam, eingängig, klar, fassbar, sprechend, greifbar, konkret, lebensnah, veranschaulichend

Anschauung → Ansicht

Anschein: Schein, Aussehen, Eindruck, Erscheinung, Bild ‖ **dem A. nach** → anscheinend

anscheinend: dem/allem Anschein nach, wie es scheint/aussieht, offen-, scheinbar, wahrscheinlich, vermutlich, angeblich, sicherlich, mutmaßlich, es ist denkbar/möglich, wenn nicht alle Zeichen trügen, voraussichtlich, möglicherweise, dem Vernehmen nach, wie man hört, wie behauptet/angegeben/gesagt wird

anscheißen → betrügen ‖ → tadeln ‖ → schimpfen

anschicken, sich: gerade anfangen, im Begriff sein, ansetzen, s. zu etwas rüsten, Anstalten machen, Vorbereitungen treffen, Anlauf nehmen, eine Ansatz machen, darangehen, in Angriff nehmen, ans Werk gehen, zu tun beginnen, vorbereiten, ausholen; *ugs.:* Miene machen

Anschiss → Tadel

Anschlag: Anschlagen, Stoß, Aufschlag, Anprall ‖ Überfall, Attentat, Attacke, Angriff, Überrumpelung, Handstreich ‖ Aushang, Plakat, Affiche, Bekanntmachung, Mitteilung, Information, Meldung, Bescheid, Nachricht, Benachrichtigung, Notiz, Veröffentlichung, Bekanntgabe

anschlagen: angeben (Ton), erklingen lassen, anstimmen ‖ anstoßen, s. verletzen, prallen gegen; *ugs.:* anhauen, -rempeln ‖ → beschädigen ‖ aushängen, plakatieren, annageln, befestigen, anbringen ‖ anstechen, -zapfen ‖ wirken, Erfolg haben, erfolgreich/wirksam sein, Wirkung zeigen/zeitigen, zur Geltung kommen, Effekt haben ‖ bellen, kläffen, Laut geben

Anschlagsäule: Plakat-, Litfaßsäule

anschleichen, sich: s. unbemerkt nähern, s. anpirschen, beschleichen, s. heranschleichen

anschließen: eine Verbindung herstellen, anbringen, -reihen, -binden, -legen, -gliedern, befestigen, verschmelzen, -einen ‖ angrenzen, -stoßen, -rainen, -liegen, grenzen an, s. berühren mit ‖ folgen lassen, an-, hinzufügen, anbeigeben ‖ aufgreifen, -nehmen, anknüpfen an ‖ **sich a.:** beitreten, Mitglied werden, s. beteiligen, eintreten ‖ Verbindung knüpfen, Beziehung/Kontakt herstellen, s. zu-/beigesellen, s. gesellen zu, s. anhängen, s. hinzu-/aufdrängen, mitgehen, begleiten, Gesellschaft leisten, s. be-/anfreunden, s. verbinden

anschließend: darauf, danach, nachher, -folgend, -dem, -mals, im Anschluss daran, alsdann, (so)dann, hier-, hernach, hinterher, später, in der Folge, im Nachhinein, sonach, hieran; *öster.:* hint(en)nach

Anschluss: Verbindung, Kontakt, Berührung, Annäherung, Kommunikation, Fühlungnahme, Konnexionen, Bekanntschaft, -ziehungen ‖ Ein-, Angliederung, Annexion, Annektierung, Inkorporation, Besitzergreifung, -nahme, Einverleibung, Okkupation ‖ im A. an → nach

anschmiegen, sich: s. schmiegen an, s. ankuscheln/-drücken/-lehnen ‖ anliegen, passen, wie angegossen sitzen, (wie) nach Maß

anschmiegsam: geschmeidig, biegsam, nachgiebig, flexibel, anpassungsfähig, elastisch, weich ‖ zutraulich, -getan ‖ anlehnungs-, liebebedürftig

anschmieren → anstreichen ‖ → beschmutzen ‖ → betrügen

anschnallen: festschnallen, befestigen, anbinden, -gurten, -seilen, festbinden

anschnauzen → anbrüllen

anschneiden → ansprechen

anschrauben → befestigen

anschreiben: auf Borg/Kredit geben, s. leihen, Schulden machen ‖ herantreten/s. (schriftlich) wenden an, kontaktieren

anschreien → anbrüllen

Anschrift: Adresse, Wohnungsangabe, Aufenthaltsort, Aufschrift

anschuldigen → beschuldigen

Anschuldigung → Beschuldigung

anschüren → anheizen

anschwärzen → verleumden

anschwellen: größer/stärker/dicker/höher/umfangreicher/fülliger werden, (auf)quellen, s. verdicken, (auf)schwellen, s. ausdehnen/-weiten, s. (auf)blähen, anwachsen, zunehmen, auftreiben, -gehen, s. vergrößern ‖ (an)steigen (Wassermenge), über die Ufer treten ‖ erigieren (Geschlechtsteile)

anschwemmen: antreiben, -spülen, -strömen, absetzen, -lagern, an Land/ans Ufer spülen

anschwindeln → lügen

ansehen → anschauen ‖ → beurteilen ‖ jmdm. etwas a. → anmerken ‖ sich a. → ausschauen

Ansehen: (hohe) Meinung, Achtung, Wertschätzung, Autorität, Prestige, Einfluss, Gesicht, Geltung, Ehre, (guter) Ruf, Ruhm, Macht, Bedeutung, Rang, Stellung, Leumund, Reputation, (guter) Name, Nimbus, Würde, Größe, Renommee, Gewicht, Profil, Image, Stand, Wichtigkeit, Respekt, Anerkennung

ansehnlich: beachtlich, -trächtlich, -deutend, -merkenswert, erheblich, stattlich, imposant, repräsentativ, eindrucksvoll, ordentlich, reichlich, nennenswert, auffällig, respektabel, üppig, enorm, groß, eminent, besonders, stark, ungeheuer, kolossal, mächtig, gewaltig, imponierend; *ugs.:* anständig, schön; *schweiz.:* achtenswert, artig, recht

ansetzen: verlängern, anbringen, -legen, -stückeln, -nähen, -fügen, -schließen, -flicken, hinzu-, beifügen, befestigen ‖ → s. anschicken ‖ festsetzen, -legen, anberaumen, bestimmen, vereinbaren ‖ veranschlagen, rechnen, schätzen auf, in Anschlag bringen, in Rechnung stellen, kalkulieren, überschlagen, veranlagen ‖ bilden, bekommen, hervorkommen, erhalten, entwickeln, -stehen, erwachsen, aufkommen, entfalten, zeigen ‖ → dick werden, zubereiten, anrühren, -richten; *ugs.:* anmachen ‖ a. auf: beauftragen, einsetzen, betrauen ‖ sich a.: s. ablagern, sedimentieren, einen Rückstand bilden, s. niederschlagen, s. ansammeln, hängen bleiben

Ansicht: Anschauung, Meinung, Auffassung, Vorstellung, Betrachtungsweise, Standpunkt, -ort, Perspektive, Erachten, -messen, Befinden, Überzeugung, Denkweise, -art, Sinnesart, Gesinnung, Glaube,

Warte, Blickwinkel, -punkt, Haltung, Ort, Urteil, Stellungnahme, Position, Dafürhalten, Schau, Sicht, Gesichtspunkt, (Ein)stellung ‖ Bild, Abbildung, Anblick, Darstellung, Illustration, Studie ‖ Seite, Front
ansiedeln: ansässig machen, einen Ort zuweisen/geben ‖ **sich a.:** s. niederlassen, sesshaft/ansässig/heimisch werden, siedeln, s. etablieren, seinen Wohnsitz aufschlagen, Fuß fassen, Wurzeln schlagen, Aufenthalt/Wohnung nehmen, Heimat finden, wohnen; *ugs.:* s. einnisten, s. festsetzen, seine Zelte aufschlagen
Ansiedlung → Siedlung
Ansinnen: Zumutung, Forderung, Verlangen, Vorschlag, An-, Ersuchen
ansonsten → außerdem ‖ andern-, widrigen-, gegebenenfalls, oder, beziehungsweise, im anderen Fall, sonst
anspannen: ein-, anschirren, (vor den Wagen) spannen, ein-, vorspannen, einjochen, anstrengen ‖ straffen (Muskeln), strammen, strammziehen, straffziehen, anziehen ‖ → (s.) anstrengen
Anspannung → Anstrengung ‖ → Aufmerksamkeit
anspielen: zu-, abspielen, abgeben, passen zu ‖ **a. auf:** eine Anspielung/Andeutung machen, einen (versteckten) Hinweis/Wink geben, andeuten, hinweisen, durchblicken/anklingen lassen, Bezug nehmen auf, jmdm. etwas bedeuten/zu verstehen geben, durch die Blume sagen; *ugs.:* antippen, -tönen, stecken, mit dem Zaunpfahl winken
Anspielung: (versteckter) Hinweis, Fingerzeig, Andeutung, Tip, Wink, Bemerkung ‖ Stichelei, Gestichel, Spitze, Anzüglichkeit, Hieb, Häkelei, Bissigkeit
anspinnen → anbahnen ‖ **sich a.** → anbahnen

Ansporn → Antrieb ‖ **einen A. geben** → anregen
anspornen → anregen
Ansprache: Rede, Vortrag, Referat; *ugs.:* Speech ‖ → Antrieb
ansprechen: titulieren, mit einem Titel versehen/bezeichnen, betiteln, (be)nennen, heißen, anreden ‖ das Wort richten/herantreten an, ein Gespräch beginnen/anknüpfen, jmdn. adressieren; *ugs.:* anhauen, -quatschen, -quasseln, -schwatzen ‖ anschneiden, -reißen, -rühren, aufwerfen, -bringen, erwähnen, zu sprechen kommen auf, das Gespräch/die Rede/Diskussion bringen auf, vorbringen, zur Sprache bringen, vortragen; *ugs.:* aufs Tapet bringen, anbringen ‖ **a. als** → auffassen ‖ **a. um** → bitten ‖ **a. auf:** Wirkung zeigen, Erfolg/Effekt haben, fruchten, wirken, reagieren, erfolgreich/wirksam sein, zur Geltung kommen; *ugs.:* anschlagen, anspringen auf
ansprechend → sympathisch ‖ → attraktiv
Anspruch: (An)recht, Befugnis, Berechtigung, (An)forderung, Anwartschaft ‖ Verlangen, Wunsch, Postulat, Sehnsucht, Bedürfnis, Begehren, Wollen, Traum, Ambition, Ehrgeiz, Prämisse, Maßstab
anspruchslos: genügsam, bescheiden, -dürfnislos, einfach, schlicht, eingeschränkt, spartanisch, karg, zurückhaltend, zufrieden, sparsam, ohne Ansprüche, simpel
anspruchsvoll: unbescheiden, anmaßend, prätentiös, wählerisch, hochtrabend, heikel, verwöhnt, schwer zu befriedigen, überheblich ‖ kennerhaft, geschmackvoll, kritisch, urteilsfähig, -sicher, von gutem/erlesenem Geschmack, empfindlich, differenziert, verfeinert, ambitiös
anspucken: an-, bespeien; *ugs.:* bespucken

anspülen → anschwemmen

anstacheln → anregen ‖ → aufhetzen

Anstalt: Institut(ion), Einrichtung, Heim, Stätte, Organisation ‖ **Anstalten machen** → s. anschicken

Anstand: gutes Benehmen, Sitte, Betragen, Umgangsformen, Haltung, Manieren, Art, Etikette, Form, Aufführung, Verhalten, Gebaren, Niveau, Schliff, Schicklichkeit, Takt, Fein-, Zartgefühl, Höflichkeit, Kinderstube, Kultur, Lebensart; *ugs.:* Benimm ‖ An-, Hochsitz, Kanzel, Hochstand

anständig: ordentlich, höflich, dem Anstand/den Vorschriften/der Sitte entsprechend, rechtschaffen, gesittet, sittlich, -sam, unbescholten, tugendhaft, lauter, angemessen, fair, fein, artig, schicklich, lieb, brav, keusch, gut, gebührend, solid(e), manierlich, salon-, gesellschaftsfähig, ehrenhaft, honorig, wohl erzogen, achtbar, redlich, zuverlässig, korrekt, charaktervoll, sauber, von guter Gesinnung, comme il faut, wie es s. gehört, ehrlich; *ugs.:* stubenrein ‖ zufrieden stellend, (durchaus) genügend, anerkennenswert, annehmbar, akzeptabel, befriedigend, passend ‖ viel, beträchtlich, ziemlich groß, beachtlich, sehr, stattlich, bedeutend, erheblich, bemerkenswert, respektabel

anstandshalber: (nur) aus Höflichkeit/Anstand, (nur) der Form wegen/halber, die Form wahrend

anstandslos: ohne Zögern/Bedenken/Widerspruch/jede Schwierigkeit/weiteres, widerspruchs-, bedenkenlos, unbesehen, -geprüft, -bedenklich, selbstverständlich, gern, bereitwillig, mit Vergnügen, kurzerhand, natürlich; *ugs.:* mir nichts, dir nichts, rundheraus

anstarren: mit Blicken durchbohren, starr ansehen/-schauen/-blicken, kein Auge wenden/lassen von, den Blick heften auf, mit den Augen verschlingen, jmdn. scharf ins Auge fassen, den Blick nicht abwenden können, nicht aus den Augen lassen, fixieren; *ugs.:* anglotzen, -gaffen, -gucken, -glupschen, -stieren

anstatt: statt, und nicht, anstelle, dafür, im Austausch, für, stellvertretend, ersatzweise, als Ersatz für, gegen, in Vertretung

anstauen: aufhalten, hemmen, (ab)stauen, absperren, ein-, abdämmen ‖ **sich a.** → s. anhäufen

anstaunen → bewundern

anstechen: anzapfen, -stecken, -schlagen

anstecken: an-, entzünden, anbrennen, in Brand setzen/stecken, anschüren, Feuer legen, anfachen, zum Brennen bringen; *ugs.:* anreiben, -reißen ‖ befestigen, anheften, -nadeln, -legen, feststecken, -heften, -machen, anbringen; *ugs.:* antun, -machen; *öster.:* anpicken ‖ infizieren, übertragen, verseuchen ‖ anstechen, -zapfen, -schlagen ‖ **sich a.:** befallen/krank werden, s. infizieren, s. etwas zuziehen, bekommen; *ugs.:* s. etwas holen, etwas fangen/(auf)-schnappen/aufgabeln/ausbrüten/erwischen

ansteckend: infektiös, übertragbar, virulent, krankheitserregend, kontagiös

Anstecknadel: Brosche, Spange, Agraffe, Plakette, Abzeichen

anstehen: warten, s. anstellen, s. aufreihen, ver-, ausharren, Schlange stehen ‖ angemessen sein, passen, s. gehören, s. (ge)ziemen, s. gebühren, s. schicken ‖ unerledigt/fällig/unabgeschlossen/-fertig/-vollendet/nicht zu Ende geführt/unausgeführt/anhängig sein, auf Erledigung warten, im Raum stehen ‖ **a. lassen:** hinausschieben, warten mit, hinauszögern, -ziehen, verschleppen, -zögern,

-langsamen, auf die lange Bank schieben, in die Länge ziehen, ausdehnen

ansteigen: zunehmen, wachsen, s. vermehren/-stärken/-dichten, steigen, s. ausdehnen, s. erhöhen, anschwellen, s. ausweiten, eskalieren ‖ s. verteuern, teurer werden, hochklettern, in die Höhe gehen, anziehen, hochgehen, s. heben ‖ aufwärts führen (Straße), aufsteigen, bergauf gehen

anstelle → anstatt

anstellen: anlehnen, -legen, -setzen, stellen/lehnen/stützen gegen ‖ einschalten, -stellen, anschalten, aufdrehen; *ugs.:* anknipsen, -machen, -drehen ‖ in Gang/Betrieb setzen, anlassen, -werfen, starten, flottmachen, ankurbeln ‖ beschäftigen, annehmen, engagieren, einsetzen, verpflichten, in Dienst/Arbeit nehmen, betrauen, unterbringen, Arbeit/eine Stelle geben; *öster.:* aufnehmen ‖ tun, versuchen, vollführen, anfangen, machen, treiben, unternehmen, verrichten, bewerkstelligen, anfassen, in die Hand nehmen, einrichten, arrangieren, in die Wege leiten, zustande/-wege bringen; *ugs.:* anpacken, managen, deichseln, hinkriegen, -biegen, drehen, schmeißen ‖ → anrichten ‖ **sich a.:** s. anreihen, Schlange stehen, anstehen, s. anschließen ‖ s. benehmen, s. verhalten, s. aufführen, reagieren, s. betragen, auftreten, → s. zieren

anstellig: geschickt, begabt, finger-, handfertig, kundig, gewandt, praktisch, geübt, verwend-, brauchbar, routiniert

Anstellung: Stelle, Stellung, Posten, Arbeit, Arbeitsverhältnis, -platz, Position, Beschäftigung, Engagement, Job, Broterwerb, Betätigung ‖ Einstellung, Indienstnahme, -stellung, Auf-, Annahme

ansteuern: Richtung/Kurs nehmen auf, anlaufen, -segeln, zusteuern/-laufen/-halten/-fahren auf, anpeilen, zielen auf, zum Ziel nehmen, anfliegen ‖ → anstreben

Anstieg: Ansteigen, Steigung ‖ Erhöhung, Zunahme, Verstärkung, Steigerung, Vermehrung, Zuwachs, Intensivierung, Fortschreiten, Progression ‖ Aufstieg, Hinauf-, Emporsteigen, Aufgang

anstieren → anstarren

anstiften: verleiten, überreden, aufhetzen, -wiegeln, -reizen, -putschen, anstacheln, verführen, -locken, jmdn. zu etwas bringen/bewegen/inspirieren, animieren ‖ anzetteln, ins Werk setzen, veranlassen, -ursachen, anspornen, bewirken, herbeiführen, auslösen, anrichten, erzeugen, in Gang setzen, ankurbeln, inszenieren, bedingen, hervorrufen, vorbereiten

Anstifter → Rädelsführer

anstimmen: zu singen beginnen, anschlagen, den Ton angeben

anstinken → anwidern

Anstoß → Antrieb ‖ **A. erregen** → anstoßen ‖ **A. nehmen an** → beanstanden

anstoßen: anschlagen, -rempeln, prallen gegen, anprallen, aufschlagen, berühren; *ugs.:* schubsen, antippen, stupfen ‖ zutrinken, -prosten, die Gläser erklingen lassen ‖ Unwillen hervorrufen, Anstoß/Ärger/Missbilligung/-fallen/Ärgernis erregen, entgleisen, unangenehm auffallen, seinen Ruf schädigen, von s. reden machen, einen Fauxpas begehen; *ugs.:* anecken, ins Fettnäpfchen treten ‖ → angrenzen ‖ → beschädigen ‖ → anregen ‖ **sich a.** → s. verletzen

anstößig: unanständig, verwerflich, anstoß-, Ärgernis erregend, empörend, skandalös, s(c)hocking, unsittlich, -moralisch, -schicklich, -gehörig, -flätig, -gebührlich, -gesittet, -manierlich, -gehobelt, sitten-, zuchtlos, amoralisch, zweideutig, ärgerlich, den Anstand/die gute Sitte verletzend, liederlich, verdorben, -derbt, -rucht, -worfen, unzüchtig, -keusch, anzüglich, → anrüchig, pornografisch, lasterhaft, obszön, frech, wüst, gemein, gewöhnlich, unfein, -ziemlich, schlüpfrig, pikant, locker, schmutzig, schlecht, schamlos, lose, gewagt, ordinär, vulgär, zotig, frivol, nicht salonfähig, lasziv; *ugs.:* nicht stubenrein, nicht jugendfrei; *derb:* dreckig, schweinisch, säuisch

anstrahlen → beleuchten

anstreben: zu erreichen/verwirklichen suchen, streben/drängen nach, verfolgen (Plan), s. anstrengen, intendieren, ansteuern, erstreben, trachten/eifern nach, beabsichtigen, -zwecken, wollen, zielen auf, s. bemühen um, ab-/hinzielen/hin-/zusteuern/hinarbeiten/-auswollen/absehen/anlegen/reflektieren/gerichtet sein auf, vorhaben; *ugs.:* aus sein auf, darauf ausgehen

anstreichen: (über)tünchen, an-, bemalen, an-, bepinseln, weiß(l)n, streichen, kalken, lackieren; *abwertend:* anschmieren; *öster.:* ausmalen ‖ kenntlich machen, markieren, anmerken, -zeichnen, -haken, -kreuzen, kenn-, einzeichnen, hervorheben, betonen, herausstellen ‖ **sich a.** → s. schminken

anstrengen: eine Belastung/Strapaze sein, die Kräfte beanspruchen/anspannen, überfordern, -anstrengen, -beanspruchen, -laden, -lasten, strapazieren, missbrauchen, aufreiben, angreifen, belasten, abverlangen, in Anspruch nehmen, absorbieren, ermüden, -schöpfen, -matten, -lahmen, aushöhlen, schwächen; *ugs.:* schlauchen, stressen, fertig machen ‖ **sich a.:** s. große Mühe geben, alle Kraft aufbieten/einsetzen/aufwenden, alle Kräfte anspannen/mobilisieren, sein Möglichstes tun, s. mühen, s. etwas/zu viel abverlangen, nichts unversucht lassen, alle Hebel in Bewegung setzen, s. plagen, s. quälen, s. be-/abmühen, s. fordern, s. befleißigen, Anstrengungen machen, sein Bestes tun/geben, s. übernehmen/-fordern/-laden/-arbeiten/-anstrengen, s. abarbeiten, bestrebt/fleißig/bemüht sein, das Menschenmögliche tun, versuchen, zusehen, s. schinden, s. strapazieren, s. verschleißen, s. aufreiben, s. erschöpfen, s. verausgaben, schwer arbeiten, Schweiß vergießen, s. (ab)martern, s. müde arbeiten, s. aufzehren, s. zu viel zumuten; *ugs.:* s. ins Zeug/Geschirr legen, s. dahinterklemmen, schuften, (r)ackern, sein Letztes hergeben, s. dahinterknien/-klemmen/-setzen, aus s. das Letzte/Äußerste herausholen, s. zusammenreißen/-nehmen, asten, s. abschleppen/-schuften/-quälen/-plagen/-rackern/-strampeln/-schinden, s. kaputtmachen, wie ein Pferd arbeiten, schanzen, Himmel und Hölle in Bewegung setzen, s. auf den Hosenboden setzen, s. totmachen, s. umbringen, s. herumschlagen/-plagen

anstrengend: mühevoll, beschwerlich, ermüdend, -schöpfend, -mattend, aufreibend, belastend, angreifend, kräftezehrend, schweißtreibend, mühsam, strapaziös, schwer, schwierig; *schweiz.:* streng, strub; *ugs.:* stressig

Anstrengung: Kraft-, Arbeitsaufwand, Anspannung, Mühe, Kraftanstrengung, -akt, Strapaze, Mühsal, (Über)belastung, Beschwerlichkeit, Last, Stress, (Über)beanspruchung, Überforderung, Druck, Arbeit, Inanspruchnahme, Plage, Plackerei; *öster.:* G(e)frett; *schweiz.:* Knorz; *ugs.:* Heiden-, Mordsarbeit, Schufte-

rei, Schlauch, Schinderei, Mords-
strapaze, Pferde-, Knochen-,
Hunde-, Sauarbeit ‖ Versuch, Vorstoß
anströmen → anschwemmen
Ansturm: Andrang, Zustrom, -lauf,
-drang, Run, Sturm ‖ Herandrängen,
-stürmen, Angriff, Attacke, Vorstoß,
Offensive, Anfall
Antagonismus: Widerstreit, Gegensatz, Kontrast, Kluft, Divergenz, Un-
terschied(lichkeit)
Antagonist → Gegner
antagonistisch → gegensätzlich
antanzen → kommen
antasten: berühren, anfassen, an-, befühlen, betasten, anrühren, -tippen,
-tupfen, streifen; *ugs.:* hin-, anlangen, befingern, -fummeln, an-, betatschen, an-, begrapschen ‖ angreifen,
einschränken, bestreiten, anfechten,
(ab)leugnen
Anteil: Teil, Part, Stück, Portion, Ration, Kontingent, Teilhabe; *schweiz.:*
Betreffnis ‖ Beitrag, Beteiligung,
Mitwirkung ‖ → Anteilnahme
Anteilnahme: Teilnahme, Interesse,
Mitgefühl, -fühlen, -empfinden,
Aufmerksamkeit, Engagement, Beteiligung, Beileid, Anteil
Antenne → Sinn
antiautoritär: repressionsfrei, -arm,
-los, gewalt-, herrschaftsfrei, zwanglos, freiheitlich, liberal, aufgeklärt,
ohne Zwang, gegen Normen/Autori-
tät/gesellschaftliche Bindungen,
nonkonform, unkonventionell
Antibabypille → Pille
antik: klassisch, alt, griechisch-rö-
misch ‖ altertümlich, altehrwürdig,
aus alter Zeit stammend, archaisch ‖
→ altmodisch
Antike: das (klassische) Altertum, die
Alte Welt, Klassik
Antipathie: Abneigung, Widerwille,
-streben, Unmut, Aversion, Abscheu,
Ressentiment

Antipode → Gegner
antippen → antasten ‖ → fragen ‖
→ andeuten
antiquarisch: gebraucht, alt, aus
zweiter Hand, nicht mehr neu, secondhand
antiquiert → altmodisch
Antiquitäten: Altertümer, Altwaren,
-kunst, antike/wertvolle/alte/alter-
tümliche/antiquarische (Kunst)ge-
genstände
Antisemitismus: Judendiskriminierung, -hass, -feindlichkeit, -verfol-
gung, Rassismus, Rassenhass
Antithese: Gegenbehauptung, -teil,
-argument
antithetisch → gegensätzlich
antizipieren: vorwegnehmen, -grei-
fen, in die Zukunft planen, ein Zu-
kunftsbild entwerfen
Antlitz → Gesicht
Antrag: Bitte, Gesuch, Eingabe, Bittschrift, Anfrage, -suchen, Petition,
Fürbitte, Bewerbung, Bittgesuch;
schweiz.: Anzug; *ugs.:* Bettelbrief ‖
Vorschlag, -lage, Angebot, Entwurf,
Initiativantrag, Offerte; *schweiz.:*
Motion
antragen: vorschlagen, anbieten, ein
Angebot unterbreiten, (an)raten,
empfehlen, nahe legen
antreffen: (vor)finden, erreichen, begegnen, sehen, vorkommen, stoßen
auf, nicht verfehlen
antreiben → anregen ‖ in Gang/Be-
wegung bringen (Maschine), betreiben, -wegen ‖ → anschwemmen ‖
→ aufhetzen
antreten: s. aufstellen, Aufstellung
nehmen, s. postieren, s. platzieren, s.
stellen (Gegner), s. aussetzen, den
Kampf aufnehmen, s. einlassen, s.
messen, bereit sein ‖ → anfangen
Antrieb: Impuls, Ansporn, -reiz,
-lass, -stoß, Anregung, -sprache, Veranlassung, Triebfeder, -kraft, Stimulus, Zugkraft, Motor, Grund, Motiv,

Beweggrund, Ursache, Agens, Stachel, Dynamik, treibende Kraft, Movens

Antritt → Beginn

antun: (Schaden) zufügen, in Mitleidenschaft ziehen, schaden, schädigen, (zuleide) tun, bereiten, beibringen; *ugs.:* jmdm. eins auswischen ‖ erweisen (Ehre, Gutes), (be)zeigen, zuteil werden lassen, angedeihen lassen, entgegenbringen ‖ → anziehen ‖ **sich etwas a.** → s. umbringen ‖ **es jmdm. angetan haben** → gefallen

anturnen, (sich) → anregen ‖ Drogen/Rauschgift nehmen, s. in einen Rausch versetzen, s. mit Drogen betäuben; *ugs.:* auf den Trip/die Reise gehen, s. volldröhnen

Antwort: Entgegnung, Auskunft, Echo, Bescheid, Nachricht, Erwiderung, Gegenrede, -bemerkung, Replik, Quittung, Resonanz, Rückäußerung, Beantwortung, Reaktion; *ugs.:* Retourkutsche ‖ Lösung, Auflösung, -klärung

antworten: entgegnen, erwidern, zur Antwort geben, Bescheid/Auskunft/Nachricht/Aufschluss geben, dagegenhalten, zurückgeben, versetzen, wissen lassen, kundtun, beantworten, Rede stehen, eingehen auf, reagieren, entgegenhalten, begegnen, kontern, replizieren, nichts schuldig bleiben

anvertrauen: über-, abgeben, empfehlen, übertragen, in die Hände legen, anheim geben, aushändigen, überreichen, -bringen, -lassen, -antworten, abliefern, in jmds. Schutz stellen, in Verwahr geben ‖ **sich a.:** s. mitteilen, s. aussprechen, reden, s. offenbaren, s. entdecken, gestehen, s. öffnen, sein Herz/seine Seele ausschütten, erzählen, wissen lassen, in Kenntnis/ins Bild setzen, kundtun, informieren, unterrichten, aufklären, jmdn. ins Vertrauen ziehen, seinem Herzen Luft machen, sein Herz erleichtern, s. etwas von der Seele reden, s. erleichtern, sagen, was man auf dem Herzen hat, preisgeben, verraten, offenlegen, enthüllen, einweihen, s. entlasten, bekennen, kein Hehl machen; *ugs.:* reinen Wein einschenken, s. ausquatschen

anvisieren → anpeilen

anwachsen: zunehmen, wachsen, s. vermehren, s. steigern, s. vergrößern/-stärken/-dichten/-breiten, ansteigen, s. erhöhen, s. ausdehnen/-weiten, anschwellen, eskalieren, s. erweitern, auf-, anlaufen, s. summieren ‖ festwachsen, s. verbinden, Wurzel fassen, anwurzeln

Anwalt: Rechtsanwalt, Advokat, Rechtsbeistand, -berater, Jurist ‖ Fürsprecher, Verteidiger, -fechter, -treter, Sachverwalter

Anwaltsbüro: Kanzlei

anwandeln → überfallen

Anwandlung: Anfall, (Auf)wallung, Koller, Ausbruch, Raptus, Laune, Einfall, Stimmung, Grille, Schrulle, Kaprize, Mucke, Kapriole

Anwärter: Kandidat, Aspirant, Bewerber, Interessent, Postulant, Bittsteller, Reflektant, Prätendent, Exspektant

Anwartschaft: Aussicht, Hoffnung, Anspruch, Berechtigung, Anrecht

anweisen: zuteilen (Platz), zuweisen ‖ → anordnen ‖ beauftragen, betrauen mit, verpflichten ‖ → anleiten ‖ überweisen, senden, zahlen, zustellen, zukommen lassen

Anweisung: Anleitung, Unter-, Einweisung, Einführung, Beratung, -lehrung, Wegleitung, Unterricht ‖ Gebrauchsanweisung, Benutzungs-, Bedienungsvorschrift, Hinweis, Ratgeber, Führer, Plan, Wegweiser, Verhaltens(maß)regel, Leitlinie, Direktive, Angabe ‖ Weisung, Bestimmung, Aufforderung, Anordnung, Befehl, Vorschrift ‖ Überweisung,

Zustellung, Zahlung, Geldsendung, Zuweisung

anwendbar → brauchbar

anwenden: (ge)brauchen, arbeiten mit, verwenden, (be)nutzen, (be)nützen, s. etwas zunutze/dienstbar machen, Verwendung haben für, in Anwendung bringen, in Gebrauch/ Dienst/Benutzung nehmen, s. bedienen, einsetzen, verwerten, zum Einsatz bringen, handhaben ‖ **a. auf:** übertragen, beziehen auf

anwerben → werben

anwerfen → anlassen

Anwesen: Besitz(tum), Haus und Hof, Wohn-, Landsitz, Hof, Gut(shof), Gehöft, Grundbesitz, Immobilien, Länderei, Besitzung

anwesend: zugegen, zur Stelle, an Ort und Stelle, vorhanden, hier, da, gegenwärtig, präsent, am Platze, greifbar, zu erreichen, zur Hand

anwidern: anekeln, Abscheu/Ekel erregen, zuwider/widerlich/überdrüssig sein, ab-, zurückstoßen, ekeln, degoutieren, jmdm. widerstehen/-streben; *ugs.:* grausen, über haben, zum Hals heraushängen, schütteln, etwas dreht einem den Magen um; *derb:* anstinken, -kotzen

Anwohner: Anlieger, Nachbar, Anrainer; *schweiz.:* Anstößer

Anzahl: Zahl, Menge, Quantität, Masse, Vielzahl, -heit, Unzahl, -maß, Mehrzahl, Quantum, Summe, Reihe, Fülle, Flut, Heer, Serie, Schar, Legion, Schwall, Schwarm, Armee; *ugs.:* Haufen, Schwung, Berg, Batzen, Unmasse, -menge, Wust, Ladung

anzapfen: anstechen, -stecken, -schlagen ‖ → betteln

Anzeichen: Symptom, (Kenn)zeichen, Beweis, Merkmal, Anhaltspunkt, (Vor)bote, Erscheinung, Vorzeichen, Auspizien, Omen, Vorbedeutung, Mahnung, Hinweis, Wink, Signal, Fingerzeig

Anzeige: Annonce, Inserat, Zeitungsanzeige, Werbung, Veröffentlichung, Bekanntgabe, -machung, Mitteilung, Ankündigung, Nachricht ‖ Beschwerde, Be-, Anschuldigung, Meldung, Belastung, Klage, Bezichtigung

anzeigen → annoncieren ‖ → ankündigen ‖ (Straf)anzeige erstatten, melden, zur Polizei gehen, Meldung machen, vor den Richter/vor Gericht gehen, denunzieren, verraten, angeben, (ver)klagen, an-, beschuldigen, zur Last legen, zeihen, bezichtigen, einen Prozess anstrengen, zur Rechenschaft ziehen; *ugs.:* (ver)petzen, verpfeifen, -klatschen, hochgehen lassen

anzetteln → anstiften

anziehen: an-, bekleiden, Kleidung anlegen, antun, hineinschlüpfen, (s.) überziehen, -werfen, -streifen, umhängen, ein-, umhüllen, aufsetzen, -stülpen (Hut), umbinden (Schürze, Tuch); *ugs.:* in die Kleider/Sachen schlüpfen/steigen/fahren, einmummeln ‖ (an)locken, für s. einnehmen, begeistern, fesseln, faszinieren, entflammen, attraktiv sein, reizen, verleiten, -führen, in Versuchung führen, ködern ‖ heran-, beiziehen (Bein), anwinkeln, -reißen ‖ spannen, festziehen, straffen, straffziehen, strammen, anspannen ‖ (an)steigen (Preise), hochklettern, s. erhöhen, zunehmen, hinaufschnellen, in die Höhe klettern/gehen, s. verteuern, teurer werden, aufschlagen ‖ annehmen (Geruch), aufsaugen, eindringen/haften lassen ‖ s. in Bewegung setzen, anlaufen, -fahren, -rollen, starten ‖ in Fahrt kommen, das Tempo steigern

anziehend → attraktiv ‖ → zugkräftig

Anziehungskraft: Zug-, Schwerkraft, Adhäsion(skraft), Gravitation, Attraktion ‖ → Reiz

anzüglich: spöttisch, boshaft, beißend, bissig, spitz, mokant, höhnisch, ironisch, sarkastisch, verletzend, beleidigend, ausfallend, scharf(züngig), frech ‖ → anstößig

anzünden: (ent)zünden, anbrennen, -fachen, -schüren, zum Brennen bringen, in Brand setzen/stecken, Feuer machen/legen, entfachen, an-, einheizen; *reg.:* kokeln; *ugs.:* anreißen, -reiben (Streichholz)

anzweifeln → bezweifeln

apart: geschmackvoll, reizend, angenehm, ästhetisch, stilvoll, gepflegt, gewählt, anmutig, schön, hübsch, schick, kultiviert, kleidsam, fesch, vornehm, nobel, gefällig ‖ originell, einzeln, besonders, eigenartig, ungewöhnlich, extra, für sich, separat, (ab)gesondert, individuell

Apartheid: Rassentrennung

Apartment: Zimmerflucht, Suite, Wohnung ‖ Klein-, Einzimmerwohnung, Flat

apathisch: teilnahmslos, gleichgültig, träge, interesselos, unbeteiligt, indifferent, ungerührt, -bewegt, -empfindlich, passiv, phlegmatisch, indolent, lethargisch, leidenschaftslos

Apfelsine: Orange

Aphorismus → Spruch

apodiktisch: unwiderleglich, bestimmt, klar, entschieden, kategorisch, dezidiert, ausdrücklich, fest, unmissverständlich, eindeutig, deutlich

Apologie: Verteidigung, Rechtfertigung, Apologetik

Apostel: Jünger, Vertreter, Vorkämpfer, Verkünder, Anhänger, Heiliger, Prediger, Missionar ‖ Nachbeter, -ahmer, Epigone, Apologet

Apotheker: Arzneikundiger, Pharmazeut; *ugs.:* Pillenverkäufer, -dreher

Apparat: Gerät, Anlage, Maschine(rie), Apparatur, Vorrichtung, Instrument, Werk, Getriebe, Mechanismus, Einrichtung, Werkzeug, Gerätschaften ‖ Organisation, Verwaltung, Aufbau, Gefüge, Komplex, Verband, System, Gebilde, Anordnung

Appeal → Reiz

Appell → Aufruf

appellieren: an-, aufrufen, auffordern, zu bewegen suchen, s. wenden an, beschwören, ins Gewissen reden, anhalten, mahnen, zureden, anraten, predigen, ansprechen

Appendix → Anhang ‖ Blinddarm, Wurmfortsatz

Appetit: Esslust, (Heiß)hunger, Verlangen, Bedürfnis, Magenknurren, Gelüst, Gier, Gefräßigkeit; *öster.:* Gusto; *ugs.:* Fresslust, (Kohl)dampf, Bock

appetitlich: appetitanregend, lecker, schmackhaft, fein, (ver)lockend, anregend, -sprechend, einladend, geschmackvoll, wohlschmeckend, delikat, köstlich, knusprig, duftend, zum Anbeißen/Fressen

applaudieren: klatschen, Beifall spenden/bekunden/zollen, akklamieren, mit Applaus überschütten, Ovationen bereiten, zujubeln, mit Jubel begrüßen, beklatschen, feiern

Applaus → Beifall

Aprikose: *öster.:* Marille; *schweiz.:* Barelle, Barille

apropos: übrigens, nebenbei bemerkt/gesagt, parenthetisch

äquivalent → gleich

Äquivalent: (gleichwertiger) Ersatz, Gegenwert, -leistung, Entschädigung, Ausgleich, Abgeltung, Surrogat

Ära: Zeitalter, Zeitabschnitt, Zeitraum, Zeitspanne, Epoche, Zeit, Periode, Phase

Arbeit: Tätigkeit, Betätigung, (Dienst)leistung, Beruf, Tun, Beschäftigung, Ausübung, Schaffen,

Dienst, Verrichtung, Handwerk ‖ (An)stellung, Broterwerb, Erwerbstätigkeit, Stelle, Arbeitsverhältnis, -stelle, -platz, -feld, -gebiet, Position, Posten, Metier, Profession, Job, Engagement ‖ Aufgabe, Aufgabenbereich, Auftrag, Amt, Dienst, Funktion, Pflicht, Ressort, Mission, Obliegenheit, Bestimmung ‖ Werk, Erzeugnis, Produkt, Schöpfung, Opus, Œuvre ‖ Abhandlung, Niederschrift, Aufsatz, Beitrag, Dissertation, Untersuchung, Analyse, Studie ‖ Gestaltung, Aus-, Durchführung, Ausarbeitung, Bau ‖ → Anstrengung

arbeiten: Arbeit leisten/verrichten, dienen, s. betätigen, tätig sein, s. beschäftigen, werke(l)n, wirken, schaffen, hantieren, s. regen, (be)treiben, einer Beschäftigung nachgehen, einen Beruf ausüben, s. befassen/abgeben mit, tun, s. rühren, fungieren, erwerbstätig sein, s. widmen; *ugs.:* (herum)wirtschaften, (herum)pusseln, schanzen, roboten; *reg.:* malochen; *abwertend:* (herum)fuhrwerken ‖ in Tätigkeit/Betrieb/Funktion/Gang sein (Maschine), laufen, gehen, funktionieren, angestellt/eingeschaltet sein; *ugs.:* an sein, tun ‖ gären, aufgehen, treiben ‖ → s. anstrengen ‖ **a.an** → anfertigen ‖ **an sich a.:** s. bilden, s. vervollkommnen, s. fordern, s. etwas abverlangen, s. runden, s. schleifen; *ugs.:* s. den letzten Schliff geben

Arbeiter: Arbeitskraft, -nehmer, Lohnabhängiger, -empfänger, -arbeiter, Proletarier, Werktätiger, Betriebsangehöriger ‖ Angestellter, Beschäftigter, -diensteter, Gehaltsempfänger

Arbeiterklasse: die Arbeiter, Proletariat, die arbeitende Klasse, Arbeiterschaft, die Werktätigen

Arbeitgeber: Unternehmer, Dienst-, Brotherr, Vorgesetzter, Chef, Leiter;

abwertend: Kapitalist, Ausbeuter, Bonze, Profitmacher; *ugs.:* Boss, Brötchengeber

arbeitsam: fleißig, tüchtig, eifrig, tatkräftig, schaffensfreudig, emsig, strebsam, arbeitsfreudig, rührig, geschäftig, arbeitswillig, betriebsam, ehrgeizig, bienenhaft, unermüdlich, aktiv, beflissen; *schweiz.:* schaffig; *scherzh.:* ein Workaholic sein

Arbeitsgebiet: Fach, Beruf, Arbeitsfeld, -bereich, -kreis, Tätigkeitsbereich, -feld, Wirkungskreis, -bereich, Aufgabenbereich, Sachgebiet, Amt, Metier, Gewerbe, Posten, Position, Stelle, Funktion, Sparte, Branche, (Berufs)zweig, Beschäftigung, Profession, Betätigung(sfeld), Job

Arbeitskampf → Streik

arbeitslos: stellenlos, unbeschäftigt, stellungslos, ohne Arbeit/Anstellung / Beschäftigung / Arbeitsplatz / Erwerb, beschäftigungs-, erwerbs-, brotlos; *ugs.:* stempeln gehend, auf der Straße

Arbeitsplatz: Stelle, (An)stellung, Posten, Position, Arbeitsverhältnis, -stätte, Beschäftigung; *ugs.:* Job

arbeitsscheu: faul, untätig, träge, müßig, bequem, inaktiv, phlegmatisch, tatenlos

archaisch: früh-, vor-, urzeitlich, (ur)geschichtlich, alt, aus (sehr) früher Zeit, prähistorisch, altertümlich, antik ‖ elementar, ursprünglich ‖ altmodisch, vorsintflutlich; *ugs.:* überholt, überkommen

Archäologe: Altertumsforscher, -wissenschaftler

Archetyp: Urbild, -form, -gestalt, -typ ‖ Muster, Vor-, Leitbild, Ideal, (Grund)modell

Architekt: Baufachmann, -meister, -künstler, Erbauer

Architektur: Baukunst, Architektonik ‖ Baustil, -art, -weise, -typ, -form, Gestaltung

Archiv: Dokumenten-, Urkunden-
sammlung
Areal: Bodenfläche, Siedlungs-, Verbreitungsgebiet, → Gebiet
Arena: Kampf-, Sport-, Schauplatz,
Szene(rie) ‖ Zirkusmanege, Bühne ‖
öster.: Sommerbühne
arg → schlimm ‖ → unangenehm ‖
→ böse ‖ → sehr
Ärger: Verdruss, Unwille, Miss-,
Unmut, Missfallen, -vergnügen,
-laune, Verstimmung, -ärgerung,
schlechte Laune, Gereiztheit,
(In)grimm, Zorn, Wut, Groll, Erbitterung, Verdrossenheit; *ugs.:* Rage,
Stunk ‖ Unannehmlichkeit(en), Ärgernis, Unbill, Widrig-, Unzuträglichkeit, Missgeschick, Unstimmigkeiten; *ugs.:* Scherereı(en), Theater,
Krach, Tanz, Schlamassel, Zores,
Knatsch
ärgerlich: verärgert, aufgebracht,
-geregt, böse, entrüstet, missmutig,
voll Ärger/Verdruss, ungehalten,
-wirsch, -willig, erbost, gereizt, verstimmt, erbittert, zornig, wütend, erzürnt, grantig, zähneknirschend, wutentbrannt, -schnaubend, außer sich,
empört, grimmig, mürrisch, verdrossen, bärbeißig, griesgrämig, missgestimmt, -launig, muffig, sauertöpfisch; *schweiz.:* mauserig, hässig,
leid; *ugs.:* sauer, geladen, in Fahrt,
vergnatzt ‖ unerfreulich, -angenehm,
-gelegen, verdrießlich, misslich,
schwierig, leidig, unerwünscht, lästig, unliebsam, schlecht, dumm, ungünstig, genant, unerquicklich
ärgern: Ärger/Verdruss bereiten, er-,
aufregen, erzürnen, -grimmen, -bo-
sen, quälen, plagen, peinigen, kränken, bedrücken, -trüben, -kümmern,
in Missmut versetzen, verstimmen,
-drießen, -ärgern, -bittern, -letzen,
zusetzen, aufbringen, reizen, brüskieren, provozieren, belästigen, entrüsten, empören, jmdn. zur Weißglut

bringen, wütend/rasend machen,
aufziehen, necken, foppen, hänseln;
ugs.: hochbringen, -nehmen, jmdn.
auf die Palme bringen/die Wände
hochjagen, auf die Nerven gehen/
den Wecker fallen, wurmen, fuchsen
‖ Ärger/Verdruss empfinden, böse
werden, toben, wüten, aufbrausen,
aus der Haut fahren; *ugs.:* es satt haben, genug haben, vor Ärger platzen,
s. giften, schäumen, kochen, sieden,
wütend/geladen/sauer sein, wild/
giftig werden, die Wände hochgehen,
zuviel kriegen, rotieren, einem stinken, den Nerv töten
Arglist: (Heim)tücke, Hinterlist, -häl-
tigkeit, -gedanken, Verschlagenheit,
Bosheit, Übelwollen, böser Wille, Intriganz, Gift, Böswilligkeit, Falsch-
heit; *derb:* Hinterfotzigkeit
arglistig: hinterlistig, (heim)tückisch,
hinterhältig, -rücks, versteckt, falsch,
unaufrichtig, meuchlings, verschlagen, bösartig, intrigant, boshaft,
übelwollend, niederträchtig; *derb:*
hinterfotzig
arglos: vertrauensselig, zutraulich,
gut-, leichtgläubig, naiv, einfältig,
treuherzig, kritik-, sorg-, furchtlos,
offen(herzig), ohne Arg(wohn), ahnungslos, in gutem Glauben, unschuldig, harmlos, unbedacht, -be-
sonnen, vertrauend, blauäugig
Argument: Beweisgrund, -führung,
Argumentation, Begründung, Erklärung, Rechtfertigung, Entgegnung,
Be-, Nachweis, Beleg
Argwohn → Verdacht
argwöhnen: (be)fürchten, vermuten,
Argwohn/Verdacht hegen, Verdacht
schöpfen, anzweifeln, misstrauen,
Bedenken haben, ahnen, verdächtigen; *ugs.:* wittern, dem Frieden nicht
trauen, Lunte riechen, nicht über den
Weg trauen
argwöhnisch: misstrauisch, skeptisch, ängstlich, un-, kleingläubig,

vorsichtig, wachsam, kritisch, zweifelnd, unsicher, voller Argwohn, auf der Hut

Aristokratie → Adel

aristokratisch → adlig

arm: besitz-, mittellos, bedürftig, unbemittelt, Not leidend, unvermögend, elend, verelendet, -armt, minderbemittelt, -begütert, vermögens-, güterlos, in Not, ohne Einkommen, bettelarm, finanz-, einkommensschwach, ärmlich, hilfsbedürftig; *ugs.:* arm wie eine Kirchenmaus, ohne Geld, mausearm, knapp bei Kasse, schwach auf der Brust, pleite, blank, abgebrannt ‖ → kläglich

Arm: Ärmel ‖ Abzweigung (Fluss), Seitenlinie, Zweig, Ausläufer

Armee: Heeresverband, Militär, Streitkräfte, -macht, Heer, Truppen, Soldaten ‖ → Menge

Armenviertel: Slum, Elends-, Glasscherbenviertel

Armer: Besitz-, Mitteloser, Bedürftiger; *ugs.:* armer Schlucker/Teufel, Habenichts, Hungerleider

ärmlich → arm ‖ → kläglich

armselig → kläglich

Armut: Besitz-, Mittellosig-, (Be)dürftig-, Kärglich-, Spärlich-, Ärmlich-, Armseligkeit, Knapp-, Unbemittelt-, Kargheit, Elend, Not, Verarmung, Geldmangel, -not, Bedrängnis, Verelendung, Beschränktheit, Entbehrung, gedrückte Verhältnisse ‖ Mangel (Gefühle, Gedanken), Leere, Geistlosigkeit, Vakuum, Hohlheit, Einfallslosigkeit, Stumpfsinn

Aroma: Geschmack, Duft, Wohlgeruch, Blume, Bukett, Odeur, Würze, Bouquet

Arrangement → Aufstellung ‖ → Einigung

arrangieren → anordnen ‖ veranstalten, inszenieren, abhalten, ausrichten, ins Werk setzen, organisieren, in Szene setzen, bereiten, durchführen, unternehmen, machen, abwickeln ‖ verwirklichen, realisieren, erledigen, vollziehen, verrichten, in die Tat umsetzen, tätigen, übernehmen, erfüllen, einlösen, leisten, in die Wege leiten, bewerkstelligen, in die Hand nehmen, handhaben ‖ **sich a.:** s. ab-/besprechen, übereinkommen, s. verständigen, einig werden, s. abstimmen, vereinbaren, aus-, abmachen, s. vergleichen, eine Vereinbarung/Übereinkunft treffen, eine Einigung erzielen; *ugs.:* klarkommen, s. zusammenraufen

Arrest: Freiheitsstrafe, -entzug, -beraubung, Gewahrsam, Haft, Verwahrung ‖ Strafstunde, Nachsitzen

arretieren → festnehmen

arrivieren → avancieren

arrogant: dünkelhaft, anmaßend, überheblich, eingebildet, hochmütig, selbstgefällig, -gerecht, -herrlich, -bewusst, herablassend, hochnäsig, stolz, süffisant, blasiert, snobistisch, von oben herab, gnädig, hybrid; *ugs.:* aufgeblasen, -geplustert, geschwollen

Arroganz → Dünkel

Arsch → Gesäß ‖ → Dummkopf

Arschkriecher → Speichellecker

Arsenal: Geräte-, Waffenlager, Zeughaus, Rüst-, Waffenkammer, Magazin, Depot ‖ Rüstzeug, Mittel, Instrumentarium

Art: Wesen, Eigenart, Beschaffenheit, Natur(ell), Veranlagung, Disposition, Charakter ‖ Manier, Weise, Modus, Gewohnheit, Zuschnitt, Verhalten, Vorgehen, Benehmen, Stil, Form, Auftreten, Betragen, (Auf)führung, Gebaren, Habitus, Haltung; *ugs.:* Tour, Masche ‖ Sorte, Gattung, Typ, Familie, Spezies, Genre, Schlag, Klasse, Kategorie, Zweig, Exemplar, Rasse, Couleur, Prägung, Gepräge; *ugs.:* Kaliber

Artefakt → Kunstwerk
arten nach → ähneln
Arterie → Ader
artifiziell → künstlich
artig → folgsam ‖ höflich, galant, zuvor-, entgegenkommend, nett, gefällig, aufmerksam, beflissen, achtungsvoll
Artikel: Geschlechtswort ‖ Gesetzes-, Vertragsabschnitt, Absatz, Passus, Punkt, Passage, Kapitel, Teil ‖ Aufsatz, Beitrag, Abhandlung, Essay, Arbeit, Bericht ‖ Ware, Gegenstand, Erzeugnis, Produkt, Fabrikat, Objekt, (Handels)gut, Güter, Gebrauchs-, Konsumgut
artikulieren: Ausdruck verleihen, zum Ausdruck bringen, äußern, formulieren, wiedergeben (Gedanken), mitteilen, vorbringen, ausdrücken, -sprechen, in Worte fassen/kleiden, verbalisieren, auf den Begriff bringen, kundtun ‖ modulieren, betonen, Laute erzeugen, akzentuieren, den Ton legen auf, prononcieren
Artist → Akrobat
artistisch: geschickt, akrobatisch, gewandt, vollendet, perfekt, gekonnt, meisterhaft, erstklassig, mustergültig, virtuos
Arznei: (Heil)mittel, Medikament, Medizin, Präparat, Pharmazeutikum, Remedium, Drogen, Tabletten, Pharmakon, Therapeutikum
Arzt: Mediziner, Heilkünstler, -kundiger, Doktor, Medikus, Therapeut; *ugs.:* Medizinmann, Gott in Weiß; *abwertend:* Kurpfuscher, Quacksalber
Asche: Verbrennungs-, Brandrückstand
äsen: fressen, grasen, weiden
Askese → Mäßigkeit
asketisch: enthaltsam, abstinent, spartanisch, entsagungsvoll, entsagend, diszipliniert, puritanisch, keusch, zurückhaltend, bedürfnislos

asozial: gemeinschaftsschädlich, -unfähig, -feindlich, -fremd, unsozial, gesellschaftsschädigend, unmenschlich ‖ kriminell, verbrecherisch, frevelhaft, schändlich, gemein, ruchlos, böse
Aspekt: Betrachtungsweise, Blickwinkel, Gesichts-, Blickpunkt, Auffassung, Perspektive, Hinsicht, -blick, Standpunkt, Warte, Blickrichtung, Position, Schau, Stellung, Ort, Beziehung, Zusammenhang, Seite, Punkt
Aspirant → Anwärter
Ass: Meister, Könner, Fachmann, Größe, Kapazität, Virtuose, Koryphäe, Experte, Spezialist, Champion, Crack; *ugs.:* Kanone
assimilieren: angleichen, -passen, verschmelzen, einverleiben, -fügen, -ordnen, -gliedern, -reihen ‖ **sich a.** → s. anpassen
Assistent → Gehilfe
assistieren: beistehen, Hilfe leisten, helfen, beispringen, behilflich sein, an die/zur Hand gehen, (mit) Hand anlegen, sekundieren, entlasten, unterstützen, dienen mit, mitwirken, zur Seite stehen, Handreichungen machen, vertreten
assoziieren: verbinden, -knüpfen, -einigen, zusammenschließen, verschmelzen ‖ Gedanken/Ideen spinnen, Gedankenreihen/-folgen/-ketten/-verbindungen aufstellen ‖ **sich a.:** s. verbünden, s. einen, s. fusionieren, s. zusammentun, Mitglied werden, s. vereinigen
Ast: Zweig; *dicht.:* Arm; *pl.:* Geäst, Astwerk ‖ *ugs.:* Höcker, Auswuchs, Buckel
asten → s. anstrengen
ästhetisch: schön, geschmackvoll, stilvoll, kunst-, feinsinnig, harmonisch, formvollendet, wohl gestaltet, schöngeistig
astrein → fehlerlos

Astrologe: Sterndeuter, Wahr-, Weissager, Horoskopsteller, Schicksalsdeuter

Astronaut: (Welt)raumfahrer, Kosmonaut; *schweiz.:* Lunaut

Asyl: Zuflucht(sort), Freistätte, Unterschlupf, Schutz, Refugium, Versteck, Schlupfloch, -winkel ‖ → Wohnung ‖ → Unterkunft

asymmetrisch: ungleichmäßig, verschoben, unebenmäßig

Atelier: Werkstatt, -halle, -raum, -stätte, Studio

Atem: Luft, Hauch; *dicht.:* Odem; *ugs.:* Puste

atemberaubend → spannend

atemlos: außer Atem; *ugs.:* außer Puste, schnaufend, p(r)ustend ‖ erschöpft, müde, entkräftet, abgespannt, schlapp, schlaff, abgehetzt, ermattet; *ugs.:* am Ende, halbtot, kaputt, erledigt, erschossen, abgekämpft ‖ erwartungsvoll, gespannt, prickelnd, gefesselt, fieberhaft; *ugs.:* gespannt wie ein Regenschirm

Atempause → Pause

atheistisch: gott-, glaubenslos, un-, irreligiös, religionslos, freidenkerisch, -geistig, gottesleugnerisch, ungläubig

athletisch: muskulös, stark, kräftig, herkulisch, kraftstrotzend, sportlich, sehnig, frisch, gut gebaut/gewachsen, drahtig, sportiv; *med.:* sthenisch

Atlas: Land-, Weltkarte

atmen: Luft/Atem holen/schöpfen, ein-, ausatmen, die Luft einziehen, schnaufen, den Atem ausstoßen; *ugs.:* Luft schnappen

Atmosphäre: Lufthülle, -meer, -ozean ‖ Umwelt, -gebung, Milieu, Sphäre, Mitwelt, Rahmen, Lebenskreis, -raum, Umkreis, Lebensumstände, -bedingungen, Peristase ‖ Stimmung, Klima, Wirkung, Einfluss, Fluidum, Ausstrahlung, Air, Flair, Kolorit, Ambiente, Dunstkreis

Atomreaktor: Kernreaktor, Atommeiler, -ofen, Kernkraftwerk, AKW, schneller Brüter

Attacke → Angriff

attackieren → angreifen

Attentat → Anschlag

Attest: (ärztliche) Bescheinigung, Zeugnis, Nachweis, Beglaubigung, Testat, Beleg, Erklärung, Zertifikat, Schein

Attitüde: Einstellung, Haltung ‖ Körperhaltung, Pose, Stellung, Positur, Habitus, Kontenance

Attraktion: Anziehung(skraft), Zugkraft, Anreiz ‖ Glanz-, Zug-, Galanummer, Zug-, Glanzstück, Hit, Sensation, Clou, Glanz-, Höhepunkt, Hauptsache, Zugpferd, Schlager, Blickfang, Magnet, Nonplusultra; *ugs.:* Reißer, Knüller, Ding, Highlight, Publikumsköder

attraktiv: reizvoll, ansprechend, charmant, gewinnend, interessant, einnehmend, anziehend, -lockend, bestrickend, entwaffnend, betörend, fesselnd, begehrenswert, faszinierend, berückend, magnetisch, begehrt, unwiderstehlich, verführerisch, aufregend, -reizend, sexy; *ugs.:* toll, Klasse, dufte, scharf, gut ‖ hübsch, gut aussehend, (bild-, wunder)schön, gut gewachsen, fesch, flott, schick; *ugs.:* gut gebaut

Attrappe: Nachbildung, Schau-, Blind-, Leerpackung, Blendwerk, Kulisse, potemkinsche Dörfer, Fassade, Tarnung, Maske

Attribut: Merkmal, Kennzeichen, Beigabe, -fügung, Eigenschaft, Zeichen, Mal, Charakterzug, Symptom, Besonderheit, Statussymbol, Erkennungszeichen

atypisch → ausgefallen

Aubergine: Eierfrucht; *öster.:* Melanzane

auch: eben-, gleichfalls, genauso, desgleichen, gleichermaßen, in gleicher Weise, ebenso, in demselben Maße, dito, item; *öster.:* detto ‖ außerdem, im Übrigen, zudem, darüber hinaus, weiter, zusätzlich, überdies, des weiteren, sowie, ansonsten, sonst, noch, daneben, ferner, und, zugleich, unter anderem, dazu, obendrein ‖ selbst, sogar, schon ‖ tatsächlich, wirklich, erwartungsgemäß, in der Tat, natürlich, wahrlich ‖ schließlich, denn

Audienz: (feierlicher/offizieller) Empfang, Cour, Aufnahme, Willkomm, Begrüßung

Auditorium: Zuhörer(schaft), Publikum, Hörerschaft, Personenkreis, Zuschauer ‖ Hörsaal, Vorlesungssaal, -raum

auf → offen ‖ → wach ‖ empor, in die Höhe, los, vorwärts

aufarbeiten: erledigen, nachholen, -arbeiten, -lernen, s. annähern, nicht nachstehen wollen, auf-, einholen, zu Ende arbeiten/bringen, fertig machen, nachziehen, einbringen ‖ erneuern, überholen, auffrischen, -polieren, renovieren, modernisieren, reparieren, ausbessern, wiederherstellen, restaurieren; *ugs.:* aufmöbeln ‖ → verarbeiten

aufatmen: erleichtert/befreit/erlöst/ froh/beruhigt sein, jmdm. fällt ein Stein vom Herzen; *ugs.:* heilfroh sein, drei Kreuze machen ‖ Atem schöpfen, tief Luft holen; *ugs.:* aufschnaufen, Luft schnappen

Aufbau: Schaffung, Errichtung, Gründung, Erbauung, Auf-, Erstellung, Anlage, Bau ‖ Erhöhung, Aufsatz ‖ Karosserie ‖ Gliederung, Struktur, Einteilung, Anordnung, Aufriss, (Grund)gerüst, Gerippe, Plan, Organisation, Gruppierung, Zusammensetzung, Gefüge, Arrangement, Komposition, Ordnung

aufbauen: aufstellen, fertig stellen, hin-, erstellen, er-, aufrichten, (er)-

bauen, zusammenfügen, verbinden, aufschlagen ‖ schaffen, gründen, ins Leben rufen, etablieren, entwickeln; *ugs.:* auf die Beine stellen ‖ zusammenstellen, -setzen, arrangieren, anordnen, -legen, gliedern, komponieren, gruppieren, organisieren, konstruieren ‖ jmdn. fördern/managen/ lancieren/herausbringen/unterstützen ‖ **a. auf:** ausgehen von, zur Grundlage nehmen, s. beziehen auf, anschließen, aufgreifen, zum Ausgangspunkt machen, seine Wurzeln haben in ‖ **sich a.:** s. hin-/aufstellen, s. postieren, s. auftürmen; *ugs.:* s. aufpflanzen ‖ s. entwickeln/-falten, etwas aus s. machen, reifen

aufbäumen, sich: s. aufrichten/-recken, s. auf die Hinterbeine stellen ‖ → aufbegehren

aufbauschen: übersteigern, -treiben, -ziehen, aufblähen, -blasen, dramatisieren, hochspielen, -putschen, ausweiten, zu weit gehen, s. hineinsteigern, Aufheben(s)/Wesen(s) machen von, ausschmücken; *ugs.:* aus einer Mücke einen Elefanten machen, (faust)dick auftragen, aufplustern, viel Sums/Trara machen, eine Staatsaktion machen von

aufbegehren: s. aufbäumen, s. empören, Widerstand leisten, s. auflehnen, s. zur Wehr setzen, trotzen, nein sagen, s. dagegenstellen/-stemmen, einen Aufstand machen, opponieren, s. widersetzen, s. entgegenstellen, s. erheben, aufstehen gegen, auftrumpfen, meutern, den Gehorsam verweigern, rebellieren, revoltieren, s. sträuben, s. wehren, protestieren, jmdm. die Stirn bieten/die Zähne zeigen, auf die Barrikaden gehen, Sturm laufen gegen, gegen den Strom schwimmen, wider den Stachel löcken, s. sperren, Paroli/Schach bieten, murren, mucken, s. nichts gefallen lassen, s. stemmen/bäumen ge-

gen; *ugs.:* aufmucken, einen Tanz aufführen, Krach schlagen, s. querlegen, s. auf die Hinterbeine stellen
aufbehalten: nicht abnehmen/-ziehen; *ugs.:* an-, auflassen
aufbekommen: aufbringen, öffnen können; *ugs.:* aufkriegen
aufbereiten: vorbereiten ‖ → recyclen
aufbessern → steigern
aufbewahren: aufheben, ver-, bewahren, in Verwahrung/Gewahrsam nehmen, zurücklegen, sicherstellen, er-, behalten, unter Verschluss halten, an s. nehmen, beiseite legen/bringen, lagern, speichern, einschließen, unterbringen, sammeln, horten, hüten; *schweiz.:* versorgen
aufbieten: einsetzen, aufwenden, mobilisieren, daransetzen, hineinstecken, → s. anstrengen
aufbinden: aufknoten, -knüpfen, -schnüren, -lösen, -schlingen, entknoten, öffnen; *ugs.:* aufmachen ‖ hoch-, aufstecken, hochbinden ‖ → einreden ‖ → täuschen
aufblähen: fülliger/prall machen, aufblasen, -treiben, -schwellen; *ugs.:* aufplustern ‖ → aufbauschen ‖ sich a. → angeben
aufblasen: (auf)bauschen, (auf)blähen, aufschwellen, ausfüllen, auftreiben, mit Luft/Gas füllen, aufpumpen; *ugs.:* aufpusten, -plustern ‖ → aufbauschen ‖ sich a. → angeben
aufblättern: aufschlagen, -klappen, -machen, öffnen
aufblicken: aufschauen, -sehen, hochschauen, emporsehen, die Augen aufschlagen zu, auf-, hochgucken, die Augen/den Blick heben ‖ a. zu → verehren
aufblitzen → aufleuchten auftauchen, -kommen, -steigen, -dämmern, -lodern, -keimen, entstehen, bewusst/lebendig werden, einfallen, s. auftun

aufblühen: aufgehen, erblühen, aufbrechen, zur Blüte kommen, s. entfalten, s. aufblättern/-tun, werden, (heran)wachsen, s. öffnen, aufbersten, -platzen, -springen, → keimen aufleben, s. entwickeln, gedeihen, florieren, s. mausern, gesunden, zu Kräften kommen, erstarken, erwachen, Leben versprühen, s. verjüngen; *ugs.:* s. machen, s. (pudel)wohl fühlen, s. hochrappeln, auf die Beine kommen
aufbrauchen: (völlig) verbrauchen, auf-, verzehren, konsumieren, verwirtschaften, -tun, -prassen, -leben, -schwenden; *ugs.:* verbraten, -buttern, durchbringen, um die Ecke bringen, auf den Kopf hauen, verjubeln ‖ → abnutzen
aufbrausen: die Beherrschung/Geduld verlieren, aus der Fassung geraten, in Wut/Zorn/Harnisch/Fahrt geraten, s. er-/aufregen, auf-, hochfahren, s. vergessen, s. ärgern, aufschäumen, s. erhitzen/-eifern, außer s. geraten, s. echauffieren, grollen, wüten, toben, s. erzürnen, wütend/zornig/böse/heftig werden, ergrimmen; *ugs.:* explodieren, aus der Haut fahren, in die Luft/an die Decke gehen, schäumen, sieden, kochen, in Rage kommen, wild werden, Zustände kriegen, aufdrehen, platzen, (die Wände) hochgehen
aufbrausend: auffahrend, -schäumend, wütend, rasend, (jäh)zornig, hitzig, reizbar, cholerisch, unbeherrscht, erregbar, heftig, entzündlich, explosiv, hochgehend, hysterisch, wild, hitzköpfig, ungezügelt, stürmisch
aufbrechen: gewaltsam öffnen, aufstoßen, -reißen, eindrücken, -reißen, -schlagen, durchstoßen, stürmen, sprengen, aufhauen, -hacken; *ugs.:* (auf)knacken ‖ → aufblühen ‖ → weggehen

aufbringen: herbei-, beschaffen, besorgen, bei-, erbringen, haben, flüssig machen; *ugs.:* auftreiben, zusammenkratzen ‖ in Umlauf/die Welt setzen, ver-, ausbreiten, unter die Leute bringen, propagieren, erfinden, einführen, ersinnen, s. ausdenken, erdichten; *ugs.:* herumerzählen, -tragen, aushecken, -spinnen ‖ → aufregen ‖ → aufhetzen ‖ kapern, entern, erbeuten, Besitz ergreifen ‖ aufbekommen, öffnen können; *ugs.:* aufkriegen

Aufbruch: Abgang, -zug, -fahrt, -marsch, Weggang, Fortgehen ‖ Start, Erwachen, Beginn, Anfang, Auftakt

aufbrummen → aufbürden ‖ → stranden

aufbürden: übertragen, aufladen, abwälzen/-schieben auf, zuschieben, von s./beiseite schieben, s. freimachen von, schieben auf, belasten, verpflichten zu, beladen, auf(er)legen, zumuten, mit Beschlag belegen, aufpacken, -lasten; *schweiz.:* überbürden; *ugs.:* aufhalsen, -brummen, -sacken, -pelzen, auf-, anhängen, unterbuttern, -jubeln, andrehen, s. vom Halse schaffen, abwimmeln

aufdecken: enthüllen, frei-, bloßlegen, ans Licht/an den Tag bringen, ausfindig machen, klarlegen, Licht bringen in, finden, erkunden, zutage fördern, aufzeigen, -rollen, -spüren, -klären, -weisen, -lösen, -hellen, entblößen, -schleiern, -larven, offenbaren, -legen, durchschauen, nachweisen, den Schleier lüften, dem Geheimnis auf die Spur kommen, demaskieren, dekuvrieren, outen ‖ auflegen ‖ → decken

aufdonnern, sich: s. herausputzen, s. aufmachen, s. auftakeln, s. aufmotzen, s. stylen, s. in Schale schmeißen

aufdrängen: aufnötigen, -zwingen, -oktroyieren, anbieten, überreden zu;

ugs.: andrehen, aufschwatzen ‖ **sich a.:** zudringlich/penetrant/lästig sein, s. anbiedern/-bieten, s. nicht abweisen lassen, bedrängen, -lästigen; *ugs.:* s. hängen an, jmdm. auf den Pelz rücken, s. jmdm. an den Hals werfen ‖ s. (notwendig) ergeben, folgen/hervorgehen aus, entstehen, s. herausschälen

aufdrehen: einschalten, -stellen, anschalten, -stellen; *ugs.:* anlassen, -machen, -knipsen, -drehen ‖ → beschleunigen ‖ aufziehen (Uhr), in Gang setzen

aufdringlich: lästig, zudringlich, unangenehm, frech, anmaßend, unverschämt, taktlos, indezent, nicht feinfühlig, penetrant, widerlich, ekelhaft, plump, indiskret; *öster.:* seckant

aufdrücken: aufprägen, -pressen, -stempeln ‖ zeichnen, beeinflussen, durchsetzen, formen, gestalten, prägen, das Gepräge geben/verleihen, Wirkung ausüben auf ‖ öffnen, aufstoßen, -reißen, -klinken, -brechen

aufeinander: übereinander, etwas auf etwas ‖ gegen-, wechselseitig

Aufeinanderfolge → Reihenfolge

aufeinander prallen → zusammenstoßen

Aufenthalt: (Wohn)sitz, Standort, Besuch, Anwesenheit, Verbleib(en), Stätte, Dauer ‖ Unterbrechung, Halt, Einschnitt, Zäsur, Stopp, Station, Pause, Stockung, Verzögerung

Aufenthaltsort → Wohnsitz

auferlegen → aufbürden ‖ → anordnen

aufessen: ver-, aufzehren, verspeisen, -tilgen, -schmausen, -schlingen, leer essen; *ugs.:* auffuttern, verkonsumieren, -kasematuckeln, schaffen, verputzen, -spachteln, -drücken, -diekern, ratzekahl leer essen, auffressen

auffädeln: auf-, ein-, durchziehen, aufreihen

auffahren: aufprallen, zusammenstoßen, kollidieren, anfahren, rammen, fahren/prallen gegen, streifen ‖
→ auftischen ‖ → aufbrausen ‖ aufschrecken, hochfahren, -schnellen, in
die Höhe fahren, aufspringen, -zu-
cken

auffallen: Aufmerksamkeit erregen,
Beachtung finden, bemerkt/beachtet
werden, in die Augen fallen/sprin-
gen, die Blicke/Aufmerksamkeit auf
s. ziehen/lenken, von s. reden/
Schlagzeilen machen, frappieren,
Aufsehen erregen/verursachen,
Staub aufwirbeln, Eindruck/Furore
machen, hervortreten, -stechen, -ra-
gen, in Erscheinung treten, bewusst/
klar werden, ins Bewusstsein dringen, s. aufdrängen; *ugs.:* aufstoßen,
aus der Reihe tanzen

auffallend: auffällig, in die Augen
fallend, frappant, krass, augenfällig,
markant, schreiend, hervorstechend,
außerordentlich, -gewöhnlich, nicht
alltäglich, aus dem Rahmen fallend,
verblüffend, reißerisch, Aufsehen erregend, ungewöhnlich, -übersehbar,
aufdringlich; *ugs.:* knallig, aufgedonnert, -getakelt

auffangen: (ab)fangen, fassen,
(er)greifen; *ugs.:* haschen, aufschnappen, kriegen, erwischen, packen ‖ sammeln, stauen, aufhalten,
einfangen ‖ erhaschen; *ugs.:* mitkriegen, schnappen ‖ → abwehren

auffassen: auslegen, deuten, glauben, meinen, annehmen, halten/er-
achten/erklären für, interpretieren,
herauslesen, beurteilen/einschät-
zen /empfinden / ansehen / betrachten / hinstellen/charakterisieren/an-
sprechen/bezeichnen/verstehen/be-
werten/nehmen/kennzeichnen als,
denken über ‖ begreifen, fassen, klar
werden, einleuchten, durchschauen,
erkennen, bewusst werden, zu Bewusstsein kommen, s. zu Eigen machen, durch-, eindringen, ergründen,
herausfinden, verarbeiten, klar-,
übersehen, Bescheid wissen, lernen,
verstehen, aufnehmen; *ugs.:* kapieren, dämmern, funken, aufgehen,
dahinterkommen, -steigen, intus haben, es fressen, schalten, schnallen,
durchsteigen

Auffassung → Ansicht ‖ → Auslegung

Auffassungsgabe: (Auf)fassungs-
vermögen, -kraft, Aufnahmefähigkeit, Fassungsgabe, Kapazität, Begabung, Intelligenz, Lernfähigkeit,
Geist, Verstand, Denkkraft, Scharfsinn, Beobachtungsgabe; *ugs.:* Köpfchen

auffegen → kehren

auffinden → finden

auffischen → auflesen

aufflackern → aufleuchten ‖ → ausbrechen

aufflammen → aufleuchten ‖ → ausbrechen

auffliegen: nach oben/in die Höhe
fliegen, empor-, hochfliegen,
(auf)steigen, s. erheben, aufstieben,
-flattern, s. aufschwingen ‖ s. öffnen,
s. auftun, aufgehen, -springen ‖
→ scheitern

auffordern: bitten, verlangen, an-,
nach-, ersuchen, wünschen, nahe legen, aufrufen, einladen, nötigen, zuraten, ermahnen, appellieren, anhalten, auftragen, heißen, gebieten, anordnen, befehlen; *ugs.:* angehen

auffressen → aufessen ‖ → erschöpfen

auffrischen: erneuern, renovieren,
auf-, verbessern, reparieren, restaurieren, wiederherstellen, instand setzen, aufpolieren, -arbeiten ‖ beleben,
aktivieren, wecken, s. zurückrufen, zu
Bewusstsein bringen, aufmuntern,
ankurbeln, erinnern, aufrollen, -rüh-
ren, wiederholen; *ugs.:* aufwärmen,
-möbeln, -pulvern ‖ verstärken

(Wind), anschwellen, aufbrisen, anziehen, zunehmen

aufführen: vorführen, zeigen, spielen, darstellen, veranstalten, produzieren, geben, bringen, in Szene setzen, zur Aufführung/Darstellung/auf die Bühne bringen, (dar)bieten, herausbringen, inszenieren; *ugs.:* über die Bretter gehen lassen ‖ → erwähnen ‖ in die Höhe bauen (Mauer), errichten, -stellen, hochziehen ‖ **sich a.** → s. benehmen

Aufführung: Vorstellung, Darbietung, Vorführung, Auftritt, -treten, Veranstaltung, Schau(stellung), Darstellung, Spiel, Nummer, Inszenierung ‖ → Benehmen ‖ Erwähnung, Aufzählung, Nennung, Anführung, Zitierung, Zitat, Wieder-, Angabe, Auflistung

auffüllen: nachfüllen, -schütten, ergänzen, anreichern, voll machen/gießen/schütten

Aufgabe: Auflösung, Verzicht, Preisgabe, Entwöhnung, Einstellung, Abbruch, Räumung, Schließung, Liquidierung, Entäußerung, Überlassung, Entsagung, Hergabe, Abtretung ‖ Verpflichtung, Auftrag, Pflicht, Bestimmung, Obliegenheit, (An)forderung, Amt, Funktion, Schuldigkeit, Mission, Beruf, Arbeit, Posten, Rolle, Sendung ‖ Problem, Frage, Rätsel, Schwierigkeit, Angelegenheit, Pensum ‖ Aufsage, Widerruf, Annullierung, Abbestellung, Kündigung ‖ Schul-, Hausaufgabe, Schul-, Hausarbeit

aufgabeln → auflesen

Aufgang: Treppe(naufgang), Treppen-, Stiegenhaus ‖ Auf-, Anstieg, Auf-, Zufahrt ‖ Ein-, Anbruch, Aufkommen, -gehen, Erscheinen

aufgeben: eine Aufgabe stellen/geben, anordnen, auferlegen, heißen, beauf-, übertragen, diktieren, Auftrag/Weisung/Order/Befehl geben;

öster.: anschaffen; *ugs.:* aufbrummen, anhängen ‖ verzichten, Abstand nehmen von, s. absetzen, aufhören, preisgeben, ab-, einstellen, unterbinden, ablassen/zurücktreten von, s. abgewöhnen/-erziehen, brechen mit, s. abwenden/-kehren, abschütteln, hinter s. lassen/bringen, s. befreien von, abstreichen, beenden, s. versagen, ab-, entsagen, s. enthalten, zurückstehen, ablegen, -streifen, -werfen, abkommen/-gehen von; *ugs.:* nicht mehr mitmachen, fahren/fallen lassen, abspringen, hinhauen, an den Nagel hängen, den Kram/Laden hinwerfen, -schmeißen, aussteigen, in den Mond/Wind schießen, pfeifen auf, s. austreiben, schießen/bleiben/sein lassen ‖ resignieren, kapitulieren, über Bord werfen, verloren geben, s. aus dem Kopf/Sinn schlagen, nicht mehr rechnen mit, zu Grabe tragen, die Hoffnung aufgeben/begraben, abtun; *ugs.:* die Flinte ins Korn/das Handtuch werfen, aufstecken, dreingeben, schlappmachen, die Segel streichen, abschreiben, -buchen, die Waffen strecken, passen ‖ auflösen, liquidieren, schließen, (aus)räumen, beseitigen, abschaffen, -brechen, Schluss machen/aufräumen mit, aus der Welt schaffen ‖ zur Post/Bahn bringen, abliefern, -geben, einliefern, wegschicken, verladen lassen, verfrachten

aufgeblasen → eingebildet

aufgebracht → ärgerlich

aufgedonnert → elegant

aufgedreht → ausgelassen ‖ → aufgewühlt

aufgedunsen: aufgeschwollen, -geschwemmt, -geblasen, -getrieben, -gebläht, -geplustert, ver-, aufgequollen, geschwellt, dick; *med.:* pastös; *ugs.:* schwammig, schwabbelig, quabbelig, quallig

aufgehen: erscheinen, auftauchen, hervor-, hochkommen, s. erheben, aufsteigen, sichtbar werden ‖ hochgehen (Teig), wachsen, treiben, (an)schwellen, quellen, aufblähen ‖ → keimen ‖ → aufblühen ‖ s. öffnen, s. aufmachen, s. aufschließen/-sperren/-machen lassen ‖ stimmen, s. lösen ‖ → verstehen ‖ **a. in:** eingehen in, verschmelzen/s. vereinigen/eine Verbindung eingehen mit, s. auflösen in, aufgesaugt werden, übergehen in ‖ s. hingeben, s. widmen, s. einsetzen, s. ergeben, Erfüllung finden in, s. verschreiben

aufgeilen → erregen

aufgeklärt: freidenkend, -geistig, -sinnig, tolerant, vorurteilslos, -frei, liberal ‖ eingeweiht, wissend, unterrichtet, informiert, erfahren, instruiert, orientiert, verständig

aufgekratzt → ausgelassen ‖ → aufgewühlt

aufgelegt: gelaunt, s. befindend, gestimmt, disponiert, zumute, in der Lage, in Form ‖ **gut a.** → heiter

aufgelockert → zwanglos

aufgelöst: aufgewühlt, -geregt, bewegt, ruhelos, erregt, enerviert, nervenschwach, gereizt, fahrig, ängstlich, betroffen, verwundet, außer sich, aus der Fassung, kopflos, ohnmächtig, handlungsunfähig, der Sinne beraubt, echauffiert, nervös; *ugs.:* aus dem Häuschen ‖ ver-, zergangen, verflossen, getrennt, -schieden, vorbei, beendet, auseinander

aufgeräumt → heiter ‖ → ordentlich

aufgeregt: unruhig, nervös, fieberhaft, hastig, zittrig, fiebrig, heftig, erregt, -hitzt, hektisch, aufgelöst, echauffiert, enerviert, exaltiert, ruhelos, gespannt, beunruhigt, -sorgt, vibrierend, über-, gereizt, aufgewühlt, nervenschwach, ungeduldig, fahrig; *ugs.:* Herzklopfen/Lampenfieber habend, zapplig, kribblig, durchgedreht, auf Kohlen/Nadeln sitzend ‖ → ärgerlich

aufgeschlossen: zugänglich, interessiert, empfänglich, offen, aufnahmebereit, -fähig, -willig, aufgetan, durchlässig, geneigt, ansprechbar ‖ tolerant, verständnisvoll, weitherzig, freizügig, nachsichtig, großmütig, liberal ‖ mitteilsam, freimütig, offenherzig, gesprächig, redselig, → gesellig

aufgeschwemmt → aufgedunsen

aufgeschwollen → aufgedunsen

aufgetakelt → elegant

aufgeweckt: klug, intelligent, gescheit, wach, geweckt, begabt, geistreich, schlau, lernfähig, scharfsinnig, verständig, aufnahmefähig; *ugs.:* mit Köpfchen, hell(e), blitzgescheit, nicht auf den Kopf gefallen

aufgewühlt: bewegt, irritiert, ruhelos, beunruhigt, gereizt, ergriffen, exaltiert, außer sich, unstet, erregt, erschüttert; *ugs.:* aufgedreht, -gekratzt, kribbelig, durcheinander, zappelig

aufglänzen → aufleuchten

aufgliedern → einteilen

aufglimmen → aufleuchten

aufglitzern → aufleuchten

aufgreifen: ergreifen, festnehmen, jmds. habhaft werden, erwischen, -tappen, fassen, finden, stellen, dingfest machen, gefangen nehmen; *ugs.:* schnappen, greifen, kriegen, kaschen, packen ‖ aufnehmen, eingehen auf, anschließen, anknüpfen an, zurückkommen/s. beziehen auf, fortsetzen, weiterspinnen

aufgrund → wegen

aufhaben → tragen ‖ geöffnet/offen haben

aufhacken → aufbrechen

aufhalsen → aufbürden

aufhalten: hemmen, zurück-, an-, abhalten, ab-, auffangen, eindämmen, bremsen, bannen, zügeln, steuern, bekämpfen, mäßigen, abwehren, verhindern, zurückschlagen, abweisen, zähmen, bändigen, Einhalt gebieten, im Zaume halten, Grenzen setzen, beschränken, zum Stehen/ Stillstand bringen, (ab)stoppen, stocken ‖ stören, (be)hindern, beeinträchtigen, festhalten, im Wege stehen, ein Handikap sein, ablenken, behelligen, lästig fallen, inkommodieren, ungelegen/-passend/in die Quere kommen, belästigen, blockieren, unterbrechen ‖ **sich a.:** ver-, zubringen, (ver)weilen, bleiben, s. befinden, leben, sein, anwesend/zugegen/hier/dort sein, dasein, verleben, -harren, wohnen, hausen, sitzen ‖ **sich a. mit** → s. beschäftigen mit ‖ **sich a. über:** s. aufregen/entrüsten/empören über, bereden, hergehen/reden über; *ugs.:* lästern/herziehen/klatschen/tratschen/s. den Mund zerreißen über, durchhecheln, schlecht machen

aufhängen: aufziehen, anbringen, aufstecken, befestigen ‖ (er)hängen, an den Galgen bringen, henken, strangulieren, hinrichten, → töten; *ugs.:* aufknüpfen, -baumeln ‖ → aufbürden ‖ → einreden

Aufhänger: Anhänger; *ugs.:* Hänger, Hängsel ‖ → Anlass

aufhäufen: aufschütten, -werfen, -schaufeln, -häufeln, -schichten ‖ → anhäufen

aufheben: aufklauben, -lesen, -sammeln, -nehmen, -greifen, hochnehmen ‖ abschaffen, beseitigen, ungültig/rückgängig machen, außer Kraft setzen, streichen, für ungültig/nichtig erklären, ein-, zurückziehen, zurücknehmen, annullieren, auflösen, tilgen, aufräumen mit, kassieren, entfernen, (aus)löschen, aus der Welt schaffen, ausmerzen, ein-, abstellen, zum Verschwinden bringen, beheben, liquidieren, Schluss machen mit ‖ beenden, (ab)schließen, aufhören ‖

→ aufbewahren ‖ ausgleichen, aufwiegen, wettmachen, kompensieren, s. die Waage halten, nivellieren

aufheitern: erheitern, aufmuntern, -richten, -hellen, heiter/froher stimmen, ablenken, Stimmung machen, zerstreuen, auf andere Gedanken/in Stimmung bringen, belustigen, amüsieren ‖ **sich a.:** s. aufhellen/-klären, s. (auf)lichten, aufklaren, s. entwölken, schön/freundlicher/klar/sonnig werden ‖ → s. vergnügen

aufhellen: blondieren, bleichen, auflichten, heller färben ‖ → aufdecken ‖ → aufheitern

aufhetzen: aufwiegeln, -reizen, -rühren, -stacheln, -bringen, -putschen, schüren, anstacheln, -stiften, fanatisieren, anfachen, -heizen, -treiben, Zwietracht säen, animieren, verleiten, -führen, -hetzen, böses Blut stiften, Öl ins Feuer gießen, beeinflussen, überreden zu, Brunnen vergiften, ermuntern, -mutigen, agitieren, jmdn. zu etwas bringen/bewegen/ treiben, intrigieren; *ugs.:* scharfmachen, anzetteln, -spitzen, aufpulvern

aufholen: ausgleichen, aufarbeiten, nach-, einholen, einbringen, nachziehen, aufkommen, gut-, wettmachen, gleichziehen, vermindern, s. annähern, nachlernen, nicht nachstehen wollen, folgen, nachkommen

aufhorchen → aufmerken

aufhören → abflauen ‖ abbrechen, unterlassen, absehen von, unterbrechen, beiseite legen, abschließen, stoppen, aussetzen, zum Schluss kommen, ein Ende machen, beschließen, einstellen, zu Ende führen, zum Abschluss bringen, einen Schlussstrich ziehen, es bewenden lassen bei, einen Punkt machen ‖ → aufgeben

aufkehren → kehren

aufkeimen → keimen ‖ → aufkommen

aufklappen: öffnen, aufschlagen, -blättern, -machen, -tun
aufklären → informieren ‖ → aufdecken ‖ **sich a.** → s. aufheitern
aufklärend → informativ
Aufklärung: Aufhellung, -deckung, (Auf)lösung, Antwort, (Er)klärung, Schlüssel, Enthüllung, Bloßlegung ‖ Aufschluss, Bescheid, Erläuterung, Auskunft, Information, Einweihung, -führung, Unterrichtung, Einblick, -sicht, Klarheit ‖ Wetterbesserung, Aufheiterung ‖ Belehrung, Instruktion, Wissensvermittlung, Bewusstmachung
aufklauben: auflesen, -heben, -sammeln, -nehmen, -greifen
aufkleben: ankleben, aufleimen, anbringen, befestigen, festmachen; *öster.:* anpicken; *ugs.:* an-, aufpappen, anmachen
Aufkleber: Etikett, Aufklebeschild, Sticker
aufknacken → aufbrechen
aufknoten → aufknüpfen
aufknüpfen: aufbinden, -knoten, -schnüren, -lösen, -schlingen, entknoten; *ugs.:* aufmachen ‖ → aufhängen
aufkommen: entstehen, s. entwickeln, lebendig werden, s. auftun, s. entfalten, s. erheben, auftauchen, s. (heran)bilden, aufsteigen, -wachen, -lodern, -brechen, -flammen, -flackern, s. entspinnen, anfangen, beginnen, aufkeimen, werden, s. breit machen, erscheinen, zum Vorschein kommen, aufblühen, -blitzen, anheben ‖ Mode werden, Verbreitung finden, kreiert werden, in Mode kommen ‖ → s. herumsprechen ‖ (her)aufziehen, s. zusammenziehen/-ballen/-brauen, herankommen, s. nähern, im Anzug sein, herankommen, -nahen ‖ ankommen gegen, s. durchsetzen, gewachsen sein, s. behaupten ‖ genesen, -sunden, gesund/-heilt werden, s. erholen, heilen, auf dem Weg der Besserung sein; *ugs.:* wieder auf die Beine kommen, s. aufrappeln, wieder zur Form auflaufen, fit werden ‖ **a. für:** die Kosten tragen, bezahlen, -streiten, finanzieren, haften, aufwenden, gerade-/einstehen für, die Folgen tragen, ersetzen, -statten, abgelten, entschädigen, Schadenersatz leisten, (wieder)gutmachen, die Verantwortung übernehmen; *ugs.:* bluten/herhalten für, blechen, die Suppe auslöffeln, ausbaden, auf seine Kappe nehmen, auswetzen ‖ versorgen, ernähren, unter-, aushalten, sorgen für, für den Lebensunterhalt aufkommen
aufkreuzen → auftauchen
aufkriegen → aufbekommen
aufkündigen → auflösen ‖ → kündigen
aufladen: (be)laden, aufpacken, befrachten, voll laden, bepacken, ein-, verladen ‖ → aufbürden
Auflage: Ausgabe, Druck, Edition ‖ Schicht, Überzug, Belag ‖ Verpflichtung, Auftrag, Soll, Anordnung, Befehl, Weisung, Direktive, Order, Aufforderung, Bedingung
auflassen → aufbehalten ‖ geöffnet/offen lassen, nicht zumachen/schließen
auflasten → aufbürden
auflauern: warten auf, belauern, auf der Lauer liegen, abfangen, -passen, s. heranschleichen, beobachten
Auflauf: Tumult, (Menschen)ansammlung, Getümmel, Menge, Gewühl, Zusammenlauf, -rottung, Gedränge, Aufmarsch, Anhäufung, Gewimmel, Trubel; *ugs.:* Scharen, Haufen, Horde, Versammlung ‖ überbackene Mehlspeise, Soufflé
auflaufen: stranden, auffahren, auf Grund geraten, aufsitzen ‖ prallen gegen, rammen, anrennen, an-, zusammenstoßen ‖ → anwachsen ‖

→ abblitzen ‖ **sich a.:** s. wund laufen, s. aufschürfen

aufleben: wieder zu s. kommen, aufblühen, auferstehen, fröhlich werden, gedeihen, s. verjüngen, aufgehen, zur Blüte kommen, s. öffnen, florieren, s. mausern, s. erholen, zu Kräften kommen, s. regenerieren, s. erneuern, erstarken, erwachen; *ugs.:* s. (wieder) machen, s. hochrappeln, s. fangen, auf die Beine kommen ‖ von neuem beginnen / anfangen / erstehen, auffrischen, wieder beleben / herstellen / aufkommen / -tauchen / -lodern / -flammen / ausbrechen

auflegen: ab-, einhängen (Telefon) ‖ → publizieren auflehnen, -stützen, -stemmen ‖ aufdecken, an-, auslegen, ausbreiten

auflehnen, sich → aufbegehren

Auflehnung → Widerstand ‖ → Aufstand

auflesen: aufgreifen, -heben, -klauben, -sammeln, -nehmen, -suchen, -raffen, zusammenlesen ‖ (auf)finden, stoßen auf, einen Fund machen, in die Hände fallen, entdecken, aufspüren, ausfindig machen, begegnen, sehen; *ugs.:* auffischen, -gabeln, -stöbern, -treiben

aufleuchten: aufscheinen, -glühen, -blitzen, -zucken, -blinken, -strahlen, -flammen, -glimmen, -funkeln, -glänzen, -flackern, -schimmern, -blenden, -glitzern, erglimmen, -glühen, -glänzen, -strahlen

auflockern: lockern, lösen, nachlassen, erleichtern ‖ entspannen, -schärfen, -krampfen, zwangloser / freundlicher gestalten

auflodern: aufflammen, -steigen, -kommen, -wallen, -flackern, -lohen, -züngeln, in Flammen aufgehen ‖ → ausbrechen

auflösen: beseitigen, aufgeben, liquidieren, abschaffen, aufräumen mit, preisgeben, einstellen, zurücktreten von, über Bord werfen, ablegen, entfernen, schließen, für ungültig / nichtig erklären, annullieren, Schluss machen mit, außer Kraft setzen, aus der Welt schaffen; *ugs.:* abschreiben, -buchen, an den Nagel hängen, den Kram / Laden hinwerfen, schließen lassen ‖ aufkündigen, -sagen, zurücktreten von, brechen mit, trennen, scheiden, verlassen, Abschied nehmen, weggehen, jmdm. den Rücken kehren, austreten; *ugs.:* sitzen lassen, aufstecken, aussteigen, jmdm. den Laufpass geben ‖ enträtseln, -schlüsseln, -wirren, -ziffern, dechiffrieren, dekodieren, lösen, aufdecken, -klären, -hellen, finden, erraten, herausbekommen; *ugs.:* dahinterkommen, herausbringen, -kriegen, knacken ‖ zerlegen, aufgliedern, auseinander nehmen, zersetzen, sondern, spalten ‖ zerstreuen (Demonstration), sprengen, auseinander jagen / treiben ‖ **sich a.:** zergehen, -fallen, s. verlaufen, s. lösen, s. verteilen, auseinander gehen / fallen, s. verflüssigen, zerbröckeln, in seine Bestandteile zerfallen, schmelzen, s. zersetzen, unter-, vergehen; *ugs.:* s. verkrümeln; *iron.:* s. in Wohlgefallen auflösen

Auflösung: Abbruch, Aufhebung, Beseitigung, Einstellung, Aufgabe, Beendigung, Annullierung, Abschaffung, Außerkraftsetzung, Abbau ‖ Liquidation, Räumung, Verkauf, Überlassung ‖ Aufhellung, -klärung, -deckung, Lösung, Antwort, Erklärung, Aufschluss, Schlüssel ‖ Zerstörung, -fall, -setzung, Verfall, Nieder-, Untergang, Abstieg, Einsturz, Verderben

aufmachen → öffnen ‖ → aufbinden ‖ → eröffnen ‖ **sich a.:** s. herausputzen; *ugs.:* s. aufmotzen, s. stylen, s. aufdonnern ‖ → weggehen

Aufmachung: Ausstattung, Äußeres, Gestaltung, Aufzug, -putz, Outfit,

Styling, Dekor(ation), Ausschmückung, -staffierung, Verzierung, Garnierung, Verpackung, Beiwerk, Hülle, Form, Anstrich; *ugs.:* Putz, Drum und Dran, Wichs

Aufmarsch: Kundgebung, (Massen)versammlung, Ansammlung, Demonstration, Manifestation ‖ Parade, Umzug, (Truppen)vorbeimarsch, Defilee, Heerschau

aufmarschieren: paradieren, eine Parade abhalten, defilieren, vorbeimarschieren ‖ demonstrieren, s. versammeln, auf die Straße gehen ‖ **a. lassen** → auftischen

aufmerken: aufmerksam werden, die Augen aufmachen, aufschauen, -horchen, Notiz nehmen von, hellhörig/stutzig werden, → aufpassen

aufmerksam: höflich, zuvor-, entgegenkommend, gefällig, hilfreich, hilfsbereit, freundlich, galant, rücksichtsvoll, huldvoll ‖ mit Interesse/ wachen Sinnen, interessiert, wach-, achtsam, hellhörig, bei der Sache, vertieft, konzentriert, gesammelt, andächtig, -gespannt, mit offenen Augen, geistesgegenwärtig, präsent, atemlos, angestrengt, versunken; *ugs.:* ganz Ohr, dabei ‖ **a. machen auf** → informieren ‖ **a. werden auf** → bemerken

Aufmerksamkeit: Konzentration, Interesse, Augenmerk, Spannkraft, Beteiligung, Anspannung, Achtsamkeit, Sammlung, Andacht, Beachtung, Hingabe, Versunkenheit, Anteilnahme, Wachsamkeit, Geistesgegenwart ‖ Gefälligkeit, Wohlwollen, Freundlichkeit, Höflichkeit, Entgegenkommen, Kulanz, Hilfsbereitschaft, Liebenswürdigkeit ‖ kleines Geschenk, Gabe, Präsent; *ugs.:* Mitbringsel

aufmöbeln → auffrischen ‖ → aufmuntern

aufmucken → aufbegehren

aufmuntern: erheitern, heiter/froh stimmen, ermuntern, zerstreuen, ablenken, aufrichten, auf andere Gedanken/in Stimmung bringen; *ugs.:* aufmöbeln, -pulvern, -putschen ‖ → trösten ‖ **sich a.** → s. vergnügen

aufmüpfig → aufsässig

Aufnahme → Fotografie ‖ Anmelderaum, Rezeption, Anmeldung, Empfang ‖ An-, Über-, Entgegennahme ‖ An-, Indienst-, Einstellung ‖ Unterbringung, -kunft, -schlupf ‖ Willkomm, Begrüßung, Audienz ‖ Eintragung, Registrierung, Erfassung, Verzeichnung, Zulassung ‖ Resorption (Nahrung), Absorption ‖ Herstellung (Kontakte), Anknüpfung, Aufnehmen, Beginn, Inangriffnahme, Eröffnung, Anfang, Auftakt, Entstehung ‖ Zugang, -lass, -tritt ‖ Aufzeichnung, Niederschrift, Übertragung, Darbietung, Sendung, Mitschnitt, Darstellung ‖ Echo, Resonanz, Widerhall, Verständnis, Beurteilung, Anklang, Reaktion

aufnahmebereit → aufgeschlossen

Aufnahmefähigkeit: Fassungsvermögen, -kraft, -gabe, Kapazität, Rezeptivität, Volumen

aufnehmen: aufheben, heraufholen, auflesen, -sammeln, -klauben, -greifen ‖ Unterkunft/Platz bieten, Aufnahme gewähren, unterbringen, annehmen, zulassen, beherbergen, fassen, willkommen heißen, empfangen ‖ einschreiben, -tragen, erfassen, als Mitglied annehmen, registrieren, einreihen, einbeziehen, mit hineinnehmen ‖ reagieren/ansprechen/eingehen auf, rezipieren, → auffassen ‖ verarbeiten (Nahrung), resorbieren, absorbieren, auf-, einsaugen, einziehen ‖ eingliedern, assimilieren, Raum bieten, einverleiben, hineinpassen, hinzuzählen, verschmelzen ‖ → anfangen! ‖ → anknüpfen ‖ aufzeichnen, -schreiben, festhalten, ein-

fangen, notieren, protokollieren ‖
→ fotografieren ‖ filmen, einen Film
drehen ‖ leihen (Kredit), borgen, eine
Anleihe machen, Verbindlichkeiten
eingehen, s. entlehnen
aufnötigen: aufdrängen, -zwingen,
-oktroyieren, überreden zu; *ugs.:* andrehen, aufschwatzen
aufopfern, sich: s. einsetzen, Opfer
bringen, s. opfern, sein Herzblut geben, sein Leben einsetzen, s. hingeben, s. darbringen, s. ergeben, sein
Leben geben für, s. entäußern, alles
tun; *ugs.:* sein letztes Hemd hergeben
aufopfernd: entsagungsvoll, -beh-
rungsreich, selbstlos, opferbereit,
uneigennützig, idealistisch, altruistisch
aufpacken → öffnen ‖ → aufbürden
aufpäppeln → pflegen
aufpappen → aufkleben
aufpassen: aufmerken, Acht geben,
Obacht geben, zuhören, -sehen, folgen, s. konzentrieren, aufmerksam/
hellhörig sein, das Augenmerk richten auf, s. sammeln, Acht haben, Beachtung / Aufmerksamkeit schen-
ken/zollen, beachten, ein Auge haben für, beherzigen, -folgen, zur
Kenntnis nehmen, Notiz nehmen
von, die Augen/Ohren offen halten;
ugs.: bei der Sache/ganz Ohr sein,
dabei sein, die Ohren spitzen ‖ s. vorsehen, s. hüten, Vorsicht üben/wal-
ten lassen, achtsam/vorsichtig sein, s.
in Acht nehmen, auf der Hut sein;
ugs.: auf Nummer Sicher gehen ‖
Wache/Posten stehen, wachen, die
Wacht halten; *ugs.:* Schmiere stehen
‖ **a. auf:** beaufsichtigen, kontrollieren, bewachen, -hüten, im Auge behalten, beobachten, überwachen, sehen nach, s. kümmern um
aufpeitschen: in Aufruhr bringen,
aufwühlen ‖ dopen ‖ → anregen
aufplatzen → platzen ‖ Risse bekommen, rissig/rau werden

aufplustern → aufblähen ‖ **sich a.:**
angeben
aufprägen → aufdrücken
Aufprall: Aufschlag, (Zusammen)stoß, Kollision, Karambolage,
Aufstoß; *ugs.:* Ruck, Staucher
aufprallen: aufschlagen, -treffen,
-stoßen, -fallen, gegen etwas fahren,
auf-, anfahren; *ugs.:* aufknallen,
-klatschen, -bumsen, -krachen
Aufpreis: Zu-, Aufschlag, Mehr-,
Aufpreis, Erhöhung, Aufgeld, Agio;
öster.: Aufzahlung
aufpressen → aufdrücken
aufpulvern → aufmuntern ‖ → auffrischen ‖ → anregen
aufpumpen: mit Luft/Gas füllen,
aufblasen, -blähen, -schwellen, -trei-
ben; *ugs.:* aufpusten
aufputschen → aufhetzen ‖ → anregen ‖ dopen, aufpeitschen
Aufputschmittel → Stimulans
aufquellen: aufsteigen (Dampf), auf-
brodeln, emporwallen, hochsteigen ‖
→ anschwellen
aufraffen → auflesen ‖ **sich a.** → s.
überwinden ‖ s. erheben, aufstehen
aufragen: s. erheben, s. auftürmen/
-bauen, anstreben, s. aufrichten, emporragen, gen Himmel/in die Höhe
ragen, aufstreben
aufrappeln, sich → s. überwinden ‖
→ s. erholen
aufräumen: in Ordnung bringen,
richten, säubern, Ordnung schaffen,
ordnen, sauber machen, putzen, wegräumen; *ugs.:* ausmisten, in Schuss
bringen ‖ **a. mit:** beseitigen, Schluss
machen mit, durchgreifen, kurzen
Prozess/reinen Tisch machen, aus
der Welt schaffen, abschaffen, -stel-
len, entfernen, aufheben, ein Ende
setzen, auslöschen, zum Verschwinden bringen, zuschlagen
aufrecht: aufgerichtet, gerade, straff,
stramm ‖ ehrlich, redlich, aufrichtig,
echt, rechtschaffen, ehrenhaft, an-

ständig, wacker, charakterfest, standhaft, tapfer, mutvoll

aufrechterhalten: beibehalten, (be)wahren, konservieren, wachhalten, bleiben bei, festhalten an, erhalten, bestehen lassen, nicht verändern, durch-, fortsetzen, pflegen, warten, einer Sache treu bleiben, nicht weichen/ablassen von/aufgeben/abgehen von, s. nicht abbringen/beirren lassen, eingeschworen sein auf, weitermachen

aufregen: in Er-/Aufregung versetzen, aufbringen, (ver)ärgern, erregen, (auf)reizen, enervieren, nervös machen, aus der Ruhe/Fassung/dem Gleichgewicht bringen, beunruhigen, empören, aufrühren, -wühlen, erhitzen, -zürnen, zornig/wütend machen, erbosen, -grimmen, verstimmen, -drießen, herausfordern, provozieren, Ärger/Verdruss bereiten, in Missmut/Unruhe/Zorn/Wut versetzen, das Blut in Wallung bringen; *ugs.:* jmdn. auf die Palme bringen/die Wände hochjagen, auf die Nerven/den Geist gehen, nerven, auf den Wecker fallen, in Fahrt/Rage bringen, an die Nieren gehen, aus dem Häuschen bringen, zur Weißglut treiben ‖ mitreißen, begeistern, Feuer fangen, außer s. geraten, entflammen, hinreißen, stimulieren, inspirieren, beflügeln, entzücken, enthusiasmieren, trunken machen, anregen, berauschen ‖ **sich a.:** s. empören, s. entrüsten, s. ereifern, s. erhitzen/-zürnen, aufbrausen, böse/heftig/wütend/zornig werden, s. echauffieren, grollen, toben, die Beherrschung/Geduld verlieren, auf-, hochfahren, ergrimmen; *ugs.:* vor Ärger platzen, schäumen, kochen, genug haben, hochgehen, explodieren, aus der Haut fahren, an die Decke gehen, wild werden, durchdrehen, s. aufplustern/-führen

aufregend → spannend ‖ → attraktiv

Aufregung → Erregung ‖ → Aufruhr

aufreiben → zermürben ‖ → erschöpfen ‖ wund reiben, aufschürfen; *ugs.:* durch-, aufscheuern ‖ vernichten, ausrotten, zerstören, ver-, austilgen, ausmerzen, verwüsten, zermalmen, ruinieren, schlagen, bezwingen, niederringen, jmdn. außer Gefecht setzen; *ugs.:* fertig machen, jmdn. zur Strecke bringen/in die Pfanne hauen ‖ **sich a.** → s. anstrengen

aufreibend → anstrengend

aufreihen: aufziehen, -fädeln ‖ eine Reihe bilden, in einer Reihe aufstellen, postieren, platzieren, hintereinander stellen

aufreißen → aufbrechen ‖ *ugs.:* s. jmdn. anlachen/fischen/angeln, anbinden/-bändeln mit, eine Beziehung anknüpfen, s. aufdrängen, auf Fang gehen, schöntun, den Hof machen ‖ **sich a.:** s. verletzen, s. aufritzen, s. schrammen, s. aufschürfen, s. (ein)reißen

aufreizen: erregen, entflammen, jmdn. verrückt machen, betören; *ugs.:* anmachen, jmdn. scharf machen, anspitzen, aufgeilen ‖ → aufhetzen

aufreizend → attraktiv ‖ → provokatorisch

aufrichten: aufsetzen, empor-, hochrichten, aufstellen, -pflanzen, auf die Beine bringen ‖ stärken, trösten, aufheitern, Mut geben, ermutigen, -bauen, Trost zusprechen/spenden; *ugs.:* aufbauen ‖ **sich a.:** s. erheben, s. aufrecht setzen, s. aufsetzen/-recken, aufstreben

aufrichtig: ohne Bedenken/Zögern/Umschweife/weiteres, klar, rundweg, einfach, direkt, geradewegs, deutlich, freiweg, gerade-, freiheraus, unumwunden, -verhüllt, -verhohlen, -verblümt, -verstellt, -geschminkt, -missverständlich, ehrlich, offen(herzig), freimütig, eindeutig, unzweideutig, frank und frei, rückhaltlos; *ugs.:* rundheraus, glatt-, schlankweg, frisch von der Leber weg, auf gut deutsch, klipp und klar ‖ geradlinig, ohne Hintergedanken, gerade, wahr(haftig), zuverlässig, Vertrauen erweckend, vertrauens-, glaubwürdig, redlich, verlässlich, aufrecht

Aufrichtigkeit → Offenheit

aufrollen: aufwickeln, -spulen, -haspeln, -winden ‖ umschlagen (Ärmel), aufkrempeln, -stülpen, hoch streifen ‖ öffnen, entfalten, auseinander rollen/legen ‖ → aufrühren ‖ → aufdecken

aufrücken: aufschließen, nachrücken ‖ → avancieren ‖ → versetzt werden

Aufruf: Appell, Aufforderung, Ruf, Mahnung, Proklamation, Memento ‖ Anschlag, Mitteilung, Weisung, Aushang, Direktive, Auftrag, Geheiß, Anordnung, Order, Instruktion

aufrufen: beim Namen nennen/rufen; *ugs.:* drannehmen ‖ auffordern, appellieren, zu bewegen suchen, s. wenden an, anhalten, zureden, ermahnen, anraten

Aufruhr → Aufstand ‖ → Ausschreitung ‖ Aufregung, -sehen, Lärm, Durcheinander, Chaos, Getümmel, Wirrwarr, Gewirr, Wirrnis, Wirbel; *ugs.:* Tohuwabohu

aufrühren: erwecken, hervorrufen, bewirken, herbeiführen, auslösen, erregen, an-, entfachen, ins Rollen bringen, in Gang setzen, entfesseln ‖ erneut erwähnen, aufwickeln, -frischen, -rollen, wiederholen, in Erinnerung bringen, ins Gedächtnis zurückrufen, zum Bewusstsein bringen, beleuchten, wieder zur Sprache bringen/zur Diskussion stellen, wiederaufnehmen, nochmals aufgreifen / anschneiden / aufwerfen / ansprechen / behandeln / vorbringen; *ugs.:* aufwärmen, wiederkäuen, auskra-men, aufs Tapet bringen ‖ aufwühlen, bewegen, aufregen, -reizen, -bringen, erregen, -hitzen, das Blut in Wallung bringen, in Auf-/Erregung versetzen, aus der Ruhe/Fassung bringen; *ugs.:* durcheinander bringen, aus dem Häuschen bringen

aufrührerisch → rebellisch

aufrüsten: bewaffnen, armieren, rüsten, wappnen, mobilisieren, mobilmachen, Kriegsvorbereitungen treffen, s. verteidigungsfähig/kampfbereit machen, s. militärisch stärken, nachrüsten

aufrütteln: wachrütteln, die Augen öffnen, zur Besinnung/Vernunft/Einsicht bringen, aufschrecken, mahnen ‖ → aufwecken

aufsacken → aufbürden

aufsagen: (auswendig) vortragen, rezitieren, wiedergeben, deklamieren, hersagen; *ugs.:* herunterleiern, -schnurren, -beten, -rattern, abspulen ‖ → kündigen

aufsammeln: auflesen, -heben, -klauben, -nehmen, -suchen, zusammenraffen

aufsässig: widerspenstig, -setzlich, -borstig, ungehorsam, renitent, aufmüpfig, respektlos, störrisch, kompromisslos, unbequem, -erbittlich, rechthaberisch ‖ aufrührerisch, -ständisch, rebellisch, oppositionell, umstürzlerisch, revoltierend

Aufsatz: Abhandlung, Essay, (Nieder)schrift, Artikel, Beitrag, Untersuchung, Studie, Arbeit, Traktat, Feuilleton, schriftliche Darlegung, Bericht, Aufzeichnung, Betrachtung, Erörterung

aufsaugen: absorbieren, in s. aufnehmen, resorbieren, einziehen ‖ eingehen in, verschmelzen mit, einverleiben, aufschlucken, assimilieren, eingliedern

aufschauen: aufblicken, -sehen, hochschauen, emporsehen, die Augen

aufschlagen zu, auf-, hochgucken, die Augen heben ‖ **a. zu** → verehren
aufschäumen → aufbrausen
aufscheinen → auftauchen
aufscheuchen: aufschrecken, hochjagen, aufstören, hochscheuchen, in die Höhe treiben
aufscheuern, sich: s. wund reiben, s. verletzen, s. aufreiben/-schürfen, s. schrammen
aufschichten: auftürmen, -stapeln, -häufen, -speichern, aufeinander setzen/stellen, übereinander legen/stellen; *öster.:* aufschlichten, -richten, schöbern
aufschieben: verschieben, -zögern, -langsamen, -schleppen, -tagen, -legen, -ziehen, aussetzen, prolongieren, retardieren, anstehen lassen, auf die lange Bank schieben, hinausziehen, -schieben, -zögern, hintanstellen, hinschleppen, zurückstellen, in die Länge ziehen, säumen, noch nicht behandeln, hängen/anstehen lassen ‖ aufmachen, öffnen; *ugs.:* aufs Eis legen, einmotten
aufschießen → heranwachsen
Aufschlag: (Auf)stoß, An-, Aufprall, Schlag, Service (Tennis); *ugs.:* Staucher, Knall ‖ Umschlag, Krempe, Revers, Spiegel, Stulpe, Zuschlag, Aufpreis, -geld, Preiserhöhung, -steigerung, Zulage, Teuerung, Agio, Mehrpreis; *öster.:* Aufzahlung
aufschlagen: aufprallen, -treffen, -stoßen, -fallen; *ugs.:* aufknallen, -klatschen, -bumsen, -krachen ‖ → aufbrechen ‖ s. verletzen/-wunden, aufreißen, s. aufritzen, s. schrammen ‖ aufblättern, -klappen, -machen ‖ auf-, errichten (Zelt), auf-, erstellen, aufbauen ‖ verteuern, erhöhen, steigern, teurer werden, in die Höhe klettern, zunehmen; *ugs.:* anziehen, hochgehen ‖ umstülpen, hochschlagen, -klappen, umkrempeln

aufschließen: öffnen, aufsperren; *ugs.:* aufmachen, -tun ‖ auf-, nachrücken, anschließen, den Abstand verringern ‖ erschließen, zugänglich machen, aufbereiten, eröffnen
Aufschluss → Aufklärung ‖ **A. geben** → informieren
aufschlüsseln: ein-, aufteilen, gliedern, abtrennen, ordnen, strukturieren, auffächern, staffeln ‖ entschlüsseln, (auf)lösen, enträtseln, -ziffern, dekodieren, dechiffrieren, aufdecken, -hellen, klären, finden, erraten, herausbekommen; *ugs.:* dahinterkommen, herausbringen, -kriegen
aufschlussreich → informativ
aufschnappen: (auf)fangen, fassen, (er)greifen; *ugs.:* erwischen, packen, haschen, kriegen ‖ aufgreifen, erhaschen, hören, zu Ohren kommen, vernehmen; *ugs.:* schnappen, mitkriegen
aufschneiden: durchschneiden, zerteilen/-legen, in Stücke/Scheiben schneiden; *ugs.:* zerschnippeln ‖ → angeben
Aufschneider: Angeber, Prahler, Prahlhans, Wichtigtuer, Großtuer, -sprecher, Protz, Schaumschläger, Wortheld, Möchtegern, Gernegroß, Renommist; *ugs.:* Großmaul, Maulheld, Großkotz, -schnauze, -fresse, Klugscheißer
aufschnüren: aufbinden, -lösen, -knüpfen, -knoten, -schlingen, öffnen; *ugs.:* aufmachen
aufschrecken: in die Höhe fahren, hoch-, auffahren, aufschnellen, -springen, -zucken ‖ aufbringen, -scheuchen, verstören, erregen, hochjagen
aufschreiben: niederschreiben, schriftlich festhalten, ver-, aufzeichnen, niederlegen, notieren, zu Papier bringen, vermerken, eintragen, vormerken, eine Notiz machen, protokollieren, fixieren

Aufschrift: Beschriftung, Angabe, Aufdruck, Etikett(e), Bezeichnung

Aufschub: Vertagung, -schiebung, -zögerung, -schleppung, -langsamung, Retardation, Verzug ‖ Verlängerung, Frist, Stundung, Prolongation, Moratorium

aufschürfen, sich: s. aufscheuern, s. wund reiben, s. verletzen, s. aufreiben, s. schrammen

aufschütten: aufhäufen, -werfen, -schichten, -schaufeln, -häufeln

aufschwatzen → überreden

aufschwellen → anschwellen

aufschwingen, sich: s. in die Höhe/ nach oben schwingen, s. hoch-/empor-/hinaufschwingen, auf-, hoch-, emporfliegen, s. erheben, aufflattern ‖ → s. überwinden

Aufschwung: Aufstieg, -trieb, Entwicklung, Fortschritt, Vorwärtskommen, Verbesserung, Erfolg, Blüte, Boom, Konjunktur, Hausse

aufsehen: auf-, hochblicken, empor-, hochsehen, auf-, hochschauen, die Augen aufschlagen zu, auf-, hochgucken, die Augen heben ‖ **a. zu** → verehren

Aufsehen: Beachtung, Aufregung, Verwirrung, Furore, Eklat, Skandal, Sensation; *ugs.:* Lärm, Hallo, Tamtam ‖ **A. erregen** → auffallen ‖ **A. erregend** → außergewöhnlich

Aufseher: Wächter, Aufsicht führender, Bewacher, Wache, Aufsicht, Hüter, Pfleger, Ordner, Wachhabender, Wärter, Kontrolleur, Wachtposten; *ugs.:* Aufpasser, Fuchtel

auf sein → wachen

aufsetzen: auf-, überstülpen, anziehen, s. anlegen, antun ‖ entwerfen, verfassen, konzipieren, ein Konzept machen, ins Unreine schreiben, skizzieren, abfassen, anfertigen, formulieren, zusammenstellen, umreißen, anlegen, erstellen, -arbeiten ‖ landen (Flugzeug), niedergehen ‖ auf den

Herd/Ofen stellen, aufstellen; *reg.:* zusetzen ‖ aufnähen, anbringen, applizieren, aufflicken, -steppen ‖ aufschichten, -tragen ‖ **sich a.:** s. aufrichten, s. aufrecht setzen, s. erheben, s. aufrecken

Aufsicht: Beaufsichtigung, Kontrolle, Überwachung, Beobachtung, Wacht, Zensur ‖ → Aufseher

aufsitzen: aufrecht sitzen, s. auf-/ emporrichten, s. aufsetzen/-recken, aufstreben ‖ auf-, wachbleiben, wachen ‖ be-, aufsteigen (Pferd), s. in den Sattel schwingen ‖ hereinfallen, in die Falle/jmdm. auf den Leim gehen, betrogen/getäuscht/hintergangen/überlistet werden, irren, irre-, fehlgehen; *ugs.:* hereinfliegen, -sausen, aufs Kreuz gelegt/übers Ohr gehauen / hereingelegt / angeschmiert werden, reinfallen ‖ stranden, auflaufen, -fahren, auf Grund laufen

aufspalten: durchhacken, trennen, zerteilen, spleißen, zerlegen, aufteilen, zerkleinern, auseinander nehmen, aufgliedern, -splittern

aufspannen: aufziehen, spannen, anbringen, befestigen ‖ öffnen, entfalten, ausbreiten; *ugs.:* aufmachen

aufsparen: aufheben, zurücklegen, -halten, -stellen, beiseite legen/stellen, reservieren, (auf)bewahren ‖ → sparen

aufspeichern → anhäufen

aufsperren: aufschließen, öffnen; *ugs.:* aufmachen, -tun ‖ aufreißen, weit öffnen

aufspielen: Musik machen, musizieren ‖ **sich a.** → angeben

aufsprengen → sprengen

aufspringen: aufschnellen, -fahren, -schrecken, in die Höhe fahren, hochfahren, s. erheben ‖ aufplatzen, -brechen, -bersten, s. auftun, s. entfalten, s. öffnen, auf-, erblühen, s. aufblättern, aufgehen ‖ Risse bekommen, rissig/rau werden

aufspulen: aufwickeln, -rollen, -haspeln, -winden

aufspüren: ausfindig machen, (auf)finden, stoßen auf, entdecken, aufstöbern, sehen, sichten, antreffen, orten, auftun, ausmachen, ermitteln, in Erfahrung bringen, vor-, herausfinden, auf die Spur kommen, ertappen, -wischen, zutage fördern/bringen, ans Licht bringen, ergründen, gewahren, erblicken, ausgraben, erkunden, abfassen, auskundschaften; *ugs.:* auftreiben, -gabeln, -fischen, -lesen, -klamüsern, herausbringen, -kriegen, dahinter kommen

aufstacheln → aufhetzen

Aufstand: (Massen-, Volks)erhebung, Rebellion, Revolte, Empörung, Putsch, Meuterei, Aufruhr, Krawall, (Freiheits)kampf, Auflehnung, Insurrektion

aufständisch → rebellisch

Aufständischer → Partisan ‖ → Rebell

aufstapeln → aufschichten

aufstauen: (an)sammeln, (an)stauen, aufdämmen, einfangen, zurückhalten, speichern, einschließen, horten, anhäufen, zusammentragen, (ak)kumulieren, agglomerieren, lagern; *ugs.:* in s. hineinfressen

aufstecken: hochstecken (Haare), aufbinden ‖ → aufgeben

aufstehen: s. erheben, s. aufrichten, den Tag beginnen, das Bett verlassen; *ugs.:* aus den Federn kriechen ‖ **a. gegen** → aufbegehren

aufsteigen: hoch-, besteigen, aufsitzen, s. in den Sattel schwingen, hinaufklettern, erklimmen ‖ s. (er)heben, emporsteigen, aufgehen, s. in die Luft heben, aufstieben, -fliegen, -flattern, (s.) aufschwingen ‖ → aufkommen ‖ → avancieren

aufstellen: er-, aufrichten, aufschlagen, erstellen, aufbauen ‖ hin-, ab-, niederstellen, platzieren, anordnen,

unterbringen, postieren, aufreihen ‖ zusammenstellen, -setzen, vereinigen, gruppieren, anlegen, formieren, in eine bestimmte Ordnung bringen, einteilen, systematisieren; *ugs.:* auf die Beine bringen ‖ (er)nennen, vorschlagen, nominieren, auf die Wahlliste setzen, berufen, anbieten ‖ formulieren, aufsetzen, fixieren, schaffen, ab-, verfassen, entwerfen, festhalten, anfertigen, erarbeiten ‖ **sich a.:** s. postieren, s. formieren, s. gruppieren, s. hinstellen, s. platzieren, antreten, s. aufreihen, Aufstellung nehmen; *ugs.:* s. aufbauen/aufpflanzen

Aufstellung: Formierung, Gruppierung, Bildung, Formation, Zusammenstellung, Reihung, Postierung, Platzierung, Anordnung, Aufbau, Gliederung, Arrangement, Komposition, Einteilung, Organisation ‖ Nominierung, Ernennung, Berufung ‖ Liste, Verzeichnis, Tabelle, Übersicht, Register

Aufstieg: Er-, Besteigung, Anstieg, Bezwingung, Hochtour ‖ Aufwärtsentwicklung, -bewegung, Aufschwung, -trieb, Fortschritt, Vorwärtskommen, Beförderung, Karriere, Avancement, Emporkommen, Erfolg, Verbesserung

aufstöbern: aufscheuchen, -schrecken, -stören, hochscheuchen, -jagen, vertreiben ‖ → aufspüren

aufstocken: vergrößern, erhöhen, (ver)mehren, verstärken, ausdehnen, steigern, erweitern, ausweiten, aufblähen

aufstoßen → aufbrechen ‖ s. verletzen/-wunden, aufreißen, s. aufritzen, s. schrammen ‖ *med.:* eruktieren; *Kinderspr.:* Bäuerchen machen; *ugs.:* rülpsen ‖ → auffallen

aufstrahlen → aufleuchten

aufstreben: aufragen, s. erheben, s. auftürmen, emporragen, gen Him-

mel/in die Höhe ragen ‖ aufstehen, s.
aufrichten/-recken, aufschnellen,
-springen ‖ vorwärts streben, wetteifern, Karriere/Erfolg suchen; *ugs.:*
hinaufwollen
aufstülpen: aufsetzen, überstülpen,
anziehen, -legen ‖ (auf)schürzen
(Lippen), aufwerfen ‖ umstülpen,
hochschlagen, -klappen, um-, aufkrempeln
aufsuchen: s. begeben nach/zu, be-,
heimsuchen, zu jmdm. gehen, einen
Besuch abstatten/machen, seine
Aufwartung machen, beehren, hereinschauen, Visite machen; *ugs.:*
vorbeikommen, -schauen, s. blicken
lassen, s. zeigen, aufkreuzen, -tau-
chen, anklopfen, auf einen Sprung
kommen, auf die Bude rücken, guten
Tag sagen ‖ auflesen, -sammeln, -he-
ben, -klauben ‖ nachschlagen,
durch-, nachsehen, nachlesen,
-schauen, -blättern, suchen, eruieren,
ermitteln, -gründen, etwas nachgehen, ausfindig machen, ausmachen,
orten, herausfinden, in Erfahrung
bringen, erkunden, auskundschaften
auftafeln → auftischen
auftakeln: betakeln, mit Takelage/
Takelwerk ausstatten/versehen ‖
sich a.: s. herausputzen, s. aufmachen, s. aufmotzen, s. aufdonnern, s.
stylen
Auftakt: Einleitung, Beginn, Auf-
klang, Anfang, -bruch, Einsatz, -tritt,
Start, Anlass, Verursachung, Anbah-
nung, Debüt, Eröffnung, erster
Schritt, Ouvertüre
auftanken: tanken, auf-, nachfüllen,
ergänzen, voll schütten, mit Treibstoff versehen/-sorgen ‖ *ugs.:* Kräfte
sammeln, s. stärken, s. aufrichten, s.
kräftigen, s. regenerieren
auftauchen: hervorkommen, sichtbar
werden, an die Oberfläche kommen,
auf-, erscheinen, auftreten, vor-, hochkommen, zu finden sein, auf den Plan

treten, s. einfinden/-stellen, s. melden, in Erscheinung/zutage treten,
auf der Bildfläche erscheinen, zum
Vorschein kommen; *ugs.:* aufkreuzen, s. blicken lassen, antanzen, -rü-
cken, -kommen, angerückt/-ge-
schneit kommen, hereinschneien,
eintrudeln ‖ → aufkommen
auftauen: zum Schmelzen bringen,
apern, (ab)tauen, schmelzen, von Eis
befreien, enteisen, -frosten; *öster.:*
abeisen ‖ s. auflösen, zer-, wegschmelzen, zergehen, -fließen, -rin-
nen, -laufen, flüssig werden ‖ aufblühen, s. öffnen, aus s. herausgehen, die
Scheu/Hemmungen verlieren, gesprächig werden, s. aufmachen; *ugs.:*
warm werden
aufteilen: ein-, zer-, ab-, unterteilen,
durch-, aufgliedern, aufschlüsseln,
ordnen, fächern, parzellieren, klassifizieren, sortieren, entflechten, dividieren, segmentieren, -stückeln, -schnei-
den, auseinander nehmen ‖ ver-, zu-,
austeilen, aus-, ab-, übergeben, zusprechen, -messen, aushändigen, zuerkennen, verabfolgen
auftischen: servieren, bewirten, auftragen, kredenzen, traktieren, anrichten, vorsetzen, -legen, reichen,
(an)bieten, offerieren, aufwarten mit,
darbieten, -reichen, bedienen, auftafeln, auf den Tisch bringen; *ugs.:* an-,
auffahren, anschleppen, aufmarschieren lassen, herbeischaffen ‖
→ einreden ‖ → täuschen
Auftrag: Bestellung, Anforderung,
Order ‖ (An)weisung, Aufgabe, Anordnung, Befehl, Geheiß, Aufforderung, Gebot, Bitte, Kommando,
Pflicht ‖ Verpflichtung, Ruf, Mission, Berufung, Eingebung, Sendung,
Mandat
auftragen → auftischen ‖ aufstreichen, -legen, verstreichen, -reiben,
anlegen, -bringen, aufmalen,
schminken; *ugs.:* ver-, aufschmieren

‖ beauftragen, anordnen, bitten, anweisen, auferlegen, diktieren, aufgeben, Auftrag/Anweisung/Befehl/Order erteilen, gebieten, bestimmen, vorschreiben, befehlen; *öster.:* anschaffen; *schweiz.:* überbinden ‖ abnutzen, -tragen, -brauchen, -scheuern, -wetzen, verbrauchen, -schleißen; *ugs.:* abdienen ‖ **dick a.** → übertreiben

auftreffen → aufprallen

auftreiben → beschaffen ‖ → aufspüren ‖ → anschwellen

auftrennen: zertrennen, -legen, aufdröseln, -machen, lösen, auseinander trennen

auftreten: den Fuß/die Füße aufsetzen ‖ s. benehmen, s. verhalten, s. zeigen, s. geben, s. bewegen/-tragen, s. gebärden, s. gebaren, s. aufführen, s. gehaben, s. gerieren ‖ spielen, die Bühne betreten, Vorstellung geben, s. produzieren, vorführen, eine Rolle spielen, s. in Szene setzen ‖ vorkommen, erscheinen, auftauchen, zu finden sein, s. finden, vorhanden sein, s. ergeben, s. herausstellen, sichtbar werden, an die Oberfläche kommen, s. einstellen, in Erscheinung/zutage treten, zum Vorschein kommen; *ugs.:* aufkreuzen ‖ **a. als:** fungieren/tätig sein als, darstellen, verkörpern, die Rolle einnehmen, abgeben, agieren; *ugs.:* mimen, s. machen ‖ **a. gegen** → angreifen

Auftrieb: (Auf)schwung, Auftriebskraft, Ansporn, Aufwind ‖ Mut, Schneid, Ermutigung

Auftritt: Auftreten, Start, Einsatz ‖ Aufzug, Szene, Nummer, Bild ‖ → Streit, → Auseinandersetzung

auftrumpfen → angeben ‖ → schadenfroh sein

auftun: aufschließen, -sperren, öffnen; *ugs.:* aufmachen ‖ → aufspüren ‖ **sich a.** → aufspringen ‖ s. erschließen/-öffnen, erwachsen, sichtbar/

erkennbar werden, s. herausbilden, → aufkommen

auftürmen → aufschichten ‖ **sich a.:** auf-, emporragen, s. erheben, s. aufbauen, gen Himmel/in die Höhe ragen, aufstreben

aufwachen: wach/munter werden, erwachen, zu s. kommen, die Augen aufmachen/-schlagen ‖ → aufkommen

aufwachsen: groß werden, heranwachsen, seine Kindheit verbringen, werden, reifen, s. entwickeln

Aufwand: Einsatz, Verausgabung, Aufwendung, -bietung, Hingabe, Verzehr, Aufopferung ‖ Kosten, Ausgabe, -lage, Unkosten ‖ Prunk, Aufmachung, Verschwendung, Pracht, Luxus, Apparat, Vergeudung, Ausstattung, Überfluss, Üppigkeit, Repräsentation, Gepränge, Pomp; *ugs.:* Tamtam, Klimbim

aufwändig → aufwendig

aufwärmen: erhitzen, wärmen, warm/heiß machen, aufbrühen ‖ → aufrühren

aufwarten → auftischen ‖ vorführen, -weisen, darbringen, bieten, zeigen ‖ einen Besuch abstatten, vorsprechen, s. einfinden, besuchen, beehren, aufsuchen

aufwärts: nach oben, in die Höhe, hinauf, empor, hoch, herauf, bergauf, -an, himmelwärts, -an

aufwaschen: abwaschen, Geschirr spülen, abspülen; *ugs.:* ausputzen ‖ säubern, reinigen, sauber machen, putzen

aufwecken: (er)wecken, wach/munter machen, aus dem Schlaf reißen, aufrütteln, wachrufen, -rütteln; *ugs.:* aus dem Bett holen

aufweichen: durchfeuchten, weich machen, durchweichen ‖ unterhöhlen, -graben, durchlöchern, unterminieren, zerstören, ins Wanken bringen, zersetzen, erschüttern

aufweisen: zeigen, erkennen lassen, aufzeigen, dokumentieren, demonstrieren ‖ besitzen, enthalten, haben, in s. tragen, bergen, eignen, eigen/eigentümlich sein, angehören, s. kennzeichnen durch, innehaben, verfügen über, versehen sein mit

aufwenden: aufbringen, einsetzen, aufbieten, mobilisieren, anlegen, zur Verfügung stellen, daransetzen, hineinstecken, opfern, investieren; *ugs.:* reinstecken ‖ ausgeben, verausgaben, bezahlen; *ugs.:* springen lassen, locker machen

aufwendig: kostspielig, teuer; *ugs.:* gepfeffert, -salzen ‖ prunkvoll, pompös, üppig, prunkend, prächtig, luxuriös, protzig

aufwerfen: aufhäufen, -schütten, -schaufeln, -häufeln, -schichten ‖ aufstülpen, -schürzen (Lippen) ‖ öffnen, aufstoßen, auffliegen lassen ‖ zur Sprache bringen, zur Diskussion stellen, zu erwägen geben, ansprechen, vorbringen, aufrollen, anschneiden, -bringen, -reißen, erwähnen, vortragen; *ugs.:* aufs Tapet bringen ‖ **sich a. zu:** s. erdreisten, s. erheben/aufschwingen zu, s. aufspielen, s. ernennen, s. erlauben, s. anmaßen

aufwerten: die Währung höher bewerten, eine Aufwertung vornehmen, steigern, (an)heben, revalvieren

aufwickeln: aufspulen, -rollen, -haspeln, -winden ‖ umschlagen, aufkrempeln, -stülpen, hochstreifen ‖ auseinander wickeln, auflösen, entfernen, auspacken; *ugs.:* aufmachen ‖ → aufrühren

aufwiegeln → aufhetzen

aufwiegen: ausgleichen, die Waage halten, kompensieren, egalisieren, Ausgleich schaffen/bewirken, wett-, gutmachen, ersetzen; *ugs.:* herausreißen

aufwirbeln: aufstieben, -rühren, hochwirbeln ‖ **Staub a.** → auffallen

aufwischen: reinigen, säubern, sauber machen, aufscheuern, (auf)putzen, (auf)trocknen

aufwühlen: erschüttern, -greifen, beunruhigen, -wegen, -rühren, aufregen, irritieren, in Unruhe/Unrast versetzen, außer sich/aus der Ruhe/Fassung bringen, aufbringen, erregen, das Blut in Wallung bringen, zu Herzen gehen; *ugs.:* an die Nieren/unter die Haut gehen, aus dem Häuschen bringen, mitnehmen

aufzählen: nacheinander nennen, an-, aufführen, vorbringen, erwähnen, ins Feld führen, angeben

aufzehren: ver-, aufbrauchen, aufessen, konsumieren; *ugs.:* verbraten, -buttern, -putzen ‖ zermürben, beanspruchen, die Widerstandskraft brechen, aufreiben, zerrütten, mürbe machen, entkräften, (über)anstrengen, strapazieren, angreifen, ermüden, -schöpfen, -lahmen, ruinieren, aushöhlen, in Anspruch nehmen, auslaugen, schwächen, ausmergeln; *ugs.:* aussaugen

aufzeichnen → aufschreiben ‖ auf Tonband/Schallplatte, Video aufnehmen

Aufzeichnung → Niederschrift ‖ → Aufnahme

aufzeigen: vor Augen führen, zeigen, aufweisen, dokumentieren, demonstrieren ‖ be-, nachweisen, den Nachweis führen/erbringen, belegen, -zeugen, sichtbar machen ‖ → aufdecken ‖ erklären, darlegen, entwickeln, dartun, vorführen, erläutern, veranschaulichen

aufziehen: auffädeln, -reihen, durchziehen ‖ heran-, groß-, erziehen, auffüttern; *ugs.:* hoch-, aufpäppeln ‖ züchten, ziehen, hoch-, aufbringen ‖ hochziehen, nach oben/in die Höhe ziehen, hoch-, aufwinden, aufholen, setzen, (hoch)hieven, heben, hissen, lüften, aufrollen, öffnen ‖ aufdrehen

(Uhr), in Gang setzen ‖ be-, aufspannen, beziehen, befestigen, anbringen ‖ → organisieren ‖ hänseln, Scherz/Spott treiben, necken, sticheln, foppen, seinen Spaß machen/treiben mit, ärgern, frotzeln, verspotten, jmdn. dem Gelächter preisgeben, (ver)höhnen, anführen, jmdn. an der Nase herumführen/zum Narren halten, einen Streich spielen, s. mokieren, witzeln, lächerlich/s. lustig machen, verlachen; *ugs.:* hochnehmen, verulken, uzen, auf den Arm/die Schippe nehmen, veralbern, durch den Kakao ziehen, flachsen, pflanzen, anpflaumen ‖ herankommen, -ziehen, heraufziehen, herannahen, s. nähern, aufkommen, im Anzug sein, s. zusammenbrauen/-ziehen/-ballen, s. ankündigen, drohen, s. entwickeln, bevorstehen ‖ s. aufstellen, aufmarschieren, s. formieren, antreten, s. postieren

Aufzug: Fahrstuhl, Lift, Hebewerk, Paternoster ‖ Akt, Auftritt, Szene, Bild ‖ Zug, Prozession, Umzug ‖ Aufmachung, Ausstattung, Äußeres, Aufputz, Dekor, Ausstaffierung, Dress, Kleidung, Outfit, Toilette, Garderobe, Gewand(ung), Erscheinung, Kluft; *ugs.:* Sachen, Klamotten, Tracht, Zeug, Montur

aufzwingen: aufnötigen, -drängen, -oktroyieren, diktieren; *ugs.:* andrehen, aufschwatzen

Auge: Sehorgan, Augapfel; *ugs.:* Gucker, Seher; *pl.:* Lichter ‖ Blick, Sehvermögen, Scharfsichtigkeit, Gespür, Spürsinn, Instinkt

Augenblick: Moment, Weilchen, Weile, Nu, Atemzug, Sekunde, Minute ‖ Zeitpunkt, Gelegenheit, Möglichkeit, Chance ‖ **im A.** → augenblicklich

augenblicklich → sofort ‖ jetzt(ig), gegenwärtig, nun, gerade, im Augenblick, momentan, derzeit(ig), nun-
mehr(ig), zur Stunde, im Moment, just, aktuell, (so)eben, justament, zur Zeit ‖ vergänglich, für kurze Zeit, vorübergehend, temporär, episodisch, ephemer, zeitweilig, flüchtig, von kurzer Dauer, passager

augenfällig → offenbar

Augengläser → Brille

Augenlicht: Sehkraft, -vermögen, -schärfe, Sicht

Augenmerk → Aufmerksamkeit

Augenschein: Wahrnehmung, Anschauung, Ansicht, Erfahrung, Anblick

augenscheinlich → offenbar

Augenweide: Vergnügen, Genuss, Wonne, Freude, erfreulicher Anblick, Labsal, Sinnenfreude, Wohlgefühl, Entzücken, Erquickung, Hochgenuss, Lust

Augenzeuge: Anwesender, Zuschauer, Betrachter, Beobachter, Teilnehmer, Zeuge

Auktion: Versteigerung, Lizitation; *schweiz.:* Steigerung, Gant, Vergantung

Aureole: Heiligenschein, Gloriole, Glorienschein, Glorie, Mandorla ‖ Erhabenheit, Feierliches, Weihevolles, Würde, Festliches

aus → wegen ‖ ausgegangen, außer Haus, auswärts, -häusig, fort, weg, abwesend, nicht da/daheim ‖ vorbei, -über, zu Ende, Schluss, erloschen, passee, verschwunden, -gangen, gestorben; *ugs.:* dahin, tot, um ‖ heraus, hinaus, von innen nach außen ‖ bestehen, -schaffen, zusammengesetzt, von der Beschaffenheit ‖ **a. sein auf** → abzielen auf

ausarbeiten: entwerfen, festlegen, ausführen, gestalten, verfassen, aufbauen, anlegen, erstellen, -arbeiten, konzipieren, konkretisieren, realisieren, durchführen, verwirklichen, verfertigen, herstellen, austüfteln

Ausarbeitung → Ausführung

ausarten: entarten, absinken, -steigen, -gleiten, geraten, s. entfalten/ -wickeln, aus der Art schlagen, verfallen, degenerieren, auf die schiefe Ebene kommen, abrutschen, herunterkommen ‖ überhand nehmen, s. ausweiten zu, überborden, auswachsen, zu weit gehen, überspitzen, -ziehen, zu viel werden

ausatmen: den Atem/die Luft ausstoßen, aushauchen; *ugs.:* auspusten

ausbaden: die Folgen/Konsequenzen tragen, auf s. nehmen, bereinigen, büßen, einstehen/geradestehen für, bezahlen, die Verantwortung übernehmen, stehen zu, aufkommen/haften/bürgen für, sühnen, entgelten, ausgleichen, wettmachen, wiedergutmachen; *ugs.:* herhalten, die Suppe auslöffeln, den Kopf hinhalten, die Zeche zahlen, bluten müssen, auf seine Kappe nehmen, die Kastanien aus dem Feuer holen, ausbügeln

ausbalancieren: ins Gleichgewicht bringen, ausgleichen, egalisieren, glätten, neutralisieren, einen Ausgleich schaffen, die Waage halten, ein Gegengewicht bilden, Unterschiede beseitigen, schlichten, beilegen, in Ordnung/ins rechte Gleis bringen, einrenken; *ugs.:* ins Lot bringen, hinbiegen, ausbügeln

ausbaldowern → auskundschaften

Ausbau: Erweiterung, Ausdehnung, Vergrößerung, -besserung, Entfaltung, -wicklung, Zunahme, → Festigung

ausbauen: erweitern, vergrößern, ausdehnen, zu-, anbauen, verbreitern ‖ herausnehmen, entfernen, ausmontieren ‖ → weiterentwickeln ‖ → festigen

ausbedingen, sich → fordern

ausbessern: reparieren, eine Reparatur durchführen, instand setzen, Schäden beheben, wiederherstellen, in Ordnung bringen, richten, überholen, erneuern, wiederherrichten; *ugs.:* wieder ganz/heil machen ‖ stopfen, flicken, zunähen, stückeln

ausbeulen: *(ugs.):* ausweiten, -dehnen, weiten; *ugs.:* ausleiern, -beuteln, -latschen

Ausbeute: Gewinn, Ertrag, Profit, Nutzen, Effekt, Ernte, Früchte, Wert, Erlös, Rendite, Produkt, Ergebnis, Resultat, Fazit, Geschäft

ausbeuten: ausplündern, -rauben, -nutzen, -saugen, -pressen, -nützen, exploitieren, schröpfen, plündern, zur Ader lassen, arm machen, ruinieren; *ugs.:* das Mark aus den Knochen saugen, melken, ausnehmen, -räubern, rupfen, lausen, erleichtern, ausziehen, flöhen, auspowern ‖ Nutzen ziehen aus, ausschöpfen, -werten, abbauen, gewinnen, s. zunutze machen, ausschlachten, nutzbar machen

Ausbeuter: Profitmacher, Profiteur, Aneigner, Kapitalist, Wucherer, Unternehmer, die Multis; *ugs.:* Blutsauger, Aasgeier, Bonze

ausbilden: an-, unterweisen, anleiten, -lernen, instruieren, lehren, schulen, befähigen, erziehen, bilden, unterrichten, Wissen vermitteln, drillen, trainieren, coachen, zeigen, vertraut machen mit, formen, in die Schule nehmen, beibringen, Stunden/Unterricht geben; *ugs.:* hobeln, Schliff geben, vormachen, einpauken, -trichtern ‖ entwickeln, fördern, heranbilden, entfalten, qualifizieren, emporbringen, ausgestalten, realisieren, verwirklichen, -vollkommnen, ausformen, -bauen, vertiefen

Ausbildung: Unterweisung, Anleitung, Einführung, Schulung, Unterricht, Instruktion, Belehrung, Lehrjahre, Bildungsgang, Lehre, Erziehung, Vorbereitung, Lehrzeit, Formung ‖ Förderung, Entwicklung, -faltung, Ausformung, -bau, Vertiefung, Festigung

ausbitten, sich: (er)bitten, an-/er-/ nachsuchen um, erbetteln, angehen/ -fragen um, vorstellig werden, s. wenden an ‖ → fordern

ausblasen: (aus)löschen, ersticken; *ugs.:* auspusten, -machen

ausbleiben: fort-, weg-, fernbleiben, ausstehen, -setzen, fehlen, s. fernhalten, aus-, wegfallen, nicht kommen/ eintreffen/-treten/dasein/anwesend sein

Ausblick: Fern-, Über-, Aussicht, Panorama, Fern-, An-, Über-, Rundblick, Blick, Bild, Sicht, Überschau ‖ Perspektive, Zukunft, Vorgriff, Blickrichtung

ausbooten: *(ugs.):* ab-, ver-, zurück-, wegdrängen, beiseite schieben, ausstechen, -schalten, in den Hintergrund drängen, abspeisen, -servieren, -fertigen, des Einflusses berauben, entmachten, -lassen, aufs Abstellgleis schieben, entthronen, ins Abseits drängen, aus dem Feld schlagen; *ugs.:* abhängen, -schießen, -halftern, -sägen, niedermachen, kaltstellen

ausborgen → leihen ‖ **sich a.:** s. → leihen

ausbrechen → fliehen ‖ losbrechen, zum Ausbruch kommen, entbrennen, -flammen, auflodern, -flackern, -flammen, -kommen, -wallen, -lohen, -steigen, -keimen, hervorkommen, -dringen, hochgehen, um s. greifen, anfangen, (s. zu regen) beginnen, s. entwickeln/-laden, s. bilden, s. auftun, s. entspinnen, s. breitmachen, anheben, plötzlich auftreten/einsetzen, zum Vorschein kommen ‖ erbrechen, von s. geben, (aus)speien, s. übergeben; *ugs.:* brechen, spucken, kotzen

ausbreiten: entfalten, ausdehnen, (ver)breiten, aufschlagen, verstreuen, auslegen, auseinander legen/breiten/falten ‖ er-, ausweiten, vergrößern ‖ in Umlauf setzen, bekannt ma-

chen, ausstreuen, weiter-, verbreiten, unter die Leute bringen ‖ darstellen, -legen, beleuchten, aufrollen, auseinander setzen, behandeln, erläutern, schildern, erzählen, betrachten ‖ **sich a.** → s. ausdehnen ‖ s. äußern, seine Meinung abgeben/kundtun, s. auslassen über, s. ergehen in, ausholen, -laden, Stellung nehmen, referieren; *ugs.:* quatschen, schwatzen, labern

Ausbruch: Beginn, Anfang, Auftreten, Anbruch, Eintritt, -bruch, -satz, Entstehung ‖ Entladung, Anfall, Anwandlung, Aufwallung, Erregung, Koller ‖ Eruption, Explosion, Erguss

ausbrüten → s. ausdenken

ausbuddeln → ausgraben

ausbügeln: plätten, glätten, bügeln, glatt machen ‖ → bereinigen

ausbuhen → auspfeifen

Ausbund: Inbegriff, Muster(beispiel), Gipfel, Prototyp, Vorbild, Clou, Inkarnation, Verkörperung

ausbürgern: die Staatsangehörigkeit entziehen, ausweisen, expatriieren, des Landes verweisen, aussiedeln, verbannen, ausschließen, -stoßen, vertreiben, -jagen, exilieren; *ugs.:* abschieben, hinauswerfen

ausbüxen → fliehen

Ausdauer → Geduld ‖ → Beständigkeit

ausdauernd: beharrlich, zäh, stetig, unermüdlich, geduldig, durchhaltend, hartnäckig, unnachgiebig, zielstrebig, unentwegt, -verdrossen, -beirrbar, persistent, konsequent, verbissen, widerstandsfähig, eigensinnig, erbittert, insistierend, standhaft, krampfhaft; *ugs.:* stur

ausdehnen: ausweiten, -breiten, vergrößern, dehnen, erweitern, entfalten ‖ in die Länge ziehen/strecken, auswalzen; *ugs.:* ausleiern, -beulen ‖ verlängern, hinausziehen, verzögern, hinschleppen, aufschieben ‖ **sich a.:** s. (ver-, aus)breiten, übergreifen,

-springen, grassieren, umgehen, an Boden gewinnen, expandieren, s. erstrecken, reichen, s. ausspannen/ -weiten, seinen Einflussbereich vergrößern, um s. greifen, zunehmen, s. entfalten, s. vermehren/-stärken/ -größern, anwachsen, -schwellen, -steigen, s. entwickeln, s. erhöhen ‖ überhand nehmen, Verbreitung finden, s. einbürgern, durchdringen, s. durchsetzen, Kreise ziehen, üblich/ Usus/zur Gewohnheit werden, s. Geltung verschaffen, zum Durchbruch kommen; *ugs.:* einreißen

Ausdehnung: Erweiterung, Verbreiterung, Ausweitung, -breitung, Verlängerung, Dehnung, Vermehrung, Zunahme, Vergrößerung, Expansion, Steigerung, Anwachsen, Wachstum, Anschwellung, Zuwachs, Entwicklung, -faltung ‖ Ausmaß, Dimension, Größe, Umkreis, Größenordnung, Reichweite, Umfang, Breite, Weite, Volumen, Tiefe, Länge

ausdenken, sich: ersinnen, s. vorstellen, erdenken, in die Welt setzen, s. einfallen lassen, (er)dichten, konstruieren, aussinnen, -grübeln, aus-, erklügeln, entwerfen, s. zurechtlegen, annehmen, unterstellen; *ugs.:* austüfteln, -knobeln, -klamüsern, -brüten, -hecken, spinnen, auskochen

ausdiskutieren: klären, durchsprechen, -nehmen, bereden, -sprechen, -handeln, erörtern, debattieren, abhandeln, untersuchen, erschöpfen; *ugs.:* durchkauen, bekakeln, -schwätzen, -quatschen

ausdorren: ausdörren, -trocknen, trocken/dürr werden, ein-, vertrocknen

ausdrehen: ab-, ausschalten, ab-, ausstellen, abdrehen, löschen; *ugs.:* ausknipsen, -machen

Ausdruck: Wort, Wendung, Begriff, Vokabel, Terminus, Bezeichnung, Figur, Formel, Expression, Benennung ‖ Formulierung, Redeweise, Redensart, Sprache, Ausdrucksart, -weise, -form, -stil, Diktion ‖ Spiegelung, (Kenn)zeichen, Beweis, Äußerung, Schaustellung, Bekundung, Kundgabe, Demonstration, Hinweis, Erklärung ‖ Miene, Gesichtsausdruck, Mimik, Gebärde, Geste, Gestikulation, Mienen-, Gebärdenspiel ‖ Nachdruck, Betonung, Unterstreichung, Hervorhebung

ausdrücken: (aus)pressen, herausdrücken, -quetschen, entsaften, ausquetschen, -wringen, -ringen, -winden; *öster.:* ausreiben ‖ formulieren, in Worte fassen/kleiden, artikulieren, mitteilen, Ausdruck verleihen, äußern, benennen, aussprechen, sagen, verbalisieren, von s. geben, zum Ausdruck/auf den Begriff/in eine Form bringen ‖ erkennen/fühlen/ merken lassen, bezeigen, -kunden, -zeugen, -weisen, dartun, zu spüren geben ‖ zeigen, (wider)spiegeln, wiedergeben, offenbaren, besagen, -deuten, aussagen, verraten, manifestieren, vermitteln, zum Inhalt haben, die Bedeutung/den Sinn haben, verkörpern, heißen, enthalten, charakterisieren, kennzeichnen, dar-, vorstellen, bilden, repräsentieren, ausmachen, hinweisen ‖ (aus)löschen, ersticken; *ugs.:* ausmachen

ausdrücklich: mit Nachdruck, extra, nachdrücklich, eigens, explizit, expressis verbis, präzis, genau, klar, deutlich, bestimmt, entschieden, fest, kategorisch, apodiktisch, namentlich, eindringlich, drastisch, betont, unmissverständlich, emphatisch ‖ besonders

ausdruckslos: ohne Ausdruck, ausdrucks-, inhaltsleer, nichts sagend, farblos, blass, gesichtslos, langweilig, unscheinbar, gleichgültig, leer, unbedeutend, tot, kalt, entseelt, leblos, öde

ausdrucksvoll: expressiv, bilderreich, ausdrucksstark, malerisch, mit Ausdruck sprechend, deklamatorisch, lebendig, anschaulich, farbig, plastisch, einprägsam, bildhaft ‖ gefühlsbetont, gefühl-, salbungsvoll, inhaltsschwer, ausladend, bombastisch, pompös, schwülstig, bedeutungsschwanger, dramatisch, theatralisch, pathetisch

Ausdrucksweise: Sprache, Sprech-, Rede-, Darstellungsweise, Diktion, Redens-, Ausdrucksart, Stil, Form, Formulierung, Handschrift, Schreibart, -weise

ausdünsten: ab-, ausscheiden, von s. geben, ab-, aussondern, abgeben, (aus)schwitzen, transpirieren, sekretieren

Ausdünstung: Ab-, Ausscheidung, Ab-, Aussonderung, Ausfluss, Sekretion ‖ Schweiß(absonderung), Transpiration ‖ Dunst, (Körper)geruch

auseinander: getrennt, vereinzelt, gesondert, entzwei, voneinander, entfernt, weg, geteilt, unverbunden, zerstreut

auseinander bringen → entzweien

auseinander fallen → zerfallen

auseinander falten → auseinander legen

auseinander gehen: s. trennen, s. (los)lösen, brechen mit, scheiden, weggehen, Schluss machen, s. den Rücken kehren, s. abwenden von, Abschied nehmen, s. verabschieden, verlassen ‖ s. zerstreuen, s. verteilen/ -laufen, auseinander sprengen ‖ zerfallen, -bröckeln, in seine Bestandteile zerfallen; *ugs.:* verkrümeln, s. in Wohlgefallen auflösen ‖ s. unterscheiden, differieren, verschieden sein, abweichen, kontrastieren, divergieren, s. abheben von, in Gegensatz/Kontrast/Opposition stehen zu ‖ → dick werden

auseinander halten → unterscheiden

auseinander jagen → zerstreuen

auseinander legen: entfalten, aufrollen, ausbreiten, -wickeln, öffnen, auseinander rollen/falten ‖ → auseinander nehmen ‖ → auseinander setzen

auseinander nehmen: zerlegen, -gliedern, -teilen, -stückeln, -pflücken, transchieren, auseinander legen, aufteilen, zer-, aufschneiden, in Stücke schneiden, demontieren, abbauen, auflösen ‖ → zerpflücken

auseinander reißen → zerreißen

auseinander setzen: erklären, darlegen, erläutern, -örtern, veranschaulichen, deutlich/begreiflich/verständlich machen, auseinander legen, ausführen, klarlegen, -machen, begründen, deuten, explizieren, interpretieren, beleuchten, darstellen ‖ sich a. s. mit → s. beschäftigen mit ‖ diskutieren, debattieren, s. an einen Tisch setzen, s. einlassen auf, s. streiten über, ein Gespräch führen, kommunizieren, Absprache halten, bereden, -sprechen, zur Sprache bringen, disputieren

Auseinandersetzung: Streitigkeit, (heftige) Debatte, Kontroverse, Konflikt, Hin und Her, Auftritt, Händel, Zwist, Zwistigkeit, Krieg, Gezänk, Fehde, Reibung, Wortgefecht, Meinungsverschiedenheit, Disput, Streitgespräch, Unstimmigkeit, Zwietracht, Kollision, Divergenz, Uneinigkeit, Verstimmung, Spannung, Zerwürfnis, Gefecht, Kampf, Wortwechsel, Tauziehen, Szene, Stichelei, Unzuträglichkeit, Hader, Polemik, Zusammenstoß, Ringen, → Streit; *ugs.:* Knatsch, Krach, Trouble, Gezanke, Stunk, Gezerre, Kabbelei, Krakeel, Streiterei, Reiberei ‖ Beschäftigung, Arbeit, Befassung, Vertiefung, Zuwendung, Widmung, Konfrontation

auseinander treiben → zerstreuen

auserkoren → auserlesen
auserlesen: auserwählt, -ersehen, -erkoren, -gesucht, -gewählt, berufen, elitär ‖ kostbar, erlesen, erstklassig, exzellent, edel, überragend, exquisit, süperb, von bester Qualität, erste Wahl, hervorragend, smart, hochwertig, fein, qualitätsvoll, unübertrefflich, non plus ultra, schön, geschmackvoll, stilvoll, distinguiert, kultiviert, nobel; *ugs.:* erste Sahne
ausersehen → auswählen
auserwählen → auswählen
auserwählt → auserlesen
Ausfahrt: Tor, Öffnung ‖ Spazierfahrt, Ausflug, Tour, Partie, Trip, Fahrt ins Grüne ‖ Abzweigung, -fahrt
Ausfall: Wegfall, Ausbleiben ‖ Verlust, Einbuße, Abgang, Schwund, Schaden, Verlustgeschäft, Defizit, Fehlbetrag, Mangel, Nachteil, Lücke, Minus ‖ Stich, (Seiten)hieb, Beleidigung, Angriff, Attacke, Kränkung, Affront, Verletzung
ausfallen: herausfallen, s. lösen, schwinden, ausgehen, (die Haare) verlieren, kahl werden ‖ ausbleiben, -stehen, wegfallen, nicht stattfinden/geschehen/eintreffen, entfallen, unterbleiben, abgesetzt/hinfällig werden; *ugs.:* ins Wasser/unter den Tisch fallen, flachfallen ‖ stillstehen, aussetzen, stehen bleiben, versagen ‖ geraten, -lingen, zum Ergebnis haben, ablaufen, vonstatten gehen, zustande kommen
ausfallend: grob, beleidigend, unverschämt, -verfroren, -gebührlich, ausfällig, verletzend, anzüglich, unflätig, anmaßend, vulgär, ordinär, injuriös, kränkend, gehässig, unsachlich, persönlich, herabsetzend, primitiv, gemein, frech, unhöflich, pöbelhaft, lümmelhaft, ungehobelt
ausfechten: austragen, durchführen, -kämpfen, zu Ende führen, zur Entscheidung/Austragung bringen

ausfegen: (aus)kehren, sauber machen, säubern, reinigen, den Boden fegen
ausfeilen → überarbeiten
ausfindig machen → aufspüren
ausfließen: auslaufen, -strömen, -rinnen, -sickern, -treten, entweichen, -quellen, herauslaufen, s. leeren, leerfließen
ausflippen → s. begeistern für ‖ → aussteigen
Ausflucht: Ausrede, Entschuldigung, Vorwand, Winkelzug, Scheingrund, Ausweg, (Not)lüge, Schwindel, Behelf, Finte, Rechtfertigung; *ugs.:* Sperenzchen, faule Ausrede, Bluff
Ausflug: Tour, Fahrt, Trip, Wanderung, (Aus)fahrt, (Land)partie, Reise, Abstecher, Spazier-, Vergnügungs-, Erholungsfahrt, Fahrt ins Grüne, Exkursion, Streifzug; *ugs.:* Spritztour, -fahrt
Ausfluss: Abfluss, -lauf, Auslauf, -guss, Ablaufrohr, -rinne, Abzugsrinne ‖ Absonderung, Aus-, Abscheidung, Auswurf, Schleim, Sekret(ion), Exkret(ion) Ergebnis, Folge, (Aus)wirkung, Echo, Niederschlag, Ausdruck, Frucht, Resultat, Produkt, Summe, Bilanz, Fazit, Konsequenz
ausforschen → ausfragen
ausfragen: ausforschen, Fragen stellen, zu ermitteln suchen, auskundschaften, -horchen, -pressen, er-, be-, nachfragen, nachforschen, -spüren, verhören, s. erkundigen, recherchieren, Informationen beschaffen, Ermittlungen anstellen, s. informieren, interviewen, Erkundigungen einziehen, ausspionieren, wissen wollen, um Aufschluss bitten, s. unterrichten, abklopfen auf, einer Sache auf den Grund gehen/nachgehen; *ugs.:* ausquetschen, auf den Zahn fühlen, herum-, nachbohren, ein Loch in den Bauch fragen, löchern, auf den Busch

klopfen, Würmer aus der Nase ziehen, ins Gebet nehmen, herausholen, -locken, -kitzeln, herumstochern, nicht locker lassen, nachhaken
ausfressen: vertilgen, -schlingen, -schmausen, ver-, aufzehren, auf-, leerfressen; *ugs.:* auffuttern, verputzen, -drücken, ratzekahl fressen, verspachteln ‖ → anrichten
Ausfuhr: Export, Übersee-, Außenhandel
ausführen: verwirklichen, vollziehen, durch-, vollführen, in die Tat umsetzen, machen, vollstrecken, zu Ende führen, erstellen, fertig stellen, bewerkstelligen, abschließen, beendigen, zur Durchführung bringen, verrichten, realisieren, ins Werk setzen, konkretisieren, abwickeln, wahr machen, erfüllen, zustande/-wege bringen, einlösen, erledigen; *ugs.:* durchziehen, schaukeln, auf die Beine stellen ‖ exportieren, ins Ausland verkaufen ‖ spazieren fahren/führen, umherführen; *ugs.:* Gassi führen ‖ einladen, bitten zu ‖ → erklären
ausführlich: eingehend, bis ins einzelne/Detail gehend, (ganz) genau, minuziös, detailliert, gründlich, umfassend, grundlegend, intensiv, erschöpfend, sorgfältig, reiflich, gewissenhaft, tiefschürfend; *ugs.:* lang und breit ‖ weitläufig, -schweifig, ausholend, breit, wortreich, in extenso, episch, umständlich, kompliziert, langatmig
Ausführung: Durchführung, Be-, Ausarbeitung, Vollzug, Bewerkstelligung, Vollstreckung, Fertig-, Erstellung, Verrichtung, Realisierung, Abwicklung, Verwirklichung, Erfüllung, Besorgung, Erledigung, Ausfertigung, Organisation, Regelung, Tätigung ‖ Darlegung, Erklärung, Explikation, Vortrag, Erläuterung, Darstellung, Demonstration, Aussage, Äußerungen, Überlegung, Betrach-

tung, Analyse ‖ Mach-, Herstellungsart
ausfüllen: (auf)füllen, voll schütten/machen, zuschütten, zumachen, keine Lücke lassen, verstreichen, -schmieren ‖ zubringen, überbrücken, hinweghelfen über, hinüberhelfen, hinwegkommen, überwinden ‖ erfüllen, befriedigen, zufrieden stellen, gefallen, Genüge tun, Freude machen ‖ eintragen, -setzen, beantworten (Fragebogen), ausstellen ‖ aus-, voll-, durchführen, bewerkstelligen, machen, tun, ausüben, betreiben, praktizieren, meistern
Ausgabe: Ver-, Zu-, Austeilung, Aushändigung, Ab-, Vergabe, Verabreichung, Zuweisung ‖ (Un)kosten, Aufwand, -wendungen, Auslagen, Zahlungen, Spesen, Belastungen ‖ Druck, Edition, Auflage, Herausgabe, Bearbeitung, Veröffentlichung, Fassung
Ausgang: Tür, Öffnung, Ausstieg, Abgang, Tor, Pforte, Portal ‖ Ergebnis, Resultat, Ende, (Ab)schluss, Ausklang, Finale, Beendigung, Fazit, Bilanz
Ausgangspunkt: Beginn, Anfang, Ursprung, Wurzel, Grundlage, Quelle, Basis, Voraussetzung, Plattform, Unterlage, Fundament, Anhalts-, Ansatzpunkt
ausgeben: verbrauchen, -ausgaben, aufwenden, bezahlen, aufzehren; *ugs.:* verbraten, -buttern, locker machen, springen lassen ‖ aus-, ver-, auf-, zuteilen, aushändigen, reichen, über-, ab-, vergeben, verabfolgen, zumessen, -weisen, -sprechen, ausschütten ‖ spendieren, kaufen, einladen, freihalten, spenden ‖ **sich a. als:** vorgeben, simulieren, den Anschein erwecken, auftreten/fungieren als, darstellen, verkörpern, die Rolle einnehmen, vortäuschen, s. verstellen, s. bezeichnen/hinstellen als

ausgebeult: ausgedehnt, -geweitet; *ugs.:* ausgeleiert, verbeult

ausgebildet: geschult, -lernt, -übt, sachverständig, -kundig, vom Fach, gut unterrichtet, erprobt, bewährt, routiniert, qualifiziert, eingearbeitet, versiert, erfahren

ausgebucht: besetzt, voll, belegt, okkupiert, reserviert, überlaufen, nicht frei, kein Platz ‖ (aus)verkauft, nicht auf Lager ‖ → ausgelastet

ausgedehnt: geräumig, großräumig, breit, weit, weitläufig, -räumig, -schichtig, lang-, ausgestreckt, groß, endlos, mächtig, riesig, gigantisch, großflächig, weitverzweigt ‖ lange, umfassend, -fangreich, ewig, langdauernd, -atmig, -gezogen, Zeit raubend, extensiv, ausgiebig

ausgedient: abgenutzt, verbraucht, -schlissen, abgetragen, -gewetzt, -gegriffen, defekt, wertlos, lädiert, ramponiert, funktionslos, unbrauchbar, -nütz, nutzlos, ohne Wert; *ugs.:* abgedankt, ausrangiert, aufs Abstellgleis geschoben

ausgedörrt → trocken

ausgefallen: ungewöhnlich, -gewohnt, -gebräuchlich, -üblich, atypisch, selten, nicht alltäglich, extravagant, aus dem Rahmen fallend, anomal, abnorm, irregulär, unkonventionell, -geläufig, außergewöhnlich, -ordentlich, erstaunlich, extraordinär, überraschend, hervorstechend, auffällig, unvergleichlich, einzigartig, originell, spektakulär, Aufsehen erregend, beispiellos, besonders, auffallend, frappant, bemerkenswert ‖ abwegig, -seitig, befremdlich, absonderlich, sonderbar, schockierend, verblüffend, entlegen, verstiegen, weit hergeholt, unmöglich; *ugs.:* verrückt

ausgeflogen → fort

ausgefranst: abgerissen, verschlissen, zerfranst, zerlumpt, abgetragen

ausgefuchst → schlau

ausgeglichen: harmonisch, in s. ruhend, ausgewogen, mit s. im Frieden/reinen/ausgesöhnt, gleichmäßig, gelassen, zufrieden, glücklich

Ausgeglichenheit → Ruhe

ausgehen: das Haus verlassen, fort-, weggehen, s. amüsieren/vergnügen/zerstreuen/bummeln/tanzen gehen; *ugs.:* ausschwärmen ‖ zurückgehen auf, seinen Ausgang nehmen, entspringen, seine Wurzel/seinen Ursprung haben in, herrühren/stammen/kommen von ‖ ausströmen, -strahlen, -senden, verbreiten, -streuen, hervorbringen ‖ enden, endigen, aufhören, ein Ende/zum Ergebnis/als Resultat haben, abschließen mit, seinen Abschluss finden in, ablaufen, vonstatten/vor s. gehen, s. ergeben, s. entwickeln, ausschlagen, erfolgen, zur Folge haben ‖ erlöschen, zu brennen/leuchten aufhören, eingehen, verglimmen, -glühen ‖ zu Ende gehen/sein, auslaufen, versiegen, zur Neige gehen, s. neigen, aufhören, schwinden, stocken, aufgebraucht werden, s. erschöpfen, abnehmen, s. vermindern ‖ (her)ausfallen, (die Haare) verlieren, kahl werden, s. lösen ‖ **a. von:** als Ausgangspunkt nehmen, zur Basis/Voraussetzung/Grundlage/Bedingung machen, voraussetzen, annehmen, zugrunde legen, unterstellen ‖ **a. auf** → abzielen auf

ausgehungert → hungrig

ausgeklügelt: wohl durchdacht, durchkonstruiert, rationell, sinnvoll, -reich, scharfsinnig, raffiniert, kunstvoll ‖ übergenau, spitzfindig, haarspalterisch, pedantisch, wortklauberisch, rabulistisch, subtil, kleinlich, pingelig

ausgekocht → schlau

ausgelassen: übermütig, -schwänglich, wild, außer Rand und Band, un-

bändig, -gezügelt, hemmungslos, ungebärdig, -gestüm, lebhaft, lustig; *ugs.:* toll, vom Teufel geritten, über die Stränge schlagend, vom Hafer gestochen, aufgekratzt, -gedreht
Ausgelassenheit → Übermut
ausgelastet: über-, vollbeschäftigt, ohne Zeit, überlastet, absorbiert, beansprucht, in Beschlag/voll in Anspruch genommen, ausgefüllt, -gebucht, mit Arbeit eingedeckt
ausgelaugt → erschöpft
ausgeleiert: ausgebeult, -geweitet, -gedehnt; *ugs.:* verbeult ‖ → phrasenhaft
ausgeliefert → schutzlos ‖ → hörig
ausgemacht: feststehend, beschlossen, entschieden, sicher, abgemacht, -gesprochen, festgelegt, vereinbart, -abredet, fest, verbindlich, -bürgt, fix, geregelt, besiegelt ‖ offensichtlich, -kundig, evident, klar, sichtbar, ersichtlich, deutlich, augenscheinlich, manifest ‖ unverbesserlich (Dummheit), vollendet, -kommen, sehr groß ‖ ausgesprochen (Junggeselle), eingefleischt
ausgemergelt → dünn
ausgenommen: außer, mit Ausnahme/abgesehen/mit Ausschluss von, bis auf, ohne, exklusive, nicht in-/einbegriffen, ausschließlich, abzüglich, -gerechnet, vermindert um
ausgepowert → erschöpft
ausgeprägt: ausgebildet, hervorstechend, prägnant, ausgesprochen, auffällig, hochgradig, extrem, krass, stark ‖ markant, scharf umrissen, profiliert, charakteristisch, kennzeichnend, eigentümlich, typisch, bezeichnend
ausgepumpt → erschöpft
ausgerechnet: gerade, unbedingt, eben
ausgeruht → frisch
ausgeschlossen: unmöglich, -denkbar, utopisch, unrealistisch, aussichtslos, indiskutabel, unaus-, undurchführbar, unrealisierbar, -erreichbar, hoffnungslos, undenklich, nicht daran zu denken ‖ keineswegs, nein, niemals, unter keinen Umständen, kommt nicht in Frage, keinesfalls, auf gar keinen Fall, nicht im entferntesten, Gott behüte, mitnichten, bestimmt/absolut/beileibe nicht, das kann nicht sein, zu keiner Zeit, in keiner Weise, weit entfernt, um keinen Preis; *ugs.:* woher denn, ach woher, nichts zu machen, nimmer, kommt nicht in die Tüte, keine Spur, Fehlanzeige, Pustekuchen, Nullinger
ausgeschnitten: dekolletiert, offen-(herzig), mit großem / tiefem Ausschnitt
ausgesprochen: ausgeprägt, extrem, krass, stark, ausgebildet, entschieden, -schlossen, erklärt, dezidiert, energisch, fest, resolut ‖ geradezu, ganz besonders, regelrecht, typisch, sehr, buchstäblich, nachgerade, förmlich, ganz und gar, vollkommen
ausgestorben: (menschen)leer, öde, verlassen, ent-, unbevölkert, verödet, tot, unbelebt, geisterhaft, einsam, unbeseelt ‖ ohne lebende Nachkommen ‖ ausgerottet, als Art erloschen/untergegangen/vernichtet
ausgesucht → auserlesen ‖ besonders, sehr, betont, überaus, ungeheuer, zutiefst, ausnehmend, maßlos, über alle Maßen, äußerst, in höchstem Grad, bemerkenswert, ungemein, umwerfend
ausgewachsen: ausgereift, voll entwickelt, fertig, erwachsen, reif, volljährig, mündig, ausgebildet, groß, kein Kind mehr, aus den Kinderschuhen, mannbar, adoleszent; *ugs.:* flügge ‖ vollendet, sehr groß, vollkommen, perfekt, unübertroffen, einwandfrei, unvergleichbar
ausgewählt → auserlesen

ausgewogen: ausgeglichen, harmonisch, abgewogen, -gestimmt, gleichgewichtig, ebenmäßig, im Gleichgewicht, symmetrisch, gleichmäßig, (wohl) proportioniert, entsprechend, zusammenpassend, im richtigen Verhältnis ‖ (wohl) überlegt, durchdacht, ausgereift, -gearbeitet, -gegoren; *ugs.:* ausgefeilt, -getüftelt

Ausgewogenheit → Harmonie

ausgezehrt → dünn

ausgezeichnet: hervorragend, sehr gut, exzellent, vorzüglich, -trefflich, überragend, unübertrefflich, -übertroffen, bestens, herrlich, exquisit, süperb, himmlisch, fein, wonnevoll, wonnig(lich), paradiesisch, exquisit, köstlich, außerordentlich, famos, tadellos, vorbildlich, beispiellos, mustergültig, glänzend, brillant, einmalig, großartig, grandios, genial, wunderbar, fantastisch, überwältigend, bestechend, einzig(artig), erstrangig, meisterhaft, nachahmenswert, virtuos, erstklassig, erlesen, prächtig, bewundernswert, über dem Durchschnitt, überdurchschnittlich, blendend, trefflich; *ugs.:* göttlich, toll, pfundig, prima, dufte, Klasse, klassisch, bombig, Spitze, super, eine Wucht, bravo, eins a; *öster.:* klass

ausgiebig: reichlich, ausgedehnt, übergenug, in Hülle und Fülle, viel, massenhaft, lange, umfassend, -fangreich, sattsam; *ugs.:* massig

ausgießen: aus-, wegschütten, ausleeren, (ent)leeren, weg-, fortgießen, leer machen; *ugs.:* auskippen

Ausgleich: Versöhnung, Bereinigung, Angleichung, Kompromiss, Beilegung, Schlichtung, Vergleich, -mittlung, Übereinkommen, Entspannung, Einigung, Befriedung

ausgleichen: wett-, wiedergutmachen, aufheben, begleichen, egalisieren, nivellieren, einen Ausgleich herbeiführen/bewirken/schaffen, ausbalancieren, kompensieren, ersetzen, -gänzen, aufwiegen, einpendeln, glätten, neutralisieren, abhelfen, einrenken, bereinigen, aufholen, regeln, in Ordnung bringen; *ugs.:* hinbiegen, ausbügeln ‖ abfinden, erstatten, (rück)vergüten, ab-, entgelten, entschädigen, Schuld tilgen, zurückzahlen, -geben

ausgleiten: ausrutschen, den Halt verlieren, hinfallen; *ugs.:* ausglitschen

ausglühen: nieder-, aus-, ver-, abbrennen ‖ verschwelen, -glimmen, er-, verlöschen, zu brennen/leuchten aufhören, ein-, ausgehen

ausgraben: freilegen, hervorholen, zutage fördern, ausheben, -schachten, -schaufeln, sichtbar machen; *ugs.:* auskramen, -buddeln ‖ ausmachen (Kartoffeln), austun ‖ exhumieren (Leichen), ausbetten

Ausguck: Warte, Aussichts-, Wacht-, Wartturm, Auslug, Beobachtungsstation, -stand, Ausblick

Ausguss: Abfluss, -lauf, -guss, Abflussrohr, Spülstein, -becken, -tisch, Spüle; *schweiz.:* Schüttstein

aushalten: ertragen, hinnehmen, überstehen, erdulden, -leiden, auf s. nehmen, fertig werden mit, über s. ergehen lassen, bewältigen, standhalten, durchstehen, genügend widerstandsfähig sein, verkraften, -tragen, -winden, s. schicken/fügen/ergeben in, durchmachen, bestehen, überleben, tragen, verschmerzen; *ugs.:* verdauen, einstecken, schlucken ‖ ausharren, durchhalten, bleiben, ausdauern, nicht von der Stelle weichen, hart/auf dem Posten bleiben, beharrlich/-ständig sein, nicht auf-/nachgeben/wanken, das Feld behaupten, s. nicht vertreiben lassen, s. durchsetzen, widerstehen, s. widersetzen, s. behaupten; *ugs.:* bei der Stange bleiben, nicht schlappmachen ‖ den Lebensunterhalt bezahlen/-streiten, ernähren, unterhalten, versorgen; *ugs.:* durchfüttern, -bringen

aushandeln → abmachen

aushändigen: übergeben, -reichen, -eignen, verabfolgen, aus der Hand geben, überstellen, -tragen, -lassen, -antworten, s. einer Sache entäußern, zuteil werden/zukommen lassen, abliefern, -treten

Aushändigung → Übergabe

Aushang: Anschlag, Bekanntmachung, Mitteilung, Meldung, Veröffentlichung, Bekanntgabe, Plakat, Nachricht, Information, Bescheid, Notiz, Benachrichtigung

aushängen: anbringen, -schlagen, -nageln, befestigen, plakatieren ‖ aus den Angeln heben, herausheben

Aushängeschild: Tarnung, Vorgabe, Anlockung, Hülle, Anreiz, -ziehungspunkt, Alibi, Lock-, Zugmittel, Köder

ausharren: (zu)warten, s. gedulden, Geduld haben/bewahren, er-, abwarten, s. Zeit nehmen, verweilen ‖ → aushalten

aushäusig → fort

ausheben: ausgraben, -stechen, -baggern, -schaufeln, -schachten, freilegen; *ugs.:* ausbuddeln ‖ entdecken, aufspüren, -greifen, habhaft werden, ausfindig machen, aufstöbern, ausmachen, ertappen, -wischen, zu fassen kriegen, finden; *ugs.:* auftreiben, -gabeln, kriegen ‖ ergreifen, stellen, überwältigen, dingfest machen, gefangen nehmen, fassen, packen, unschädlich machen, das Handwerk legen; *ugs.:* schnappen, kaschen, auffliegen/hochgehen lassen ‖ einziehen, -berufen, mobil machen, rekrutieren, mobilisieren

aushecken → s. ausdenken

ausheilen: auskurieren, heilen, wiederherstellen, sanieren, gesund machen; *ugs.:* hochbringen, auf die

Beine/über den Berg bringen, wieder hinkriegen ‖ fit werden, in Form kommen

aushelfen: bei-, einspringen, behilflich sein, Beistand/Hilfe leisten, dienen mit, beistehen, s. zur Verfügung stellen, zu Hilfe kommen, unter die Arme greifen, mit Hand anlegen, zur Hand gehen, entlasten, unterstützen, assistieren, sekundieren, mitwirken, vertreten, ersetzen, in die Bresche springen ‖ (aus)leihen, (aus)borgen, zur Verfügung stellen; *ugs.:* pumpen, auf Pump/Borg geben

ausheulen, sich → s. ausweinen

Aushilfe: Hilfe, Vertretung, Ersatz(mann), Vertreter, Hilfskraft, Hiwi

aushöhlen: höhlen, ausschaben, -runden, hohl machen ‖ → auszehren ‖ → untergraben

aushorchen → ausfragen

ausixen → ausstreichen

auskehren → ausfegen

auskennen, sich: (gut) Bescheid wissen, kundig/erfahren/versiert sein, Einblick haben, kennen, wissen, s. zurechtfinden, in etwas zu Hause sein, bekannt sein mit, Kenntnis haben von/über, im Bilde/informiert/unterrichtet sein über, überschauen, durchblicken, -schauen, auf der Höhe/auf dem Laufenden/sattelfest/bewandert/firm/beschlagen sein, einer Sache mächtig sein, beherrschen; *ugs.:* fit sein, den Durchblick haben

ausklammern → auslassen

Ausklang: Ende, (Ab)schluss, Ausgang, Schlussakkord, Finale, Ergebnis, Resultat

ausklauben → auswählen

auskleiden: auslegen, -füttern, verkleiden, polstern, wattieren, ausschlagen, beziehen, -spannen, verschalen, täfeln ‖ → ausziehen

ausklingen → abflauen

ausklügeln → s. ausdenken

auskneifen → fliehen
ausknipsen: aus-, abschalten, aus-, abstellen, abdrehen, (aus)löschen, ausmachen
ausknobeln → s. ausdenken
auskochen: reinigen, entkeimen, desinfizieren, sterilisieren, keimfrei/steril machen, entseuchen ‖ → anrichten ‖ → s. ausdenken
auskommen: entkommen, -schlüpfen, -wischen, -rinnen, -gehen; *ugs.:* durch die Lappen gehen, durch die Finger/Maschen schlüpfen ‖ a. mit: genug/in ausreichendem Maße/sein Auskommen/zur Genüge haben, zurechtkommen, aus-, hinreichen, genügen, zufrieden sein, keine Not leiden; *ugs.:* (aus)langen, hinkommen, fertig werden ‖ s. vertragen/-stehen, in Frieden/einträchtig/einig leben, harmonieren; *ugs.:* gut stehen
Auskommen: Einkommen, Lebensunterhalt, Existenz(deckung), Versorgung, Broterwerb, das tägliche Brot; *ugs.:* was man braucht/zum Leben nötig ist
auskosten: genießen, ausleben, delektieren, Genuss haben, s. sonnen, durchkosten, ausschöpfen, s. ergötzen/-freuen, schwelgen, frönen; *ugs.:* auf seine Rechnung kommen, sich's wohl sein lassen
auskramen → ausgraben
auskugeln, sich: s. ausrenken; *med.:* luxieren; *ugs.:* s. ausdrehen
auskühlen: erkalten, kühl/kalt werden, abkühlen ‖ kalt stellen, kühlen
auskundschaften: in Erfahrung bringen, erkunden, -fragen, -forschen, entdecken, finden, sondieren, aufspüren, nachforschen, (durch)suchen, ermitteln, recherchieren, fahnden nach, ausfindig machen, orten, ausmachen, herausfinden, auf die Spur kommen, zutage fördern; *ugs.:* ausbaldowern, die Lage peilen ‖ ausfragen, s. orientieren, (aus)spionie-

ren, beobachten, observieren, s. informieren, zu ermitteln suchen, Erkundigungen einziehen; *ugs.:* aufs Korn nehmen, (herum-, nach)-schnüffeln, herumstochern, -bohren, seine Nase stecken in
Auskunft: Mitteilung, Information, Antwort, Aufschluss, Bescheid, Aufklärung, Angabe, Unterrichtung, Nachricht, Hinweis ‖ Informationsschalter, -stelle
auskurieren → ausheilen
auslachen: verspotten, s. mokieren/lustig machen über, verhöhnen, -lachen, lächerlich machen, dem Gelächter/dem Spott preisgeben, ironisieren, s. amüsieren über, seinen Spaß treiben mit, witzeln; *ugs.:* verulken, hochnehmen, durch den Kakao ziehen, verhohnepipeln, frotzeln
ausladen: ab-, entladen, herausnehmen, leeren, leer machen, (aus)räumen, löschen (Schiff), ausschiffen, wegschaffen
ausladend: herausragend, vorstehend, -gewölbt, heraustehend ‖ bauchig, gewölbt, -rundet, -schwungen, -bogen, -krümmt ‖ ausschweifend, weit ausholend, überbordend ‖ barock, überladen, blumig
Auslage: Schaufenster, -kasten, Vitrine ‖ (Un)kosten, Ausgabe, Aufwendungen, -wand, Spesen, Belastung
Ausland: Fremde, Ferne, weite Welt
auslassen: ab-/(her)auslaufen/(her)-ausströmen/abfließen/-gehen/entweichen lassen, (ent)leeren ‖ weg-, fortlassen, übergehen, -schlagen, -springen, -sehen, aussparen, -klammern, -schließen, vernachlässigen, hintanlassen, absehen von, nicht in Betracht ziehen, unberücksichtigt/außer Acht/beiseite/unbeachtet/s. entgehen lassen, verzichten auf, hinwegsehen, ausnehmen; *ugs.:* unter den Tisch fallen lassen ‖ schmelzen,

zum Schmelzen bringen, zerlassen, verflüssigen, flüssig machen ‖ länger machen (Saum), verlängern ‖ **a. an:** fühlen/merken lassen, zu spüren/ fühlen geben, abreagieren an, entladen, behelligen, jmdm. zusetzen ‖ **sich a.:** s. äußern, erörtern, seine Meinung abgeben/zum Ausdruck bringen, von s. geben, erzählen, sprechen/reden über, s. ausbreiten über, erklären, weit ausholen, referieren

auslasten: voll belasten, beschäftigen, ausnutzen, -nützen, ver-, auswerten ‖ in Anspruch nehmen, absorbieren, mit Beschlag belegen, mit Arbeit eindecken, ausfüllen, -buchen

auslaufen: ausströmen, -fließen, -rinnen, -treten, -sickern, entweichen, -quellen, -strömen, herfließen, herauslaufen, s. leeren ‖ in See stechen, abgehen, den Hafen verlassen ‖ → abflauen

ausleben, sich: s. voll entfalten, genießen, s. austoben, auskosten, s. nichts versagen, ausschöpfen, s. austollen; *ugs.:* voll auf seine Kosten kommen, sich's wohl sein lassen, s. keinen Zwang antun

ausleeren: leer machen, ausräumen, -laden, herausnehmen, leeren ‖ ausgießen, -schütten, entleeren, weg-, fortgießen; *ugs.:* auskippen

auslegen: ausstellen, zeigen, zugänglich/sichtbar machen, zur Schau stellen, exponieren ‖ bedecken, versehen, bespannen, auskleiden, verschalen, beziehen, ausschlagen ‖ (aus)leihen, borgen, verauslagen, vorstrecken, bevorschussen, vorlegen; *ugs.:* vorschießen ‖ deuten, interpretieren, erklären, herauslesen, deuteln, erläutern, explizieren, erfassen, analysieren, klar/begreiflich/verständlich machen, aufschließen, -zeigen, erleuchten; *ugs.:* verdeutschen

Auslegung: Interpretation, Deutung, Beleuchtung, Erklärung, Lesart, Er-läuterung, Explikation, Exegese, Kommentar, Definition, Auffassung, Theorie, Annahme, Hypothese

ausleiern: *(ugs.):* ausweiten, -dehnen, weiten, lockern; *ugs.:* ausbeulen

ausleihen → leihen ‖ **sich a.** → s. leihen

Auslese → Auswahl

auslesen: zu Ende lesen, durch-, fertig lesen ‖ → auswählen ‖ → aussondern

ausliefern: über-, preisgeben, überantworten, ans Messer liefern, in die Hände geben, in die Arme treiben, denunzieren, aussetzen ‖ an-, beliefern, zustellen, ab-, verschicken, aushändigen, abgeben, überreichen, weiterleiten, zubringen ‖ **sich a.:** s. stellen, s. in jmds. Gewalt begeben, s. ergeben, s. fügen, s. aussetzen

Auslieferung → Übergabe ‖ → Lieferung

ausliegen: bereitliegen, aufliegen, ausgestellt sein, exponiert sein

auslöschen: ausblasen, ersticken, ver-, erlöschen, ausdrücken; *ugs.:* ausmachen, -pusten ‖ → ausrotten

auslosen → verlosen

auslösen: bewirken, verursachen, hervorbringen, -rufen, in Gang setzen, herbeiführen, ins Rollen bringen, evozieren, zur Folge haben, veranlassen, -schulden, entfesseln, erwecken, heraufbeschwören, zeitigen, erzeugen, nach s. ziehen, mit s. bringen, entfachen, provozieren, in Bewegung bringen, erregen, wecken, ins Leben rufen, in die Welt setzen, den Anstoß geben, bedingen, anrichten ‖ herauslösen, absondern, herausschälen, trennen ‖ frei-, loskaufen, befreien, retten

Auslosung: Ziehung, Auswahl, Verlosung, Ausspielung, Lotterie

ausloten: aus-, ab-, ver-, bemessen ‖ abstecken, ab-, be-, umgrenzen, abzirkeln, orten, loten

auslüften: durch-, ent-, belüften, frisch machen, frische Luft zuführen/hereinlassen, die Fenster öffnen; *ugs.:* durchziehen lassen, einen Durchzug machen
ausmachen: ernten, ausroden, -tun, -buddeln, -graben ‖ → abmachen ‖ → ausschalten ‖ erkennen, entdecken, erspähen, sichten, erblicken, orten, sehen, wahrnehmen, gewahren, ausfindig machen, aufspüren, finden, den Standort bestimmen, lokalisieren, ermitteln, auf die Spur kommen ‖ betragen, sein, ergeben, s. belaufen auf ‖ bedeuten, repräsentieren, bilden, verkörpern, charakterisieren, kennzeichnen, darstellen
ausmalen: (aus)schmücken, dekorieren, ausgestalten, zieren, verschönen, aufputzen ‖ kolorieren, mit Farbe ausfüllen/bedecken ‖ streichen, tünchen, weißen ‖ schildern, ausspinnen, veranschaulichen, illustrieren, lebendig machen, darstellen, -tun, beschreiben, ausführen, ein Bild zeichnen ‖ sich a.: s. vorstellen, s. vor Augen führen, s. ein Bild/eine Vorstellung/einen Begriff machen von, s. vergegenwärtigen
ausmanövrieren: ausschalten, -spielen, ver-, weg-, abdrängen, täuschen, ausstechen, beiseite drängen/schieben/stoßen; *ugs.:* kalt stellen, ausbooten, -tricksen, abhängen
Ausmaß: Ausdehnung, Größe, Dimension, Tiefe, Weite, Länge, Umfang, Fassungskraft, Grad, Stärke, Dicke, Höhe, Mächtigkeit, Format, Kaliber, Größenordnung, Maß, Ausbreitung, Reichweite, Bedeutung, Gehalt, Intensität, Folge
ausmerzen → ausrotten
ausmessen: messen, ab-, ver-, bemessen, dimensionieren, berechnen, abzirkeln, feststellen, bestimmen
ausmisten: reinigen, Ordnung schaffen, aufräumen, in Ordnung bringen,
sauber machen, wegräumen, klar Schiff machen ‖ aussondern, -räumen, -sortieren, ablegen, wegtun, entfernen, zum alten Eisen werfen, fortschaffen, ausrangieren
ausmustern → aussondern
Ausnahme: Einzel-, Sonder-, Ausnahmeerscheinung, Besonderheit, Seltenheit, Phänomen, Sonderstellung, Einzigkeit, Einmaligkeit ‖ Abart, Irregularität, Abweichung, Regelverstoß
Ausnahmezustand: Notstand, Kriegsrecht
ausnahmslos → alle ‖ → durchweg
ausnehmen: herausnehmen, entleeren, ausweiden, -schlachten ‖ eine Ausnahme machen, → auslassen ‖ → ausbeuten ‖ sich a. → ausschauen ‖ → s. ausschließen
ausnehmend: besonders, in besonderem Maße, sehr, beträchtlich, stark, äußerst, außerordentlich, -gewöhnlich, überaus, unbändig, -gemein, -geheuer, -beschreiblich, -sagbar, auffallend, bemerkenswert, hervorstechend, beispiellos; *ugs.:* wahn-, irrsinnig, arg, mordsmäßig, irre, riesig, kolossal, schrecklich
ausnutzen/ausnützen: s. zunutze machen, die Chance ergreifen, die Gelegenheit wahrnehmen, verwerten, nutzen, verwenden, Gebrauch machen von, Nutzen/Vorteil/Gewinn ziehen aus, s. einer Sache bedienen, profitieren ‖ ausbeuten, -werten, -lasten, -schöpfen, -schlachten, nutzbar machen
auspacken: herausnehmen, auswickeln, enthüllen, leeren ‖ *ugs.:* sein Gewissen erleichtern, beichten, eine Beichte ablegen ‖ eröffnen, angeben, mitteilen, erzählen, berichten, schildern ‖ → ausplaudern
auspfeifen: ausbuhen, -zischen, Buh rufen, buhen, ein Pfeif-/Buhkonzert veranstalten, mit Pfiffen begrüßen,

niederschreien; *ugs.:* niedermachen, absägen

ausplappern → ausplaudern

ausplaudern: plaudern, reden, sprechen, weitersagen, -geben, -tragen, wieder-, weitererzählen, kolportieren, Gerüchte verbreiten, indiskret sein, eine Indiskretion begehen, zutragen, -bringen, -flüstern, preisgeben, aussagen, eine Aussage machen, die Karten aufdecken/offenlegen, enthüllen, verraten, hinterbringen, in Umlauf setzen, in aller Mund bringen, das Geheimnis brechen, jmdn. ins Vertrauen ziehen, seinem Herzen Luft machen; *ugs.:* loslegen, auspacken, klatschen, die Katze aus dem Sack lassen, mit der Sprache herausrücken, s. verplappern, singen, ausplappern, -schwatzen, -posaunen, -trompeten, (aus)quatschen, stecken, vom Stapel lassen, nicht dichthalten, an die große Glocke hängen, aus dem Nähkästchen erzählen, auf die Nase binden, tratschen, kein Blatt vor den Mund nehmen, nicht hinterm Berg halten mit, aus der Schule plaudern

ausplündern → ausrauben ‖ → ausbeuten

ausposaunen → ausplaudern ‖ → verbreiten

auspowern → erschöpfen

ausprägen, sich: s. herausbilden, zum Vorschein kommen, entstehen, s. entwickeln, s. formen, erwachsen, hervorkommen, s. auftun, anfangen, beginnen, aufkommen, gedeihen, s. entspinnen, aufkeimen, werden, aufblühen, anheben, sichtbar werden ‖ s. zeigen, offenbar werden, s. manifestieren, kennzeichnen, hinweisen, s. äußern in, zum Ausdruck kommen, s. dartun

auspressen: (her)ausdrücken, ausquetschen, entsaften ‖ → ausfragen

ausprobieren → probieren ‖ → kosten

auspumpen: (ent)leeren, herausholen, leer machen ‖ → erschöpfen

auspusten → ausblasen ‖ → ausatmen

ausquartieren: heraussetzen, aus-, umsiedeln, räumen lassen, ausweisen, vor die Türe setzen; *öster.:* delogieren

ausquatschen → ausplaudern ‖ **sich a.** → s. anvertrauen

ausquetschen: (her)ausdrücken, auspressen, entsaften ‖ → ausfragen

ausradieren: weg-, abradieren, weg-ätzen, tilgen, entfernen, beseitigen ‖ vernichten, zerstören, auslöschen, aufräumen mit, ausmerzen, liquidieren, dem Erdboden gleichmachen, Schluss machen mit, in Schutt und Asche legen, verwüsten, zugrunde richten, verheeren, ausrotten, keinen Stein auf dem anderen lassen, niederwalzen

ausrangieren: aussondern, ablegen, ausmustern, -räumen, wegtun, -werfen, aussortieren, entfernen, zum alten Eisen werfen, fortschaffen; *ugs.:* ausmisten

ausrasten → ausruhen ‖ → rasen

ausrauben: ausplündern, berauben, -stehlen, arm machen, ruinieren, wegnehmen, entwenden, ausräumen; *ugs.:* ausräubern, bis aufs Hemd ausziehen ‖ → ausbeuten

ausräuchern: ausbrennen, -schwefeln, desinfizieren, säubern

ausräumen: entfernen, herausnehmen, (ent)leeren, leer machen ‖ beseitigen, aus der Welt schaffen, abstellen, -schaffen, zum Verschwinden bringen, auf-, beheben, auslöschen, eliminieren, zerstreuen, auflösen ‖ → ausrauben

ausrechnen: be-, er-, durchrechnen, eine Berechnung anstellen, ermitteln, kalkulieren, überschlagen, einen Überschlag machen, lösen, herausbekommen, -finden, erschließen ‖

sich a.: bemessen, schätzen, bewerten, erwägen, überlegen
Ausrede → Ausflucht
ausreden: zu Ende sprechen/reden, aussprechen, -führen; *ugs.:* ausquatschen ‖ abbringen, -raten, verleiden, zu bedenken geben, abhalten, wegführen, widerraten ‖ **sich a.** → s. anvertrauen ‖ → s. herausreden
ausreichen: genügen, (hin-, zu)reichen, auskommen, genug/zur Genüge haben, den Bedarf decken, in erforderlichem Maß vorhanden sein, zufrieden stellen; *ugs.:* (aus)langen, hinkommen
ausreichend: genügend, genug, hin-, zureichend, befriedigend, zufrieden stellend, hinlänglich, annehmbar, zur Genüge; *ugs.:* es reicht/langt/geht
ausreifen → reifen
ausreisen: das Land verlassen, ins Ausland gehen, die Grenze passieren, übersiedeln, aus-, abwandern
ausreißen: herausreißen, -ziehen, -rupfen, auszupfen, -ziehen, entfernen, ausraufen ‖ s. loslösen, einreißen ‖ → fliehen
ausrenken, sich: s. auskugeln; *med.:* luxieren; *ugs.:* s. ausdrehen
ausrichten: übermitteln, -bringen, bestellen, mitteilen, Bescheid geben, benachrichtigen, in Kenntnis setzen, informieren, hinterlassen, melden, sagen ‖ erreichen, Erfolg haben, erwirken, -zielen, vollbringen, zustande-/wege bringen, bewirken, durchsetzen, bewerkstelligen, schaffen, können, vermögen; *ugs.:* durchkriegen, -boxen, herausschlagen, fertig bringen/kriegen/bekommen, hinkriegen ‖ veranstalten, ins Werk setzen, organisieren, arrangieren, inszenieren, gestalten, Gestalt geben, durchführen, abhalten, machen; *ugs.:* aufziehen ‖ in eine Fluchtlinie bringen, abfluchten, (gerade)richten, eine gerade Linie bilden ‖ **sich a.:** s.

formieren, s. aufstellen/-reihen, s. postieren, s. platzieren, s. gruppieren, s. hinstellen, Aufstellung nehmen
ausrinnen: auslaufen, -fließen, -strömen, -sickern, -treten, entweichen, -quellen, herauslaufen, s. leeren
ausrollen: ausbreiten, -legen, entfalten, auseinander legen/falten/nehmen ‖ rollen, auswalzen, -walken; *öster.:* austreiben; *schweiz.:* auswallen
ausrotten: vernichten, ausmerzen, -tilgen, entfernen, → zerstören, beseitigen, aus der Welt schaffen, auslöschen, -radieren, aufräumen mit, liquidieren, abschaffen, zum Verschwinden bringen, zermalmen, Schluss machen mit, töten, (er)morden, umbringen, zugrunde richten, vergasen
Ausrottung → Holocaust
ausrücken: abmarschieren, ausziehen, den Standort verlassen, abrücken ‖ → fliehen
ausrufen: bekannt geben/machen, verkünden, -lautbaren, kundtun, -machen, -geben, Kenntnis geben, mitteilen, melden, anzeigen; *ugs.:* austrommeln, -klingeln ‖ proklamieren
ausruhen (sich): s. erholen, ruhen, s. entspannen, ausspannen, eine Pause einlegen/machen, Urlaub/Ferien machen, Atem schöpfen/holen, rasten, s. regenerieren, s. Ruhe gönnen, aussetzen, verschnaufen, pausieren; *ugs.:* ausrasten, (s.) verpusten, ausschnaufen, auftanken, abschalten
ausrupfen → ausreißen
ausrüsten: ausstatten, versehen/-sorgen mit, einrichten, ausstaffieren, equipieren ‖ bewaffnen, armieren
Ausrüstung: Rüstzeug, Zubehör, Requisit, Gerät, Einrichtung, Ausstattung, Handwerkszeug, Apparatur, Ausstaffierung, Mobiliar

ausrutschen: ausgleiten, den Halt verlieren, hinfallen, stürzen; *ugs.:* ausglitschen

Ausrutscher: Fall, Sturz ‖ Fehltritt, Versagen, Fehler, Vergehen, -stoß, -fehlung, Entgleisung, Lapsus, Fauxpas, Delikt

Aussage: Angabe, Mitteilung, Erklärung, Geständnis, Darlegung, Schilderung, Bericht, Darstellung, Ausführung, Bekundung, Auslassung ‖ Inhalt, Substanz, Gehalt, Kerngedanke, Essenz, Sinn, Bedeutung ‖ Äußerung, Meinung, Ansicht, Bemerkung, Feststellung, Anschauung, Auffassung, Vorstellung

aussagen: erklären, schildern, darstellen, angeben, berichten, mitteilen, melden, ein Bild geben von, vermitteln, informieren über, bekannt machen, veranschaulichen, zur Aussage bringen, Bericht erstatten, vortragen ‖ preisgeben, offenbaren, enthüllen, gestehen, sein Gewissen erleichtern, eine Beichte ablegen, eine Aussage machen; *ugs.:* auspacken, Farbe bekennen, loslegen, mit der Sprache herausrücken ‖ besagen, ausdrücken, zum Inhalt haben, bedeuten, vorstellen, repräsentieren, ausmachen, von Belang sein, verkörpern ‖ zum Ausdruck bringen, artikulieren, äußern, benennen, formulieren, dartun, aufmerksam machen

aussaufen → austrinken

aussaugen: auslutschen, entfernen, leeren, befreien von, leer machen ‖ → ausbeuten

ausschaben: herausholen, -kratzen, leer machen, entfernen, aushöhlen

ausschachten: ausgraben, -heben, -baggern, -schaufeln, -stechen, freilegen; *ugs.:* ausbuddeln

ausschalten: ab-, ausstellen, auslöschen, außer Betrieb setzen, stoppen, aus-, abdrehen; *ugs.:* ausknipsen, -machen ‖ verhindern, neutralisieren, ausschließen, unterbinden, eliminieren, entfernen, verweisen, -drängen, des Einflusses berauben, unwirksam machen, entmachten, -thronen, aufs Abstellgleis schieben, ausbooten, -stechen, in den Hintergrund/ins Abseits drängen; *ugs.:* abhängen, -schießen, -sägen, kaltstellen

Ausschank: Schanktisch, Theke, Tresen, Schenke, Büfett, Bar; *schweiz.:* Buffet

ausschauen: aussehen nach, ausspähen, Ausschau halten, er-, abwarten, ausblicken/-lugen nach, s. umtun nach; *ugs.:* ausgucken nach ‖ aussehen, anzusehen sein, einen Anblick bieten, den Eindruck erwecken, das Aussehen/den Anschein/den Effekt haben, s. ansehen, s. ausnehmen, wirken, (er)scheinen, anmuten, vorkommen wie

ausscheiden → austreten ‖ nicht in Frage/Betracht kommen, außer Betracht stehen, fortfallen, nicht zur Diskussion stehen/herangezogen werden ‖ von s. geben, abstoßen, -scheiden, -sondern, ausdünsten; *med.:* exkretieren, sekretieren ‖ → aussondern ‖ → ausschließen

Ausscheidung: Absonderung, Sekret(ion), Exkret(ion), Abscheidung, Ausfluss, -wurf, -dünstung ‖ Ausscheidungs(wett)kampf, -spiel, Play-off(-Runde)

ausschelten → schimpfen

ausschenken: (Alkohol) ausgeben, verkaufen, geben, aus-, verteilen, vertreiben

ausschimpfen → schimpfen

ausschlachten: ausweiden, -nehmen, entleeren, herausnehmen ‖ → ausnutzen

ausschlagen: stoßen, um s. hauen/schlagen ‖ aus-, verkleiden, bespannen, -decken, -ziehen, auslegen ‖ → ablehnen ‖ → keimen ‖ → ausgehen

ausschlaggebend: maßgebend, maßgeblich, entscheidend, bestimmend, wichtig, grundlegend, richtungsweisend, beherrschend, federführend, bedeutend, gewichtig, wesentlich, folgenreich, einschneidend, relevant, tonangebend

ausschließen: aus-, verstoßen, eliminieren, aussperren, -schalten, -nehmen, -scheiden, -gliedern, disqualifizieren, nicht hereinlassen, fortjagen, entfernen, in die Verbannung schicken, ächten, verbannen, -weisen, -drängen, -treiben, aufs Abstellgleis schieben, in den Hintergrund/ins Abseits drängen, den Zutritt/-gang verwehren, relegieren (Universität), isolieren, absondern, nicht in Betracht ziehen, verzichten auf, absehen von, vernachlässigen, unberücksichtigt/außer Acht/beiseite/unbeachtet lassen, auslassen, übergehen; *ugs.:* kaltstellen, hinauswerfen ‖ **sich a.:** s. fernhalten, s. absondern/-kapseln/-schließen, s. isolieren, s. ausnehmen, s. abseits stellen/halten, s. abspalten, s. entziehen, s. separieren ‖ nicht zusammenpassen/-stimmen/ harmonieren; *ugs.:* s. beißen, wie die Faust aufs Auge passen

ausschließlich: alleinig, uneingeschränkt, einzig, eigens, ausnahmslos, ganz und gar, völlig, vollständig, schlechterdings, lediglich ‖ nur, allein, bloß, einzig und allein ‖ ohne, außer, ausgenommen, exklusive, nicht in-/einbegriffen, mit Ausschluss/abgesehen von, bis auf

ausschlüpfen: herauskriechen, -kommen

ausschlürfen → austrinken

Ausschluss: Eliminierung, Ausschließung, -stoßung, -schaltung, -sperrung, Enthebung, Disqualifizierung, Entfernung, Verbannung, Herausnahme, Entlassung, Aufkündigung, Zutrittsverbot

ausschmücken: dekorieren, (ver)zieren, verschönern, ausgestalten, -putzen, garnieren, schön machen, behängen, ausstatten

Ausschnitt: Dekolletee ‖ Teil, Abschnitt, Bruchstück, -teil, Segment, Sektor, Passage, Auszug

ausschöpfen: herausholen, leeren, leer machen, auspumpen ‖ → ausnutzen

ausschreiben: (an)bieten, in Aussicht stellen, ankündigen, festlegen, antragen, offerieren, Angebot machen, ansagen, bekannt geben/machen, ansetzen, veranschlagen ‖ ausstellen (Rechnung), aus-, anfertigen

Ausschreitung: Gewalttätigkeit, Ausschweifung, -wüchse, Umtriebe, Unruhen, Wirren, Krawall, Tumult, Aufruhr, Übergriff, Exzess, Pogrom, Terror; *ugs.:* Randale

Ausschuss: Gremium, Kommission, Komitee, Kreis, Beirat, Sektion, Rat, Kollegium, Kuratorium, Begutachter, Prüfer, Jury ‖ Abfall, Schund, Plunder, Schleuderware, Ramsch, Ladenhüter, Pfusch-, Flickwerk, Pfuscherei, Stümperei, Stückwerk; *ugs.:* Dreck, Tinnef, Schrott, Mist, Kram, Ramsch, Geschluder

ausschütteln: rütteln, ausklopfen, -schlagen; *reg.:* ausbeuteln

ausschütten: ausgießen, weg-, herausschütten, aus-, entleeren, weg-, fortgießen, leer machen; *ugs.:* auskippen ‖ zu-, ver-, austeilen, aus-, vergeben, aushändigen, zuweisen, -sprechen, -messen

ausschwärmen: ausfliegen, -strömen ‖ → ausgehen ‖ sich auseinander ziehen, sich auflösen, sich ausbreiten, sich verteilen, sich zerstreuen

ausschweifend: maßlos, unmäßig, zügel-, hemmungslos, ohne Maß, ungezügelt, exzessiv, übertrieben, undiszipliniert, genusssüchtig, unersättlich, wild, wüst

Ausschweifung: Orgie, Zügellosigkeit, Übertreibung, Hemmungslosigkeit, Maßlosigkeit, Exzess, Unmäßigkeit, Ausschreitung, Unersättlichkeit

ausschweigen, sich → schweigen

aussehen → ausschauen ‖ **ähnlich a.** → ähneln

Aussehen: Äußeres, Anblick, Erscheinung(sbild), Typ ‖ Anschein, Eindruck

außen: an der äußeren Seite, auf der Außenseite, außerhalb, äußerlich, an der Oberfläche, oberflächlich ‖ im Freien, draußen, an der Luft

aussenden: ausstrahlen, -strömen, senden, übertragen, bringen, über Rundfunk/Fernsehen verbreiten ‖ entsenden, schicken, beordern, delegieren, verweisen an, abordnen, kommandieren

Außenhandel: Überseehandel, Auslandsgeschäft, Außenwirtschaft, Export, Ausfuhr

Außenseiter: Sonderling, Outsider, Eigenbrötler, Einzelgänger, Außenstehender, Outcast, Individualist, Nonkonformist

Außenstände: Forderungen, Geldforderung, Guthaben

außer: abgesehen von, ausgenommen, neben, mit Ausnahme von, bis auf, es sei denn, ohne, nicht ein-/inbegriffen/mitgerechnet ‖ außerhalb, nach ‖ **a. sich:** entrüstet, außer Fassung, aufgeregt, empört, entsetzt, bestürzt, erregt, aufgelöst, seiner Sinne/selbst nicht mehr Herr, verstört, fassungslos, konsterniert, betreten, -troffen, verwirrt; *ugs.:* aus dem Häuschen, durcheinander

Außerachtlassung → Missachtung

außerdem: auch, überdies, dazu, darüber hinaus, sonst (noch), zum Überfluss, obendrein, zudem, weiter(hin), noch, des Weiteren, ansonsten, ferner, daneben, hinzukommend, ergänzend, unter/neben anderem, im Übrigen, zusätzlich, und, zum andern, plus; *öster.:* ansonst; *schweiz.:* nebst dem, erst noch; *ugs.:* obendrauf

Äußeres: Erscheinung(sbild), Aussehen, Anblick, Außenseite, Aufmachung, Oberfläche, Fassade, Schale, Hülle, Exterieur

außerhalb: außen, draußen, jenseits, anderswo, auswärts, nicht am Ort, in der (weiteren) Umgebung

außergewöhnlich: ungewöhnlich, bemerkenswert, hervorstechend, -ragend, auffallend, besonder(s), außerordentlich, ungeläufig, exzeptionell, überragend, beeindruckend, eindrucksvoll, nennenswert, unvergleichlich, -verwechselbar, vorbildhaft, mustergültig, exemplarisch, unübertrefflich, -nachahmlich, ohne-, sondergleichen, einzig(artig), beispiellos, extraordinär, ohne Beispiel, epochal, imponierend, imposant, beachtlich, (hoch)interessant, enorm, grandios, glänzend, prächtig, erstaunlich, verblüffend, umwerfend, bewundernswert, großartig, eminent, stark, äußerst, ungeheuer, aufs Höchste, optimal, phänomenal, wunderbar, formidabel, unsagbar, über alle Maßen, ausgezeichnet, vorzüglich, -trefflich, ausnehmend, brillant, Aufsehen erregend, sensationell, eklatant, spektakulär, rühmlich, Epoche machend, bahnbrechend, genial, stupend, überwältigend, ersten Ranges, erstrangig, fabel-, sagenhaft, frappant, groß, einmalig; *ugs.:* unheimlich, irrsinnig, mordsmäßig, schrecklich, fürchterlich, riesig, unwahrscheinlich, toll, dufte, super, bombig, bestens, pfundig, prima, irre, Klasse, klassisch, Spitze, eins a, ganz groß; *öster.:* klass

äußerlich: nach außen hin, dem Äußeren nach, von außen gesehen ‖

anerzogen, -genommen, aufge-
pfropft, erworben, übergestülpt ||
oberflächlich, flach, vordergründig,
desinteressiert, gehalt-, substanz-,
inhalts-, geistlos, ohne Tiefgang,
nichts sagend || anscheinend, schein-
bar
äußern: zu erkennen geben, zum
Ausdruck bringen, zeigen, vortragen,
-bringen, mitteilen, ausdrücken, dartun, manifestieren, offenlegen, bekunden, -zeugen, vermitteln, -raten,
merken/fühlen lassen, kundtun;
ugs.: an den Tag legen || formulieren,
artikulieren, in Worte fassen,
(aus)sprechen, sagen, benennen, reden, erzählen, von s. geben, verlauten
lassen, erklären, Ausdruck verleihen,
verbalisieren || **sich ä.:** Stellung neh-
men, seine Meinung sagen/abgeben,
sprechen/reden über, wissen lassen,
s. mitteilen, s. erklären, s. auslassen
über, Kenntnis geben, vortragen,
darstellen || **sich ä. in:** s. zeigen, sicht-
bar werden, zum Ausdruck kommen,
in Erscheinung treten, s. präsentieren, s. darstellen, s. auftun, zu erkennen sein, s. dartun, s. dokumentieren,
s. offenbaren
außerordentlich: ungeplant, -vor-
hergesehen, -erwartet, außerplan-
mäßig || → außergewöhnlich
äußerst: höchst, hochgradig, erheblich, ganz besonders, größtmöglich,
maximal, letztmöglich, enorm, un-
sagbar || in höchstem Maße, extrem,
sehr, ungemein, stark, außerordentlich, -gewöhnlich, frappant, ungeheuer, in höchstem Grad, zutiefst
außerstande → unfähig
Äußerung: An-, Bemerkung, Einwurf, Ausspruch, Feststellung, Aus-
lassung || Zeichen, Hinweis, Demons-
tration, Bekundung, -weis, -zeugung,
-kenntnis, Ausdruck, Kundgabe,
Spiegelung, Schaustellung || Erklä-
rung, Darlegung, Ausführung, Aus-

sage, Vortrag, Erläuterung, Rede,
Stellungnahme, Kommentar
aussetzen: aufhören, stehen bleiben,
ausfallen, stillstehen, stocken, versa-
gen || unterbrechen, innehalten, vor-
übergehend einstellen/aufhören/
abbrechen, intermittieren, s. → aus-
ruhen || im Stich lassen, seinem
Schicksal überlassen, ausliefern, auf
die Straße setzen || anbieten (Beloh-
nung), versprechen, zusagen, -si-
chern, in Aussicht stellen, offerieren
|| sich a.: s. preisgeben, s. ausliefern, s.
überlassen, s. in die Schusslinie begeben, s. ans Messer liefern, s. in die
Hände begeben von, s. stellen, s. in
jmds. Gewalt begeben, s. überant-
worten || **a. an** → beanstanden
Aussicht: (Aus)blick, Fernsicht,
Überschau, Über-, Rund-, Fernblick,
Panorama, Bild, Sicht || Chance,
Möglichkeit, Wahrscheinlichkeit,
Hoffnung, Erwartung, Annahme ||
Perspektive, Zukunft
aussichtslos: keinen Erfolg versprechend, hoffnungs-, auswegslos, verfahren, ohne Aussicht auf Erfolg,
chancenlos, unmöglich, -durchführ-
bar, -erreichbar, keinerlei Aussicht/
Perspektive bietend, vergeblich, illusorisch, in einer Sackgasse, unlösbar,
desolat, trostlos, düster, verzweifelt,
sehr schwierig, ohne Ausweg, desperat
aussichtsreich: viel/Erfolg versprechend, verheißungs-, hoffnungsvoll,
zukunftsträchtig, mit Aussicht auf
Erfolg, günstig, mit Perspektive, voller Chancen/Möglichkeiten, empfehlenswert
aussieben → aussondern
aussiedeln: umsiedeln, verlegen, -la-
gern, evakuieren, verpflanzen, um-
quartieren
Aussiedler: Umsiedler, Aus-, Ein-
wanderer, Emigrant, Immigrant,
Asylant

aussöhnen → versöhnen, Frieden stiften, begütigen, -ruhigen, -reinigen ‖ **sich a.:** s. versöhnen, Frieden schließen, s. einigen, s. die Hand reichen, s. vertragen / -ständigen / -gleichen, schlichten, Feindseligkeiten beenden, Streit / Zwist beilegen / aus der Welt schaffen; *ugs.:* das Kriegsbeil begraben, einrenken, die Friedenspfeife rauchen, in Ordnung bringen, ausbügeln, zurechtbiegen

Aussöhnung → Versöhnung

aussondern: auswählen, -scheiden, -sortieren, -lesen, -gliedern, -sieben, -mustern, -suchen, -schließen, -stoßen, absondern, eliminieren, (ab)trennen, entfernen, beseitigen, sondern, scheiden, verlesen (Beeren), selektieren, herauslösen, -nehmen, isolieren, beiseite legen; *ugs.:* herausfischen, -klauben

aussortieren → aussondern

ausspannen → ausruhen ‖ abspenstig machen, wegnehmen, abwerben, weglocken, ablisten, zum Abfall bewegen, den Rang ablaufen; *ugs.:* abziehen, loseisen, wegschnappen, kapern ‖ ausbreiten, entfalten, auslegen, auseinander legen / falten / wickeln, aufrollen ‖ abhalftern, -zäumen, -spannen, -strängen, -satteln, ausschirren

aussparen: frei / offen / Platz lassen ‖ → auslassen

ausspeien → ausspucken

aussperren → ausschließen

Aussperrung → Ausschluss

Ausspielung: Aus-, Verlosung, Auswahl, Ziehung, Lotterie

ausspinnen: weiterführen, -verfolgen, fortsetzen, -führen, zu Ende denken, ausschmücken

ausspionieren → auskundschaften

Aussprache: Sprechweise, Diktion, Artikulation, Betonung, Redestil, Akzent, Tonfall ‖ (klärendes) Gespräch, Diskussion, Meinungs-, Gedankenaustausch, Erörterung, Zwiesprache, Unterredung, -haltung, Besprechung, Klärung

aussprechen: artikulieren, betonen, modulieren, akzentuieren ‖ → äußern ‖ ausreden, zu Ende sprechen / reden, ausführen ‖ bekannt machen (Urteil), verkünden, mitteilen, verlauten lassen, zu wissen tun, eröffnen, -klären, kundtun, zur Kenntnis bringen ‖ **sich a.** → s. anvertrauen

aussprengen → verbreiten

Ausspruch: Satz, Sentenz, Spruch, Äußerung, geflügeltes Wort, Diktum, Aphorismus, (die) Worte, Maxime, Lebensregel, Motto, Aperçu, Gedankensplitter

ausspucken: ausspeien, -stoßen, -werfen, (Speichel) abgeben, von s. geben

ausspülen: waschen, abspülen, säubern, reinigen, putzen, sauber machen, auswaschen

ausstaffieren → ausstatten ‖ ausschmücken, aufmachen, herausputzen, schön machen ‖ **sich a.** → s. herausputzen

Ausstaffierung → Ausstattung

Ausstand: Streik, Arbeitsniederlegung, -einstellung, -kampf

ausstatten: versehen / -sorgen mit, ausrüsten, -staffieren, einrichten, -ordnen, -kleiden, equipieren, möblieren; *ugs.:* aufmachen

Ausstattung: (Aus)gestaltung, Aufmachung, Dekor(ation), Aufputz, Outfit, Ausschmückung, Verzierung; *ugs.:* Drum und Dran ‖ Einrichtung, Mobiliar, Ausrüstung, Interieur, Zubehör ‖ Rüstzeug, Gerät, Handwerkzeug, Apparatur, Ausstaffierung ‖ Aussteuer, Mitgift, Heiratsgut, Morgengabe

ausstechen: aushöhlen, -heben, -graben, herausholen, -pulen, freilegen ‖ entfernen, beseitigen, herausnehmen, -holen, -rupfen ‖ übertreffen, ab-, verdrängen, überrunden, -flügeln, -holen, -trumpfen, -ragen, -bieten, in den Schatten stellen, jmdm. überlegen sein/den Rang ablaufen/ etwas streitig machen, besiegen, jmdn. hinter s. lassen, schlagen, distanzieren, über den Kopf wachsen, in den Hintergrund drängen, aus dem Feld schlagen, ausschalten; *ugs.:* kaltstellen, ausbooten, abhängen, niedermachen, in die Tasche stecken, abschießen, jmdm. die Schau stehlen, austricksen

ausstehen: fällig/noch nicht eingetroffen sein, erwartet werden, offenstehen, ausbleiben, fehlen, anstehen, auf Erledigung warten, im Raum stehen, anhängig sein ‖ → aushalten

aussteigen: ab-, heraussteigen, herausklettern, ein Fahrzeug verlassen ‖ → aufgeben ‖ *ugs.:* die Zelte hinter s. abbrechen, s. absetzen, alle Brücken hinter s. abbrechen, Bindungen aufgeben, brechen mit, den Rücken kehren, s. von den Fesseln befreien, seine eigenen Wege gehen, s. verweigern, alles ablehnen/negieren, s. loslösen, hinter s. lassen; *ugs.:* nicht mehr mitmachen, abspringen, den Kram hinwerfen, s. davonmachen, s. aus dem Staub machen, ausflippen, s. abseilen

ausstellen: zeigen, zur Ansicht freigeben, auslegen, sichtbar/zugänglich machen, vorführen, zur Schau stellen, präsentieren, Einblick geben ‖ ausfüllen, einsetzen, -tragen, beantworten (Formular)

Ausstellung: Exposition, Schau, Messe

aussterben: untergehen, verschwinden, absterben, zer-, verfallen, versinken, in Verfall geraten, niedergehen, s. auflösen, in Auflösung begriffen sein, zusammenbrechen, zu existieren aufhören, ohne Nachkommen bleiben, s. nicht fortpflanzen

Aussteuer: Mitgift, Brautausstattung, Heiratsgut, Morgengabe

Ausstieg: Ab-, Ausgang, Tür, Öffnung

ausstopfen: füllen, hineinpressen, vollpacken ‖ ausbälgen, präparieren, den Balg füllen, haltbar machen, mumifizieren

ausstoßen: hervorstoßen, -bringen, hören lassen ‖ → ausschließen

ausstrahlen: verbreiten, von s. ausgehen lassen, spenden, ausströmen, wirken, reichen ‖ (aus)senden, emittieren, übertragen, bringen, über Rundfunk/Fernsehen verbreiten, geben

Ausstrahlung → Sendung ‖ → Reiz

ausstrecken: von s. strecken, ausbreiten, abspreizen, wegstrecken ‖ **sich a.:** s. rekeln, s. dehnen, s. recken, s. räkeln; *ugs.:* alle viere von s. strecken, s. hinlümmeln

ausstreichen: auslöschen, entfernen, tilgen, beseitigen, durchstreichen, -kreuzen, ausixen

ausstreuen → verbreiten ‖ auswerfen, verstreuen

ausströmen → ausstrahlen ‖ ausfließen, -laufen, -rinnen, -treten, entweichen, -quellen, herauslaufen

aussuchen → auswählen

austauschen: (aus)wechseln, einen Austausch/Wechsel vornehmen, ersetzen, -neuern, vertauschen, einen Ersatz schaffen, substituieren, kommutieren

austeilen: ab-, übergeben, verteilen, ausgeben, zumessen, -weisen, ausschütten, reichen, geben

austilgen → ausrotten

austoben, sich: herumtoben, s. austollen, wüten, die Grenzen überschreiten, über die Stränge schlagen, übermütig sein ‖ das Leben auskosten, s. ausleben, s. nichts versagen, s. amüsieren, ausschweifen, ein lockeres Leben führen

austragen: zustellen, verteilen, bringen ‖ durchführen, ausfechten, durchkämpfen ‖ zu Ende führen, zur Entscheidung/Austragung bringen

austreiben → abgewöhnen ‖ → keimen

austreten: zertreten, löschen, ausmachen ‖ abnutzen, verschleißen, -brauchen, abscheuern, -wetzen, -tragen, -reiben, -schürfen, -laufen, ausweiten, -leiern ‖ ausscheiden, s. trennen von, ab-, weggehen, seinen Abschied nehmen, abtreten, den Dienst quittieren, aufhören, (auf)kündigen, die Stellung aufgeben, s. abmelden, abdanken, aufsagen, ablassen von, ab-, zurücktreten, seinen Rücktritt erklären, sein Amt niederlegen, demissionieren, verzichten; *ugs.:* abspringen, gehen, aussteigen ‖ → ausströmen ‖ die Toilette aufsuchen, auf die Toilette gehen, seine Notdurft verrichten, s. erleichtern, sein Geschäft erledigen, s. entleeren; *ugs.:* laufen/gehen/verschwinden/mal müssen, ein Örtchen aufsuchen, auf den Topf gehen

austricksen → ausmanövrieren

austrinken: leer trinken, leeren, ausschlürfen, ex trinken; *ugs.:* herunterschütten, -kippen; *derb:* aussaufen

Austritt: Abgang, Ausscheiden, Abtreten, -zug, Weggang, Abschied, Demissionierung, Kündigung, Verzicht, Abdankung

austrocknen: ausdorren, -dörren, trocken/dürr werden, ein-, vertrocknen ‖ versiegen, -sanden, -landen, -sickern

austrompeten → verbreiten ‖ → ausplaudern

austüfteln → s. ausdenken

ausüben: ausführen, tätig sein, verrichten, betreiben, nachgehen, versehen, praktizieren, vollführen, bekleiden, s. befassen/beschäftigen mit, leisten, tätigen ‖ einwirken, beeinflussen, einen Einfluss/eine Wirkung ausüben, beherrschen, anwenden, Gebrauch machen von, arbeiten mit, in Anwendung bringen, einsetzen

ausufern: über die Ufer treten, überfließen, -fluten, -strömen ‖ überspitzen, -treiben, s. ausweiten, anwachsen, s. aufbauschen/-blähen, überziehen, -steigern, zu weit gehen, s. auswachsen zu, überborden, ausarten, s. zuspitzen, überhand nehmen, s. entwickeln zu, uferlos werden

Ausverkauf: Räumung, Schlussverkauf; *öster.:* Abverkauf

ausverkauft: nicht auf Lager, vergriffen, leer, nicht vorrätig/-handen sein; *ugs.:* aus, weg ‖ ausgebucht, kein Platz, voll, belegt

auswachsen, sich → ausufern

Auswahl: Auslese, Selektion, Wahl, Ausmusterung, -sonderung ‖ Elite, die Besten, Blüte, (Auswahl)mannschaft, Equipe, Besetzung ‖ Zusammenstellung, (As)sortiment, Kollektion, Angebot, Palette ‖ Anthologie, Brevier, Almanach

auswählen: aussuchen, -lesen, -sondern, -ersehen, bestimmen, eine (Aus)wahltreffen, eine Wahl vornehmen, selektieren, heraussuchen, (auser)wählen, erlesen, -küren, ausmustern, (heraus)nehmen, s. entscheiden für; *ugs.:* ausklauben, -sieben, herausfischen

auswalzen: ausdehnen, -rollen, -breiten, -walken, in die Länge ziehen, strecken ‖ *ugs.:* ausführlich besprechen/erzählen/behandeln, weitschweifig werden, ausschöpfen, ausladen, kein Ende finden, breittreten, ausschmücken

auswandern: das Land/die Heimat verlassen, ins Ausland/außer Landes gehen, emigrieren, weg-, fortgehen, über-, umsiedeln

auswärtig: ausländisch, fremd ‖ von auswärts/außerhalb/nicht vom Ort, aus der Umgebung, ortsfremd, nicht von hier

auswärts: nicht zu Hause, außerhalb, draußen, außer Hause ‖ nicht am Ort, anderswo, auf Reisen, unterwegs

auswaschen: (durch)waschen, ab-, ausspülen, reinigen, säubern ‖ aushöhlen, -schwemmen, abtragen

auswechseln → austauschen

Ausweg: Möglichkeit, Hoffnung, Mittel, Rettung, Vorschlag, Weg, Behelf, Lösung, Hilfe, Hintertür; *ugs.:* Dreh

ausweglos → aussichtslos

Ausweglosigkeit → Not

ausweichen: zur Seite/aus dem Weg/beiseite gehen, Platz/einen Bogen machen, zurückweichen, herumgehen um ‖ vermeiden, zu um-/entgehen suchen, s. entziehen, meiden, nicht eingehen auf, Ausflüchte machen, s. nicht stellen, s. winden um; *ugs.:* s. drücken, kneifen, s. drehen und wenden

ausweiden: (die Eingeweide) herausnehmen, entfernen, ausnehmen, entleeren, ausschlachten

ausweinen, sich: sein Herz ausschütten, s. erleichtern, seinem Herzen Luft machen, s. entlasten, s. befreien, in Tränen zerfließen, s. in Tränen auflösen; *ugs.:* s. ausheulen, flennen, Rotz und Wasser heulen

Ausweis: Pass, Papiere, Identifikations-, Kennkarte, Beleg, Nachweis, Urkunde, Bescheinigung, Unterlagen, Ermächtigung, Berechtigung, Legitimation, Passeport, Propusk, Sichtvermerk

ausweisen: des Landes verweisen, ausbürgern, -siedeln, -schließen, vertreiben, expatriieren, ver-, ausstoßen, ver-, fortjagen, verbannen, -schicken, den Aufenthalt verbieten, in die Verbannung schicken, exilieren; *ugs.:* abschieben, hinauswerfen ‖ beweisen, -stätigen, -glaubigen, den Nachweis erbringen, nachweisen, herausstellen, erweisen, zeigen, erkennen lassen, sichtbar machen, dokumentieren, demonstrieren, belegen ‖ **sich a.:** s. legitimieren, seine Identität nachweisen, seine Papiere/den Pass vorweisen, seinen Ausweis zeigen

ausweiten → ausdehnen ‖ **sich a.** → sich ausdehnen

Ausweitung → Ausdehnung

auswendig: aus dem Gedächtnis/Kopf, ohne Vorlage ‖ außen, äußerlich, auf der Außenseite, an der Oberfläche

auswerfen: (her)ausschleudern, ausstoßen, -spucken, -speien, abgeben, -sondern, von s. geben ‖ herstellen (Grube), erzeugen, schaffen, bauen, anfertigen, bilden, ausheben, ausgraben, ausstechen, ausschaufeln, ausschachten, freilegen ‖ zuweisen, ausgeben, -schütten, -teilen, zumessen, verausgaben

auswerten: nutzbar machen, ausschöpfen, ausnützen, s. zunutze machen, ausschlachten, aufbereiten, verarbeiten, ausbeuten, Nutzen/Vorteil ziehen aus, s. einer Sache bedienen, verwenden, Gebrauch machen von, profitieren, evaluieren

auswickeln: auspacken, herausnehmen, enthüllen, öffnen, entfalten, aufrollen, ausbreiten

auswinden: ausdrücken, -ringen, -wringen

auswirken, sich: zur Folge haben, Wirkung erzielen/zeitigen, einen Effekt haben, die Konsequenz nach s. ziehen, ergeben, zum Ergebnis/als Resultat haben, abschließen mit, ausgehen ‖ → wirken

Auswirkung → Ergebnis

auswischen: ab-, wegwischen, abreiben, (ab-, aus)löschen, beseitigen, entfernen, tilgen ‖ abstauben, reinigen, säubern, sauber machen, putzen

auswringen → auswinden

Auswuchs: Wucherung, Missbildung, Gewächs, Verdickung, Geschwulst, Tumor
Auswüchse → Missstände ‖ → Ausschreitung
Auswurf: Absonderung, Aus-, Abscheidung ‖ Schleim, Sputum, Speichel; *ugs.:* Rotz ‖ → Abschaum
auszahlen: (aus)bezahlen, entlohnen, abgelten, -finden, entschädigen, vergüten, erstatten ‖ **sich a.:** s. lohnen, s. rentieren, der Mühe wert sein, s. bezahlt machen, einträglich sein, einbringen, -tragen, Gewinn/Nutzen/Ertrag abwerfen, fruchten, Frucht/Früchte tragen, erbringen; *ugs.:* herausspringen, -schauen, bringen
auszehren → erschöpfen
auszeichnen: ehren, prämieren, eine Auszeichnung verleihen, mit einem Prädikat versehen, einen Preis geben, preiskrönen, würdigen ‖ auspreisen, beschildern, ein Preisschild anbringen ‖ **sich a.:** s. hervortun, hervorstechen, -ragen, auffallen, s. einen Namen machen, s. verdient machen, s. abheben, s. unterscheiden, s. bewähren, glänzen, s. herausheben
Auszeichnung: (Preis)verleihung, Prämierung, Ehrung, Belohnung, Preiskrönung, Würdigung, Huldigung ‖ Preis, Medaille, Orden, Trophäe, Pokal, Ehrennadel
ausziehen: (s.) ent-, auskleiden, s. freimachen, entblößen, die Kleider ablegen/-nehmen/-streifen/-werfen, s. der Kleidung entledigen, die Hüllen fallen lassen ‖ s. entblättern/abtun, -setzen (Hut), weg-, herunternehmen, entfernen, abbinden (Schürze) ‖ → ausreißen ‖ ausdehnen, -breiten, verlängern, in die Länge ziehen ‖ umziehen, die Wohnung wechseln/aufgeben, fort-, weg-, verziehen, seinen Wohnsitz verlegen, um-, übersiedeln, s. verändern, räumen, auflösen, weggehen

Auszug: Wohnungsaufgabe, -wechsel, Umzug, Räumung, Umsiedlung, Weggang, Auflösung ‖ Auswahl, -schnitt, Teil, Passage, Stück, Zitat, Stelle, Exzerpt ‖ Essenz, Extrakt, Absud, Destillat ‖ Abwanderung, -marsch, Auswanderung, Emigration
auszupfen → ausreißen
autark: s. selbst versorgend, unabhängig, autonom, eigen-, selbständig, independent, souverän, eigen-, selbstverantwortlich, auf s. gestellt, ungebunden, frei, eigenstaatlich, nach eigenen Gesetzen lebend
Autarkie → Autonomie
authentisch: verbürgt, echt, verbindlich, gewiss, unzweifelhaft, wahr, aus erster Hand/Quelle, zuverlässig, glaubwürdig, sicher, dokumentarisch, empirisch, beglaubigt, nachweislich, geschichtlich, belegt
Auto: Kraftfahrzeug, -wagen, Personenkraftwagen, PKW, Fahrzeug, Wagen, Automobil; *ugs.:* Kiste, Klapperkasten, Schlitten, Ofen, Karre, Kutsche, Untersatz
Autobahn: Fernverkehrs-, Schnellstraße, Highway
Autobiografie: Lebensbericht, -beschreibung, -erinnerungen, -geschichte, Selbstbiographie, -darstellung, -bekenntnisse, Memoiren
Autobiographie → Autobiografie
Autobus: (Omni)bus; *schweiz.:* Autocar
Autofahrer → Fahrer
Autogramm: Unterschrift, Namenszug, Signum, Signatur
Automat: Maschine, Apparat, Mechanismus, Roboter
automatisch: selbsttätig, von selbst, mechanisch ‖ wie ein Automat, unbewusst, gedankenlos, blind, gewohnheitsmäßig, triebhaft, schematisch, nach Schema/Schablone, schablonenhaft, ohne zu denken, immer gleich, stumpfsinnig ‖ unwill-

kürlich, zwangsläufig, selbstverständlich, -redend, anstandslos, ohne Umschweife/weiteres, umstandslos, kurzerhand, unweigerlich, notgedrungen

autonom → autark

Autonomie: Unabhängigkeit, Selbstbestimmung(srecht), Selbstverwaltung(srecht), Eigengesetzlichkeit, Autarkie, Selbständigkeit, Souveränität, Eigenstaatlichkeit, Independenz, Freiheit

Autor: Schriftsteller, Verfasser, Urheber, Schöpfer, Schreiber, Künstler, Erschaffer, Vater, Produzent

autorisieren → befugen ‖ genehmigen, bewilligen, gestatten, erlauben, zulassen, s. einverstanden erklären, stattgeben, sein Einverständnis geben, gewähren, gutheißen

autoritär: diktatorisch, absolutistisch, uneingeschränkt, repressiv, unumschränkt, willkürlich, totalitär ‖ Zwang ausübend, einengend, unterdrückend, herrschsüchtig, tyrannisch, streng, gebieterisch, bestimmend, hemmend, unfreiheitlich, intolerant

Autorität: Ansehen, Geltung, Prestige, Wertschätzung, Achtung, Gewicht, Wichtigkeit, Maßgeblichkeit, Einfluss, Macht, Einwirkung, Stärke, Vermögen, Kraft ‖ Fachmann, Respektsperson, Experte, Könner, Kapazität, Fachgröße, Kenner, Spezialist, Sachverständiger, Prominenz, Meister, Mann vom Fach, Kundiger, Koryphäe

autoritativ: maßgebend, entscheidend, Ausschlag gebend, richtungs-, wegweisend, normativ, bestimmend, eingreifend, tonangebend, wichtig

Autoschlange → Stauung

avancieren: aufrücken, befördert werden, aufsteigen, weiter-, vorwärts-, emporkommen, arrivieren, Erfolg haben, Fortschritte/seinen Weg/Karriere/sein Glück machen, eine höhere Stellung/Position erreichen, populär werden, s. einen Namen machen, s. durchsetzen, erfolgreich sein, s. empor-/heraufarbeiten, s. hocharbeiten, es zu etwas bringen, sein Fortkommen finden; *ugs.:* hinaufklettern, hochkommen, etwas werden, es weit bringen, die Treppe rauffallen, groß herauskommen

Avantgarde: Vorhut, -kämpfer, -reiter, -truppe, Spitze, Schrittmacher, Wegbereiter, Bahnbrecher, Neuerer, Pionier(e), Vorbild, Protagonist(en)

avantgardistisch: bahnbrechend, weg-, richtungweisend, revolutionär, fortschrittlich, progressiv, vorkämpferisch, zukunftsgerichtet

Aversion: Abneigung, Widerwille, -streben, Antipathie, Abscheu, Ekel, Unmut, Ablehnung, Ressentiment

avisieren → ankündigen

B

babbeln → schwatzen
Baby → Säugling
babyleicht → leicht
Backe: Wange; *reg.:* Backen
Backfisch → Mädchen
Background → Hintergrund ‖ geistige Herkunft, Vergangenheit, Lebenslauf
Backofen: Herd, Ofen, Röhre, Backrohr, -röhre, Bratrohr, -röhre
Backpfeife → Ohrfeige
Backstein → Ziegel
Backware: Gebäck, Backwerk; *ugs.:* Knusperchen, Knabbereien
Bad: Badezimmer, -raum ‖ Badeanstalt, Schwimmbad, Pool ‖ Badeort, Kur-, Heilbad ‖ Badewasser
baden: (s.) waschen, (s.) reinigen, ein Bad nehmen, ins Bad/in die Wanne gehen/steigen ‖ schwimmen, planschen, s. erfrischen ‖ **b. gehen** → scheitern
baff → überrascht
Bagage → Gesindel ‖ → Gepäck
Bagatelle → Kleinigkeit
bagatellisieren: verharmlosen, -kleinern, -niedlichen, herunterspielen, als Bagatelle behandeln, als unbedeutend/unwichtig/geringfügig darstellen/ansehen, untertreiben ‖ → beschönigen
baggern: ausheben, (mit einem Bagger) ausgraben/-schachten/-werfen/-schaufeln, freilegen; *ugs.:* ausbuddeln ‖ → werben
Bahn → Eisenbahn ‖ → Straßenbahn
bahnbrechend: bedeutungsvoll für die Zukunft, eine neue Entwicklung einleitend, umwälzend, Epoche machend, weg-, richtungweisend, zukunftsgerichtet, -weisend, -orientiert, fortschrittlich, avantgardistisch, progressiv, revolutionär, emanzipatorisch ‖ → außergewöhnlich
Bahnbrecher → Pionier
Bahnhof: Station, Haltestelle ‖ großer **B.:** festliche(r) Empfang/Begrüßung/Aufnahme, feierliches Willkomm; *ugs.:* großes Hallo/Spektakel
Bahnsteig: Plattform; *reg.:* Perron
Bahre: Traggestell, Tragbahre, Trage
Bai: Bucht, Meerbusen, Golf, Förde, Fjord
Baisse: Kurs-, Preissturz ‖ Konjunkturrückgang, -niedergang
Bakterie: Bakterium, Bazillus, Mikrobe, Krankheitserreger
balancieren: (s.) im Gleichgewicht halten, (s.) in der Balance halten ‖ → lavieren
bald: in Kürze/Bälde, binnen kurzem, alsbald, demnächst, nächstens, in absehbarer/nächster Zeit, dieser Tage ‖ → früh ‖ → beinahe ‖ **bis b.** → Wiedersehen
balgen, sich: raufen, (miteinander) ringen, (aus Übermut) ringend kämpfen, s. katzbalgen, s. schlagen, s. prügeln, s. hauen; *ugs.:* s. herumschlagen, s. keilen, s. kloppen
Balken: Pfosten, Pfeiler, Sparren ‖ Strebe, Stütze, Träger
Balkon: Vorbau, Altan, Terrasse ‖ → Brust ‖ erster Rang (Theater)
Ball: Spielball, Kugel ‖ Tanzveranstaltung, -fest, -abend, Festball; *ugs.:* Tanzerei
Ballast: Belastung, -schwerung, Last, Gewicht, (unnötiges) Gepäck ‖ Bürde, Kreuz, Joch, Mühsal, Fessel, Druck, Erschwernis, Plage; *ugs.:* Strapaze, Plackerei, Schlauch

Ballungszentrum: Industrie-, Ballungsgebiet, Industrielandschaft ‖ Trabanten-, Satellitenstadt, Wohnsilo
Ballerina: Ballettsolistin, (Solo)tänzerin, Balletttänzerin, Balletteuse; *ugs.:* Ballettratte
ballern → klopfen ‖ → koitieren ‖ → schleudern ‖ → schießen
Balsam: Linderungsmittel, schmerzstillendes Mittel ‖ → Trost
balsamieren → eincremen ‖ → mumifizieren
Balustrade: Geländer, Brüstung, Reling (Schiff)
banal: geist-, inhalts-, ideen-, einfalls-, gehaltlos, ohne Gehalt/Tiefe/Tiefgang, oberflächlich, dumm, flach, seicht, trivial, hohl, billig, platt, nichts sagend, unbedeutend, abgeschmackt, phrasenhaft, alltäglich, gewöhnlich, abgegriffen, verbraucht, witzlos, schal, stereotyp; *ugs.:* abgestanden, -gedroschen, ausgeleiert, -lutscht
Banalität → Gemeinplatz
Banause: Spießer, Spießbürger, Ungebildeter, Philister, Kultur-, Kunstbarbar, Hohlkopf, Ignorant, Nichtskönner; *ugs.:* Krämerseele, Hinterwäldler; *derb:* Kaffer
Band: *f.:* Musikergruppe, Orchester, Kapelle, Ensemble ‖ *m.:* → Buch ‖ *n.:* → Schnur ‖ Tonband, Kassette ‖ (Ver)bindung, Bindeglied, Verbindendes, Gemeinschaft, -samkeit, innere Verbundenheit, Beziehung, Zusammengehörigkeit, -halt; *ugs.:* Konnex
Bandage: Stütz-, Schutz-, Wundverband, Binde, Wickel
bandagieren → verbinden
Bande → Gruppe ‖ → Gesindel
bändigen: (be)zähmen, zahm machen, abrichten (Tiere), domestizieren, an den Menschen gewöhnen, dressieren, drillen; *ugs.:* kirre ma-

chen, ducken ‖ → zügeln ‖ unter Kontrolle bekommen, → aufhalten ‖ **sich b.** → s. beherrschen
Bandit → Betrüger ‖ → Räuber ‖ → Verbrecher
bang(e) → ängstlich
bangen → s. sorgen
Bank: Bankhaus, Kreditanstalt, -institut, Geldinstitut, Sparkasse ‖ **durch die B.** → alle
Bankett: Festmahl, -essen, -gelage, Galadiner, -essen, Diner, Gast-, Ehrenmahl, Tafel
Bankguthaben → Ersparnis
Banknote: Geld(schein), Note, Papiergeld
bankrott → zahlungsunfähig
Bankrott: Zahlungsunfähigkeit, -einstellung, Konkurs, finanzieller/wirtschaftlicher Zusammenbruch, Ruin, Geschäftsaufgabe, Illiquidität, Nonvalenz, Insolvenz; *ugs.:* Pleite
Bann: (Kirchen)ausschluss, Exkommunikation, Verdammung, -wünschung, -urteilung, Acht, Ächtung, Verfemung, -fluchung, Verdikt, Bulle, Boykott
bannen → ächten ‖ → fesseln ‖ → faszinieren ‖ vertreiben/-jagen/ -scheuchen (Geister), beschwören, -sprechen, -hexen, -zaubern
Banner: Fahne, Flagge, Standarte
bar: mit Bargeld; *ugs.:* in klingender Münze, cash ‖ → bloß ‖ *gehoben:* rein (Entsetzen) ‖ ohne, frei von, ledig
Bar: Schanktisch, Theke ‖ (Nacht)lokal, -klub, Nightclub; *abwertend:* Amüsierlokal; *schweiz.:* Nacht-, Spätcafé
Bär: *volkst.:* (Meister) Petz; *Kinderspr.:* Brumm-, Zottelbär; *schweiz.:* Mutz
Baracke: (Bau)hütte, Bau(bude), Behelfsunterkunft; *ugs.:* Bretterbude
Barbar → Scheusal
barbarisch → brutal
bärbeißig → mürrisch ‖ unfreundlich

Barbier → Friseur

barfuß: bar-, bloßfüßig, mit bloßen Füßen, ohne Schuhe und Strümpfe

Bargeld → Geld, Barschaft, -mittel; *kaufm.:* Kontanten, flüssiges Kapital; *ugs.:* flüssige Gelder

bargeldlos: nicht bar, per/durch Scheck, über das Konto/die Bank, mit Kreditkarte

barhäuptig: barhaupt, ohne Kopfbedeckung/Mütze/Hut; *gehoben:* mit entblößtem Haupt

barmherzig → gütig ‖ → selbstlos

barock: von verschwenderischer Fülle, überladen, ausladend, verschnörkelt, üppig, redundant, schwülstig, bombastisch, pompös ‖ → im Stil des Barocks, aus der Zeit des Barocks

Barometer: Luftdruckmesser, Aerometer, Barograph

Barras → Kriegsdienst

Barriere: Wegsperre, Schlagbaum, → Hindernis

Barrikade: Straßensperre, → Hindernis

barsch: hart, grob, schroff, brüsk, harsch, ruppig, rüde, roh, rau(beinig), herrisch, → unfreundlich; *ugs.:* massiv, raubauzig; *derb:* saugrob ‖ kurz angebunden, wortkarg, abweisend, knapp, bündig

Base: Kusine ‖ Tante, Muhme

basieren auf → stammen von

Basis: Grundlage, Fundament, Ausgangs-, Ansatzpunkt, Wurzel, Unterbau, -lage, Grundfeste, -stock, Sockel, Voraussetzung, Bedingung, Plattform

Bassin: Becken, Schwimm-, Wasserbecken, Swimmingpool; *schweiz.:* Schwimmerbecken

Bastard: Mischling, -blut, Kreuzung, Zwitter, Hybride ‖ uneheliches/lediges Kind; *derb:* Bankert, Balg

Bastei → Bollwerk

basteln: (handwerkliche Arbeiten) herstellen, machen, produzieren, fabrizieren, bauen, erzeugen, -stellen, bereiten, hervorbringen, (an-, ver)fertigen, arbeiten an, formen, gestalten, bilden, zimmern, schmieden, modellieren, Form/Gestalt geben; *ugs.:* bosseln, fummeln, tüfteln

Bastion → Bollwerk

Bataillon: Truppeneinheit, -teil, Truppe, Formation, Einheit, Heeresverband

Batzen → Menge ‖ → Klumpen

Bau: Bauplatz, -stelle; *gehoben:* Baustätte ‖ Bauunternehmen, -vorhaben, -plan, -projekt, Erbauung ‖ Gebäude, Haus, Wohnkomplex; *ugs.:* Kasten ‖ → Wohnung ‖ → Gefängnis ‖ Tierbau, -behausung, Höhle, Loch; *Jägerspr.:* Röhre ‖ Herstellung, (An)fertigung, Fabrikation, Schaffung, Erzeugung, Produktion ‖ Aufbau, Form, Struktur, Gliederung, System

Bauart → Architektur

Bauch: *med.:* Abdomen; *ugs.:* Ranzen, Schmer-, Bier-, Dick-, Spitzbauch; *reg.:* Knödel-, Mollenfriedhof; *derb:* Wanst, Dick-, Fettwanst, Wampe, Wamme

bauen: er-, aufbauen, er-, aufrichten, fertig bauen, auf-, hinstellen, aufschlagen, ausführen ‖ → anfertigen ‖ → anrichten ‖ **b. auf** → vertrauen

Bauer: Landwirt, -mann, Bauersmann, Farmer, Agronom; *dicht.:* Ackersmann ‖ (Vogel)käfig

bäuerlich: agrarisch, landwirtschaftlich ‖ ländlich, rustikal, dörflich

Bauernfängerei → Betrug

Bauernhof: Hof, (Bauern)gehöft, (Land)wirtschaft, Farm, (Bauern)gut, landwirtschaftlicher Betrieb, Anwesen; *abwertend:* Klitsche; *öster.:* Ökonomie; *schweiz.:* Heimwesen, Hofstatt, Hofreite

baufällig: unstabil, morsch, brüchig, verkommen, ver-, zerfallen, alt(ers)schwach), bröcklig, wackelig

Bauform → Architektur

Baukunst → Architektur

Baumeister: Architekt, Baukünstler, -fachmann, Erbauer

baumeln → hängen ‖ → schwingen ‖ → schlottern

bäumen, sich: s. plötzlich/ruckartig aufrichten/-stellen, hochschnellen ‖ → aufbegehren

Baumkrone: Wipfel, Spitze, Blätterdach

bäurisch: *abwertend:* plump, grob, roh; *derb:*, linkisch, ungesittet, -gebildet, -fein, pomeranzen-, tölpel-, rüpelhaft

bauschen, sich: s. (auf)blähen, an-, aufschwellen, s. wölben; *ugs.:* s. aufplustern

Baustil → Architektur

Bauweise → Architektur

Bauwerk: Gebäude, Bau(lichkeit), Haus; *ugs.:* Kasten

Bazillus → Bakterie

beabsichtigen: vorhaben, -sehen, wollen, bezwecken, den Zweck haben/verfolgen, s. vornehmen, planen, intendieren, tendieren/neigen zu, (zu tun) (ge)denken, gewillt sein, ab-, hinzielen, es anlegen auf, s. zum Ziel setzen, sein Absehen haben/richten auf, die Absicht haben/hegen, s. mit der Absicht/dem Gedanken tragen, mit dem Gedanken umgehen, im Sinn/Auge haben, ins Auge fassen, anstreben, zu erreichen suchen, trachten nach, s. bemühen um, zusteuern/hinarbeiten/hinauswollen/es absehen/gerichtet sein auf; *gehoben:* sinnen, abheben auf; *ugs.:* schwanger gehen, im Schild führen, schielen nach, s. in den Kopf setzen

beabsichtigt → absichtlich

beachten: achten/Acht geben/haben auf, Beachtung / Aufmerksamkeit schenken/zollen, Obacht geben, sein Augenmerk richten auf, zur Kenntnis nehmen; *ugs.:* ein Auge haben auf ‖ (be)folgen, → berücksichtigen, beherzigen, einhalten, s. fügen, s. unterwerfen, s. beugen (Anordnungen)

beachtenswert → beachtlich

beachtlich: wichtig, bedeutsam, erstaunlich, bedeutend, groß(artig), bewunderns-, bemerkenswert, eminent, beeindruckend, -trächtlich, ansehnlich, erheblich, imposant, enorm, auffallend, -fällig, verblüffend, nennens-, beachtens-, erwähnens-, anerkennens-, lobenswert, Achtung gebietend, achtbar, → außergewöhnlich; *ugs.:* nicht von Pappe/von schlechten Eltern ‖ → ziemlich, sehr

Beachtung → Aufmerksamkeit ‖ → Rücksicht

Beamter: Staatsdiener, Behördenangestellter, Hüter der öffentlichen Ordnung; *abwertend:* Bürokrat

beängstigend: Furcht erregend/einflößend, Angst hervorrufend, beklemmend, -drückend, -drohlich, -unruhigend, -denklich, nicht geheuer, Besorgnis erregend, gefährlich, kritisch, ernst, zugespitzt ‖ → furchtbar

beanspruchen: Anspruch erheben/anmelden auf, einen Anspruch geltend machen, in Anspruch nehmen, für sich haben wollen, bestehen auf, fordern, verlangen, sein Recht behaupten ‖ mit Beschlag belegen, jmdn. belasten, jmds. Kräfte erfordern/nötig haben, beschäftigen, (ver)brauchen, absorbieren, zusetzen, keine Ruhe lassen, in Atem halten, einspannen; *ugs.:* die Hölle heiß machen, zwiebeln, triezen, in die Mangel/Zange nehmen, hernehmen

beanstanden: Anstoß nehmen an, bemängeln, kritisieren, Kritik üben, etwas auszusetzen haben, zerpflücken, monieren, anmahnen, reklamieren, missbilligen, s. stoßen an,

s. beschweren/-klagen, eine Beschwerde einlegen/-reichen/vorbringen, Einspruch erheben, anfechten, nörgeln, angehen gegen, nicht in Ordnung finden, tadeln, rügen, ablehnen, angreifen, attackieren, aussetzen an, nicht zufrieden sein/anerkennen; *ugs.:* (be)kritteln, (be)mäkeln, meckern, kein gutes Haar an jmdm. lassen, auf jmdm. herumhacken, jmdm. am Zeug flicken, anpflaumen

Beanstandung → Kritik || → Reklamation

beantragen: einen Antrag stellen/ einreichen/unterbreiten/vorlegen, durch Antrag verlangen, ein Gesuch stellen, einreichen, einkommen um

beantworten → antworten

Beantwortung → Antwort

bearbeiten: in Arbeit nehmen, zurichten; *ugs.:* beackern || ab-, behandeln, ausarbeiten, -führen, gestalten || → bewirtschaften || → redigieren || jmdn. beeinflussen, jmdm. zusetzen, unter Druck setzen, hartnäckig zu überzeugen suchen, bedrängen, überreden; *ugs.:* jmdn. behämmern/ weich machen/kneten/kriegen, in die Zange/Mangel nehmen

beargwöhnen → misstrauen

beaufsichtigen: Aufsicht führen über, aufpassen auf, hüten, bewachen, sich kümmern um, sehen nach, betreuen, -schirmen, -schützen || überwachen, beobachten, kontrollieren, im Auge behalten, ein wachsames Auge haben auf, Wache/Posten stehen, nicht aus den Augen lassen

beauftragen: einen Auftrag geben/ erteilen/zuweisen, jmdn. betrauen mit/festlegen auf, in die Wege leiten; *gehoben:* verpflichten || → befehlen || → befugen

Beauftragter: Abgeordneter, -gesandter, Bevollmächtigter, Delegierter, Kommissar, Vertreter, Agent, Funktionär, Strohmann, Unterhändler, Sprecher

bebauen → bewirtschaften

beben: (er)zittern, zucken, schlottern, bibbern, schaudern, erschauern; *gehoben:* erbeben || → s. ängstigen

bebildern: illustrieren, mit Bildern versehen / ausschmücken / auflockern/veranschaulichen, Bilder beigeben

bechern → trinken

bedächtig → besonnen || → langsam

bedachtsam → besonnen || → schonend

Bedarf: Bedürfnis, Verlangen, Nachfrage, (Kauf)interesse

Bedarfsartikel: Gebrauchsgegenstand, -güter, Bedarfsgegenstand, -güter, Konsumgut

bedauerlich → schade || → trostlos || → unangenehm

bedauerlicherweise → leider

bedauern: (be)mitleiden, Mitleid/ Bedauern äußern/bekunden/ausdrücken, mitfühlen, -empfinden, -trauern, beklagen, Leid tun, nachempfinden || → bereuen

bedauernswert → trostlos

bedecken → zudecken || **sich b.** → s. eintrüben

bedeckt → trübe

bedenken → denken || → berücksichtigen || → schenken

Bedenken → Sorge || → Skepsis

bedenkenlos: unbedenklich, ohne Bedenken/weiteres/zu zögern/Zögern/Scheu, leichten Herzens, anstandslos, einfach, glattweg; *ugs.:* glatt || → rücksichtslos

bedenklich → zweifelhaft || → heikel || → sorgenvoll || → beängstigend

Bedenkzeit → Frist

bedeppert → dumm || → verlegen

bedeuten: die Bedeutung/den Sinn haben, (be-, aus)sagen, ausdrücken, zum Inhalt haben, beinhalten, dar-, vorstellen, repräsentieren, verkörpern, heißen, meinen ‖ von Bedeutung/Wichtigkeit/Wert/Belang sein, wichtig/wert sein, ins Gewicht fallen, Gewicht haben, schwer wiegen, zählen, ausmachen, gelten ‖ → andeuten ‖ → nahe legen

bedeutend: bedeutsam ‖ → beachtlich ‖ → wichtig ‖ → sehr ‖ → berühmt

Bedeutung: Sinn, Zusammenhang, Substanz, Essenz, (Sinn)gehalt, Inhalt, Bewandtnis ‖ Gewicht, Belang, Geltung, Wert, Wichtig-, Bedeutsam-, Wirksamkeit, Tragweite, Relevanz, Ernst, Rang, Größe, Schwere, Tiefe, Würde, Zweck, Stellenwert ‖ Semantik, Konnotation

bedeutungsgleich: synonym, sinngleich, gleichbedeutend, sinn-, bedeutungsähnlich, sinn-, bedeutungsverwandt

bedeutungslos → unbedeutend ‖ → nichts sagend

bedeutungsvoll → wichtig ‖ → inhaltsreich

bedienen: aufwarten, -tragen, -tischen, vorsetzen, -legen, servieren, bewirten ‖ → handhaben ‖ Dienst leisten/erweisen, behilflich sein, Gefallen tun, be-, versorgen, gefällig sein, zur Verfügung stehen; *abwertend:* abfertigen ‖ **sich b.:** s. versorgen, s. nehmen, zulangen, -packen, -greifen, -sprechen; *ugs.:* zuschlagen

Bedienung: *f.:* Kellnerin, Serviererin, Serviermädchen, Stewardess (Schiff, Flugzeug), Fräulein ‖ *m.:* Kellner, Ober, Garçon; *scherzh.:* Ganymed ‖ Service, Betreuung, -wirtung, Versorgung, Aufwartung, Abfertigung, Behandlung ‖ Handhabung (Maschine), Steuerung, Führung, Lenkung, Regulierung, Handling

bedingen → bewirken ‖ → erfordern

bedingt: vorbehaltlich, mit Vorbehalt/Einschränkung, nicht unbedingt, begrenzt, eingeschränkt, unter

Umständen, eventuell, von Fall zu Fall ‖ **b. durch:** bestimmt durch, abhängig von

Bedingung: Voraussetzung, Prämisse, Vorbedingung, -behalt, Annahme, Kondition, Ein-, Beschränkung ‖ Verpflichtung, Bestimmung, Festsetzung, Auflage, Maßgabe

bedingungslos: uneingeschränkt, vorbehaltlos, unbedingt, auf jeden Fall, unter allen Umständen, voraussetzungslos, unabhängig von, ohne Vorbehalt/Einschränkung/(Vor)bedingung, rückhaltlos

bedrängen: drängen, (ein)dringen auf, bestürmen, jmdm. zusetzen, insistieren, zu bewegen suchen, nötigen, nicht in Ruhe lassen, keine Ruhe geben, nicht nachlassen/aufhören mit, hartnäckig zu überreden versuchen, verfolgen, einstürmen auf, in die Enge treiben, unter Druck setzen, belästigen, behelligen; *ugs.:* benzen, dremmeln, das Haus/die Tür einrennen, auf die Bude/Pelle/den Leib rücken, bohren, die Hölle heiß machen, herfallen über, löchern, beknien, drängeln, quengeln, jmdn. in die Zange/Mangel nehmen ‖ → anflehen

Bedrängnis → Not

bedripst → verlegen ‖ → niedergeschlagen

bedrohen → drohen ‖ → gefährden ‖ → bevorstehen

bedrohlich → gefährlich

bedrücken: belasten, -schweren, -klemmen, -engen, -unruhigen, in Unruhe versetzen, plagen, quälen, peinigen, schmerzen, drücken, betrüben, -kümmern, Kummer/Sorge machen, mit Kummer/Sorge erfüllen, traurig/unglücklich machen, deprimieren, das Herz brechen/zerreißen/abschnüren/schwer machen, Kopfzerbrechen bereiten/machen, die Freude verderben, das Vergnügen

rauben; *ugs.:* im Magen/auf der
Seele liegen, zu schaffen machen, an
die Nieren gehen
bedrückend → beängstigend ‖ → belastend
bedrückt → niedergeschlagen ‖
→ sorgenvoll
bedürfen → brauchen
Bedürfnis: Verlangen, Sehnen, Sehnsucht, Begehren, -gierde, Begehrlichkeit, Drang, Durst, Wunsch, Lust,
Gier ‖ → Bedarf
bedürfnislos → bescheiden
bedürftig → arm ‖ **b. sein** → brauchen
beehren *gehoben:* → besuchen ‖
jmdm. eine Ehre erweisen, auszeichnen ‖ **sich b.:** s. die Ehre geben, s. erlauben, s. gestatten
beeilen, sich: eilen, schnell/rasch
machen, s. sputen, s. keine Zeit lassen, keine Ruhe haben, keinen Augenblick verlieren, s. tummeln, s. abhetzen, nicht zögern; *ugs.:* s. dazu-/
ranhalten, die Beine unter die Arme
nehmen, fix machen; *reg.:* s. eilen ‖
→ eilen
beeindrucken: (großen) Eindruck
machen, Bewunderung/Achtung/
Anerkennung hervorrufen, imponieren, wirken, Wirkung haben auf/er-
zielen, bestechen, glänzen, brillieren,
gefallen, zusagen, faszinieren ‖ → ergreifen
beeindruckend → eindrucksvoll
beeindruckt → ergriffen
beeinflussen: Einfluss nehmen/ha-
ben auf, indoktrinieren, suggerieren,
bestimmen, -wegen, infizieren, abfärben auf, dirigieren, steuern, lenken, einwirken/-reden auf, prägen,
formen, eine Wirkung ausüben auf ‖
→ überreden
beeinträchtigen: benachteiligen,
-hindern, zurücksetzen, schädigen,
schaden, in Mitleidenschaft ziehen,
Abbruch tun, abträglich sein, schmälern, mindern, erschweren, ver-

schlechtern, trüben, stören, herabsetzen, -würdigen
Beelzebub → Teufel
beenden: end(ig)en, Schluss/ein
Ende/einen Punkt machen, zu Ende
führen/bringen, beendigen, (be-,
ab)schließen, einstellen, einen
Schlussstrich ziehen, aufhören, -ge-
ben, ad acta legen, beschließen, über
die Bühne bringen; *ugs.:* aufstecken,
begraben, aussteigen, unter Dach
und Fach bringen, einen Strich
darunter setzen ‖ vollenden, fertig stellen, erledigen, krönen, vollführen,
-strecken, letzten Schliff geben, letzte
Hand anlegen
Beendigung: Einstellung, Aufgabe,
Abbruch, Auflösung, Außerkraftsetzung, Abschaffung, Aufhebung ‖
→ Ende
beengen → einschränken ‖ → einschnüren
beerdigen: beisetzen, begraben, -stat-
ten, zu Grabe tragen, das letzte Geleit
geben; *gehoben:* der Erde überge-
ben/anvertrauen, zur letzten Ruhe
betten; *ugs.:* unter die Erde bringen
Beerdigung: Bestattung, Begräbnis,
Beisetzung, Leichenfeier, -begäng-
nis, Trauerfeier, Aussegnung, Totenmesse, -feier; *reg.:* Leich
befähigen: die Grundlage/Voraus-
setzung schaffen zu, in die Lage versetzen, instand setzen, ermöglichen,
möglich machen, die Möglichkeit
geben, gestatten, erlauben ‖ → ausbilden
befähigt → fähig
Befähigung → Fähigkeit
befallen: über-, anfallen, heimsuchen, verfolgen, beschleichen, ankommen, -wandeln, überkommen,
-mannen, -wältigen, ergreifen, -fas-
sen, treffen, s. jmds. bemächtigen;
gehoben: anfliegen, -kriechen, -pa-
cken, -wehen
befangen → parteiisch ‖ → scheu

befassen, sich → s. beschäftigen mit
befehden → bekämpfen ‖ **sich b.** → s.
bekriegen ‖ → s. streiten
Befehl: Anweisung, An-, Verordnung, Bestimmung, Vorschrift, Gebot, Geheiß, Diktat, Order, Kommando, Auftrag, Verfügung, Maßregel, Erlass, Edikt, Dekret, Ukas, Auflage, -forderung, → Weisung
befehlen: verfügen, erlassen, bestimmen, heißen, (be)auftragen, veranlassen, diktieren, anweisen, ver-,
anordnen, ver-, vorschreiben, reglementieren, administrieren, festlegen,
Auftrag / Anweisung / Befehl / Order
geben / erteilen, auferlegen, -geben,
kommandieren, eine Verfügung treffen; *öster.:* (an)schaffen; *schweiz.:*
überbinden ‖ → beordern ‖ anvertrauen, -heim geben, in die Hände legen, in jmds. Schutz stellen, überantworten, in Verwahr geben
befehligen → führen
Befehlshaber: Kommandeur, Kommandant, Heerführer
befestigen: fest-, anmachen, anbringen, -stecken, -heften, -klammern,
-kleben, -schnallen, -ketten, -schrau-
ben, -binden, -nageln, -montieren,
aufhängen, verankern, fixieren ‖ wi-
derstands-/tragfähig machen, festigen, erhärten, konsolidieren ‖ sichern, zur Verteidigung ausbauen
Befestigung → Bollwerk
befeuchten → anfeuchten
befinden → erachten für ‖ → urteilen
‖ **sich b.:** s. fühlen, zumute sein, s.
vorkommen ‖ → sein
Befinden: Gesundheit(szustand),
Verfassung, Zustand, Ergehen ‖
→ Ansicht
befleißigen, sich → s. bemühen
beflissen: (über)eifrig, bemüht,
-strebt, strebsam, geschäftig, betriebsam, aktiv, tätig, aufmerksam,
pflichtbewusst, dienstfertig, versessen, bemüht

beflügeln: schneller/beschwingter
machen, anregen, -stacheln, -spor-
nen, ermuntern, inspirieren, be-
schwingen, -leben, aufrütteln, aktivieren, begeistern, entflammen,
-zünden, anfeuern
beflügelnd → anregend
befolgen: Folge leisten, s. richten/
handeln nach, s. halten an, einhalten,
beachten, → gehorchen
befördern: jmdn. höher/besser stellen, aufrücken/-steigen lassen,
jmdm. eine höhere Stellung/Position
anbieten, Gehalt erhöhen/aufbes-
sern; *gehoben:* erheben ‖ transportieren, spedieren, expedieren, verfrachten, fortbringen, wegschaffen, bringen, zuleiten, liefern, versenden, abschicken, übermitteln, -führen, -wei-
sen
Beförderung → Transport ‖ Ranger-
höhung, Erhebung, Avancement
befragen → fragen ‖ ausfragen, -hor-
chen, -forschen, -kundschaften, s. erkundigen, Auskünfte einholen, eine
Umfrage halten/veranstalten, interviewen, ein Interview machen, verhören
Befragung → Umfrage
befreien: (seiner Verpflichtung) entbinden, frei-, zurückstellen, dispensieren, entheben, loslassen, freigeben, beurlauben ‖ freikämpfen, -be-
kommen, erlösen, loskaufen, freipressen, die Freiheit schenken; *ugs.:*
losschlagen ‖ → retten ‖ **sich b.:** s.
emanzipieren, s. selbständig machen,
die Fesseln / Ketten / Knechtschaft
abschütteln / sprengen / abwerfen /
-legen/-streifen, s. lösen, s. entledigen, s. losmachen von, s. abnabeln, s.
frei/selbständig/unabhängig/auto-
nom machen, s. auf die eigenen
Füße/Beine stellen, s. vom Halse/
Leib schaffen; *ugs.:* s. freischwimmen, loswerden ‖ **sich b. von** → aussteigen ‖ **aus einer Gefahr b.** → retten

befremden: verwundern, eigenartig/seltsam/befremdend anmuten, in Verwunderung/Erstaunen setzen, Staunen erregen, erstaunen, zu denken geben, verwirren, stutzig machen, verblüffen, überraschen

befremdend → merkwürdig

befreunden, sich: Freundschaft schließen, s. anfreunden, s. verbrüdern, gut Freund werden, s. näher kennen lernen, s. annähern, eine Beziehung/Verhältnis herstellen, s. näher kommen, eine Verbindung knüpfen ‖ → s. anpassen

befriedigen: zufrieden stellen, Freude/zufrieden machen, jmds. Wunsch/Verlangen/Erwartung erfüllen, keinen Wunsch offen lassen; *ugs.:* recht machen ‖ (einer Forderung) entsprechen, Genüge tun/leisten ‖ stillen (Hunger), löschen (Durst) ‖ Anklang finden, Beifall erwecken

befristen: eine Frist/ein Ziel setzen, einen Termin festlegen, terminieren, Zeit begrenzen/-schränken

befruchten → zeugen ‖ → begatten ‖ → anregen

befugen: bevoll-, ermächtigen, autorisieren, berechtigen, die Befugnis/Vollmacht/Berechtigung geben/erteilen, beauftragen

Befugnis → Recht

befühlen → betasten

Befund: Ergebnis, Resultat, Diagnose, Nachweis, Aussage, Darlegung

befürchten: fürchten, Bedenken/Argwohn haben/hegen, Besorgnis hegen, argwöhnen, bangen, s. Gedanken/Sorgen/Kummer machen, s. sorgen; *ugs.:* Gespenster sehen ‖ → ahnen

Befürchtung → Verdacht ‖ → Sorge

befürworten: unterstützen, s. einsetzen für, gutheißen, begrüßen, willkommen heißen, dafür sein/stimmen, zuraten, anempfehlen, eintreten/sprechen/s. verwenden für, fördern

begabt → fähig

Begabung → Fähigkeit ‖ → Auffassungsgabe

begatten: decken, aufreiten, bespringen, -samen, -legen, -schälen (Pferd), -schlagen (Rehbock) ‖ **sich b.:** *Tiere:* s. paaren, rammeln (Hase), kopulieren; *Jägerspr.:* brunften, ranzen ‖ → koitieren

Begattung → Paarung ‖ → Geschlechtsverkehr

begaunern → betrügen

begeben, sich: (an einen Ort) fahren/gehen/reisen/ziehen/wandern ‖ → geschehen

begegnen: (aufeinander, zusammen)treffen, zusammenstoßen, -kommen, wiedersehen, den Weg kreuzen; *ugs.:* über den Weg/in die Arme laufen ‖ stoßen auf, (vor)finden, antreffen, sehen, nicht verfehlen, konfrontiert werden ‖ zustoßen, widerfahren, zuteil werden, geschehen (Unglück), passieren, hereinbrechen ‖ *gehoben:* jmdn. behandeln, umgehen mit, Maßnahmen treffen gegen, entgegentreten ‖ **sich b.** → s. treffen

begehen: betreten, -schreiten, als Fußgänger benutzen, gehen/treten auf (Straße) ‖ verüben (Sünde), veranstalten, vollführen, anrichten, -stellen, -stiften, verschulden ‖ *gehoben:* feiern, festlich/feierlich gestalten

begehren: starkes Verlangen haben nach, verlangen/s. sehnen/schmachten/lechzen/hungern/dürsten/fiebern/entbrennen/gelüsten/gieren/drängen nach, vor Sehnsucht vergehen, s. verzehren, versessen sein auf, wollen, wünschen, an-, erstreben; *ugs.:* erpicht/scharf/hinterher sein, darauf brennen, s. zerreißen ‖ → fordern

Begehren → Bedürfnis ‖ → Begierde
begehrenswert: erstrebens-, wün-
schens-, nachahmenswert ‖ → attraktiv

begehrt → beliebt ‖ → attraktiv
begeistern: in Begeisterung/Enthu-
siasmus/Taumel versetzen, mit Begeisterung erfüllen, hin-, mit-, fort-
reißen, entflammen, -zünden, -zü-
cken, berauschen; *gehoben:* trunken
machen, enthusiasmieren ‖ **sich b.**
für: Begeisterung empfinden, in Be-
geisterung/freudige Erregung/außer
s. geraten, s. erwärmen, entbrennen,
Feuer fangen, begeistert sein von, in
Begeisterung ausbrechen, hingeris-
sen/berauscht/außer s./ganz erfüllt/
entflammt/Feuer und Flamme/an-
getan sein von, s. entflammen,
schwärmen von; *ugs.:* toll/gut/irre/
super finden, abheben, ausflippen,
abfahren auf, (vor Begeisterung)
durchdrehen, völlig weg sein von, s.
nicht mehr kriegen, verrückt sein
nach
begeistert: entzückt, -flammt, hingerissen, enthusiastisch, enthusias-
miert, ekstatisch, berauscht, erregt,
verzückt, selig, fasziniert, eifrig, passioniert, besessen, fanatisch, überwältigt, hoch gestimmt, trunken, leidenschaftlich, feurig, glühend,
schwärmerisch, inbrünstig; *ugs.:* außer sich, hin und weg
Begeisterung: Enthusiasmus,
(Stroh)feuer, Leidenschaft, Passion,
Inbrunst, (Gefühls)überschwang, Eifer, Schwärmerei, Ekstase, Rausch,
Verzückung, Glut, Faszination
Begierde: Begehren, Verlangen,
Sehnsucht, Gier, Leidenschaft, Begehrlichkeit, Gelüst, Lust; *dicht.:* Begehr ‖ → Wollust
begierig: sinnlich, begehrlich, lüstern, wollüstig, brünstig, lebenshung-
rig, unersättlich, verlangend, erpicht,
neugierig; *ugs.:* geil, heiß, scharf, gie-

rig ‖ **b. sein auf/nach:** wild/hungrig/
versessen sein auf, gieren/gelüsten
nach, s. reißen um, haben wollen;
ugs.: s. die Finger lecken nach, aus
sein auf, verrückt sein auf, spitz sein
auf, wie der Teufel hinter der armen
Seele her sein, stehen auf, spitzen auf
begießen → sprengen
Beginn: Anfang, Auftakt, Eintritt,
Anbruch, Start, Geburt, Wiege,
Quelle, Keim, Ursprung, Ausgangs-,
Ansatzpunkt, Entstehung; *gehoben:*
Anbeginn ‖ Antritt, Inangriffnahme,
Eröffnung ‖ Debüt, erstes Auftreten,
erster Auftritt, Start/Anfang einer
Karriere
beginnen → anfangen
beglaubigen: bestätigen, legalisieren,
akkreditieren, bescheinigen, -zeugen,
attestieren, beurkunden, versichern,
amtlich festlegen
beglaubigt → amtlich
begleichen: ausgleichen, abgelten,
-tragen, -decken, tilgen, löschen, bereinigen, (be-, zurück-, ab)zahlen,
entrichten, zurückerstatten, erledigen, eine Schuld aufheben
begleiten: geleiten, das Geleit geben,
mitkommen, -gehen, folgen, s. beigesellen, s. anschließen, nach Hause
bringen, heimbringen, -begleiten ‖
zusammen musizieren, mitspielen,
untermalen, einstimmen
Begleiter: (Weg)gefährte, (Weg)ge-
nosse, begleitende Person, Beistand,
Führer, Betreuer; *gehoben:* Geleiter;
ugs.: Schatten
Begleitung → Geleit
beglücken → erfreuen ‖ beschenken,
-scheren, -denken
beglückwünschen: Glück wünschen,
Glückwünsche über-/darbringen/
aussprechen/übermitteln, gratulieren
begnadet: (aus)erwählt, erkoren, berufen, gesegnet, bevorzugt ‖ → fähig
begnadigen: Strafe vermindern/er-

lassen, amnestieren, Amnestie erlassen, Gnade walten lassen, verzeihen, -geben

Begnadigung → Straferlass

begnügen, sich: zufrieden sein, s. zufrieden geben/abfinden mit, vorlieb nehmen, s. bescheiden, s. be-/einschränken, keine Ansprüche stellen, nicht mehr verlangen, hinnehmen, s. fügen/schicken/ergeben in, akzeptieren, in Kauf nehmen; *ugs.:* in den sauren Apfel beißen, zurückstecken

begraben → beerdigen ‖ → aufgeben ‖ vergessen/auslöschen wollen, nicht mehr daran denken, aus dem Sinn verlieren; *ugs.:* Gras wachsen lassen über, einen Strich darunter setzen ‖ → vergangen

Begräbnis → Beerdigung

begreifen → verstehen

begreiflich → einsichtig

begrenzen: abgrenzen, -zäunen, -stecken, -schließen, trennen, isolieren ‖ → beschränken ‖ → festlegen

Begriff: Ausdruck, Formulierung, Formel, Benennung, -zeichnung, Wort, Terminus, Definition ‖ Vorstellung, Auffassung, Meinung, Ansicht, -schauung, Idee, Bild, Einsicht, -blick ‖ Sinngehalt, gedankliche Einheit

begrifflich → abstrakt

begriffsstutzig → beschränkt

begründen: Gründe anführen/-geben/nennen für, Argumente vorbringen, argumentieren, motivieren, be-, nachweisen, den Nachweis führen, erklären, darlegen ‖ → gründen

begründet: überlegt, durchdacht, geformt, methodisch, fundiert, unangreifbar, -anfechtbar, hieb- und stichfest, erklärbar ‖ → rechtmäßig

Begründung → Argument

begrüßen: willkommen heißen, mit offenen Armen empfangen/aufnehmen, seinen Gruß entbieten, guten Tag sagen, die Honneurs machen, sa-

lutieren, die Hand geben/reichen/schütteln ‖ billigen, zustimmend aufnehmen, gutheißen, befürworten

begucken → anschauen

begünstigen: fördern, favorisieren, protegieren, lancieren, s. verwenden für, befürworten, vorziehen, bevorzugen, herausstellen, lieber mögen, den Vorzug/-rang geben, höher einschätzen; *ugs.:* jmdm. in den Sattel helfen, Vettern-/Günstlingswirtschaft treiben

begutachten → beurteilen ‖ → prüfen

begütert → reich

begütigen → beruhigen

behäbig → träge ‖ → dick

behagen: zusagen, gefallen, angenehm/sympathisch sein, gelegen kommen, passen, munden, Geschmack abgewinnen; *ugs.:* ankommen; *reg.:* schmecken

behaglich: gemütlich, wohnlich, heimelig, komfortabel, angenehm, beschaulich, intim, traulich, wohlig, mit Behagen, bequem

behalten: nicht hergeben/aus der Hand geben, in Besitz nehmen, s. zu Eigen machen, beherzigen, fest-, zurück-, einbehalten ‖ s. merken, s. einprägen, s. erinnern, nicht vergessen, denken an, s. ins Gedächtnis schreiben ‖ **für sich b.** → bewahren ‖ in s. → verschließen

Behälter: Behältnis, Gefäß, Container

behände → gewandt ‖ → schnell

behandeln → handhaben ‖ (ärztlich) betreuen, versorgen, untersuchen, abtasten, -hören, -horchen, verbinden, bandagieren, (ein)spritzen, Spritze geben/injizieren, ein Rezept (ver)schreiben, therapieren; *ugs.:* verarzten ‖ → heilen ‖ → besprechen ‖ → erörtern ‖ be-, ausarbeiten, ausführen, gestalten ‖ zum Inhalt/Thema/Gegenstand haben, handeln von/über, gehen um, beinhalten, thematisieren, darstellen, -legen, berichten, erzählen

beharren → bestehen auf

beharrlich: unentwegt, -verdrossen, -beirrt, -beirrbar, -verbrüchlich, -erschütterlich, ohne Wanken, ausdauernd, hartnäckig, verbissen, zielbewusst, -strebig, unermüdlich, krampfhaft, unaufhörlich, konsequent, stet(ig), fest, eisern, standhaft, persistent, zäh, entschlossen, geduldig, unnachgiebig, durchhaltend, eigensinnig, insistierend, erbittert, stur

Beharrlichkeit → Beständigkeit

behaupten: beteuern, -kräftigen, -tonen, bestehen/-harren auf, hinstellen/ausgeben als, sagen, eine Behauptung aufstellen, mit Bestimmtheit aussprechen, fest bleiben, nicht nachgeben/weichen, die Hand ins Feuer legen, versichern ‖ verteidigen (Stellung), halten ‖ **sich b.:** überleben, -stehen, -dauern, ausharren, -halten, dableiben, standhalten, nicht von der Stelle weichen, auf dem Posten bleiben ‖ → s. durchsetzen ‖ → Erfolg haben ‖ → festbleiben

Behausung → Wohnung ‖ → Unterkunft

beheben → beseitigen ‖ **einen Schaden b.** → reparieren

beheimatet: ansässig, (ein)heimisch, eingeboren, angesessen, eingebürgert, -gegliedert ‖ herstammend, gebürtig, -boren

beheizen → heizen

behelfsmäßig → notdürftig

behelligen → stören ‖ → anpöbeln

beherbergen: unterbringen, Unterkunft/Obdach gewähren/bieten, Quartier geben, aufnehmen, einquartieren, -logieren, einen Schlafplatz zur Verfügung stellen

beherrschen → herrschen ‖ meistern, (s.) verstehen (auf), (gut) können, s. gut auskennen, gelernt haben, übersehen, -schauen, sachverständig /

fachkundig / beschlagen / -wandert sein, Bescheid wissen, im Griff/in der Hand haben ‖ **sich b.:** s. (be)zähmen, s. bezwingen, s. bändigen, s. besiegen, s. zügeln, s. Zügel anlegen, s. mäßigen, s. zusammennehmen, s. Zwang antun, an s. halten, s. in der Hand/Gewalt haben, s. fassen, zu s. kommen, s. nicht aus dem Gleichgewicht/der Ruhe/Fassung bringen lassen, ruhig bleiben, Ruhe bewahren, das Gesicht wahren, s. zurückhalten, s. überwinden, s. in Schranken/im Zaum halten, Herr seiner selbst bleiben, einen klaren Kopf behalten, keine Miene verziehen, nicht die Nerven verlieren, s. nichts anmerken lassen, nicht zeigen, s. disziplinieren; *ugs.:* s. zusammenreißen/ -raffen, s. am Riemen reißen, nicht durchdrehen

beherrscht: ruhig, gefasst, diszipliniert, gesammelt, leidenschaftslos, besonnen, gezügelt, -setzt, sicher, überlegen, gleichmütig, stoisch, gelassen, bedacht, in aller Ruhe, kaltblütig

Beherrschung → Mäßigung ‖ → Ruhe

beherzigen: s. zu Herzen nehmen, annehmen ‖ → beachten

beherzt → mutig

behilflich sein → helfen

behindern: hindern an, hinderlich sein, erschweren, komplizieren, aufhalten, obstruieren, bremsen, drosseln, zum Stocken bringen, stoppen, lähmen, hemmen, blockieren, stören, Schwierigkeiten machen/bereiten, Steine/Hindernisse in den Weg legen, beeinträchtigen, trüben, beengen, -schränken, entgegentreten, -arbeiten, in den Arm/Rücken fallen, Grenzen setzen, die Hände binden, ab-, zurückhalten, s. entgegenstellen, (Ein)halt gebieten, einen Strich durch die Rechnung machen; *ugs.:*

querschießen, in die Quere kommen, Knüppel zwischen die Beine werfen
Behinderung → Hindernis
Behörde: Dienststelle, Amt, Verwaltung, Administration, Instanz, Institution, Einrichtung, Geschäftsstelle
behördlich → amtlich
behüten → schützen ‖ → hüten
behutsam → schonend
Behutsamkeit → Sorgfalt ‖ → Nachsicht
beibehalten → aufrechterhalten
Beiblatt → Beilage
beibringen: erklären, zeigen, → unterrichten ‖ herbeischaffen, -holen, besorgen, vorlegen; *ugs.:* auftreiben ‖ *ugs.:* vorsichtig/schonend mitteilen/ übermitteln/sagen/melden, zu verstehen geben, eröffnen, wissen lassen, andeuten, durch die Blume sagen ‖ **Schaden b.** → antun
Beichte → Geständnis
beichten: eine Beichte ablegen, Schuld/Sünden bekennen ‖ → gestehen
beide: alle/die zwei
beiderseits: auf/zu beiden Seiten, hüben und/wie drüben
beieinander: bei-, zusammen, verein(ig)t, neben-, miteinander, Arm in Arm
Beifall: Applaus, Klatschen, Akklamation, Beifallsäußerung, -bezeugung, -kundgebung, Ehrerbietung, Ovation, Echo, Resonanz, Zuruf, Huldigung, Jubel, Begeisterung; *ugs.:* Geklatsche, -trampel ‖ → Lob
beifällig: bejahend, lobenswert, anerkennend, zustimmend, positiv, optimistisch
beifügen → beilegen
beigeben → beilegen
beigesellen, sich → s. anschließen
beiheften → beilegen
Beihilfe → Unterstützung ‖ Hilfeleistung, -stellung; *schweiz.:* Gehilfenschaft

beikommen → bewältigen
Beil: Axt; *öster.:* Hacke
Beilage: Beiheft, -blatt, -gabe, Einlage, Anhang, -lage, Zugabe, Ergänzung ‖ Zuspeise, -kost, -brot, Beikost
beiläufig: nebenbei, -her, wie zufällig, durch/per Zufall, am Rande, en passant, übrigens, apropos, leichthin, ohnehin ‖ bisweilen, gelegentlich, außer der Zeit/Reihe, unregelmäßig
beilegen: bei-, an-, hinzufügen, dazutun, beigeben, -ordnen, an-, beiheften; *öster.:* beistellen ‖ → bereinigen ‖ **sich b.:** annehmen (Namen); *ugs.:* s. zulegen
beileibe → fürwahr
Beileid: Anteilnahme, Mitleid, -gefühl, -empfinden, Kondolenz, Trauer ‖ **sein B. aussprechen** → kondolieren
beiliegend: anbei, als Beilage/Anlage, anliegend, beigelegt, -gefügt, inliegend, innen
beimengen: beimischen, -geben, bei-, an-, zufügen, -geben, hinzusetzen, -fügen, einrühren, unterrühren
beimessen: beilegen, zuschreiben, halten/erachten für
beimischen → beimengen
beinahe: fast, nahezu, bald, um Haaresbreite/ein Haar, es fehlt(e) nicht viel, praktisch, so gut wie, gerade noch, kaum, knapp; *ugs.:* schier, halb
Beiname → Spitzname
beinhalten → enthalten ‖ → behandeln
beipflichten: zu-, beistimmen, einer Meinung/Ansicht sein, Recht geben, sekundieren, auch richtig/falsch finden; *ugs.:* in dieselbe Kerbe hauen ‖ → billigen
Beirat → Ausschuss
beirren: irre/unsicher machen, verunsichern, -wirren, irritieren, desorientieren, durcheinander bringen, aus dem Konzept/der Fassung/in Verlegenheit/-wirrung bringen, verlegen/kopfscheu/konfus machen,

verstören; *ugs.:* drausbringen, den Kopf verdrehen

beisammen → beieinander

Beischlaf → Geschlechtsverkehr

beiseite legen → weglegen ‖ → sparen

beisetzen → beerdigen

Beisetzung → Beerdigung

Beispiel: Exempel, Muster, Vorbild, Modell, Beleg, Probe, Einzelfall, Paradigma, Parade-, Schul-, Musterbeispiel ‖ **zum B.** → beispielsweise

beispielgebend → beispiellos

beispiellos: beispielhaft, -gebend, vorbildlich, mustergültig, hervorragend, außergewöhnlich, -ordentlich, vorzüglich, -trefflich, überragend, über alles Lob erhaben, rühmlich, exemplarisch, brillant, glänzend, ausgezeichnet, großartig, erstrangig, unübertrefflich, -nachahmlich, meisterhaft, nachahmenswert, musterhaft, nacheifernswert; *ugs.:* wie es im Buche steht ‖ → unerhört

beispielsweise: zum Beispiel/Exempel, z. B., vergleichsweise, nämlich, (wie) etwa, etwa so; *reg., öster.:* beispielshalber

beispringen → helfen

beißen: zubeißen, -packen, -schnappen, verwunden, -letzen ‖ stechen, brennen, schmerzen, weh tun, kribbeln, jucken, kitzeln ‖ **sich b.:** nicht zueinander passen/harmonieren, s. ausschließen

beißend: scharf, ätzend, brennend ‖ quälend, peinigend, bohrend, schmerzhaft, schmerzlich, qualvoll ‖ spöttisch, bissig, spitz, sarkastisch, zynisch, höhnisch

Beißzange → Xanthippe

Beistand → Hilfe

beistehen → helfen

beisteuern: beitragen, zusteuern, -setzen, -schießen, -geben, -legen, dazuzahlen, -tun, unterstützen, sponsern, spenden; *ugs.:* zubuttern, -schustern, draufzahlen ‖ → mitwirken

beistimmen → beipflichten ‖ → billigen

Beitrag: (An)teil, Portion, Ration, Stück, Abgabe ‖ Beistand, Hilfe, Förderung, Unterstützung, Mitwirkung ‖ Abhandlung, Aufsatz, Artikel, Versuch, Arbeit ‖ Zahlung, Summe, Spende, Scherflein, Obolus; *ugs.:* Almosen

beitragen → beisteuern

beitreten: eintreten, Mitglied werden, s. anschließen, s. zugesellen, s. beteiligen; *ugs.:* einsteigen

Beitritt: Bei-, Eintreten, Erwerben der Mitgliedschaft

Beiwerk: Zutat, Nebensächlichkeit, Nebensache, schmückende Ergänzung, Dekor

beiwohnen → teilnehmen

beizeiten: (recht)zeitig, früh (genug), in aller Frühe, bald, zur rechten Zeit, pünktlich

bejahen: Ja sagen, mit Ja antworten, nicken, einer Meinung/Ansicht sein, affirmieren, begrüßen, → billigen

bejahend → beifällig

bejahrt → alt

bejammern → beklagen

bekämpfen: befehden, -kriegen, angreifen, attackieren, einen Angriff machen, angehen/-kämpfen/vorgehen gegen, entgegentreten, -wirken, wehren ‖ behandeln (Krankheit), heilen, kurieren, zum Erliegen/Verschwinden bringen ‖ **sich b.:** s. bekriegen/-fehden, s. streiten, Krieg führen, Kämpfe austragen, s. anfeinden, in kriegerischer Auseinandersetzung stehen, einen Konflikt austragen

bekannt: vertraut, nicht fremd, geläufig, publik, weit verbreitet, in aller Munde, viel besprochen/genannt, überall zu finden ‖ → berühmt ‖ **b. sein:** ein Begriff/offenes Geheimnis sein; *ugs.:* herum sein, die Spatzen pfeifen es von allen Dächern ‖ **b.**

werden → s. herumsprechen ‖ in den Gesichtskreis treten, s. einen Namen machen, s. durchsetzen, erfolgreich sein, Karriere machen; *ugs.:* groß herauskommen, im Kommen sein ‖ **b. sein mit:** kennen, bekannt/vertraut/befreundet sein mit, Bekanntschaft gemacht/kennen gelernt haben ‖ **b. machen:** zusammenführen, -bringen, einander vorstellen, jmdn. einführen, die Bekanntschaft/das Zusammensein herbeiführen

Bekanntgabe → Bekanntmachung

bekannt geben verkünden, → informieren ‖ → veröffentlichen

bekanntlich → erfahrungsgemäß

bekannt machen → informieren ‖ → veröffentlichen

Bekanntmachung: Mitteilung, Kommuniqué, Kundgabe, Bericht, Verlautbarung, Bekanntgabe, Verkünd(ig)ung, Publikation, Veröffentlichung, Statement, Erklärung, Eröffnung, Bulletin, Denkschrift; *öster.:* Kundmachung; *schweiz.:* Vernehmlassung ‖ Anschlag, Information, Meldung, Bescheid, Nachricht, Rundschreiben, Notiz

bekehren: eine innere Wandlung bewirken/auslösen, jmdn. ändern, verwandeln, missionieren ‖ → überreden

bekennen → gestehen ‖ **sich b. zu** → eintreten für

Bekenntnis: Geständnis, Offenbarung, Beichte ‖ Glaube, Konfession, Religion

beklagen: klagen/trauern/jammern um, beweinen, -trauern, -jammern, -mitleiden, -dauern ‖ **sich b.:** s. beschweren, vorstellig werden, klagen über, Klage führen, Beschwerde einlegen/führen/vorbringen, Einspruch erheben, bemängeln, -anstanden, etwas auszusetzen haben, kritisieren, Kritik üben, mit jmdm. ins Gericht gehen, missbilligen, reklamieren,

monieren, s. stoßen an, Anstoß nehmen, (herum)nörgeln; *ugs.:* meckern, herum-, bekritteln, (he)rummäkeln, ein Haar in der Suppe finden, jmdm. am Zeug flicken, Krach schlagen, Stunk machen

beklauen → bestehlen

bekleckern → beschmutzen

beklecksen → beschmutzen

bekleiden → innehaben ‖ **sich b.** → anziehen

beklemmend → beängstigend

beklommen → ängstlich

bekloppt → dumm

beknien → bitten

bekochen → verpflegen

bekommen: erhalten, empfangen, zuteil werden, zufallen, -fließen, erben, abbekommen; *ugs.:* (ab)kriegen ‖ anschlagen (Kur), wohl/gut tun, nützen, vertragen, nicht schaden ‖ → s. zuziehen

bekömmlich: zuträglich, verträglich, (leicht) verdaulich, nicht schwer, nicht belastend, den Magen schonend, gesund, förderlich

beköstigen → verpflegen

bekräftigen: bestätigen, -teuern, -tonen, Nachdruck verleihen, erhärten ‖ → behaupten ‖ → ermutigen ‖ → besiegeln

bekriegen → bekämpfen ‖ **sich b.** → s. bekämpfen ‖ → s. streiten

bekümmern → betrüben ‖ **sich b.** → s. sorgen

bekunden → äußern

beladen: be-, voll packen, befrachten, -schweren, (auf-, ein-, ver)laden, voll laden, aufbürden, be-, auflasten

Belag: Überzug, Schicht ‖ Aufstrich

belagern: einkreisen, -schließen, -kesseln, umzingeln, -stellen, abschneiden, -schnüren, -riegeln, blockieren, aushungern ‖ s. drängen vor (Kasse), in Beschlag legen, besetzen

Belami → Frauenheld

Belang → Bedeutung

belangen: verklagen, zur Rechenschaft/Verantwortung ziehen, verantwortlich machen, zur Rede stellen, bestrafen, stellen, abrechnen mit ‖ → anklagen
belanglos → unbedeutend
Belanglosigkeit → Kleinigkeit
belassen: auf s. ruhen/so bleiben/es bewenden lassen, nicht wieder aufnehmen; *ugs.:* es (beim Alten) lassen
belasten → beladen ‖ → aufbürden ‖ → beanspruchen ‖ → anlasten ‖ → bedrücken
belastend: bedrückend, -klemmend, quälend, marternd, peinigend, beängstigend, traurig, sehr schlecht, schwierig, schwer, schrecklich, grausam, ungut, -angenehm
belästigen → stören ‖ → anpöbeln
Belastung → Anstrengung ‖ (Zentner)last, Gewicht, Ballast, Schwere, Bürde, Ladung, Fracht, Beschwernis, Kraft, Stärke ‖ → Beschuldigung
belauern → beobachten
belaufen auf, sich → betragen
belauschen → beobachten
beleben → anregen ‖ → beseelen ‖ **wiederb.** → aufleben
belebend → anregend
belebt: bevölkert, dicht besiedelt, verkehrsreich, lebhaft, überfüllt
Beleg: Beweis, Grund-, Unterlage, Quelle ‖ → Bescheinigung
belegen → beweisen ‖ → füllen ‖ → reservieren ‖ → decken
Belegschaft → Personal
belegt: besetzt, nicht frei, okkupiert; *ugs.:* voll ‖ reserviert, vergeben, vorbestellt, -gemerkt, nicht mehr zu haben ‖ → heiser ‖ → amtlich
belehren → informieren ‖ → unterrichten
belehrend → lehrreich
beleibt → dick
Beleibtheit → Körperfülle
beleidigen: kränken, verletzen, beschimpfen, schmähen, insultieren,

vor den Kopf stoßen, herabsetzen, erniedrigen, → demütigen ‖ → anpöbeln
beleidigend → ausfallend
beleidigt: gekränkt, verstimmt, -letzt, pikiert, getroffen; *ugs.:* sauer, eingeschnappt, verschnupft, auf den Fuß/Schlips getreten; *reg.:* muksch, grantig
Beleidigung: (Ehr)verletzung, (Ehren)kränkung, Affront, Verleumdung, Beschimpfung, Ausfall, Invektive, Insultation, Schmähung, Tort, Injurie, Angriff ‖ → Diskriminierung
belesen → bewandert
beleuchten: be-, anstrahlen, erhellen, illuminieren, Licht/hell machen, bescheinen ‖ → veranschaulichen
beliebig: willkürlich, wahllos, nach Belieben/Gutdünken/Wahl, so oder so, ad libitum ‖ irgendein
beliebt: geschätzt, gern gesehen, willkommen, gefragt, -sucht, umschwärmt, begehrt, populär, en vogue, in aller Munde, bekannt, eingeführt ‖ → angesehen ‖ frequentiert, besucht, mit großem Zulauf ‖ gängig, viel verlangt, gern gekauft
beliefern → liefern
bellen: anschlagen, Laut geben (Hund), kläffen; *reg.:* bläffen, blaffen; *ugs.:* belfern, bäffen; *schweiz.:* bauzen ‖ schnauzen, anfahren, -schreien, schelten, beschimpfen ‖ → husten
Belletristik: schöne/schöngeistige Literatur, Unterhaltungsliteratur, Fiction
belohnen: lohnen, danken, vergelten, entschädigen, s. erkenntlich zeigen, beschenken, s. revanchieren
Belohnung → Lohn
belügen → lügen
belustigen: erheitern, -quicken, -götzen, vergnügen, unterhalten, amüsieren, beleben, zum Lachen bringen ‖
sich b. → s. vergnügen

belustigend → lustig

bemächtigen, sich: s. aneignen, beschlagnahmen, an s. nehmen/reißen, s. zu Eigen machen, in Besitz nehmen, s. vergreifen an; *ugs.:* einstreichen, -kassieren, -stecken, -sacken, s. zu Gemüte führen, s. unter den Nagel reißen ‖ erfassen, überkommen, -fallen, beschleichen, ergreifen, überwältigen

bemalen → anstreichen ‖ **sich b.** → s. schminken

bemängeln → beanstanden

Bemängelung → Kritik ‖ → Reklamation

bemerkbar merklich

bemerken: äußern, erwähnen, feststellen, konstatieren, sagen, sprechen, reden, mitteilen, schreiben, kundtun, wissen lassen, von sich geben, in Worte fassen, bezeichnen, formulieren, ausdrücken, einwerfen, -flechten, -fügen, -fließen lassen ‖ entdecken, erfassen, auffallen, bewusst werden, merken, registrieren, zur Kenntnis nehmen, wahrnehmen, aufmerksam werden, beobachten, erkennen, gewahr werden, gewahren, sehen, sichten, erblicken, fühlen, spüren, empfinden; *gehoben:* innewerden; *ugs.:* spitzbekommen, -kriegen, Lunte/den Braten riechen, Wind bekommen, auf die Schliche kommen, wittern, spannen, riechen, mitbekommen, -kriegen

bemerkenswert → beachtlich

Bemerkung → Anmerkung

bemitleiden → bedauern

bemitleidenswert → trostlos

bemühen: beanspruchen, in Anspruch nehmen, heranziehen, zurate ziehen ‖ **sich b.** → s. anstrengen ‖ **sich b. um:** s. bewerben, ansuchen, anhalten um, kandidieren für, zu bekommen/erhalten suchen, s. interessieren für, Wert legen auf; *ugs.:* buhlen um ‖ → s. kümmern um ‖ → werben um

Bemühen → Bestreben

bemuttern → s. kümmern um

benachbart: um-, anliegend, angrenzend, neben(an), gegenüber, um die Ecke, Tür an Tür, Wand an Wand, in der näheren Umgebung, im Umkreis liegend

benachrichtigen → informieren

Benachrichtigung → Nachricht

benachteiligen: beeinträchtigen, zurücksetzen, -stellen, hintanstellen, vernachlässigen, übergehen, schaden, schädigen, in den Schatten stellen, unterschiedlich/ungerecht behandeln, diskriminieren, nicht gleichstellen; *ugs.:* unterbuttern

benebelt: getrübt, verwirrt, → betrunken

benehmen, sich: s. verhalten, s. betragen, s. gebärden/-baren, s. geben, s. anstellen, s. bewegen, s. halten, s. zeigen, auftreten; *ugs.:* s. aufführen ‖ **sich gut b.:** artig/wohl erzogen/manierlich/anständig/brav/gehorsam sein, Lebensart zeigen; *ugs.:* Schliff haben ‖ **sich schlecht b.** → entgleisen

Benehmen: Verhalten, Betragen, Auftreten, -führung, Etikette, Gebaren, Haltung, Habitus, Anstand, Umgangsformen, Manieren, Kinderstube, Erziehung, Disziplin; *ugs.:* Gehabe, Benimm, Getue, Schliff

beneiden → neiden

benennen: heißen, betiteln, mit einem Namen/einer Bezeichnung versehen, einen Namen geben, taufen, bezeichnen, kennzeichnen, titulieren, etikettieren, namhaft machen; *ugs.:* benamsen; *abwertend:* schimpfen ‖ mit Namen nennen, anführen (als Mitglied)

benetzen → anfeuchten

Bengel → Junge ‖ → Frechdachs

benommen: betäubt, dumpf, taumlig, schwindlig, schwummerig, be-, umnebelt; *ugs.:* beduselt, duselig, tranig, rammdösig; *schweiz.:* zwirbelig

benoten: eine Note/Zensur geben, bewerten, -urteilen, -gutachten, zensieren; *öster.:* zensurieren

benötigen: nötig haben, brauchen, bedürfen, Bedarf haben, haben müssen, nicht entbehren/missen können, nicht auskommen ohne, angewiesen sein auf; *gehoben:* nicht entraten können; *ugs.:* nötig haben wie das liebe Brot, gebrauchen

benutzen: (be)nützen, nutzen, (ge)brauchen, ver-, anwenden, s. zunutze/nutzbar machen, verwerten, s. bedienen, Gebrauch machen, in Gebrauch/Dienst/Benutzung nehmen, Verwendung haben für, in Anwendung bringen, einsetzen, zum Einsatz bringen, handhaben

Benzin: Kraft-, Treibstoff; *ugs.:* Sprit

beobachten: betrachten, zusehen, -schauen, (be)lauschen, untersuchen, nachgehen, erforschen, verfolgen, nicht aus den Augen lassen, ins Auge fassen, achten auf, Acht geben, aufpassen ‖ überwachen, auflauern, beschatten, -spitzeln, observieren, kontrollieren, nachspionieren; *ugs.:* jmdm. auf die Finger sehen, jmdn. aufs Korn/unter die Lupe nehmen

Beobachter → Zuschauer

beordern: berufen, -stellen, -scheiden, (vor)laden, (herbei)zitieren, delegieren, schicken, entsenden, befehlen, zu sich bitten, kommen lassen, (heran-, herbei)rufen, zum Erscheinen auffordern ‖ → anordnen

bepacken → beladen

bequatschen → erörtern

bequem → gemütlich ‖ → mühelos ‖ → träge

bequemen, sich: s. herbei-/herablassen, s. endlich entschließen/-scheiden, geruhen, jmdm. entgegenkommen

beraten → raten ‖ → erörtern ‖ **sich b.** → s. besprechen

Berater → Ratgeber

beratschlagen → s. besprechen

berauben → bestehlen

berauschen → begeistern ‖ **sich b.** → s. betrinken

berechenbar: abseh-, erkenn-, voraussehbar, voraus-, vorherzusehen, voraussagbar, vorauszusagen, ersichtlich, zu erwarten, abgegrenzt, umrissen

berechnen: aus-, errechnen, kalkulieren, überschlagen, eine Berechnung anstellen, bewerten, -messen, ermitteln, taxieren ‖ anrechnen, in Rechnung stellen, veranschlagen, einkalkulieren

berechnend: auf eigenen Gewinn/Vorteil bedacht, eigennützig, kalkulierend, gewinn-, vorteilsüchtig ‖ selbstsüchtig, ich-, selbstbezogen, egoistisch, egozentrisch

berechtigen → befugen

bereden → erörtern ‖ → überreden ‖ **sich b.** → s. besprechen

beredsam → redegewandt

Beredsamkeit: Redegewandtheit, -gabe, -kunst, -gewalt, Sprachgewalt, Eloquenz, Wortgewandtheit, Rhetorik, Sprechkunst

beredt → redegewandt

Bereich → Gebiet ‖ → Fach

bereichern: reicher machen, anreichern, vergrößern (Sammlung), verbessern, ausbauen, auffüllen, füllen mit ‖ **sich b.:** an s. reißen, s. Vorteile/Gewinn verschaffen, in die eigene Tasche wirtschaften, s. aneignen, einstecken, zugreifen, ein Geschäft machen, gewinnen, profitieren, Nutzen/Gewinn haben, Nutznießer sein, Besitz/Reichtümer anhäufen, zusammentragen, -raffen, ergattern; *ugs.:* einheimsen, absahnen, zulangen, s. gesundstoßen, s. etwas unter den Nagel reißen, zuschlagen, einsacken, -streichen, herausholen, -schlagen

bereinigen → tilgen, schlichten, begraben, beilegen, aus-, begleichen, regeln, in Ordnung/ins Gleichgewicht/Lot/richtige Gleis bringen, aus der Welt schaffen, den Zwist begraben, aus-, versöhnen, vermitteln, beseitigen, den Streit beenden, liquidieren, ausbalancieren, zurechtrücken, wiedergutmachen, klären, richtig stellen, klarstellen, reinen Tisch machen, Frieden schließen, (einer Sache) abhelfen; *ugs.:* (wieder) einrenken, gerade-, zurechtbiegen, ausbügeln, hinbiegen, -bekommen, richten

bereit: fertig, parat, verfügbar, soweit, zur Hand/Verfügung; *ugs.:* gestiefelt und gespornt ‖ geneigt, (bereit)willig, willens, gewillt, erbötig, gesonnen, -fügig, entgegen-, zuvorkommend, gefällig, bei der Hand

bereiten: zubereiten, vorbereiten, fertig machen, zurecht-, bereitmachen, zu-, herrichten, herstellen, anrichten (Essen); *ugs.:* richten ‖ → antun

bereithalten: zur Verfügung stellen, bereitstellen, in Bereitschaft halten ‖ **sich b.** → s. einstellen auf

bereits: schon, lange, längst, früher als gedacht

bereitstellen → anbieten ‖ → vorbereiten ‖ **sich b.** → s. einstellen auf

bereitwillig → bereit

bereuen: bedauern, -klagen, Reue empfinden/hegen, Leid tun, untröstlich/betrübt/traurig sein, s. zu Herzen nehmen, in s. gehen, Gewissensbisse haben, s. schämen, s. an die Brust schlagen, s. schuldig bekennen, s. bekehren, büßen, umkehren, etwas rückgängig machen wollen, s. Asche aufs Haupt streuen; *gehoben:* gereuen

Berg: (An)höhe, Hügel, Mugel, Erhebung, Bergkegel, -kuppe, Fels, Gipfel; *pl.:* Gebirge, Gebirgszug, -massiv, Höhenzug ‖ → Menge

bergen → retten ‖ *gehoben:* verwah-

ren, -schließen, behüten, -halten ‖ verbergen, -stecken, -hüllen ‖ **in sich b.:** fassen, in s. haben, enthalten, einschließen, -begreifen, umfassen, innewohnen

bergeweise → massenhaft

bergig: gebirgig, hügelig, uneben, alpin, steil, abschüssig, -fallend, wellig

Bergsteiger: Alpinist, Gipfelstürmer, Kletterer, Hochtourist, Bergfreund; *ugs.:* (Berg)kraxler, Gletscherfloh, Freeclimber

Bergweide → Alm

Bergwerk: Zeche, Mine, Grube

Bericht → Reportage ‖ → Darstellung ‖ → Meldung

berichten → referieren ‖ → schildern ‖ → informieren

Berichterstatter: Reporter, Journalist, Korrespondent, Zeitungsschreiber, Publizist, Referent

berichtigen: verbessern, korrigieren, umändern, -arbeiten, richtig stellen, klären, klarstellen, -legen, revidieren, dementieren, auf einen Fehler/Irrtum aufmerksam machen, ins rechte Licht rücken/setzen, jmdn. (eines Besseren) belehren

Berichtigung → Korrektur

berieseln: feucht halten, → sprengen ‖ *abwertend:* ständig auf jmdn. einreden/-sprechen/-wirken, jmdn. bearbeiten; *ugs.:* in den Ohren liegen, totreden

Berserker: Wüterich, Tobsüchtiger, Tobender, Rasender, Amokläufer

bersten: (zer)springen, (zer)platzen, explodieren, in die Luft gehen, krachen, losgehen, splittern, gesprengt werden; *ugs.:* hochfliegen, -gehen ‖ wild werden, in Rage geraten; *ugs.:* zu viel kriegen, die Wände hochgehen

berüchtigt: verrufen, anrüchig, verschrie(e)n, fragwürdig, bedenklich, verdächtig, undurchsichtig, übel beleumdet, halbseiden, zweifelhaft, dubios, notorisch, suspekt, obskur; *ugs.:* nicht ganz astrein

berücken → bezaubern

berückend → bezaubernd

berücksichtigen: denken an, bedenken, bedacht sein, → beachten, erwägen, in Erwägung/Betracht ziehen, einbeziehen, -kalkulieren, in Rechnung stellen/setzen/ziehen, einberechnen, Rechnung tragen, in Anschlag bringen, nicht übersehen/vorübergehen an, verfolgen, wahrnehmen, Acht haben, im Auge behalten, s. angelegen sein lassen, vertreten (Interessen), Rücksicht nehmen auf, ernst nehmen, s. kümmern/besorgt sein um

Berücksichtigung → Rücksicht

Beruf: Beschäftigung, -tätigung, Metier, Gewerbe, Handwerk, Arbeit, Arbeitsfeld, -gebiet, -bereich, Dienst, Profession, Job, Stellung, Stelle, Amt, Posten, Position, Wirkungs-, Tätigkeitsbereich, Wirkungskreis, Broterwerb, Anstellung

berufen: (in ein Amt) einsetzen, eine Stellung anbieten/-tragen/übertragen, ernennen zu, nominieren; *gehoben:* designieren ‖ → beordern ‖ → fähig ‖ **sich b. auf:** s. beziehen/verweisen/s. stützen auf, Bezug nehmen auf, als Zeugen/Beweis nennen/anführen, rekurrieren/zurückgreifen/-gehen auf, ausgehen von

Berufssportler: Profi, Professioneller, Nicht-Amateur

berufstätig: werktätig, arbeitend, schaffend, erwerbstätig, einen Beruf ausübend

Berufsverkehr: Stoßverkehr, -zeit, Rushhour, Hauptverkehrszeit

Berufung: Aufforderung, Ruf, Auftrag, Angebot, Aufgabe, Amt, Stelle, Ernennung, Einsetzung; *gehoben:* Designation ‖ Sendung, Bestimmung, -gabung, -gnadung ‖ Bezug-

nahme, -ziehung ‖ Ein-, Widerspruch, Weigerung, Protest, Einwand, Revision

beruhen auf → stammen von

beruhigen: beschwichtigen, -sänftigen, zur Ruhe/Besinnung bringen, einschläfern, sedieren, begütigen, bändigen, die Wogen glätten ‖ **sich b.:** ruhig werden, zur Ruhe kommen, s. entspannen, s. normalisieren, s. abregen/-reagieren/-kühlen, s. fassen ‖ → abflauen

Beruhigungsmittel: Tranquilizer, Tranquillans, beruhigendes Medikament, Sedativ(um); *ugs.:* Downer, Tranki

berühmt: prominent, V.I.P., bekannt, anerkannt, groß, bedeutend, namhaft, gefeiert, renommiert, angesehen, (hoch) geschätzt, populär, von Weltruf/-rang/-geltung, geachtet, in aller Munde

berühren: anlangen, -fassen, betasten, -fühlen, tippen/streifen/rühren an, in Berührung kommen mit ‖ grenzen an, anrainen, heranreichen, anliegen ‖ streifen (Thema), erwähnen, nennen, zur Sprache bringen er-, aufregen, betreffen, tangieren, aufwühlen, ergreifen, -schüttern, -regen, an-, nahe gehen, nicht gleichgültig/kalt lassen, zu Herzen gehen ‖ **sich b. mit:** zusammentreffen, -stoßen, → angrenzen

besagen → bedeuten

besänftigen → beruhigen

Besatz: Borte, Rüsche, Volant, Paspel, Tresse, Zierband, Litze, Bordüre, Blende, Einfassung; *öster.:* Passepoil, Endel; *schweiz.:* Bord

Besatzung: Mannschaft, Crew, Personal ‖ Besatzungsmacht, -armee, -truppen, Fremdherrschaft; *schweiz.:* Okkupationsmacht; *ugs.:* Besatzer

besaufen, sich → s. betrinken

beschädigen: Schaden verursachen/anrichten, lädieren, in Mitleiden-

schaft ziehen, ruinieren, verunstalten, zerstören, -brechen, -kratzen, demolieren, anschlagen, -stoßen, schadhaft/defekt machen, verderben, entwerten; *ugs.:* ramponieren, verschandeln, zurichten, anhauen
beschädigt → defekt
beschaffen: be-, versorgen, heran-, herbeischaffen, bekommen, (herbei-, heran)holen, bringen, vermitteln, -schaffen, -helfen zu, zuschieben, -schanzen, -spielen, aufbringen; *ugs.:* organisieren, auftreiben, anschleppen ‖ geartet, -formt, -baut, -wachsen, -prägt, veranlagt, disponiert ‖ **sich b.** → kaufen
Beschaffenheit: Zustand, Eigenschaft, Konsistenz, Art und Weise, Form, Bildung, → Qualität ‖ Veranlagung, Anlage, Wesensart, Disposition, Kondition
beschäftigen → anstellen ‖ belasten, -anspruchen, (innerlich) in Anspruch nehmen, mit Beschlag belegen, absorbieren ‖ → bewegen ‖ **sich b.** → arbeiten ‖ **sich b. mit:** s. abgeben/befassen/konfrontieren/auseinander setzen/aufhalten/tragen mit, s. überlegen, nachdenken, -gehen, s. Gedanken machen, s. konzentrieren/verlegen auf, im Kopf herumgehen, nicht aus dem Sinn wollen, zu denken geben/schaffen machen, umgehen mit, s. einlassen auf, einer Sache frönen, s. widmen, s. hin-/zuwenden, arbeiten an, s. vertiefen/-senken/-graben in, begriffen sein in; *gehoben:* schwanger gehen mit; *ugs.:* s. hineinknie(e)n in, kauen an
Beschäftigung → Arbeit
beschäftigungslos → arbeitslos
beschämen: demütigen, erniedrigen, bloßstellen, schmähen, in Verlegenheit bringen, herabsetzen, -würdigen, degradieren, diffamieren, diskriminieren, -kreditieren
beschämt: betreten, verlegen, schamhaft, betroffen, voller Scham, mit Beschämung, verschämt, klein(laut), blamiert, peinlich berührt, gedemütigt
Beschämung → Schande ‖ → Scham
beschatten → bespitzeln
beschauen → ansehen
beschaulich: besinnlich, geruhsam, kontemplativ, versonnen, -sunken, -sponnen ‖ → idyllisch
Bescheid: Mitteilung, Nachricht, Benachrichtigung, Kunde, Meldung, Angabe, Information, Botschaft, Auskunft, Antwort, Er-, Aufklärung
bescheiden: genügsam, anspruchs-, bedürfnislos, zurückhaltend, zufrieden, (wunschlos) glücklich, sorgenfrei ‖ einfach, schlicht, eingeschränkt, mäßig, sparsam, wirtschaftlich, karg, klein (Einkommen) ‖ **jmdn. b.** → beordern ‖ **sich b.** → s. begnügen ‖ → sparen
bescheinen → beleuchten
bescheinigen → bestätigen
Bescheinigung: Zeugnis, Attest, Nachweis, Beglaubigung, -stätigung, Schein, Beleg, Quittung, Testat, Beurkundung, etwas Schriftliches, Schriftstück, Zertifikat, Beweis, Vollmacht, Ermächtigung, Legitimation, Dokument, Urkunde, Richtigkeitserweis
bescheißen → betrügen
beschenken → schenken
bescheren → schenken
Bescherung: Gabenverteilung, Beschenken ‖ → Unglück
bescheuert → dumm
beschießen → schießen
Beschießung → Beschuss
beschimpfen → schimpfen ‖ → beleidigen
Beschimpfung → Beleidigung
beschirmen → schützen ‖ → hüten
Beschiss → Betrug
beschissen → schlecht ‖ → minderwertig

beschlagen → anlaufen ‖ angelaufen, trüb, blind ‖ → bewandert

beschlagnahmen: einziehen, konfiszieren, sichern, sicherstellen, pfänden, ab-, wegnehmen, mit Beschlag belegen, die Hand legen auf, requirieren (Militär); *öster.:* exekutieren

beschleichen: überkommen, -mannen, ergreifen, -fassen, befallen, überfallen, ankommen, -wandeln, s. bemächtigen, überwältigen, erfüllen

beschleunigen: an-, voran-, vorwärtstreiben, aktivieren, forcieren, Tempo steigern, auf Touren bringen, nachhelfen; *ugs.:* aufdrehen, auf die Tube drücken, Beine machen, auf die Sprünge helfen, Dampf/Druck/Feuer dahinter setzen

beschließen → beenden ‖ einen Beschluss/Entschluss fassen, vereinbaren, abmachen, übereinkommen, verabreden, festlegen, -setzen, s. einigen, besiegeln, eine Resolution fassen, resolvieren

beschlossen → ausgemacht

Beschluss → Vereinbarung

beschmieren → beschmutzen ‖ → beschreiben

beschmutzen: verunreinigen, be-, an-, ver-, vollschmieren, beflecken, -spritzen, -klecksen, ein-, verschmutzen, einen Fleck/schmutzig/dreckig machen; *ugs.:* ver-, eindrecken, besudeln, -sabbern, -kleckern, vollmachen, s. einschmieren, s. verewigen; *derb:* ver-, einsauen

beschmutzt → schmutzig

beschneiden: ab-, aus-, zurückschneiden, lichten, (zurecht)stutzen, kappen, kürzen, scheren, trimmen, kupieren, entfernen ‖ → beschränken

beschönigen → idealisieren ‖ bemänteln, verharmlosen, -brämen, bagatellisieren, vortäuschen, übertreiben, falsch darstellen, verdrehen, -zerren, frisieren

beschränken: be-, eingrenzen, be-, einengen, restringieren, Schranken setzen, Grenzen ziehen, einkreisen, beschneiden, im Zaume halten, Halt gebieten, eindämmen, limitieren, drosseln, abbauen, reduzieren, vermindern; *ugs.:* die Flügel stutzen, zurückschrauben ‖ → behindern ‖ **sich b.** → s. begnügen ‖ → sparen

beschränkt: begrenzt, borniert, begriffsstutzig, unbedarft, -begabt, -verständig, zurückgeblieben, schwachköpfig, dumm, stupid(e), (eng)stirnig, verbohrt, -stockt, stumpfsinnig, kurzsichtig, schwerfällig, töricht, einfältig; *ugs.:* vernagelt, hirnverbrannt, unterbelichtet, minderbemittelt, doof, blöd, schwer von Kapee, Brett vor dem Kopf/lange Leitung/Mattscheibe habend ‖ mit Einschränkung/Vorbehalt, relativ, bedingt ‖ → kläglich

Beschränkung: Einschränkung, Restriktion, Begrenzung, Einengung, Erschwernis, Komplikation, Erschwerung, Sperre, Blockade ‖ → Kürzung

beschreiben → schildern ‖ beschriften, vollschreiben, be-, vollkritzeln; *ugs.:* be-, vollkrakeln, beklieren, -schmieren

Beschreibung → Darstellung

beschriften: beschreiben, signieren, beschildern, etikettieren

beschuldigen: anschuldigen, zur Last legen, anklagen, verdächtigen, unterstellen, -schieben, bezichtigen, -lasten, vorhalten, -werfen, Beschuldigungen vorbringen/ausstoßen, (die Schuld) schieben auf/aufbürden, verantwortlich machen, ankreiden; *ugs.:* die Schuld in die Schuhe schieben; *gehoben:* zeihen

Beschuldigung: Anschuldigung, Vorwurf, Belastung, (An)klage, Bezichtigung, Verdächtigung

beschummeln → betrügen

beschupsen → betrügen
Beschuss: Beschießung, Kanonade, Kugelregen, -hagel, (Granat-, Geschütz)feuer ‖ **unter B. nehmen** → schießen
beschützen → schützen ‖ → hüten
beschwatzen → erörtern ‖ → überreden
Beschwerde → Klage ‖ → Mühe ‖ **B. führen** → s beschweren
beschweren → bedrücken ‖ **sich b.:** s. beklagen, beanstanden, -mängeln, kritisieren, reklamieren, monieren, missbilligen, Anstoß nehmen an, Einspruch erheben, eine Urteilsrevision verlangen, nicht anerkennen/in Ordnung finden/auf s. beruhen lassen, angehen gegen, ablehnen, anfechten, Kritik üben, Klage führen, Beschwerde einlegen/führen, vorstellig werden, mit jmdm. ins Gericht gehen; *Fachspr.:* rekurrieren; *ugs.:* Krach schlagen, Stunk machen, bemäkeln, (be)kritteln, meckern
beschwerlich: mühsam, -selig, mühevoll, ermüdend, aufreibend, strapaziös, anstrengend, ermattend, lästig ‖ **b. sein:** etwas greift/strengt/spannt an/bedeutet eine große Anstrengung/Mühe/kostet Nerven; *ugs.:* etwas schlaucht/nimmt mit
Beschwernis → Mühe
beschwichtigen → beruhigen
beschwindeln → lügen ‖ → betrügen
beschwingt: schwungvoll, voll Schwung, heiter, beflügelt, leichtfüßig, freudig, beseligt, freudestrahlend
beschwipst → angeheitert
beschwören: beeiden, durch Eid versichern/bekräftigen ‖ bezaubern, bannen, besprechen, -hexen ‖ → anflehen
beseelen: mit Seele/Leben erfüllen, beleben, erwecken, bezaubern, -geistern, -rauschen, -flügeln
besehen → anschauen

beseitigen: entfernen, weg-, fortschaffen, weg-, fortbringen, ein-, abstellen, ausräumen, -scheiden, -merzen, vernichten, zum Verschwinden bringen, aus der Welt schaffen, aufräumen mit, liquidieren, Schluss machen mit, außer Kraft setzen, auf-, beheben, auslöschen, eliminieren, ausmustern, beiseite legen, abschaffen, bannen, auflösen, ausradieren, annullieren, für ungültig/nichtig erklären, streichen; *ugs.:* wegmachen ‖ → töten
Besen: Feger ‖ → Xanthippe
besessen → leidenschaftlich ‖ → fanatisch ‖ → verrückt
besetzen: okkupieren, in Beschlag nehmen, erobern, entmachten, unterwerfen, gefügig machen, einnehmen, s. bemächtigen, s. aneignen, in Besitz nehmen, Besitz ergreifen von, annektieren, an s. bringen/reißen, füllen; *ugs.:* in die Knie zwingen ‖ → reservieren
besetzt → belegt
besichtigen → anschauen
Besichtigung → Kontrolle ‖ → Führung
besiedeln: bevölkern, -bauen, -wohnen, s. niederlassen, Siedlungen errichten, erschließen, urbar/nutzbar/zugänglich machen, kolonisieren
besiegeln: bekräftigen (Freundschaft), festigen, bestärken, konsolidieren, stabilisieren, stützen, vertiefen, -ankern, zementieren, endgültig/unabwendbar machen
besiegen: bezwingen, überwältigen, -rollen, -rennen, -mannen, -winden, niederwerfen, -ringen, -kämpfen, schlagen, siegen, jmdn. in die Knie zwingen, unterjochen, -werfen, vernichten, zur Strecke bringen, außer Gefecht setzen, kampfunfähig machen, ruinieren; *ugs.:* unterkriegen, fertig machen ‖ → gewinnen
besiegt: bezwungen, außer Gefecht,

erledigt, unterlegen, am Boden liegend, schachmatt, knockout, k. o.

besinnen, sich → denken ‖ → s. erinnern

besinnlich: nachdenklich, versonnen, gedankenvoll, tiefsinnig, versunken, in s. gekehrt ‖ beschaulich, kontemplativ, erbaulich, -hebend

Besinnung → Vernunft ‖ Bewusstsein ‖ → Überlegung

besinnungslos → ohnmächtig

Besinnungslosigkeit → Bewusstlosigkeit

Besitz: Eigen-, Besitztum, Habe, Habseligkeiten, Schätze, Vorrat, das Sein(ig)e, Hab und Gut, Geld und Gut, irdische Güter; *ugs.:* (Sieben)sachen ‖ Grundbesitz, Haus und Hof, Anwesen ‖ Reichtum, Vermögen, Geld, Finanzen, Kapital, Guthaben, Ersparnis, Reserven, Rücklage

besitzen: (inne)haben, sein Eigen/Eigentum nennen, in Händen haben, gehören, verfügen über, aufzuweisen/in seinem Besitz/zur Verfügung haben, gebieten/disponieren über, ausgestattet/versehen sein mit, zu Gebote stehen; *gehoben:* eignen

Besitzer: Eigentümer, Inhaber, Eigner, Halter

besitzlos → arm

Besitzloser → Armer

Besitzlosigkeit → Armut

besonders: insbesondere, hauptsächlich, zumal, in der Hauptsache, vorzugsweise, -wiegend, -nehmlich, namentlich, eigens, speziell, im Besonderen, vor allem/allen Dingen, in erster Linie, ausdrücklich ‖ für sich allein, separat, individuell, gesondert, -trennt; *ugs.:* extra ‖ sehr, außerordentlich, ungeheuer, betont

besonnen: abgeklärt, gereift, überlegt, um-, vorsichtig, bedächtig, -dachtsam, gelassen, besinnlich, abwägend, ruhig, vernünftig, nachdenklich, gedankenvoll

Besonnenheit → Ruhe

besorgen → beschaffen ‖ → kaufen ‖ → erledigen ‖ es jmdm. b. → s. rächen

Besorgnis → Sorge

Besorgnis erregend → beängstigend

besorgt → sorgenvoll ‖ → ängstlich ‖ → unruhig ‖ → fürsorglich

bespannen: überziehen, auskleiden, -schlagen, -legen, verkleiden, -schalen, be-, aufziehen

bespitzeln: beschatten, -lauern, -lauschen, (nach)spionieren, nachspüren, über-, bewachen, aufpassen auf, observieren, im Auge behalten, nicht aus den Augen lassen/verlieren, unter Aufsicht stellen, abhören, aushorchen, jmdn. ständig beobachten/beaufsichtigen, kontrollieren, inspizieren, verfolgen, jmdm. auf die Finger sehen; *ugs.:* beluchsen, jmdn. unter die Lupe/aufs Korn nehmen

bespötteln → spotten

besprechen: rezensieren, kritisieren, be-, abhandeln (Thema), eine Rezension/Kritik/Besprechung/ein Gutachten schreiben; *ugs.:* s. auslassen über; *abwertend:* verreißen ‖ bannen, beschwören, -zaubern ‖ → durchnehmen ‖ → erörtern ‖ **sich b.:** beraten, -ratschlagen, unter-, verhandeln, Verhandlungen führen, s. bereden, s. unterreden, Rat halten, im Gespräch klären, konferieren, s. auseinander setzen, s. zusammensetzen, s. an einen Tisch setzen, durchsprechen, erörtern, -wägen, untersuchen, diskutieren, debattieren

Besprechung: Rezension, Kritik, kritische Würdigung; *abwertend:* Verriss ‖ Sitzung, Konferenz, Tagung, Konvent, Verhandlung, Versammlung ‖ → Gespräch

besprengen → sprengen

besprenkeln → anfeuchten

bespritzen → sprengen ‖ → beschmutzen

besprühen → sprengen

bespucken → anspucken

bessern: besser/vorteilhafter/günstiger machen, das Niveau heben/ steigern ‖ → ändern ‖ **sich b.:** ein anderer Mensch werden, umkehren, s. läutern, Einkehr halten, s. bekehren, in s. gehen, ein neues Leben beginnen, → s. ändern; *ugs.:* den alten Adam ablegen ‖ s. verbessern, schöner werden (Wetter), s. aufklaren/ -heitern/-hellen

Besserung: Genesung, Heilung, Rekonvaleszenz, Erholung, Wiederherstellung, Gesundung, Kräftigung, Aufschwung ‖ Läuterung, positive (Ver)wandlung, Wende, Umschwung, Bekehrung, Umkehr, Veränderung ‖ Verbesserung, Hebung, Intensivierung, Verstärkung, positive Entwicklung, Weiterentwicklung, Fortschritt, Steigerung

Besserwisser: Rechthaber, Alleswisser, Neunmalkluger, -schlauer, Sprücheklopfer, -macher, Naseweis; *ugs.:* Klugscheißer, Großmaul, -schnauze, Maulheld, Oberlehrer

Bestand: (Fort)bestehen, (Fort)dauer, Beständigkeit, Permanenz, Fortgang, Stetig-, Endlosig-, Unendlichkeit; *ugs.:* Ewigkeit ‖ Vorrat, Habe, Schatz, Fundus, Bestandsmasse, Inventar, Lager, Güter, Stock, Store, Fonds, Reservoir

beständig → dauernd ‖ → haltbar ‖ → treu

Beständigkeit: Beharrungs-, Durchhalte-, Stehvermögen, Beharrlich-, Unbeugsam-, Unerschütterlich-, Unermüdlich-, Stetig-, Standhaftig-, Festig-, Geradlinig-, Hartnäckig-, Zielstrebig-, Zuverlässig-, Zähig-, Eigensinnig-, Unnachgiebigkeit, Unverdrossen-, Entschieden-, Entschlossen-, Verbissenheit, Zielbewusstsein, Konstanz, Persistenz, Gleichmaß, Geduld, Kontinuität, Energie, Konsequenz; *ugs.:* Sturheit

Bestandsaufnahme: Inventur, Lageraufnahme, Jahresabschluss, Inventarisation

Bestandteil: Komponente, Element, Ingrediens, Seite, Detail, Einzelheit, Zubehör, -tat

bestärken → ermutigen

bestätigen: für richtig/zutreffend erklären, bekräftigen, sanktionieren, bezeugen, -kunden, -scheinigen, quittieren, unterschreiben, schriftlich geben, attestieren, beglaubigen, versichern, zugeben ‖ mitteilen, wissen lassen, Nachricht geben, schreiben ‖ jmdn. bestärken/ermutigen/anerkennen/gelten lassen/bejahen/unterstützen; *ugs.:* jmdm. den Nacken stärken ‖ → beweisen ‖ **sich b.:** s. als wahr/richtig erweisen/herausstellen, zutreffen, s. bewahrheiten ‖ eintreffen, -treten, s. erfüllen, in Erfüllung gehen, nicht ausbleiben

bestatten → beerdigen

Bestattung → Beerdigung

bestaunen → bewundern

Beste, der: Primus, Führer, Champion, Sieger, Spitzenreiter, der Erste/ Höchste/Größte/Oberste

bestechen: korrumpieren, jmdn. gefügig machen, jmdm. Geschenke machen/Geld anbieten, Schweigegeld/ Handgeld anbieten; *ugs.:* jmdn. kaufen/schmieren ‖ → gefallen ‖ → beeindrucken

bestechlich: bestechbar, käuflich, korrupt, verführbar, empfänglich, zugänglich; *ugs.:* zu haben

bestehen: da sein, (vorhanden) sein, existieren, herrschen, s. befinden, geben, vorkommen ‖ erfolgreich abschließen/-schneiden, durch die Prüfung kommen, ein Examen ablegen, gewachsen sein, durchstehen, -halten, den Anforderungen entsprechen; *ugs.:* durchkommen ‖ s. behaupten, s. durchsetzen, s. bewähren, die Zügel in der Hand behalten ‖ **b.**

auf: beharren/insistieren/dringen/ pochen/persistieren/s. versteifen auf, sein Recht geltend machen/behaupten, erzwingen, Bedingungen stellen, beanspruchen, Ansprüche erheben, von seinem Recht Gebrauch machen, s. nicht abbringen/beirren lassen, nicht ablassen/nachgeben/ wanken, standhaft sein/bleiben, festhalten an, festbleiben, fordern, verlangen; *ugs.:* nicht lockerlassen ‖ **b. aus:** s. zusammensetzen/gebildet/ gemacht sein aus, enthalten, umfassen, einschließen, s. rekrutieren aus, zerfallen in ‖ **b. lassen** → aufrechterhalten

Bestehen → Existenz

bestehlen: be-, ausrauben, fleddern, veruntreuen; *ugs.:* ausnehmen, beklauen, -gaunern, erleichtern, ausräubern, bis aufs Hemd ausziehen ‖ → stehlen

besteigen: bezwingen, erstürmen, -klettern, -klimmen, auf-, ersteigen; *ugs.:* hochkraxeln ‖ ein-, auf-, zusteigen (Auto) ‖ steigen auf, s. in den Sattel schwingen ‖ → koitieren

bestellen: anfordern, verlangen, in Auftrag geben, eine Bestellung aufgeben, beauftragen, erbitten, kommen/reservieren lassen ‖ abonnieren, beziehen, s. halten ‖ → ausrichten ‖ → beordern ‖ → bewirtschaften ‖ sein Haus instand setzen, besorgen, in Ordnung bringen ‖ ernennen (Nachfolger), bestimmen, -rufen

bestenfalls: im besten/günstigsten Falle, äußerstenfalls, höchstens, gerade noch, wenn's hoch kommt, allenfalls

bestens → hervorragend

bestialisch → brutal ‖ *ugs.:* sehr, ungemein, -geheuer, äußerst

Bestie: Tier; *ugs.:* Vieh, Biest ‖ → Scheusal ‖ → Xanthippe

bestimmen: anordnen, festsetzen, verfügen, -ordnen, erlassen, anwei-

sen, diktieren, veranlassen, reglementieren, administrieren, Vorkehrungen treffen, in die Wege leiten, Auftrag/Anweisung geben, Auflage erteilen, auftragen, -erlegen, -geben, beauftragen; *ugs.:* (an)schaffen, jmdm. etwas auf die Seele binden ‖ befehlen, Befehl erteilen, die Zügel in der Hand haben, den Ton angeben; *ugs.:* das Regiment führen ‖ vorsehen, zudenken (Amt), designieren, ausersehen, auswählen; *gehoben:* auserwählen ‖ → definieren

bestimmend → entscheidend

bestimmt: entschieden, fest, energisch, aus-, nachdrücklich, kategorisch, apodiktisch ‖ genau festgelegt, feststehend ‖ wirklich, tatsächlich, unbedingt, auf jeden Fall ‖ sicher, gewiss, unweigerlich, -fehlbar, zweifelsohne, zweifellos, ohne Zweifel/ Frage ‖ **b. durch** → abhängen von

Bestimmtheit → Nachdruck ‖ → Sorgfalt

Bestimmung: Anordnung, Vorschrift, (An)weisung, Direktive, Verfügung, Dekret, Geheiß, Erlass, Gebot, Edikt, Order, Maßregel, Richtlinie, Diktat, Auflage, Machtwort, Befehl ‖ Sendung, Berufung, Aufgabe ‖ Definition, -termination, Erläuterung, Deutung, Konkretisierung, Klärung, Ermittlung; *med.:* Diagnose ‖ Zweck, Ziel, Absicht ‖ → Schicksal

Bestimmungsort → Ziel

bestrafen: strafen, eine Strafe auferlegen, maßregeln, züchtigen, ahnden, ins Gericht gehen mit, rächen, vergelten, Rache/Vergeltung üben, abrechnen, s. revanchieren; *ugs.:* einen Denkzettel geben/verabreichen/ -passen, jmdm. eine Strafe aufbrummen, es jmdm. eintränken, jmdm. heimleuchten

Bestrafung → Strafe

bestrahlen → beleuchten

Bestreben: Bemühen, Streben, Trachten, Bestrebung, Vorsatz, Absicht, Intention, Ziel ‖ Verlangen, Wunsch, Anliegen, Hoffnung, Erwartung, Sehnsucht

bestreichen: (be)schmieren, (auf)streichen, auftragen; *ugs.:* raufschmieren ‖ → anmalen

bestreiten → abstreiten ‖ → finanzieren ‖ → aberkennen

bestricken → bezaubern

Bestseller: Verkaufs-, Kassenschlager, Hit, (Long)seller, Kassen-, Publikumserfolg; *ugs.:* Renner

bestücken: ausstatten, -rüsten, versehen/-sorgen mit

bestürmen → bedrängen ‖ → anflehen

bestürzen → nahe gehen

bestürzt: betroffen, entsetzt, verstört, fassungslos, überrascht, erschreckt, -schrocken, -schüttert, verwirrt, völlig durcheinander, konsterniert, entgeistert, starr, wie vor den Kopf geschlagen, außer sich, aus der Fassung; *ugs.:* verdattert, ganz/völlig aus dem Häuschen ‖ **b. sein** → betroffen sein

Besuch: Höflichkeits-, Anstands-, Antrittsbesuch, Kommen, Aufwartung, Gastspiel; *ugs.:* Stippvisite ‖ Kranken-, Arztbesuch, Visite ‖ Gäste, Einladung, Gesellschaft ‖ Besichtigung

besuchen: einen Besuch machen/abstatten, zu Besuch kommen, eine Visite/die Aufwartung machen, vorsprechen, aufsuchen, einkehren, (hin)gehen, absteigen, vorbeikommen, -gehen; *gehoben:* beehren; *ugs.:* vorbeischauen, s. blicken lassen, auf einen Sprung kommen, hereinschneien, überfallen ‖ besichtigen, ansehen, -schauen, teilnehmen ‖ be-, durchreisen, fahren durch ‖ frequentieren, benutzen, verkehren

Besucher: Gast(freund), Tischgast, Besuch, Eingeladener, Geladener ‖ Zuschauer, Teilnehmer, Anwesender, Zuhörer(schaft), Publikum, Auditorium ‖ Durchreisender, Passant, Fremder

besudeln → beschmutzen

betagt → alt

betasten: be-, anfühlen, abtasten, anrühren, -fassen, -greifen, in die Hand nehmen; *ugs.:* an-, hinlangen, befingern, -fummeln, -tatschen, -grapschen

betätigen → handhaben ‖ **sich b.** → arbeiten

betäuben: narkotisieren, anästhesieren, einschläfern, unter Narkose setzen, eine Narkose geben, schmerzunempfindlich/bewusstlos machen; *med.:* chloroformieren ‖ berauschen, -nebeln, benommen machen ‖ **sich b.:** s. abtöten, Gefühle nicht aufkommen lassen/im Keim ersticken/unterdrücken, verdrängen ‖ **sich b. mit:** s. ablenken, seinen Kummer zu unterdrücken suchen

beteiligen: teilhaben/teilnehmen lassen, teilen mit, integrieren, einbeziehen, -gliedern, -schließen ‖ **sich b.** → mitwirken

beten: Gott anrufen/-flehen, ein Gebet sprechen, s. im Gebet an Gott wenden, die Hände zum Gebet falten, bitten, flehen, (lob)preisen, danken

beteuern → versichern ‖ → behaupten

betiteln → benennen

betonen: akzentuieren, artikulieren, den Ton legen auf ‖ hervorheben, -kehren, nachdrücklich bemerken, unterstreichen, herausstellen, -heben, pointieren, ausdrücklich erwähnen, Bedeutung/Wichtigkeit beimessen, Gewicht/Wert/den Ton legen auf

betont → nachdrücklich

Betonung: Akzent, phonetische Angabe, Schalldruck, Ton, Hervorhebung, Unterstreichung ‖ → Nachdruck ‖ → Aussprache

betören → bezaubern

betrachten → anschauen ‖ **b. als:** ansehen/halten/erachten für, auffassen/verstehen/interpretieren/einschätzen/beurteilen als, eine bestimmte Vorstellung haben von, denken über

beträchtlich: beachtlich, erheblich, ansehnlich, stattlich, bedeutend, -merkenswert, weit gehend, respektabel, reichlich, üppig, erklecklich, ziemlich groß; *ugs.:* anständig, schön ‖ → sehr

Betrachtungsweise → Standpunkt ‖ → Gesinnung

Betrag: (Geld)summe, Preis, Posten, Zahl, Menge, Quantum

betragen: ausmachen, sich belaufen/-ziffern/-rechnen auf, angegeben werden mit, zählen, kosten ‖ **sich b.** → s. benehmen

Betragen → Benehmen

betrauen mit → beauftragen

betreffen: angehen, berühren, tangieren, gelten, s. handeln um, s. beziehen auf, zu tun haben mit, Bezug haben, anbelangen, s. erstrecken ‖ zustoßen (Unglück), zuteil werden, widerfahren, geschehen, passieren

betreffend: hinsichtlich, (dies)bezüglich, in Bezug auf, dazu, darüber, davon, was das angeht/-betrifft/-belangt, zu der Frage, betreffs, in puncto

betreiben: antreiben, in Bewegung/Gang/auf Touren bringen ‖ → handhaben ‖ → ausüben

betreten: eintreten, gehen/treten in, hereinkommen, -treten, hineingehen, -kommen, -gelangen ‖ begehen, seinen Fuß setzen/treten auf ‖ betroffen, verlegen, peinlich/unangenehm berührt, schamhaft, beschämt, -fangen, verwirrt, kleinlaut, in Verwir-

rung/Verlegenheit gebracht; *ugs.:* bedeppert, -dripst, wie ein begossener Pudel, mit rotem Kopf

betreuen → behandeln ‖ s. → kümmern um ‖ → pflegen

Betreuung → Pflege

Betrieb: Firma, Unternehmen, Werk, Fabrik, Geschäft, Anlage ‖ Verkehr, reges Leben, große Geschäftigkeit, Hochbetrieb, ein Kommen und Gehen/Hin und Her/Auf und Ab, Durcheinander, Wirbel, Strudel, Trubel, Tumult, Unruhe, Aufregung, -ruhr, Treiben, Umtrieb, Gewimmel, -tümmel, -dränge, -wühl, -woge, -menge, -triebe; *ugs.:* Rummel, Gewusel, Zirkus, Tamtam

betriebsam: geschäftig, rührig, eifrig, aktiv, regsam, beflissen, emsig, rege ‖ fleißig, bestrebt, strebsam, bemüht, unermüdlich, -verdrossen, arbeitsam, schaffensfreudig, tatkräftig, ambitioniert; *schweiz.:* schaffig

betrinken, sich: s. einen (Rausch) antrinken, s. berauschen/-zechen, einen über den Durst trinken, zu tief ins Glas sehen, ein Glas zuviel trinken, dem Alkohol frönen, trinken; *ugs.:* s. beschwipsen/-duseln, s. die Nase begießen, s. einen Affen antrinken, s. den Kanal vollaufen lassen, s. zugießen, s. die Hucke vollsaufen, s. einen ansäuseln; *reg.:* s. betütern; *derb:* s. einen ansaufen, s. besaufen, s. vollaufen lassen, dem Suff ergeben/versoffen sein

betroffen → bestürzt ‖ → betreten ‖ **b. sein:** bestürzt sein, die Fassung verlieren, s. erschrecken, s. entsetzen, kopfstehen, wie vor den Kopf geschlagen sein, (heiß und) kalt über den Rücken laufen; *ugs.:* wie vom Schlag/Donner gerührt sein

Betroffener: Leidtragender, Trauernder, Hinterbliebener; *schweiz.:* Hinterlassener

betrüben → bedrücken

betrüblich → trostlos

betrübt: traurig, trübselig, trist, elegisch, trübsinnig, bedrückt, -kümmert, desolat, freudlos, elend, (tod)unglücklich, schwer-, wehmütig, melancholisch, depressiv, kummervoll, enttäuscht, geknickt, mutlos

Betrug: Hintergehung, Täuschung, Fälschung, Machenschaft, Schiebung, Schwindel, Unterschlagung, Manipulation, Unregelmäßigkeit, Irreführung, Gaunerei, Gaunerstreich, Bauernfängerei, Durchstecherei; *ugs.:* Nepp, Mogelei, Beschiss, Prellerei, krumme Sache, Schmu, fauler Zauber; *schweiz.:* Abriss

betrügen: täuschen, hintergehen, prellen, bluffen, unterschlagen, hinterziehen, defraudieren, gaunern, neppen, übervorteilen, -fahren, bringen um, beschwindeln, falschspielen, (be)schummeln, corriger la fortune, mogeln, blenden, mit falschen Karten spielen, übertölpeln, -listen, ein falsches Spiel treiben, aufsitzen lassen, zum Narren halten, foppen, nasführen, für dumm verkaufen, eine Grube graben, in die Falle/Schlinge/ ins Netz/Garn locken, jmdn. hinters Licht/aufs Glatteis führen, jmdn. aufs Kreuz legen, jmdm. Sand in die Augen streuen/ein X für ein U vormachen; *ugs.:* hochnehmen, hereinlegen, anschmieren, einseifen, leimen, in den Sack stecken, Schmu machen, beschupsen, tricksen, türken, linken, reinlegen, anmeiern, unterbuttern, übers Ohr hauen, verschaukeln, lackieren, lackmeiern, auf den Leim locken, ein Schnippchen schlagen, einwickeln, begaunern, über den Tisch ziehen; *derb:* be-, anscheißen; *öster.:* betakeln, einkochen, übernehmen; *schweiz.:* übernützen ‖ ehebrechen, Ehebruch begehen, einen Seitensprung machen, untreu sein; *ugs.:* fremdgehen

Betrüger: Gangster, Gauner, Schwindler, Lügner, Defraudant, Schieber, Spitzbube, Falschspieler, Scharlatan, Filou, Hochstapler, Fälscher, Bandit, Bauernfänger, Hehler, Preller, Beutelschneider, Schuft, Schurke, Erpresser, Wucherer, Schmuggler, Schwarzhändler; *öster.:* Fal(l)ott; *ugs.:* Bazi, Bluffer

betrügerisch → unlauter

betrunken: berauscht, -zecht, -nebelt, (voll)trunken, stockbetrunken, nicht nüchtern, unter Alkohol, voll des süßen Weines, im Rausch/Tran; *ugs.:* voll, blau, sternhagelvoll, schwer geladen, angeschlagen, breit, knülle, hinüber, fertig, fett, groggy, blau wie ein Veilchen, voll wie eine Kanone/ Haubitze, angesäuselt, besäuselt, -schwipst, -schickert, -duselt, -tütert; *öster.:* alkoholisiert; *norddt.:* dun; *derb:* (stock-, stink)besoffen ‖ **b. sein:** einen Rausch haben, zu tief ins Glas gesehen haben; *ugs.:* schwer geladen/einen intus/Schlagseite/einen Affen haben, einen in der Krone/einen sitzen haben, den Kanal/Rand voll haben; *reg.:* im Jum/molum sein

Bett: Lager(statt), Schlafstätte, Liegestatt, Schlafgelegenheit; *ugs.:* Koje, Klappe, Falle, Nest, die Federn, Kahn ‖ → Unterkunft

betteln: anbetteln, -borgen, um Almosen/eine Gabe bitten; *ugs.:* (an)schnorren, die Klinken putzen, fechten, anpumpen, -zapfen, anhauen um ‖ → bitten

bettlägerig → krank

Bettler: Hausierer; *ugs.:* Bettelbruder, Klinkenputzer, Schnorrer, Fechtbruder

bettreif → müde

Betttuch: (Bett)laken; *reg.:* Leintuch

betucht → -reich

betulich: gemächlich, bedächtig, umständlich, langsam ‖ fürsorglich, mütterlich

beugen: neigen, abwinkeln, biegen, krümmen, senken, sinken lassen; *ugs.:* krumm machen ‖ flektieren, konjugieren, deklinieren ‖ **sich b.:** s. niederbeugen, s. biegen, s. bücken, s. neigen, s. ducken, s. lehnen über, s. klein/krumm machen, s. krümmen ‖ s. fügen, s. unterordnen, nachgeben, einlenken, zurückweichen, -stecken, lockerlassen; *ugs.:* weich (in den Knien) werden, klein beigeben, einen Rückzieher machen

Beule: Schwellung; *ugs.:* Horn, Delle; *öster.:* Tippel; *reg.:* Brausche, Brüsche, Knutsche

beunruhigen: unruhig/besorgt machen/stimmen, in Unruhe/Sorge versetzen, aufregen, (be)ängstigen, alarmieren ‖ → bedrücken ‖ **sich b.:** s. auf-/erregen, unruhig/besorgt/ruhelos werden ‖ → s. sorgen

beunruhigend → beängstigend

Beunruhigung → Sorge

beurkunden → beglaubigen

beurlauben: befreien, freigeben, Urlaub geben/gewähren, freistellen, seiner Pflichten entheben ‖ suspendieren, entlassen, -binden, den Abschied geben, verabschieden, dispensieren

beurteilen: einschätzen, (be)werten, begutachten, taxieren, ein Urteil fällen/abgeben, denken über, ansehen als, halten/erachten für, betrachten/auffassen/sehen/verstehen als, eine bestimmte Einstellung haben zu, einordnen, diagnostizieren, feststellen, meinen, Stellung nehmen, empfinden/nehmen als, stehen zu, befinden über, abwägen, ermessen

Beute: Raub(gut), Diebesbeute, -gut; *ugs.:* Fang, heiße Ware, Sore

bevölkern → besiedeln

bevölkert: belebt, (dicht) besiedelt, bewohnt, verkehrsreich

Bevölkerung: Bewohner(schaft), Einwohner(schaft), Volk, Population, (Mit)bürger, Bürgerschaft, Landeskinder, Staatsangehörige, Öffentlichkeit

bevollmächtigen → befugen

Bevollmächtigter: Beauftragter, Kommissar, Kommissionär, Prokurator, Sach(ver)walter, Repräsentant, Vertreter, Anwalt

bevor: ehe, früher, als noch nicht, vorher

bevormunden: gängeln, jmdn. am Gängelband führen, dirigieren, beeinflussen, vorschreiben, bestimmen über, lenken; *ugs.:* jmdm. das Heft aus der Hand nehmen

bevorstehen: bald geschehen, erwartet werden, seine Schatten vorauswerfen, vor der Tür stehen, nahen, s. nähern, im Anzug sein, in der Luft liegen, auf jmdn. zukommen, drohen; *ugs.:* ins Haus stehen

bevorzugen → begünstigen

bewachen: beaufsichtigen, aufpassen auf, hüten, kontrollieren, im Auge behalten, nicht aus den Augen lassen, überwachen, beobachten, Wache/Posten stehen ‖ beschützen, be-, abschirmen, (ab)sichern, behüten, Schutz gewähren, den Rücken decken, die Hand halten über, unter die Fittiche nehmen; *gehoben:* in seine Hut nehmen, schirmen

Bewacher → Aufseher

bewaffnen (sich): mit Waffen versehen, (auf-, aus)rüsten, wappnen, mobilisieren, mobil machen, Kriegsvorbereitungen treffen, (s.) verteidigungsfähig/kampfbereit machen, (s.) militärisch stärken

bewahren → schützen ‖ aufbewahren, -heben, behalten, verwahren, -schließen, für sich behalten (Geheimnis), verschweigen; *gehoben:* bergen ‖ → aufrechterhalten

bewähren, sich: s. als brauchbar/geeignet erweisen, eine Probe bestehen, Erwartungen erfüllen ‖ s. behaupten, seinen Mann stehen, die Zügel in der Hand behalten, nicht versagen; *ugs.:* s. im Sattel halten ‖ → s. durchsetzen

bewahrheiten, sich → eintreten

bewährt: erprobt, altbewährt, anerkannt, zuverlässig, verlässlich, fähig, geeignet, probat, renommiert, eingeführt, geltend, gültig, bekannt, gebräuchlich, gängig

Bewährungsprobe: Feuerprobe, Feuertaufe, Prüfstein

bewältigen: meistern, vollbringen, -enden, durch-, ausführen, richtig umgehen können/fertig werden mit, erledigen, können, schaffen, erreichen, verwirklichen, bezwingen, beikommen, einer Sache gerecht werden, Herr werden, zurechtkommen/s. zurechtfinden mit, zustande/ -wege bringen, in den Griff bekommen, gewachsen sein, bewerkstelligen, eine Schwierigkeit überwinden, Hürden nehmen, s. zu helfen wissen, zurande/ans Ziel kommen; *ugs.:* über die Runden kommen, mit etwas einig werden, den Laden schmeißen, klarkommen, das Ding schaukeln, managen, hinkriegen, packen, drehen, deichseln, machen

bewandert: beschlagen, -lesen, gebildet, -schult, -wandt, -scheit, unterrichtet, informiert, wissend, klug, gelehrt, (sach)kundig, erfahren, fundiert, versiert, fit, firm, vom Fach; *ugs.:* sattelfest

bewässern → sprengen

bewegen: regen, rühren, die Lage/ Stellung verändern, nicht ruhig halten ‖ auf-, erregen, (innerlich) beschäftigen, nahe gehen, zu Herzen gehen, (be)rühren, ergreifen, nicht gleichgültig/kalt lassen, aufwühlen, erschüttern, durch Mark und Bein/ unter die Haut gehen; *ugs.:* durch und durch gehen, unter die Haut/an die Nieren gehen ‖ zu denken geben, beschäftigen, im Kopf herumgehen ‖

veranlassen, anregen, bestimmen, initiieren, den Anstoß geben, dazu bringen, überreden ‖ sich b.: s. rühren, s. regen, eine Bewegung machen, s. Bewegung verschaffen ‖ auftreten, s. geben, s. benehmen, s. gebärden, s. verhalten ‖ → gehen ‖ s. → fortbewegen

Beweggrund: Veranlassung, Anlass, Ursache, Motiv, Grund, Antrieb, Triebfeder, Auslöser

beweglich: mobil, transportabel, verrückbar, versetzbar, tragbar, fahrbar, zerlegbar ‖ → gewandt ‖ lebendig, anpassungsfähig, wandlungsfähig, rege, agil, geschäftig, betriebsam, vif

bewegt: beeindruckt, gerührt, betroffen, ergriffen, überwältigt, erschüttert, aufgewühlt, erregt ‖ unruhig, rast-, ruhelos, unstet, ereignisreich, abenteuerlich, abwechslungsreich, bunt, schillernd, aufregend, spektakulär

Bewegungsfreiheit: Spielraum, Freizügigkeit, Freiheit, Unabhängig-, Entwicklungsmöglichkeit, Spanne, Auslauf

bewegungslos: reglos, regungslos, ohne Bewegung, unbeweglich, unbewegt, starr, erstarrt, leblos, ruhig, still, wie angewurzelt

beweinen → beklagen

Beweis: Nachweis, Zeugnis, Beleg, Argument, Begründung, Richtigkeitserweis ‖ Ausdruck, Zeichen, (Kost)probe, Erweis, Dokumentation, Bestätigung

beweisen: nachweisen, einen Beweis liefern/führen/erbringen, den Nachweis führen, aufzeigen, dokumentieren, belegen, die Richtigkeit erweisen, begründen, motivieren, bestätigen ‖ erkennen/sichtbar werden lassen, zeigen, unter Beweis stellen, einen Beweis ablegen für, zeugen von

beweiskräftig → amtlich

bewerben, sich: s. bemühen um, zu

bekommen / erhalten suchen, ansuchen / -halten / einkommen / werben um, kandidieren / s. interessieren für, s. zur Verfügung stellen, eine Stellung suchen, ein Angebot machen, s. anbieten; *öster.:* aspirieren auf ∥ → werben um

Bewerber: Anwärter, Kandidat, Aspirant, Interessent, Bittsteller, Postulant, Antragsteller ∥ Freier, Freiersmann, Verehrer, Anbeter

Bewerbung → Antrag

bewerfen: werfen auf, bombardieren; *ugs.:* beschmeißen ∥ verputzen, mit Mörtel bedecken

bewerkstelligen → fertig bringen ∥ → bewältigen

bewerten → beurteilen

bewiesen → sicher

bewilligen: gewähren, -nehmigen, zugestehen, einräumen, gestatten, erlauben, zuteil werden lassen, die Genehmigung / Erlaubnis / Einwilligung geben, stattgeben, s. einverstanden erklären, nichts in den Weg legen, zustimmen, -lassen, beipflichten, billigen, seine Zustimmung geben, nichts dagegen haben; *ugs.:* durchgehen lassen

bewirken: verursachen, hervorrufen, -bringen, zur Folge / Konsequenz / zum Ergebnis / als Resultat haben, herbeiführen, mit sich bringen, auslösen, zeitigen, heraufbeschwören, erwecken, anrichten, -stiften, veranlassen, erregen, -zeugen, bedingen, entfachen, -fesseln, nach s. ziehen, ins Rollen bringen, in Gang / Bewegung setzen, provozieren ∥ → fertig bringen

bewirten: zu essen und zu trinken geben, auftischen, -warten, -tafeln, darbieten, offerieren, reichen, kredenzen, traktieren, beköstigen, servieren, vorsetzen; *ugs.:* auffahren lassen ∥ versorgen, verköstigen, in Kost / Verpflegung nehmen

bewirtschaften: bestellen, -bauen, -ackern, -pflanzen, kultivieren, nutzbar machen, bearbeiten ∥ verwalten, leiten, führen, betreuen, -sorgen

bewohnen → wohnen

Bewohner → Bürger ∥ *pl.:* → Bevölkerung

bewölken, sich → s. eintrüben

bewölkt → trübe

bewundern: an-, bestaunen, aufsehen / -schauen zu, anschwärmen, -beten, verehren, voller Bewunderung sein für, (hoch) achten / schätzen, huldigen, vergöttern, zu Füßen liegen, in den Himmel heben; *ugs.:* anhimmeln

bewundernswert → beachtlich

bewundert → angesehen

bewusst: absichtlich, wissentlich, mit Wissen / Bewusstsein, willentlich, gewollt, mit Absicht / Willen, eigens, nun gerade, bezweckt, extra, mit klarem Verstand ∥ bereits erwähnt, bekannt, -sagt, -treffend, obig ∥ überlegt, vernünftig, reflektiert, wissend, besonnen, logisch, denkrichtig, klarsichtig, gescheit, einleuchtend, klar, geistig wach / hell ∥ **sich b. sein:** klar erkennen, Bescheid wissen, Einblick haben, sicher sein, s. auskennen ∥ **sich b. werden** → erkennen

Bewusstlosigkeit: Koma, Ohnmacht, Besinnungslosigkeit

Bewusstsein: geistige Verfassung / Klarheit ∥ Besinnung ∥ persönliche Überzeugung, Gewissheit, Wissen um etwas, Erkenntnis ∥ **zu B. kommen:** bewusst werden, erkennen, -fassen, zu der Erkenntnis kommen / gelangen, klar / deutlich werden, wie Schuppen von den Augen fallen; *ugs.:* jmdm. geht ein Licht auf / dämmert es ∥ **das B. haben:** überzeugt / sicher sein ∥ **mit B.** → bewusst ∥ **ohne B.** → ohnmächtig

bezahlen: zahlen, abführen, überweisen, vergüten, geben für, entrichten, in die Tasche greifen, Geld ausgeben; *öster., schweiz.:* erlegen; *ugs.:* blechen, löhnen, hinblättern, bluten, berappen, den Beutel zücken ‖ Gehalt/Lohn/Vergütung zahlen, be-, entlohnen, besolden, ver-, abgelten, honorieren, aus(be)zahlen, s. erkenntlich zeigen; *schweiz.:* salarieren, entlöhnen ‖ Kosten tragen/bestreiten/aufwenden, aufkommen für, Geld hineinstecken, investieren, anlegen, bezuschussen; *ugs.:* etwas springen lassen, Geld lockermachen/loseisen; *schweiz.:* ausschütten ‖ Schulden bereinigen/ausgleichen, s. einer Schuld entledigen, amortisieren, abgelten, -decken, -tragen, begleichen, tilgen, ab-, einlösen, ab(be)zahlen, ab-, erstatten, nachzahlen, zurückgeben, in Raten zahlen; *ugs.:* abstottern ‖ → büßen für ‖ **jmdn. b.:** vor-, auslegen, verauslagen; *ugs.:* vorschießen, -strecken ‖ → einladen ‖ **b. müssen:** eine Zahlungsaufforderung/einen Zahlungsbefehl erhalten, zur Kasse gebeten werden

Bezahlung: Entrichtung, Begleichung, Bereinigung, (Ab)zahlung, Tilgung ‖ Erstattung, Abfindung ‖ → Lohn

bezähmen: bändigen, zügeln, bezwingen, im Zaum/in Schranken halten, zurückhalten, Zügel anlegen ‖ **sich b. s.** → beherrschen

bezaubern: betören, entzücken, faszinieren, verzaubern, hinreißen, bestricken, -geistern, -zirzen, -rauschen, -zwingen, -rücken, blenden, umgarnen, bestechen, -eindrucken, verleiten, -locken, -führen, in sein Netz locken/ziehen, be-, verhexen, bannen, zu gewinnen suchen; *ugs.:* den Kopf verdrehen

bezaubernd → reizend ‖ → schön

bezeichnen → kennzeichnen ‖ → benennen ‖ näher beschreiben/erläutern ‖ **b. als:** darstellen/schildern/

charakterisieren/hinstellen/ansprechen/definieren als, erklären für; *ugs.:* (ab)stempeln als ‖ **sich b. als** s. → ausgeben als

bezeichnend → charakteristisch

Bezeichnung: (Be)nennung, Betitelung ‖ Kennzeichnung, Charakterisierung, Markierung, Beschriftung ‖ (passendes) Wort, Name, Titel, Ausdruck, Begriff, Terminus

bezeigen: erweisen, bekunden, ausdrücken, bezeugen, aussprechen, zeigen, zu erkennen geben

bezeugen: bestätigen, -kräftigen, -kunden, -glaubigen, -scheinigen, zeugen für, ein Zeugnis ablegen, Zeuge sein, als Zeuge aussagen/auftreten

bezichtigen → beschuldigen

Bezichtigung → Beschuldigung

beziehen: bespannen, überziehen, bedecken, -kleiden, versehen mit ‖ (regelmäßig) erhalten, halten, abonniert haben, geliefert/-schickt/-sandt bekommen ‖ einziehen, s. niederlassen, eine Wohnung nehmen, s. einquartieren, s. einmieten, mieten, s. einlogieren ‖ **sich b. s.** → eintrüben ‖ **sich b. auf:** s. berufen/stützen/verweisen auf, anknüpfen an, Bezug nehmen/zurückkommen auf ‖ → betreffen ‖ → zusammenhängen

Bezieher: Abonnent, Leser, Abnehmer, Käufer, (Stamm)kunde

Beziehung: Verbindung, Umgang, Verkehr, Berührung, Anschluss, Tuchfühlung, Interaktion, Brückenschlag, Konnex, Kontakt, Kommunikation, Bekanntschaft ‖ Bezug(nahme), Berufung ‖ Hinsicht, Zusammenhang, Punkt, Richtung, Hinblick, Aspekt, Gesichtspunkt, Blickwinkel, Perspektive ‖ **intime B.:** Verhältnis, Liebesbeziehung, Liaison, Liebschaft, Liebesbündnis, Liebelei; *ugs.:* Techtelmechtel ‖ **Beziehungen:** Kontakte, Konnexionen,

Verbindungen; *ugs.:* das richtige Parteibuch, Vitamin B

beziehungslos: ohne Beziehung/Zusammenhang, zusammenhanglos, unzusammenhängend, ungereimt ∥ → isoliert

beziehungsweise: respektive, oder, (oder) vielmehr, besser/anders gesagt, das heißt, mit anderen Worten

beziffern: (durch)nummerieren, paginieren, mit Ziffern/Zahlen versehen ∥ schätzen, die Höhe von etwas angeben, taxieren, zu bestimmen versuchen, überschlagen

Bezirk → Gebiet ∥ Kanton, Distrikt, Kreis, Gouvernement, Departement, Landesteil, Sprengel, Provinz

bezirzen → bezaubern

bezogen → trübe

Bezug: Bettbezug, Überzug; *öster.:* Zieche ∥ Beziehen, (regelmäßiges) Erhalten, Bekommen ∥ Zusammenhang, Verbindung, Beziehung, Hinsicht, -blick, Blickwinkel, Gesichtspunkt, Aspekt ∥ Berufung, -zugnahme ∥ *pl.:* → Lohn ∥ **mit B. auf** → bezüglich ∥ **B. nehmen auf** s. → beziehen auf

bezüglich: mit Bezug/in Bezug auf, mit/unter Bezugnahme auf, betreffs, betreffend, was das betrifft/anbelangt, in puncto, hinsichtlich, im Hinblick/in Hinsicht auf, in Anbetracht, wegen

Bezugnahme → Bezug

bezwecken → beabsichtigen

bezweifeln: (an)zweifeln, in Zweifel ziehen, in Frage stellen, nicht glauben können, schwanken, unsicher sein, wanken, misstrauen, argwöhnen, Argwohn hegen

bezwingen → besiegen ∥ beherrschen, -zähmen, bändigen, zügeln ∥ meistern, bewältigen, beikommen, einer Sache gerecht werden, schaffen, in den Griff bekommen ∥ unterdrücken, (im Keim) ersticken, nicht

aufkommen lassen, abtöten, betäuben ∥ er-, besteigen, erklimmen, -klettern, -stürmen ∥ **sich b.** s. → beherrschen

bezwungen → besiegt

bibbern → zittern

Bibel: Heilige Schrift, Wort Gottes, Buch der Bücher

Bibliografie → Literaturnachweis

Bibliographie → Bibliografie

Bibliothek: Bücherei ∥ Büchersammlung, -bestand, -schatz

bieder: rechtschaffen, lauter, vertrauenswürdig, zuverlässig, redlich, ordentlich, integer, solid, brav, anständig, unbescholten, ehrlich ∥ → einfältig ∥ → kleinbürgerlich

Biedermann → Spießbürger

biegen: ein-, zurechtbiegen, krümmen, neigen; *ugs.:* krumm machen ∥ ab-, einbiegen, abzweigen, -drehen, -schwenken, den Kurs ändern ∥ **sich b.** s. → beugen

biegsam → elastisch

Biegung: Bogen, Kurve, Kehre, Schleife, Wende, Wendung, Windung, Krümmung, Schwenkung, Drehung, Knick, Knie, Haken, Abknickung, Serpentine, Abbiegung

Biene: Imme, Arbeiterin, Drohne, Königin; *reg., öster.:* Imp ∥ → Mädchen

Bienenzüchter: Imker; *veraltet:* Zeidler

Bier: Gerstensaft; *scherzh.:* flüssiges Brot

Biest: Tier, Bestie; *ugs.:* Vieh ∥ → Scheusal ∥ → Xanthippe

bieten: anbieten, geben, zur Verfügung/in Aussicht stellen, ausschreiben, (als Belohnung) aussetzen ∥ → anbieten ∥ darbieten, vorführen, darbringen, zum Besten geben, zur Darbietung bringen, aufführen, aufwarten mit, darstellen ∥ **sich b.:** s. eröffnen, s. zeigen, s. ergeben, s. darbieten, erkennbar/sichtbar werden ∥ s.

produzieren, s. sehen lassen, s. präsentieren, s. darstellen, s. zur Schau stellen

Bigamie: Doppelehe

bigott: frömmlerisch, übertrieben fromm, frömmelnd, scheinfromm, -heilig, heuchlerisch

Bike → Fahrrad

Bilanz: (End-, Schluss)ergebnis, Resultat, Produkt, Fazit, Summe, Effekt, Frucht, Endstand, Quintessenz ‖ Schluss-, Abrechnung

bilateral: zweiseitig, zwischenstaatlich, zwei Staaten betreffend

Bild: Bildnis, Gemälde, Kunstwerk, Abbild(ung), Darstellung, Wiedergabe, Illustration, Studie, Skizze, Entwurf, Zeichnung, Aquarell ‖ → Fotografie ‖ Ansicht, -blick, Erscheinung ‖ Vorstellung, Eindruck, Anschauung, Begriff, Einsicht, Ein-, Überblick ‖ **ins B.** setzen → informieren ‖ **im Bilde sein** → kennen

bilden → formen ‖ zusammenstellen, -setzen, -fügen ‖ → ausbilden ‖ **sich b.:** s. herausbilden, s. entwickeln, entstehen, s. formen, s. formieren, Gestalt annehmen, s. ergeben, s. herauskristallisieren, zustande kommen, erwachsen, auf-, hervorkommen, s. auftun ‖ s. heran-/weiter-/fortbilden, s. qualifizieren, s. unterrichten, s. vervollkommnen, seine Kenntnisse / Bildung / sein Wissen vergrößern / erweitern / ausbauen / vervollständigen, sein Studium / seine Ausbildung vertiefen / fortsetzen, an s. arbeiten

bildhaft → anschaulich, → ausdrucksvoll

bildlich: sinnbildlich, übertragen, figürlich, figurativ, metaphorisch, zeichenhaft, allegorisch, symbolisch, gleichnishaft, als Gleichnis ‖ → anschaulich

Bildnis: Portrait, Porträt, (Ab)bild, Konterfei, Darstellung

Bildung: Entwicklung, -stehung, Zu-

sammenstellung, Form(ierung) ‖ Erziehung, Wissen, Kenntnis(se), Gelehrtheit, -bildetsein, Kultur, geistiger Überblick, Ausbildung, Schulung, Allgemeinwissen; *ugs.:* Horizont

Billett: Eintrittskarte, Fahrkarte, -schein

billig: preiswert, -würdig, (preis)günstig, nicht teuer, herabgesetzt, (halb) geschenkt, wohlfeil, fast umsonst, erschwinglich, bezahlbar; *ugs.:* zivil, für ein Butterbrot / einen Pappenstiel ‖ nichts sagend, wertlos, dürftig, nichtig, banal, schwach, minderwertig, zweitklassig, inferior, geistlos, stumpfsinnig, trivial, schal, platt, abgedroschen, inhaltsleer, hohl ‖ **recht und b.:** gerechtfertigt, angebracht, -gemessen, adäquat, rechtmäßig, in Ordnung, richtig, verdient

billigen: gutheißen, für richtig / angebracht erklären, bei-, zustimmen, Recht geben, sympathisieren mit, beipflichten, seine Zustimmung geben, bejahen, Ja sagen, einverstanden / dafür sein, zulassen, -geben, etwas richtig / nicht falsch finden, befürworten, annehmen, akzeptieren, sanktionieren, goutieren, anerkennen, für gut befinden, bestätigen, darauf eingehen, nichts dagegen haben, unterstützen, Geschmack finden an, einig / konform gehen, konzedieren, einwilligen, erlauben, die Erlaubnis geben, gestatten, -nehmigen, die Genehmigung erteilen, gewähren / geschehen / schalten und walten / gelten lassen, jmdm. einen Freibrief ausstellen, jmdm. freie Hand lassen; *ugs.:* grünes Licht / seinen Segen dazu geben, Ja und Amen sagen; *schweiz.:* bewilligen, belieben

Billigung → Lob ‖ → Erlaubnis

bimmeln → läuten

bimsen → drillen ‖ → lernen

binden: (zusammen)knüpfen, -knoten, -schnüren, -flechten; *gehoben:* winden ‖ abhängig machen, verpflichten, festlegen, -nageln, beim Wort nehmen ‖ fesseln, Fesseln/Ketten anlegen, umklammern, unterjochen, versklaven, anketten ‖ einbinden, broschieren, lumbecken ‖ andicken, sämig machen, legieren ‖ **sich b.:** s. verpflichten, s. festlegen, eine Bindung eingehen, Verpflichtung auf sich nehmen, sein Wort geben, s. beschränken, s. verlegen auf ‖ → heiraten

bindend → verbindlich

Binder → Krawatte

Bindfaden: Schnur; *reg., öster.:* Spagat, Strupfe; *ugs.:* Bändel, Strippe, Band

Bindung: Beziehung, innere Verbundenheit; *gehoben:* Band; *ugs.:* Konnex; *abwertend:* Fessel, Kette, Knechtschaft, Sklaverei, Unterdrückung

binnen: innerhalb, in, im Verlauf von, in der Zeit von; *schweiz.:* innert ‖ **b. kurzem** → bald

binnenländisch: kontinental, festländisch

Binsenwahrheit → Gemeinplatz

Biografie: Lebensbeschreibung, -bericht, -geschichte, -bild, -erinnerungen, -lauf, -abriss, Werdegang, Entwicklungsgeschichte, Autobiografie, Memoiren, Aufzeichnungen, Vita, Vorleben

Biographie → Biografie

Birne: Baumobst, Kletze (gedörrt) ‖ Glühlampe, -birne ‖ → Kopf

bisexuell: zweigeschlechtig ‖ mit beiden Geschlechtern verkehrend

bisher: bislang, bis jetzt/heute/dato/zum heutigen Tage/zur jetzigen Stunde, seither

bisschen, ein: ein wenig, etwas, nicht viel, eine Kleinigkeit, ein Hauch, eine Spur/Idee/Winzigkeit; *reg.:* ein bisserl

Bissen: Brocken, Stück(chen), Mundvoll; *ugs.:* Happen ‖ → Imbiss

bissig: scharf, leicht beißend ‖ verletzend, unhöflich, gehässig, boshaft, böswillig, -artig, übel wollend, übel gesinnt, niederträchtig, infam, beleidigend; *ugs.:* giftig ‖ spöttisch, beißend, schnippisch, höhnisch, bitter, gallig, scharfzüngig, kalt, spitz(züngig), sarkastisch, zynisch, ironisch; *ugs.:* patzig

bisweilen → manchmal

Bitte: Wunsch, An-, Ersuchen, Anliegen ‖ Bittschrift, (Bitt)gesuch, Antrag, Eingabe, Anfrage, Petition, Fürbitte, Bewerbung

bitten: (er-, an)flehen, (an)betteln/angehen / fragen / er- / an- / nachsuchen/ansprechen/einkommen um, s. wenden an, vorstellig werden, jmdn. bemühen, jmdm. mit etwas kommen/zusetzen, jmdn. bestürmen/-schwören /-knien / (be)drängen / drängeln, über jmdn. herfallen; *ugs.:* bohren, löchern, anhauen um, dremmeln, quengeln, jmdm. auf der Seele knien/in den Ohren liegen/auf die Pelle/Bude rücken, winseln um; *öster.:* benzen, penzen ‖ **b. zu:** bestellen, einladen, auffordern, kommen lassen, beordern, -scheiden

bitter: gallig, sehr herb, ohne Süße, streng ‖ schmerzlich, -voll, quälend, traurig, betrüblich ‖ → sehr

bitterkalt → kalt

Bitterkeit → Groll

bitterlich → sehr

Bittschrift → Antrag

bizarr: seltsam, eigenwillig, wunderlich, grotesk, befremdend, merkwürdig, eigenartig, absonderlich, verschroben, ausgefallen, ungewöhnlich ‖ launenhaft, launisch, unberechenbar, exzentrisch, kapriziös, grillenhaft

Blamage → Schande

blamieren: bloßstellen, lächerlich/

zum Gespött machen, brüskieren, desavouieren, kompromittieren, schlechtmachen, unmöglich machen, diskreditieren, beschämen, verspotten ‖ **sich b.:** s. eine Blöße geben, eine Blöße bieten, einen Fauxpas begehen, zum Gespött/-lächter werden für, Hohn und Spott ernten, das Gesicht verlieren, keine gute Figur machen, seinen Namen/Ruf aufs Spiel setzen, seinem Namen keine Ehre machen, s. ein Armutszeugnis ausstellen, s. schämen müssen

blank: glänzend, blinkend, strahlend, poliert, spiegelnd, spiegelblank, leuchtend, funkelnd ‖ sauber, schmutzfrei, flecken-, makellos, säuberlich, proper ‖ → bloß ‖ → zahlungsunfähig ‖ → abgenutzt

Blase: Hautblase, (Eiter)bläschen, Pickel; *reg., öster.:* Wimmerl ‖ → Gruppe

blasen: hauchen, atmen; *ugs.:* pusten ‖ trompeten, schmettern, posaunen; *ugs.:* tuten ‖ wehen, sausen, rauschen, rascheln, fächeln, säuseln, brausen, stieben, heulen, johlen, fauchen, stürmen, toben, tosen ‖ treiben (Sand ins Gesicht)

blasiert: eingebildet, selbstgefällig, eitel, dünkelhaft, überheblich, snobistisch, angeberisch, von sich eingenommen, arrogant, hochmütig, -näsig, herablassend, selbstherrlich, großspurig, aufgeblasen, wichtigtuerisch

blass: bleich, fahl, blass-, bleichgesichtig, blässlich, blasswangig, bleichsüchtig, blutarm, -leer, -los, (asch)grau, weiß, kalk-, kreide-, käseweiß, -bleich, kalkig, kalkfarben, kalk-, toten-, tod-, geisterbleich, toten-, leichenblass, matt, wächsern, ohne Farbe, aschfahl, farblos; *ugs.:* wie ein Gespenst/eine Leiche, käsig ‖ **b. sein:** wie ein Gespenst/weiß wie die Wand/wie der Tod aussehen;

ugs.: wie ausgespuckt aussehen ‖ **b. werden:** erblassen, -bleichen, die Farbe verlieren/wechseln

Blatt: Stück Papier, Bogen, Zettel, Seite ‖ (Spiel)karte, Kartenblatt ‖ → Zeitung

blättern ‖ **b. in:** flüchtig umwenden/durchsehen/-blättern, überfliegen, an-, querlesen, diagonal lesen, hineinschauen, schmökern ‖ **b. von:** abblättern, s. (ab-, los)lösen, abfallen, -gehen

Blattwerk: Laubwerk, Belaubung, Blätter

blau → betrunken

Blaubeere: Heidelbeere; *reg.:* Bick-, Schwarz-, Wald-, Mollbeere; *öster.:* Zechbeere

blaublütig → adlig

Blaukraut: Rotkraut, -kohl; *schweiz.:* (Rot)kabis

blaumachen → faulenzen ‖ → fehlen

Blaupapier: Kohle-, Karbon-, Durchschlag-, Pauspapier

Blech → Unsinn

blechen → bezahlen

blechern: schnarrend, hohl klingend

Bleibe → Unterkunft ‖ → Heim

bleiben: (ver)weilen, verbleiben, -harren, da(bei)bleiben, nicht weggehen, ausdauern, s. häuslich niederlassen ‖ → s. aufhalten ‖ → überleben ‖ zurück-, übrig bleiben, übrig sein ‖ **b. bei:** aus-, durchhalten, beständig/-harrlich/stark bleiben, nicht nachgeben/wanken/weichen, auf seinem Posten ausharren/-halten, beharren, standhalten, (unbeirrt) fortführen, festbleiben, weitermachen, nicht aufgeben/nachlassen, treu bei einer Sache/standhaft bleiben, s. nicht abbringen/beirren/irritieren lassen; *ugs.:* bei der Stange bleiben ‖ → beibehalten

bleibend → dauerhaft

bleiben lassen → unterlassen

bleich → blass

bleichen: bleich/heller machen ‖ aufhellen, blondieren, blond färben ‖ → verblassen

Bleichsucht → Blutarmut

bleiern: bedrückend, (schwer) wie Blei, lastend, wie ein Klotz

blenden: blind machen, am Sehen hindern, das Sehvermögen beeinträchtigen ‖ der Sehkraft/des Augenlichts berauben, die Augen ausstechen/-brennen/-bohren ‖ → täuschen ‖ → bezaubern

blendend: hervorragend, glänzend, glanzvoll, ausgezeichnet, eindrucksvoll, prächtig, trefflich, meisterhaft, hinreißend, reizvoll, anziehend, attraktiv, berückend, überzeugend, bestechend, großartig, brillant, fantastisch, grandios, famos, exzellent ‖ grell, ungedämpft

Blendwerk: Bluff, Gaukelspiel, Gaukelei, Täuschung, Vorspiegelung, bloßer Schein, Fata Morgana, potemkinsches Dorf, Trugbild; *abwertend:* fauler Zauber, Scharlatanerie

Blick: (Aus)sicht, Aus-, Überblick, Panorama, Rundblick, Fernsicht, -blick ‖ Augenausdruck ‖ Urteil(sgabe, -svermögen), (schnelle) Auffassungsgabe; *ugs.:* Auge

blicken: schauen, sehen, äugen, spähen, starren; *ugs.:* gucken, luchsen, linsen, peilen, ein Auge riskieren, lugen; *reg.:* kucken, kieken; *abwertend:* glotzen, stieren, glubschen ‖ **b. auf** → anschauen ‖ **sich b. lassen** → besuchen ‖ **s.** → einfinden

Blickfang: Anziehungspunkt, Magnet, Lockmittel

Blickfeld → Gesichtskreis

Blickpunkt, -winkel → Standpunkt

blind: ohne Augenlicht/Sehvermögen, erblindet, mit Blindheit geschlagen ‖ trüb, nicht klar, angelaufen, beschlagen, stumpf, matt, glanzlos, undurchsichtig, schmutzig ‖ unüber-

legt, ohne Überlegung/Einsicht, gedankenlos, unbedacht, -besonnen, impulsiv, leichtfertig, -sinnig, ohne Sinn und Verstand, plan-, ziel-, wahllos, übereilt, blindlings ‖ → kritiklos ‖ **b. werden:** erblinden, das Augenlicht verlieren ‖ **b. machen** → blenden

Blinddarm: Wurmfortsatz; *med.:* Appendix

Blindgänger → Versager

blindgläubig → kritiklos

blindlings → blind, → kritiklos

blinken → leuchten ‖ signalisieren, Signal/Zeichen geben

blinzeln: zwinkern, blinkern; *reg.:* zwinzeln, plinke(r)n

blitzartig → schnell ‖ → plötzlich

blitzen → leuchten ‖ aufleuchten, wetterleuchten; *dicht.:* flammen ‖ **es blitzt** → erkennen

Block: Brocken, Klotz, Klumpen, Kloben ‖ Wohnblock, Häuserblock, Gebäudekomplex, Häuserviertel ‖ Gruppe, Verband, Fraktion, Sektion, Lager

Blockade: Absperrung, Sperre, Abschließung, -riegelung, Blockierung, Einschließung, -kesselung, -kreisung, Umzingelung, Belagerung, Abschnürung, Umklammerung ‖ → Mattscheibe

blocken → bohnern

blockfrei: neutral

blockieren: sperren, aufhalten, verstellen, besetzen, den Durchgang/Zugang verhindern/unmöglich machen, abriegeln, -schnüren, -schneiden, -blocken ‖ außer Kraft/Betrieb setzen, stilllegen, → sabotieren

blockiert: ohnmächtig, handlungsunfähig, paralysiert, gehemmt, verkrampft, befangen, verklemmt

blöd → dumm ‖ → geistesgestört

blödeln → scherzen

Blödsinn → Unsinn

blödsinnig → dumm ‖ → geistesgestört

blondieren: bleichen, blond färben

bloß: nackt, unbedeckt, -bekleidet, -verhüllt, blank, hüllenlos, entblößt, -kleidet; *ugs.:* im Adamskostüm, barfuß bis auf den Hals, in natura, wie Gott ihn schuf; *gehoben:* bar ‖ ausschließlich, allein, niemand sonst, alleinig, nur, lediglich, nichts/niemand als, kein anderer

Blöße: Nacktheit, Nudität ‖ Schwäche, schwache Stelle, Armutszeugnis, Unzulänglichkeit, -vollständigkeit, -vollkommenheit, Achillesferse, Mangel, Manko, Fehler, Makel, wunder Punkt

bloßlegen: freilegen, auf-, abdecken, ausgraben, -schaufeln, -heben, sichtbar machen ‖ → aufdecken

bloßstellen: anprangern, öffentlich angreifen, → blamieren ‖ **sich b.** → s. blamieren

Bloßstellung → Schande

Bluff → Blendwerk

bluffen → täuschen

blühen: in Blüte stehen, Blüten haben/tragen, prangen, aufgeblüht sein ‖ gedeihen, florieren, Erfolg haben, s. entwickeln, gut gehen, Fortschritte machen, prosperieren, (an)wachsen, einen Aufstieg/Aufschwung erleben, voranschreiten, s. entfalten, in der Entwicklung begriffen sein, ansteigen, s. steigern, s. ausdehnen, s. erweitern; *ugs.:* flott gehen, hinhauen

blühend: (kern)gesund, frisch, strotzend, rüstig, stabil, munter ‖ jung, jugendlich, taufrisch, unverbraucht

Blume: Blüte, blühende Pflanze, Flora, Kelch, Dolde ‖ Aroma, Bukett, Duft, (Wohl)geruch, Odeur ‖ Schwanz (Hase)

Blumenkohl: Spargelkohl; *reg.; öster.:* Karfiol

Blumenstrauß: Bukett, Strauß, Sträußchen; *reg.:* Busch(en); *öster.:* Bouquet; *gehoben:* Gebinde

blümerant → flau

blumig: aromatisch, wohl riechend, duftend, balsamisch, würzig ‖ → ausladend

Blut: *ugs.:* Lebenssaft; *scherzh.:* roter Saft; *Jägerspr.:* Schweiß ‖ Blutsverwandtschaft, Sippe

Blutarmut: Anämie, Bleichsucht, Blutmangel

Blutbad: Blutvergießen, Massaker, Gemetzel, Metzelei, Hin-, Abschlachtung, Schlächterei, Massenmord, Morden

blutdürstig: blutrünstig, -gierig, mordsüchtig, -gierig, -lustig, bestialisch, unbarmherzig, erbarmungslos, entmenscht, grausam

Blüte: Blüte-, Glanzzeit, Hochblüte, Höhepunkt, Krönung ‖ Elite, Ober-, Führerschicht, Auslese, -wahl, die Besten ‖ Pustel, Pickel, Eiterbläschen

blutig: blutend, blutüberströmt, -triefend, -verschmiert, mit Blut befleckt/beschmutzt/besudelt, voll Blut ‖ → mörderisch

blutleer → blass ‖ abgestorben, empfindungs-, gefühllos, eingeschlafen, taub

blutrünstig → blutdürstig

Blutsauger: Ausbeuter, Halsabschneider, Erpresser, Wucherer; *ugs.:* Aasgeier, Hyäne, Schinder ‖ Vampir

Blutschande: Inzest, Inzucht

Blutübertragung: (Blut)transfusion

Blutung: *med.:* Hämorrhagie, Sanguination ‖ **monatliche B.** → Menstruation

Blutvergießen → Blutbad

Bö: Windstoß

Bock → Fehler ‖ → Lust ‖ **geiler B.** → Lüstling ‖ **sturer B.** → Trotzkopf

bocken: störrisch/widerspenstig/bockig sein, nicht gehorchen/folgen, trotzen; *reg.:* den Bock haben ‖ → stocken

bockig → widerspenstig

Boden: Grund, Erde, Land, Scholle,

Acker-, Erdboden ‖ Grundfläche, Fußboden ‖ Dachboden; *reg.:* Speicher, Estrich

bodenlos → unerhört ‖ abgrundtief, -gründig, unergründlich, klaftertief

Bodenlosigkeit → Frechheit

Bodensatz: Rückstand, Ablagerung, Sediment, Niederschlag, Satz, zurückbleibender Stoff, Rest

bodenständig: alteingesessen, autochthon, an Ort entstanden, heimisch, in der Heimat verwurzelt, heimatverbunden, verwachsen, -ankert ‖ naturnah, -verbunden, erdhaft, erdgebunden, elementar, ursprünglich, natürlich

Bodybuilding: Muskeltraining, Körperausbildung

Bogen → Biegung ‖ Wölbung, Rundung ‖ Blatt, Stück Papier

Bohle: Brett, Balken, Planke

Bohne: *volkst.:* Fasel, Fisel; *öster.:* Fisole

Bohnenstange → Riese

bohnern: blank machen, polieren (Fußboden); *ugs.:* wienern; *reg.:* blocken, bohnen; *schweiz.:* blochen

bohren: graben, stochern; *reg.:* pulen, polken ‖ drängen, antreiben, begehren, fordern, zusetzen; *ugs.:* quengeln, löchern, in den Ohren liegen ‖ schmerzen, stechen, brennen, durch Mark und Bein gehen

böig → luftig

Boiler: Heiß-, Warmwasserbereiter, Warmwasserspeicher

Böllerschuss: Salut, (Ehren)salve

Bollwerk: Hafendamm, -mauer, Wall ‖ Befestigung(sanlage), Verschanzung, Schanze, Bastion, Bastei, Verteidigungsanlage, Festung(sbau), Befestigungssystem, -werk, (Festungs)wall, Barrikade, Zitadelle, Kastell, Feste, Burg, Fort; *gehoben:* Wehr

bombardieren: Bomben werfen, mit Bomben angreifen/belegen, be-

schießen, unter Beschuss nehmen ‖ **b. mit:** überschütten mit (Fragen), bedrängen, überfallen

bombastisch: hochtrabend, geschwollen, -schraubt, schwülstig, prahlerisch, pompös, übertrieben, aufgebläht, überladen, -spitzt, -spannt, theatralisch

bombig → großartig

Bon: Gutschein, Wertmarke, Kupon, Chip, Jeton, Abschnitt, Kassenzettel, Quittung

Bonbon: Zuckerzeug, Drops, Toffee; *reg.:* Gutsel; *öster.:* Zuckerl; *schweiz.:* Guetzli, Zeltli

Bonmot: witziger Ausspruch, geistreiche Äußerung/Bemerkung, Sentenz

Bonus: Gutschrift, einmalige Sondervergütung, Prämie

Bonvivant → Lebemann

Bonze → Kapitalist

Boom: Hochkonjunktur, wirtschaftlicher Aufschwung, Blüte, Hausse

Boot: Kahn, kleines Schiff; *reg.:* Zille; *dicht.:* Nachen, Barke; *schweiz.:* Nauen; *ugs.:* Nussschale; *öster.:* Schinakel

Bord: Wandbrett, Regal, Gestell; *reg.:* Etagere; *ugs.:* Stellage

Bordell: Etablissement, Eroscenter, Freuden-, Dirnenhaus, öffentliches Haus, Massageinstitut; *veraltet:* Frauenhaus; *ugs.:* Hurenhaus, Liebessilo, -tempel, Knallhütte, Puff, Eierberg

Bordüre → Borte

borgen: (aus-, ver)leihen, aus-, verborgen, (zeitweise) überlassen, zur Verfügung stellen, vor-, auslegen, vorstrecken, -schießen, Anleihe geben, aushelfen; *ugs.:* (ver)pumpen ‖ **sich b.:** s. (ent-, aus)leihen, s. erborgen, s. entlehnen, eine Anleihe machen/aufnehmen, Schulden machen, einen Kredit/Geld/ein Darlehen aufnehmen, Verbindlichkeiten eingehen; *ugs.:* anpumpen, -zapfen, anschreiben lassen

Borke: Rinde ‖ *reg.:* (Wund)schorf, Grind, Kruste

Born: *(dicht.):* Brunnen, Quelle

borniert → engstirnig ‖ → dumm

Börse → Geldbörse

borstig: kratzend, stachlig, ruppig, struppig, zottig, bärtig, zottelig, rau ‖ unfreundlich, barsch, grob, schroff, brüsk, rüde, raubeinig, kurz angebunden, derb

Borte: Bordüre, Blende, Rüsche, Volant, Paspel, Tresse, Litze, Einfassung, Zierband, Besatz; *öster.:* Passepoil, Endel; *schweiz.:* Bord

bösartig: maligne, destruktiv, gefährlich, schlimm, heimtückisch, verfänglich, kritisch, unheil-, gefahrvoll, bedenklich, ernst ‖ hinterhältig, arglistig, verschlagen, intrigant ‖ → boshaft ‖ → böse

Bösartigkeit → Bosheit

Böschung: Abhang, Abfall, Gefälle, Hang, Halde, Absturz; *reg.:* Leite, Lehne; *schweiz.:* Bord

böse: schlecht, schlimm, arg, ungut, -recht, nicht gut/freundlich, gemein, garstig, nicht würdig, miserabel, schmutzig, erbärmlich, schnöde, schäbig, schuftig, ruch-, herzlos, perfide, teuflisch, schurkisch, → boshaft; *ugs.:* hundsgemein, schofel, mistig, dreckig ‖ verärgert, bitterböse, gram, voller Groll, spinnefeind, ärgerlich, gereizt, verstimmt, aufgebracht, empört, entrüstet, erbost, -bittert, ungehalten, -willig, -wirsch, geladen, wütend, zornig, wutentbrannt, -schnaubend, grimmig, furios, zähneknirschend, rasend, tobend ‖ streitsüchtig, zänkisch, aggressiv, unverträglich, angriffslustig; *ugs.:* krakeelerisch ‖ → bösartig ‖ → unangenehm ‖ unfolgsam, -gehorsam, -artig, -gezogen, nicht brav

Bösewicht → Schurke ‖ → Schelm

boshaft: böswillig, arg(willig), arglistig, infam, niederträchtig, übel gesinnt, maliziös, hinterlistig, gehässig, schadenfroh, tückisch, hämisch, odiös, missgünstig, verletzend, kränkend ‖ → bösartig ‖ → böse

Boshaftigkeit → Bosheit

Bosheit: Bösartigkeit, -willigkeit, Boshaftigkeit, Gemeinheit, Niedertracht, -trächtigkeit, Hinterlist, Schadenfreude, Gehässigkeit, Übelwollen, böse Absicht, böser Wille, (Heim)tücke, Arglist, Intriganz, -famie, Garstig-, Schlechtigkeit, Teufelei, Gift, Schikane, Schurkerei, Unverschämtheit, Abscheulich-, Ruchlosigkeit; *derb:* Sauerei, Schweinerei

Boss → Chef

böswillig → boshaft

Böswilligkeit → Bosheit

Bote: Sendbote, Überbringer, Kurier, Laufbursche, Botenjunge, Besorger, Austräger, -fahrer, -geher; *schweiz.:* Verträger

Botschaft: Mission, Gesandtschaft, diplomatische/ständige Vertretung, Auslandsvertretung ‖ → Nachricht

Botschafter: Diplomat, Gesandter, Regierungsvertreter, Missionär, Missionsträger, Auslandsvertreter, Nuntius

Bottich: Kübel, Eimer, Zuber; *reg.:* Bütte, Schaff

Bouillon → Brühe

Boulevard → Straße

bourgeois: (groß)bürgerlich, zur Bourgeoisie gehörend ‖ konservativ, rechts, kapitalistisch, etabliert, zum Establishment gehörend, angepasst

Boutique: Modegeschäft, -laden, -basar

Box: Verschlag, Abstellraum, Ausstellungsstand ‖ Schachtel, Packung

boxen: (mit Fäusten) schlagen/hauen/rangeln/raufen, Fausthiebe versetzen, einen Faustkampf machen, kämpfen, fighten

Boy → Bursche ‖ → Diener
Boykott: Verrufserklärung, Ächtung ‖ Waren-, Liefersperre, Embargo ‖ Ausschluss, Disqualifizierung, Aussperrung, Abbruch, Enthebung
boykottieren: mit Boykott belegen, (aus)sperren, verfemen, ausgliedern, kaltstellen, ächten, ausschließen, -stoßen, disqualifizieren ‖ → verhindern
brachliegen: unbebaut/nicht bebaut sein ‖ ungenutzt/nutzlos, still-, darniederliegen, ruhen
Branche: Wirtschafts-, Geschäfts-, Berufszweig ‖ → Fach
Brand: Feuer(sbrunst), Feuersturm, -meer, Flammenmeer, -gezüngel ‖ (Riesen)durst, trockene Kehle; *ugs.:* Mordsdurst, Höllenbrand ‖ Gewebstod; *med.:* Gangrän ‖ **in B. setzen** → anzünden ‖ **einen B. stiften** → abbrennen
branden: fluten, wogen, schlagen, s. brechen, tosend aufprallen ‖ ertönen (Beifall), erschallen
brandmarken: anprangern, an den Pranger stellen, → ächten, verfemen, -pönen, öffentlich tadeln, scharf kritisieren, verdammen, -urteilen, den Stab brechen über, geißeln, in Acht und Bann tun, verspotten, -höhnen, zum Gespött machen
brandschatzen: plündern, ausrauben, räubern, verheeren, -nichten, ausrotten, -tilgen, -löschen, verwüsten, zerstören, mit Feuer und Schwert wüten, dem Erdboden gleichmachen, niederbrennen, in Asche legen, wegnehmen
Brandstifter: Brand-, Feuerleger; *ugs.:* Feuerteufel
Brandung: Gischt, Wogenschlag, -prall; *reg.:* Feim
Branntwein: Schnaps; *ugs.:* Feuerwasser, der Klare, Rachenputzer, Stoff, Fusel
braten: schmoren, garen, backen,

grillen, dünsten, rösten; *reg.:* brägeln, präkeln; *ugs.:* brutzeln, schmurgeln
Brathähnchen: Backhähnchen, Backhuhn; *reg.:* Broiler; *öster.:* Brathändl, Backhändl; *schweiz.:* Güggeli; *abwertend:* Gummiadler, Gummivogel
Bratrohr → Röhre
Bratrost: Grill, Rost
Bratsche: Viola
Brauch: Sitte, Ritus, Ritual, Regel, Brauchtum, Mode, Konvention, Tradition, Überlieferung, Herkommen, Althergebrachtes ‖ Gewohnheit, Usus, Usance, Gepflogenheit, Ordnung, Gebrauch ‖ Form, Förmlichkeit, Etikette, Protokoll, Vorschrift, Zeremonie, Zeremoniell, Kult, Norm
brauchbar: nützlich, ver-, anwendbar, nutz-, einsetz-, übertrag-, verwertbar, geeignet, tauglich, dienlich, gute Dienste leistend, praktikabel, praktisch, passend, zweckmäßig, -voll, -dienlich, handlich ‖ anstellig, gelehrig, -schickt, fingerfertig, geübt, vielseitig, routiniert ‖ **ist b.:** kann alles, weiß s. zu helfen
Brauchbarkeit → Eignung ‖ → Nutzen
brauchen: benötigen, nötig haben, bedürfen, Bedarf haben, bedürftig sein, nicht entbehren/missen können, verwenden können, haben müssen, nicht auskommen ohne, angewiesen sein auf; *gehoben:* nicht entraten können; *ugs.:* nötig haben wie das tägliche Brot, gebrauchen
bräunen: anbräunen, -braten, -rösten ‖ **sich b.:** Farbe bekommen, braun werden; *reg.:* einbrennen; *ugs.:* s. färben ‖ Sonne abbekommen, s. → sonnen
Brause: Dusche ‖ Limonade, Sprudel; *ugs.:* Limo, Kribbelwasser; *öster.:* Kracherl
brausen: duschen, s. abduschen, eine

Dusche nehmen, unter die Dusche gehen ‖ rauschen (Wind), toben, tosen, sausen, stürmen, wüten, fegen, fauchen, pfeifen ‖ schnell fahren, rasen; *ugs.:* karriolen, dampfen

Braut: Verlobte, Zukünftige; *ugs.:* Gespons

Bräutigam: Verlobter, Zukünftiger; *veraltet:* Freier; *ugs.:* Gespons

brav: gehorsam, artig, folgsam, lieb, nicht frech, wohl erzogen, gut erzogen, gefällig, verbindlich, gesittet, zuvorkommend, manierlich, gefügig, fügsam, willig; *ugs.:* gut zu haben ‖ tüchtig, ordentlich, patent, fähig, wacker, tapfer; *ugs.:* auf Draht, pfundig ‖ rechtschaffen, redlich, achtbar, ehrenwert, -haft, ehrbar, aufrecht, tugendhaft, unbescholten, integer, vertrauenswürdig, loyal, solid, anständig ‖ bieder, einfältig, treuherzig, simpel, spießig, hausbacken, harmlos, zahm, treuherzig, kleinbürgerlich, prüde

bravo → ausgezeichnet

Bravour, Bravur → Mut ‖ → Meisterschaft

brechen: durch-, zer-, entzweibrechen, bersten, krachen, knacken, kaputtgehen, (zer)platzen, (zer)springen, (zer)splittern, in Stücke gehen ‖ (durch Druck/Gewalt) zerlegen, -schlagen, abtrennen, loslösen ‖ abbrechen, (ab)pflücken, knicken, abreißen; *ugs.:* abrupfen, abzupfen ‖ → falten ‖ s. übergeben, s. erbrechen, speien; *med.:* vomieren; *ugs.:* reihern, spucken; *derb:* kotzen ‖ nicht einhalten (Vertrag), verletzen, s. nicht an eine Verpflichtung/-einbarung halten ‖ ab-, zerbröckeln, (zer)bröseln, (zer)krümeln ‖ sich b.: ablenken (Licht), ableiten, in eine andere Richtung bringen ‖ b. mit → aussteigen ‖ **mit jmdm. b.:** die Freundschaft (auf)kündigen/auflösen, s. zurückziehen, s. lossagen, s. lösen, jmdn.

verlassen/im Stich lassen, jmdm. den Rücken kehren, s. trennen von, abschließen mit; *ugs.:* mit jmdm. Schluss machen, jmdm. den Laufpass geben, jmdn. sitzen lassen

Brechreiz: Übelkeit, -befinden, Unwohlsein; *med.:* Nausea

Bredouille → Not

Brei: Püree, Mus; *reg.:* Platsch, Kasch; *ugs.:* Papp, Pamp(s), Pampf, Klitsch; *öster.:* Koch; *schweiz.:* Müesli, Stock

breit: ausgedehnt, weit, weitläufig, -räumig, ausgestreckt, lang gestreckt, geräumig, ausführlich, weitschweifig, umständlich, langatmig, wortreich, in extenso, eingehend; *ugs.:* lang und breit, des Langen und Breiten ‖ → dick

Breite: Ausdehnung, -breitung, (Spann)weite, Weitläufigkeit ‖ → Körperfülle ‖ **Breiten** → Gegend

breiten → ausbreiten ‖ *gehoben:* weit ausstrecken (Flügel), ausspannen, weiten ‖ **sich b.** → s. ausdehnen

breit machen, sich: *(ugs.):* s. ausbreiten, viel Raum/Platz einnehmen/beanspruchen/in Beschlag legen; *ugs.:* s. dick machen ‖ s. aufdrängen, s. einnisten, s. nicht vertreiben/abweisen lassen, nicht weggehen, zudringlich sein, penetrant sein, lästig sein, bedrängen, belästigen

breitschlagen → überreden

breittreten → zerreden

Bremse: Brems-, Hemmvorrichtung ‖ Hemmnis, -klotz, -schuh, Hindernis, Handikap; *ugs.:* Klotz am Bein ‖ Breme, Viehfliege, -bremse, Biesfliege

bremsen: abbremsen, auf die Bremse treten, die Bremse betätigen/bedienen, Geschwindigkeit verringern, zum Stillstand bringen, (an)halten, Halt machen, (ab)stoppen, zum Halten/Stehen kommen ‖ → hemmen ‖ knapp-, kurzhalten; *ugs.:* den Daumen draufhalten, den Brotkorb höher hängen

brennen: flammen, flackern, züngeln, lodern, lohen, in Flammen stehen, knistern, glühen, schwelen, sengen, glimmen, verkohlen, abbrennen, ein Raub der Flammen werden ‖ anbrennen, s. entzünden, Feuer fangen, in Brand geraten, anglimmen ‖ leuchten, scheinen, strahlen ‖ schmerzen, weh tun, bohren, ziehen, beißen, kribbeln, reizen, durch Mark und Bein gehen ‖ destillieren, Branntwein produzieren/herstellen/erzeugen ‖ **sich b.:** s. verbrennen, s. durch Feuer/Hitze verletzen

brennend: glühend, heiß, feurig, flammend, kochend, siedend ‖ schmerzhaft, -lich, quälend, folternd, marternd, höllisch, unerträglich ‖ → wichtig

Brennmaterial → Heizmaterial

Brennpunkt: Mittelpunkt, Kern, Herz(stück), Zentrum, Knoten-, Schnitt-, Zentral-, Sammelpunkt, Nabel (der Welt), Puls, Drehpunkt, Achse, Pol, Mitte, Hochburg, Tummelplatz, Seele, Herd, Ursprung, Nährboden

brenzlig → gefährlich

Brett: Planke, Platte, Latte, Leiste, Bohle, Diele, Bord ‖ **schwarzes B.:** Anschlagtafel, -brett, Aushang

Brief: Schreiben, Zuschrift, Zeilen, Schriftstück; *ugs.:* Schrieb, Mitteilung, Nachricht, Post, Botschaft; *abwertend:* Wisch; *scherzh.:* Epistel ‖ **offener B.:** Sendbrief, -schreiben, veröffentlichtes Schreiben

Briefbote → Briefträger

Briefkuvert → Briefumschlag

Briefmarke: (Post)wertzeichen, Freimarke, Marke

Briefträger: Postbote, (Brief)zusteller; *reg.:* Briefbote, Zubringer

Briefumschlag: (Brief)kuvert, Briefhülle, Umschlag

Briefverkehr → Korrespondenz ‖ **im B. stehen** → korrespondieren

brillant → großartig

Brille: (Augen)gläser; *ugs.:* Intelligenzprothese, Nasenfahrrad, Spekuliereisen

brillieren: glänzen, s. auszeichnen, herausragen, prunken, s. hervortun, beeindrucken, Eindruck machen, imponieren, Bewunderung hervorrufen, bestechen, wirken, Wirkung haben auf, (glänzend) in Form/in Hochform sein, Erfolg haben

bringen: her-, heran-, hin-, herbeibringen, her-, heran-, herbeiholen, her-, heran-, hin-, herbeitragen, her-, heran-, hin-, herbeischaffen, an einen Ort tragen/befördern/bewegen/transportieren/spedieren, zustellen, -schicken, -leiten, -senden, (ab-, ein-)liefern, ins Haus schaffen; *ugs.:* anbringen, -schleifen, hin-, anschleppen ‖ nach Hause bringen, begleiten, heimbringen, -begleiten, mitgehen, -kommen, das Geleit geben ‖ → eintragen ‖ → aufführen ‖ → können ‖ **b. um** → betrügen ‖ **mit sich b.** → bewirken

brisant: äußerst explosiv, explodierbar, hochexplosiv, feuergefährlich ‖ brennend, sehr aktuell, heikel, kritisch, drängend, akut, ernstlich, konfliktgeladen, hochbedeutend; *ugs.:* heiß

Brise: Windhauch, Lüftchen, Lufthauch, -zug, leichter Wind

bröckelig: krümelig, bröselig, weich, morsch, mürbe

bröckeln → brocken

brocken: (zer)krümeln, (zer)bröckeln, (zer)bröseln, zerkleinern, abbrechen (Brot) ‖ → pflücken

Brocken: Stück, Haufen, Masse, Berg, Klumpen, Klotz, Block; *ugs.:* Batzen, Trumm ‖ Bissen, Happen, Mundvoll ‖ → Fettwanst ‖ → Wort

brodeln: blubbern, Blasen werfen,

(auf)kochen, (auf)wallen, sprudeln ‖
→ kriseln

Brodem: Dampf, Dunst, Nebel, Wolke, Schwaden, Hauch, Atem, Brodel, Wrasen, Rauch

Brombeere: Kroatz-, Ackerbeere

Brosame → Brösel

Brosche: (Schmuck)spange, (Ansteck)nadel, Busennadel, Agraffe

broschieren: heften, lumbecken, holländern, leicht/einfach binden

Broschüre: kleine Druckschrift, Heft, Taschenbuch, Paperback

Brösel: Brosame, Krümel, Krume

bröseln → brocken

Brot: (Brot)laib ‖ (Brot)scheibe, -schnitte; *reg.:* Stulle, Bemme

Brötchen: Semmel; *reg.:* Wecken, Schrippe, Rundstück, Knüppel; *öster.:* Weckerl, Laibchen, Baunzerl, Bosniak; *schweiz.:* Weggen, Weggli

Brötchengeber → Arbeitgeber

Broterwerb → Beruf

Brotkanten → Kanten

brotlos → arbeitslos ‖ nicht einträglich / Gewinn bringend, nichts einbringend, erfolg-, wert-, sinn-, zweck-, nutzlos

Brotzeit: Zwischenmahlzeit, zweites Frühstück, Vesper; *öster.:* Jause, Marende

Bruch: (Zer)brechen, Riss, Bruchstelle, Sprung, Spalte, Knacks ‖ Bügelfalte, Falz, Knick, Kniff ‖ Knochenbruch, Fraktur ‖ Einschnitt, Zäsur, Unterbrechung ‖ Ab-, Umkehr, Absage, -wendung, Zwiespalt, Loslösung, -sagung, Trennung, Scheidung, Zerwürfnis, Entzweiung, Distanzierung, Spaltung ‖ → Sumpf

brüchig: morsch, mürbe, ver-, zerfallen, verkommen, baufällig, alt(erschwach), schrottreif, fragil, defekt, lädiert, schadhaft, instabil; *ugs.:* ramponiert

Bruchstück: Fragment, Torso, unvollendetes Werk, Ruine, Wrack ‖

(Bruch)teil, Brocken, Stück, Ab-, Ausschnitt, Segment, Sektor

bruchstückhaft → unvollständig

Brücke: Überbrückung, -führung, -gang, Steg ‖ Verbindung, Beziehung, Verflechtung, Zusammenhang, geistiges Band, Verknüpfung, Bezug ‖ **B. schlagen** → s. verständigen

brüderlich: freundschaftlich, einträchtig, einig, einmütig, harmonisch, kameradschaftlich, partnerschaftlich

Brühe: Fleisch-, Kraftbrühe, Suppe, Boullion, Konsommee; *ugs.:* Gesöff, Plempe, Plörre ‖ → Schlamm

brühwarm → sofort

Brüllaffe → Schreihals

brüllen: schreien, laut sprechen/rufen, ein Geschrei erheben, einen Schrei ausstoßen, lärmen, grölen, johlen, kreischen; *ugs.:* donnern, plärren, quäken, schnauzen, krakeelen, Zeter und Mordio schreien, s. die Kehle aus dem Hals schreien, ein Konzert veranstalten ‖ → jammern

brummen: knurren, murren; *ugs.:* brummeln, grunzen, granteln, gnatzen ‖ summen, surren; *öster.:* burren ‖ → einsitzen

brummig → mürrisch

Brummschädel → Kopfschmerzen ‖ → Kater

Brunft → Brunstzeit

brunftig → brünstig

Brunnen: Wasserreservoir, Zisterne, Quelle; *dicht.:* Born, Bronn(en)

Brunst → Wollust ‖ → Brunstzeit

brünstig: brunftig, heiß, stierig (Kuh), läufig (Hündin), rossig (Stute), rammelig (Häsin) ‖ → begierig ‖ **b. sein:** stieren, rossen, rauschen (Schwein), ranzen (Wölfin); *Jägerspr.:* brunften

Brunstzeit: Brunst, Paarungszeit, Läufigkeit; *Jägerspr.:* Rauschzeit, Brunft(zeit), Ranzzeit

brüsk: schroff, barsch, rüde, abweisend, unhöflich, -freundlich, kurz und knapp, kurz angebunden, taktlos, ungeschliffen, -gefällig, muffig, brummig, grob, plump; *ugs.:* ungehobelt, bärbeißig, ruppig; *reg.:* rass, hantig, gschert

brüskieren: schroff/verletzend behandeln, kränken, beleidigen, kompromittieren, bloßstellen, blamieren, schlechtmachen, lächerlich/zum Gespött/unmöglich machen, diskreditieren, ein Leid/Unrecht zufügen, verletzen, weh tun, vor den Kopf stoßen; *gehoben:* ins Mark/Herz treffen; *ugs.:* auf die Zehen/den Schlips treten, einen Hieb versetzen

Brust: Brustkorb; *med.:* Thorax; *ugs.:* Brustkasten ‖ Busen, Brüste, Büste; *med.:* Mammae; *ugs.:* Vorbau, -gebirge, Balkon, Veranda, Kiste, Glocken, Jungs, Möpse; *derb:* Titten, Euter ‖ Seele, Herz, das Innere, Innenwelt, Psyche, Gemüt ‖ **B. geben:** stillen, nähren, säugen, an die Brust nehmen/legen

brüsten, sich → angeben

Brüstung: Geländer, Balustrade, Reling (Schiff)

Brut: Brüten, Gelege ‖ *abwertend:* Nachkommen(schaft), Kinder, Gören, Rangen ‖ → Gesindel

brutal: roh, verroht, ruchlos, rabiat, rüde, grob, hart, wüst, gewalttätig, gewaltsam, kannibalisch, tierisch, bestialisch, grausam, krude, barbarisch, ungesittet, kaltblütig, -schnäuzig, unbarmherzig, erbarmungs-, gnaden-, mitleids-, schonungs-, rücksichtslos, ohne Mitleid/Rücksichtnahme, unerbittlich, herz-, gefühllos, unmenschlich, inhuman, unsozial, entmenscht, ungerührt, rigoros, radikal, fanatisch; *ugs.:* viehisch, ohne Rücksicht auf Verluste

brüten: auf den Eiern sitzen, glucken, nisten, horsten ‖ → denken

brutzeln → braten

Bub → Junge

Bube: Bauer, Unter (Spielkarte), (Schar)wenzel ‖ → Schurke

Bubenstück → Schurkerei

Buch: Band, Foliant, Titel, Druckerzeugnis, -werk, Schrift, Werk, Publikation, Veröffentlichung, Abhandlung, Arbeit, Niederschrift, Untersuchung, Studie; *ugs.:* Schwarte, Schinken, Schmöker, Wälzer ‖ Lektüre, Lesestoff, Literatur

buchen: eintragen, -schreiben, verbuchen, Buch führen, verzeichnen, erfassen, registrieren, dokumentieren, archivieren, ergänzen, fortschreiben ‖ vorbestellen, reservieren

Bücherbord → Regal

Bücherei: Bibliothek ‖ Bücherbestand, -sammlung, -schatz ‖ Apparat, Präsensbestand, Mediothek

Bücherfreund: Büchermensch, -narr, -liebhaber, -wurm, Bibliophiler, Bibliomane, Leseratte

Buchhandlung: Buchladen, Bücherstube

Büchse: Dose, Konserve(ndose), Blechdose ‖ Gewehr, Flinte, Karabiner, Stutzen; *ugs.:* Knarre, Schieß-, Kracheisen, Schießprügel; *Kinderspr.:* Schießgewehr

Buchstabe: Schriftzeichen, Letter, Type

Buchstabenfolge: Alphabet, Abc

buchstäblich: wirklich, in der Tat, im wahrsten Sinne des Wortes, tatsächlich, förmlich, regelrecht, geradezu, nachgerade, praktisch, ganz und gar

Bucht: Bai, (Meer)busen, Golf, Förde, Fjord

Buckel: Höcker; *ugs.:* Ast; *reg.:* Ranzen ‖ *ugs.:* Rücken, Kreuz ‖ Hügel, Anhöhe

buckeln → kriechen

bücken, sich: s. (nieder)beugen, s. neigen, s. krümmen, einen krummen Rücken machen, s. klein/krumm machen; *ugs.:* einen (krummen) Buckel machen

bucklig: holprig, uneben, hügelig, wellig, bergig ‖ krumm, höckerig, verwachsen, gebeugt, verkrüppelt, krüppelig, missgestaltet, hochgekrümmt

Bückling: Verbeugung, Verneigung; *Kinderspr.:* Diener; *scherzh.:* Kratzfuß

Buddel → Flasche

buddeln → graben

Bude: (Bau)baracke, (Bau)hütte ‖ Kiosk, (Markt)stand ‖ → Haus ‖ → Zimmer

Budget: Etat, Haushaltsplan, (Staats)haushalt, Finanzplan, Voranschlag, Kostenaufstellung, -plan, Kalkulation

büffeln → lernen

Büfett: Anrichte, Schanktisch, Theke, Ausschank; *reg.:* Tresen; *öster.:* Imbissstube ‖ Geschirrschrank

Bügeleisen: Plätteisen; *reg.:* Plätte; *schweiz.:* Glätteisen

bügeln: glätten, plätten ‖ (heiß)mangeln; *reg.:* mangen, rollen, durchdrücken

bugsieren → schleppen ‖ → manövrieren

buhlen um → werben um

buhlerisch: unterwürfig, -tänig, devot, servil, kriecherisch, liebedienerisch ‖ *veraltet:* unzüchtig, schamlos, verrucht

Bühne: Plattform, Bretterboden, Rampe ‖ Theater, Rampenlicht; *ugs.:* Bretter, die die Welt bedeuten; *abwertend:* Schmiere ‖ Schau-, Kampfplatz, Arena, Szenerie, Szene

Bühnenbild: Bühnenausstattung, -dekoration, Kulissen, Szenarium

Bühnenstück → Theaterstück

Bukett: Blumenstrauß; *reg.:* Busch(en); *gehoben:* Gebinde ‖ Duft (beim Wein), Blume, (Wohl)geruch, Bouquet

bukolisch → idyllisch

Bulldog: Traktor, Trecker, Zugmaschine, Schlepper; *reg.:* Bulldogger

Bulle: männliches Rind, Stier ‖ *ugs.:* Riese, Gigant, Hüne, Goliath, Koloss ‖ → Polizist ‖ versiegelte Urkunde, päpstlicher Erlass

Bulletin: amtlicher Tagesbericht, Berichterstattung, Rapport, öffentliche Bekanntmachung/Mitteilung, Kommuniqué

Bummel: (Spazier)gang, Streifzug, Promenade, Tour

bummeln: spazieren (gehen), flanieren, promenieren, schlendern, wandern, einen Bummel/Spaziergang/Streifzug machen ‖ trödeln, s. Zeit lassen, langsam arbeiten/sein, säumen; *ugs.:* nölen, zotteln, wursteln; *reg.:* mären, dammeln; *öster.:* (herum)brodeln; *schweiz.:* herumtrölen ‖ faulenzen, nicht arbeiten, nichts tun, untätig/müßig/träge/arbeitsscheu/faul/saumselig sein; *ugs.:* die Hände in den Schoß legen, auf der faulen Haut liegen, die Daumen drehen

bummlig → langsam

bumsen → dröhnen ‖ → klopfen ‖ → koitieren

Bund: Vereinigung, -bindung, Bündnis, Zusammenschluss, Genossenschaft, Gesellschaft, Assoziation, Partei, (Interessen)gemeinschaft, Liaison ‖ Staatenbund, (Kon)föderation, Bundesstaat ‖ Körperschaft, Verein, Verband, Klub, Union, Korporation, Ring, Kongregation, Bruderschaft, Organisation ‖ Verbündetsein, Pakt, Koalition, Integration, Entente, Liga, Achse, Allianz ‖ Ballen, Packen, Bündel, Paket, Stapel ‖ Büschel, Busch(en), Strauß

Bündel: Ranzen, Tornister ‖ → Bund

bündeln: zusammenbinden, -schnüren, -fassen, -packen, -fügen, zu einem Bund binden, ein Bündel/einen Strauß machen; *schweiz.:* büscheln

bündig: sicher, überzeugend, stichhaltig, zwingend, schlüssig, stringent, unwiderlegbar, -angreifbar, schlagend, triftig, plausibel, einsichtig, -leuchtend ‖ **kurz und b.** → kurz

Bündnis → Bund ‖ Vertrag, Kontrakt, Abkommen, Pakt ‖ **ein B. eingehen** → s. verbünden

Bunker: Unterstand, Luftschutzkeller, -raum ‖ → Gefängnis

bunt: farbig, in Farbe, mehr-, vielfarbig, scheckig, farbenfroh, -freudig, -prächtig, -reich, schillernd, leuchtend, lebhaft, kräftig, poppig, satt, grell; *ugs.:* knallig, schreiend ‖ → mannigfaltig ‖ → durcheinander

Bürde: Last, Belastung, Kreuz, Joch, Schwere, Mühsal, Crux, Leid, Jammer, Elend, Pein, Qual, Schmerz, Druck, Sorge, Ballast, Kummer

Burg: Feste, Festung, Kastell

Bürge: Gewährsmann, Garant

bürgen: haften, Sicherheit/Gewähr leisten, s. verbürgen, die Bürgschaft übernehmen/stellen, einstehen/eintreten für, seine Hand ins Feuer legen für, garantieren, Garantie leisten/übernehmen, verantwortlich sein/die Verantwortung tragen/übernehmen für, Brief und Siegel geben, s. verbriefen/-pflichten, die Folgen tragen; *ugs.:* den Kopf hinhalten

Bürger: Be-, Einwohner, Mitbürger, Staatsbürger, -angehöriger, Citoyen; *veraltet:* Seele ‖ *pl.:* → Bevölkerung

bürgerlich: zivil, ordentlich, geordnet, solid, sicher etabliert, zum Establishment gehörend, bourgeois, konservativ, angepasst ‖ mittelständisch

Bürgermeister: Orts-, Gemeindevorsteher, Gemeindeoberhaupt, Schultheiß, (Dorf)schulze; *schweiz.:* Gemeindeammann, -präsident ‖ Stadtoberhaupt, Oberbürgermeister, Regierender Bürgermeister (Berlin)

Bürgersteig: Gehsteig, -weg, Fußgängersteig, -weg, Fußweg, Trottoir

Bürgertum: bürgerliche Gesellschaft, Mittelklasse, -stand, -schicht, Bourgeoisie

Bürgschaft: Garantie(leistung), Sicherheit(sleistung), Gewähr, Haftung, Pfand, Sicherung, Hinterlegung, Kaution, Deckung, Unter-, Faustpfand, Obligo, Verpflichtung, -antwortung

burlesk → komisch

Büro: Kanzlei, Kontor, Amtsraum, -stube, Geschäfts-, Dienstzimmer, Bürostube, Office ‖ Dienststelle, -stätte, Behörde, Geschäftsstelle

Büroklammer: Heft-, Briefklammer

Bürokrat: Aktenmensch, -krämer, Pedant, Umstandskrämer, Haarspalter, Federfuchser, Buchstabenmensch, Paragraphen-, Prinzipienreiter

Bürokratie: Bürokratismus, Beamtenherrschaft, Pedanterie, Engstirnigkeit

bürokratisch: buchstabengetreu, kleinlich, pedantisch, engstirnig, kleinkrämerisch, umständlich, haarspalterisch, wortklauberisch, besserwisserisch, spitzfindig, rechthaberisch, schematisch, schablonenhaft, allzu genau; *ugs.:* pingelig, pinselig

Bursche: Jüngling, Jugendlicher, Heranwachsender, Halbwüchsiger, junger Mann/Mensch, Teen, Twen; *scherzh.:* Milchgesicht, -bart; *reg.:* Schwengel; *ugs.:* Boy, junger Kerl/Dachs/Spund; *abwertend:* Halbstarker, Laffe, Fant; *öster.:* Schlurf ‖ → Junge ‖ → Diener

burschikos: jungenhaft, keck, kess, flott, leger, ungezwungen, natürlich, lässig

bürsten: aus-, abbürsten, säubern, putzen, reinigen, striegeln (Pferd), wienern, wichsen, schrubben

Bus: Auto-, Omnibus; *schweiz.:* Autocar

Busch: Strauch, Staude ‖ Dschungel,

Urwald, Wildnis, Steppe, Outback ‖ (Blumen)strauß, Bukett; *öster.:* Buschen ‖ → Buschwerk

Buschwerk: Busch, Gebüsch, Dickicht, Gehölz, -sträuch, Hecke, Unterholz, Niederwald, -holz, Strauchwerk, Reisig

Busen → Brust ‖ → Bucht

Buße: Strafe, Bestrafung; *öster.:* Pönale ‖ Sühne, Reue, Genugtuung, Wiedergutmachung, Ausgleich, Entschädigung, Ersatz ‖ **B. tun** → büßen

büßen: Buße tun, sühnen ‖ ein-, geradestehen für, (teuer) bezahlen, zahlen, entgelten, wiedergutmachen, ausgleichen, entschädigen, die Folgen tragen, Schadenersatz leisten; *ugs.:* ausbaden, herhalten, die Scharte auswetzen, den Brei/die Suppe auslöffeln, den Buckel hinhalten, bluten für

Busserl → Kuss

bußfertig → reumütig

Büste → Brust

Butler → Diener

bye-bye → Wiedersehen

C

Café: Kaffeehaus, -stube, Cafeteria, Konditorei

Callgirl → Prostituierte

Camp: Camping-, Ferien-, Zeltlager, Zeltplatz ‖ Feld-, Gefangenenlager ‖ Biwak

campen → zelten

Camping: das Zelten, Leben/Aufenthalt/Ferien in einem Zelt/ Wohnwagen

Campingwagen: Wohnwagen, -anhänger, Haus auf Rädern

Cape: Umhang, Poncho, Pellerine

Caravan: Reisewohnwagen

caritativ → karitativ

Chaiselongue → Couch

Casanova → Frauenheld

CD → Schallplatte

Champagner: Sekt, Schaum-, Perlwein; *ugs.:* Schampus

Champignon: Egerling

Champion: Spitzenreiter, Meister, Favorit, Crack; *ugs.:* Kanone, Ass

Chance: Möglichkeit, (günstige) Gelegenheit, Okkasion, Opportunität, Glück(sfall), Glückswurf, Sprungbrett, günstige Konstellation/Umstände, günstiger Augenblick/Moment, Aussicht (auf Erfolg), Hoffnung, Zukunft

chancenlos → aussichtslos

changieren → schillern

Chanson: Lied, Song

Chaos → Anarchie ‖ → Unordnung

Chaot: Hitz-, Wirrkopf; *ugs.:* Spinner, Konfuser, Durchdreher, Berufsdemonstrant

chaotisch → durcheinander ‖ → gesetzlos

Charakter: Wesensart, -anlage, Wesen, Anlage, Natur, Naturell, Ge-

mütsart, -richtung, Art(ung), Veranlagung, Disposition, Eigenart, Individualität, Spezifikum, Temperament ‖ Festig-, Stetig-, Standhaftig-, Unbeirrbarkeit, Rückgrat, Gesinnung, Haltung ‖ Eigenheit, Eigentümlichkeit, Gepräge, Besonderheit, Spezialität, Typ, Eigenschaft, Kennzeichen, Merkmal ‖ Persönlichkeit, Charakter-, Willensmensch, ganzer/ abgerundeter Mensch; *ugs.:* ganzer Kerl

charakterfest: charaktervoll, -stark, willensstark, entschieden, unerschütterlich, standhaft, treu, unwandelbar, felsenfest, unbeirrbar, nicht wankelmütig, entschlossen ‖ **ch. sein:** einen starken Charakter haben, nicht schwanken/wanken; *ugs.:* nicht weich werden, nicht klein beigeben, nicht umfallen, Rückgrat haben

charakterisieren: (in seiner Eigenheit) darstellen, -legen, erläutern, treffend schildern, kennzeichnen, be-, durchleuchten, bezeichnen, -schreiben, illustrieren, aufrollen, entwickeln, -falten, typisieren, behandeln, skizzieren, manifestieren, auseinander setzen, eine Darstellung geben, ein Bild entwerfen, erzählen, betrachten, ausdrücken, -breiten

Charakterisierung → Darstellung

Charakteristik: (Be)wertung, Beurteilung, -gutachtung, Einschätzung, Charakterisierung, Charakter-, Personenbeschreibung, Auffassung, Urteil, Schilderung, Beschreibung, Kennzeichnung

Charakteristikum: Merkmal, Kennzeichen, Prüfstein, Besonderheit, Haupteigenschaft, Grundzug, Attribut, (Charakter)zug, Signum, Zeichen, Eigentümlichkeit, Kriterium, Symptom, Anzeichen

charakteristisch: be-, kennzeichnend, eigentümlich, typisch, echt, eigenartig, (wesens)eigen, art-, wesensgemäß, spezifisch, symptomatisch, unverkennbar, prägnant, signifikant, zugehörig, unverwechselbar, klassisch

charakterlos: ehr-, würdelos, nichtswürdig, verächtlich, ehrvergessen || willenlos, willensschwach, haltlos, charakterschwach, haltungslos, ohne jeden Halt, labil, verführbar, ohne Rückgrat; *ugs.:* rückgratlos

charakterschwach → charakterlos

charakterstark → charakterfest

Charakterzug → Charakteristikum

Charge: Würde, Rang, Stellung, Stufe, Grad || *milit.:* Dienstgrad, -stellung, -rang, Rangstufe || Nebenrolle, kleine Rolle

charmant → reizend || → attraktiv

Charme → Reiz

Charmeur → Frauenheld

chartern: (ab)mieten (Schiff, Flugzeug), s. einmieten, pachten, anheuern

Chauffeur: (Auto-, Kraft)fahrer, (Wagen)lenker, Führer

chauffieren: ein Auto fahren/lenken/steuern/führen; *ugs.:* kutschieren

Chaussee: Landstraße

Chauvi: Männlichkeitsprotz, -fanatiker, Unterdrücker, Patriarch, Tyrann, Macho, Sexist; *ugs.:* Macker, Pascha

Chauvinismus: übersteigerte Vaterlands-/Heimatliebe, extremer Nationalismus/Patriotismus/Nationalstolz, übertriebenes Nationalgefühl || → Malechauvinismus

Check → Scheck

checken → kontrollieren || → verstehen

Chef: Vorgesetzter, -sitzender, -steher, Direktor, der Verantwortliche, Meister, (Geschäfts)führer, (Betriebs)leiter, Oberhaupt, Kopf, Prinzipal, Anführer, Manager; *ugs.:* Boss, Macker, der Alte

chic → schick

Chiffre: Ziffer, Zahl, Nummer || Geheimzeichen, -schrift, Code

chiffrieren: in Geheimschrift abfassen, verschlüsseln, kodieren

Chimäre → Schimäre

Chip: Bon, Kupon, Jeton, Gutschein, Wertmarke || Mikroschaltung

cholerisch: aufbrausend, jähzornig, unbeherrscht, hitzig, hitzköpfig, erregbar, hysterisch, reizbar

Chor: Singgruppe, -gemeinschaft, -verein, -kreis, Gesangverein, Sängerkreis, Chorverein, -gemeinschaft || Altarraum, -chor || **im Ch.:** gemeinsam, miteinander, vereint, geschlossen, kollektiv, zusammen, Seite an Seite, Hand in Hand, Arm in Arm, Schulter an Schulter

Choral: Kirchenlied, -gesang

Chose → Angelegenheit

Christbaum: Weihnachts-, Lichter-, Tannenbaum; *ugs.:* Baum

Christrose: Nieswurz, Weihnachtsrose; *volkst.:* Schneerose, -blume

Christus: Heiland, Jesus, Messias, Erlöser, (Er)retter, Gottessohn, Lamm Gottes, Gekreuzigter, Menschensohn, Schmerzensmann

Chronik: Annalen, Aufzeichnung (geschichtlicher Ereignisse), Geschichte

chronisch: langwierig (Krankheit), zäh, schleichend, schleppend, langsam/zögernd verlaufend, unheilbar || (an)dauernd, permanent, beständig, anhaltend, unaufhörlich, fortgesetzt, ununterbrochen

Cineast: Filmfachmann, -schaffender || Filmkenner, -liebhaber, Kinogänger; *ugs.:* Filmfan, -freak

circa → zirka

City: Innenstadt, Stadtmitte, -kern, -zentrum, Zentrum, Geschäftsviertel

Clan: Sippe, Familie, Familienverband, Verwandtschaft, Großfamilie, Stamm; *abwertend:* Sippschaft, Mischpoke

clean: (stuben-, ast)rein, sauber, einwandfrei, makellos, moralisch vertretbar, lauter, anständig, zuverlässig, schuldlos, untadelig, -verdorben ‖ nicht mehr süchtig

clever → schlau

Clique → Gruppe

Cliquenwirtschaft → Vetternwirtschaft

Clochard: Vagabund, Stadtstreicher, Obdachloser, Tramp, heimatloser Geselle; *ugs.:* Penner, Walz-, Penn-, Tippelbruder; *abwertend:* Herumtreiber, Stromer, Gammler; *öster.:* Sandler

Clou → Glanzpunkt ‖ → Krönung ‖ → Pointe

Clown → Spaßvogel

Clownerie → Scherz

Club → Klub

Coach: Betreuer (Sport), Trainer, Sportlehrer

Cocktail: Misch-, Mixgetränk, Drink, Appetizer, Martini

Code → Kode

Codex → Kodex

Coiffeur → Friseur

Coitus → Koitus

Colt: Revolver, Pistole, Terzerol; *ugs.:* Schießeisen, -prügel

Come-back: Wieder-, Neubelebung, Auferstehen, Innovation, Wiedergeburt, Aufleben, Erneuerung, Renais-sance ‖ (erfolgreiches) Wiederauftreten (Theater, Film)

Computer: elektronische Datenverarbeitungs-/Rechenanlage, EDVA, Rechner, PC, Notebook, Laptop; *scherzh.:* Elektronengehirn

Conférencier: Ansager, Showmaster

contra: wider, gegen

cool: kühl, ruhig, beherrscht, gelassen, lässig, gleichgültig, kalt(blütig), abweisend, unverfroren ‖ gut, toll, Klasse; *ugs.:* geil

Copyright: Urheberrecht

Corps → Korps

Couch: Sofa, Chaiselongue, Diwan, Kanapee, Ottomane, Liege(statt); *veraltet:* Ruhebett; *öster.:* Bettbank

Coup: Schlag, Hieb ‖ Kunstgriff, Kniff, Meisterstück, -streich ‖ kühnes Unternehmen/Vorhaben, Husarenstück, erfolgreiche Aktion/Operation

Coupé: Eisenbahn-, Zugabteil

Coupon → Kupon

Courage: Beherztheit, Unerschrockenheit ‖ → Mut

Cousin: Vetter

Cousine → Kusine

Cowboy: Rinderhirt, -hüter, Gaucho, Wildwest-, Revolverheld

Crack → Champion

Crash → Zusammenbruch ‖ → Zusammenstoß

Creme: Süßspeise, Pudding, Tortenfülle; *schweiz.:* Sahne, Rahm ‖ Salbe, Paste; *ugs.:* Schmiere

Crème → High-Society

Crew: Besatzung, Mannschaft (Flugzeug, Schiff) ‖ → Gruppe

Crux → Not ‖ → Leid

D

da: dort, ebendort, dortselbst, eben-, allda; *öster.:* dorten ‖ hier(selbst); *öster., schweiz.:* dahier ‖ zugegen, präsent, zur Stelle, am Platze, anwesend, greifbar, zu erreichen, zur Hand, daheim, zu Hause ‖ dann, zu diesem Zeitpunkt ‖ weil, zumal ‖ während, als; *ugs.:* wie

dabei: daneben, nahebei, nebenan, daran ‖ darunter, dazwischen, darin ‖ während dieser Zeit, unter-, indessen, hierbei ‖ obwohl, -gleich, trotzdem ‖ anwesend, zugegen, präsent ‖ **d. bleiben** → festbleiben

dabeibleiben → bleiben

dabei sein: beteiligt/anwesend/zugegen/präsent/hier/dort sein, da sein, teilnehmen, beiwohnen, dazugehören, teilhaben ‖ → mitwirken ‖ im Begriff sein, beschäftigt sein/s. befassen mit

dableiben → bleiben

Dach: Überdeckung, -dachung, Decke, Bedeckung, Dachgiebel, -first ‖ **schützendes D.** → Unterkunft

Dachboden: Speicher; *reg.:* Estrich, Bühne

Dachfenster: Gaube, Dach-, Bodenluke, Boden-, Giebelfenster

Dachkammer: Mansarde, Dachstube, -zimmer, Bodenkammer, Abstellraum

Dachrinne: Regenrinne, -traufe; *reg.:* (Dach)kandel, Kännel, Regengosse

Dachs: Erdmarder; *volkst.:* Grimbart ‖ **junger D.** → Grünschnabel

Dachzimmer → Dachkammer

dadurch → deshalb ‖ davon, durch dieses Mittel, auf Grund dieser Sache, hierdurch, -mit, damit

dafür: hierfür, -zu, für diesen Zweck, für dieses Ziel ‖ stattdessen, anstatt, -stelle, zum Tausch, als Preis, als Entgegnung, als Ersatz, ersatzweise ‖ für/hinsichtlich diese(r) Sache, was das betrifft, in diesem Punkt, diesbezüglich, im Hinblick darauf ‖ **d. sein** → billigen

dafürhalten: meinen, der Meinung/Ansicht sein, finden, glauben, denken

Dafürhalten → Ansicht

dagegen: (je)doch, freilich, aber, indes, hingegen, wiederum, hiergegen, dawider, allein, vielmehr, mindestens, wenigstens, andrerseits, demgegenüber, im Gegensatz dazu ‖ im Vergleich/Verhältnis dazu ‖ **d. sein** → ablehnen

dagegenhalten → antworten

dagegenreden → einwenden

dagegenstellen, sich → aufbegehren

daheim: zu Hause, in seinen vier Wänden/Pfählen, am häuslichen Herd, im Schoß/Kreis der Familie, im trauten Heim; *ugs.:* bei Muttern ‖ in der Heimat, im eigenen Land

Daheim → Heim

daher: von dort/da, dort-, daher, aus dieser Richtung ‖ deshalb, -wegen, dadurch, -rum, folglich, infolgedessen, demzufolge, aus diesem Grunde, somit, mithin, so, insofern, daraufhin; *ugs.:* drum

dahergelaufen → unbekannt

daherreden → schwafeln

dahin: dorthin, an diese Stelle/diesen Punkt/Ort/Platz ‖ → vergangen ‖ in diesem Sinne, dahingehend ‖ **d. sein:** verloren/verschwunden/vorbei/vergangen sein, weg/fort/wie weggeblasen sein; *ugs.:* finito, futsch(ikato)/zum Teufel/flöten sein

dahindämmern → dahinleben

dahingestellt: unentschieden, offen, fraglich, ungewiss, -bestimmt, -geklärt, -gesichert, zweifelhaft, umstritten

dahinleben: sein Dasein fristen, dahindämmern, einförmig/-tönig seinen Tag verbringen; *abwertend:* gammeln, vegetieren; *ugs.:* dahinwursteln, herumkrebsen

dahinscheiden → sterben

dahinschwinden: vergehen, abnehmen, (zer)rinnen, nachlassen, im Schwinden begriffen sein, aussterben, (ab)sinken, s. vermindern, s. verkleinern, s. verringern, schrumpfen, abflauen, erkalten, verebben, einschlafen, zurückgehen, zu Ende/ zur Neige gehen

dahinsiechen → krank sein

dahinter: hinten, rückwärts, -seitig, im Rücken, auf der Kehrseite/Rückseite

dahinterklemmen, sich → s. anstrengen

dahinterkommen → erkennen

dahintersetzen, sich → s. anstrengen

damals: früher, seinerzeit, in/zu jener Zeit, vor langem, in jenen Tagen, dazumal, einst(ens), einstmals, vor-, ehemals, ehe-, vordem, einmal, im Jahre; *ugs.:* Anno dazumal

Dame: Königin (Schach) ‖ gnädige Frau, Madame, Lady

damenhaft: ladylike, fraulich, vornehm, fein

damisch → verrückt

damit: hiermit, -durch, dadurch, auf diese Weise, dass, so/auf dass, um zu

dämlich → dumm

Damm: Deich, (Schutz-, Erd)wall, Ab-, Eindämmung ‖ *reg.:* Fahrbahn, Straße

dämmen: ein-, zurückdämmen, aufhalten, Halt/Einhalt gebieten, zähmen, bändigen, unter Kontrolle bekommen ‖ abschwächen, dämpfen, (ab)mildern, lindern, mäßigen ‖ → hemmen

dämmern: hell/Tag werden, grauen, tagen, dunkel/Nacht werden, dunkeln, s. verfinstern; *reg.:* schummern ‖ es dämmert → erkennen ‖ vor sich hin d.: apathisch/lethargisch/benebelt sein, im Halbschlaf liegen, vor s. hin träumen

Dämmerung: Halbdunkel, Zwielicht, Dämmerlicht, -grau, -stunde, Morgengrauen, Schummer(stunde); *ugs.:* blaue Stunde

Dämmerzustand → Halbschlaf

dämonisch: teuflisch, diabolisch, satanisch, mephistophelisch ‖ → schauerlich

Dampf: Qualm, Wolke, Schwaden, Hauch, Dunst, Atem, Brodel, Nebel, Rauch, Smog; *reg.:* Wrasen; *dicht.:* Brodem ‖ **D. machen** → anregen ‖ **D. ablassen** → s. abreagieren

Dampfbad: Sauna, Schwitz-, Heißluftbad

dampfen: verdunsten ‖ kochen, sieden ‖ → schwitzen

dämpfen: dünsten, garen, in Dampf kochen/gar werden lassen ‖ (ab)schwächen, vermindern, mildern, reduzieren, (ein)dämmen, temperieren, lindern, abschirmen, zurücknehmen ‖ → überschatten

Dampfer: Dampfboot, (Dampf)-schiff

danach: später, hinterher, hintennach, hiernach, -auf, nachher, darauf, dann, seit(dem), als-, sodann, nachdem, -folgend, anschließend, Anschluss daran, (her)nach, im Nachhinein, in der Folge, infolgedessen, schließlich, endlich; *ugs.:* hinterdrein ‖ demnach, folglich, sonach, -mit, demzufolge, also, ergo, logischerweise, entsprechend, alsdann, mithin

Dandy: Geck, Snob, Fant, Stutzer, Gent, Stenz, Elegant, Schönling; *ugs.:* Fatzke, (Lack)affe, feiner Pinkel, Pomadenhengst, Zieraffe, Schicki; *öster.:* Geschwuf, Gigerl

dandyhaft → eitel

daneben: nebenan, nahebei, nahe, nächst, seitlich, seitwärts, neben ‖ darüber hinaus, außerdem, ansonsten, zugleich, -dem, obendrein, weiter, überdies, sonst, auch, noch, und

danebengehen → scheitern

danebenhauen → s. irren

danebenschießen → verfehlen ‖ → s. irren

dank: infolge, kraft, durch, wegen, aufgrund, angesichts, halber, um … willen, um … zu, zwecks; *gehoben:* ob; *ugs.:* von wegen

Dank: Dankbarkeit(sgefühl), Danksagung, Dankeswort, Erkenntlichkeit, Verbundenheit ‖ → Lohn

dankbar: dankerfüllt, mit/von Dank erfüllt, verpflichtet, erkenntlich, verbunden ‖ dankenswert, lohnend, nützlich, fruchtbar, ergiebig, -sprießlich, gedeihlich, einträglich, rentabel

Dankbarkeit → Dank

danken: Dank sagen, s. bedanken, seinen Dank aussprechen/bekunden/äußern/bezeigen/abtragen/abstatten/zum Ausdruck bringen/zollen, dankbar sein, s. dankbar erweisen ‖ verdanken, zu danken haben für, (Dank) schulden, zu Dank verpflichtet sein, s. zu Dank verpflichtet fühlen, in jmds. Schuld stehen, hoch anrechnen ‖ ablehnen, verzichten, ausschlagen, verschmähen, abweisen; *ugs.:* pfeifen/pusten auf ‖ vergelten, s. revanchieren ‖ s. erkenntlich zeigen, belohnen

dankenswert → lobenswert

Dank sagen → danken

dann → danach ‖ zudem, überdies, weiter(hin), ferner, darüber hinaus, hinzu, außerdem, sonst

daran: hieran, dabei; *ugs.:* dran ‖ nebenan, nahebei, nahe, nächst, seitlich, seitwärts, neben ‖ im Hinblick darauf, in Bezug auf, hinsichtlich

darangehen → anfangen

daransetzen, sich → anfangen

darauf → danach ‖ hierauf(hin); *ugs.:* drauf

daraus: hieraus; *ugs.:* draus

darben: Hunger/Not/Mangel leiden, sein Dasein/Leben fristen, arm sein, hungern, kaum das Leben fristen, in Armut leben, vegetieren, s. so durchschlagen, s. mühsam durchbringen, nichts zu essen/im Magen haben, am Hungertuch nagen, schmachten, fasten, von der Hand in den Mund leben, bessere Tage gesehen haben, ermangeln, missen, entbehren; *ugs.:* nichts zu beißen haben, vor Hunger umkommen, am Daumen lutschen, dahinvegetieren, herumkrebsen

darbieten → aufführen ‖ → anbieten ‖ → geben ‖ **sich d.:** s. bieten, s. zeigen, s. eröffnen, erkenn-/sichtbar werden

Darbietung → Aufführung ‖ Vortrag, Rezitation, Deklamation, Ausführung, Wiedergabe, Demonstration, Darstellung

darin: hierin, in diesem Punkt ‖ dabei, -zwischen; *ugs.:* drin

darlegen → schildern ‖ erläutern, skizzieren, manifestieren, auseinander setzen, erörtern, deuten, thematisieren, diskutieren, untersuchen, deutlich machen, verdeutlichen, auslegen, -führen, entwickeln, dartun, demonstrieren, charakterisieren, erklären, (auf)zeichnen, veranschaulichen, illustrieren, definieren, bestimmen, aufrollen, be-, abhandeln, ein Bild entwerfen, eine Darstellung geben, wiedergeben, besprechen, -leuchten, -trachten, erzählen, zur Sprache bringen, zur Diskussion stellen, durchnehmen, berichten; *gehoben:* entfalten

Darlegung → Darstellung

Darlehen: Anleihe, Kredit, Schuldverschreibung; *schweiz.:* Darleihen

Darling → Liebling

Darmentleerung → Stuhlgang

Darmkatarr(h) → Durchfall

Darmträgheit → Verstopfung

darreichen → geben

darstellen → schildern ‖ → aufführen ‖ zeigen, abbilden, hinstellen ‖ wiedergeben, (eine Rolle) spielen, vorstellen, verkörpern, agieren, figurieren, mimen, chargieren, nachahmen, imitieren ‖ bedeuten, sein, bilden, abgeben, besagen, meinen, heißen, vorstellen, gelten ‖ **sich d.:** s. herausstellen, s. erweisen, s. präsentieren, s. produzieren, s. sehen lassen

Darsteller: Schauspieler, Akteur, Film-, Bühnenkünstler, Leinwandgröße, Mitwirkender, Mime, Komödiant

Darstellung → Darbietung ‖ → Aufführung ‖ Beschreibung, Erzählung, Wiedergabe, Veranschaulichung, Darlegung, Illustration, Vortrag, Charakterisierung, Schilderung, Bericht, Erläuterung, Behandlung, Beleuchtung

darüber: über, oberhalb; *ugs.:* drüber ‖ hierüber, dazu, hiervon, über dies, davon ‖ währenddessen, dabei

darum → deshalb

darunter: unterhalb, unter; *ugs.:* drunter ‖ (da)zwischen, dabei, mittendrin, darin

da sein: zugegen/zur Stelle/an Ort und Stelle/vorhanden/hier/gegenwärtig/präsent/am Platze/greifbar/zu erreichen/verfügbar/zur Hand sein, zur Verfügung/zu Diensten stehen ‖ bestehen, existieren, sein, leben, ein Leben/Dasein führen

Dasein: Sein, Existenz, Bestehen, Vorhandensein, Gegenwart, Vorkommen, Anwesenheit, Präsenz ‖ Wirklichkeit, Realität, Leben

dass: damit, um … zu, indem, so dass

dasselbe: dasjenige, das, dies, ebendas, soviel wie, ebendies(es), einerlei; *ugs.:* das gleiche ‖ **immer d.:** *ugs.:* der gleiche Trott, das alte Lied, die abgedroschene Leier, dieselbe Litanei

Date: Rendezvous, Stelldichein, Verabredung, Tête-à-tête, Termin, Zusammenkunft, -treffen

Datei → Akte

Daten: Größen, Angaben, Werte, Befunde, Zahlen, Maße, Fakten, Einzelheiten, Tatsachen

Datum: Zeitpunkt, Termin, Stichtag, Tag

Dauer: Zeit(dauer), Verlauf, Frist ‖ Fortdauer, -gang, -bestand, -bestehen, Bestand, Permanenz, Beständigkeit, Weiterbestehen, Stetigkeit ‖ Unendlichkeit, Ewigkeit, Endlosigkeit, Unveränderlichkeit, -vergänglichkeit, -wandelbarkeit, Zeitlosigkeit, Unsterblichkeit

dauerhaft: bleibend, dauernd, fest, von Dauer/Bestand, beständig, unverbrüchlich, -verrückbar, -veränderlich, -zerstörbar, gleichmäßig, -bleibend, konstant, ewig, invariabel, invariant, (krisen)fest, unauflöslich, -lösbar, -wandelbar, für immer, für alle Zeiten, bis in alle Ewigkeit, zeitlebens, anhaltend, -dauernd, immerwährend ‖ wertvoll, -beständig, gediegen, haltbar, vortrefflich, -züglich, solid, widerstandsfähig, langlebig, strapazierfähig, unverwüstlich, stabil, qualitätvoll, gut, echt, massiv, reell, verlässlich, zuverlässig

dauern: (fort)währen, anhalten, bleiben, s. hinziehen, s. erstrecken, kein Ende haben/nehmen, s. verzögern, weiter-, fortbestehen, fort-, andauern, s. erhalten, weitergehen, s. fortsetzen, Bestand haben ‖ *gehoben:* Mitleid erregen, Leid tun

dauernd: fort-, unausgesetzt, fortwährend, -laufend, -dauernd, anhaltend, -dauernd, durchgehend, ununterbrochen, -ablässig, -aufhaltsam, -verwandt, -entwegt, -aufhörlich, (be)ständig, pausen-, endlos, ohne Pause/Ende/Unterbrechung/Unterlass, am laufenden Band, alle Augenblicke, das ganze Leben, allemal, konstant, permanent, ewig, beharrlich, ad infinitum, stet(ig), stets, kontinuierlich, immer(zu), immer wieder, jedesmal, immerfort, all(e)weil, allzeit, in einem fort, in steter Folge, täglich, Tag für Tag, Tag und Nacht, tagein tagaus, von früh bis spät, rund um die Uhr, zu jeder Stunde/Zeit, jederzeit, zeitlebens, regelmäßig, gleichbleibend, von Dauer/Bestand, unveränderlich, -verrückbar, -zerstörbar; *ugs.:* in einer Tour, laufend, fortweg, am laufenden Meter, alle Nase lang, von der Wiege an, seit eh und je/Adam und Eva, hintereinander weg, Schlag auf Schlag; *schweiz.:* stetsfort

davon: dadurch, hierüber, -von, darüber ‖ weg, fort, auf und davon; *dicht.:* von hinnen/dannen; *ugs.:* über alle Berge, ab durch die Mitte

davoneilen → fortlaufen

davongeben → weggehen ‖ → sterben

davonhasten → fortlaufen

davonjagen → vertreiben ‖ → entlassen

davonkommen → entkommen

davonlaufen → fortlaufen

davonmachen, sich → entfliehen ‖ → weggehen

davonrennen → fliehen

davonstehlen, sich → s. wegschleichen

davonstieben → fortlaufen

davontragen: s. zuziehen, auf s. ziehen, bekommen; *ugs.:* s. holen, abkriegen ‖ *gehoben:* erlangen (Sieg),

gewinnen, bekommen, empfangen, zuteil werden, ernten

davor: vorher, zuvor, vordem

dazu: hierfür, -zu, dafür ‖ überdies, zudem, hinzu, (so)dann, alsdann, weiter(hin), ferner(hin), darüber hinaus, des weiteren, außerdem, ansonsten, zusätzlich, daneben, und, auch, noch, zugleich, obendrein, zum Überfluss ‖ hierüber, hier-, davon

dazugeben → zuschießen

dazugehörig: dazugehörend, betreffend, entsprechend, einschlägig

dazutun → beilegen

Dazutun → Hilfe

dazwischen: darunter, dabei, darin ‖ mitten darin; *ugs.:* zwischen-, mittendrin; *reg.:* mittenmang ‖ mitten hinein; *ugs.:* mitten-, zwischendrein, zwischenhinein ‖ einstweilen, unter-, währenddessen, in der Zwischenzeit, mittlerweile, derweil(en), solange

dazwischenfahren → eingreifen

dazwischenreden: s. (unhöflich) einschalten, jmdn. unterbrechen, jmdm. ins Wort fallen/das Wort abschneiden, jmdn. nicht aussprechen/-reden lassen, hineinreden, s. einmischen, jmdm. über den Mund fahren; *ugs.:* dreinreden, übers Maul fahren

dazwischentreten → eingreifen

dealen: mit Rauschgift handeln, Drogen verkaufen; *ugs.:* schieben, pushen

Dealer: Rauschgift-, Drogenhändler; *ugs.:* Schieber, Pusher

Debakel → Niederlage ‖ → Unglück

Debatte → Gespräch

debattieren → erörtern

debil → schwachsinnig

Debüt → Beginn

Debütant → Anfänger

dechiffrieren → entschlüsseln

Decke: Zimmerdecke; *öster.:* Plafond ‖ Tischtuch, -decke, Tafeldecke ‖ Pelz, Haardecke, -kleid; *Jägerspr.:* Balg ‖ Belag, Schicht

Deckel: Verschluss, Bedeckung ‖ → Hut

decken: aufdecken, -legen (Geschirr) ‖ nichts mehr durchscheinen lassen (Farbe) ‖ be-, zu-, abdecken, schützen, in Deckung gehen, schirmen, sichern, in Sicherheit bringen, s. schützend vor jmdn. stellen ‖ löschen, tilgen, ausgleichen, Rest überweisen/ bezahlen/begleichen ‖ im Auge behalten, nicht aus den Augen lassen, hüten, beaufsichtigen, abdecken (Sport) ‖ begatten (Tiere), bespringen, -samen, -legen, -schälen; *Fachsp.:* beschlagen ‖ **sich d.:** einander gleich sein, übereinstimmen, eins/einig/einer Meinung sein, in Einklang stehen, konform gehen, kongruent sein, kongruieren, zusammenfallen, -stimmen, -passen, s. gleichen, s. entsprechen, s. ähneln

Deckmantel: Beschönigung, Schönfärberei, Verbrämung, -hüllung, Bemäntelung, Tarnung, Vorwand

Deckname: Pseudonym, Tarn-, Schein-, Künstlername, falscher Name

dedizieren → widmen

de facto → tatsächlich

defäkieren → Stuhlgang haben

defätistisch → pessimistisch

defekt: beschädigt, schadhaft, lädiert, angeschlagen, -geknackst, an-, abgestoßen, ramponiert, angehauen, zerrissen, zer-, angebrochen, durchlöchert, morsch, wurmstichig, fehler-, mangel-, lückenhaft, mitgenommen, brüchig, baufällig, entzwei; *ugs.:* kaputt, kapores, aus dem Leim gegangen

Defekt → Fehler

Defensive: Verteidigung, Ab-, Gegenwehr

defilieren → paradieren

definieren: bestimmen, eine Begriffsbestimmung geben, festlegen, erklären, konkretisieren, erläutern, darlegen, -stellen, deuten, klarmachen, auseinander setzen/legen, klarlegen, -stellen, entwickeln, vorführen, zeigen

definitiv: endgültig, unwiderruflich, unabänderlich, -umstößlich, ein für allemal, für immer, besiegelt, verbindlich, feststehend, verpflichtend, obligatorisch

Definition → Bestimmung

Defizit → Fehlbetrag

deflorieren: entjungfern, einem Mädchen die Jungfräulichkeit/Unschuld nehmen/rauben

Deformation: Deformierung, Missbildung, Verstümmelung, -unstaltung, Missgebilde, -geburt, Anomalie, Abnormität

deformieren: verformen, aus der Form geraten, die Form verlieren ‖ verunstalten, entstellen, verstümmeln, -unzieren, -derben; *ugs.:* verschandeln, -hunzen

deftig: nahrhaft, kräftig, gehaltvoll, sättigend, nährend, kalorienreich ‖ → derb

degeneriert: verfallen, dekadent, miss-, ungeraten, zurückgeblieben, -gebildet

degradieren: Rang/Dienstgrad herabsetzen, auf eine tiefere Rangstufe stellen ‖ → demütigen

Degradierung → Diskriminierung

dehnbar: vieldeutig, ungenau, -bestimmt, nicht klar umrissen, zwei-, mehrdeutig ‖ → elastisch

dehnen: ausdehnen, -ziehen, -weiten, spannen, strecken, recken, in die Länge/Breite ziehen/strecken, länger/breiter machen ‖ **sich d.:** länger/breiter/größer werden, s. recken, s. strecken, s. ziehen ‖ *ugs.:* s. stretchen, Stretching betreiben, machen ‖ s. erstrecken, reichen, s. ausspannen/ -dehnen/-breiten ‖ s. ausstrecken, s. rekeln; *ugs.:* alle viere von s. strecken, s. aalen

Deich: Damm, (Schutz-, Erd)wall, Ab-, Eindämmung

deichseln → bewältigen

dekadent: krankhaft verfeinert, kraftlos, angekränkelt, verfallen, degeneriert, abgelebt, morbid

deklamieren → vortragen

deklarieren: erklären, verkünden, eine Erklärung abgeben, kundgeben, -tun, -machen, bekannt geben, verlautbaren, zur Kenntnis bringen; *gehoben:* verkündigen ‖ zum Verzollen/Versteuern angeben/-melden/vorweisen

deklinieren: beugen, flektieren, abwandeln (Wort), grammatisch verändern

Dekolleté → Dekolletee

Dekolletee: (Hals)ausschnitt; *scherzh.:* Schaufenster

dekolletiert → ausgeschnitten

Dekor: Verzierung, Muster, Ornament, Dessin, Entwurf, Arabeske, Zier(de), Rankenwerk, Verschnörkelung, Zierrat, Schmuck ‖ Ausstattung (Theater), Ausschmückung, Aufmachung

Dekorateur: Raumausstatter, Raumschaufenstergestalter

dekorativ → wirkungsvoll

dekorieren: (aus)schmücken, (ver)zieren, verschönern, ausgestalten, herausputzen, -staffieren ‖ auszeichnen, prämieren, einen Orden/eine Auszeichnung verleihen

Dekret: Verfügung, Beschluss, Entscheidung, Erlass, Verordnung, Edikt, Weisung, Bestimmung, Entscheid(ung), Befehl, Ukas, Order, Instruktion, Gebot, Geheiß, Diktat, Vorschrift

delegieren: abordnen, entsenden, deputieren, schicken, beordern, abkommandieren ‖ übertragen, weitergeben an, befugen, ermächtigen, betrauen

delikat: fein, wohl schmeckend, schmackhaft, appetitlich, lecker, köstlich, deliziös, auserwählt, erlesen, pikant, raffiniert, exquisit, exzellent ‖ → heikel

Delikatesse: Leckerbissen, Leckerei, Schleckerei, Gaumenfreude, -kitzel, -reiz, Köstlichkeit, Spezialität, Pikanterie, lukullischer Genuss; *reg.:* Schmankerl; *öster.:* Gustostückerl; *schweiz.:* Schleck

Delikt: Vergehen, Straftat, Verstoß, -fehlung, Fehltritt, Übertretung, Unrecht, Entgleisung, Ungesetzlichkeit, ungesetzliche Handlung, Rechtsbruch, Gesetzwidrigkeit, Zuwiderhandlung, Un-, Missetat

Delirium: Bewusstseinsstörung, -trübung, -einengung, Verwirrtheit, Geistesgestörtheit ‖ Trunkenheit, Rausch, Säuferwahn, Alkoholvergiftung

Demagoge: Volksverführer, Hetzer, Agitator, Aufrührer, -wiegler, Provokateur, Hetzredner; *ugs.:* Scharfmacher

demaskieren: die Maske vom Gesicht reißen, → aufdecken ‖ **sich d.** → s. entlarven

dementieren: widerrufen, zurücknehmen, rückgängig machen, zurückweisen, abrücken von, revozieren ‖ → abstreiten ‖ richtig stellen, ins richtige Licht setzen, klarlegen, -stellen

demissionieren → kündigen

demnach → danach

demnächst: in nächster Zeit, bald, in Bälde/Kürze, binnen kurzem, alsbald, dieser Tage, über kurz oder lang, später, zukünftig, in naher Zukunft, nächstens

Demokratie: Volksherrschaft, -macht, -souveränität

demolieren → zerstören, → kaputtmachen

Demonstration: Massenkundgebung, Umzug, Protest(aktion),

-marsch, Massenversammlung, Aufmarsch, Manifestation, (Sitz)streik, Sit-in, Go-in; *ugs.:* Demo ‖ Veranschaulichung, -gegenständlichung, -bildlichung, -deutlichung, Illustrierung, Illustration, anschauliche Beweisführung, Konkretisierung ‖ Bekundung, -teuerung, Darlegung, Bezeugung, Äußerung, sichtbarer Ausdruck

demonstrativ: auffällig, betont, pronociert, ostentativ, nachdrucksvoll, pointiert, provokativ, -katorisch, -zierend, herausfordernd, aufreizend, zugespitzt, ausgeprägt ‖ → anschaulich

demonstrieren: aufmarschieren, auf die Straße gehen, protestieren, aufbegehren, rebellieren, s. empören, s. auflehnen, s. erheben, s. widersetzen, s. sträuben, s. wehren, s. zur Wehr setzen, opponieren, revoltieren, auf die Barrikaden steigen, Sturm laufen gegen, s. entgegenstellen; *ugs.:* Krach schlagen, aufmucken ‖ → veranschaulichen, → darlegen

Demontage → Abbruch

demontieren: auseinander nehmen, abbauen, zerlegen, -teilen, -trennen, auflösen, abbrechen, ab-, ein-, niederreißen, abtragen, -schlagen, niederlegen; *ugs.:* wegreißen

demoralisieren: zersetzen, entsittlichen, entwerten, jmds. Moral zerstören, den moralischen Halt nehmen, jmdn. seiner Standhaftigkeit berauben, entmutigen, niederdrücken, -schmettern, deprimieren ‖ → untergraben

Demoskopie → Meinungsforschung

Demut: Ergebenheit, Ergebung, Hingabe, Opfermut, -bereitschaft, Nachgiebig-, Willfährigkeit

demütig → ergeben

demütigen: erniedrigen, herabsetzen, -würdigen, beschämen, degradieren, diffamieren, diskriminieren, -kreditieren, abqualifizieren, deklassieren, entwürdigen, verletzen, -leumden, -teufeln, anschwärzen, in den Schmutz ziehen, mit Schmutz bewerfen, schmähen, den Stolz brechen, den Nacken beugen, Schimpf zufügen, lästern, schlechtmachen, verunglimpfen, schmälern, entwerten, verkleinern, jmdm. die Ehre abschneiden, jmdn. in ein schlechtes Licht setzen/rücken/stellen, jmdn. in Verruf/Misskredit bringen, jmdn. verächtlich machen, beleidigen, kränken; *ugs.:* herziehen/-fallen über, jmdn. heruntermachen/-putzen/ducken ‖ **sich d.:** s. erniedrigen, s. herabsetzen/-würdigen, s. ergeben, einen Gang nach Canossa antreten, einen Fußfall/Kotau machen; *ugs.:* auf den Knien rutschen, klein beigeben, s. ducken, zu Kreuze kriechen

demütigend: beschämend, blamabel, erniedrigend, schmachvoll, entehrend, -würdigend, verletzend, kränkend

Demütigung → Diskriminierung

Denkart → Denkweise

Denkaufgabe → Rätsel

denkbar: möglich, annehm-, vorstell-, erreich-, gang-, durchführbar, im Bereich des Möglichen, potenziell, nicht ausgeschlossen, wahrscheinlich ‖ → sehr

denken: überlegen, be-, überdenken, nach-, durchdenken, s. fragen, s. Gedanken machen, Denkarbeit leisten, den Verstand gebrauchen, in Betracht ziehen, ab-, erwägen, von allen Seiten betrachten, s. im Kopf zurechtlegen, seinen Gedanken nachhängen, s. besinnen, s. durch den Kopf gehen lassen, erkennen, -fassen, s. bewusst werden, zum Bewusstsein kommen ‖ (nach)sinnen, (nach)grübeln, reflektieren, meditieren, seinen Geist anstrengen, s. den Kopf zerbrechen, philosophieren, hinterfragen, s. das

Hirn zermartern, sinnieren, tüfteln, brüten, rätseln, s. vorstellen, spintisieren, s. versenken, s. sammeln, mit s. zu Rate gehen, Überlegungen anstellen, versunken sein; *ugs.:* knobeln, kauen an ‖ meinen, glauben, annehmen, finden, vermuten, der Meinung/Ansicht sein, dafürhalten, halten für, erachten, -messen, auffassen ‖ → beabsichtigen ‖ **d. an:** s. (zurück)erinnern, zurückschauen, -blicken, s. ent-/besinnen, wieder einfallen, s. wieder erinnern, Rückschau halten, s. ins Gedächtnis zurückrufen, in Gedanken bei jmdm. sein ‖ auf jmds. Wohl bedacht sein, Vorsorge treffen/sorgen für, betreuen, s. bemühen/kümmern um ‖ vorsehen (für eine Stelle), einplanen ‖ **d. über** → beurteilen

Denkfähigkeit → Denkvermögen

Denkmal: Gedenkstein, Monument, Mahn-, Ehrenmal, Memorial, Andenken, Gedächtnismal ‖ **sich ein D. setzen:** s. verewigen, s. ein bleibendes Andenken erwerben, s. ins Buch der Geschichte eintragen, in die Geschichte eingehen, s. unsterblich machen

Denkschrift: Memorandum, Note, Kommuniqué, Eingabe, Aufzeichnung, Bekanntmachung, -gabe, Eröffnung, Verkündigung, Bulletin ‖ Gedenkrede, Nachwort, -rede, Nekrolog

Denkspiel → Rätsel

Denkvermögen: Denkfähigkeit, -kraft, Urteilskraft, -vermögen, -fähigkeit, Geistesstärke, -kraft, Begriffs-, Abstraktions-, Unterscheidungs-, Erkenntnisvermögen, Logik, Geist, Intellekt, Klugheit, Scharfsinn, Esprit, Vernunft, -stand, Begabung; *ugs.:* Köpfchen, Grips, Grütze

Denkweise: Denkart, Mentalität, Sinnesart, Einstellung, Gesinnung, Weltanschauung, -bild, Ideologie,

Lebensanschauung, Geisteshaltung, Betrachtungsweise, Grundhaltung, Zeitgeist

denkwürdig: bedeutungsvoll, -deutend, wichtig, außergewöhnlich, unvergesslich, -auslöschlich

Denkzettel: Andenken, Denk-, Erinnerungszeichen ‖ → Lektion ‖ **einen D. geben** → bestrafen

denn: weil, als, nämlich, bekanntlich, -kanntermaßen, wie man weiß

dennoch: trotzdem, gleichwohl, doch, trotz allem, jedenfalls, nichtsdestoweniger, dessen ungeachtet, nun gerade/erst recht; *ugs.:* nichtsdestotrotz

Denunziant: Zu-, Zwischenträger, Verräter, -leumder; *ugs.:* Petzer, Judas

denunzieren: anzeigen, verraten, anschwärzen, preisgeben, ausliefern; *ugs.:* verpfeifen, -klatschen, -petzen, hochgehen lassen

Depesche: Telegramm, Funkspruch, Fernschreiben, Kabel, Nachricht per Draht/Funk, Telex

depeschieren → telegrafieren

deplatziert → unangebracht

deponieren: hinterlegen, ein-, sicherstellen, parken, unterbringen, lagern, in Verwahrung geben, abstellen, -setzen, -legen

deportieren: verbannen, zwangsverschicken, verschleppen, in die Verbannung schicken, ausweisen

Depot → Lager

Depp → Dummkopf

Depression: Niedergeschlagenheit, Gedrücktheit, Schwermut, Bedrückung, Verzagtheit, Trübsinn, Tief, Verzweiflung, Trauer, Melancholie, traurige Stimmung, Mut-, Freudlosigkeit

depressiv: schwermütig, gemütskrank, pessimistisch, nihilistisch, schwarzseherisch, melancholisch, trübsinnig, -selig, betrübt, elend, (tod)unglücklich, bedrückt, -kümmert, → deprimiert ‖ **d. sein:** mit der Welt uneins/zerfallen/-rissen sein, Trübsal blasen, alles durch eine schwarze Brille sehen, Weltschmerz haben, s. in Weltuntergangsstimmung befinden; *ugs.:* den Blues haben

deprimieren → entmutigen

deprimiert → mutlos, entmutigt, niedergeschlagen, -gedrückt, resigniert, verzagt, (am Boden) zerstört, verzweifelt, gebrochen, lebensmüde, niedergeschmettert, → depressiv; *ugs.:* down, geknickt, bedripst, flügellahm

derartig: solch(erlei), dergleichen, ebensolch, dieserlei ‖ → so

derb: grob(schlächtig), drastisch, hart, rau, deftig, unfein, -edel, krude, rüde, rücksichtslos, barsch, ungeschliffen, -gehobelt, schroff, harsch, vulgär, unanständig, -höflich, nicht salonfähig; *ugs.:* gepfeffert und gesalzen, saftig, handfest ‖ kräftig, stark, robust, gesund, drall, stramm, kernig ‖ → klobig

dergleichen → derart

dermaßen → so

derselbe: der Gleiche/Nämliche, eben der, der Obengenannte, der vorher Genannte, eben dieser

derweil: unterdessen, inzwischen, mittlerweile, währenddem, -dessen, indessen, solange, einstweilen, zwischenher, in der Zwischenzeit ‖ während, indem, im Verlauf/Fortgang von

derzeit: augenblicklich, gegenwärtig, im Augenblick, zur Stunde, momentan, nun(mehr), eben, gerade, jetzt ‖ damalig, früher, ehemals, weiland, vor-, einstmals

Desaster → Unglück

desavouieren → blamieren

Deserteur: Fahnenflüchtiger, Überläufer

desertieren: fahnenflüchtig/abtrünnig werden, seinen Posten verlassen, (zum Feind) überlaufen, -wechseln

desgleichen: gleich-, ebenfalls, auch, gleichermaßen, dito, ebenso

deshalb: dadurch, darum, deswegen, infolgedessen, folglich, somit, mithin, daher, demzufolge, so, aus diesem Grunde, aufgrund dessen, insofern, zu diesem Zweck, dieserhalb, sonach, ob, wegen, zwecks, dank

Design: Plan, Muster, Form(gebung), Entwurf, Modell, Styling, (Zu)schnitt

desillusionieren: ernüchtern, enttäuschen, die Illusionen nehmen/rauben, entzaubern, zu Verstand bringen, an die Vernunft appellieren, abkühlen, frustrieren, jmdn. auf den Boden der Wirklichkeit zurückbringen; *ugs.:* Wasser in den Wein gießen, jmdn. wieder auf den Teppich stellen, jmdm. einen Dämpfer geben, jmdn. unter die kalte Dusche stellen

desinfizieren: keimfrei/steril machen, sterilisieren, entseuchen, -keimen, pasteurisieren, ab-, auskochen, ausräuchern

Desinteresse: Interesselosig-, Gleichgültig-, Teilnahmslosig-, Unempfindlichkeit, Träg-, Uninteressiertheit, Indolenz, -differenz, Apathie, Lethargie

desinteressiert → gleichgültig

deskriptiv: beschreibend

desolat → trostlos

despektierlich → abfällig

desperat → aussichtslos

Despot → Tyrann

despotisch → herrisch

Despotismus → Gewaltherrschaft

Dessert: Nach-, Süßspeise, Nachtisch

destruieren → zerstören

Detail: Einzelheit, Ausschnitt, Teilstück

detailliert: punktweise, Punkt für Punkt, partikulär, speziell, genau, ins

Detail gehend, ausführlich, gründlich, eingehend, mit Einzelheiten, einzeln, erschöpfend, ausgearbeitet, -gefeilt, differenziert

determinieren: festlegen, bestimmen, -grenzen, definieren, spezialisieren, klären, ermitteln

detonieren: explodieren, (zer)springen, (zer)platzen, (zer)bersten, losgehen, s. entladen, in die Luft fliegen

deuten: (hin)zeigen, (hin)weisen, hindeuten, aufmerksam machen/mit den Fingern zeigen auf, ins Blickfeld rücken, ankündigen, Zeichen geben, signalisieren ‖ erklären, auslegen, interpretieren, herauslesen, auffassen, kommentieren, erläutern, klarmachen, explizieren, auseinander legen, exemplifizieren, verständlich/begreiflich machen; reg.: verdeutschen; ugs.: deuteln, (s.) zusammenreimen

deutlich → klar ‖ → aufrichtig ‖ d. machen → veranschaulichen

Deutung → Auslegung

Devise: Losung, Wahlspruch, Motto, Parole, Leitsatz, -spruch, Schlagwort, Slogan

Devisen: ausländische Zahlungsmittel/Währung

deswegen → deshalb

devot: unterwürfig, demütig, ehrerbietig, untertänig, knie-, fußfällig, knechtisch, kriecherisch, servil, sklavisch, hündisch, buhlerisch, schmeichlerisch, submiss

dezent: unaufdringlich, zurückhaltend, unauffällig, schlicht, bescheiden, apart

dezidiert: entschieden, bestimmt, ausdrücklich, mit Nachdruck

dezimieren → vermindern ‖ sich d. → s. verringern

diabolisch: teuflisch, satanisch, infernalisch, dämonisch, luziferisch, mephistophelisch

Diagnose: (Krankheits)befund, Erkennung, Beurteilung, -stimmung

diagnostizieren → feststellen

Dialekt: Mundart, regionale Sprachvariante

Dialog: Zwiegespräch, Wechselrede, Rede und Gegenrede, Rücksprache, → Gespräch

diametral → gegensätzlich

Diät: Schon-, Krankenkost ‖ → Schlankheitskur

Diäten: Spesen, Tagegeld, Aufwandsentschädigung, Reisekostenvergütung

dicht: undurchdringlich, -zugänglich, -wegsam, buschig ‖ undurchlässig, geschlossen, luft-, wasserdicht, fest, waterproof ‖ unmittelbar, direkt, nahe(bei), in unmittelbarer Nähe, unweit, -fern

dichten: Verse/Reime schmieden/machen, reimen, schreiben, schriftstellern, fabulieren ‖ erdichten, ausdenken, ersinnen, -finden, s. zurechtlegen; ugs.: s. austüfteln, ausknobeln, s. aus den Fingern saugen ‖ abdichten, undurchlässig/dicht machen, (zu)stopfen, ausbessern

Dichter → Schriftsteller

dichterisch → poetisch

Dichtung: Dichtkunst, Poesie, Wortkunst, Literatur, Schrifttum, -werk ‖ Dicht-, Kunstwerk, Roman, Drama, Epos, Erzählung, Poem, Gedicht ‖ Lyrik, Versdichtung ‖ Epik, epische/erzählende Dichtung ‖ Dramatik, Bühnendichtung, dramatische Dichtung ‖ Manschette, Zwischen-, Verbindungsstück

dick: korpulent, stark, massig, feist, fett, üppig, füllig, fleischig, (wohl) beleibt, stattlich, rund(lich), voll, rubenshaft, dicklich, wohl genährt, breit, stramm, stämmig, umfangreich, vollleibig, bullig, wuchtig, monströs, gut gepolstert, drall, fett-, dickleibig, prall, gut genährt, gemästet, behäbig, unförmig, mächtig, kolossal, (dick)-bauchig, schmerbäuchig, voluminös, speckig, aufgeschwollen, -gebläht, plump, schwerfällig, mollig, pausbäckig; *öster.:* blad; *scherzh.:* vollschlank; *ugs.:* kugelig, pummelig, mopsig, schwabbelig, dickwanstig, gut bei Leibe/im Futter, vollgefressen ‖ (an)geschwollen, aufgetrieben, -gebläht, -gedunsen, aufgeschwemmt, schwammig ‖ dicht, undurchdringlich ‖ stark, in großer Menge, üppig (bestreichen) ‖ → dickflüssig ‖ **d. sein:** zu viel wiegen, Übergewicht haben; *ugs.:* aus allen Nähten platzen, gut beieinander/gepolstert sein, aus den Fugen geraten, Speck auf den Rippen, einen Schwimmgürtel haben ‖ **d. werden:** zunehmen, in die Breite gehen, breiter werden, Speck/Fett/einen Bauch ansetzen; *ugs.:* auseinander laufen/gehen, wie ein Pfannkuchen aufgehen, aus dem Leim gehen ‖ **d. auftragen** → angeben

Dicke(r) → Fettwanst

dicketun, sich → angeben

dickfellig: dickhäutig, unempfindlich, robust, abgestumpft, unbeteiligt, gleichgültig, indifferent, indolent, träge, phlegmatisch, schwerfällig, lethargisch, apathisch, stumpfsinnig, leidenschaftslos, gelassen ‖ **d. sein:** gute Nerven haben, viel vertragen können, ein dickes Fell/eine Elefantenhaut haben, nicht empfindlich/durch nichts zu erschüttern sein; *ugs.:* hart im Nehmen sein, die Ruhe weghaben, aus hartem Holz geschnitzt sein

dickflüssig: zähflüssig, seimig, sämig, dick(lich), breiartig, breiig, musartig, schwerflüssig, langsam/zäh fließend

Dickicht: Gestrüpp, -büsch, Buschwerk, Gesträuch, -äst, Unterholz, Niederwald, Strauchwerk, Reisig

Dickkopf → Trotzkopf

dickköpfig: trotzig, eigensinnig, starrköpfig, -sinnig, halsstarrig, aufsässig, -müpfig, störrisch, widerspenstig, kratzbürstig, unnachgiebig, -versöhnlich, -zugänglich, verschlossen, renitent, unerbittlich, rechthaberisch, verbohrt, kompromisslos, hart gesotten, unbequem, -belehrbar, dickschädelig, eisern, stur, verstockt; *ugs.:* bockig, bockbeinig ‖ **d. sein:** einen Dickkopf/dicken/harten Schädel haben, s. nichts sagen lassen, s. verschließen, einer Sache widerstreben, mit dem Kopf durch die Wand wollen, s. gegen etwas sperren; *ugs.:* stur wie ein Bock, Panzer sein

Dickköpfigkeit → Trotz

Dickleibigkeit → Körperfülle

didaktisch: lehrhaft, erzieherisch, pädagogisch, methodisch, schulmäßig

Dieb → Räuber

Diebstahl: Raub, Plünderung, Entwendung, widerrechtliche Aneignung, Wegnahme, Eigentumsdelikt, -vergehen, Unterschlagung, Veruntreuung, Hinterziehung, Defraudation; *ugs.:* Mauserei, Dieberei

Diele: Flur, Vorraum, Korridor, Vorhalle, Hausflur, Haus(gang), Entree, Foyer, Vestibül; *öster.:* Vorzimmer, -haus ‖ Fußboden-, Dielenbrett, Platte, Planke ‖ Fußboden, Estrich

dienen: Dienst tun, in Stellung sein, arbeiten, Arbeit leisten/verrichten, s. betätigen, tätig sein, s. beschäftigen, werken, wirken, schaffen, einer Beschäftigung nachgehen, einen Beruf ausüben, erwerbstätig sein ‖ frönen, huldigen, sich hin-/ergeben, gehorchen ‖ dienlich sein, nützen, Nutzen bringen, zum Nutzen gereichen, förderlich sein, fruchten, helfen, gute Dienste leisten, zustatten/-gute kommen ‖ **etwas dient dazu:** hat den Zweck/die Funktion, erfüllt die Aufgabe, ist dazu da/dafür gedacht

Diener: Bedienter, -diensteter, -dienung, Page, Boy, Butler, Lakai,

diffus

(Dienst)bote, Domestik, Faktotum, Bursche, Knecht, Untergebener, Kuli, Hilfskraft, Gehilfe ‖ Verbeugung, -neigung; *ugs.:* Bückling, Kratzfuß, Knicks

dienlich: nützlich, nutzbringend, förderlich, fördernd, zuträglich, ersprießlich, fruchtbar, -bringend, heilsam, gut, konstruktiv, aufbauend, hilfreich, dankbar, lohnend, gedeihlich

Dienst: Gefälligkeit, (Mit)hilfe, Gefallen, Beistand, Unterstützung, Hilfestellung, Handreichung, Zutun, Förderung, Einsatz ‖ → Arbeit ‖ → Beruf

Dienstbote → Diener

Dienstgrad: Rang(stufe), Grad, Stellung, Stand, Rangbezeichnung; *milit.:* Charge

Dienstleistung → Hilfe ‖ → Arbeit

dienstlich → amtlich

Dienstmädchen → Hausangestellte

Dienstschluss: Feierabend, Arbeits-, Büro-, Geschäftsschluss, Muße, Freizeit

Dienststelle: Amt, Behörde, Geschäftsstelle, Büro, Kanzlei, Office, Verwaltung, Administration, Instanz

Dienstweg: Instanzen-, Behörden-, Amtsweg, Geschäftsgang

diesbezüglich: dazu, darüber, davon, was das angeht, zu diesem Punkt, hierzu, zu, in dieser Beziehung, in Bezug, mit Bezug darauf, hierauf Bezug nehmend

diesig: dunstig, neblig, bewölkt, nicht klar, trübe, verhangen, wolkig, bezogen, -deckt

diesmal: jetzt, nun(mehr), gegenwärtig, derzeit, im Moment/Augenblick, zur Stunde

diesseitig: irdisch, profan, säkular, weltlich, realistisch

Diesseits: Erde, Welt, Erdkreis, -ball, Mundus; *dicht.:* Erdenrund, irdisches Jammertal

Dietrich: Nachschlüssel, Diebsschlüssel, -haken; *Gaunerspr.:* Kate, Daltel, Peterchen, Klaus

diffamieren → verleumden ‖ → demütigen

Diffamierung → Nachrede ‖ → Diskrimimerung

different → verschieden

Differenz: Meinungsverschiedenheit, Unstimmigkeit, Nichtübereinstimmung, Dissens, Verstimmung, Auseinandersetzung, Divergenz, Disharmonie, Reiberei, Diskrepanz, -sonanz, Spannung, Zerwürfnis, Zwietracht, -spalt, Zwist(igkeit), Hader, → Streit ‖ → Diskrepanz ‖ → Fehlbetrag

differenzieren: (zer)gliedern, detaillieren, zerlegen, -pflücken, analysieren, entwirren, auseinander nehmen, spezifizieren, spezialisieren ‖ unterscheiden, sondern, einen Unterschied machen, auseinander halten, trennen, gegeneinander abgrenzen ‖ nuancieren, abtönen, -stufen, schattieren, abschatten

differenziert: nuanciert, abgestuft, schattiert, detailliert, ins Detail gehend, in s. gestuft/-gliedert, aufgefächert

differieren: abweichen, verschieden sein, s. unterscheiden, variieren, divergieren, abstechen, kontrastieren, auseinander gehen, s. widersprechen/-streiten, zuwiderlaufen, uneins sein

diffizil: schwierig, heikel, schwer, kompliziert, problematisch, mühsam, verwickelt, mit Schwierigkeiten verbunden, langwierig, gefährlich, prekär, peinlich, subtil; *ugs.:* kitzlig, knifflig, vertrackt, -zwickt

diffus: verschwommen, unklar, -deutlich, nebel-, schattenhaft, unscharf, -genau, vage, schemenhaft, verhüllt, nebulös, undurchsichtig, -bestimmt, -geordnet

Diktat → Befehl
Diktator → Tyrann
diktatorisch → totalitär ‖ → herrisch
Diktatur → Gewaltherrschaft
diktieren: ansagen, vorsprechen, -lesen ‖ aufzwingen, (auf)oktroyieren, aufdrängen ‖ anordnen, -geben, befehlen, anweisen, gebieten, verordnen, bestimmen, erlassen, veranlassen, -fügen, dekretieren, vorschreiben, reglementieren, befinden, zur Auflage machen, eine Order geben, eine Verordnung erlassen, eine Verfügung treffen
Diktion: Ausdrucks-, Sprech-, Redeweise, Stil, Schreib-, Darstellungsweise, Sprache
Dilemma → Not
Dilettant: Laie, Amateur, Autodidakt, Nichtfachmann, Außenstehender, Anfänger, Nichtkundiger ‖ Stümper, Nichtskönner, Analphabet, Pfuscher, Ignorant, Besserwisser, Banause, Kurpfuscher, Quacksalber
dilettantisch → laienhaft ‖ → schlecht
Dill: Gurkenkraut; *öster.:* Dille
Dimension: Ausdehnung, Erstreckung, Ausmaß, Weite, Höhe, Tiefe, Größe, Umfang, Grad, Stärke, Umkreis, Reichweite, Spielraum, Dichte, Fülle
Diner → Abendessen ‖ → Festessen
Ding: Sache, Gegenstand, Objekt, Etwas, Körper, Gebilde, -stalt, Element, Wesen, Materie, Stoff, Substanz, Geschöpf, Sein; *ugs.:* Dings(da), Dingsbums ‖ Thema, Sujet, Frage, Faktum ‖ Angelegenheit, Sache, Affäre, Fall, Kasus, Geschichte ‖ → Mädchen
dinieren → essen
Dinner → Abendessen
Diplom: Urkunde, Zeugnis, Dokument, Zertifikat, Bescheinigung
Diplomat → Botschafter ‖ Taktiker; *ugs.:* Schlaukopf, Fuchs

diplomatisch → schlau ‖ → gewandt
direkt: geradezu, -aus, geradlinig, spontan, unmittelbar, stracks, umwegslos, geradewegs, ohne Umweg/ Unterbrechung / Zwischenstation, durchgehend ‖ aus erster Quelle, ohne Mittelsperson ‖ → aufrichtig ‖ → sofort ‖ ausgesprochen, regelrecht, förmlich, tatsächlich, ausdrücklich
Direktion → Leitung
Direktive → Weisung
Direktor: Schulleiter, Rektor; *ugs.:* Direx ‖ → Leiter
Direktorium → Leitung
Direktübertragung: Direktsendung, Originalübertragung, Live-Sendung
Dirigent: Kapellmeister, Orchester-, Chorleiter
dirigieren: den Takt schlagen, den Stab führen, musikalisch leiten; *scherzh.:* den Taktstock schwingen ‖ leiten, lenken, führen, die Leitung haben, an der Spitze stehen, die Führung innehaben, vorstehen, -sitzen; das Zepter schwingen, die Zügel führen, die Sache in die Hand nehmen, kommandieren, steuern, lotsen, beeinflussen, taktieren
Dirne → Prostituierte
Dirnenhaus → Bordell
Disco → Disko(thek)
Disharmonie → Missklang ‖ → Differenz
disharmonisch: unmelodisch, misstönend, unrein, dissonant, unsauber, kakophonisch ‖ → zwiespältig
Disko(thek): Schallplattensammlung, -archiv ‖ Tanzbar, -lokal, Dancing, Nachtklub, Nightclub; *ugs.:* Tanzschuppen, Disse
diskreditieren → verleumden ‖ → demütigen
Diskrepanz: Missverhältnis, Disproportion, Unterschied, Verschiedenheit, Abweichung, -stand, Kontrast, Differenz, Ungleichheit, -ähnlichkeit ‖ → Differenz

diskret: takt-, rücksichtsvoll, schonend, vorsichtig, behutsam, unauffällig, distanziert, verschwiegen, -traulich, dezent, geheim, intim, in aller Stille, unter vier Augen, inoffiziell, heimlich, intern, ohne Aufsehen

diskriminieren: zurücksetzen, benachteiligen, ungerecht behandeln, → demütigen

Diskriminierung: Herabsetzung, -würdigung, ungleiche Behandlung, Demütigung, Erniedrigung, Verächtlichmachung, -unglimpfung, Degradierung, Diffamierung, soziale/rechtliche Benachteiligung, politische Unterdrückung, Diskreditierung, Ächtung, Schmähung, Verachtung, Beleidigung, Deklassierung, Desavouierung

Diskurs → Gespräch

Diskussion → Gespräch

diskutieren → erörtern

dispensieren: entbinden (seiner Verpflichtung), frei-, zurückstellen, entheben, loslassen, freigeben, beurlauben; *gehoben:* entpflichten

disponieren: einteilen, planen, zuteilen, -weisen, ordnen, zusprechen, dosieren, zumessen ‖ verfügen über, anberaumen, festsetzen, -legen, anordnen

Disposition: Ein-, Aufteilung, Gliederung, Anordnung ‖ Verfügung ‖ Veranlagung, Beschaffenheit, Wesensart, Anlage, Natur, Charakter, Naturell, Wesen, Art

Disput → Gespräch

disputieren → erörtern

disqualifizieren: ausschließen, -sperren, -stoßen, -scheiden, -schalten, eliminieren

Disqualifizierung → Ausschluss

Dissens → Differenz

Dissident: Andersdenkender, Abweichler, Neinsager, Widerständler, Rebell, Gegner, Protestierender, Opponent

Dissonanz → Differenz ‖ → Missklang

Distanz: Entfernung, Abstand, Zwischenraum, Intervall, Zwischenzeit, Pause, Kluft, Weite, Ferne ‖ → Reserve ‖ *Sport:* Strecke, Weglänge, Etappe

distanzieren, sich: abrücken von, s. zurückziehen, Abstand nehmen von, s. innerlich entfernen, s. abgrenzen von, nichts zu tun haben wollen mit, s. heraushalten, s. entziehen, zurücktreten; *ugs.:* s. dünne machen, s. drücken

distanziert → unzugänglich

Distrikt → Gebiet

Disziplin: Ordnung, Drill, Dressur, Zucht,   → Selbstbeherrschung ‖ → Fach

diszipliniert → beherrscht

disziplinlos → hemmungslos

divergent → verschieden

Divergenz: Nichtübereinstimmung, Verschiedenheit, -artigkeit, Ungleichheit, -ähnlichkeit, -gleichmäßigkeit, Unterschiedlichkeit, Inkongruenz ‖ → Auseinandersetzung

divergieren: s. unterscheiden, kontrastieren, differieren, abweichen, variieren, in Gegensatz/Opposition stehen, einen Kontrast bilden zu, abstechen gegen, auseinander gehen, s. widersprechen; *ugs.:* aus dem Rahmen fallen, aus der Reihe tanzen

Dividende: Gewinnanteil, Tantieme

dividieren → teilen

Diwan → Couch

doch: jedoch, dagegen, freilich, aber, indes, hingegen, hiergegen, wiederum, dawider, allein, vielmehr, mindestens, wenigstens, andrerseits, demgegenüber, im Gegensatz dazu ‖ dennoch, nun gerade, dessen ungeachtet, gleichwohl, nichtsdestoweniger, trotzdem, nun erst recht, trotz allem; *ugs.:* nichtsdestotrotz ‖ (o)ja, jawohl, einverstanden ‖ bestimmt, wirklich, tatsächlich, im wahrsten Sinne des Wortes, buchstäblich

Dogma: Lehre, Lehr-, Glaubenssatz Doktrin, Lehr-, Schulmeinung, Theorie ‖ Behauptung, These, Gedanken-, Lehrgebäude

dogmatisch: doktrinär, starr, starrköpfig -sinnig, orthodox, unbeweglich, -zugänglich, -belehrbar, -bekehrbar, -nachgiebig -beugsam, -einsichtig, -flexibel, einseitig, engstirnig, apodiktisch, kompromisslos, radikal, festgefahren, störrisch, eigensinnig, stur, rechthaberisch; *ugs.:* päpstlich

Doktor: Arzt, Mediziner, Medikus, Heilkundiger, -künstler ‖ Promovierter

Doktrin → Lehre ‖ → Grundsatz

doktrinär → dogmatisch

Dokument: Urkunde, Akte, Unterlage, Schriftstück, Schreiben, Papier, Aktenstück, Zeugnis, Attest, Diplom, Bestätigung, -scheinigung, -glaubigung, Ausweis; *derb:* Wisch

dokumentieren: be-, nachweisen, den Nachweis führen, einen Beweis liefern/führen/erbringen, aufzeigen, belegen, die Richtigkeit erweisen, begründen, -stätigen, motivieren ‖ zeigen, bekunden, erkennen lassen, zum Ausdruck bringen, dartun, offenbaren, kundgeben

dolmetschen: mündlich übersetzen/ -tragen, als Dolmetscher tätig sein; *ugs.:* den Dolmetscher spielen/machen

Dom: Bischofs-, Hauptkirche, Münster, Kathedrale ‖ → Jahrmarkt

Domäne → Fach ‖ Herrschaftsgebiet Staatsgut, -besitz, Landgut, Gut(shof)

dominant → überlegen

Dominanz → Übermacht

dominieren: vorherrschen, hervortreten, überwiegen, prävalieren, vorwalten, das Feld beherrschen/überragen, die Oberhand haben, den Ton angeben, ausstechen, überbieten, in den Schatten stellen, an die Wand spielen; *ugs.:* Hahn im Korb sein, Oberwasser haben

Domizil: Wohnsitz, Behausung, Zuhause, Heim, Wohnung, die vier Wände, Häuslichkeit; *ugs.:* Daheim

Dompteur: (Raub)tierbändiger, Dresseur, Bändiger, Abrichter

Don Juan → Frauenheld

donnern: gewittern, wettern, grollen; *reg.:* rumpeln, grummeln; *ugs.:* krachen ‖ dröhnen, krachen, lärmen, poltern, grollen, knallen ‖ → schimpfen

Donnerwetter → Lektion

doof → dumm

doppeldeutig: zwei-, mehrdeutig, doppelsinnig, -bödig, vieldeutig, schillernd, ambivalent, äquivok, strittig, problematisch, rätselhaft, viel sagend, zweifelhaft

doppelsinnig → doppeldeutig

Doppelgänger → Double

doppelt: zwie-, zweifach, zweimal, noch einmal, paarweise, zu zweit, gepaart, zweiteilig, beid-, doppelseitig

doppelzüngig: unaufrichtig, heuchlerisch, falsch, scheinheilig, schmeichlerisch, hinterlistig, -hältig, tückisch, viel-, glattzüngig, arglistig, hinterrücks

Dorado → Eldorado

Dorf: Bauerndorf, Flecken, Weiler; *ugs.:* Nest; *abwertend:* Kaff, Kuhdorf, (Drecks)nest, Quetsche ‖ **vom D.:** aus der Provinz, vom Land

dörflich: ländlich, rustikal, bäuerlich, provinziell; *abwertend:* hinterwäldlerisch

Dorn: Stachel, Spitze, Stift, starres Gebilde; *ugs.:* Piker

dörren: ausdörren, (aus)trocknen, darren; *reg.:* selchen

dort: da, ebendort, dortselbst, ebenda, allda; *öster.:* dorten ‖ zugegen, präsent, zur Stelle, am Platze,

drehen

anwesend, greifbar, zu erreichen, zur Hand

Dose: Büchse, Kapsel

dösen → schlummern ‖ (wachend) träumen, unaufmerksam/gedankenlos/geistesabwesend sein, seinen Gedanken nachhängen, nicht da sein, seine Gedanken woanders haben, mit offenen Augen schlafen/träumen

dosieren: zu-, einteilen, zu-, abmessen, rationieren, zuweisen, kontingentieren

Dosis: Quantum, Quantität, Menge; *ugs.:* Dose

Dotter: Eidotter, -gelb; *reg.:* Gelbei

Double: Doppelgänger, Stuntman, Ersatzmann; *scherzh.:* Zwilling

down → deprimiert ‖ → traurig ‖ → erschöpft

dozieren: lehren, unterrichten, Vorlesungen halten, lesen, Unterricht erteilen/geben, vertraut machen mit, unterweisen, Wissen vermitteln/erschließen, instruieren ‖ belehren, schulmeistern, in lehrhaftem Ton reden

Drache(n) → Xanthippe

drahtig: gelenkig, trainiert, elastisch, sportlich, athletisch

Drahtzieher: Hintermann, graue Eminenz, Obskurant, Intrigant, Anführer, Rädelsführer

drakonisch → streng

drall → dick

Drama: Schauspiel, Theater-, Bühnenstück, -dichtung, -werk, Spiel ‖ → Unglück

Dramatiker: Bühnenautor, -dichter, Dramendichter, -autor, Theaterautor, -dichter, Stückeschreiber

dramatisch → spannend

dramatisieren → aufbauschen

Drang: Antrieb, Bedürfnis, Trieb, Verlangen, Begehren, Begierde, Gelüst, Hunger, Durst, Appetit, (Sehn)sucht, Wunsch

drängeln → drängen

drängen: schieben, stoßen, zwängen, drücken, quetschen, pressen; *ugs.:* drängeln, rammeln ‖ bedrängen, -lästigen, nicht in Ruhe lassen, keine Ruhe geben, behelligen, insistieren, zu bewegen suchen, bohren, treiben, zusetzen, eifern, dringen auf; *ugs.:* in den Ohren liegen, quengeln ‖ eilen, dringlich sein, keinen Aufschub dulden/vertragen, unaufschiebbar/notwendig sein; *ugs.:* auf den Nägeln brennen, pressieren

Drangsal → Not

drangsalieren → quälen

drastisch: einschneidend, durchschlagend, -greifend, effektiv, wirksam, nachdrücklich, massiv, streng, strikt, rigoros, entschieden, hart, scharf, unerbittlich, gravierend, energisch, deutlich, unmissverständlich ‖ → derb

Draufgänger: Teufelskerl, Tausendsassa, Haudegen, Held, Heißsporn, Kampfhahn, Kämpfer, Desperado; *ugs.:* toller Hecht, Hansdampf in allen Gassen, Allerweltskerl; *reg.:* Malefizkerl

draufgängerisch: verwegen, kühn, wagemutig, waghalsig, unerschrocken, tollkühn, halsbrecherisch, couragiert, heldenhaft, furchtlos, heroisch

draußen: außen, im Freien, unter freiem Himmel; *reg.:* heraußen

Dreck → Schmutz ‖ → Ramsch ‖ → verflucht

dreckig → schmutzig ‖ → anstößig

Dreh → Trick ‖ → Ausweg

Drehbuch: Filmmanuskript, -szenarium, Treatment

drehen: kurbeln; *ugs.:* leiern, nudeln ‖ (auf)wickeln, (auf)winden, aufrollen, -spulen, zwirbeln, haspeln ‖ auf-, eindrehen, locken, wellen, ringeln ‖ umkehren, -drehen, wenden, kehrtmachen, zurückgehen ‖ filmen, einen

Film machen; *ugs.:* kurbeln ‖ → bewältigen ‖ **sich d.:** zirkulieren, rotieren, kreisen, wirbeln, umlaufen ‖ rollen, kugeln, laufen, s. wälzen; *ugs.:* kullern, kollern, trudeln ‖ **d. um** → gehen um

Drehorgel: Leierkasten; *reg.:* Leier, Werkel, Nudelkasten

Drehpunkt: Pol, Angelpunkt, Achse, Nabel, Schwer-, Brenn-, Mittelpunkt

Dreieinigkeit: Trinität, Dreifaltigkeit, Gott Vater, Sohn und Heiliger Geist

dreist: frech, unverfroren, zudringlich, keck, respektlos, ungeniert, kess, vorlaut, unbefangen, ohne Scheu, vorwitzig, naseweis, unartig, -gesittet, -verschämt, -manierlich, impertinent, frivol, schamlos, unbescheiden, -gezogen, -erzogen, schlecht erzogen, lümmelhaft, ungehobelt, ausfallend

dreschen → schlagen

Dresseur → Dompteur

dressieren: abrichten (Tier), Kunststücke beibringen, erziehen, schulen, lehren ‖ hübsch anrichten (Speisen), garnieren

Drift → Strömung

drillen → ausbilden ‖ *milit.:* trimmen, schinden, stählen, schleifen; *ugs.:* bimsen, zwiebeln

dringen: gelangen, s. einen Weg bahnen, kommen, eindringen ‖ **d. auf:** insistieren/bestehen/-harren/s. versteifen/pochen auf; *ugs.:* nicht lockerlassen ‖ **d. in:** einzuwirken versuchen, zu bewegen suchen, bedrängen, nicht in Ruhe lassen, keine Ruhe geben, behelligen

dringend: (vor)dringlich, (ge)wichtig, wesentlich, ernst(lich), notwendig, unumgänglich, -erlässlich, akut, entscheidend, ausschlaggebend, drängend, bedeutend, relevant, brennend ‖ eilig, höchste Zeit, keinen Aufschub duldend, unaufschiebbar; *ugs.:* pressant, höchste Eisenbahn

dringlich → nachdrücklich ‖ → dringend

Dringlichkeit → Nachdruck

Drink: alkoholisches Getränk, Trunk, Trank, Mix-, Mischgetränk; *ugs.:* Trinkbares

drinnen: innen, im Inneren, inwendig, innerlich, (hier)drin, darin; *reg.:* herinnen

Drive → Schwung

Droge: Medikament, Arznei(mittel), Medizin, Heilmittel, Präparat, Pharmakon ‖ Rauschgift, Betäubungs-, Suchtmittel; *ugs.:* Stoff ‖ **unter Drogen** → high

drohen: bedrohen, Drohungen ausstoßen, die Faust ballen/schütteln, gefährlich werden, schlecht stehen, ans Leben gehen ‖ androhen, einschüchtern, erpressen, terrorisieren, unter Druck setzen; *ugs.:* die Hölle heißmachen, die Pistole auf die Brust setzen, einheizen ‖ (ver)warnen, mahnen, Wink geben, abraten ‖ bevorstehen, heraufziehen, s. zusammenziehen/-brauen/-ballen, in der Luft liegen, seine Schatten vorauswerfen, im Anzug/zu erwarten sein, s. zuspitzen, s. verschärfen

dröhnen: hallen, schallen, donnern ‖ hämmern, trommeln, prasseln, rasseln, pochen; *ugs.:* bummern, wummern ‖ brüllen, lärmen

drollig → spaßig

Droschke: Wagen, Kutsche, Mietfahrzeug, -wagen, Taxi, Kalesche; *öster.:* Fiaker

drosseln: abdrosseln, zudrehen, Gas wegnehmen, Zufuhr behindern ‖ einschränken, verringern, eindämmen, mäßigen, zügeln, dezimieren, reduzieren, verkleinern, begrenzen, herabsetzen, -drücken, herunterschrauben, bremsen

Drosselung → Kürzung

drüben: auf der anderen Seite, jenseits, gegenüber

duldsam

Druck: Gewicht, Last, Schwere; *Fachsp.:* Tension ‖ Kraft, Wucht, Stärke, Gewalt, Härte, Heftigkeit, Vehemenz ‖ Zwang, Nötigung, Muss, Fessel, Kette, Gewalt, Vergewaltigung, Unterdrückung, Unfreiheit, Knechtschaft, Sklaverei ‖ Not, Bedrängnis, -drohung, Pression, Zwangslage, Drangsal ‖ Druckerzeugnis, -werk, (Druck)schrift, Reproduktion, Vervielfältigung ‖ Edition, Veröffentlichung, Publikation, Herausgabe, Abdruck

Drückeberger → Feigling ‖ → Faulenzer

drucken: abdrucken, reproduzieren, vervielfältigen ‖ → publizieren

drücken: (aus-, zusammen)pressen, (zusammen)quetschen, stemmen, kneten, aus-, plattdrücken ‖ einschnüren, -zwängen, ein-, beengen, die Luft abdrücken ‖ → drängen ‖ → bedrücken ‖ → umarmen ‖ **sich d.** → s. entziehen

drückend: lastend, schwer wie Blei, bleiern, bleischwer, gewaltig; *ugs.:* massig, wuchtig, wie ein Klotz ‖ schwül, stickig, feuchtwarm, gewittrig, erstickend

Druckerzeugnis → Druck

Druckmittel: Repressalie, Vergeltungs-, Gegen-, Zwangsmaßnahme, Pression

Druckwerk → Druck

Dschungel: Urwald, Wildnis, Busch

Dualismus: Duplizität, Zweiheit ‖ Gegensatz, rivalisierendes Nebeneinander, Polarität, Verschiedenheit, -artigkeit, Kontrast, Kluft, Unterschied, Antagonismus, Ungleichheit

dualistisch → gegensätzlich

dubios → zweifelhaft ‖ anrüchig, halbseiden, verrufen, -schrien, berüchtigt, undurchsichtig, verdächtig, bedenklich, übel beleumdet, lichtscheu, unheimlich, ominös, obskur, suspekt, nebulös

dublieren → verdoppeln

ducken → demütigen ‖ **sich d.:** s. beugen, s. bücken, s. neigen, s. klein/krumm machen, s. krümmen, in Deckung gehen, Deckung nehmen ‖ → s. demütigen ‖ → s. fügen

Duckmäuser: Feigling, Angsthase, Memme, Hasenfuß, Hasenherz, Kriecher, Schleicher, Leisetreter; *ugs.:* Flasche, Schlappschwanz, Drückeberger, Krummbuckel, Radfahrer, Speichellecker

Duell: Zweikampf

Duett: Wechsel-, Zwiegesang

Duft: (Wohl)geruch, Odeur, Parfüm, Aroma, Blume (Wein), Bukett (Wein); *ugs.:* Mief; *abwertend:* Gestank

dufte → großartig ‖ → attraktiv

duften: gut riechen, angenehmen Geruch/Wohlgeruch ausströmen, Duft aussenden, Duftwogen verbreiten; *gehoben:* die Luft mit Duft schwängern

duftig: (hauch)zart, (hauch)fein, ätherisch, blumenhaft, leicht wie ein Hauch, locker, schleierdünn, spinnwebfein, durchsichtig, -lässig, -scheinend

Duftwasser: Parfüm, Riechwasser, Duftessenz, -stoff

dulden: erdulden, -tragen, -leiden, auf s. nehmen, durch-, mitmachen, s. in etwas fügen/schicken/ergeben, überstehen, -leben, -winden, hinnehmen, verschmerzen, fertig werden/s. abfinden mit, aushalten, s. etwas gefallen/bieten lassen, s. abfinden, s. in seine Rolle finden; *ugs.:* über s. ergehen lassen, einstecken, einen breiten Rücken haben ‖ zulassen, -geben, leiden, geschehen lassen, erlauben, billigen, tolerieren, respektieren, gestatten, jmdn. gewähren/schalten und walten lassen, akzeptieren, anerkennen, konzedieren

duldsam → tolerant

Duldsamkeit → Nachsicht
Dult: Jahrmarkt, Volksfest; *ugs.:* Rummel; *reg.:* Messe, Wasen, Dom, Kirmes
dumm: blöd(sinnig), unintelligent, -verständig, -begabt, -erfahren, -wissend, töricht, begriffsstutzig, borniert, stupide, hohlköpfig, zurückgeblieben, ohne Verstand, mit Dummheit geschlagen, dümmlich, schwachköpfig; *ugs.:* dämlich, doof, dusslig, unbedarft, bescheuert, -hämmert, unterbelichtet, saublöd, stock-, mords-, kreuz-, erz-, strohdumm, (geistig) minderbemittelt, auf den Kopf gefallen, verblödet, idiotisch, beschränkt; *reg.:* bedeppert, -kloppt, damisch, tappert, tappich(t) ‖ naiv, vertrauensselig, gutgläubig, unklug, gedanken-, kritiklos, einfältig, arglos, leichtgläubig, unüberlegt, -vernünftig ‖ → verrückt ‖ → unangenehm ‖ **d. sein:** nicht mit Intelligenz ausgestattet sein; *ugs.:* die Weisheit nicht mit Löffeln gegessen/-fressen haben, nicht bis drei zählen können, ein Brett vor dem Kopf/Stroh im Kopf/ein Spatzenhirn haben, zu heiß gebadet worden sein
dummerweise → leider
Dummheiten → Unsinn
Dummkopf: Schwachkopf, Ignorant, Hohlkopf, Nichtskönner, -wisser, Stümper, Tölpel, Idiot, Kretin, Strohkopf, Narr, Hanswurst, Tropf, Tor; *ugs.:* Dummerjan, Dummian, Dummbartel, Flachkopf, Spatzengehirn, Wasser-, Holzkopf, Nulpe, Dummlack, Schafs-, Kinds-, Kohlkopf, Einfaltspinsel, Depp, Pflaume, Karnickel, Ross, Esel, Hammel, Stiesel, Kamel, Schaf, Ochse, Affe, dumme Ziege/Kuh/Gans, dummes Huhn, Pfeifenkopf, Blödian, Blödmann, Trottel, Pinsel, Armleuchter, Simpel, Dussel, Gips-, Quatschkopf,

trübe Tasse, doofe Nuss, blöder Heini; *derb:* Rindvieh, Arsch(loch), Saftsack, Hornochse, Piesepampel, dummer Sack, dummes Luder, Mondkalb, Rhinozeros; *reg.:* Dämel, Doofkopp, Döskopp, Tepp, Dodel, Klas; *öster.:* Dalk, Karpf, Tocker, Chineser, Hirnöderl, Fetzenschädel; *schweiz.:* Löli
dumpf: dumpf tönend, gedämpft, hohl (klingend), ersterbend, erstickt, klanglos, matt ‖ muffig, mod(e)rig, dumpfig, feucht, kellerhaft, stockig, schimmelig, ungelüftet, schwül; *ugs.:* vermieft ‖ benommen, -täubt, gefühllos, apathisch, lethargisch, taumlig, schwindlig; *ugs.:* umnebelt, duselig, im Dusel/Tran; *reg.:* rammdösig, schwumm(e)rig ‖ stumpf(sinnig), stupide, abgestumpft, unempfindlich, -tätig, teilnahmslos ‖ unbewusst, instinktiv, instinktmäßig, selbstverborgen, unklar, triebhaft, tierisch, unterbewusst
Dünger: Dung, Mist, Kompost, Guano, Jauche; *reg.:* Pfuhl, Gülle, Adel, Odel, Pudel, Suter
dunkel: dunkelfarben, -farbig ‖ schwarz, düster, stockdunkel, lichtlos, trübe, schumm(e)rig, schattig, be-, umschattet, (pech)finster, pechraben-, kohlrabenschwarz, rabenfinster, dämmerig, zwielichtig; *reg.:* (zappen)duster; *gehoben:* nächtig ‖ unbestimmt, -klar, -gewiss, -genau, -scharf, vage, verschwommen, undeutlich, -sicher, -präzis, -geklärt, -entschieden, zweifelhaft, nebulös ‖ nebelhaft, fraglich, unverständlich, in Dunkel gehüllt, verworren, unzugänglich, abstrus ‖ rätselhaft, geheimnisvoll, orakelhaft, doppeldeutig, -sinnig, pythisch, delphisch, sibyllinisch, mystisch, magisch, geheimnisumwittert, unergründlich, -erforschlich, hinter-, abgründig, okkult, undurchdringlich, dämonisch ‖

verdächtig, ominös, suspekt, obskur, nicht geheuer, undurchsichtig, -durchschaubar, bedenklich, heikel, kritisch ‖ **d. werden:** dämmern, s. verdunkeln, dunkeln, Nacht werden; *dicht.:* nachten; *schweiz.:* eindunkeln, -dämmern, -nachten

Dunkel: Düsternis, -keit, Finsternis, -keit, Dunkelheit, Halbdunkel, Schwärze, Nacht

Dünkel: Überheblichkeit, Hochmut, -mütigkeit, Arroganz, Einbildung, -gebildetheit, Stolz, Eitelkeit, Hoffart, Selbstgefälligkeit, -herrlichkeit, -gerechtigkeit, -zufriedenheit, -überhebung, Blasiertheit, Herablassung, Anmaßung, Vermessenheit, Aufgeblasenheit, Angabe, Gespreizt-, Geziert-, Affektiertheit, Prahlerei; *ugs.:* Wichtigtuerei, Geschwollenheit, -tue

dünkelhaft → überheblich

dünken: (er)scheinen, den Anschein haben, anmuten, vorkommen, vermuten, den Eindruck machen, aussehen nach, wirken

dünn: fein, schwach, faden-, hauchdünn, haarfein ‖ mager, dürr, schmächtig, schmal, grazil, zart, feingliedrig, hager, rank, (gerten)schlank, schlankwüchsig, spitz, hohlwangig, ver-, eingefallen, knochig, eckig, abgemagert, aus-, abgezehrt, elend, geschwächt, ausgehungert, krank, zerbrechlich; *ugs.:* klapper-, knochen-, spindeldürr, wie eine Bohnenstange/ein Hering/ein Strich (in der Landschaft), nur Haut und Knochen, ein Schatten seiner selbst, auf den Hund gekommen, ausgemergelt, vom Fleisch gefallen, heruntergekommen; *reg.:* spittelig, spillerig ‖ durchsichtig, -scheinend, transparent, lichtdurchlässig, glasklar ‖ dünnflüssig, wässrig, wenig gehaltvoll ‖ spärlich, sparsam, licht, schütter, dürftig, kümmerlich, karg, knapp, mickrig ‖ abgetragen, -geschabt, -gewetzt, -ge-

stoßen, -genutzt, verschlissen, schäbig, (alters)blank

dünnhäutig → empfindsam

Dunst: Nebel, Trübung, Dampf, Smog, Rauch, Qualm, Diesigkeit; *dicht.:* Duft, Brodem; *reg.:* Wrasen, Dust

dünsten: dämpfen, schmoren, weich werden lassen, gar werden lassen ‖ ausdünsten, schwitzen, übel/schlecht riechen

Dunstglocke: Dunstschicht, -schleier, Smog, Luftverschmutzung, -verpestung

dunstig: diesig, dampfig, trübe, neb(e)lig, verhangen, wolkig, getrübt

Dunstkreis → Atmosphäre

Dünung: See-, Wellengang, Wellen(schlag), Gewoge, Wellenbewegung

duplieren → verdoppeln

Duplikat: Doppel, Dublette, Ab-, Zweitschrift, Durchschrift, -schlag, Kopie

durch: hin-, quer-, mittendurch, querfeldein ‖ wegen, dank, infolge, angesichts, kraft, vermöge, (ver)mittels, aufgrund, mit Hilfe von, anhand, mit, per; *dicht.:* ob

durchackern → durcharbeiten

durcharbeiten: durchstudieren, -lesen, -nehmen, lernen, vorbereiten, s. beschäftigen mit, präparieren, durchforschen, bearbeiten, ergründen; *ugs.:* durchackern, -pauken, -forsten, -pflügen ‖ rund um die Uhr/pausenlos/ohne Pause/Unterbrechung arbeiten ‖ durchwalken, kneten ‖ **sich d.:** s. durchdrängen/-zwängen, s. einen Weg bahnen, s. Platz verschaffen; *ugs.:* s. durchdrängeln/-quetschen

durchaus: unbedingt, unter allen Umständen, ganz und gar, so oder so, auf jeden Fall, absolut, auf Biegen und Brechen, um jeden Preis; *ugs.:* partout ‖ völlig, ganz, gänzlich, voll-

kommen, vollauf, restlos, total, geradezu, nachgerade
durchblättern: durchsehen, -schauen, -gehen, -fliegen, -mustern, sichten
durchblicken → verstehen ‖ **d. lassen** → andeuten
durchblinken → durchscheinen
durchblitzen → durchfahren
durchbohren: durchlöchern, -stoßen, -stechen, -spießen, lochen, perforieren ‖ erstechen, -dolchen
durchboxen → erzielen ‖ **sich d.** → sich durchsetzen ‖ → s. durchschlagen
durchbrechen: durchklopfen, -hauen, -schlagen ‖ zerbrechen, entzweien, entzweibrechen; *ugs.:* kaputtmachen ‖ entzweigehen, in Stücke brechen, zersplittern, zerspellen, krachen, bersten, zerspringen, -schellen, in die Brüche gehen ‖ einbrechen; *ugs.:* durch-, einkrachen, einknacken ‖ → durchdringen
durchbrennen: durchglühen, durchschmelzen, durchschmoren ‖ → fliehen
durchbringen → erzielen ‖ ver-, aufbrauchen, verbringen, -wirtschaften, -tun, -schwenden, -prassen; *ugs.:* um die Ecke bringen, verplempern, -jubeln, -juxen, -pulvern, das Geld auf den Kopf hauen/zum Fenster hinauswerfen ‖ → ernähren ‖ → heilen ‖ **sich d.** → s. durchschlagen
Durchbruch: Durchstoß, Sieg, Eroberung, -rungenschaft, Anerkennung, Erfolg, Aufstieg, Triumph, Glück, Gelingen, Erfüllung, Gedeihen ‖ Öffnung, Loch, Durchgang, -stich, -lass, Engpass, Einschnitt ‖ *med.:* Perforation
durchbummeln → durchfeiern
durchdacht: (wohl) überlegt, begründet, -dacht, -rechnet, rational, systematisch, planmäßig, -voll, methodisch, gezielt, konsequent, folgerichtig, fertig, vollendet, klug, sinn-

voll, taktisch, ausgewogen, -gearbeitet, -gereift; *ugs.:* ausgetüftelt
durchdenken → denken
durchdrängen, sich → s. durcharbeiten
durchdrehen: durchmahlen, -treiben, durch den Wolf drehen, faschieren; *ugs.:* durchleiern ‖ *ugs.:* kopflos/verrückt werden, die Nerven/den Verstand verlieren, um den Verstand kommen, außer sich geraten, ganz aus dem Häuschen/ein Nervenbündel sein, seiner selbst/seiner Sinne nicht mehr mächtig sein, rotieren, überdrehen; *ugs.:* überschnappen, durchticken
durchdringen: durchkommen, -gehen, -brechen, -schlagen, -nässen, -feuchten, -weichen, -sickern, -laufen, -fließen, -strömen, -rinnen, -rieseln, -tropfen, lecken, einströmen, s. durchfressen ‖ → s. durchsetzen ‖ → s. herumsprechen ‖ durchströmen, -fluten, -pulsen, -ziehen, -rieseln, -schauern, -glühen, -beben, überfluten, beseelen, -leben
durchdringend → laut ‖ beißend, streng, scharf, penetrant, stechend, stark, intensiv, unerträglich
durchdrücken → durchsetzen ‖ → durchstreichen
durcheinander: ungeordnet, -übersichtlich, -überschaubar, chaotisch, wirr, wild, wüst, (kunter)bunt, planlos, unzusammenhängend, -verbunden, -ordentlich, vermengt, gemischt, zusammengewürfelt, abstrus, unklar; *ugs.:* kraus, wie Kraut und Rüben, drunter und drüber, kreuz und quer ‖ verwirrt, konfus, desorientiert, konsterniert, verstört, fahrig, zerfahren, unkonzentriert, verdreht, kopflos, -scheu, diffus; *ugs.:* durchgedreht, verdattert ‖ wahllos, willkürlich, beliebig
Durcheinander → Unordnung ‖ → Betrieb

durcheinander bringen: in Unordnung bringen/versetzen, durcheinander werfen, vermischen, -quicken; *ugs.:* in einen Topf werfen, auf den Kopf stellen ‖ → verwechseln ‖ → irremachen

durchessen, sich → schmarotzen

durchfahren → durchqueren ‖ durchzucken, -blitzen, -schießen

Durchfahrt: Passage, Meerenge, Straße, Durchlass, -gang, Öffnung, Tor ‖ Durchreise, Transit, Durchfuhr

Durchfall: Darmkatarr(h), Diarrhö, beschleunigte Verdauung; *ugs.:* flotter Heinrich/Otto, schnelle Kathrin, Renneritis, Dünnpfiff, Durchmarsch; *derb:* Dünnschiss, Scheißerei, Scheißeritis ‖ → Fehlschlag

durchfallen: nicht bestehen (Prüfung), versagen, nicht versetzt werden, sitzen bleiben, nicht in die nächste Klasse aufrücken, das Klassenziel nicht erreichen, die Klasse nicht bestehen, übertroffen werden, s. nicht bewähren, Misserfolg haben, erfolglos sein, nicht ankommen, den Ansprüchen nicht genügen, den Wünschen nicht gerecht werden, nicht gut abschneiden, unterliegen, fehlschlagen, missglücken; *ugs.:* durchfliegen, -krachen, -rasseln, -rauschen, -sausen, -plumpsen, einen Schwanz machen, Schiffbruch erleiden, schief-, danebengehen, kleben/hocken/hängen bleiben

durchfechten → erzielen ‖ sich d. → s. durchschlagen

durchfeiern: durchzechen, -trinken; *ugs.:* durchmachen, -sumpfen, -bummeln, s. die Nacht um die Ohren schlagen, die Nacht zum Tage/lange Nacht machen

durchfinden, sich → s. zurechtfinden

durchfliegen → durchfallen ‖ → überfliegen

durchfließen → durchdringen

durchfluten → durchdringen

durchforschen: erforschen, wissenschaftlich untersuchen, ergründen, erkunden, bearbeiten, durcharbeiten, durchleuchten, ausloten, auf den Grund gehen, einer Sache nachgehen, analysieren; *ugs.:* durchackern ‖ → durchsuchen

durchfressen, sich → durchdringen ‖ → schmarotzen

durchführbar: möglich, nicht ausgeschlossen, ausführ-, erreich-, realisier-, gang-, gehbar

durchführen: verwirklichen, realisieren, ausführen, vollziehen, -strecken, -bringen, -führen, erledigen, absolvieren, bewerkstelligen, abwickeln, besorgen, fertig machen, erfüllen, beenden, ins Werk setzen, vollenden, bewältigen, schaffen, meistern, lösen, in die Tat umsetzen, ins Werk/in Szene setzen, tätigen, verrichten, einlösen, zustande bringen; *ugs.:* auf die Beine stellen, tun, machen, durchziehen, etwas schaukeln ‖ veranstalten, stattfinden lassen, abhalten, unternehmen, arrangieren, inszenieren, ausrichten, organisieren, halten, geben, machen, über die Bühne gehen lassen; *ugs.:* aufziehen

durchfunken → durchgeben

durchfüttern → ernähren

Durchgang: Durchlass, -fahrt, -schlupf, Gasse, Passage, Öffnung, Tor, Straße ‖ Durchgehen, -laufen; *Fachsp.:* Durchlauf

durchgängig → durchweg

durchgeben: durchsagen, -funken, übermitteln, senden, mitteilen, melden ‖ durchreichen, -langen, weitergeben, -leiten

durchgehen: durchschreiten, -laufen; *ugs.:* durchmarschieren ‖ angenommen/genehmigt/-billigt/bewilligt/akzeptiert werden, Zustimmung finden; *ugs.:* mit etwas durchkommen ‖ → durchdringen ‖ → durchsehen ‖ scheu/wild werden (Tiere), davonjagen, -stürmen ‖ → fliehen ‖ **d. lassen:** unbeanstandet/hingehen lassen, nachsehen, Nachsicht üben; *ugs.:* die Augen zudrücken, durch die Finger sehen

durchgehend: direkt (Zug), geradlinig, stracks, geradewegs, umweglos ‖ → durchweg ‖ → dauernd

durchglühen → durchdringen

durchgreifen → eingreifen

durchgreifend: einschneidend, drastisch, effektiv, wirksam, durchschlagend, nachhaltig, spürbar, merklich, erfolgreich, intensiv, scharf, streng, empfindlich

durchhalten: aus-, standhalten, nicht nachgeben/aufgeben, ausharren, nicht wanken (und weichen), das Feld behaupten, s. nicht vertreiben lassen, hart bleiben; *ugs.:* nicht schlappmachen, die Ohren steifhalten

Durchhaltevermögen → Beständigkeit

durchhauen → schlagen ‖ → durchbrechen

durchkämmen: die Haare machen, frisieren; *schweiz.:* strählen ‖ → durchsuchen

durchkämpfen → durchsetzen ‖ **sich d.** → s. durchschlagen

durchkneten: kneten, massieren, durchwalken

durchkommen: vorüber-, vorbeikommen, durchfahren, -ziehen ‖ durchschlüpfen, -gelangen, s. durchwinden/-schlängeln/-lavieren, (hin)durchkriechen; *ugs.:* durchwitschen ‖ → durchgehen ‖ → durchdringen ‖ *ugs.:* (mit heiler Haut) davonkommen, am Leben bleiben, überleben, -stehen

durchkrachen → durchbrechen → durchfallen

durchkreuzen → vereiteln ‖ → durchstreichen ‖ → durchqueren

durchkriechen → durchkommen

Durchlass → Durchgang

durchlassen → nachsehen ‖ eindringen lassen, undicht/leck sein

durchlässig: undicht, leck, porös, löcherig

durchlaufen → durchdringen ‖ absolvieren, erfolgreich beenden/abschließen, hinter sich bringen, erledigen; *ugs.:* durchmachen

durchlavieren, sich → durchkommen

durchlesen: fertig-, auslesen, zu Ende lesen ‖ → durcharbeiten

durchleuchten: röntgen ‖ aufklären, (kritisch) untersuchen, analysieren, auf den Grund gehen, durchsichtig machen, ergründen, durch-, erforschen ‖ durchscheinen, -strahlen, -schimmern, -dringen, -brechen, -blinken

durchlüften → lüften

Durchlüfter: Ventilator, (Ent)lüfter

durchmachen → durchfeiern ‖ → dulden

Durchmesser: Diameter

durchnässen → durchdringen

durchnehmen: behandeln, durch-, besprechen, durcharbeiten, arbeiten an, s. befassen/-schäftigen/auseinander setzen mit

durchpauken → durchsetzen ‖ → durcharbeiten

durchpausen: durchzeichnen, nachzeichnen, abpausen, durchschreiben, vervielfältigen, kopieren, reproduzieren

durchpeitschen geißeln, flagellieren ‖ → erzielen ‖ → peitschen

durchpressen → durchstreichen

durchprügeln → schlagen

durchpulsen → durchdringen

durchquälen, sich → s. durchschlagen

durchqueren: durchkreuzen, -schreiten, -streifen, -dringen, -reisen, -ziehen, -fahren, passieren; *gehoben:* durchmessen

durchrasseln → durchfallen

durchrauschen → durchfallen

durchreisen → durchqueren ‖ → reisen

durchreißen → zerreißen

durchrieseln → durchdringen

durchringen, sich → s. entschließen ‖ → s. überwinden

durchrinnen → durchdringen

durchrühren → rühren

Durchsage: Ansage, Nachricht, Übermittlung, Mitteilung, Botschaft, Kunde, Meldung, Auskunft, Information, Ankündigung, Benachrichtigung

durchsagen → durchgeben

durchsausen → durchfallen

durchschaubar → durchsichtig

durchschauen: erkennen, Klarheit gewinnen, hinter die Kulissen sehen, aufdecken, entschleiern, -larven, ergründen, herausfinden, enträtseln; *ugs.:* dahinterkommen, auf die Schliche kommen, wie Schuppen von den Augen fallen ‖ → durchsehen

durchschauern → durchdringen

durchscheinen: durchschimmern, -strahlen, -leuchten, -dringen, -brechen, -blinken

durchscheuern: verschleißen, -brauchen, abnutzen, durchwetzen, abtragen

durchschimmern → durchscheinen

Durchschlag: Durchschrift, Kopie, Duplikat, Doppel, Dublette, Ab-, Zweitschrift

durchschlagen → durchdringen ‖ **sich d.:** s. durchkämpfen/-setzen/ -fechten/-quälen/-bringen, s. durchs Leben schlagen; *ugs.:* s. durchboxen/-beißen/-wursteln; *öster.:* s. durchfretten

durchschlagend → durchgreifend

durchschleusen: lotsen, lenken, durchziehen, ins Schlepptau nehmen ‖ einschmuggeln

durchschlüpfen → durchkommen

durchschmelzen → durchbrennen

durchschneiden: zerschneiden, trennen, halbieren, teilen; *ugs.:* durchsäbeln

Durchschnitt: Querschnitt, Mittelwert, Mittelmaß, Regel, Medianwert, mittleres Ergebnis; *ugs.:* Schnitt, goldene Mitte

durchschnittlich → mittelmäßig

durchschnüffeln → durchsuchen

Durchschrift → Durchschlag

durchsehen: durchschauen, -blicken, mustern, sichten, prüfen, kontrollieren, nachsehen, checken, durchgehen, -blättern, -fliegen, wälzen (Buch), inspizieren, ab-, untersuchen; *ugs.:* durchforsten, -gucken, -stöbern, -kämmen

durchsetzen: erreichen, -zwingen, -trotzen, durchkämpfen, -fechten, -bringen, zur Geltung/zum Durchbruch bringen, zum Sieg verhelfen; *ugs.:* durchpauken, -boxen, -drücken, -peitschen, powern ‖ **sich d.:** s. behaupten/-währen, durchdringen, ans Ziel kommen, s. Bahn brechen, Hindernisse überwinden, gegen etwas ankommen, das Spiel gewinnen, hochkommen, bewältigen, meistern, schaffen, siegen, etwas erreichen, beikommen, einer Sache Herr werden, es aufnehmen können/fertig werden mit, die Probe bestehen; *ugs.:* s. durchboxen ‖ → Erfolg haben ‖ → festbleiben

Durchsicht → Kontrolle

durchsichtig: transparent, durchscheinend, glasklar, gläsern, lichtdurchlässig, dünn ‖ durchschaubar, fadenscheinig, vordergründig, offenkundig, unglaubwürdig, plump

durchsickern → durchdringen ‖ → s. herumsprechen

durchsieben → filtern

durchspießen → durchbohren

durchsprechen → erörtern

durchstechen → durchbohren

durchstecken → durchziehen

durchstehen: be-, überstehen, durch-, aushalten, ertragen, verkraften, standhalten, durchkommen, überleben, -winden, vertragen, -arbeiten, hinwegkommen über, fertig werden mit, erleiden, auf s. nehmen; *ugs.:* verdauen, einstecken/schlucken müssen, über sich ergehen lassen

durchstöbern → durchsuchen

durchstoßen → durchbohren

durchstreichen: tilgen, (aus)radieren, ausixen, -streichen, durchkreuzen ‖ (durch)passieren, durchdrücken, -quetschen, -pressen

durchstreifen → durchwandern

durchströmen → durchdringen

durchsuchen: nach-, absuchen, abtasten, mustern, stöbern in, durchwühlen, -kämmen, -forschen; *ugs.:* filzen, durchschnüffeln, -kramen, flöhen

durchtrieben → schlau

durchtropfen → durchdringen

durchwachsen: durchwuchert, -zogen, -setzt ‖ → mittelmäßig

durchwandern: durchstreifen, -ziehen, -schweifen, aufsuchen; *ugs.:* ablaufen -grasen, -klappern

durchweg: durchgängig, -gehend, größtenteils, meist(ens), (im) Allgemein(en), fast immer, meistenteils, in der Regel, ausnahmslos, ohne Ausnahme, rundweg, samt und sonders, zumeist, im Großen und Ganzen, generell, weitgehend, gemeinhin, mehr oder minder; *ugs.:* durch die Bank

durchweichen → durchdringen

durchwinden, sich → durchkommen

durchwühlen → durchsuchen

durchzechen → durchfeiern

durchziehen: vorüber-, vorbei-, durchkommen, -fahren ‖ durchstecken, -führen, einfädeln, -ziehen ‖ durchfliegen, -queren, -kreuzen ‖ durchwandern, -streifen, -schweifen, aufsuchen; *ugs.:* ablaufen, -grasen,

-klappern ‖ s. erstrecken, s. ausdehnen, reichen, s. ausbreiten ‖ → durchführen ‖ → durchschleusen

durchzucken → durchfahren

Durchzug: Durchmarsch, -querung, Überquerung ‖ Luftzug, Zugluft, Zug(wind)

durchzwängen, sich → s. durcharbeiten

dürfen: berechtigt/befugt/erlaubt/ ermächtigt/jmdm. gestattet sein, mögen, die Erlaubnis/die Macht/das Recht/die Genehmigung/Möglichkeit/Einwilligung haben, können, sollen

dürftig → kläglich ‖ → mangelhaft

dürr → dünn ‖ → trocken, → unfruchtbar

Durst: trockene Kehle; *ugs.:* Brand, Riesen-, Mordsdurst ‖ Verlangen, Lust, Sehnsucht, Bedürfnis, -gierde, -gehren, Gier, Appetit, Hunger, Trieb, Sucht, Hang

dursten: dürsten, durstig sein, Durst haben/verspüren; *ugs.:* eine trockene Kehle haben ‖ **d. nach** → lechzen

Dusche: Brause ‖ *ugs.:* Ernüchterung, Enttäuschung, Dämpfer, Desillusionierung, Entzauberung ‖ *ugs.:* Regenguss, -schauer, Platzregen, Wolkenbruch

duschen → brausen

Dusel → Glück ‖ → Schwindel ‖ → Rausch

duselig → schwindlig

duseln → schlafen

düster → dunkel ‖ → grauenhaft ‖ → trostlos

Düsternis → Dunkel

dutzendfach → oft

dutzendweise → massenhaft

duzen: du sagen zu, mit du anreden, per du sein ‖ **sich d.:** auf Du und Du stehen, einander/sich mit du anreden, s. nicht mehr siezen, mit jmdm. Brüderschaft getrunken haben; *ugs.:* auf dem Duzfuß stehen

Dynamik → Schwung ‖ → Antrieb
dynamisch: temperamentvoll, energiegeladen, schwungvoll, bewegt, agil, kraftvoll, lebhaft, vital, feurig, mobil, alert, vehement, rege, beweglich, wach, auf der Höhe, up to date; *ugs.:* (top)fit, auf Draht, fix, kregel, vif

Dynastie: Herrscherhaus, -familie, -geschlecht

E

Ebbe: Tief-, Niedrigwasser ‖ Tief-stand, Not-, Zwangslage, Misslich-keit, Kalamität, Ungemach, Manko, Verlust, Minus, Flaute, Ausfall, Ein-buße ‖ **E. und Flut:** Gezeiten(wech-sel), Tide
eben: soeben, gerade (jetzt), vor ei-nem/in diesem Augenblick, gerade vorhin/noch ‖ einfach, nun einmal, ja; *ugs.:* halt ‖ flach, platt, glatt, plan, horizontal, waagerecht
Ebenbild: Ab-, Spiegelbild, Spiege-lung, Entsprechung, Analogie, Ver-wandtschaft, Gegenstück, Pendant, Verdoppelung, Doppelgänger
ebenbürtig: gleichwertig, -rangig, -stehend, ranggleich, von gleichem Stand, artverwandt, wesensgleich, kongenial, geistesverwandt, auf glei-cher Höhe/Stufe, gleichberechtigt, genauso gut
Ebene: Flachland, Niederung, Tief-land, -ebene, Tafel(land), Platte, Flä-che, Plateau, Ausdehnung
ebenerdig: parterre, zu ebener Erde, im Erdgeschoss
ebenfalls: auch, gleichfalls, genauso, desgleichen, gleichermaßen, dito; *öster.:* detto
Ebenmaß → Gleichmaß
ebenmäßig: regel-, gleichmäßig, harmonisch, ausgewogen, propor-tioniert, stimmig, symmetrisch, wohl geformt/gestaltet/gegliedert, abge-stimmt, -gerundet, ausgeglichen, im richtigen Verhältnis
ebenso: ebenfalls, geradeso, ge-nauso, in demselben Maße, in glei-cher Weise, gleicherweise, -maßen, (auch) so, item, dito; *öster.:* detto
Eber → Schwein

ebnen: glätten, glatt machen/strei-chen, walzen, planieren, nivellieren, begradigen, einebnen, egalisieren, ausgleichen, dem Erdboden gleich-machen ‖ bahnen, eröffnen, vorberei-ten, erleichtern, fördern, begünstigen
echauffieren, sich → s. aufregen
echauffiert → aufgeregt
Echo: Wider-, Nachhall, Wider-, Rückschall, Widerklang; *schweiz.:* Widerruf ‖ Resonanz, Rückwirkung, Antwort, Zustimmung, Beifall, An-klang, Applaus, Anerkennung, Billi-gung, Bewunderung, Huldigung, Ovation, freundliche Aufnahme, Lob
echt: rein, original, unverfälscht, richtig, ursprünglich, genuin, authen-tisch, nicht künstlich/imitiert, → zünftig ‖ tatsächlich, wirklich, wahr, real, existent ‖ natürlich, unge-künstelt, -verbildet, -geziert, -ge-zwungen, urwüchsig ‖ beständig, ge-diegen, qualitätsvoll, solid(e), reell, haltbar, stabil ‖ → fürwahr
Eckball: Eckstoß, Ecke
Ecke: Winkel, Rand, Kante, Schnitt-punkt, Knick, Kreuzung ‖ Vor-sprung, Spitze, Nase, Zacke, Zipfel ‖ → Eckball ‖ → Gebiet
eckig: kantig, spitz, scharf ‖ → unge-schickt ‖ → dünn
edel: wertvoll, kostbar, erlesen, ex-quisit, rar, teuer, erstklassig, viel wert, ausgesucht, hochwertig, qualitäts-voll, de luxe, von bester Qualität, ex-zellent, süperb, vorzüglich ‖ nobel, hochherzig, gut, großmütig, ritter-lich, vortrefflich, selbstlos, von hoher Gesinnung, gentlemanlike, altruis-tisch, uneigennützig ‖ schön ge-formt/-staltet, klassisch

Edelmann: Adliger, Aristokrat
edelmännisch → adlig
Edelmut → Großmut
edelmütig → hochherzig
Edelstein: (Schmuck)stein, Juwel, Brillant, Diamant, Kristall
Eden: Paradies, Elysium, Garten Eden/Gottes, Gefilde der Seligen
edieren → publizieren
Edikt → Erlass
Edition → Ausgabe
Effekt → Ergebnis ‖ → Wirksamkeit
Effekten: Wertpapiere; *schweiz.:* Wertschriften
Effekthascherei → Angabe
effektiv: tatsächlich, wirklich, bestimmt, absolut, faktisch, in der Tat, sicher, gewiss, unbestreitbar, wahrlich, -haftig, de facto, realiter, in praxi, praktisch ‖ wirksam, nachhaltig, effizient, eindrucksvoll, außerordentlich, durchschlagend, -greifend, erfolgreich, entscheidend
effektvoll → eindrucksvoll
egal: gleichwie, einerlei, gleichgültig, wie dem auch sei, wie auch immer ‖ gleich, identisch, unterschiedslos, übereinstimmend, kongruent, nicht unterscheidbar, analog, genau-, ebenso
egalisieren: ausgleichen, einen Ausgleich schaffen/erreichen/bewirken/herbeiführen, ausbalancieren, ins Gleichgewicht bringen, glätten, gleichmäßig machen, nivellieren, entzerren, kompensieren
Egoismus → Selbstsucht
egoistisch: selbstsüchtig, eigennützig, ich-, eigensüchtig, rücksichtslos, selbstisch, nur an sich denkend; *ugs.:* über Leichen gehend
egozentrisch → ichbezogen
eh → sowieso
ehe: bevor, vorher, früher, als noch nicht
Ehe: Ehebund, -stand, -band, -joch, Verbindung, Partie, Heirat, Lebens-

gemeinschaft; *gehoben:* Bund fürs Leben, ewiger Bund
ehebrechen → betrügen
ehebrecherisch → untreu
Ehebruch → Seitensprung
ehedem → früher
Ehefrau: Frau, (Ehe)gattin, Gemahlin, Lebensgefährtin, -kameradin, -genossin, Ehepartnerin, Angetraute, Weggefährtin; *ugs.:* Weib, Gespons, Ehehälfte, -weib, -kreuz, Hauszierde, Alte, bessere Hälfte, Olle; *abwertend:* Xanthippe, Drachen
Ehegatte → Ehemann
ehelichen → heiraten
ehelos: ledig, unverheiratet, gattenlos, unbeweibt, -bemannt, -gebunden, -vermählt, -verehelicht; *ugs.:* noch zu haben, noch frei
ehemalig, ehemals → früher
Ehemann: Mann, (Ehe)gatte, Gemahl, Lebensgefährte, -genosse, -kamerad, Ehepartner, Angetrauter, Weggefährte; *ugs.:* Ehegespons, Herr und Gebieter/Meister, Göttergatte, Alter, Oller, Gatterich; *abwertend:* Pantoffelheld, Tyrann, Ehekrüppel; *öster.:* Simandl
Ehepaar: Eheleute, Mann und Frau, Vermählte, Verheiratete, (verheiratetes) Paar, Lebensgefährten; *ugs.:* (Ehe)gespann
eher: früher, zeitiger ‖ lieber, leichter, mehr, vielmehr, im Gegenteil
ehern: eisern, stählern ‖ felsenfest, standhaft, unbeugsam, wie ein Fels
ehrbar → ehrenhaft
Ehre: Ehr-, Wertgefühl, Stolz, Würde, Wert, Ansehen, -stand, Selbstachtung ‖ Geltung, Achtung, Ruf, Prestige, Bedeutung, Einfluss, Gewicht, Reputation, Renommee, Leumund, Rang, Profil, Image, Größe, Format ‖ Lob, Ruhm, Ehrung, Auszeichnung, Ehrenbezeigung, Ovation, Huldigung, Anerkennung, Wert-, Hochschätzung, Re-

spekt, Hochachtung, Ehrerbietung, Referenz, Würdigung

ehren: verehren, achten, in Ehren halten, anerkennen, schätzen, bewundern, würdigen, respektieren, honorieren, anbeten, vergöttern ‖ feiern, huldigen, loben, preisen, rühmen, auszeichnen, bejubeln, verherrlichen, -klären, -göttern, idealisieren, Lob erteilen/spenden ‖ zur Ehre gereichen, Ehre machen, Anerkennung/Lob verdienen, anerkennenswert sein

ehrenamtlich: unentgeltlich, freiwillig, unbezahlt, ehrenhalber

ehrenhaft: ehrenwert, achtbar, rühmenswert, ehrbar, -sam, würdig, redlich, rechtschaffen, loyal, reputabel, -putierlich, gentlemanlike, fair, charakter-, ehrenfest, (hoch)anständig, untadelig, ordentlich, lauter, sauber, unbestechlich, vertrauenswürdig, honorabel, honorig, integer, unbescholten

Ehrenmahl → Festessen

Ehrenmal → Denkmal

ehrenrührig: beleidigend, verletzend, gehässig, kränkend, verleumderisch, diffamierend

ehrenvoll: anerkennens-, lobenswert, verdienstvoll, -dienstlich, ruhmvoll, -reich, rühmlich, glorreich, glorios, löblich, ehrend, schmeichelhaft, achtbar

Ehrenvorsitz: Ehrenpräsidium, Schutz-, Schirmherrschaft, Patronat, Protektorat

Ehrenwort: (feierliche) Bekräftigung, festes Versprechen, Zusicherung, Gelöbnis, Beteuerung, (Mannes)wort, Schwur, Eid

ehrerbietig → ehrfürchtig ‖ → unterwürfig

Ehrfurcht: (Hoch)achtung, Pietät, Verehrung, Scheu, Furcht, Respekt, Anerkennung, Wertschätzung, Ergebenheit

ehrfürchtig: ehrfurchts-, respekt-, pietät-, achtungsvoll, ehrerbietig

Ehrgefühl → Ehre

Ehrgeiz: Fleiß, Eifer, Strebsam-, Betriebsamkeit, Streben nach Erfolg/Anerkennung/Geltung, Ambition ‖ Ruhmsucht, Geltungsdrang, Machtgier, Ehrsucht; *ugs.:* Profilneurose

ehrgeizig: fleißig, eifrig, strebsam, betriebsam, aktiv, leistungswillig ‖ ruhm-, ehr-, selbstsüchtig, streberhaft, geltungsbedürftig, machtgierig

ehrlich: zuverlässig, aufrichtig, offen, wahrhaftig, vertrauenswürdig, verlässlich, reell, redlich, aufrecht, anständig, glaubwürdig, offen(herzig), freimütig, unverhüllt, geradlinig, gerade, fair, loyal, rechtschaffen, sauber, lauter

Ehrlichkeit → Offenheit

ehrlos: verächtlich, nichtswürdig, charakterlos, verabscheuungswürdig, würdelos, unwürdig, erniedrigend, gemein, niederträchtig, unfair, -redlich, -reell, -ehrenhaft, -lauter, -sauber

ehrsam → ehrenhaft

Ehrung: Auszeichnung, Huldigung, Honneurs, Lob, Anerkennung, Ovation, Ruhm, Ehre, Preis

ehrwürdig: erlaucht, -haben, honorig, Achtung gebietend, feierlich, festlich, solenn, altehrwürdig, -väterlich, patriarchalisch

Ei: Eizelle, Ovum, Ovulum

Eichhörnchen: Eichkätzchen; *ugs.:* Eichkater, -hase, Baumfuchs, Eichert; *reg., öster.:* Eichkatzl

Eid: Gelöbnis, Schwur, Gelübde, eidesstattliche Versicherung, Versprechen an Eides statt, (Ehren)wort

Eidgenosse: Schweizer; *ugs.:* Schwyzer

Eidotter: Eigelb, Dotter; *reg.:* Gelbei

Eierkuchen → Pfannkuchen

Eifer: (Be)streben, Ehrgeiz, Eifrigkeit, Aktivität, Tatendrang, Regsam-,

Betriebsam-, Geschäftig-, Rührig-
keit, Energie, Emsigkeit, Beflissenheit, Hingabe, Bereitwillig-, Dienst-
willigkeit, Enthusiasmus, Ernst, An-
spannung, Mühe || Bemühen, Fleiß,
Strebsamkeit, Arbeitsfreude, -lust
Eiferer: Fanatiker, Kämpfer, Streiter, Verfechter, Zelot, Schwärmer,
Schwarmgeist
eifern || **e. nach** → anstreben || **e. für**
→ eintreten für
Eifersucht: Eifersüchtelei, Neid,
Missgunst, Argwohn, Misstrauen,
Besitzanspruch
eifersüchtig: neidisch, missgünstig,
-trauisch, argwöhnisch, besitzergrei-
fend
eiförmig: oval, eirund
eifrig: aktiv, rege, rührig, reg-, betriebsam, beflissen, emsig, ehrgeizig,
hingebungsvoll, begeistert, leidenschaftlich, enthusiastisch, pflichtbe-
wusst, dienstfertig, geschäftig || flei-
ßig, bestrebt, strebsam, bemüht, unermüdlich, -verdrossen, arbeitsam,
schaffensfreudig, tatkräftig, ambitioniert; *schweiz.:* schaffig
Eigelb: (Ei)dotter; *reg.:* Gelbei
eigen: persönlich, privat, zugehörig,
jmdm. selbst gehörend || selbst-, ei-
genständig, autonom, autark, unab-
hängig || → merkwürdig || → eigen-
sinnig || → charakteristisch || **sein Ei-
gen nennen** → besitzen || **sich zu Ei-
gen machen:** s. angewöhnen/-eignen,
s. zulegen, annehmen
Eigenart: Eigenheit, Eigentümlichkeit, Besonderheit, Spezialität, Spezifikum, Typ, Manier, Charakter, Gepräge, Wesen(sart), Natur, Anlage
Eigenschaft, Wesensmerkmal, -zug,
Charakteristikum, Qualität, Note,
Seite || Eigenartig-, Seltsam-, Son-
derbar-, Merkwürdig-, Befremdlich-
keit, Verschrobenheit, Schrullig-,
Wunderlich-, Kauzigkeit, Ausgefal-
lenheit, Eigenbrötelei

eigenartig → merkwürdig
Eigenbrötler → Sonderling
eigenbrötlerisch → merkwürdig
eigenhändig: selbst, persönlich, in
persona, privat(im), personaliter;
scherzh.: höchstpersönlich, -selbst;
ugs.: selber
Eigenheit → Eigenart
Eigenliebe → Selbstsucht
Eigenlob: Selbstlob, -gefälligkeit,
-vergötterung, -verherrlichung
eigenmächtig: unbefugt, -berechtigt,
-erlaubt, ohne Auftrag/Befugnis/Er-
laubnis, angemaßt, selbstherrlich,
willkürlich, nach eigenem Gutdün-
ken/Ermessen, auf eigene Faust,
selbständig
Eigenname: Familien-, Zu-, Nachname, Patronym, Ehename
eigennützig: berechnend, auf eigenen
Nutzen/Vorteil bedacht, selbst-, ichsüchtig, selbst-, ichbezogen, egoistisch, egozentrisch
eigens: speziell, besonders, in jedem
Einzelfall, von Fall zu Fall, extra, ge-
sondert, ausdrücklich || hauptsäch-
lich, vorwiegend, insbesondere, vor
allem, vorzugsweise, in erster Linie
Eigenschaft: Merkmal, Wesenszug,
Kennzeichen, Qualität, Seite, Note,
Attribut, Beschaffenheit, Daseins-
form, Charakteristikum, Kriterium,
Besonderheit, Eigenheit, -tümlich-
keit, Spezifikum
Eigensinn → Trotz
eigensinnig: starr-, dickköpfig, verstockt, hartnäckig, halsstarrig, stur,
steifnackig, obstinat, rechthaberisch,
unbelehrbar, störrisch, unnachgiebig, trotzig, aufsässig, -müpfig, widerspenstig, renitent, unlenksam, ei-
gen(willig), verbohrt, uneinsichtig,
widerborstig, kratzbürstig, unerbittlich, knorrig, eigenbrötlerisch; *ugs.:*
bockig, bockbeinig, dickschädelig
Eigensinnigkeit → Trotz
eigenständig → selbständig

eigentlich: im Grunde, genau, streng genommen, überhaupt, rechtens, von Rechts wegen, an (und für) sich, bei Lichte besehen, in Wirklichkeit, tatsächlich, wirklich, gewissermaßen, sozusagen, so gut wie ‖ anders, alias, mit anderem Namen, auch/sonst ... genannt, außerdem ‖ ursprünglich, primär, von Haus aus, original, originär, anfangs, -fänglich, zuerst, -nächst

Eigentum → Besitz

Eigentümer: Besitzer, Inhaber, Eigner, Herr

eigentümlich → merkwürdig ‖ → charakteristisch

eigenwillig → eigensinnig

Eigenwilligkeit → Trotz

eignen → besitzen ‖ **sich e.:** passen, geeignet/befähigt sein für, in Betracht/Frage kommen, s. gut verwenden lassen für, taugen

Eigner → Eigentümer

Eignung: Qualifikation, Befähigung, Fähigkeit, Voraussetzung, Anlage, Können, Vermögen, Begabung, Gabe, Talent, Brauchbar-, Verwendbar-, Tauglichkeit; *ugs.:* das Zeug dazu

Eiland → Insel

Eile: Hast, Unruhe, Hektik, Unrast, Eilig-, Ruhelosig-, Rastlosigkeit, Getriebe, Wirbel, Geschäftig-, Betriebsamkeit, Jagd, Gejagtheit, Zeitmangel; *ugs.:* Hetze(rei), Gehetze, Hatz, Gejage ‖ Tempo, Geschwindig-, Schnellig-, Behändigkeit, Galopp, Rasanz, Flink-, Raschheit, Fixig-, Zügigkeit ‖ Wichtig-, Notwendig-, Dringlich-, Unaufschiebbarkeit

eilen: hasten, stürmen, stürzen, preschen, rasen, laufen, rennen, sausen, fliegen, hetzen, jagen, spurten, sprinten, stieben, huschen, rüstig gehen, ausschreiten; *ugs.:* düsen, flitzen, pesen, wetzen, schesen, spritzen, wieseln, schwirren, traben, galoppieren, fegen; *öster.:* pledern, blädern ‖ → s. beeilen ‖ drängen, keinen Aufschub dulden, dringlich/notwendig/unaufschiebbar sein; *ugs.:* pressieren, auf den Nägeln brennen ‖ übereilen, -stürzen, vorschnell/unbedacht handeln; *ugs.:* s. vergaloppieren

eilends → eilig

eilig: hastig, in großer/fliegender/rasender Eile, in fliegender/wilder Hast, überstürzt, Hals über Kopf, schnell, sofort, auf schnellstem Wege, fluchtartig, eilends, express, fix, hurtig, rasant, rasch, im Nu, geschwind, flugs, zügig, wie der Blitz/Wind; *ugs.:* wie von der Tarantel gestochen/die Feuerwehr, mit einem Affentempo/Affenzahn, wie ein geölter Blitz, in Null Komma nichts, ruck-zuck ‖ dringend, dringlich, drängend, unaufschiebbar, höchste Zeit; *ugs.:* pressant, höchste Eisenbahn

Eilschrift: Kurz-, Schnellschrift, Stenografie

Eimer: *reg.:* Kübel

einander: einer dem anderen, gegen-, wechselseitig

einarbeiten → anleiten ‖ → einfügen

einäschern → verbrennen

Einäscherung: (Leichen)verbrennung, Feuerbestattung, Kremation, Kremierung ‖ Trauerfeier, Beisetzung, Leichenbegängnis, Totenfeier ‖ Beerdigung

einatmen: Luft einziehen, Atem holen, inhalieren, einsaugen

einbalsamieren → mumifizieren ‖ → eincremen

Einband: Buchrücken, -deckel, -einband, Einbanddecke(l), Deckel, Hülle

einbauen: einmontieren, -setzen, installieren ‖ → einfügen

einberufen: zusammenrufen, anberaumen, (ein Gremium) versammeln ‖ → einziehen

einbetonieren: einmauern, im Mauerwerk befestigen

einbeulen → verbeulen

einbeziehen: eingliedern, -schließen, -kalkulieren, ein-, dazu-, hinzu-, mitrechnen, dazu-, hinzunehmen, dazu-, hinzu-, mitzählen, erfassen, implizieren, integrieren, einordnen, -planen, berücksichtigen, teilnehmen/-haben lassen, beteiligen

einbiegen → abbiegen

einbilden, sich: s. einreden, s. etwas vormachen, s. vorstellen/-spiegeln/-gaukeln, s. Illusionen machen, mutmaßen, meinen, glauben, vermuten, wähnen, ahnen, wittern, irrtümlich der Meinung sein, zu spüren glauben, erträumen, -hoffen, spekulieren, annehmen, s. etwas zusammenreimen ‖ **sich etwas e.:** eingebildet sein, s. dünken, s. anmaßen, s. überheben/-schätzen, s. aufspielen, aufschneiden, angeben, hochmütig/-näsig sein, an Selbstüberschätzung leiden, s. für etwas Besonderes halten, ohne rechten Grund stolz sein; *ugs.:* s. für weiß was/wen halten, s. großtun, erhaben tun, aufschneiden, hoch hinauswollen, Rosinen im Kopf haben

Einbildung: Illusion, Irrealität, Imagination, Kopfgeburt, Fantasie(gebilde), Fiktion, (Wunsch)vorstellung, Luftschloss, -blase, Erfindung, Theorie, Spekulation, Vision, Fata Morgana, Phantom, Utopie, Traum(gebilde), -gesicht, fixe Idee, Fantasma(gorie), Wunschtraum, -bild, (Sinnes)täuschung, Vorspiegelung, Erscheinung, Gesicht, Trugbild, Blendwerk, Halluzination, Schimäre, Wahn(vorstellung, -gebilde), Gaukelei, Gaukelbild, Hirngespinst; *ugs.:* Wolkenkuckucksheim, Seifenblase ‖ Überheblichkeit, Dünkel, Hochmut, Arroganz, Stolz, Selbstgefälligkeit, Blasiertheit, Herablassung, Hoffart,

Hybris, Anmaßung, Eitelkeit, Angabe, Affektiert-, Gespreiztheit, Prahlerei, Geziertheit; *ugs.:* Getue, Wichtigtuerei, Geschwollenheit

Einbildungskraft: Imagination, Erfindungsgabe, Vorstellungsvermögen, -kraft, Inspiration, Eingebung, Fantasie, Anschauungsvermögen

einbinden: einschnüren, -knoten, -flechten, -knüpfen, verhüllen, umkleiden, einpacken, -schlagen ‖ binden, mit einem Einband versehen, heften, broschieren

einbläuen → einprägen

einblenden → einfügen

Einblick: Eindruck, -sicht, Überblick, Aufschluss, Vorstellung, Anschauung, Bild, Bescheid, Kenntnis, Wissen, Kunde, Aufklärung

einbrechen: einen Einbruch verüben / begehen / ausführen, unbemerkt eindringen, -steigen, s. einschleichen /-schmuggeln /-stehlen, → stehlen ‖ durchbrechen, einkrachen, -knacken ‖ zusammenbrechen, -stürzen, -fallen, -krachen, einstürzen, -fallen ‖ **e. in:** s. Zutritt verschaffen, Hausfriedensbruch begehen, überfallen, -rumpeln

Einbrecher: Dieb, Räuber, Plünderer; *ugs.:* Langfinger, Ganove, Bandit

Einbrenne: (Mehl)schwitze; *öster.:* Einmach(e)

einbringen: ernten, einfahren, -holen, hineinschaffen, hereinbringen, bergen ‖ → eintragen ‖ vorlegen, -bringen, -schlagen, unterbreiten, präsentieren, einreichen

einbrocken: *(ugs.):* verschulden, -ursachen, s. in eine unangenehme Situation bringen; *ugs.:* ins Fettnäpfchen treten, s. in die Nesseln setzen

Einbruch: Diebstahl, Raub, Plünderung ‖ Durchbruch, Eindringen ‖ Einsturz, Zusammensturz, -bruch ‖ Überfall, Angriff, -schlag, Einfall, Invasion, Einmarsch, Gewaltstreich

‖ Herannahen, Beginn, Eintritt, Anbruch

einbuchten → einsperren

einbuddeln → eingraben

einbüffeln → einprägen

einbunkern → einsperren

einbürgern: die Staatsbürgerschaft geben, die Staatsangehörigkeit verleihen, naturalisieren ‖ **sich e.:** heimisch/zur Gewohnheit/üblich/ Usus/Sitte werden, s. durchsetzen, s. ausbreiten, s. Geltung verschaffen, alltäglich/gewöhnlich/-bräuchlich/ landläufig/zur Selbstverständlichkeit werden, s. einspielen; *ugs.:* gang und gäbe sein

Einbuße: Verlust, Abnahme, Verringerung, Ausfall, Schaden, Ebbe, Minus, Flaute, Nachteil, Schwund, Wegfall, Ausbleiben, Defizit

einbüßen → verlieren

eincremen: einsalben, -reiben, -massieren, -fetten, -ölen, (ein)balsamieren; *ugs.:* einschmieren

eindämmen: aufhalten, begrenzen, zügeln, zähmen, bändigen, einschränken, Halt/Einhalt gebieten, unter Kontrolle bekommen, bremsen, drosseln, mäßigen, abschwächen, dämpfen

eindämmern → einschlafen

eindecken: (über-, voll)beschäftigen, keine Zeit lassen/gewähren, absorbieren, beanspruchen, in Beschlag/ voll in Anspruch nehmen, ausfüllen, -buchen, belasten ‖ **sich e.:** s. versorgen, s. mit Vorräten versehen, horten, aufstapeln, -speichern, einlagern, -kellern, hamstern, vorsorgen, → kaufen

eindellen → eindrücken

eindeutig → klar ‖ → aufrichtig

eindimensional → einseitig

eindösen → einschlafen

eindrängen be-, einstürmen, überfallen, bedrängen, in Unruhe versetzen, durch Drängen/Gewalt s. jmdm. nähern ‖ **sich e.:** s. einmischen, -mengen, dazwischenreden, intervenieren, s. durch Drängen Zutritt verschaffen, in fremder Sache aktiv werden, stören, belästigen; *ugs.:* dreinreden, dazwischenpfuschen, seine Nase in alles stecken

eindringen → einbrechen ‖ hineindringen, gelangen in, hereinkommen ‖ einmarschieren ‖ s. einschleichen ‖ **e. in:** s. Zutritt verschaffen, Hausfriedensbruch begehen, überfallen, -rumpeln ‖ erforschen, -gründen, s. vertiefen, s. hineinversenken, s. intensiv beschäftigen/-fassen/auseinander setzen mit, der Sache auf den Grund gehen, erkunden, eruieren ‖ **e. auf** → bedrängen

eindringlich → nachdrücklich

Eindringlichkeit → Nachdruck

Eindringling → Störenfried

Eindruck: Vorstellung, Einwirkung, Empfindung, Anschauung, Wahrnehmung, Apperzeption, Impression ‖ → Einblick ‖ Vertiefung, Druckspur, Delle, Einkerbung, -prägung ‖ Schein, Anschein ‖ Wirkung, Ausstrahlungskraft, Effekt, Anziehung

eindrücken: zerdrücken, beschädigen, zerbrechen, verbeulen, eindellen ‖ (ein)prägen, (ein)pressen, (ein)stanzen ‖ → aufbrechen

eindrucksvoll: imposant, eindrücklich, beeindruckend, einprägsam, imponierend, tief gehend, nachhaltig, unvergesslich, → einschneidend, sensationell, wirkungs-, effektvoll, triumphal ‖ → außergewöhnlich

einduseln → einschlafen

einebnen → ebnen

einen → vereinigen

einengen → einschnüren ‖ → einschränken

einerlei: gleich(gültig), egal, unwichtig, bedeutungslos, unbedeutend, belanglos, unwesentlich, -erheblich; *ugs.:* das ist Jacke wie Hose/gehupft wie gesprungen ‖ gleichviel, wie dem auch sei/auch immer

Einerlei → Alltag

einfach: schlicht, anspruchslos, bescheiden, kunstlos, ohne großen Aufwand, prunk-, schmucklos, ungekünstelt, simpel, primitiv, genügsam, bedürfnislos, eingeschränkt, frugal, karg, spartanisch, puritanisch, natürlich, unauffällig, farblos, unscheinbar; *ugs.:* ohne viel Brimborium ‖ mühelos, unproblematisch, -kompliziert, bequem, spielend, leicht, simpel, ohne Schwierigkeit/ Mühe, unschwer, mit Leichtigkeit; *ugs.:* idiotensicher; *öster.:* kommod ‖ → einfältig ‖ eben, (nun) einmal, überhaupt, völlig, ganz und gar, geradezu, ohne weiteres; *ugs.:* halt

einfädeln: durchziehen, -stecken, -führen ‖ ins Werk setzen, in die Wege leiten, vorbereiten, anknüpfen, -zetteln, einleiten, anspinnen, -fangen, beginnen, Kontakt aufnehmen, Initiative ergreifen ‖ sich e.: s. einreihen/-ordnen

einfahren: ernten, einholen, -bringen, hineinschaffen, hereinbringen, bergen, in die Scheune fahren ‖ einlaufen (Zug), eintreffen, ankommen ‖ in Schwung/auf Touren bringen (Auto), voll leistungsfähig machen ‖ sich e.: *(ugs.):* zur Gewohnheit/Routine/üblich werden, Sitte/Usus werden, s. durchsetzen, s. ausbreiten, s. Geltung verschaffen, alltäglich/gewöhnlich / -bräuchlich / landläufig werden; *ugs.:* gang und gäbe sein, in Fleisch und Blut übergehen

Einfahrt: Tor-, Hauseinfahrt, Tor-, Einfahrtsweg, Zugang, Auf-, Zufahrt ‖ Ankunft (Zug), Einlaufen, -treffen

Einfall: Idee, Gedanke, Eingebung, Intuition, Inspiration, Erleuchtung, Geistesblitz, Funke, Gag ‖ Laune, Grille, Mucke, Kapriole, Kaprize, Anwandlung, Flausen ‖ Überfall, Offensive, Angriff, -sturm, Attacke, Kampferöffnung, Anschlag, Aggression, Vorstoß, Gewaltstreich

einfallen: auf den Gedanken/jmdm. in den Sinn kommen, eine Idee/einen Gedanken haben, erfinderisch sein, schöpferisch denken, anwandeln, aufblitzen, dämmern, s. erinnern, s. entsinnen ‖ einstürzen, zusammenbrechen, -krachen, -sinken ‖ → abmagern ‖ e. in: eindringen, -marschieren, angreifen, den Kampf beginnen/eröffnen, überfallen, attackieren, losschlagen, zum Angriff übergehen, herfallen über, anstürmen, das Feuer/die Feindseligkeiten eröffnen, offensiv werden/vorgehen, den Frieden brechen, anrennen gegen

einfallslos: geist-, ideen-, gehalt-, witz-, fantasielos, nichts sagend, hohl, banal, schal, billig, platt, seicht, abgenutzt, -gedroschen, -gegriffen, oberflächlich, unoriginell, -schöpferisch, trivial; *ugs.:* ausgeleiert

einfallsreich: ideen-, erfindungsreich, fantasievoll, -begabt, gedanken-, geistreich, schöpferisch, spritzig, witzig, genial, erfinderisch, kreativ, originell, produktiv, konstruktiv, findig

einfältig: naiv, kindlich, arg-, harmlos, treuherzig, kritiklos, unkritisch, urteilslos, undifferenziert, bieder, schlicht, beschränkt, gut-, leichtgläubig, simpel, einfach, tumb ‖ töricht, tölpelhaft, unklug, -vernünftig, -geschickt, schwerfällig; *ugs.:* unbedarft, stiefelig, blöde, doof

einfangen: auffangen, fassen, erhaschen, -greifen ‖ festhalten (Stimmung), zum Ausdruck bringen, ausdrücken, fixieren, wiedergeben

einfarbig: eintönig, uni, nicht bunt, monochrom

einfassen: umfassen, -geben, (ein)säumen, eingrenzen, rahmen

einfetten: fetten, ölen, schmieren; *Fachsp.:* abschmieren ‖ → eincremen
einfinden, sich: erscheinen, in Erscheinung treten, auftauchen, s. einstellen, auf den Plan treten, eintreffen, (an)kommen, landen; *ugs.:* anrücken, -tanzen, -rollen, aufkreuzen, einlaufen, -trudeln, anmarschiert kommen, s. blicken lassen, hereinschneien
einflechten: einbinden, -schnüren, -knoten, -knüpfen ‖ einfließen lassen, beiläufig bemerken/erwähnen, streifen, berühren, andeuten ‖ → einfügen
einflößen: einträufeln, -tröpfeln, -geben, -trichtern, -füllen, infiltrieren ‖ einjagen (Angst), hervorrufen, auslösen, verursachen, erwecken, -regen, heraufbeschwören, bewirken
Einfluss: Macht, Machtstellung, -position, Geltung, Gewicht, Wichtigkeit, Führungsrolle, Autorität, Prestige, Meinung, Bedeutung, Name, Nimbus, Würde, Größe, Renommee, Ruf, Ansehen, Achtung, Wertschätzung, Stärke, Kraft, Vermögen, Profil, Image, Rang, Stand ‖ (Ein)wirkung, Beeinflussung, Einflussnahme, Suggestion, Willenslenkung, Überredung; *ugs.:* Berieselung, -arbeitung, Seelenmassage
einflusslos: ohne Einfluss/Macht/Beziehungen, machtlos, ohnmächtig, schwach, hilflos, begrenzt
einflussreich: (all)mächtig, stark, vermögend, wirkungsvoll, wirksam, gewaltig, wichtig, maßgebend, angesehen, tonangebend, Achtung gebietend, machtvoll, potent
einflüstern → vorsagen ‖ → einreden
einfordern → eintreiben
einförmig → langweilig
einfrieren: einfrosten, gefrieren, tiefkühlen, konservieren, haltbar machen ‖ erstarren, -frieren ‖ ruhen lassen, nicht weiterführen/fortsetzen

(Geschäfte), lahmlegen, erkalten lassen (Beziehungen), auf Eis legen, abbrechen
einfrosten → einfrieren
einfügen: einarbeiten, -bauen, -gliedern, -reihen, -heften, -setzen, -passen, -ordnen, -gruppieren, -rangieren, -rücken, -streuen, -schalten, -schieben, -blenden, -legen, -flechten, dazwischen-, hineinschieben, integrieren, vervollständigen, ergänzen, abrunden, hinzufügen, nachtragen ‖ **sich e.** → s. anpassen
Einfügung → Einschub
einfühlen, sich: s. hineinversetzen/-denken, nachvollziehen, -empfinden, s. einleben, s. in jmds. Rolle versetzen
Einfühlungsvermögen: Einfühlungsgabe, Feingefühl, Verständnis, Fingerspitzen-, Zartgefühl; *ugs.:* Antenne
einführen: importieren, aus dem Ausland beziehen ‖ vorstellen, bekannt machen, in Verbindung bringen, zusammenbringen ‖ hineinschieben, -stecken; *ugs.:* hineintun ‖ → anleiten ‖ verbreiten, propagieren, auf den Markt bringen, den Weg bereiten, lancieren, launchen
Einführung → Einleitung
einfüllen → eingießen ‖ → einlassen ‖ → eingeben
Eingabe: Gesuch, Antrag, Petition, Bittschrift, -schreiben; *öster.:* Ansuchen
Eingang: Tür, Tor, Pforte, Portal, Zutritt, -gang, Eintritt, Entree, Einlass ‖ Einlauf (Post), Posteingang
eingängig: leicht/allgemein fassbar/verständlich/verstehbar, plausibel, begreiflich, auf der Hand liegend, durchschaubar, -sichtig, einfach, unkompliziert, nicht schwer/schwierig, greifbar, zugänglich
eingangs: zu Beginn/Anfang, anfangs, anfänglich, einleitend

eingeben → einflößen ‖ einreichen (bei Behörde), ersuchen, beantragen, eine Bittschrift schreiben/vorlegen ‖ speichern (Daten), füttern (Computer), programmieren ‖ → einreden

eingebildet: eitel, überheblich, stolz, arrogant, selbstherrlich, -gefällig, anmaßend, dünkelhaft, hochmütig, von s. eingenommen, snobistisch, versnobt, blasiert, angeberisch, wichtigtuerisch, hoffärtig, hybrid, hochnäsig, aufgeblasen, affektiert, gespreizt, prahlerisch, süffisant, großspurig, herablassend, von oben herab; *ugs.:* aufgeblasen, -geplustert ‖ unwirklich, irreal, imaginär, illusorisch, täuschend, scheinbar ‖ **e. sein** → angeben

Eingeborener: Ureinwohner, -bewohner, Einheimischer, -gesessener

Eingebung: Idee, Gedanke, Intuition, Einfall, Erleuchtung, Inspiration, Geistesblitz, Funke

eingebürgert → einheimisch

eingedenk: erinnernd, beherzigend ‖ **e. sein** → s. erinnern

eingefahren: herkömmlich, üblich, altgewohnt, konventionell, hergebracht, alltäglich, -gemein, gewohnt, monoton; *ugs.:* gang und gäbe

eingefallen → dünn

eingefleischt: unverbesserlich, -bekehrbar, -veränderbar, überzeugt, ausgemacht, -gesprochen, uneingeschränkt, absolut, vollkommen, eingewurzelt, gewohnheitsmäßig, hoffnungslos, bewusst

eingeführt: anerkannt, gültig, geltend, bewährt, gängig, angesehen, geschätzt, -achtet

eingehen → eintreffen ‖ (ab)schließen (Vertrag), eine (vertragliche) Festlegung treffen, festmachen, vereinbaren, s. einlassen auf ‖ (ver)welken, ver-, abblühen, (ver)dorren, absterben, vergilben, -trocknen, -kümmern, -öden ‖ ein-, zusammen-

schrumpfen, s. zusammenziehen, kürzer/enger/kleiner werden ‖ → sterben ‖ **e. auf:** anhören, ein Ohr haben für, sein Ohr/Gehör schenken/leihen ‖ → akzeptieren ‖ aufgreifen, -nehmen, zurückkommen/s. beziehen auf, fortsetzen, weiterführen, anschließen/-knüpfen an, weiterspinnen

eingehend → ausführlich

eingeklemmt → eingepfercht

Eingemachtes: Eingewecktes, -gekochtes, Konserviertes

eingenommen ‖ **e. sein von:** begeistert/fasziniert/berauscht/entzückt/entflammt/erfüllt sein von, jmdm. nahe stehen, vertraut sein mit, jmdm. gewogen/zugetan/geneigt/gut gesinnt sein, jmdn. mögen, viel übrig haben für, Geschmack/Gefallen/Reiz finden an, nicht abgeneigt sein, ein Freund sein von, sympathisieren mit ‖ **von sich e. sein:** eingebildet sein, s. etwas einbilden, angeben, prahlen; *ugs.:* aufschneiden, s. dick tun, hoch hinauswollen, Rosinen im Kopf haben

eingepfercht: dicht gedrängt, eng zusammengedrängt, eingeschlossen, -gekeilt, -gezwängt, -geengt, -gepresst, -gesperrt, -klemmt

eingerechnet → einschließlich

eingerostet: rostig, verrostet, mit Rost überzogen, vom Rost zerfressen ‖ → unsportlich

eingeschlafen: abgestorben, blutleer, taub, ohne Gefühl / Empfindung, empfindungs-, gefühllos

eingeschlossen → eingepfercht ‖ → einschließlich

eingeschnappt → beleidigt

eingeschneit → verschneit

eingesessen → einheimisch

Eingeständnis → Geständnis

eingestehen → gestehen

Eingeweide: Gedärm(e), Gekröse, Gescheide, Innereien; *Jägerspr.:*

Aufbruch; *ugs.:* Därme, Geschlinge, Kaldaunen

eingewöhnen, sich → s. einleben

eingewurzelt: (alt)gewohnt, gebräuchlich, landläufig, verbreitet, tief verwurzelt, herkömmlich, eingefleischt, fest/tief sitzend, eingebürgert, angestammt

eingezwängt → eingepfercht

eingießen: einschenken, (ein)schütten, ein-, auffüllen, voll gießen

eingittern → einzäunen ‖ → einsperren

eingleisig → einspurig ‖ → einseitig

eingliedern: eingruppieren, integrieren, einverleiben, angleichen, -passen, assimilieren ‖ → einfügen ‖ → einordnen ‖ sich e. → s. anpassen

eingraben: vergraben, -senken, stecken in, ver-, einscharren; *ugs.:* ein-, verbuddeln ‖ → einprägen ‖ sich e.: s. ver-/einschanzen, eine Schanze bauen

eingravieren → einkerben

eingreifen: einschreiten, s. einschalten/-mengen, dazwischentreten, -fahren, durchgreifen, s. einmischen, intervenieren, hereinreden, andere Saiten aufziehen, Ordnung schaffen, reinen Tisch/Tabula rasa machen, s. dazwischenschalten, andere Maßnahmen ergreifen, ein Machtwort sprechen, aufräumen mit, kurzen Prozess machen, ausgleichen, vermitteln, -hindern; *ugs.:* einhaken, mit der Faust auf den Tisch hauen, nicht lange fackeln, dreinreden, dazwischenfunken, seine Nase in alles stecken

eingrenzen → einzäunen ‖ → beschränken

Eingriff: Eingreifen, -mischung, -mengung, Intervention ‖ **chirurgischer E.:** Operation, operative Öffnung, Schnitt, Inzision, Einschnitt

eingruppieren → eingliedern ‖ → einordnen ‖ → einteilen

einhaken: einklinken, -rasten, festhaken, durch einen Haken verbinden ‖ → eingreifen ‖ sich e.: s. einhängen, s. unterhaken, Arm in Arm gehen, jmds. Arm nehmen, unterfassen

einhalten: s. halten an, befolgen, s. richten nach, beherzigen, -achten, s. fügen, s. beugen, s. unterordnen/-werfen, Folge leisten, gehorchen, nicht verletzen/übertreten ‖ unter-, abbrechen, aufhören, innehalten, pausieren, rasten, ausruhen, einstellen, aussetzen, stillstehen, stoppen ‖ festhalten, nicht abweichen, den Kurs nicht ändern/wechseln ‖ erfüllen, einlösen, befriedigen, Genüge tun, zufrieden stellen

einhandeln: eintauschen, -kaufen, erhandeln, käuflich erwerben, einen Kauf tätigen; *abwertend:* einsacken, erschachern ‖ sich e.: hinnehmen/in Kauf nehmen/einstecken müssen, s. zuziehen

einhändigen: (persönlich) über-, abgeben, überstellen, -reichen, -bringen, abliefern, zukommen lassen, anvertrauen, überantworten, -lassen

einhängen: auflegen, auf die Gabel legen (Telefonhörer), abhängen, das Gespräch abbrechen/beenden ‖ sich e. → s. einhaken

einheften → einfügen

einheimisch: (orts)ansässig, heimisch, hiesig, beheimatet, eingeboren, -bürgert, -gesessen, niedergelassen, zu Hause, wohnhaft, sesshaft, verwurzelt, -wachsen; *ugs.:* von hier

einheimsen → s. bereichern

Einheit: Ganzes, Ganzheit, Unität, Totalität, Einheitlich-, Vollständigkeit, Geschlossen-, Gesamtheit, Unteilbarkeit, Verbundenheit, Zusammengehörigkeit, System, → Einigkeit ‖ (Mess)größe, Maßeinheit ‖ *milit.:* Verband, Gruppe, Abteilung, Kolonne, Kommando, Zug, Schar, Formation, Truppe, Geschwader

einheitlich: zusammenhängend, gewachsen, -schlossen, natürlich, organisch, unteilbar, aus einem Guss ‖ übereinstimmend, einhellig, gleich (artig), kongruent, homogen, identisch, konvergent, analog, konform, parallel, harmonisch, in Einklang stehend ‖ unterschiedslos, gleich-, einförmig, gleichmäßig, -artig, monoton, fade, ausdruckslos, uniform, ohne Abwechslung/Unterbrechung, schablonenhaft

einheizen: (an)feuern, schüren, Feuer anzünden/machen, den Ofen anmachen, die Heizung andrehen/einstellen, (er)wärmen, warm machen ‖ → anregen ‖ → trinken ‖ → drohen

einhellig: einstimmig, -mütig, -trächtig, -heitlich, konform, einig, im Einvernehmen mit, in gegenseitigem Einverständnis, übereinstimmend, gleichgesinnt, -gestimmt, gemeinschaftlich, gemeinsam, -schlossen, vereint, solidarisch, einer Meinung; *öster.:* einvernehmlich

einholen: erreichen, -eilen ‖ hingelangen, fangen ‖ auf-, nachholen, nachziehen, einbringen, wettmachen, ausgleichen, gleichziehen, nach-, einarbeiten, das Gleichgewicht herstellen, gleichkommen, nachlernen, ergänzen ‖ einziehen (Rat), s. geben lassen, an-, entgegennehmen, begrüßen, willkommen heißen ‖ → einkaufen

einhüllen: einwickeln, -packen, (um)hüllen, ver-, einmummen, umgeben, verhüllen, be-, zudecken ‖ **sich e.:** s. gut zudecken, s. warm anziehen; *ugs.:* s. verpacken, s. einmumme(l)n

einig → einhellig ‖ **e. sein** → zusammengehören ‖ **sich e. werden** → s. einigen

einige: manche, wenige, mehrere, ein paar, etliche, Einzelne, Verschiedene, diverse, eine Anzahl/Reihe, der eine und der andere, dieser und jener ‖ beträchtlich, ziemlich viel, nicht wenig

einigeln, sich → s. abkapseln

einigemal → wiederholt

einigen: (ver)einen, vereinigen, zu einer Einheit machen, sammeln ‖ ver-, aussöhnen, zur Ruhe/Vernunft bringen, beruhigen, Frieden stiften, schlichten, vermitteln, ausgleichen, in Einklang bringen ‖ **sich e.:** s. einig werden, handelseinig/-eins werden, übereinkommen, s. vergleichen, einen Vergleich schließen, s. verständigen, ins Reine kommen, eine gemeinsame Basis finden, einen Kompromiss schließen, s. arrangieren, eine Übereinkunft/Vereinbarung treffen, s. entgegenkommen; *ugs.:* klarkommen ‖ s. versöhnen, s. wieder vertragen, s. die Hand reichen, einen Schritt zur Versöhnung tun, Frieden finden, s. entspannen, wieder gut sein, Missverständnisse ausräumen; *ugs.:* das Kriegsbeil begraben

einigermaßen: annähernd, ziemlich, ungefähr, hinlänglich, leidlich, passabel, in etwa, bis zu einem gewissen Grade; *ugs.:* halbwegs

einig gehen → übereinstimmen

Einigkeit: Übereinstimmung, Einmütigkeit, -helligkeit, Einigung, Konsens, Einvernehmen, -klang, Gleichklang, -takt, -gesinntheit, Einheit, -tracht, -verständnis, Zustimmung, Bejahung, Harmonie, Friede, Brüderlichkeit, Zufriedenheit

Einigung: Übereinkunft, -kommen, Verständigung, Kompromiss, Absprache, Verabredung, Abkommen, -machung, Vereinbarung, -gleich, Arrangement, Beschluss, Entgegenkommen ‖ Versöhnung, Schlichtung, Beilegung ‖ → Einigkeit

einimpfen: (ein)spritzen; *med.:* injizieren ‖ → einprägen

einkalkulieren → einplanen

einkapseln, sich → s. abkapseln
einkassieren: (ab)kassieren, vereinnahmen, einnehmen, -treiben, -ziehen, -stecken, -fordern, erheben, einheimsen, -sammeln; *ugs.:* jmdn. zur Kasse bitten, einstreichen ‖ → s. aneignen ‖ → einsperren
Einkauf → Kauf
einkaufen: Einkäufe/Shopping/Besorgungen machen, besorgen, -schaffen, erstehen, -werben, einen Kauf tätigen, kaufen, anschaffen, s. zulegen; *reg.:* einholen; *schweiz.:* posten ‖ ein-, erhandeln, eintauschen; *abwertend:* einsacken, erschachern
Einkehr: (Selbst)besinnung, (innere) Sammlung, Kontemplation, Versenkung, Meditation, Nachdenklichkeit ‖ Rast, Ruhe-, Erholungs-, Verschnaufpause, Pause, Unterbrechung, Halt
einkehren: (unterwegs) eine Gaststätte besuchen, Einkehr halten, absteigen, Rast/Pause machen, rasten, ruhen
einkellern: (ein)lagern, (ein)speichern, einwintern, -mieten, als Vorrat anlegen, vorsorgen, aufbewahren
einkerben: einritzen, -schneiden, -schnitzen, -gravieren, -meißeln, -graben, -kratzen, ziselieren; *ugs.:* s. verewigen
einkerkern → einsperren
einkesseln → einkreisen
einklagen → prozessieren
Einklang → Einigkeit ‖ **in E. stehen** → übereinstimmen ‖ **in E. bringen** → abstimmen
einkleiden: ausstatten, -staffieren, -rüsten, mit neuer Kleidung versehen; *milit.:* Uniform aushändigen
einklemmen: einkeilen, -quetschen, -zwängen, -schnüren, fest-, dazwischenklemmen, festspannen, dazwischenpressen
einklinken: schließen, zumachen, ins Schloss fallen ‖ → einhaken

einknicken: umknicken, -kippen, zusammensacken, -klappen
einkochen → einmachen
einkommen: überwiesen/zugestellt werden (Geld), eingehen, -laufen, -treffen, eingenommen werden; *ugs.:* eintrudeln ‖ **e. um** → s. bewerben ‖ → bitten ‖ → beantragen
Einkommen: Einkünfte, -nahmen, Bezüge, Verdienst, Lohn, Gehalt, Entgelt, Vergütung, Bezahlung, -soldung, Honorar, Fixum, Gage, Lebenserwerb; *schweiz.:* Salär
einkommensschwach: finanzschwach, sozial schwächer, nicht vermögend, schlechter gestellt, minderbegütert, -bemittelt
einkreisen: einkesseln, umstellen, -zingeln, -schließen, -kreisen, -ringen, abschneiden, -schnüren, belagern ‖ um-, einranden; *ugs.:* einkästeln
einkremen → eincremen
Einkünfte → Einkommen
einladen: (be-, auf-, ver)laden, voll laden, befrachten, auf-, einpacken, aufbürden, -lasten ‖ zu Gast laden, zu s. bitten, zum Kommen auffordern ‖ freihalten, für jmdn. bezahlen, spendieren; *ugs.:* einen ausgeben, etwas springen lassen, seinen sozialen Tag haben, Spendierhosen anhaben
einladend: (ver)lockend, verführerisch, anregend, -sprechend, bestrickend, -stechlich, verleitend, faszinierend, reizvoll ‖ → appetitlich
Einlage → Einschub ‖ Füllung, Füllsel, Füllmasse ‖ Investierung, Einsatz, (Kapital)anlage ‖ Zwischenspiel, -akt, Zugabe, Beilage, Zulage; *ugs.:* Drauf-, Dreingabe
einlagern: (ein)lagern, (ein)speichern, einmieten, (ab)ablegen, auf Lager legen, ein Lager anlegen, magazinieren, deponieren ‖ → einkellern
Einlass: Zu-, Eintritt, Zugang ‖ Eingang, Tür, Tor, Pforte, Portal, Entree

einlassen: Einlass gewähren, jmdn. eintreten/hereinkommen lassen, hereinlassen, jmdm. öffnen, die Tür aufmachen/-schließen/-sperren ‖ einlaufen lassen, (ein)füllen, voll machen ‖ **sich e. auf:** mitmachen, teilnehmen, dabei sein, mitwirken, -tun, s. beteiligen, mitspielen, s. überreden/bearbeiten/erweichen lassen, eingehen auf, ein Angebot annehmen/akzeptieren; *ugs.:* mithalten, -ziehen, mit von der Partie sein, s. breitschlagen/beschwatzen lassen ‖ **sich e. mit:** *(ugs.):* verkehren/zusammenkommen mit, Umgang/Kontakt haben mit

Einlauf: (Darm)spülung, Klistier; *med.:* Irrigation, Klysma ‖ Ankunft, Eintreffen

einlaufen: hineinfließen, -strömen ‖ → eintreffen ‖ einkommen (Geld), eingehen, überwiesen werden ‖ einfahren (Schiff), anlegen, festmachen, vor Anker gehen ‖ eintragen (Schuhe), eintreten, durch Tragen bequemer machen ‖ (zusammen)schrumpfen, kleiner/kürzer/enger werden, s. zusammenziehen; *ugs.:* zusammenschnurren, -laufen, (ver)schrumpeln

einleben, sich: s. eingewöhnen, s. assimilieren, s. gewöhnen an, hineinwachsen, s. adaptieren, s. akklimatisieren, s. einfügen, vertraut werden, (festen) Fuß fassen, s. einordnen/-stellen auf, heimisch werden, s. anpassen, s. unterordnen; *ugs.:* warm werden mit ‖ **sich e. in:** s. einfühlen, s. hineinversetzen / hineindenken, nachvollziehen, nachempfinden, s. in jmds. Rolle versetzen

einlegen: einfügen, -schieben, -blenden, -flechten, -streuen, -bauen ‖ einmachen, konservieren, marinieren, haltbar machen, einsäuern, einpökeln ‖ hineinbringen/-tun, einsetzen, legen (in)

einleiten: in die Wege leiten, anbahnen, vorbereiten, anknüpfen, -zetteln, -spinnen, einfädeln, Kontakt aufnehmen, Initiative ergreifen ‖ → anfangen

Einleitung: Einführung, Vorbemerkung, -wort, -rede, Geleitwort, einleitende / vorangestellte / einführende Worte ‖ Vorspiel, Prolog, Vorspruch ‖ Präludium, Ouvertüre, Introduktion ‖ Erklärung, -läuterung ‖ Beginn, Eröffnung, Antritt, Start

einlenken → nachgeben ‖ → abbiegen

einleuchtend: verständlich, begreiflich, plausibel, überzeugend, evident, offenkundig, offensichtlich, offenbar, augenfällig, glaubhaft, -würdig, einsichtig, fasslich, -bar, schlagend, treffend, triftig, zwingend, stichhaltig, unzweideutig, klar, deutlich, überlegt, besonnen, vernünftig, bestechend

einliefern: einweisen, ins Krankenhaus bringen, zur Behandlung übergeben, einquartieren; *schweiz.:* hospitalisieren ‖ auf-, abgeben, abliefern, hinschaffen, -bringen, zur Post bringen

einlochen → einsperren

einlogieren, sich → s. einquartieren

einlösen: s. auszahlen/übergeben lassen, an-, zurückkaufen ‖ erfüllen, (ein)halten, entsprechen, wahr machen, verwirklichen, realisieren, in die Tat umsetzen, ausführen

einmachen: einkochen, -wecken, -dosen, -legen, haltbar machen, konservieren

einmal: ein einziges Mal, nicht zweimal/mehrmals ‖ → irgendwann ‖ → künftig ‖ → früher ‖ **auf e.** → plötzlich ‖ → gleichzeitig ‖ **noch e.:** doppelt, zweifach ‖ → wieder ‖ **nicht e.:** selbst/sogar/auch nicht

einmalig: unersetzlich, -entbehrlich, kostbar, einzig ‖ → beispiellos

einmarschieren: einziehen, -rücken, Einzug halten ‖ **e. in:** eindringen, ein-, überfallen, -rumpeln, einbrechen

einmauern: einbetonieren, im Mauerwerk befestigen ‖ **sich e.** → s. abkapseln

einmeißeln: eingravieren, -kerben, -kratzen, ziselieren, einhauen, -schlagen

einmengen, sich → eingreifen

einmieten → einkellern ‖ **sich e.** → s. einquartieren

einmischen, sich → eingreifen

einmontieren → einbauen

einmummeln, sich → s. einhüllen

einmütig → einhellig

Einmütigkeit → Einigkeit

Einnahme: Eroberung, Okkupation, Besetzung, Unterwerfung, Bemächtigung, -sitznahme, -schlagnahme, Aneignung, Annexion ‖ Einnehmen, Zusichnehmen (Pillen) ‖ Gewinn, (Rein)erlös, (Netto)ertrag, Ausbeute ‖ *pl.:* → Einkommen

einnehmen: in Empfang nehmen (Geld), erhalten, verdienen, bezahlt bekommen, Einnahmen haben, Einkommen/-künfte/Lohn/Gehalt beziehen, Gewinn erzielen, kassieren; *ugs.:* kriegen, herausbekommen, einstreichen ‖ zu sich nehmen (Pillen), essen, trinken; *ugs.:* schlucken, futtern ‖ ausfüllen, in Anspruch nehmen (Platz) ‖ innehaben (Amt), bekleiden, ausüben, versehen, einen Rang/eine Stelle haben/besitzen ‖ erobern, besetzen, in Besitz nehmen, Besitz ergreifen von, okkupieren, stürmen, s. bemächtigen, unterwerfen, beschlagnahmen, s. aneignen, annektieren ‖ **für sich e.:** für s. gewinnen/erobern/interessieren, Anklang/Beifall/gute Aufnahme finden, zusagen, behagen, gefallen, ansprechen, beliebt sein, jmds. Geschmack entsprechen

einnehmend → sympathisch ‖ → attraktiv

einnicken → einschlafen

einnisten, sich → s. einquartieren ‖ s. festsetzen, s. breit machen, s. nicht vertreiben lassen, nicht weggehen/den Platz räumen, unerwünscht lange s. aufhalten/bleiben/wohnen

Einöde: Öde, Ödland, Wüste(nei) ‖ einsame/unbewohnte Gegend, Einsamkeit, Abgeschiedenheit; *ugs.:* Arsch der Welt

einordnen: eingliedern, -reihen, -sortieren, -gruppieren, -stufen, hineinlegen, -stellen, an seinen Platz stellen, zuordnen, rubrifizieren, ablegen, einheften, -fügen, -rangieren ‖ **sich e.** → s. anpassen

einpacken: ver-, zusammen-, wegpacken, unterbringen, verstauen, einwickeln, -schlagen, -rollen, in Papier wickeln/schlagen/rollen/hüllen, zu-, verschnüren, zubinden, versandfertig machen, abpacken

einpauken → einprägen ‖ → unterrichten

einpendeln, sich: s. ausgleichen, ins Gleichgewicht/Lot kommen

einpennen → einschlafen

einpflanzen: in die Erde pflanzen, (ein)setzen ‖ *med.:* implantieren (Organ)

einplanen: einkalkulieren, (vor)bedenken, vorsehen, einbeziehen, berücksichtigen, Rechnung tragen, in Betracht/Erwägung ziehen, mitrechnen

einprägen: einschärfen, -hämmern, -graben, beibringen, im Gedächtnis fest verankern, lehren; *ugs.:* einbläuen, -impfen, -pauken, -prügeln, -peitschen, -drillen, -trichtern, -büffeln ‖ prägen, eindrücken, -graben, -gravieren, -pressen, -stanzen, ziselieren ‖ **sich e.:** s. merken, nicht vergessen, behalten, s. ins Gedächtnis schreiben, s. zu Eigen machen, lernen, zur Kenntnis nehmen, aufnehmen; *ugs.:* s. hinter die Ohren schreiben ‖ s. ab-/eindrücken, s. abzeichnen

einprägsam → eindrucksvoll ‖ → anschaulich

einprügeln → einprägen ‖ **e. auf** → schlagen

einquartieren: jmdn. einweisen, Quartier geben/zuweisen, Unterkunft/Obdach gewähren, unterbringen, beherbergen, aufnehmen ‖ **sich e.:** s. einmieten/-logieren, eine Wohnung nehmen/mieten, s. niederlassen, wohnen, s. einnisten, einziehen; *ugs.:* seine Zelte aufschlagen

einquetschen → einklemmen

einrahmen: (ein)fassen, umrahmen, -randen, -geben, rahmen

einrammen → einschlagen

einrangieren → einordnen

einräumen: stellen/legen/bringen in, einordnen, (mit Gegenständen) ausstatten/versehen, an seinen Platz stellen ‖ zugestehen, gewähren, zubilligen, konzedieren, erlauben, überlassen, gestatten, zulassen, einwilligen

einrechnen → einbeziehen

einreden: einflüstern, -geben, erzählen, suggerieren, glauben machen; *ugs.:* weismachen, aufhängen, -binden, -tischen, -schwatzen, einen Floh ins Ohr setzen ‖ **e. auf** → beeinflussen ‖ → überreden ‖ **sich e.** → s. einbilden

einreiben → eincremen

einreichen: vorlegen, überreichen, präsentieren, über-, abgeben ‖ → beantragen

einreihen → einordnen

einreißen: nieder-, abreißen, abbrechen, niederschlagen, abbauen, -tragen, demontieren, -molieren, zerstören ‖ einen Riss machen/bekommen ‖ → s. ausdehnen

einrenken: einkugeln (Glied), wieder in die richtige Lage bringen ‖ → bereinigen

einrennen: einstoßen, -schlagen, -treten, zertrümmern, -schlagen, -schmettern ‖ **sich e.:** s. verletzen, s. stoßen/schlagen an ‖ **die Tür e.** → bedrängen

einrichten: ausstatten, (aus)gestalten, möblieren, einräumen, Möbel aufstellen/arrangieren, s. installieren, es sich gemütlich/behaglich machen ‖ gründen, eröffnen, etablieren, errichten, konstituieren, ins Leben rufen, neu schaffen, aufbauen, organisieren; *ugs.:* auf die Beine stellen ‖ **sich e. auf** → s. einstellen auf ‖ **sich e. müssen:** s. einschränken/s. behelfen/s. anpassen/s. fügen/haushalten/sparen/rechnen/vorlieb nehmen müssen; *ugs.:* s. nach der Decke strecken müssen

Einrichtung: Ausstattung, -gestaltung ‖ Ausrüstung, Inventar, Möbel, Mobiliar, Wohnungseinrichtung, Meublement, bewegliche Habe, Möblierung, Hausrat ‖ Institution, Anstalt, Unternehmen, Organisation ‖ Anlage, Apparatur

einritzen → einkerben

einrollen → einpacken

einrosten → rosten

einrücken: einmarschieren, -ziehen, Einzug halten, eindringen, -fallen, -brechen ‖ Soldat werden, seinen Wehr-/Militärdienst antreten, zur Armee/zum Kommiss gehen, zu den Waffen/Fahnen eilen ‖ mehr zur Mitte hin beginnen lassen (Zeilen)

einrühren: bei-, vermischen, verquirlen, beigeben, -mengen, -fügen, zusetzen

eins: einerlei, gleichbedeutend, dasselbe, unterschiedslos, identisch, analog, täuschend ähnlich, zum Verwechseln; *ugs.:* gehüpft wie gesprungen, wie ein Ei dem anderen gleich, Jacke wie Hose ‖ egal, gleichgültig, bedeutungslos, unwichtig, -bedeutend, belanglos, unwesentlich, -erheblich ‖ zusammen(gehörig), vereinigt, -bunden, -brüdert, unzertrennlich, unlösbar ‖ **e. sein** → übereinstimmen

einsacken → s. bereichern

einsagen → vorsagen

einsalben → eincremen

einsalzen: (ein)pökeln, in Salz legen; *öster.:* einsuren

einsam: allein, verlassen, zurückgezogen, ungesellig, vereinsamt, -waist, abgeschieden, -gesondert, -geschlossen, isoliert, im stillen Kämmerchen, mutterseelenallein, allein auf weiter Flur, abgetrennt, separat, ohne Gesellschaft / Freunde / Kontakt, ausgestoßen, beziehungslos, einsiedlerisch, klösterlich, eremitenhaft, weltverloren, für sich, einzeln, vereinzelt, solo, ohne Begleitung ‖ abgelegen, entlegen, -fernt, gottverlassen, abseitig, öde, (menschen)leer, unbelebt, -berührt, -bevölkert, -beseelt, -bewohnt, -wirtlich, entvölkert, geisterhaft, ausgestorben, tot; *ugs.:* weit vom Schuss, am Ende der Welt; *derb:* am Arsch der Welt

Einsamkeit → Einöde ‖ Alleinsein, Verlassen-, Zurückgezogenheit, Vereinsamung, -einzelung, Isolation, Abkapselung, Verschlossenheit, Menschenscheu, Beziehungslosigkeit, Kontaktarmut, Ungeselligkeit, Einsiedlerleben

einsammeln → einkassieren

Einsatz: Aufwendung, -bietung, -wand, -gebot ‖ Anwendung, Verwendung, Gebrauch ‖ Pfand, Einlage, (Kapital)anlage, Investierung ‖ Einsetzen, Beginn, Anfang, Auftakt, Eintritt ‖ Hingabe, Bereitschaft, Anstrengung, Eifer, Bemühung

einsatzbereit: einsatz-, betriebsfähig, dienst-, betriebs-, startbereit, -klar, gebrauchsfertig, aktionswillig

einsaugen: einziehen, -schlürfen, saugen ‖ → einatmen

einsäumen: ein-, umfassen, umsäumen, -nähen

einschalten: anschalten, -stellen; *öster.:* aufdrehen; *ugs.:* anknipsen, -machen, -drehen ‖ → einfügen ‖ **sich e.** → eingreifen

einschanzen, sich → s. verschanzen

einschärfen → einprägen ‖ dringend ermahnen / anhalten / erinnern / ins Gedächtnis rufen, ans Herz legen; *ugs.:* auf die Seele binden

einscharren → eingraben

einschätzen: beurteilen, (be)werten, begutachten, taxieren, ein Urteil fällen / abgeben, denken über, ansehen als, halten / erachten für, betrachten, auffassen, sehen, verstehen als, eine bestimmte Einstellung haben zu, diagnostizieren, abschätzen

einschenken → eingießen

einschieben → einfügen

einschiffen: verschiffen, auf ein Schiff / an Bord bringen, aufs Schiff verladen ‖ **sich e.:** an Bord gehen, eine Schiffsreise antreten

einschlafen: in Schlaf fallen / sinken, ein-, entschlummern, eindämmern, -nicken, vom Schlaf übermannt werden; *ugs.:* eindösen, -druseln, -pennen, -duseln ‖ absterben, taub / gefühllos werden ‖ → sterben ‖ nachlassen, aufhören, end(ig)en, zu Ende gehen, zum Abschluss kommen, in Vergessenheit geraten, auslaufen, erkalten, -löschen, ausklingen, versiegen, -ebben, abbrechen, -schließen, auflösen, einschlummern

einschläfern: betäuben, narkotisieren, anästhesieren, eine Narkose geben, schmerzunempfindlich / bewusstlos machen; *med.:* chloroformieren ‖ einwiegen, -lullen; *ugs.:* einsäuseln

einschläfernd → langweilig

einschlagen: schlagen in, hineinschlagen, eintreiben, -stoßen, -klopfen, -rammen; *ugs.:* einhauen ‖ zerstören, -trümmern, -schmettern, entzweischlagen, beschädigen, demolieren; *ugs.:* kurz und klein schlagen, zusammenhauen, einschmeißen ‖ → einpacken ‖ umschlagen, kürzer machen (Kleidung) ‖ (in eine bestimmte Richtung) gehen, die Route nehmen ‖ (per Handschlag) zustimmen, einwilligen, beipflichten, einverstanden sein, Ja sagen ‖ wirken, Wirkung erzielen/zeitigen, Aufsehen erregen, seinen Weg/sein Glück/Eindruck machen, Erfolg haben, von Erfolg gekrönt sein; *ugs.:* ankommen ‖ **e. auf** → schlagen

einschlägig: betreffend, entsprechend, diesbezüglich, dazugehörend, -gehörig, hingehörig, in Frage kommend

einschleichen, sich: unbemerkt hineinkommen/-gelangen, → einbrechen ‖ nicht bemerkt werden (Fehler), unterlaufen, unbemerkt geschehen/passieren, versehentlich vorkommen, s. einschmuggeln

einschleusen → einschmuggeln ‖ unterwandern, (ideologisch) durchsetzen

einschließen: einsperren, -riegeln ‖ wegschließen, verwahren, sicherstellen, versperren, unter Verschluss bringen, aufheben, -bewahren ‖ umstellen, -klammern, -kreisen, -zingeln, einkreisen, -kesseln, belagern ‖ gefangen halten, internieren, absperren, -schließen, -trennen, ausschließen, abseits stellen, im Hintergrund/verborgen halten ‖ einbeziehen, -begreifen, umfassen, beinhalten, implizieren, mit berücksichtigen/erfassen, einkalkulieren, -rechnen

einschließlich: inklusive, ein-, inbegriffen, eingeschlossen, -gerechnet, implizit, samt, mit, plus, zuzüglich, bis auf

einschlummern → einschlafen ‖ → sterben

einschlürfen → einsaugen

einschmeicheln, sich: s. durch Schmeicheln beliebt/angenehm machen, s. anbiedern, schönreden, -tun, hofieren, den Hof/Kotau machen, Sand in die Augen streuen, zu Gefallen reden, heucheln, kriechen, jmdm. nach dem Mund reden, s. bei jmdm. lieb Kind machen, Süßholz raspeln, lobhudeln, einwickeln; *ugs.:* einseifen, scharwenzeln, liebedienern, katzbuckeln; *derb:* in den Arsch kriechen

einschmieren → eincremen ‖ → beschmutzen

einschmuggeln: einschleusen, heimlich einführen, unbemerkt hineinbringen/über die Grenze bringen ‖ **sich e.** → s. einschleichen ‖ unbemerkt hineinkommen/-gelangen, → einbrechen

einschnappen: ein-, zuklinken, zufallen, ins Schloss fallen, zuklappen; *ugs.:* zufliegen ‖ *ugs.:* s. beleidigt/zurückgesetzt fühlen, verübeln, -argen, -denken, übel nehmen

einschneiden → einkerben

einschneidend: durchgreifend, tief greifend, gravierend, entscheidend, bedeutend, fühl-, spürbar, nachhaltig, empfindlich, s. stark auswirkend, ernstlich, wirksam, existenziell, schwer wiegend, ausschlaggebend, grundlegend, maßgeblich, bestimmend, wichtig, folgenschwer, weit reichend, richtung-, wegweisend, ins Gewicht fallend, unvergesslich, durchdringend, intensiv, tief gehend, merklich, einprägsam, eindrucksvoll

Einschnitt: Kerbe, Schnitt, Einkerbung, Spalte, Öffnung ‖ Tal, Schlucht ‖ Unterbrechung, Pause, Zäsur, Neubeginn, bedeutende Änderung/Neuerung

einschnitzen → einkerben

einschnüren: ein-, beengen, abschnüren, -pressen, zusammendrücken,

-ziehen, die Luft abdrücken, einzwängen ‖ verschnüren, zubinden,
-knoten, -knüpfen
einschränken: beschränken, -gren-
zen, hemmen, einengen, restringieren, Schranken setzen, Grenzen ziehen, drosseln, abbauen, reduzieren,
vermindern, dezimieren; *ugs.:* die
Flügel stutzen, zurückschrauben ‖
sich e. → s. begnügen ‖ → sparen
Einschränkung → Kürzung ‖ Beschränkung, Restriktion, Einengung
‖ Klausel, Auflage, Vorbehalt, Nebenbestimmung, -bedingung, Kautel
einschreiben → eintragen ‖ **sich e.**
→ s. eintragen
einschreiten → eingreifen
Einschub: Einschiebung, -fügung,
-lage, -schaltung, -schiebsel, Ergänzung, Zusatz, Nachtrag(ung), Ver-
vollständigung, -vollkommnung,
Ab-, Aufrundung
einschüchtern: in Angst versetzen,
entmutigen, den Mut nehmen, die
Hoffnung rauben/zunichte machen,
unter Druck setzen, verwirren, irritieren, beunruhigen, in Unruhe setzen,
aus dem Gleichgewicht/aus der Fassung bringen, verunsichern, unsi-
cher/kopfscheu/konfus machen,
(ver)ängstigen, verschüchtern, bedrohen, erschrecken; *ugs.:* jmdn. ins
Bockshorn jagen, die Hölle heiß machen, die Pistole auf die Brust setzen
einschütten → eingießen
einschwenken → abbiegen
Einsegnung: Konfirmation
einsehen: begreifen, verstehen, zur
Einsicht kommen, Verständnis aufbringen, ein Einsehen haben, s. bewusst werden, merken, feststellen,
sehen, s. gesagt sein lassen, eine
Lehre ziehen aus, s. zu Herzen nehmen ‖ prüfen, Einsicht nehmen, kontrollieren, durch-, nachsehen, checken, inspizieren, testen
Einsehen → Sinn

einseifen → betrügen
einseitig: eingleisig, -dimensional,
tendenziös, parteiisch, voreingenommen, subjektiv, engstirnig, verzerrt, schief, verdreht, entstellt, unsachlich, festgefahren ‖ nur auf einer
Seite, auf eine Seite beschränkt, nicht
vielseitig ‖ → unerwidert
einsetzen: hineinbringen, einfügen,
-ordnen, -bauen, -passen ‖ einpflanzen, in die Erde pflanzen ‖ ernennen,
bestimmen, -rufen, einstellen, designieren ‖ einspannen, arbeiten/in
Aktion treten lassen ‖ einschieben,
-schalten, zusätzlich heranziehen/in
Anspruch nehmen, ver-, anwenden,
Gebrauch machen von, zum Einsatz
bringen, verwerten, dienstbar machen, (be)nutzen ‖ anfangen ‖ **sich
e.:** s. bemühen, s. Mühe geben, s. einer Sache annehmen, s. kümmern
um, → eintreten für ‖ **sein Leben e.**
→ riskieren
Einsicht → Einblick ‖ → Erfahrung
einsichtig: vernünftig, -ständig,
-ständnisvoll, voll Verständnis, ver-
stehend, einfühlend, überlegt, klug,
besonnen, Vernunftgründen zugänglich ‖ verständ-, begreif-, erklärlich,
einleuchtend, überzeugend, plausibel, evident, augenfällig, glaubhaft,
fasslich, -bar, schlagend, treffend,
triftig, zwingend, stichhaltig, unzweideutig, klar, deutlich
einsickern: eindringen, durchsickern, -dringen, -feuchten; *ugs.:*
durchkommen ‖ → versickern
Einsiedler: Eremit, Klausner, Anachoret ‖ Einzelgänger, Sonderling,
Außenseiter
einsiedlerisch → einsam
einsilbig: wortkarg, wortlos, verschwiegen, schweigsam, stumm,
sprachlos, verschlossen, zurückhaltend, reserviert, still, nicht mitteilsam, lakonisch; *ugs.:* mundfaul,
maulfaul, muffig, zugeknöpft

einsinken: in sich zusammensinken/ -fallen, s. senken, einfallen; *ugs.:* zusammensacken

einsitzen: in Haft/im Gefängnis/hinter Schloss und Riegel/hinter Gittern/im Arrest sitzen, inhaftiert/gefangen/eingesperrt sein, eine Strafe ver-/abbüßen; *ugs.:* (ab)sitzen, Knast schieben, hinter schwedischen Gardinen/bei Brot und Wasser sitzen, (ab)brummen, Tüten kleben

einsortieren → einordnen

einspannen: anspannen, -schirren, Zaum anlegen, (auf)zäumen ‖ einsetzen, -ziehen, in etwas befestigen ‖ *ugs.:* heranziehen, hinzuholen, zu Rate ziehen, arbeiten/in Aktion treten lassen, beanspruchen, -schäftigen, mit Beschlag belegen

einsparen → sparen

einsperren: einkerkern, gefangen nehmen/setzen, ins Gefängnis werfen, in Arrest/Haft setzen, inhaftieren, verhaften, internieren, arretieren, in Gewahrsam/Haft nehmen, hinter Schloss und Riegel/Gitter/ Stacheldraht bringen, sperren in; *ugs.:* eingittern, -lochen, -bunkern, -kassieren, -buchten, -kasteln, hopp nehmen, hinter schwedische Gardinen setzen

einspielen: Ausgaben wieder einbringen (Film), s. bezahlt machen, s. auszahlen, einträglich sein ‖ **sich e.:** zur Gewohnheit/Routine werden, keine Schwierigkeiten mehr machen, zur Selbstverständlichkeit werden, s. durchsetzen, s. einbürgern, reibungslos ablaufen ‖ s. warm spielen, s. einlaufen, s. fit machen

einsprengen → anfeuchten

einspringen: aushelfen, (kurzfristig) zur Verfügung stehen, Beistand leisten, Hilfestellung geben, s. nützlich machen, überbrücken, in die Bresche springen ‖ vertreten, Vertretung übernehmen, stellvertretend arbei-

ten, auftreten/erscheinen für, ersetzen, an die Stelle treten, Lücke ausfüllen

einspritzen: eine Spritze/Injektion geben, spritzen, einimpfen, injizieren; *ugs.:* reinjagen ‖ → sprengen

Einspruch: Berufung, Rekurs; *öster.:* Einsprache ‖ → Einwand

einspurig: eingleisig, -strängig, mit/in nur einer Spur

einst: einmal, früher, damals, einstmals, seinerzeit, in/zu jener Zeit, vor langem, vor/zu Olims Zeiten, in jenen Tagen, dazumal, vordem, vormals, ehemals, -dem, im Jahre; *ugs.:* Anno dazumal ‖ eines Tages, in ferner Zukunft, irgendwann, später, in weiter Ferne, künftig

einstecken → einwerfen ‖ → s. aneignen ‖ in die Tasche stecken, mitnehmen, mit s. führen ‖ → hinnehmen ‖ → überflügeln

einstehen für → bürgen ‖ verantworten, die Verantwortung tragen/übernehmen, geradestehen für, f. verantwortlich zeichnen, s. verantwortlich fühlen, die Folgen tragen, wett-, wiedergutmachen; *ugs.:* herhalten müssen, auf seine Kappe nehmen, ausbaden, die Suppe/den Brei auslöffeln, den Kopf/Buckel hinhalten, die Zeche (be)zahlen, den Sündenbock machen

einstehlen, sich: unbemerkt hineinkommen/-gelangen, → einbrechen

einsteigen: hinein-, be-, zusteigen, betreten, aufspringen, hineinklettern ‖ → einbrechen ‖ → eintreten

einstellen: einordnen, -fügen, -gruppieren, hineinstellen, -legen, an seinen Platz stellen, unter-, abstellen, aufbewahren ‖ Arbeit/eine Stelle geben, anstellen, engagieren, verpflichten, beschäftigen, in Dienst nehmen, anwerben, dingen, einsetzen, chartern, mit einer Arbeit betrauen, anheuern; *ugs.:* in Lohn und Brot nehmen ‖ aufhören, beend(ig)en, abbrechen, Halt machen, innehalten, abschließen, Schluss/ein Ende machen, einen Schlussstrich ziehen ‖ einrichten, regulieren, justieren ‖ sich e. → s. einfinden ‖ zutage treten, zum Vorschein kommen, geschehen, s. ereignen, s. zutragen, vorfallen, s. abspielen, passieren ‖ sich e. auf: s. (innerlich) vorbereiten, s. präparieren, s. einrichten/-stimmen/gefasst machen auf, s. wappnen, s. fertig machen, s. bereitstellen/-halten, rechnen mit ‖ abstimmen, s. richten nach, anpassen/-gleichen, s. (ein)fügen, s. eingewöhnen, s. akklimatisieren, s. assimilieren

Einstellung: Meinung, Gesinnung, Ansicht, Standpunkt, Verhalten, Sinnesart, Denkweise, (Welt)anschauung, Ideologie, Mentalität, Grundhaltung, Überzeugung, Auffassung, Weltbild, Geisteshaltung ‖ Anstellung, Ernennung, Dienstantritt, Einsetzung ‖ Schließung, Beendigung, Aufhebung, Abschaffung, Beseitigung, Annullierung, Außerkraftsetzung, Abbruch, Aufgabe, -lösung

Einstieg: Öffnung, Einlass, -gang, Zu-, Eintritt, Zugang ‖ Tür, Luke

einstig: früher, ehe-, einst-, vormalig, alt, bisherig, sonstig

einstimmen: s. beteiligen, teilnehmen, -haben, mitspielen, -wirken, -machen, -halten, s. einlassen auf; *ugs.:* mitziehen, mit von der Partie sein ‖ sich e. auf → s. einstellen auf

einstimmig → einhellig ‖ gleichstimmig, homophon

einstmals → einst

einstoßen → einschlagen ‖ zerstören, -schlagen, -trümmern, -schmettern, entzweischlagen, demolieren, beschädigen; *ugs.:* zusammenhauen

einstreichen → s. aneignen ‖ → einnehmen

einstreuen → einfügen

einstudieren → proben ‖ → lernen

einstufen → einteilen ‖ → einordnen

einstürmen auf → bedrängen

einstürzen: zusammenstürzen, -fallen, -brechen, einfallen, -brechen, in Trümmer zerfallen; *ugs.:* zusammenkrachen, -sacken, -klappen, einplumpsen

einstweilen: inzwischen, während-, unterdessen, zwischenzeitlich, in der Zwischenzeit, die-, derweil, mittlerweile ‖ vorläufig, fürs Erste, zunächst (einmal), vorerst, -derhand, bis auf weiteres, einstweilig, provisorisch, vorübergehend

eintauchen: einsenken, -tunken, tunken in; *ugs.:* einstippen, -titschen ‖ untertauchen, unter Wasser gehen, in die Tiefe gehen

eintauschen: einhandeln, erwerben, einwechseln; *ugs.:* einsacken, erschachern

einteilen: (unter)teilen, in Teile zerlegen, (in Abschnitte) gliedern, gruppieren, rubrizieren, klassifizieren, (auf)fächern, auf-, untergliedern, systematisieren, periodizieren, differenzieren, segmentieren, staffeln, einstufen, -ordnen, -gliedern, -rangieren ‖ zu-, aufteilen, zu-, bemessen, rationieren, zuweisen, -sprechen, dosieren, Haus halten, rationell wirtschaften, sparen, planen

Einteilung → Aufbau ‖ → Gliederung

eintönig → langweilig

Eintracht → Einigkeit

einträchtig: harmonisch, friedlich, friedfertig, friedliebend, verträglich, brüderlich ‖ → einhellig

eintragen: einschreiben, ein-, verzeichnen, inskribieren, verbuchen, registrieren ‖ → einlaufen ‖ er-, einbringen, ergeben, -reichen, -zielen, tragen, abwerfen, s. bezahlt machen, s. auszahlen, s. lohnen, s. rentieren, Früchte tragen, Gewinn/Nutzen/Ertrag bringen; *ugs.:* bringen, dabei herausspringen/-schauen ‖ **sich e.: s.** einschreiben, s. anmelden

einträglich: lohnend, rentabel, Gewinn bringend, ertragreich, lukrativ, Profit bringend, profitabel, günstig, vorteilhaft, ergiebig, nutzbringend, -bar, zugkräftig, dankbar, interessant, segensreich, nützlich; *ugs.:* fett

eintreffen: eingehen (Post), einlaufen, zugestellt/geschickt bekommen, ankommen ‖ → s. einfinden ‖ → eintreten

eintreiben → einschlagen ‖ einziehen, -fordern, -mahnen, -kassieren, -sammeln, erheben

eintreten: betreten, gehen/treten in, hereinkommen, -treten, hineingehen, -kommen, -gelangen ‖ ein neues Stadium erreichen (Verhandlungen), beginnen/anfangen mit (Krieg) ‖ s. bestätigen, wahr werden, s. als wahr/richtig erweisen/herausstellen, s. bewahrheiten, s. erfüllen, nicht ausbleiben, geschehen, s. verwirklichen, s. realisieren, erfolgen, zutage treten, zum Vorschein kommen, s. ereignen, s. zutragen, vorfallen, s. abspielen, passieren, eintreffen ‖ → einschlagen ‖ → einlaufen ‖ beitreten, Mitglied/Teilhaber werden, s. beteiligen, partizipieren, s. anschließen, s. einkaufen; *ugs.:* einsteigen ‖ **e. für:** s. einsetzen/s. verwenden/s. öffentlich aussprechen/s. erklären/einstehen/Partei ergreifen/s. stark machen/eine Lanze brechen/kämpfen/s. engagieren/eifern/plädieren/Stellung beziehen für, ringen um, s. bekennen/stehen/halten zu, etwas vertreten/-teidigen/-fechten, s. bemühen um, s. vor jmdn. stellen, jmdm. den Rücken stärken/beispringen, jmdn. fördern; *ugs.:* s. zerreißen für, jmdm. die Stange halten

eintrichtern → einprägen ‖ → unterrichten ‖ → eingeben

Eintritt: Zu-, Einlass, Zutritt, -gang, Eingang, Entree ‖ Eintreten, Beitritt, -treten, Erwerben der Mitgliedschaft ‖ Anfang, Beginn, Auftakt, Anbruch, Start, Entstehung, Antritt, Eröffnung, Inangriffnahme ‖ **Eintritts**geld, -preis, -gebühr

eintrocknen → vertrocknen ‖ → schrumpfen

eintrüben, sich: s. beziehen/-decken/-wölken, wolkig/trübe werden, s. verdunkeln/-finstern/-düstern, s. trüben, s. zuziehen, s. umwölken

eintrudeln → s. einfinden

eintunken → eintauchen

einüben → proben ‖ → lernen

einverleiben: einfügen, -gliedern, -reihen, inkorporieren, aufnehmen, einschließen, verschmelzen, -einen, hineinnehmen ‖ **sich e.: s.** aneignen, in Besitz nehmen, annektieren, beschlagnahmen, usurpieren, gewaltsam nehmen, erobern, einnehmen, erringen; *ugs.:* schlucken ‖ → essen

Einvernehmen → Einigkeit

einverstanden sein → billigen

Einverständnis: Zu-, Übereinstimmung, Einverstandensein, -willigung, Bejahung, Konsens, Affirmation, Billigung, Anerkennung, Erlaubnis, Genehmigung, Bestätigung, -kräftigung, Plazet, Freibrief; *ugs.:* Segen ‖ → Einigkeit

einwachsen → wachsen

Einwand: Einspruch, Beschwerde, Klage, Protest, Einwendung, Veto, Reklamation, Einwurf, Beanstandung, Widerspruch, Entgegnung, Widerrede, Anfechtung, Zweifel, Gegenargument, -meinung, -stimme, Hinderungsgrund

einwandern: immigrieren, einreisen, s. ansiedeln, s. niederlassen, ansässig werden, zuziehen, -wandern

einwandfrei: makellos, fehlerlos, -frei, tadellos, untadelig, richtig, vollkommen, -endet, perfekt, lupen-

rein, meisterhaft, mustergültig ‖
→ fließend
einwärts: nach innen, hinein
einwechseln → wechseln
einwecken → einmachen
einweihen: seiner Bestimmung/der
Öffentlichkeit übergeben, in Betrieb
nehmen, aus der Taufe heben, taufen,
weihen, enthüllen, eröffnen ‖ → informieren ‖ → s. anvertrauen
einweisen: einliefern, ins Krankenhaus bringen, zur Behandlung übergeben, einquartieren ‖ → anleiten
einwenden: entgegnen, zu bedenken
geben, entgegenhalten, dawider-, dagegenreden, einen Einwand/Bedenken geltend machen, einwerfen, erwidern, kontern, protestieren, widersprechen, -legen, dagegenhalten,
entkräften, Veto einlegen, Kontra
geben, dazwischenwerfen, -rufen,
vorbringen
Einwendung → Einwand
einwerfen: einstecken, zum Briefkasten tragen, absenden, versenden, abschicken, wegschicken, aufgeben ‖
→ einschlagen ‖ → einwenden
einwickeln → einpacken ‖ → überreden ‖ → betrügen ‖ → s. einschmeicheln
einwilligen → billigen
Einwilligung → Einverständnis
einwintern → einkellern
einwirken → beeinflussen
Einwohner: Bewohner, Ansässiger,
(Mit)bürger, Staatsbürger, -angehöriger, Citoyen ‖ → Bevölkerung
Einwohnerschaft → Bevölkerung
einwölken, sich → s. eintrüben
Einwurf → Einwand ‖ Zwischenruf,
-bemerkung, -frage
einzahlen: abführen (Geld), abliefern, an eine Kasse zahlen, aufs
Konto überweisen
einzäunen: um-, abzäunen, mit einem
Zaun versehen, eingrenzen, -gittern,
um-, einfried(ig)en, umgeben, einhe

gen, -fassen, abstecken, vergattern,
abschließen, be-, abgrenzen
einzeichnen → eintragen
Einzelfall: Ausnahme-, Sonder-, Extrem-, Notfall, Einzel-, Ausnahmeerscheinung
Einzelgänger: Außenseiter, -stehender, Individualist, Outsider, Outcast,
Sonderling, Nonkonformist, Eigenbrötler
Einzelhandel: Klein-, Detailhandel,
Klein-, Ladenverkauf, offenes Geschäft
Einzelheit → Detail
einzeln: für sich, separat, extra, apart,
isoliert, (ab)gesondert, (ab)getrennt,
vereinzelt ‖ im Einzelnen, punktweise, Punkt für Punkt, detailliert,
ganz genau, en détail, speziell, partikulär, präzis, prägnant, exakt ‖
→ einsam
Einzelne: manche, einige, ein paar,
dieser und jener, etliche, mehrere,
wenige, Verschiedene, diverse, eine
Anzahl/Reihe
einziehen: zurückziehen, nach innen
ziehen (Kopf) ‖ einrücken, verschieben (Zeile) ‖ einspannen, einlegen
(Seite) ‖ → eintreiben ‖ beschlagnahmen, konfiszieren, sichern, sicherstellen, pfänden, ab-, wegnehmen, mit Beschlag belegen, die Hand
legen auf ‖ einberufen (Wehrdienst),
ausheben (Soldaten), mobil machen,
mobilisieren, zu den Waffen/Fahnen
rufen, Gestellungsbefehl schicken;
veraltet: rekrutieren ‖ nieder-, einholen (Segel), bergen, reffen ‖ → einrücken ‖ → s. einquartieren ‖ einatmen, -saugen, Atem holen, inhalieren
‖ durchziehen, -stecken, -führen, einfädeln ‖ **sich e.:** s. eintreten, -reißen,
unter die Haut bekommen
einzig: allein, ausschließlich,
-nahmslos, nur ‖ → außergewöhnlich
einzigartig → außergewöhnlich
einzwängen → einschnüren

Eis: Speiseeis, Eiscreme, Gefrorenes; *schweiz.:* Glace

Eisbein: *reg.:* Schweinsfüße, Schweinebein, Schweinshaxe; *bayr.:* Surhaxe; *öster.:* Schweinsstelze; *schweiz.:* Wädli

Eisenbahn: (Reise)zug, Bahn

eisern: ehern, stählern, stahl-, eisen-, knochen-, steinhart ‖ streng, unnachsichtig, -erbittlich, schonungslos, unbarmherzig, erbarmungs-, gnadenlos, hart, rigoros, rücksichtslos ‖ unerschütterlich, -beirrt, (willens)stark, standhaft, steinern, beherrscht, (charakter)fest, unbeugsam

eisig: sehr kalt, bitter-, eiskalt, frostig, frostklirrend; *ugs.:* sau-, hundekalt, lausig kalt ‖ → eiskalt

eiskalt → eisig ‖ gefühlskalt, abgestumpft, herzlos, hartherzig, gefühllos, lieblos, seelenlos, mitleidslos, erbarmungslos, unzugänglich, -gerührt, -beeindruckt, gleichgültig, kaltschnäuzig, nicht zu erweichen/ansprechbar, keinen Bitten zugänglich, roh, brutal, eisig

Eislauf: Schlittschuh-, Eiskunstlauf, Eistanz

Eisschrank: Kühlschrank, Frigidaire, Gefrierschrank, Kühlbox, -truhe; *öster.:* Eiskasten

eitel: putz-, gefallsüchtig, kokett, gecken-, stutzerhaft, selbstgefällig, dandyhaft, geziert; *ugs.:* affig ‖ eingebildet, überheblich, stolz, arrogant, selbstherrlich, anmaßend, dünkelhaft, hochmütig, von s. eingenommen, snobistisch, blasiert, angeberisch, wichtigtuerisch, hochnäsig, gespreizt, prahlerisch, großspurig, herablassend, von oben herab ‖ *gehoben:* rein, pur, unverfälscht, lauter

Eitelkeit → Gefallsucht ‖ → Dünkel

eitern: Eiter absondern/ausscheiden, schwären

Eiweiß: Eiklar; *öster.:* Eierklar ‖ Protein

Ekel: Abscheu, -neigung, Widerwille, Degout, Überdruss, -sättigung, Übelkeit ‖ → Scheusal

ekelhaft: eklig, Ekel erregend, widerlich, abscheulich, widerwärtig, unappetitlich, schmierig, schleimig, quallig, abstoßend, unerträglich, -ausstehlich, -leidlich, widrig, unsympathisch, -beliebt, -liebsam, antipathisch, verhasst, übel, unangenehm, grässlich, scheußlich, grauenhaft, degoutant, abschreckend, gräulich, schauderhaft, Abscheu erregend, verabscheuenswert, -würdig; *veraltet:* abominabel ‖ schändlich, verwerflich, schrecklich, wüst, ruchlos, gemein, niederträchtig; *ugs.:* fies, mies, schofel, zum Brechen; *derb:* zum Kotzen

ekeln → anwidern ‖ **sich e.:** Abscheu / Ekel empfinden, jmdm. widerstreben, -stehen, s. schütteln, s. entsetzen, zurückschaudern, nicht sehen können, jmdm. zuwider sein; *ugs.:* zum Halse heraushängen, über haben, den Magen umdrehen

Eklat: Aufsehen, Sensation, Skandal, Aufsehen erregendes Ereignis; *ugs.:* Hallo

eklatant → offenbar ‖ → außergewöhnlich

eklig → ekelhaft

Ekstase: Begeisterung, Entzücken, Enthusiasmus, Rausch, Euphorie

ekstatisch → begeistert

Elan → Schwung

elastisch: biegsam, dehnbar, flexibel, beweglich, geschmeidig, -lenkig, wendig, federnd, weich ‖ → flexibel

Elch: Elk, Elen, Schaufler

Eldorado: Paradies, Dorado, Traum-, Zauber-, Märchen-, Wunder-, Schlaraffenland, Arkadien, Elysium; *ugs.:* Land, wo Milch und Honig fließt, Disneyland

Elefant: Rüsseltier; *ugs.:* Dickhäuter, grauer Riese, Jumbo

elegant: schick, vornehm, nobel, gut angezogen/zurechtgemacht, in großer Toilette, overdressed, sehr schön, modisch, fesch, geschmackvoll, apart, kultiviert, gewählt, (aus)erlesen, ausgesucht, fein, stilvoll, smart, schmuck, fashionable, mondän; *ugs.:* todschick, piekfein, herausgeputzt, in Schale geworfen, schnieke, geschniegelt, ausstaffiert, aufgetakelt, -gedonnert, wie geleckt/aus dem Ei gepellt, tipptopp, geschniegelt und gestriegelt ‖ → gewandt

elegisch → traurig

Elektrische → Straßenbahn

elektrisieren → aufregen

Elektrizität: (elektrischer) Strom, Elektroenergie

Elektrizitätswerk: E-Werk, Kraftwerk

Element: Naturgewalt, Elementarkraft ‖ Bestandteil, (Grund)stoff, Ingrediens, Komponente, Wesenszug ‖ Fahrwasser, Lieblingsbeschäftigung, Hobby, Passion, Steckenpferd, Leidenschaft ‖ → Mensch ‖ **Elemente:** Grundzüge, Anfangskenntnisse, -gründe

elementar: naturhaft, urwüchsig, -sprünglich, archaisch, erdhaft, -verbunden, bodenständig ‖ grundlegend, fundamental, konstitutiv, grundsätzlich, prinzipiell, entscheidend, bestimmend, maßgebend, -geblich, schwer wiegend, ausschlaggebend, wichtig, bedeutend

elend: jämmerlich, miserabel, schwach, schwächlich, schlecht, kränklich, erbärmlich, kläglich, übel, unwohl, -pässlich, indisponiert, angegriffen, mitgenommen, hilfsbedürftig, erbarmungswürdig; *ugs.:* schlapp, wie ein Haufen Elend, wie das Leiden Christi ‖ verächtlich, -werflich, -worfen, unwürdig, gemein, niedrig, ehr-, ruchlos, ekelhaft, scheußlich, hässlich, verabscheu-

enswert, schandbar, verdammenswert, schändlich, abscheulich, erbärmlich; *ugs.:* schuftig ‖ → arm ‖ → dünn ‖ → schlecht

Elend → Not ‖ → Leid ‖ → Unglück

Elendsviertel: Armenviertel, Slums

Elfmeter: Elfer, Strafstoß, Penalty

eliminieren: ausschließen, -schalten, beseitigen, entfernen, aus dem Weg räumen, ausnehmen, -scheiden, disqualifizieren (Sport), relegieren (Schule), verstoßen ‖ aussondern, herauslösen, ausgliedern, -sortieren, -lesen, trennen, gesondert/isoliert behandeln

elitär: auserwählt, -erlesen, -ersehen, -gesucht, -gewählt, berufen ‖ → überheblich

Elite: Auslese, die Besten, die Blüte ‖ → High-Society

Eloge → Lob

eloquent: beredt, beredsam, rede-, wort-, sprachgewandt, zungenfertig, sprachgewaltig, schlagfertig; *ugs.:* nicht auf den Mund gefallen

Elster: Atzel; *reg.:* He(i)ster, Häster, (H)ekster, Hetze

Eltern: Vater und Mutter; *ugs.:* die Alten

Emanze → Feministin

Emanzenbewegung → Frauenbewegung

Emanzipation: (Selbst)befreiung, Selbstbestimmung, Freimachung, Loslösung, Entbindung ‖ Gleichstellung, -berechtigung, -rangigkeit, Chancengleichheit, Gleichheitsstreben, -anspruch

emanzipieren, sich → s. befreien

emanzipiert → selbständig

Embargo: Handelsembargo, -blockade, Boykott, Ausfuhrverbot, -sperre ‖ Beschlagnahme (Schiff), Konfiszierung, Sicherstellung, Sicherung

Emblem: Kenn-, Ab-, Hoheitszeichen ‖ Sinnbild, Symbol, Zeichen

Embryo: ungeborenes Lebewesen, Keimling, Leibesfrucht; *med.:* Fetus, Fötus (nach 3. Monat)

emeritieren: pensionieren (Hochschullehrer), entpflichten, in den Ruhestand versetzen, ausscheiden

Emigration: Auswanderung, Emigrieren ‖ Exil, Verbannungs-, Zufluchtsort

emigrieren → auswandern

eminent → außergewöhnlich

Emotion → Gefühl

emotional: gefühlsbetont, -mäßig, emotionell, irrational, affektiv, expressiv, gefühlvoll

Empfang: An-, Entgegennahme, Erhalt, Eintreffen, Ankunft ‖ Aufnahme, Begrüßung, Willkomm ‖ Einladung, Audienz, Fest(lichkeit), Feier, Party, Gesellschaft ‖ Hören/Sehen einer Sendung ‖ Anmelderaum, -büro, Empfangsbüro, -raum, Rezeption, Anmeldung

empfangen: an-, entgegennehmen, in Empfang nehmen, bekommen, erhalten ‖ aufnehmen, begrüßen, willkommen heißen ‖ eine Sendung sehen/hören; *ugs.:* hereinbekommen ‖ schwanger/befruchtet werden, ein Kind erwarten, in andere Umstände kommen

Empfänger: Adressat

empfänglich: rezeptiv ‖ → aufgeschlossen ‖ → anfällig

Empfängnisverhütung: Kontrazeption ‖ Geburtenregelung, -kontrolle

empfehlen: (an-, zu)raten, einen Rat erteilen/geben, vorschlagen, einen Vorschlag machen, anregen, eine Anregung geben, nahe legen, etwas ans Herz legen ‖ anbieten, -preisen, auffordern/einladen zu, animieren, hinweisen auf, werben, Reklame machen für ‖ **sich e.:** s. verabschieden, Abschied nehmen, Lebewohl/auf Wiedersehen sagen, scheiden, verlassen, weggehen, jmdm. den Rücken

kehren, s. trennen ‖ ratsam erscheinen/sein, zweckmäßig/anzuraten sein, zu erwägen sein

empfehlenswert: ratsam, rätlich, indiziert ‖ brauchbar, nützlich, verwendbar, geeignet, verwertbar, zweckmäßig, sinnvoll, vernünftig, geeignet

empfinden → fühlen

Empfinden → Gefühl

empfindlich: anfällig, von zarter Gesundheit, zerbrechlich, allergisch, nicht abgehärtet, ohne Abwehrkräfte, schwächlich, nicht immun ‖ wehleidig, weichlich, verweichlicht, zimperlich, mimosenhaft, überempfindlich; *ugs.:* pimpelig ‖ reizbar, nervös, labil, schwierig ‖ einschneidend, entscheidend, spürbar, fühlbar, merklich, tief greifend, gravierend, schwer wiegend, nachhaltig ‖ → empfindsam

empfindsam: fein/zart fühlend, feinfühlig, -sinnig, zart/fein besaitet, sensibel, sensitiv, zart, (reiz-, über)empfindlich, dünnhäutig, feinnervig, mimosenhaft, weich, gemüt-, gefühlvoll, einfühlsam, taktvoll, gefühlsbetont, innerlich, verinnerlicht, beseelt, romantisch ‖ verletzlich, -bar, verwundbar, leicht zu kränken

Empfindsamkeit → Zartgefühl

Empfindung → Gefühl ‖ Sinnes-, Gefühlseindruck, (Sinnes)wahrnehmung, Apperzeption, Impression

empfindungslos → unempfindlich ‖ → blutleer

Emphase → Nachdruck

emphatisch → nachdrücklich ‖ → inständig

Empirie → Erfahrung

empirisch: erfahren, erfahrungsgemäß, erprobt, pragmatisch, auf Erfahrung beruhend

empor: hinauf, in die Höhe, aufwärts, herauf; *gehoben:* himmelwärts; *ugs.:* hoch

emporarbeiten, sich → avancieren
Empore: Galerie, Rang; *scherzh.:* Olymp; *ugs.:* Juchhe
empören, sich → aufbegehren ‖ → s. entrüsten
empörend → unerhört
emporkommen → avancieren
Emporkömmling: Aufsteiger, Arrivierter, Neureicher, Parvenü, Selfmademan; *abwertend:* Konjunkturritter; *ugs.:* Raffke, Karrieremacher
emporragen → aufragen
empört: entrüstet, aufgebracht, schockiert, ärgerlich, böse, verärgert, erbost, -zürnt, -bittert, zornig, wütend, wutentbrannt, -schäumend, rabiat, grimmig, unwillig, -wirsch, indigniert, ungehalten, außer sich; *ugs.:* wutschnaubend, fuchtig
Empörung → Aufstand ‖ → Wut
emsig: fleißig, tätig, eifrig, arbeitsam, arbeitsfreudig, unermüdlich, strebsam, rastlos, unverdrossen, tüchtig, geschäftig, nimmermüde, regsam, rührig, bienenhaft; *schweiz.:* schaffig
Ende: Schluss(punkt), Abschluss, Ausgang, Beendigung, Finale, Ausklang, Schlussakt, Torschluss, Endpunkt, Abbruch; *dicht.:* Neige, Rüste, Abend aller Tage ‖ → Tod
enden: endigen, aufhören, (ab)schließen, zu Ende gehen, ein Ende haben/nehmen, ausgehen, zum Abschluss gelangen/kommen, ab-, auslaufen, -klingen, versiegen, -ebben, erlöschen, abreißen, verhallen, zur Neige gehen, stillstehen, zur Ruhe/zum Erliegen kommen ‖ beend(ig)en, Schluss/ein Ende machen, zu Ende führen/bringen, einstellen, einen Schlussstrich ziehen, aufgeben, ad acta legen, beschließen, über die Bühne bringen; *ugs.:* aufstecken, begraben, aussteigen, unter Dach und Fach bringen, einen Strich darunter setzen ‖ vollenden, fertig stellen, erledigen

endgültig: unabänderlich, -widerruflich, -umstößlich, -wiederbringlich, irreversibel, entschieden, definitiv, beschlossen, -siegelt, für immer, ein für allemal, feststehend, bindend, verbindlich, obligatorisch, abgemacht
endigen → enden
Endkampf: Endspurt, -runde, -spiel, Finale, Schlusskampf, letzte Runde, Finish
endlich: schließlich, zuletzt, nach längerer Zeit/längerem Warten, am Ende, zum Schluss, letzten Endes, zu guter Letzt ‖ vergänglich, sterblich, zeitlich, -gebunden, von kurzer Dauer, begrenzt, vorübergehend, kurzlebig, irdisch
endlos: unendlich, ohne Ende, unbegrenzt, grenzenlos, unermesslich, -beschränkt, -zählbar, -absehbar, uferlos, weit ‖ → dauernd
Endlösung → Holocaust
Energie: Kraft ‖ Tat-, Lebens-, Willens-, Spann-, Stoß-, Triebkraft, Tatendrang, -durst, Schaffensdrang, Aktivität, (Tat)wille, Willensstärke, Entschlossenheit, -schiedenheit, Arbeits-, Unternehmungslust, Unternehmungsgeist, Initiative, Dynamik, Schwung, Ausdauer, Feuer, Vehemenz, Eifer, Regsam-, Betriebsam-, Geschäftigkeit, Betätigungsdrang, Rührig-, Emsig-, Leistungsfähigkeit, Reserven, Vitalität, Temperament, Ehrgeiz, Fleiß, Hingabe ‖ Nachdruck, Bestimmtheit, (Ein)dringlichkeit, Emphase
Energiekrise: Ölschock, -krise, Energiemangel, -knappheit, Versorgungskrise, Rohstoffverknappung, -mangel, -knappheit
energielos: willen-, kraftlos, geschwächt, schwächlich, schlapp, schlaff, matt, lasch, lahm, entschlusslos, willensschwach, initiativlos; *ugs.:* flügellahm

energisch: entschlossen, -schieden, zielbewusst, -sicher, -strebig, willensstark, fest, resolut, aktiv, tatkräftig, vehement, zupackend, tätig, rührig, tüchtig, betriebsam, schwungvoll, dynamisch ‖ nachdrücklich, bestimmt, eindringlich, intensiv, ernsthaft, streng, strikt, rigoros, massiv, scharf, entschieden, emphatisch, ultimativ

enervieren → aufregen

eng: schmal, begrenzt, -engt, eingeengt ‖ dicht, gedrängt, zusammengepresst, -gedrückt, eingeklemmt, -gekeilt ‖ eng anliegend, stramm, hauteng, körpernah, knapp (sitzend); *ugs.:* knalleng ‖ nah (Beziehung), intim, intensiv, innig, herzlich, freundschaftlich, vertraut, fest, dauerhaft ‖ → engstirnig

Engagement: Anstellung, Verpflichtung, Arbeitsplatz, -stelle, Posten, Position, Beruf, Beschäftigung, Job ‖ innere Verpflichtung, Bindung, Kampf, tatkräftige Unterstützung, (persönlicher) Einsatz, Verbundenheit, Beteiligung, Interesse, (An)teilnahme, Aktivität, Mitwirkung, Hingabe, Eifer, Enthusiasmus, Begeisterung

engagieren: an-, einstellen, verpflichten (Künstler), beschäftigen, Arbeit/ eine Stelle geben, in Dienst nehmen, mit einer Arbeit betrauen ‖ auffordern (zum Tanz), um den nächsten Tanz bitten ‖ **sich e.:** s. binden, s. einlassen auf, → eintreten für

engagiert: aktiv, interessiert, beteiligt, begeistert, enthusiastisch, eintretend/s. einsetzend für, beschäftigt mit

Enge: Engigkeit, Beengt-, Gedrängt-, Knappheit, Platzmangel, Raummangel, -not ‖ Gedränge, -wühl, -woge ‖ Beengung, -klemmung, -klommenheit ‖ Hohlweg, Engpass, Klemme, Klamm ‖ Engherzig-, Engstirnigkeit,

Borniert-, Beschränktheit, Kurzsichtig-, Kleinlichkeit, Voreingenommenheit, Unduldsamkeit, Intoleranz, Spießigkeit, Provinzialismus

Engel: Cherub, Seraph, Paradies-, Himmelswächter, Himmelsbote, himmlisches/überirdisches Wesen, Bote Gottes; *pl.:* himmlische Heerscharen

engherzig → kleinlich ‖ → kleingläubig

Engpass: Enge, Hohlweg, Durchbruch, schmale Stelle/Durchgang, enge Durchfahrt ‖ Mangelerscheinung, Erschwernis, -schwerung, Behinderung, Hemmung, Barriere, Hindernis ‖ → Not

en gros: in großen Mengen, im Großen, im Großhandel

engstirnig: beschränkt, einfältig, borniert, schmalspurig, stupid, stumpfsinnig, zurückgeblieben, kurzsichtig, verblendet, eng, voreingenommen, unduldsam, intolerant, spießig, spieß-, kleinbürgerlich, philiströs, dogmatisch, unbelehrbar, -bekehrbar, -verbesserlich, kleinlich, provinziell; *ugs.:* vernagelt, -bohrt, kleinkariert, geistig minderbemittelt, doof, dumm, eindimensional

Enkel: Enkel-, Kindeskind

en masse → massenhaft

enorm → außergewöhnlich ‖ → gewaltig

en passant: beiläufig, nebenbei, am Rande, wie zufällig, nebenher

Ensemble: Künstler-, Theatergruppe Team, Mannschaft, Kollegium, Kollektiv, kleines Orchester, Truppe

entäußern, sich: s. trennen von, auf-, preisgeben, abtreten, weggeben, verzichten, überlassen, verschenken, entsagen

entbehren: ermangeln, Mangel haben an, fehlen, nicht haben, (ver)missen; *gehoben:* entraten, gebrechen; *ugs.:* jmdm. abgehen, hapern ‖ arm sein, in Armut leben, Mangel/Not/ Hunger leiden, hungern, nichts zu essen haben, kaum das Leben fristen, dürsten, (ver)schmachten, darben, vegetieren, s. durchschlagen; *ugs.:* s. (mühsam) durchbringen, bessere Tage gesehen haben, von der Hand in den Mund leben

entbehrlich: überflüssig, -zählig, übrig, zu viel, unnötig, abkömmlich, nutzlos, unnütz

Entbehrung → Not

entbinden: gebären, zur Welt bringen, niederkommen, ein Kind/Baby bekommen, einem Kind das Leben schenken, Mutter werden; *med.:* kreißen; *ugs.:* ein Kind kriegen ‖ befreien, frei-, zurückstellen, freigeben, loslassen, entheben, -bürden, erlösen, dispensieren, beurlauben, erlassen

Entbindung → Geburt

entblättern: entlauben, abblättern, das Laub/die Blätter abwerfen, die Blätter fallen lassen/verlieren ‖ **sich e.** → s. entblößen

entblößen → aufdecken ‖ **sich e.** → s. ausziehen, s. ent-/auskleiden, die Kleider ablegen/-nehmen/-streifen/-werfen, s. der Kleider entledigen, die Hüllen fallen lassen, s. entblättern/-hüllen, s. freimachen

entblößt → nackt

entbrennen: heftig/leidenschaftlich ergriffen werden, entflammen, erglühen, Feuer fangen, den Kopf verlieren, ein Faible haben für, → s. verlieben, → s. begeistern ‖ → ausbrechen

entdecken: (auf)finden, ausfindig machen, ans Licht bringen, → aufspüren, zutage fördern, ermitteln, auskundschaften, ergründen, -forschen, in Erfahrung bringen, herausfinden, -bekommen, eruieren, auf den Grund gehen; *ugs.:* aufstöbern, herauskriegen ‖ bemerken, erblicken, sichten, stoßen auf, wahrnehmen, auf

die Spur kommen, gewahren, aufmerksam werden auf

Entdecker → Erfinder

Ente: *m.:* Enterich, Erpel; *ugs.:* Anter

entehren: die Ehre rauben/nehmen, entwürdigen, schänden, beschmutzen, -flecken, entheiligen, -weihen, degradieren ‖ → vergewaltigen

Entehrung → Schande

enteignen: beschlagnahmen, expropriieren, vergesellschaften, -staatlichen, in Volkseigentum überführen, kollektivieren, sozialisieren, nationalisieren

enteilen: weglaufen, s. rasch entfernen, fort-, wegrennen, fortstürmen, davonhasten, -jagen, -rasen, -stieben; *ugs.:* rasch abhauen/-schwirren ‖ vergehen (Zeit), -rinnen, -fliegen, vorübergehen, entschwinden, verwehen

enterben: vom Erbe/von der Erbschaft ausschließen; *ugs.:* um das Erbe bringen

Entertainer: Unterhalter, Showmaster

entfachen → hervorrufen ‖ anzünden, (ent)zünden, anbrennen, -stecken, -schüren, zum Brennen bringen, in Brand setzen/stecken, Feuer legen, einheizen

entfahren: entschlüpfen, unbeabsichtigt aussprechen, den Mund nicht halten, nicht für s. behalten, s. versprechen/-plaudern, verraten, ausplaudern; *ugs.:* herausfahren, -platzen, nicht dichthalten, ver-, ausplappern, jmdm. herausrutschen

entfallen: vergessen, aus dem Gedächtnis kommen/verlieren/schwinden, nicht im Kopf behalten, s. nicht erinnern können, nicht mehr wissen, keine Erinnerung haben an; *ugs.:* einen Filmriss haben, ein Gedächtnis wie ein Sieb haben, verschwitzen, -sieben ‖ herunterfallen, aus der Hand fallen, entgleiten ‖ weg-, fort-,

ausfallen, s. erübrigen, unterbleiben ‖ **e. auf:** zufallen, -fließen, zugute kommen, zugesprochen/zugeteilt werden, in jmds. Besitz übergehen
entfalten: auseinander falten/legen, öffnen, entrollen, ausbreiten ‖ → darlegen ‖ entwickeln, zeigen, an den Tag legen ‖ **sich e.:** s. entwickeln, heranwachsen, reifen, reif/erwachsen werden, aufblühen, gedeihen, in der Entwicklung begriffen sein, erwachen; *ugs.:* s. mausern, s. herausmachen
entfärben, sich: erbleichen, -blassen, blass/bleich werden, die Farbe verlieren ‖ s. verfärben, ausgehen, verschießen
entfernen: beseitigen, weg-, fortschaffen, weg-, fortbringen, ausräumen, aus dem Weg räumen, abtransportieren, beiseite schaffen, ausscheiden, -merzen, -löschen, eliminieren, ausradieren, annullieren, zum Verschwinden bringen ‖ **sich e.** → weggehen
entfernt: fern, weit fort/weg, entlegen, unerreichbar, abgelegen, abseits, am Ende der Welt; *ugs.:* weit vom Schuss ‖ weitläufig (Verwandte); *ugs.:* um die Ecke ‖ gering (Ähnlichkeit), schwach, undeutlich, nicht ausgeprägt
Entfernung: Abstand, Distanz, Zwischenraum, Weite, Ferne, Raumabstand, Kluft ‖ Beseitigung, Abschaffung, Aufhebung, Tilgung, Annullierung, Streichung, Säuberung, Behebung, Abtransport
entfesseln → hervorrufen
entfetten → entrahmen
entflammen → entbrennen
entflechten → entwirren
entfliehen → fliehen
entfremden: veräußern, in fremde Hände geben/fremde Gewalt bringen ‖ → entzweien ‖ **sich e.:** s. fremd werden, s. auseinander leben, neben-

einanderher leben, s. nichts mehr zu sagen haben, s. (los)lösen, s. zurückziehen, s. entzweien
entfrosten → auftauen
entführen: ver-, wegschleppen, gewaltsam fortbringen/-schaffen, kidnappen, rauben ‖ → stehlen
entgegen: gegen, wider, kontra, im Widerspruch/Gegensatz zu
entgegenarbeiten → sabotieren
entgegenbringen → erweisen
entgegengesetzt → gegensätzlich
entgegenhalten → einwenden
entgegenhandeln → zuwiderhandeln
entgegenkommen: entgegengehen, zukommen auf ‖ Verständnis zeigen für, auf jmds. Wünsche eingehen, jmdm. etwas ermöglichen/-leichtern, mit s. reden lassen, verhandlungsbereit sein, Konzessionen machen, gefällig/gern bereit sein, s. bereit finden, hilfsbereit sein, Gefälligkeit erweisen, beispringen, einen Gefallen tun, es ermöglichen, goldene Brücken bauen; *ugs.:* kein Unmensch sein ‖ s. herablassen, s. bequemen, nachgeben, klein beigeben, gelten lassen, weich werden; *ugs.:* s. breitschlagen lassen
entgegenkommend: zuvorkommend, hilfsbereit, gefällig, aufmerksam, beflissen, erbötig, kulant, großzügig, -mütig, konziliant, anständig, höflich, dienst-, bereitwillig, wohlwollend, liebenswürdig, freundlich, verbindlich, jovial
entgegennehmen: annehmen, in Empfang nehmen, empfangen, erhalten, bekommen
entgegensehen: erwarten, -sehnen, -hoffen, herbeiwünschen, s. in der Hoffnung wiegen, harren, rechnen mit, zählen auf
entgegenstehen: zuwiderlaufen, unangenehm sein, ungelegen kommen, in Widerspruch/Gegensatz stehen zu, widersprechen

entgegenstellen, sich: entgegentreten, hindern, (Ein)halt gebieten, in den Arm fallen, s. in den Weg stellen ‖ s. absetzen/-heben von, nicht mitmachen, nicht der herrschenden Meinung sein, → aufbegehren

entgegentreten → ankämpfen ‖ verhindern, eindämmen, verhüten, unterbinden, im Keim ersticken, drosseln, Einhalt gebieten, zu Fall bringen, einen Riegel vorschieben, durchkreuzen, hintertreiben, zunichte machen, vereiteln, einen Strich durch die Rechnung machen, unmöglich machen

entgegenwirken → ankämpfen ‖ → sabotieren

entgegnen: antworten, erwidern, versetzen, zurückgeben, zur Antwort geben, Nachricht/Auskunft geben, reagieren, replizieren, bestätigen, das Wort ergreifen ‖ → einwenden

entgehen → entkommen ‖ übersehen, -hören, nicht bemerken/-achten, ignorieren ‖ **sich e. lassen:** versäumen, -passen, -fehlen, ungenutzt vorübergehen lassen; *ugs.:* s. durch die Finger/Lappen gehen lassen

entgeistert: verblüfft, fassungslos, überrascht, betroffen, -stürzt, entsetzt, verwirrt, erschrocken, konsterniert, sprachlos, perplex, erstarrt, verstört; *ugs.:* wie vor den Kopf geschlagen, verdattert, platt, baff

Entgelt: Vergütung, Provision, Entschädigung, Lohn, Gehalt, Verdienst, Bezahlung, Honorar, Fixum, Einkommen, -nahmen, -künfte, Bezüge; *schweiz.:* Salär

entgelten → entschädigen

entgiften → entspannen

entgleisen: aus den Schienen/dem Gleis springen ‖ s. taktlos/unanständig/-höflich/schlecht benehmen, keine gute Kinderstube haben, aus der Rolle/Reihe fallen, den Rahmen sprengen, einen Fauxpas begehen, s.

im Ton/Ausdruck vergreifen, den Ton verfehlen, s. unpassend/inadäquat verhalten, schlecht erzogen sein; *ugs.:* s. vorbei-/danebenbenehmen

Entgleisung → Fehler

entgleiten → entfallen ‖ → s. entziehen

enthalten: umfassen, zum Inhalt haben, beinhalten, einschließen, bergen, umspannen, -schließen, -greifen, in s. fassen/haben, darin sein, einbegreifen, bestehen aus, s. zusammensetzen aus, innewohnen ‖ **sich e.** → verzichten

enthaltsam: mäßig, maßvoll, gemäßigt, entsagend, abstinent, asketisch, anspruchs-, bedürfnislos, zurückhaltend, bescheiden, genügsam, beschränkt, sparsam

Enthaltsamkeit → Mäßigkeit

enthaupten: köpfen, guillotinieren, durch das Beil hinrichten, den Kopf abschlagen, → töten

enthäuten: abhäuten, -ziehen, -schälen, -balgen, -streifen; *reg.:* pellen

entheben → befreien ‖ **eines Amtes e.** → entlassen

entheiligen → entweihen

enthemmen: Hemmungen nehmen, von Hemmungen befreien, lockern, lösen, entspannen

enthemmt: ungehemmt, ohne Hemmung, locker, gelöst, entspannt, frei, ungeniert, zwanglos, zutraulich ‖ hemmungslos, ungestüm, wild, impulsiv, vehement, zügellos, maßlos, ausschweifend

enthüllen → aufdecken ‖ → gestehen ‖ → s. anvertrauen ‖ **sich e.** → s. entblößen

Enthusiasmus: Begeisterung, Glut, Feuer, Leidenschaft, Inbrunst, (Gefühls)überschwang, Eifer, Schwärmerei, Elan, Schwung, Temperament, Dynamik, Verve, Ekstase

enthusiastisch → begeistert

entjungfern: deflorieren, jmdm. die Jungfräulichkeit/Unschuld nehmen/rauben

entkeimen: sterilisieren, steril/keimfrei machen, abkochen, pasteurisieren, desinfizieren, Krankheitserreger abtöten

entkernen: entsteinen, vom Kern befreien, den Kern entfernen

entkleiden → ausziehen

entkommen: entrinnen, -wischen, -gehen, -schlüpfen, s. entziehen, davonkommen, ausweichen, vermeiden, s. retten können, noch einmal Glück haben, verschont bleiben; *ugs.:* durch die Maschen schlüpfen, durch die Lappen gehen ‖ → fliehen

entkräften → erschöpfen ‖ → widerlegen

entkräftet → erschöpft

entladen: ab-, ausladen, (ent)leeren, auspacken, -räumen, wegschaffen, löschen (Schiff), ausschiffen, an Land setzen ‖ **sich e.:** explodieren, platzen, bersten, zerspringen, knallen, detonieren, hochgehen, in die Luft fliegen ‖ aufbrausen, toben, rasen, wüten, zornig/ärgerlich/wild werden, die Beherrschung/Geduld verlieren, in Harnisch geraten; *ugs.:* in die Luft gehen, in Rage geraten, Zustände kriegen

entlang: an der Seite/am Rand hin, längs, seitlich, -wärts, neben

entlarven → aufdecken ‖ **sich e.:** sein wahres Gesicht zeigen, seinen eigentlichen Charakter erkennen lassen, die Maske abwerfen/fallen lassen, s. entpuppen, s. demaskieren

entlassen: freilassen, -setzen, -geben, die Freiheit schenken, in Freiheit setzen, auf freien Fuß setzen, freies Geleit gewähren, gehen/laufen lassen ‖ kündigen, suspendieren, den Abschied geben, verabschieden, von seiner Funktion/seinem Amt suspendieren, seinen Posten nehmen, von einem Posten/Amt entheben/entbinden, jmdn. seines Amtes entkleiden, absetzen, stürzen, abberufen, entmachten, davonjagen, fortschicken, hinauswerfen, vor die Tür/auf die Straße setzen, ausschalten, abmustern (Seeleute), abheuern; *ugs.:* den Laufpass geben, in die Wüste schicken, hinaussetzen, -werfen, -schmeißen, feuern, zum Teufel jagen, abschieben, -hängen, -sägen, hinauskatapultieren, ausbooten, abschießen, zum alten Eisen werfen, schassen, rausschmeißen, über die Klinge springen lassen, an die Luft setzen, niedermachen, kaltstellen ‖ Stellen streichen, Arbeitsplätze/Personal einsparen, wegrationalisieren

entlasten: Arbeit abnehmen, erleichtern, Beanspruchung mindern/verringern, unterstützen, helfen, beispringen, befreien ‖ teilweise frei-/lossprechen/rehabilitieren, entschuldigen, rechtfertigen ‖ **sich e.** → s. anvertrauen

entlauben: entblättern, abblättern, das Laub/die Blätter abwerfen, die Blätter fallen lassen, die Blätter verlieren

entlaufen → fliehen

entledigen, sich: s. befreien/frei-/loskommen von, s. freimachen, abschütteln, die Fesseln abstreifen, loswerden, abtun; *ugs.:* s. vom Halse schaffen

entleeren: ab-, ausladen, auspacken, -räumen, -schütten, wegschaffen, löschen (Schiff), leer machen ‖ des Inhalts/Sinnes berauben, hohl werden lassen ‖ **sich e.** → austreten

entlegen: abgelegen, -geschieden, -seitig, einsam, verlassen, weit fort/weg, fern, unerreichbar ausgefallen, abwegig, -seitig, befremdlich, absonderlich, sonderbar, verstiegen, weit hergeholt, unmöglich

entlehnen → plagiieren ‖ → leihen

entleihen → leihen

entloben: die Verlobung lösen/rückgängig machen

entlocken: heraus-, hervorlocken, abringen, -listen, -schmeicheln; *ugs.:* abluchsen, -gaunern

entlohnen → bezahlen

Entlohnung → Lohn

entmachten: seiner Macht berauben, entlassen, -thronen, stürzen, aufs Abstellgleis schieben, des Einflusses berauben, verdrängen, abschieben, ausbooten, beiseite schieben, ausstechen, -schalten, in den Hintergrund/ins Abseits drängen, abservieren, -fertigen, -speisen, -setzen; *ugs.:* abhängen, -schießen, -sägen, kaltstellen, niedermachen

entmannen: kastrieren, sterilisieren, unfruchtbar/zeugungsunfähig machen, verschneiden, die Zeugungsfähigkeit nehmen

Entmilitarisierung: Abrüstung, Demobilisation

entmündigen: für unmündig/-zurechnungsfähig erklären, unter Vormundschaft/Kuratel/Aufsicht stellen, entrechten

entmutigen: den Mut/das Selbstvertrauen nehmen, die Hoffnung zunichte machen/rauben, deprimieren, einschüchtern, verängstigen, mutlos machen; *ugs.:* jmdn. ins Bockshorn jagen

entmutigt: mutlos, verzagt, niedergeschlagen, deprimiert, resigniert, gedrückt, -brochen, verzweifelt; *ugs.:* down, geknickt, angeschlagen

entnehmen: herausnehmen ‖ **e. aus:** ersehen, -kennen, ableiten, feststellen, folgern, Schluss ziehen

entnervt → erschöpft

entpuppen, sich → s. erweisen ‖ → s. entlarven

entrahmen: ab-, entsahnen, die Sahne/den Rahm abschöpfen, entfetten

enträtseln → entschlüsseln

entrechten → entmündigen

Entree → Vorspeise ‖ → Eingang

entreißen → nehmen ‖ → stehlen

entrichten: (be)zahlen, begleichen, abgelten, geben für, vergüten, in die Tasche greifen; *öster., schweiz.:* erlegen

entrinnen → entkommen ‖ → fliehen

entrollen: ausbreiten, entfalten, öffnen, auseinander falten/legen, auspacken, -wickeln

entrückt → geistesabwesend

entrüsten: zornig/wütend machen, schockieren, empören, verärgern, erregen, brüskieren, vor den Kopf stoßen; *ugs.:* auf die Palme/aus dem Häuschen bringen ‖ **sich e.:** s. empören, s. erregen/-bittern/-bosen/-zürnen/-eifern, seinen Unwillen äußern, aufbrausen, böse/heftig/wild werden; *ugs.:* schäumen, kochen, hochgehen, aus der Haut fahren, zu viel kriegen

entrüstet → empört

Entrüstung → Wut

entsaften: auspressen, -drücken, -quetschen, Saft gewinnen

Entsafter: Frucht-, Obst-, Saftpresse, (Ent)moster, Presse; *ugs.:* Obstquetsche

entsagen → verzichten

entschädigen: wiedergutmachen, abfinden, ersetzen, rückvergüten, entgelten, Schuld tilgen, Schadenersatz leisten, erstatten, abgelten, sühnen, wettmachen ‖ → bezahlen

Entschädigung → Ersatz

entschärfen: (ab)mildern, entspannen, -giften, beschwichtigen, -ruhigen, den Stachel nehmen, die Spitze abbrechen; *ugs.:* Öl auf die Wogen gießen

entscheiden: eine Entscheidung treffen, verfügen, festsetzen, bestimmen, ein Urteil fällen, zu einem abschließenden Urteil kommen, festlegen,

Stellung nehmen, seine Wahl treffen, wählen, durchgreifen, kurzen Prozess machen, ein Machtwort sprechen ‖ den Ausschlag geben, bestimmend/entscheidend/ausschlaggebend werden, in einer bestimmten Richtung festlegen ‖ **sich e.** → s. entschließen ‖ **sich e. für** → auswählen

entscheidend: grundlegend, maßgeblich, bestimmend, lebenswichtig, fundamental, einschneidend, tief greifend, schwer wiegend, gravierend, nachhaltig, folgenschwer, weit reichend, richtung-, wegweisend, essenziell

Entscheidung: Alternative, Wahl, Entschluss, Ermessen, Entweder-Oder ‖ Urteil, Entschließung, Machtwort

entschieden → entschlossen ‖ → nachdrücklich ‖ beschlossen, ab-, ausgemacht, vereinbart, geregelt, perfekt, besiegelt, gebilligt, akzeptiert, anerkannt, -genommen, vollzogen ‖ eindeutig, klar ersichtlich, bei weitem, in jedem Falle, ausgesprochen

Entschiedenheit → Nachdruck

entschlafen → sterben

entschleiern → aufdecken ‖ → entschlüsseln

entschließen, sich: beschließen, zum Entschluss kommen, einen Beschluss fassen, s. entscheiden, eine Entscheidung treffen/fällen, seine Wahl treffen, s. vornehmen, s. durchringen ‖ → s. überwinden

entschlossen: entschieden, fest, aktiv, resolut, zielbewusst, -strebig, -sicher, bestimmt, willensstark, charakterfest, unbeirrt, konsequent ‖ → nachdrücklich ‖ willig, willens, gewillt, gesonnen

entschlummern → einschlafen ‖ → sterben

entschlüpfen → entkommen ‖ → entfahren

Entschluss: Entschließung, Beschluss, Resolution, Willenserklärung, Vorsatz, Absicht, Vorhaben, Entscheidung

entschlüsseln: dechiffrieren, entziffern, dekodieren ‖ enträtseln, -schleiern, das Geheimnis lüften, (auf)lösen, aufdecken, ermitteln, durchschauen, verstehen, erforschen, -gründen, -schließen, eruieren, herausfinden, entdecken

entschlusslos → unentschieden

entschuldigen: jmdn. entlasten, rehabilitieren, rechtfertigen, verteidigen, in Schutz nehmen, eine Lanze brechen für, s. einsetzen für ‖ verzeihen, Verzeihung gewähren, vergeben, nachsehen, von Schuld befreien, frei-, lossprechen; *ugs.:* ein Auge zudrücken, durchgehen lassen ‖ **sich e.:** um Entschuldigung/Verzeihung bitten, Abbitte leisten, zurücknehmen, abbitten, widerrufen; *ugs.:* zu Kreuze kriechen ‖ Ausflüchte machen, Ausreden benutzen, s. ausreden auf; *ugs.:* s. reinwaschen

Entschuldigung: Rehabilitierung, Rechtfertigung, Entlastung, Verteidigung ‖ Plädoyer, Fürsprache, Ehrenrettung ‖ → Verzeihung ‖ Ausflucht, -rede, Vorwand, Notlüge, Vorspiegelung

entschwinden: verschwinden, entweichen, s. entziehen, untertauchen ‖ vergessen, entfallen, aus dem Gedächtnis kommen/verlieren/schwinden, nicht im Kopf behalten, s. nicht erinnern können, nicht mehr wissen, keine Erinnerung haben an ‖ *gehoben:* vergehen, -rinnen, -fliegen, -enteilen

entschwunden → vergangen

entsenden: abordnen, delegieren, deputieren, schicken, beordern, abkommandieren

entsetzen: in Schrecken/Angst/Panik versetzen, aus der Fassung bringen ‖ **sich e.:** erschrecken, -zittern, -beben, -bleichen, s. ängstigen, s. fürchten, s. grausen, bangen, schaudern, schlottern, außer Fassung geraten

Entsetzen: Schreck, Schock, Grauen, Angst, Furcht, Schauder, Horror, Bestürzung, Panik

entsetzlich: grauenhaft, -voll, Grauen erregend, gräulich, grausig, grässlich, (be)ängstigend, fürchterlich, furchtbar, horrend, schrecklich, schauderhaft, schau(d)ervoll, schaurig, schauerlich, katastrophal, verheerend, gespenstig, unheimlich ‖ → sehr

entsetzt: betroffen, -stürzt, erschrocken, entgeistert, starr, fassungslos, verwirrt, erstarrt, verstört, erschüttert, außer sich; *ugs.:* wie vor den Kopf geschlagen, verdattert, ganz/völlig aus dem Häuschen

entsinnen, sich → s. erinnern

Entsorgung: Abwässer-, Atommüllbeseitigung

entspannen: lockern, lösen, entkrampfen ‖ → entschärfen ‖ **sich e.** → ausruhen

entspannt → gelöst

entspinnen, sich → entstehen

entsprechen: übereinstimmen, gleichkommen, gleichen, ähneln, kongruieren, korrespondieren, angemessen sein, genügen, gemäß sein, zusammenpassen, -stimmen, abgestimmt/zugeschnitten sein auf ‖ willfahren, entgegen-, nachkommen, erfüllen (Wunsch), stattgeben, gehorchen, zusagen, genehmigen, gerecht werden (Verpflichtung), halten, einlösen

Entsprechung → Gleichheit ‖ → Gegenstück

entsprechend: gemäß, angemessen, gebührend, -bührlich, angebracht, -gezeigt, konform, korrespondierend, kongruent, passend, adäquat, opportun, analog ‖ vergleichbar, (zum Verwechseln) ähnlich, verwandt, gleich; *ugs.:* wie aus dem Gesicht geschnitten ‖ diesbezüglich, dazu-, zusammengehörig, einschlägig, betreffend ‖ gemäß, zufolge, nach, laut, nach Maßgabe, auf … hin

entspringen → stammen von

entstammen → stammen von

entstehen: s. entwickeln, s. (heraus)bilden, erwachsen, werden, s. entfalten, zum Vorschein kommen, s. entspinnen, s. zeigen, aufkommen, -tauchen, s. formen, anfangen, beginnen, seinen Anfang nehmen, an der Oberfläche erscheinen, ins Dasein treten, Gestalt/Form annehmen, s. herauskristallisieren, zustande kommen, → s. anbahnen

Entstehung: Bildung, Entwicklung, Beginn, Anfang, Aufkommen, Genese, Geburt

entstellen: verdrehen, -fälschen, -zerren, -zeichnen, -kehren, -schleiern, unrichtig wiedergeben, ins Gegenteil verwandeln, umkehren, -münzen, auf den Kopf stellen, entstellt/falsch darstellen/auslegen, ein falsches Bild geben, missdeuten; *ugs.:* verballhornen ‖ verunstalten, deformieren, verstümmeln, -unzieren, hässlich machen, entwerten; *ugs.:* verschandeln, -hunzen

entströmen: ausfließen, -laufen, -rinnen, -sickern, -treten, entweichen, -quellen, herauslaufen, s. leeren, leerfließen

enttäuschen: frustrieren, desillusionieren, die Illusionen rauben, Hoffnungen/Erwartungen nicht erfüllen, ernüchtern, verbittern, vor den Kopf stoßen; *ugs.:* Wasser in den Wein gießen, kalte Dusche verpassen ‖ s. nicht bewähren, nicht entsprechen/genügen, unbrauchbar sein, versagen

Enttäuschung: Frustration, Frust, Desillusion(ierung), Ernüchterung, gescheiterte Hoffnung, Dämpfer; *ugs.:* kalte Dusche, Schlag, Pleite, Reinfall, Strich durch die Rechnung, Schuss in den Ofen ‖ → Fehlschlag

entthronen → entmachten

entvölkert: menschenleer, verlassen, einsam, ausgestorben, öde, unbelebt, tot

entwaffnen: die Waffen abnehmen, wehrlos machen, demobilisieren ‖ in Erstaunen versetzen, besiegen, für sich gewinnen, Überraschung auslösen

entwaffnend → attraktiv

entwässern: trocken legen, entsumpfen, trocknen; *Fachsp.:* dränieren

entweichen → entströmen ‖ → fliehen ‖ → entschwinden

entweihen: entheiligen, -würdigen, die Heiligkeit verletzen, schänden, ins Profane ziehen/Alltägliche herabsetzen

entwenden → nehmen ‖ → stehlen

entwerfen: skizzieren, konzipieren, projektieren, planen, einen Plan machen, umreißen, konstruieren, entwickeln, aus-, erarbeiten, s. ausdenken, s. zurechtlegen ‖ aufsetzen, ein Konzept/einen Entwurf machen, ins Unreine schreiben, eine vorläufige Fassung anfertigen; *ugs.:* in Kladde schreiben

entwerten: ungültig/wertlos machen, stempeln (Fahrschein), lochen; *ugs.:* knipsen ‖ den Kurs/Wert/die Kaufkraft herabsetzen, abwerten, im Wert mindern/verkleinern ‖ herabwürdigen, -setzen, diskreditieren, diffamieren, abqualifizieren, verunglimpfen, in ein schlechtes Licht rücken, gering schätzen; *ugs.:* in den Dreck ziehen

entwickeln: aus-, heran-, fortbilden, qualifizieren ‖ → weiterentwickeln, konstruieren, erfinden, hervorbringen, schaffen, entwerfen, projektieren, planen, konstruieren, ausarbeiten, -bauen ‖ entfalten (Geschmack),

erkennen lassen, zeigen, an den Tag legen, beweisen ‖ → darlegen ‖ e. aus: ab-, herleiten, folgern, deduzieren, zurückführen auf, schließen, den Schluss ziehen aus, s. berufen auf ‖ sich e.: s. entfalten, in der Entwicklung begriffen sein, im Fluss sein ‖ werden, auf-, erblühen, gedeihen, -raten, aufleben, erwachen, (aus)reifen, reif werden, s. erweitern, s. steigern, florieren, anwachsen, -steigen, s. vermehren, s. fortsetzen/-pflanzen, fortschreiten, Fortschritte machen ‖ → entstehen ‖ heranwachsen, groß/flügge werden, die Kinderschuhe abstreifen, den Kinderschuhen entwachsen, s. (zu seinem Vorteil) verändern, heranreifen; *ugs.:* s. mausern, s. (heraus)machen

Entwicklung: Entfaltung, Reife, Wachstum, Werden, Entstehung, Fortschritt, Gedeihen ‖ Werdegang, Biografie, Geschichte ‖ → Reifezeit

entwinden → nehmen ‖ → stehlen ‖ sich e. → s. entziehen

entwirren: (auf)lösen, auseinander bekommen, entflechten, zergliedern, -pflücken; *ugs.:* aufdröseln ‖ → klarstellen

entwischen → entkommen

entwöhnen: nicht mehr stillen, abstillen, absetzen (Tier); *öster.:* abspänen (Tier) ‖ abgewöhnen, abbringen von, ablegen, -streifen, -erziehen; *ugs.:* austreiben

entwürdigen: entweihen, -heiligen, -ehren, schänden, beschmutzen, -flecken, die Würde verletzen, demütigen, schmähen

Entwurf: Konzept(ion), Skizze, Konstruktion, Plan, Projektierung, Modell, vorläufige Aufzeichnung, Exposee, Überblick

entwurzeln: mit der Wurzel ausreißen ‖ aus der Heimat vertreiben, der Heimat entfremden

entwurzelt → heimatlos

entziehen: wegziehen (Hand) || verweigern, -sagen, vorenthalten, wegnehmen, nicht mehr geben/gewähren/zuteil werden lassen, untersagen, fortnehmen, nicht länger lassen || bewahren (vor Wut), schützen, abschirmen (gegen Zugriff), nicht ausliefern || **sich e.:** s. lösen, s. befreien, s. losmachen, s. entwinden, abschütteln, entgleiten || → s. abkapseln || → entkommen || nicht erfüllen (Pflichten)/erledigen/ausführen, ausweichen, vermeiden, nicht eingehen auf, s. nicht stellen, Ausflüchte machen, zu um-/entgehen suchen, nicht teilnehmen/mitmachen, aus dem Weg gehen, fliehen; *ugs.:* s. französisch empfehlen, s. drücken, kneifen, s. drehen und wenden || → entschwinden

entziffern → entschlüsseln

entzücken: begeistern, hin-, mit-, fortreißen, entflammen, -zünden, berauschen, -zaubern, in Begeisterung/Taumel versetzen || erfreuen, beglücken, glücklich machen, Vergnügen bereiten, gefallen

entzückend → reizend

entzückt → begeistert

Entzug: Entziehung, Entwöhnung || Aberkennung, Absprechung

entzünden: anzünden, -brennen, -stecken, -fachen, -schüren, zum Brennen bringen, in Brand setzen/stecken, abfackeln, Feuer legen/entfachen, einheizen || → entzücken

entzwei: auseinander gefallen, defekt, dahin; *ugs.:* kaputt, hin, zum Teufel, im Eimer

entzweien: trennen, verfeinden, entfremden, auseinander bringen, gegeneinander aufbringen, uneins machen, spalten, Zwietracht säen, die Verbindung stören, einen Keil treiben zwischen || **sich e.:** s. verfeinden, s. überwerfen, s. zerstreiten, s. verzanken, uneins werden, auseinander

geraten, s. trennen, s. entfremden; *ugs.:* s. verkrachen

entzweit: zerstritten, -fallen, verfeindet, -zankt, gespalten, uneinig, getrennt, uneins

Entzweiung → Trennung

en vogue → modern || → populär

Enzyklopädie: (umfangreiches) Nachschlagewerk, Lexikon

Epidemie: Seuche, Infektionskrankheit, ansteckende Massenerkrankung

Epigone: Nachahmer, Imitator, Plagiator; *ugs.:* Nachbeter

Epik: erzählende/epische Dichtung, Erzählkunst, erzählende Literatur, Prosa

Epilog: Nachwort, -trag, Schlusswort, Nachspiel (Theater)

Episode: nebensächliches Ereignis/Geschehnis/Vorkommnis || flüchtiges Erlebnis, Affäre, Schauspiel, Geschichte, Liebelei, Flirt, (Liebes)abenteuer, Romanze, Zwischenfall

epochal → außergewöhnlich

Epoche: Zeitraum, -alter, -abschnitt, -spanne, Zeit, Ära, Periode, Phase

Epoche machend: eine Epoche begründend, → bahnbrechend

Equipe: Mannschaft (Sport), Team, Crew, Gruppe, Gemeinschaft, Ensemble

Erachten → Ansicht

erachten für: halten für, bewerten/-urteilen / -gutachten / einschätzen als, denken über, ansehen/betrachten/auffassen/verstehen als; *gehoben:* befinden

erahnen → ahnen

erarbeiten: erzielen, -reichen, -werben, -langen, -wirken, zustande bringen, leisten, schaffen, fertig stellen, vollbringen, s. (geistig) aneignen, für s. gewinnen || ausarbeiten, entwerfen, -wickeln, konzipieren

erbarmen: Leid tun, dauern, mitempfinden, in der Seele weh tun, mitfüh-

len, -leiden, Teilnahme/Mitgefühl zeigen, Anteil nehmen
Erbarmen → Mitleid
erbärmlich → kläglich ‖ → gemein ‖ → sehr
erbarmungslos: ohne Erbarmen/ Rücksicht, rücksichts-, mitleids-, gefühl-, schonungs-, gnaden-, herzlos, brutal, roh, kaltblütig, unbarmherzig, hart(herzig), eisig, vor nichts zurückschreckend, radikal, rigoros, barbarisch, grausam, unmenschlich, nicht zu erweichen, unerbittlich
erbauen: (auf)bauen, er-, aufrichten, fertig stellen ‖ → aufrichten
Erbauer: Architekt, Baumeister ‖ Gründer, Schöpfer, Urheber, Stammvater, Erzeuger
erbaulich: erhebend, bewegend, -schaulich, -sinnlich ‖ salbungsvoll, getragen, feierlich, eindringlich, pathetisch, gewichtig, nachdrücklich
Erbe: *n.:* Hinterlassenschaft, Erbschaft, -teil, -gut, ererbter Besitz, ererbtes Vermögen, Nachlass, Vermächtnis; *öster.:* Verlassenschaft; *schweiz.:* Vergabung ‖ *n.:* Überlieferung, Tradition ‖ *m.:* Nachkomme, Hinterbliebener, Überlebender, Nachfolger, Erbberechtigter
erbeben: (er)zittern, (er)schaudern, schlottern, zucken, vibrieren; *ugs.:* bibbern
erben: als Mitgift/Erbe erhalten, mitbekommen, eine Erb-/Hinterlassenschaft antreten/machen, → bekommen; *ugs.:* → abkriegen
erbetteln: durch Betteln erwerben; *ugs.:* s. zusammenbetteln ‖ → erbitten
erbeuten: erkämpfen, -obern, -ringen, -zwingen, abringen, -zwingen, -gewinnen, wegnehmen, ergattern, kapern, an s. reißen, s. bereichern, profitieren; *ugs.:* wegschnappen, einsacken, erraffen, einstecken
erbitten: bitten/an-/er-/nachsuchen um, erbetteln, angehen/-fragen um,

vorstellig werden, s. wenden an, s. ausbitten
erbittert: hartnäckig, unbeirrt, -nachgiebig, standhaft, eisern, mit äußerstem Einsatz ‖ → ärgerlich
erblassen: erbleichen, blass/bleich/ fahl werden, die Farbe verlieren/ wechseln, s. verfärben
erbleichen → erblassen
erblich → angeboren
erblicken: wahrnehmen, sehen, bemerken, ansichtig werden, sichten, zu Gesicht bekommen, erspähen ‖ zu erkennen glauben, vermuten
erblinden: blind werden, das Augenlicht/die Sehkraft verlieren
erblühen → aufblühen
erbosen → aufregen ‖ **sich e.** → ärgern
erbost → ärgerlich
erbrechen: aufbrechen, -stoßen, gewaltsam öffnen, eindrücken, -reißen, -schlagen ‖ **sich e.:** s. übergeben, speien; *med.:* vomieren; *ugs.:* spucken, reihern; *öster.:* speiben; *derb:* kotzen
erbringen → eintragen ‖ herbei-, beschaffen, aufbringen, vorlegen; *ugs.:* auftreiben, erschwingen
Erbschaft → Erbe
Erbstück → Andenken
Erdapfel: Kartoffel, Erdbirne; *volkst.:* Grundbirne
Erdball → Erde
Erdbeben: Beben, Erdstoß, Erschütterung
Erde: Erdreich, (Erd)boden, (Erd)scholle, Ackerboden ‖ (Fuß)boden, Grund ‖ Erdball, -kugel, -kreis, Planet, Globus, Welt, Diesseits
erdenken → s. ausdenken
erdenklich → möglich
Erdgeschoss: Parterre; *veraltet:* Rezdechaussee
erdichten → s. ausdenken
Erdkugel → Erde

Erdkunde: Länderkunde, Geographie

Erdöl: Petrol(eum), Naphtha, (Roh)öl

erdolchen: mit einem Dolch töten, er-, niederstechen, durchbohren, → töten ‖ **sich e.** → s. umbringen

erdreisten, sich: s. unterstehen, s. erkühnen, s. vermessen, s. erfrechen, wagen, s. erlauben, s. anmaßen, s. nicht scheuen, nicht zurückschrecken/-scheuen, die Stirn besitzen, s. unterfangen; *ugs.:* s. nicht entblöden

erdrosseln: erwürgen, strangulieren, ersticken, die Kehle abschnüren, → töten; *ugs.:* die Gurgel umdrehen/zudrehen

erdrücken: totdrücken, -quetschen ‖ belasten (Schulden), beschweren, einengen, hemmen, beeinträchtigen, benachteiligen, quälen, überwältigen ‖ in den Schatten stellen, an die Wand drücken

Erdteil: Kontinent, Weltteil

erdulden → dulden

ereifern, sich → s. aufregen

ereignen, sich → geschehen

Ereignis: Geschehen, Geschehnis, Vorkommnis, -fall, -gang, Erlebnis, -fahrung, Begegnung, -kanntschaft, Episode, Zwischenfall, -spiel, Geschichte, Begebenheit, Schauspiel, Phänomen, Kuriosum, Besonderheit, Intermezzo, Abenteuer, Sensation ‖ → Happening

ereilen: schnell/überraschend erreichen, einholen, erfassen, treffen

Erektion: geschlechtliche Erregung, Aufrichtung, Versteifung, Anschwellung, Verhärtung; *ugs.:* Ständer, Latte, Aufstand, Stein

Eremit: Einsiedler, Klausner, Anachoret, Einzelgänger

ererbt → angeboren

erfahren: in Erfahrung bringen, Kenntnis erhalten, hören, vernehmen, ermitteln, zu Ohren kommen, herausbekommen; *ugs.:* Wind bekommen von, aufschnappen, mitkriegen, läuten hören ‖ erleben, -leiden, -dulden, kennen lernen, Erfahrungen machen/sammeln, selbst sehen, durchleben, am eigenen Leibe spüren; *ugs.:* s. die Hörner abstoßen, s. den Wind um die Nase wehen lassen ‖ weise, versiert, klug, abgeklärt, kundig, bewandert, -schlagen, geschult, -übt, -wandt, sachverständig, erprobt, routiniert, qualifiziert, orientiert, aufgeklärt, wissend, unterrichtet, verständig, sicher, firm, fit, gelernt

Erfahrung: (Er)kenntnis, Empirie, Einsicht, Wissen, Bildung, Weisheit, Über-, Weitblick, Vertraut-, Beschlagen-, Überlegenheit, Übung, Schulung, Menschen-, Weltkenntnis, Praxis, Lebenserfahrung, Klugheit, Know-how, Reife, Routine ‖ → Ereignis

erfahrungsgemäß: bekannter-, erwiesenermaßen, der Erfahrung nach, bekanntlich; *ugs.:* wie man weiß, nach Adam Riese

erfassen: erreichen, -greifen, packen ‖ überkommen, -fallen, -wältigen, Besitz ergreifen, beschleichen, anwandeln, s. bemächtigen ‖ begreifen, verstehen, nachvollziehen, folgen können, durchschauen, -blicken, klarsehen; *ugs.:* kapieren, mitbekommen, -kriegen, durchsteigen ‖ aufführen, festhalten, registrieren, buchen, eintragen, verzeichnen ‖ einbeziehen, berücksichtigen, einkalkulieren, -planen, mitrechnen

erfinden: eine Erfindung machen, ersinnen, -denken, entwickeln, Neues schaffen, entwerfen, konstruieren, ausgrübeln, -klügeln; *ugs.:* austüfteln, -knobeln, -brüten ‖ erdichten, -lügen, -schwindeln, → fantasieren, s. ausdenken; *ugs.:* aushecken, -spinnen, -kochen

Erfinder: Entdecker, (Be)gründer, Urheber, Schöpfer, Schrittmacher

erfinderisch: einfallsreich, schöpferisch, kreativ, ideenreich, produktiv, genial, originell, gestalterisch, künstlerisch, begabt, phantasievoll, innovativ

Erfindung: schöpferischer Einfall, Innovation, Novität, Neuerung ‖ Fiktion, Erdichtung, Entdeckung ‖ Lüge(ngeschichte), Unwahrheit, Schwindel, Märchen; *ugs.:* Hirngespinst ‖ → Einbildung

Erfolg: Triumph, Sieg, Gelingen, Errungenschaft, Glück, Gedeihen, Durchbruch, Fortschritt, Wirksamkeit, (Voll)treffer, Gewinn, Trumpf ‖ Auswirkung, Folge, Effekt, Fazit, Resultat, Ergebnis, (End)summe, Bilanz ‖ Zulauf, -strom, -spruch, Anerkennung ‖ Publikumserfolg, (Verkaufs)schlager, Hit, Kassenschlager ‖ **E. haben:** erfolgreich sein, Karriere/sein Glück/seinen Weg machen, Fortschritte erzielen, arrivieren, vorwärts-, voran-, weiter-, fortkommen, aufrücken, -steigen, s. verbessern, brillieren, glänzen, s. behaupten, ein positives Ergebnis erzielen, weit kommen, s. empor-/herauf-/hocharbeiten, s. durchsetzen, von Erfolg gekrönt sein, avancieren, befördert werden, es schaffen; *ugs.:* an-, hochkommen, die Treppe rauffallen, s. durchboxen, auf einen grünen Zweig kommen, groß herauskommen, es weit bringen

erfolgen → geschehen

erfolglos: ohne Erfolg/positives Ergebnis/Resultat, unverrichteterdinge, ergebnis-, wirkungslos, unwirksam, zwecklos, vergeblich, -gebens, umsonst, nutzlos, unnütz, fruchtlos, missglückt, -lungen, verfehlt, negativ

erfolgreich: siegreich, -haft, preis-, erfolggekrönt, begünstigt, gesegnet, aussichtsreich, viel versprechend, glücklich ‖ **e. sein** → Erfolg haben

Erfolg versprechend: mit Aussicht auf Erfolg, aussichtsreich, viel versprechend, verheißungs-, hoffnungsvoll, zukunftsträchtig, mit Perspektive, chancenreich, voller Chancen/Möglichkeiten; *ugs.:* heiß

erforderlich: notwendig, nötig, unerlässlich, -entbehrlich, -umgänglich, -ausweichlich, -vermeidlich, obligat, zwingend, geboten, dringend, wesentlich, (lebens)wichtig

erfordern: verlangen, beanspruchen, in Anspruch nehmen, voraussetzen, gebieten, bedingen, kosten; *gehoben:* erheischen

Erfordernis: Voraussetzung, Bedingung, Notwendigkeit, notwendiges Übel, Unerlässlichkeit, -umgänglichkeit, -entbehrlichkeit, -abwendbarkeit, Pflicht, Gebot, Zwang, unverzichtbarer Bestandteil

erforschen: (nach)forschen, ergründen, -kunden, eruieren, studieren, explorieren, ermitteln, feststellen, herausfinden, -bekommen, entdecken, -schlüsseln, -rätseln, -schleiern, untersuchen, analysieren, nachgehen, -spüren, ausfindig machen, auf die Spur kommen; *ugs.:* dahinterkommen, herauskriegen

erfragen → auskundschaften

erfreuen: Freude bereiten/machen/spenden, beglücken, -seligen, glücklich/froh/selig machen, entzücken, erbauen, -heitern, -götzen, belustigen, amüsieren ‖ **sich e.** → s. freuen ‖ genießen, im Besitz sein von

erfreulich: angenehm, wohl tuend, erquicklich, gut, willkommen ‖ glücklich, vorteilhaft, günstig

erfreulicherweise → glücklicherweise

erfreut → freudig

erfrieren: erstarren, durch Frost sterben

erfrischen: erquicken, stärken, laben, belebend/anregend wirken, anregen, beleben ‖ **sich e.:** s. frisch machen, s. kräftigen, s. stärken, s. erquicken
erfrischend: anregend, belebend, stimulierend, aufmunternd, -putschend ‖ wohl tuend, labend, erquicklich, angenehm, erfreulich
erfüllen: s. ausbreiten (Lärm), s. ausdehnen, s. entfalten, ausfüllen ‖ entsprechen (Verpflichtung), halten, einlösen, befriedigen, Genüge tun, zufrieden stellen ‖ ausfüllen, beschäftigen, in Anspruch nehmen, beherrschen ‖ beseelen, durchströmen, -fluten, -pulsen, -rieseln, -beben, -glühen, -ziehen, -dringen ‖ **sich e.** → eintreten
ergänzen: vervollständigen, -vollkommnen, vollenden, zur Vollendung bringen, abrunden, hinzufügen, nachtragen, auffüllen, erweitern, komplettieren, ausbauen, hinzutun, perfektionieren; *ugs.:* den letzten Schliff geben
ergänzend: supplementär
ergattern → erlangen ‖ → erbeuten
ergaunern → erschleichen
ergeben: demütig, hingebungsvoll, anhänglich, treu, beständig, geduldig ‖ folgsam, gehorsam, fügsam, gefügig, Gott ergeben, lenkbar ‖ resigniert, fatalistisch, unterwürfig, devot, untertänig, servil, knechtisch, sklavisch, kriecherisch ‖ er-, einbringen, ein-, betragen, abwerfen, zur Folge haben, ausmachen, s. belaufen auf, kosten ‖ **sich e.:** als Folge entstehen, zustande kommen, resultieren/hervorgehen/folgen aus, s. erhellen/herausschälen/abzeichnen aus ‖ s. hingeben, s. aufopfern, s. in die Arme werfen ‖ nachgeben, s. widerstandslos fügen, s. beugen, s. unterwerfen, Zugeständnisse machen, s. unterordnen/-werfen, s. schicken, gehorchen, resignieren, aufgeben, kapitulieren,

die Waffen strecken/niederlegen, s. besiegen lassen, die Segel streichen, die weiße Fahne hissen, passen, die Flinte ins Korn werfen, den Rückzug antreten; *ugs.:* klein beigeben, in die Knie gehen ‖ **sich e. in:** akzeptieren, s. zufrieden geben, ertragen, s. abfinden mit, hinnehmen, s. begnügen, in Kauf nehmen
Ergebenbeit → Demut
Ergebnis: Resultat, Fazit, Schlussfolgerung, Resümee, (End)summe, Quintessenz, Bilanz, Befund, (Aus)wirkung, Folge, Effekt, Konsequenz, Frucht, Produkt, Ertrag, Ausbeute, Gewinn, Endstand
ergebnislos: ohne Ergebnis/Resultat, erfolg-, wirkungslos, unwirksam, zwecklos, vergeblich, -gebens, umsonst, nutzlos, unnütz, fruchtlos, missglückt, -lungen, verfehlt, negativ
Ergebung → Demut
ergehen: erlassen/verfügt/vorgeschrieben/befohlen/verordnet werden ‖ **sich e.:** s. langatmig äußern/mitteilen/erklären, umständlich vortragen/darstellen, s. auslassen über ‖ **über sich e. lassen** → dulden
Ergehen: Wohlergehen, -befinden, Verfassung, Zustand, Allgemeinbefinden, Gesundheitszustand
ergiebig → fruchtbar ‖ → einträglich
ergießen, sich → fließen
erglühen: erröten, rot werden ‖ aufleuchten, erstrahlen, -glänzen, aufflammen ‖ → entbrennen
ergo → also
ergötzen → erfreuen ‖ **sich e.** → s. freuen
Ergötzen → Freude
ergötzlich → lustig
ergrauen: altern, älter/alt/grau/weiß werden, graue/weiße Haare bekommen, in die Jahre kommen, vergreisen, -fallen
ergreifen: (er)fassen, packen, nehmen, an s. reißen, zugreifen; *ugs.:*

grapschen nach ‖ aufgreifen, erwischen, fangen, habhaft werden; *ugs.:* kriegen, beim Schopf fassen, beim Wickel/am Schlafittchen nehmen, schnappen, kaschen, hoppnehmen ‖ nahe gehen, im Innersten bewegen/ (be)rühren, aufwühlen, betroffen machen, erregen, beeindrucken, Eindruck machen, fesseln, innere Erregung/Anteilnahme bewirken, erschüttern, zu Herzen gehen, schockieren, durch Mark und Bein/unter die Haut gehen; *ugs.:* durch und durch/an die Nieren gehen, umwerfen ‖ beschleichen, -fallen, s. bemächtigen, überwältigen, -kommen, Besitz ergreifen, anwandeln

ergreifend → rührend ‖ → spannend

ergriffen: gerührt, bewegt, -troffen, überwältigt, aufgewühlt, erschüttert, (tief) beeindruckt, erregt

Ergriffenheit: Erschütterung, Rührung, Bewegung, -wegtheit, Erregung, Betroffenheit

ergründen → erforschen

Erguss: (Rede-, Wort)schwall, Suade, Tirade, Sermon ‖ Ausbruch (Gefühle), Entladung, Anfall, Explosion, Eruption

erhaben: feierlich, festlich, (ehr)würdig, erlaucht, solenn, erhebend, würdevoll, gravitätisch, majestätisch, Achtung gebietend ‖ unberührbar, überlegen, souverän

erhalten: bekommen, empfangen, zuteil werden; *ugs.:* kriegen ‖ gewinnen, erreichen, -langen, -zielen ‖ → pflegen ‖ unterhalten, versorgen, sorgen für, ernähren, am Leben halten; *ugs.:* durchfüttern, -bringen ‖ → aufrechterhalten ‖ **sich e.** → fortbestehen

erhältlich → feil

erhängen: (auf)hängen, hinrichten, an den Galgen bringen, strangulieren, henken, → töten; *ugs.:* aufknüpfen ‖ **sich e.:** s. durch Hängen töten,

→ s. umbringen; *ugs.:* den Strick nehmen

erhärten: festigen, bekräftigen, untermauern, konsolidieren, stabilisieren, zementieren, bestätigen, (unter)stützen, vertiefen

erhaschen: ab-, auffangen, fassen; *ugs.:* mitkriegen, aufschnappen, erwischen

erheben: in die Höhe heben, (auf)heben, hochheben, lüften ‖ → erhöhen ‖ aufrichten, -heitern, erbauen, -freuen, stärken, trösten ‖ eintreiben (Geld), kassieren, einsammeln, -ziehen, -fordern, einen Betrag verlangen ‖ **sich e.:** aufstehen, -springen, -schnellen, s. aufrichten, s. aufsetzen ‖ s. aufschwingen, s. heben, aufsteigen, s. in die Luft heben, aufstieben, weg-, davonfliegen; *ugs.:* abschwirren in die Höhe/den Himmel ragen, auf-, emporragen, aufstreben, s. auftürmen ‖ → aufbegehren

erhebend → erhaben

erheblich: beachtlich, -trächtlich, stattlich, ansehnlich, bedeutend, -merkenswert, respektabel, reichlich, üppig, erklecklich, ziemlich, groß; *ugs.:* anständig ‖ → sehr

Erhebung: (An)höhe, Hügel, Berg, Steigung ‖ Einziehung, -treibung, Forderung, Postulat ‖ Feststellung, Erkundung, -mittlung, Recherche, Sondierung, Nachforschung, Untersuchung, Überprüfung Umfrage, Befragung, demoskopische Untersuchung, Demoskopie ‖ → Aufstand

erheischen → erfordern

erheitern: aufheitern, -richten, -hellen, auf-, ermuntern, heiter/lustig/ froh stimmen, ablenken, zerstreuen, Stimmung machen, auf andere Gedanken/in Stimmung bringen, erfreuen, belustigen, amüsieren, Freude/Vergnügen bereiten, für Zerstreuung/Zeitvertreib sorgen, (das Leben) verschönern

erheiternd → lustig

erhellen: hell/Licht machen, beleuchten, be-, anstrahlen, illuminieren, bescheinen ‖ verdeutlichen, er-, aufklären, -hellen, -decken, -zeigen, Licht bringen in, klar-, offenlegen, zutage fördern, entschleiern, -hüllen, -rätseln, -schlüsseln, bewusst machen ‖ verklären, aufheitern, schön/strahlend/glücklich machen

erhellend → informativ

erhitzen: heiß/warm machen, auf-, erwärmen, großer Hitze aussetzen ‖ **sich e.** → s. aufregen

erhitzt → aufgeregt

erhoffen: ersehnen, -warten, entgegensehen, -blicken, Hoffnungen hegen, den Mut nicht sinken lassen, träumen von, wünschen ‖ s. aus-/errechnen, s. versprechen von, bauen/setzen/vertrauen auf

erhöhen: höher machen, aufstocken ‖ → steigern ‖ auszeichnen, befördern, erheben, einen höheren Rang geben, in eine höhere Stellung versetzen, aufrücken lassen ‖ → verteuern ‖ **sich e.** → zunehmen

erholen, sich: wieder zu Kräften kommen s., regenerieren, aufleben, erstarken, s. kräftigen, gesunden, -nesen; *veraltet:* s. restaurieren; *ugs.:* s. hoch-/aufrappeln, auf die Beine/den Damm kommen ‖ → ausruhen ‖ seine Fassung zurückgewinnen, wieder zu s. kommen/ein Mensch werden/hochkommen

erholt → frisch

Erholung: Entspannung, Atempause, Regeneration, Ruhe, Genesung, Urlaub, Ferien

erholungsbedürftig → erschöpft

erhören: erfüllen, nachgeben, befriedigen, gewähren

Erika: Heide(kraut); *volkst.:* Besenheide

erinnern: ins Gedächtnis rufen, in Erinnerung bringen, (ge)mahnen, auffrischen ‖ **e. an** → ähneln ‖ **sich e.:** s. entsinnen, s. besinnen auf, gedenken, die Gedanken auf Vergangenes richten, s. wiedererinnern, zurückdenken, -blicken, -schauen, s. zurückrufen, Rückblick/-schau halten, jmdm. wieder in den Sinn kommen/einfallen, noch wissen, wiedererkennen, -erwachen, s. merken, nicht vergessen, im Kopfe/Gedächtnis haben, Vergangenes herauf-/zurückholen, wieder lebendig machen/beleben/aktivieren/auffrischen/wecken/zu Bewusstsein bringen, s. zurückversetzen/-erinnern, (in der Erinnerung) nacherleben/nachempfinden, gegenwärtig/präsent sein, lebendig/unvergesslich sein, erinnerlich/eingedenk sein

Erinnerung: Rückschau, -blick, -blende, Retrospektive, Reminiszenz, Blick in die Vergangenheit ‖ Andenken, Gedächtnis, -denken ‖ Erinnerungsvermögen, Merkfähigkeit, Gedächtniskraft ‖ *pl.:* Lebensbeschreibung, -geschichte, -bild, -abriss, Biografie, Memoiren, Aufzeichnungen, Tagebuch, Diarium

erkalten: kühl/kalt werden, aus-, abkühlen ‖ → abflauen

erkälten, sich: s. verkühlen, s. eine Erkältung zuziehen/bekommen; *reg.:* s. verkälten

Erkältung: Verkühlung, Schnupfen, Husten, Grippe

erkämpfen: erfechten, -ringen, -kaufen, -arbeiten, mühsam für s. gewinnen/erreichen/-langen/-werben ‖ → erobern

erkaufen → erkämpfen ‖ durch Bestechung erringen/s. verschaffen, bestechen, korrumpieren

erkennbar: wahrnehm-, sicht-, aufnehm-, seh-, les-, entzifferbar, zu sehen, in Sicht, kenntlich ‖ → offenbar ‖ voraus-, absehbar, vorauszusehen, zu erwarten, voraus-, vorhersagbar

erkennen: (deutlich) sehen, wahrnehmen, erfassen, entdecken, sichten, gewahr werden, gewahren, (be)merken, erblicken, -spähen; *gehoben:* schauen; *öster.:* ausnehmen ‖ feststellen, konstatieren, lokalisieren, nachweisen, identifizieren, näher bestimmen, registrieren, ausfindig machen ‖ zu der Erkenntnis kommen/ gelangen, Klarheit gewinnen, s. bewusst werden, jmdm. zum Bewusstsein kommen, hinter die Kulissen sehen, herausfinden, durchschauen; *ugs.:* dahinterkommen, es dämmert/ blitzt/funkt, ein Licht geht auf, wie Schuppen von den Augen fallen, kapieren

erkenntlich: dankbar, -erfüllt, mit/ von Dank erfüllt, verbunden ‖ → klar ‖ **sich e. zeigen** → belohnen

Erkenntnis: Erleuchtung, Einsicht, Erfahrung, Kognition ‖ Lehre ‖ wissenschaftl./philosoph. Theorie

Erkenntnisvermögen → Denkvermögen

erklären: erläutern, auseinander setzen/legen, deutlich/klar/verständlich/begreiflich machen, klar-, darlegen, explizieren, exemplifizieren, ausführen, entwickeln, (auf)zeigen, verdeutlichen, konkretisieren, → veranschaulichen; *ugs.:* verdeutschen ‖ deuten, begründen, interpretieren, kommentieren, auslegen, motivieren ‖ äußern, verbalisieren, (offiziell) mitteilen, formulieren, artikulieren, in Worte fassen, aussprechen, sagen, reden, von s. geben, erzählen, verlauten lassen, Ausdruck verleihen, deklarieren, verkündigen ‖ unterrichten, aufklären, einweihen, -führen, orientieren, ins Bild setzen, eröffnen ‖ **(sich) e. für:** (s.) bezeichnen/hinstellen/charakterisieren/darstellen/definieren als, jmdn. stempeln zu ‖ → eintreten für

erklärlich → einsichtig

Erklärung: Erläuterung, Auslegung, Kommentar, Deutung, Explikation, Definition, Interpretation, Verdeutlichung, Beleuchtung, (Begriffs)bestimmung, Darlegung, Stellungnahme, Offenbarung, Illustrierung ‖ Aufklärung, Unterrichtung, Information, Einführung ‖ Begründung, Argument, Rechtfertigung, Nachweis, Beleg, Beweisgrund, -führung ‖ Deklaration, Manifest, Verkündigung, -lautbarung

erklecklich → beträchtlich

erklimmen: be-, ersteigen, (mühsam) klettern auf, bezwingen, hinauf-, hochsteigen; *ugs.:* hinaufkraxeln, hochklettern ‖ erlangen, -reichen, -zielen, -arbeiten; *ugs.:* schaffen

erklingen: (er)schallen, (er)tönen, anklingen, hallen, ans Ohr dringen, s. vernehmen lassen, hörbar werden; *gehoben:* aufbranden, -steigen, ertosen

erklügeln → s. ausdenken

erkranken: krank werden, s. anstecken, s. infizieren, unpässlich sein, s. eine Krankheit/etwas zuziehen; *ugs.:* etwas fangen/abkriegen/erwischen/ aufschnappen/-gabeln/ausbrüten

Erkrankung → Krankheit

erkühnen, sich → s. anmaßen

erkunden: sondieren, aufklären, auf Patrouille gehen ‖ → auskundschaften

erkundigen, sich → fragen nach

erküren → auswählen

erlahmen → erschöpfen ‖ → abflauen ‖ → festfahren

erlangen: erreichen, gewinnen, bekommen, erwerben, -zielen, -arbeiten, s. beschaffen, s. aneignen, gelangen zu, s. zulegen; *ugs.:* erwischen, -gattern

Erlass: An-, Verordnung, Edikt, Verfügung, Dekret, Bestimmung, Weisung, Gebot, Order, Diktat, Gesetz, Befehl, Vorschrift, Geheiß ‖ Nachlass, Befreiung, Schenkung, Entbindung

erlassen → anordnen ‖ befreien/entbinden von, schenken ‖ nachlassen (Preis)

erlauben: die Erlaubnis geben/gewähren, sein Einverständnis/seine Einwilligung geben, gestatten, stattgeben, genehmigen, -währen, be-, einwilligen, s. einverstanden erklären, s. gefallen lassen, einräumen, freie Hand/den Willen/die Freiheit/freien Lauf lassen, nichts in den Weg legen, → zulassen, zustimmen, beipflichten, (zu)billigen, seine Zustimmung geben, zugestehen, konzedieren, nichts dagegen haben; *ugs.:* durchgehen lassen ‖ ermöglichen, die Möglichkeit geben, die Gelegenheit bieten, in die Lage versetzen, instand setzen ‖ berechtigen, ermächtigen, befugen, bevollmächtigen, autorisieren ‖ sich e.: s. die Freiheit nehmen, s. gestatten, s. herausnehmen ‖ s. beehren, s. die Ehre geben ‖ → s. anmaßen

Erlaubnis: Genehmigung, Zustimmung, Billigung, Zusage, Einwilligung, Jawort, Einverständnis, Plazet, Gewährung, Einvernehmen, Konsens, Freibrief ‖ Berechtigung, Ermächtigung, Vollmacht, Bevollmächtigung, Autorisierung, Recht

erlaubt: statthaft, gestattet, zulässig, bejaht, -willigt, genehmigt, rechtmäßig, rechtens, berechtigt, zugestanden

erlaucht: würdig, erhaben, würdevoll, respektabel, renommiert, angesehen, -erkannt, geschätzt, -achtet

erläutern → erklären

Erläuterung → Darstellung

erleben: (an sich) erfahren, erleiden, -dulden, am eigenen Leib spüren, durchleben, jmdm. widerfahren, zustoßen ‖ kennen lernen, Erfahrungen machen/sammeln, selbst sehen, mitmachen, dabei sein, teilnehmen;

ugs.: s. die Hörner abstoßen, s. den Wind um die Nase wehen lassen

Erlebnis → Ereignis

erledigen: aus-, durchführen, zu Ende führen, abfertigen, -wickeln, besorgen, -werkstelligen, tätigen, verrichten, vollführen, -ziehen, -strecken, zustande/-wege bringen, in die Tat umsetzen, fertig machen, beend(ig)en, vollbringen, abschließen, absolvieren, tun, machen ‖ ruinieren, besiegen, vernichten, zugrunde richten, ins Unglück bringen, eine Niederlage bereiten, das Rückgrat brechen, stürzen, die Schlinge um den Hals legen, das Wasser abgraben, ans Messer liefern, → töten; *ugs.:* jmdn. liefern, abschießen, fertig machen, auf den Hund bringen, verheizen

erledigt: fertig, abgeschlossen, geregelt, ausgeführt, beendet, abgetan, perfekt, vollzogen, entschieden, besiegelt, gebilligt, akzeptiert, angenommen; *ugs.:* unter Dach und Fach ‖ → erschöpft ‖ zerrüttet, vernichtet, -loren, gebrochen, -scheitert, ruiniert, am Ende, bankrott, ausgeschlossen, -gestoßen, in Ungnade/Misskredit verfemt, -pönt, -urteilt, besiegt, bloßgestellt, kompromittiert, boykottiert; *ugs.:* unten durch, knock out, geliefert, -storben, ein toter Mann

erlegen: erschießen (Wild), töten, zur Strecke bringen; *ugs.:* abknallen

erleichtern: leichter/bequemer machen, vereinfachen, ebnen, bahnen ‖ entlasten, Arbeit abnehmen, Beanspruchung mindern/verringern, unterstützen, helfen, beispringen, befreien, lindern, mildern, bessern, erträglicher machen ‖ → bestehlen ‖ sich e. → s. anvertrauen

erleichtert: beruhigt, -freit, erlöst, entlastet, -bunden, -hoben ‖ froh, freudig, glücklich

erleiden: erleben, -fahren, durchleben, widerfahren, zustoßen, zugefügt bekommen ‖ leiden, (er)dulden, ertragen, auf s. nehmen, s. fügen, durch-, überstehen, aushalten, fertig werden/s. abfinden mit, über s. ergehen lassen, sein Kreuz tragen, einbüßen; *ugs.:* durchmachen, einstecken/schlucken müssen

erlernen → lernen

erlesen: er-, auswählen, aussuchen; *gehoben:* erküren ‖ → ausgezeichnet ‖ → fein

erleuchten → erhellen

Erleuchtung: Einfall, Idee, Gedanke, Offenbarung, Eingebung, Intuition, Inspiration, Geistesblitz, Funke ‖ Erkenntnis, Einsicht, -blick, Kognition

erliegen: unterliegen, besiegt werden, verlieren, scheitern, Niederlage/Schiffbruch/Fiasko erleiden, ins Unglück kommen

erlogen: ver-, gelogen, falsch, unwahr, -richtig, entstellt, erfunden, den Tatsachen nicht entsprechend, aus der Luft gegriffen, lügnerisch, lügenhaft, unwahrhaftig

Erlös → Gewinn

erlöschen: aus-, verlöschen, ausgehen, zu brennen/leuchten aufhören, verglimmen, -glühen, -kohlen, schwinden ‖ → abflauen

erlösen → befreien ‖ → retten ‖ *gehoben:* einnehmen, verdienen, Gewinn erzielen, kassieren

Erlöser: (Er)retter, Befreier ‖ → Christus

erlügen → erfinden

ermächtigen → befugen

Ermächtigung → Erlaubnis

ermahnen: (ver-, ge)mahnen, eindringlich erinnern/ins Gedächtnis rufen/in Erinnerung bringen, rügen, tadeln, zur Ordnung rufen, predigen, auffordern, zu bedenken geben, beschwören, zureden, -setzen, anraten, ins Gewissen reden, (ver)warnen, zurechtweisen

ermangeln: entbehren, Mangel haben an, fehlen, nicht haben, (ver)missen; *gehoben:* entraten, gebrechen; *ugs.:* abgehen, hapern

ermannen, sich → s. überwinden

ermäßigen: herabsetzen, senken, verringern, -billigen, nachlassen, billiger verkaufen/geben, Vergünstigungen gewähren, Rabatt/Prozente geben, Preis drücken, unterbieten, heruntergehen, reduzieren

Ermäßigung → Preisnachlass

ermatten → erschöpfen ‖ → abflauen

ermattet → erschöpft

ermessen: einschätzen, (be)werten, prüfen, abwägen, begutachten, -urteilen, erachten, halten für, taxieren, veranschlagen, verstehen, überblicken, -sehen, -schauen

Ermessen → Ansicht

ermitteln: finden, orten, den Standort bestimmen, aufspüren, feststellen, herausfinden, -bekommen, entdecken, -schlüsseln, -rätseln, -schleiern, untersuchen, analysieren, nachgehen, ausfindig machen, auf die Spur kommen, ergründen, -forschen, -kunden, eruieren, erfragen, recherchieren, fahnden nach, zutage fördern, auskundschaften, nachforschen, Nachforschungen anstellen

ermöglichen: möglich machen, befähigen, die Möglichkeit geben/Gelegenheit bieten/Voraussetzung schaffen, in die Lage versetzen, instand setzen, gestatten, erlauben, zulassen, den Weg ebnen, protegieren, verhelfen zu, helfen, unterstützen ‖ → fertig bringen

ermorden → töten ‖ **sich e.** → s. umbringen

ermüden → erschöpfen ‖ jmdn. müde/erschöpft machen, jmdm. zu viel zumuten, jmdn. zu sehr beanspruchen, überanstrengen, -fordern, abhetzen, -jagen, aufreiben, zermürben; *ugs.:* schinden

ermüdend → langweilig ‖ mühevoll, beschwerlich, anstrengend, erschöpfend, -mattend, aufreibend, belastend, angreifend, kräftezehrend, mühsam, strapaziös, schwer, schwierig; *schweiz.:* streng; *ugs.:* stressig, nervtötend, anödend

ermuntern → erheitern ‖ → ermutigen ‖ → überreden

ermutigen: ermuntern, Mut machen/verleihen, bestärken, -stätigen, -kräftigen, aufrütteln, -richten, aktivieren, zustimmen, anspornen, begeistern, -flügeln, unterstützen, helfen ‖ → überreden

ernähren: mit Nahrung versorgen, zu essen geben, verköstigen, -pflegen, füttern, sättigen, satt machen, den Hunger stillen, abspeisen; *ugs.:* bekochen, heraus-, abfüttern ‖ aus-, unter-, erhalten, für den Lebensunterhalt aufkommen/sorgen, für jmdn. sorgen; *ugs.:* jmdn. durchfüttern/-bringen ‖ **sich e.:** s. nähren, verzehren, essen, zu s. nehmen, s. am Leben erhalten mit, leben von

Ernährung: Nahrung, Verpflegung, Proviant, Kost, Essen und Trinken, Speise und Trank, Mundvorrat, Wegzehrung ‖ (Lebens)unterhalt, Existenz, Erhaltung, Versorgung, tägliches Brot

ernennen: nominieren, berufen, ein Amt anvertrauen, eine Stellung anbieten/an-/übertragen, (er)wählen, (er)küren, beauftragen, abordnen, ausersehen; *gehoben:* designieren; *ugs.:* erkiesen

erneuern: neu machen, ausbessern, auffrischen, renovieren, wiederherstellen, reparieren, instand setzen, restaurieren, modernisieren, auswechseln, überholen, ersetzen, ändern, verbessern, umarbeiten, neu gestalten, wiederbeleben; *ugs.:* aufmöbeln, -polieren ‖ verlängern (Pass), für gültig erklären ‖ wiederholen, bekräfti-

gen, neu schließen, nochmals tun, wiedertun

erneut: wieder, aber-, nochmals, noch einmal, aufs Neue, von neuem/vorn, wiederum

erniedrigen → demütigen ‖ **sich e.** → s. demütigen

Erniedrigung → Diskriminierung

ernst: seriös, ernsthaft, entschieden, gemessen, würdevoll, feierlich, gesetzt, nicht lustig/fröhlich/heiter ‖ trocken, humorlos, todernst, gestreng, unnachsichtig, -erbittlich, -nachgiebig, hart, eisern ‖ eindringlich, gewichtig, bedeutungsvoll, ernstlich, gravierend, nachdrücklich, energisch, fest, intensiv, ultimativ, ernsthaft, einschneidend, tief gehend, fühlbar, merklich, spürbar, schwer (wiegend), akut, dringend, bedeutend, beachtlich, relevant, von Wichtigkeit/Bedeutung, folgenreich, entscheidend, brennend ‖ kritisch, bedrohlich, gefährlich, gefahrvoll, bedenklich, heikel, Besorgnis erregend ‖ → ernstlich

Ernst: Seriosität, Ernsthaftigkeit, Entschiedenheit, Würde, Feierlichkeit ‖ Humorlosigkeit, Strenge, Härte; *ugs.:* Bierernst, tierischer Ernst ‖ → Bedeutung ‖ → Eifer ‖ Gefahr, -fährdung, -fährlichkeit, Bedrohung, -drängnis, heikle/bedrohliche Situation

ernsthaft → ernst ‖ → ernstlich

ernstlich: so/wirklich/wörtlich gemeint, ernst, ehrlich, aufrichtig, ohne Scherz/Spaß, ernsthaft, im Ernst, wie ich sage ‖ → ernst

ernten: einbringen, -fahren, (ein)sammeln, pflücken (Obst), schütteln (Obst), lesen (Wein), mähen (Heu) ‖ gewinnen, bekommen, erhalten, -zielen, -reichen, -langen, jmdm. zuteil werden

ernüchtern: nüchtern machen, ausnüchtern ‖ → desillusionieren

erobern: besiegen, -zwingen, -setzen, in Besitz nehmen, Besitz ergreifen von, (ein)nehmen, okkupieren, beschlagnahmen, (er)stürmen, unterwerfen, s. bemächtigen, s. aneignen, annektieren, erkämpfen, -beuten, -ringen, abgewinnen, wegnehmen, ergattern, kapern, an s. reißen/bringen ‖ (für sich) gewinnen, auf Gegenliebe/Sympathie stoßen

eröffnen: ins Leben rufen, der Öffentlichkeit/dem Publikum zugänglich machen/übergeben, einweihen, in Betrieb nehmen, aus der Taufe heben, gründen (Geschäft), einrichten, etablieren, s. niederlassen; *ugs.:* aufmachen (Laden), aufziehen, starten ‖ → anfangen ‖ → informieren ‖ → gestehen ‖ **sich e.:** s. bieten, s. zeigen, s. ergeben, s. darbieten, erkennbar/sichtbar werden

erörtern: be-, durchsprechen, bereden, -raten, diskutieren, debattieren, disputieren, s. auseinander setzen, erwägen, be-, verhandeln, zur Sprache bringen, zur Diskussion/Debatte stellen; *ugs.:* beschwatzen, -quatschen, -kakeln, durchkauen, -hecheln, -nehmen

Erotik: sinnliche Liebe, Sinnenlust, -freude, Sinnlichkeit, Eros, Liebeskunst

erotisch → sinnlich

erpicht → begierig

erpressen: nötigen, zwingen, Druck/Zwang ausüben, unter Druck setzen, bedrohen, nicht in Ruhe lassen, (be)drängen, das Messer an die Kehle setzen, belästigen, jmdm. zusetzen, Gewalt antun, vergewaltigen, gefügig machen, terrorisieren, tyrannisieren, keine (andere) Wahl lassen; *ugs.:* die Pistole auf die Brust setzen, Daumenschrauben ansetzen ‖ freipressen; *ugs.:* losschlagen

erproben: prüfen, testen, examinieren, einer Probe/Prüfung unterziehen, auf die Probe stellen; *ugs.:* unter die Lupe nehmen

erprobt: (alt)bewährt, anerkannt, zuverlässig, verlässlich, fähig, geeignet, probat, renommiert, eingeführt, bekannt, gebräuchlich, gängig, geltend, gültig ‖ → erfahren

erquicken: erfrischen, beleben, stärken, laben, belebend/anregend wirken, anregen

erquicklich: erfrischend, anregend, belebend, stimulierend, aufmunternd, wohl tuend, angenehm, erfreulich, labend

erraten: raten, herausfinden, -bekommen, enträtseln, vom Gesicht/den Augen ablesen, auflösen, ein Rätsel lösen; *ugs.:* dahinterkommen, herauskriegen, knacken

errechnen: aus-, berechnen, kalkulieren, überschlagen, eine Berechnung anstellen, ermitteln, taxieren ‖ **siche.:** s. ausrechnen, (s.) erwarten, s. versprechen von

erregbar: jähzornig, hitzig, reizbar, aufbrausend, -fahrend, -schäumend, cholerisch, unbeherrscht, heftig, explosiv, hochgehend, hysterisch, hitzköpfig, ungezügelt, stürmisch

erregen → aufregen ‖ → ergreifen ‖ (auf)-reizen, anziehen, entflammen, bezaubern, bezirzen, berücken, betören, faszinieren, umgarnen, den Kopf verdrehen; *ugs.:* scharf/verrückt machen, aufgeilen ‖ hervorrufen ‖ **siche.** → s. aufregen

erregend → spannend

erregt → aufgeregt

Erregung: Aufregung, Aufgeregt-, Erregtheit, Nervosität, Unruhe, Hektik, Ruhe-, Rastlosig-, Zappeligkeit, An-, Hochspannung ‖ Affekt, Taumel, Rausch, Fieber, Feuer, Glut, Passion, Leidenschaft, Aufruhr, -wallung, Enthusiasmus, Begeisterung, Exaltiertheit, Überschwang, Hochstimmung, Ekstase ‖ Entrüstung,

Empörung, Unwille, Zorn, Wut, Ärger

erreichbar: vorstellbar, aus-, durchführbar, möglich, verfügbar, zugänglich, denk-, vorstellbar, nicht ausgeschlossen ‖ nah, nahebei, in der Nähe, nicht weit, um die Ecke; *ugs.:* ein Katzensprung

erreichen: einholen, ereilen, hingelangen, fangen, gelangen/kommen zu, ankommen, eintreffen, s. einfinden ‖ in Verbindung treten (telefonisch), antreffen, vorfinden ‖ durchsetzen, verwirklichen, realisieren, ausrichten, vermögen, schaffen, bewerkstelligen, zustande/-wege bringen, bewirken, vollbringen, erzielen, -wirken, -langen, zur Geltung/zum Durchbruch bringen, durchfechten, -kämpfen, ertrotzen, -ringen, -zwingen; *ugs.:* managen, drehen, deichseln, hinkriegen, -biegen, fertig kriegen/bringen, durchdrücken, -peitschen, -boxen, -bringen, es packen

erretten → retten

errichten: aufstellen, -schlagen, -richten, er-, aufbauen, fertig stellen, auf-, hinstellen

erringen → erkämpfen ‖ → erobern

erröten: s. röten, (scham)rot werden, erglühen, s. schämen, s. genieren, verlegen sein, vor Scham vergehen/im Erdboden versinken, s. in Grund und Boden schämen, s. verfärben

Errungenschaft: Erfolg, Triumph, Sieg, Gelingen, Glück, Gewinn, Trumpf, (Voll)treffer, Durchbruch, Fortschritt, Wirksamkeit ‖ Kauf, Erwerb(ung), Anschaffung

Ersatz: Surrogat, Ersatzmittel, -stoff, Äquivalent, Behelf ‖ Entschädigung, Gegenwert, -leistung, Wiedergutmachung, Abfindung, -geltung, -stand, Ausgleich, Schadenersatz, Abfindungs-, Abstandssumme, Vergütung, Rückerstattung, -zahlung, Schmerzensgeld, Kompensation

Ersatzmann: Aushilfe, Aushilfskraft, (Stell)vertreter, Vertretung, zweite Hand, Substitut, Ersatz, zweiter Mann; *ugs.:* zweite Garnitur ‖ → Double

ersatzpflichtig: haftbar, -pflichtig, schadenersatzpflichtig, verantwortlich

ersatzweise: (an)statt, anstelle, dafür, im Austausch, stellvertretend

ersaufen → ertrinken

ersäufen → ertränken

erschaffen: schaffen, entstehen lassen, hervorbringen, -rufen, erzeugen, ins Leben rufen, in die Welt setzen, schöpfen, kreieren, entwickeln

erschallen → erklingen

erschauern → schaudern

erscheinen: in Erscheinung/zutage treten, zum Vorschein kommen, auftreten, -tauchen, vorkommen, zu finden sein, s. finden, an die Oberfläche kommen ‖ s. einfinden/-stellen, auf den Plan treten, eintreffen, ankommen, eintreten, ins Blickfeld treten; *ugs.:* antanzen, -rücken, -rollen, aufkreuzen, einlaufen, -trudeln, anmarschiert kommen ‖ herauskommen (Buch), gedruckt vorliegen, publiziert/veröffentlicht/herausgebracht werden ‖ scheinen, den Anschein haben/erwecken, den Eindruck machen, s. darstellen, anmuten, vorkommen, dünken, so tun als ob, aussehen nach, wirken, s. gebärden, s. geben, s. gehaben

Erscheinung → Gespenst ‖ → Einbildung ‖ Aussehen, Äußeres, Habitus, Gestalt, Figur, Statur, Wuchs, Körperbau ‖ → Phänomen ‖ Druckerzeugnis, -werk, Publikation, Veröffentlichung, Schrift

erschießen: nieder-, totschießen, niederstrecken, an die Wand stellen, → töten; *ugs.:* abknallen, umlegen, über den Haufen schießen ‖ **sich e.:** mit einer Schusswaffe Selbstmord

begehen, s. eine Kugel in den Kopf jagen, → s. umbringen
erschlaffen → erschöpfen
erschlagen: totprügeln, -schlagen, → töten ‖ → erschöpft
erschleichen: s. durch Betrug/ Schwindel verschaffen, heimlich erwerben, erschwindeln, -gattern; *ugs.:* ergaunern
erschließen: urbar/nutzbar/zugänglich machen, kultivieren, kolonisieren, bevölkern, -siedeln ‖ ermitteln, logisch folgern, entziffern, -schlüsseln, dechiffrieren, dekodieren, enträtseln, herausfinden, eruieren ‖ **sich e.:** verständlich / verstehbar / lesbar / klar/deutlich werden (Text)
erschöpfen: müde/matt/schwach/ kraftlos werden, ermüden, -lahmen, -matten, -schlaffen, aushöhlen, schwächen, jmdm. zusetzen; *ugs.:* schlappmachen, fertig machen ‖ entkräften, (aus-, ver-, auf)zehren, verschleißen, abnützen, -nutzen, beeinträchtigen, schmälern, auslaugen, Kräfte kosten, anstrengen, aufreiben, strapazieren, in Anspruch nehmen, mitnehmen, beanspruchen, schaden, lahm legen, Abbruch tun, völlig auf-/ verbrauchen, angreifen; *ugs.:* auspumpen, -saugen, auffressen, auspowern ‖ bis zum Ende behandeln (Thema), gründlich erörtern/durchsprechen/ bereden/ -raten/ diskutieren/s. auseinander setzen, ausschöpfen, -loten ‖ **sich e.:** s. verzehren, s. zermürben, s. verausgaben, s. aufreiben, s. abmühen/-hetzen, s. übernehmen/-anstrengen/-fordern, s. zu viel zumuten; *ugs.:* s. abschinden/ -rackern ‖ nicht aufhören/enden/ abbrechen (Reden), ständig wiederholen/von vorn anfangen ‖ lediglich bestehen/existieren in (Aufgabe), nichts anderes tun als
erschöpfend → ausführlich ‖ → anstrengend

erschöpft: entkräftet, kraftlos, schwach, abgespannt, zer-, er-, angeschlagen, angegriffen, entnervt, malade, ausgelaugt, atemlos, mitgenommen, marode, müde, matt, ermattet, abgewirtschaftet, verbraucht, überlastet, -anstrengt, -fordert, aufgerieben, am Ende, über-, abgearbeitet, abgehetzt, zermürbt, mürbe, ruhe-, erholungsbedürftig, urlaubsreif, schlapp, schlaff, abgekämpft; *ugs.:* geschafft, erledigt, k. o., abgekämpft, ausgepowert, schachmatt, groggy, down, abgeschlafft, ausgebufft, -gepumpt, erschossen, (fix und) fertig, halbtot, mit den Nerven runter, am Boden zerstört, gestresst, durchgedreht, abgeklappert, kaputt, (wie) gerädert ‖ versiegt, -sandet, aufgebraucht, -gezehrt, ausgegangen, leer, zu Ende
Erschöpfung → Schwäche
erschrecken: einen Schrecken/ Angst/Furcht bekommen, zusammenschrecken, -zucken, -fahren, (er)beben, (er)zittern, (er)schaudern; *ugs.:* kalte Füße bekommen, jmdm. rutscht das Herz in die Hose ‖ einen Schrecken einflößen, in Angst versetzen, Furcht einjagen/erregen, Panik machen/auslösen, jmdn. ängstigen, angst und bange machen, ver-, einschüchtern
Erschrecken → Schreck(en)
erschreckend → trostlos ‖ → furchtbar
erschüttern: ins Wanken bringen, wankend machen ‖ einen Schock versetzen, schockieren, im Innersten bewegen/rühren/aufwühlen/-regen, zu Herzen/durch Mark und Bein/an die Nieren gehen, aufrütteln, ergreifen, nahe gehen, niederschmettern, entmutigen, den Mut nehmen, zermürben; *ugs.:* packen, knicken, umwerfen
erschütternd → trostlos ‖ → rührend

erschüttert → fassungslos ‖ → ergriffen

Erschütterung → Ergriffenheit

erschweren: schwierig/mühevoll machen, komplizieren, behindern, aufhalten, hemmen, blockieren, stören, Schwierigkeiten bereiten, Steine/Hindernisse in den Weg legen, entgegentreten, -arbeiten, in den Arm/Rücken fallen, Grenzen setzen, die Hände binden, beengen, -schränken; *ugs.:* querschießen, Knüppel zwischen die Beine werfen

Erschwernis: Erschwerung, Schwierigkeit, Komplikation, Problem, Hindernis, Fessel, Hemmschuh, Barriere, Handikap, Behinderung ‖ Mühsal, Plage, Plackerei, Mühe, Anstrengung, Strapaze, Kraftaufwand

Erschwerung → Erschwernis

erschwindeln → erfinden ‖ → erschleichen

erschwinglich → billig

ersehen: erkennen, entnehmen, feststellen, → folgern ‖ *veraltet:* (auser)wählen, ausersehen, erküren

ersehnen: erhoffen, -warten, -träumen, wünschen, wollen, begehren; *ugs.:* darauf brennen

ersetzen: austauschen, -wechseln, einen Austausch vornehmen, einen Ersatz schaffen, erneuern, substituieren ‖ → ausgleichen

ersichtlich → offenbar

ersinnen → erfinden

erspähen: wahrnehmen, sehen, bemerken, sichten, ansichtig werden, zu Gesicht bekommen, erblicken, -kennen, entdecken; *ugs.:* erluchsen

ersparen → sparen ‖ fernhalten, abwenden von, beschützen/-hüten/-wahren/-schirmen vor, abwehren, nicht herankommen lassen ‖ **sich e.:** unterlassen, vermeiden, absehen/Abstand nehmen von, beiseite lassen, nicht tun/machen, s. schenken; *ugs.:* s. verkneifen, (sein) lassen

Ersparnis: Erspartes, Spargroschen, -geld, -guthaben, Rücklage, Ersparnisse, Vorrat, eiserne Reserve, Bankguthaben, -einlage; *ugs.:* Notgroschen

ersprießlich → nützlich

erst: zuerst, erst einmal, an erster Stelle, vor allem, zunächst, voraus, zuvor

erstarken: s. kräftigen, kräftig/stark werden, an Stärke zunehmen, Kraft bekommen, strotzen, gedeihen

erstarren: steif/unbeweglich/starr werden, s. versteifen, zu-, ge-, ein-, erfrieren ‖ eine starre Haltung annehmen; *ugs.:* zur Salzsäule erstarren ‖ leblos/unlebendig sein, s. reduzieren (Leben) ‖ s. verhärten, starr/hart/unflexibel werden, versteinern

erstatten → ausgleichen

Erstaufführung: Premiere, Uraufführung

erstaunen: in Erstaunen/Verwunderung (ver)setzen, verwundern, Staunen erregen, eigenartig/seltsam/befremdend anmuten, zu denken geben, verwirren, -dutzen, stutzig machen, befremden, -stürzen, verblüffen, überraschen, frappieren; *veraltet:* wundernehmen ‖ staunen, überrascht/verwundert/-blüfft/sprachlos sein, s. verwundern, seinen Augen nicht trauen, nicht fassen können; *ugs.:* Kopf stehen, aus allen Wolken fallen, sein blaues Wunder erleben, Mund und Nase aufsperren

erstaunlich: auffallend, verblüffend, bewunderns-, staunenswert, verwirrend, bestürzend, überraschend, frappant, → außergewöhnlich ‖ → merkwürdig ‖ → sehr

erstechen: niederstechen, erdolchen, durchbohren, → töten

erstehen → kaufen

ersteigen: be-, aufsteigen, erklettern, -klimmen, bezwingen; *ugs.:* hochkraxeln ersteigern: auf einer Auktion erstehen/-werben/kaufen

erstellen: bauen, errichten, aufstellen ‖ → anfertigen

erstens: als Erstes, zuerst, zum ersten Mal, erst einmal, an erster Stelle, vor allem

Erster: Primus, Führer, Champion, Spitzenreiter, Sieger, der Beste, der Höchste, der Größte, der Oberste

ersticken: erwürgen, -drosseln, strangulieren, die Kehle abschnüren, → töten ‖ → sterben ‖ → unterdrücken

erstklassig → auserlesen

Erstklässler: Abc-Schütze, Schulanfänger, Erstklässer; öster.: Taferlklassler

erstmals: zum ersten Mal, das erste Mal, erstmalig

erstrahlen: aufstrahlen, -leuchten, -scheinen, -glühen, -blitzen, -blinken, -flammen, -funkeln, -glänzen, -schimmern, -blenden

erstrangig: bedeutend, -deutsam, -deutungsvoll, (ge)wichtig, viel sagend, wertvoll, groß, epochal, wesentlich, grandios, beachtlich, enorm, beachtens-, bemerkenswert, → außergewöhnlich ‖ vorrangig, -dringlich

erstreben: streben nach, anstreben, zu erreichen/-halten suchen, wollen, trachten nach, reflektieren/zielen auf/s. bemühen um, ab-/hinzielen/hin- / zusteuern / hinarbeiten / hinauswollen/absehen/anlegen/gerichtet sein auf, vorhaben, beabsichtigen, -zwecken; ugs.: aus sein auf, darauf ausgehen

erstrebenswert: begehrens-, wünschens-, nachahmenswert

erstrecken, sich: s. hinziehen, lang ziehen, s. in die Länge ziehen, s. ausdehnen, s. (aus)spannen, s. strecken, s. ausbreiten, reichen, verlaufen; ugs.: gehen ‖ → dauern ‖ → betreffen

erstürmen → erobern ‖ rasch be-/ersteigen/-klettern/-klimmen/bezwingen

ersuchen → bitten

Ersuchen → Bitte

ertappen → erwischen

erteilen: zuteil werden/zukommen lassen, geben ‖ **Auftrag e.** → beauftragen ‖ **Auskunft e.** → mitteilen ‖ **Befugnis e.** → ermächtigen ‖ **Order e.** → befehlen ‖ **Rat e.** → beraten ‖ **Unterricht e.** → unterrichten

ertönen → erklingen

Ertrag: Erlös, Gewinn, Nutzen, Verdienst, Profit, Ausbeute, Einnahme

ertragbar → erträglich

ertragen: erdulden, -leiden, auf s. nehmen, durch-, mitmachen, s. in etwas fügen/schicken/ergeben, genügend widerstandsfähig sein, überstehen, -leben, -winden, durchstehen, standhalten, vertragen, -kraften, -schmerzen, hinnehmen, fertig werden/s. abfinden mit, aushalten, s. etwas gefallen/bieten lassen, s. in seine Rolle finden, über s. ergehen lassen, bewältigen, -stehen, tragen; ugs.: schlucken, einstecken, verdauen, einen breiten Rücken haben, hart im Nehmen sein

erträglich: (er)tragbar, passabel, leidlich, den Verhältnissen entsprechend, mittelmäßig, annehm-, vertret-, brauchbar, tauglich, genießbar, dienlich, akzeptabel, einigermaßen befriedigend/zufrieden stellend

ertragreich → fruchtbar ‖ → einträglich

ertragsarm → unfruchtbar

ertränken: ersäufen, → töten ‖ sich e. → s. umbringen

erträumen: erhoffen, -sehnen, -warten, wünschen, wollen, begehren ‖ s. Illusionen machen, s. etwas vormachen/-gaukeln

ertrinken: im Wasser/in den Fluten/auf See untergehen/umkommen/

sterben, den Tod in den Wellen finden; *ugs.:* auf See bleiben; *derb:* er-, ab-, versaufen ‖ → sterben
ertrotzen → durchsetzen
ertüchtigen, sich: s. stark/kräftig/tüchtig/fähig machen, s. stählen, s. kräftigen, s. körperlich fit machen
erübrigen: ein-, er-, absparen, durch Sparsamkeit gewinnen/übrig behalten, s. abdarben; *ugs.:* abzwacken, -knapsen ‖ **sich e.:** überflüssig/unnötig sein, hinfällig werden; *ugs.:* flachfallen
eruieren → erforschen
Eruption → Ausbruch
erwachen: aufwachen, wach/munter werden, zu s. kommen, die Augen aufmachen/-schlagen ‖ aufkommen (Gefühl), aufsteigen, -tauchen, -lodern, -brechen, -blitzen, -blühen, -keimen, s. regen, anwachsen, -heben, entstehen, s. entwickeln, s. heranbilden, s. entspinnen, s. entfalten, (heran)reifen, zum Vorschein kommen, erscheinen
erwachsen: herangewachsen, flügge, volljährig, selbständig, reif, mündig, aus den Kinderschuhen, kein Kind mehr, voll entwickelt, wie ein Erwachsener; *ugs.:* groß, fertig, alt genug ‖ → entstehen
erwägen: in Erwägung/Betracht ziehen, be-, über-, durchdenken, s. durch den Kopf gehen lassen, überlegen, ventilieren, s. fragen, überrechnen, -schlagen, vergleichen, gegenüberstellen, beurteilen, abwägen, einschätzen, ab-, ermessen, ins Auge fassen, mit s. zu Rate gehen, (über)prüfen, von allen Seiten betrachten; *ugs.:* drehen und wenden, überschlafen
Erwägung → Überlegung
erwählen: (aus)wählen, auslesen, -sondern, -ersehen, bestimmen, s. entscheiden für, eine (Aus)wahl treffen, selektieren, (her)aussuchen, erle-

sen, -küren, ausmustern, herausnehmen
erwähnen: beiläufig nennen, nebenbei sagen, kurz sprechen von/über, streifen, berühren, einfließen lassen, fallen lassen, einflechten, andeuten, -schneiden, -führen, -bringen, -geben, -sprechen, aufführen, -zählen, vorbringen, zu sprechen kommen auf, zur Sprache bringen, ins Feld führen, zitieren; *ugs.:* antippen
erwähnenswert → beachtlich
erwärmen: wärmen, warm machen, erhitzen, heizen ‖ **sich e.:** s. interessieren, aufmerksam beachten/zuhören, Beachtung schenken, aufhorchen, → s. begeistern
erwarten: warten/spekulieren/reflektieren/zählen auf, rechnen mit, harren, entgegensehen/-blicken, für wahrscheinlich halten, nicht zweifeln, setzen/bauen/vertrauen auf, s. versprechen von ‖ ersehen, -hoffen, -träumen, herbeiwünschen, -sehnen, wollen, Hoffnungen hegen, s. in der Hoffnung wiegen, s. sehnen/schmachten nach ‖ **zu e.** → absehbar
Erwartung → Hoffnung
erwartungsvoll: gespannt, in atemloser Erwartung, gefesselt, begierig, neugierig, fragend, ungeduldig, fiebrig, aufmerksam, interessiert
erwecken: (auf)wecken, wach/munter machen, aus dem Schlaf reißen, aufrütteln, wachrufen, -rütteln; *ugs.:* aus dem Bett holen ‖ → hervorrufen
erwehren, sich → abwehren
erweichen: weich machen, mild stimmen, rühren, innerlich bewegen ‖ umstimmen, über-, bereden, -arbeiten, -kehren, überzeugen; *ugs.:* beschwatzen, breitschlagen, herumkriegen
erweisen: er-, bezeigen, -kunden, entgegenbringen, leisten, zuteil werden lassen ‖ **sich e. als:** s. herausstellen/s. zeigen/s. entpuppen/erschei-

nen/s. dartun/s. abzeichnen als, zu erkennen sein, klarwerden, zutage treten

erweitern: ausdehnen, -bauen, -weiten, vergrößern, -breitern, entfalten ‖ ergänzen, vervollständigen, -vollkommnen, vollenden, abrunden, hinzufügen, nachtragen, auffüllen, komplettieren, hinzutun, perfektionieren ‖ **sich e.** → s. ausdehnen

Erwerb: Arbeit, (An)stellung, Broterwerb, Erwerbstätigkeit, Lebensunterhalt ‖ Erwerbung, Anschaffung, Errungenschaft, (An)kauf

erwerben → erlangen ‖ → kaufen

erwerbslos → arbeitslos

erwerbstätig: berufs-, werktätig, beschäftigt, arbeitend, schaffend

erwerbsunfähig → invalid

Erwerbung → Erwerb

erwidern: antworten, entgegnen, versetzen, zurückgeben, zur Antwort geben, Nachricht/Auskunft geben, replizieren, das Wort ergreifen, bestätigen, reagieren ‖ → einwenden

Erwiderung → Antwort

erwiesen → sicher

erwiesenermaßen → erfahrungsgemäß

erwirken → erzielen

erwischen: gerade noch fassen/fangen/ergreifen/packen, (auf)greifen, habhaft werden; *ugs.:* kriegen, beim Schopf fassen, beim Wickel/am Schlafittchen nehmen, schnappen, kaschen, hoppnehmen ‖ ertappen, überraschen, -führen, abfangen; *ugs.:* überrumpeln ‖ gerade noch erreichen (Zug), hingelangen, gelangen/kommen zu, rechtzeitig eintreffen/ankommen

erwünscht: willkommen, gelegen, lieb, gern gesehen, passend, genehm, richtig, das trifft sich gut, recht, angebracht ‖ gewünscht, begehrt, gefragt, -sucht, -schätzt, beliebt, wünschens-, erstrebens-, begehrenswert

erwürgen: erdrosseln, -sticken, strangulieren, die Kehle abschnüren, → töten; *ugs.:* die Gurgel umdrehen/zudrehen

erzählen: miteinander reden/sprechen, plaudern, s. unterhalten, Konversation machen; *ugs.:* schwatzen; *reg.:* schnacken, klönen, ratschen ‖ → schildern ‖ → informieren

Erzählung → Darstellung ‖ Geschichte, Fabel, Novelle, Kurzgeschichte, Short Story, Legende

erzeigen → erweisen

erzeugen → anfertigen ‖ → hervorrufen

Erzeuger: Hersteller, Fabrikant, Produzent, Fertiger, Unternehmer ‖ Vater

Erzeugnis: Produkt, Ware, Fabrikat, Artikel, Schöpfung, Ergebnis

erziehen: schulen, (aus-, heran)bilden, formen, groß-, heranziehen, lehren, unterrichten, befähigen, an-, unterweisen, anleiten, -lernen, instruieren, Wissen vermitteln, drillen, trainieren, vertraut machen mit, in die Schule nehmen, beibringen, Stunden/Unterricht geben; *ugs.:* hobeln, schleifen, Schliff geben ‖ abrichten, dressieren

Erzieher: Pädagoge, Lehrer, Lehrmeister, Mentor, Berater, Instrukteur, Ausbilder, Trainer; *ugs.:* Schulmeister; *abwertend:* Pauker

Erzieherin: Vorschulpädagogin ‖ → Gouvernante

erzieherisch: pädagogisch, schulisch, didaktisch, lehrhaft ‖ lehrreich, belehrend, aufklärerisch, -schlussreich, fördernd, bildend, formend, instruktiv

Erziehung: Unterweisung, Anleitung, Ausbildung, Schulung, Einführung, Unterricht, Instruktion, Belehrung, Lehre, Lehrjahre, -zeit, Vorbereitung, Formung, Bildung(sgang) ‖ Förderung, Entwicklung, -faltung,

Ausformung, Vertiefung, Festigung ‖
Kinderstube, Zucht; *ugs.:* Schliff, Politur ‖ → Benehmen

erzielen: erreichen, -wirken, durchsetzen, -fechten, bewirken, -werkstelligen, erlangen, -ringen, ausrichten, vermögen, -wirklichen, realisieren, zustande/zuwege bringen, zur Geltung/zum Durchbruch bringen, durchkämpfen, erzwingen, -trotzen; *ugs.:* managen, drehen, deichseln, hinkriegen, -biegen, fertig kriegen/bringen, durchboxen, -drücken, -bringen, -peitschen

erzittern → erbeben

erzürnen → aufregen ‖ **sich e.** → s. aufregen

erzürnt → ärgerlich

erzwingen → durchsetzen

Esel: Grautier; *ugs.:* Langohr

Eselsbrücke: *(ugs.):* Gedächtnishilfe, -stütze, Anhaltspunkt, Hilfe, Trick

eskalieren: stufen-/schrittweise steigern, erhöhen, intensivieren, aktivieren, anheben, verstärken ‖ **sich e.** → s. verschärfen

Eskapade: Seitensprung, Streich, Abenteuer, Unternehmung, Narr-, Toll-, Verrücktheit, Torheit; *ugs.:* Eselei

Eskorte: Geleit, -folge, Begleitung

Esprit: Geist und Witz, Scharfsinn, Schlagfertigkeit

Essay → Aufsatz

essbar: genießbar, bekömmlich, einwandfrei

Esse: Kamin, Schornstein, Schlot

essen: das Essen einnehmen/zu s. nehmen, Nahrung aufnehmen, speisen, tafeln, dinieren, die Mahlzeit/ein Diner einnehmen, Tafel halten, beim Mahle sitzen, verzehren, s. (er)nähren, zugreifen, -langen, -sprechen, s. einverleiben, s. bedienen, s. stärken, s. laben, schmausen, s. nicht nötigen lassen, s. zuführen, schwelgen, schlemmen, prassen, s. zu Ge-

müte führen, den Hunger stillen, genießen; *ugs.:* futtern, spachteln, schlingen, mampfen, knabbern, picken, schnabulieren, präpeln, verdrücken, -putzen; *öster.:* pampfen, habern; *derb:* fressen, s. vollfressen, reinhauen, herfallen über, s. den Bauch/Wanst vollschlagen, stopfen

Essen: Mahl(zeit), Speise, Menü, Gericht, Schmaus, Imbiss, Snack, Kleinigkeit; *derb:* Fraß, Fressen ‖ Nahrung, Ernährung, Kost, Speise und Trank, Proviant, Mundvorrat, Wegzehrung ‖ Festessen, -mahl, -schmaus, Bankett, Gastmahl, (Fest)gelage, (Gala)diner, Tafel

Essenz → Wesen ‖ Extrakt, Destillat, Auszug, Absud

essenziell → wichtig

Establishment: etablierte/bürgerliche Gesellschaft, (etabliertes) Bürgertum, Bourgeoisie ‖ → High-Society

etablieren: einrichten, gründen, eröffnen, -richten, konstituieren, ins Leben rufen, neu schaffen, aufbauen, organisieren; *ugs.:* aufmachen, auf die Beine stellen ‖ **sich e.:** s. niederlassen, s. festsetzen, sesshaft/ansässig werden, Fuß fassen, Wurzel schlagen, s. ansiedeln, eine Existenz aufbauen, Wohnung/Quartier/Aufenthalt nehmen, seine Zelte aufschlagen ‖ s. anpassen, verbürgerlichen, bürgerlich werden

etabliert: zum Bürgertum gehörend, verbürgerlicht, angepasst ‖ herkömmlich, überkommen, traditionell, konventionell, überliefert

Etablissement: Bordell, Eroscenter, Freuden-, Dirnenhaus, öffentliches Haus, Massageinstitut, -salon; *veraltet:* Frauenhaus; *ugs.:* Hurenhaus, Liebessilo, -tempel, Knallhütte, Puff ‖ *veraltet:* gepflegtes Hotel/Restaurant ‖ Niederlassung, Geschäft, Unternehmen, Firma

Etage: Stock(werk), (Ober)geschoss
Etappe: Teilstrecke, -stück, Abschnitt, Weglänge ‖ Zeitabschnitt, -spanne, -raum, Periode, Phase, Stufe, Stadium
Etat: Haushalts-, Finanzplan, Budget, Voranschlag, Kalkulation, Kostenplan, -aufstellung ‖ Geldmittel, Finanzen, Kapital
ethisch: sittlich, moralisch
Ethos: moralische / sittliche Gesinnung / Einstellung / Grundhaltung / Sinnesart, Pflichtbewusstsein, Verantwortungsbewusstsein, -gefühl, Moral, Sittlichkeit
Etikett: Aufklebezettel, -schild(chen), Preisschild; *ugs.:* Aufkleber; *öster.:* Wapperl, Bapperl
Etikette: gesellschaftliche Umgangsformen, feine Sitte/Art/Form, Benehmen, -tragen, Auftreten, Gebaren, Haltung, Anstand, Manieren
etikettieren: beschriften, -schildern, signieren, mit einem Etikett versehen ‖ → benennen
etliche: einige, Einzelne, mehrere, ein paar, Verschiedene, diverse, eine Anzahl/Reihe
Etui: Behälter, Hülle, Futteral
etwa → annähernd ‖ zum Beispiel, beispielsweise, um ein Beispiel zu nennen, zum Exempel ‖ womöglich, möglicherweise, unter Umständen, gegebenenfalls, gar
etwas: ein wenig/bisschen/Quäntchen / Hauch / Schuss / Deut, eine Kleinigkeit/Prise/Spur/Winzigkeit/ Idee/Nuance, nicht viel/nennenswert; *reg.:* ein bisserl ‖ **das gewisse Etwas** → Reiz
euphorisch: überbetont heiter/zuversichtlich, in heiterer Gemütsverfassung, hoch gestimmt, in Hochstimmung, im Zustand der Euphorie, trunken, begeistert, hingerissen, enthusiastisch, ekstatisch, berauscht, entzückt; *ugs.:* high

Europa → Abendland
evakuieren: aus-, umsiedeln, räumen, verpflanzen, -lagern, -legen
eventuell → möglicherweise
evident → einleuchtend ‖ → offenbar
Evolution: allmählich fortschreitende Entwicklung, Entwicklungsverlauf, -gang, -prozess, Fortentwicklung, Reifung
evozieren → hervorrufen
ewig: nie endend, ohne Ende, unendlich, -veränderlich, -aufhörlich, -auslöschlich, -ausrottbar, -zerstörbar, -wandelbar, ad infinitum, bis ins Unendliche/in alle Ewigkeit, für immer, fortwirkend, immerwährend, -dar, allezeit, für alle Zeit, bleibend, zeitlos, unsterblich, -vergänglich ‖ → dauernd
Ewigkeit → Dauer ‖ Jenseits, Himmel, himmlisches Paradies, Reich Gottes
exakt → genau
Exaktheit → Sorgfalt
exaltiert → überspannt ‖ → aufgeregt
Examen: Prüfung, Befragung, Probe, Test
examinieren → prüfen
Exegese → Auslegung
exekutieren: hinrichten, die Todesstrafe vollstrecken/-ziehen, → töten ‖ *öster.:* pfänden, beschlagnahmen, konfiszieren, einziehen
Exekutive: vollziehende/ausführende Gewalt
Exempel: (Parade-, Muster-, Schul)beispiel, Paradigma
Exemplar: (Einzel)stück, Muster, Probe, Ausfertigung, Nummer, Band
exemplarisch: als Beispiel/Muster dienend, beispielhaft ‖ beispiellos, vorbildlich, mustergültig, hervorragend, außergewöhnlich, -ordentlich, vorzüglich, -trefflich, überragend, über alles Lob erhaben, rühmlich, brillant, glänzend, ausgezeichnet, großartig, erstrangig, unübertreff-

lich, -nachahmlich, meisterhaft ‖ warnend, abschreckend

exemplifizieren → erklären

exerzieren: militärische Übungen machen, Truppen ausbilden ‖ *ugs.:* mit jmdm. üben, jmdn. schulen

Exfreund → Verflossener

Exil: Emigration, Verbannung, -treibung, Ausstoßung, -weisung, -siedlung, -bürgerung, Expatriierung, Entwurzelung

existent: real, wirklich, tatsächlich, vorhanden, existierend, greifbar, echt, konkret, bestehend, faktisch

Existenz: Dasein, Sein, Bestehen, Vorhandensein, Gegenwart, Anwesenheit, Präsenz, Vorkommen ‖ Leben, Wirklichkeit, Realität ‖ Lebensunterhalt, Auskommen, Ernährung, täglich Brot, Versorgung

existenziell: lebenswichtig, -notwendig, gravierend, tief, einschneidend, bedeutend, fühl-, spürbar, empfindlich, stark, wirksam, ernstlich ‖ das Leben/Dasein/die Existenz betreffend

existieren → sein ‖ → leben

Exitus → Tod

exklusiv: (gesellschaftlich) abgesondert, außenstehend, beschränkt, nur wenigen zugänglich ‖ vornehm, nobel, herrschaftlich, fein, distinguiert, außer-, ungewöhnlich ‖ eigens

exklusiv(e): ohne, außer, ausgenommen, abgesehen/mit Ausnahme/mit Ausschluss von, bis auf, nicht in-/einbegriffen, ausschließlich, abzüglich, -gerechnet, vermindert um

Exkrement → Kot

Exkurs: Abschweifung, -stecher, -schwenkung, Unterbrechung ‖ kurze Ausarbeitung, Einfügung, Anhang

Exkursion: Forschungsreise, Lehrausflug, -fahrt, Studienfahrt, Expedition

exmatrikulieren, sich: s. abmelden (Universität), ausscheiden, -treten, ab-, weggehen

exotisch: fremd(artig), fremdländisch, ausländisch, ungewohnt, -bekannt, aus fernen Ländern stammend

expandieren: s. ausdehnen/-weiten/ -breiten, seinen Einflussbereich erweitern/vergrößern, zunehmen, übergreifen, an Boden gewinnen, s. entfalten, s. vermehren/-stärken, anwachsen, -schwellen, -steigen, s. entwickeln, s. erhöhen

Expedition: Forschungsreise, -fahrt, Entdeckungsreise ‖ (Waren)versand, -transport ‖ Versenden, Abschicken, Befördern, Expedierung

Experiment: Versuch, Test, Probe Wagnis, Abenteuer, Risiko, Unterfangen

experimentieren: Versuche/Experimente anstellen, forschen, (aus)probieren, testen, laborieren, versuchen

Experte → Fachmann

explizieren → erklären

explizit → ausdrücklich

explodieren: (zer)bersten, (zer)springen, (zer)platzen, in die Luft fliegen, detonieren, s. entladen, auffliegen, krachen, splittern, sprengen, krepieren, implodieren; *ugs.:* losgehen, knallen, hochgehen, -fliegen ‖ → aufbrausen

Explosion: Detonation, Entladung, Ausbruch, Eruption ‖ Anfall, -wandlung, Aufwallung, Erregung, Koller, Wut-, Zornesausbruch, Wutanfall

explosiv: explodierbar, feuergefährlich, brisant ‖ spannungsgeladen, gespannt, kritisch, dramatisch ‖ → aufbrausend

exponieren, sich: s. aussetzen (Kritik), s. stellen, s. in den Vordergrund schieben, ins Rampenlicht treten, die Aufmerksamkeit auf s. ziehen, hervortreten, s. hervorwagen, die Stirn bieten, s. einsetzen

Export: Ausfuhr, Außen-, Überseehandel

exportieren: ausführen, ins Ausland verkaufen

Exposee: Entwurf, Skizze, Konzeption, Plan, vorläufige Aufzeichnung, Überblick, -sicht

express → eilig

expressiv → ausdrucksvoll

exquisit: kostbar, erstklassig, erlesen, exzellent, edel, süperb, von bester Qualität, erste Wahl, hervorragend, hochwertig, fein, qualitätsvoll, unübertrefflich, überragend, ausgezeichnet, Nonplusultra

extra: gesondert, für sich, allein, separat, getrennt ‖ eigens, besonders, ausschließlich, gerade ‖ über das Übliche hinaus, mehr

Extrakt: Destillat, Auszug, Essenz, Absud, Tinktur ‖ das Wesentliche/Wichtigste, Quintessenz, Kernstück, Hauptgehalt, Substanz, Wesen

extraordinär → außergewöhnlich

extravagant → überspannt ‖ → ausgefallen

extravertiert: (welt)offen, gesellig, kontaktfreudig, kommunikationsfähig, aufgeschlossen

extrem: übertrieben, -mäßig, exzessiv, maßlos, allzu, äußerst, nicht mehr normal, ohne Maß und Ziel, in höchstem Maße, ungemein, sehr, stark, außerordentlich, -gewöhnlich, frappant, ungeheuer, krass, hochgradig, auffällig, ausgeprägt ‖ radikal, kompromisslos, unnachgiebig, bedingungs-, rücksichtslos, stur, starr, übersteigert, extremistisch ‖ → überspannt

Extremist → Terrorist

extremistisch → extrem ‖ → anarchistisch

exzellent → ausgezeichnet

exzentrisch → launisch ‖ → überspannt

exzeptionell → außergewöhnlich

Exzerpt: Auszug (aus einem Buch), Auswahl, -schnitt

Exzess: Ausschweifung, -schreitung, Zügellosigkeit, Übertreibung, Maßlosigkeit, Unmäßigkeit, Unersättlichkeit, Hemmungslosigkeit, Orgie, Rausch

exzessiv: maßlos, unmäßig, ohne Maß, zügellos, ungezügelt, -diszipliniert, übertrieben, genusssüchtig, wild, unersättlich, hemmungslos

F

Fabel: Tierdichtung, kleine Erzählung ‖ → Handlung
fabelhaft → großartig ‖ → fantastisch
Fabrik: Werk, Industrie-, Produktionsbetrieb, Unternehmen, Firma, Fabrikationsstätte, Betrieb, Anlage, Werkstatt
Fabrikant: Unternehmer, Industrieller, Erzeuger, Fertiger, Hersteller, Produzent, Fabrikbesitzer, Arbeitgeber, Geschäftsmann, Wirtschaftsführer; *abwertend:* Kapitalist, Ausbeuter, Bonze, Industriekapitän, Schlotbaron; *ugs.:* Brötchengeber
Fabrikat: Erzeugnis, Ware, Artikel, Produkt, Handelsgut, Marke
Fabrikation: Erzeugung, Herstellung, Produktion, (An)fertigung, Schaffung, Fertigstellung
fabrizieren → anfertigen
fabulieren → fantasieren
Fach: Lade, Bord, Regal, Gefach, Kasten ‖ Fach-, Stoff-, Sach-, Wissens-, Arbeitsgebiet, Sparte, Zweig, Branche, (Fach)richtung, Disziplin, Abteilung, (Fach)bereich, Sektor, Fakultät, Metier, Sektion, Ressort, Feld ‖ Spezial-, Sondergebiet, Domäne, Spezialität
Fachausdruck: Fachbegriff, -wort, -terminus, -bezeichnung, Terminus (technicus), Spezialwort
fächeln: wedeln, wehen
Fachgebiet → Fach
fachgemäß → fachmännisch
fachgerecht → fachmännisch
Fachmann: Sachverständiger, -kenner, -kundiger, Meister, Experte, Spezialist, Autorität, Fachkraft, Professioneller, Routinier, Kapazität, Mann vom Fach, Könner, Koryphäe,

Fachgröße; *ugs.:* Kanone, Ass; *öster.:* Professionist
fachmännisch: sachkundig, fach-, sachgemäß, fach-, sach-, kunst-, werkgerecht, sachverständig, fachmäßig, richtig, gekonnt, routiniert, meisterhaft, qualifiziert, professionell
Fachrichtung → Fach
Fachwort → Fachausdruck
fackeln → zögern
fad(e) → schal ‖ → langweilig
Faden: Garn, Faser, Fädchen, Zwirn ‖ Leitlinie, -gedanke, Plan, Gerüst, Richtschnur, Orientierung, Weg
fadenscheinig: unglaubwürdig, durchschaubar, vordergründig, schwach, dünn, schäbig, durchsichtig, transparent, plump
fähig: (hoch) begabt, tüchtig, geeignet, -schickt, talentiert, tauglich, patent, befähigt, gelehrig, genial, begnadet, qualifiziert, berufen, prädestiniert, vermögend, gewandt, brauch-, verwendbar ‖ **f. sein:** in der Lage/imstande/gewachsen/mächtig sein, beherrschen, vermögen, können, taugen zu; *ugs.:* bringen
Fähigkeit: Begabung, Talent, Befähigung, Gabe, Anlage, Eignung, Veranlagung, Kraft, Macht, Vermögen, Stärke, Können, Qualifikation, Geschick, Fertigkeit, Potenz, Voraussetzung, Potenzial, Leistungsfähigkeit, Möglichkeiten, starke Seite; *ugs.:* Ader, Zeug
fahl → blass
fahnden → suchen
Fahne: Flagge, Banner, Wimpel, Standarte, Stander ‖ Probedruck, -satz, erster Abzug

Fahnenflüchtiger: Deserteur, Überläufer, Abtrünniger
Fahrausweis → Fahrkarte ‖ → Führerschein
Fahrbahn: Fahrspur, -weg, -damm, Straße
Fähre: Fährboot, -schiff, -kahn, Rollfähre, Überfuhr, Trajekt
fahren: s. fortbewegen ‖ lenken, steuern, chauffieren, kutschieren, bedienen, führen ‖ reisen, auf der Reise sein, eine Reise/Tour machen, s. begeben nach; *ugs.:* gondeln, brausen, kariolen, dampfen
fahren lassen → aufgeben
Fahrer: Führer, Chauffeur, Lenker, Auto-, Kraftfahrer
Fahrerlaubnis: Führerschein, Fahrberechtigung
Fahrgast: Reisender, Passagier, Mitfahrender, Reisegast, Insasse
Fahrgestell: Rahmen, Fahrwerk, Chassis
fahrig: unruhig, nervös, hastig, hektisch, zerfahren, -streut, konfus, schusselig, unstet, zappelig, flatterig, unkonzentriert, -aufmerksam; *ugs.:* quirlig, fickrig, kribblig, fipsig
Fahrkarte: Fahr(t)ausweis, Fahrschein, -berechtigung, Billett, Ticket
fahrlässig: nachlässig, unvorsichtig, -achtsam, leichtsinnig, unbesonnen, verantwortungslos, leichtfertig, unverantwortlich, pflichtvergessen, gewissenlos, unüberlegt, gedankenlos
Fahrplan: Kursbuch, Zeitplan, Verkehrsverbindungen
fahrplanmäßig: zeitgerecht, geplant, pünktlich, zur rechten Zeit, ohne Verspätung, auf die Minute, fristgemäß, genau, exakt, ordnungsgemäß
Fahrrad: Bike, Rad; *speziell:* City-, Mountainbike, Touren-, Rennrad; *scherzh.:* Drahtesel, Rosthirsch
Fahrschein → Fahrkarte
Fahrstuhl: Aufzug, Lift, Paternoster, Ascenseur

Fahrt: Reise, Tour, Trip, Ausflug, Exkursion, Abstecher
Fährte: Spur, Fußtapfen, Abdruck, Tritt, Witterung, Stapfen; *Jägerspr.:* Geläuf
Fahrweg → Fahrbahn
Fahrzeug: Verkehrsmittel, Kraftfahrzeug, Wagen, Gespann, -fährt, Fuhrwerk; *ugs.:* Vehikel, Kiste, Klitsche ‖ → Auto
Faible: Vorliebe, Neigung, Schwäche, Hang, Zug, Sympathie, besonderes Interesse
fair: gerecht, ehrenhaft, anständig, ehrlich, aufrecht, lauter, gebührlich, rechtschaffen, sauber, redlich, ritterlich, sportlich, solidarisch, zuverlässig
Fäkalien → Kot
Fakir: Asket, Büßer, Bettelmönch ‖ → Gaukler
Faksimile: Nachbildung, -ahmung, Reproduktion, Wiedergabe, Kopie, Nachdruck
Fakt → Tatsache
faktisch: tatsächlich, in Wirklichkeit, wirklich, realiter, in der Tat, de facto, praktisch, in praxi, konkret, real
Faktor: Umstand, Ursache, Kraft, Element, Bestandteil, Größe, Moment, Erscheinung ‖ Multiplikand, Multiplikator, Zahl
Faktotum: Gehilfe, Diener, Mädchen für alles, Stütze, Butler, Lakai, Boy, Domestik, dienstbarer Geist
Faktum → Tatsache
Fakultät → Fach
fakultativ: wahlfrei, freiwillig, aus eigenem Antrieb/Willen, freigestellt, von s. aus, ungeheißen, -aufgefordert, dem eigenen Ermessen/Belieben anheim gestellt
Fall: Sturz, Zusammenbruch, Ausgleiten ‖ Sache, Angelegenheit, Problem(atik), Begebenheit, Vorkommnis, Her-, Vorgang, Ereignis, Thema(tik), Sujet, Sachverhalt, Af-

färe, Kasus, Gegenstand, Punkt, Frage; *ugs.:* Geschichte, Chose, Ding ‖ → Niedergang

Fallbeil: Guillotine

Falle: Hinterhalt, -list, Trick, Fangvorrichtung, -gerät ‖ → Bett

fallen: stürzen, zu Fall kommen, ausgleiten, hinfallen, -schlagen, zu Boden gehen, den Halt verlieren, niedergehen, -stürzen; *ugs.:* hinfliegen, -knallen, -segeln, -purzeln, -sausen, (hin)plumpsen, auf die Nase fliegen, s. auf den Allerwertesten setzen ‖ sinken (Temperatur), niedriger werden, heruntergehen, abnehmen, s. senken, an Höhe verlieren, nachlassen, abklingen, schwinden, zurückgehen, nachgeben, abflauen, -ebben ‖ sterben (Soldat), nicht aus dem Krieg heimkehren, im Feld bleiben, den Heldentod sterben, nicht wiederkommen; *ugs.:* draußen bleiben ‖ → sterben ‖ nieder-, herab-, um-, herunterfallen, umkippen

fällen: umhauen, -schlagen, abhauen, -holzen, -sägen ‖ entscheiden (Urteil), eine Entscheidung fällen/treffen, urteilen

fallen lassen → aufgeben ‖ → s. abwenden von ‖ → erwähnen

fällig: zahlbar, zu zahlen/leisten, offen stehend, nicht beglichen ‖ nötig, an der Zeit, notwendig, erforderlich, unerlässlich, geboten, vonnöten, am Platze, angebracht, -gezeigt

falls: für den Fall, wenn, gesetzt den Fall, im Falle, angenommen, so-, wofern, vorausgesetzt, gegebenenfalls

Fallstrick: Hinterhalt, Falle, Arglist, Tücke, Heimtücke; *reg.:* Hinterfotzigkeit

falsch: verkehrt, unrichtig, fehlerhaft, unzutreffend, irrtümlich, verfehlt, unrecht, un-, inkorrekt, widersprüchlich, -sinnig, -spruchsvoll, unlogisch, sinn-, regelwidrig, unhaltbar, irrig, schief ‖ unecht, künstlich, ge-

fälscht, nachgebildet, -gemacht, imitiert ‖ unaufrichtig, tückisch, heuchlerisch, verlogen, arg-, hinterlistig, scheinheilig, verstellt, unwahr, -ehrlich, -redlich, -lauter, lügnerisch, erlogen, der Wahrheit/den Tatsachen nicht entsprechend, entstellt; *derb:* hinterfotzig, erstunken und erlogen

fälschen: nachbilden, -machen, imitieren, eine Fälschung herstellen, verfälschen, nachahmen; *veraltet:* → falsifizieren

fälschlich: fälschlicherweise, irrtümlich, → unabsichtlich

Falschmeldung: *ugs.:* Ente

Fälschung: Falsifikat, Falsum, Nachbildung, -ahmung, Kopie, Plagiat, Falsifikation, Falschmünzerei, Betrug

falsifizieren: als falsch nachweisen/bestätigen, auf die Unrichtigkeit hin überprüfen, die Unrichtigkeit beweisen, widerlegen ‖ → fälschen

Falte: Knick, Falz, Kante, Kniff, Bruch ‖ Runzel, Furche, Krähenfüße, Kerbe; *reg.:* Schrumpel

falten: zusammenlegen, falzen, (um)knicken, kniffen, brechen, umbiegen, -schlagen, in Falten legen, fälteln, einen Knick machen

faltenlos: glatt, eben, poliert, gleichmäßig ‖ anliegend, wie angegossen, passend

Falter: Schmetterling, Schuppenflügler, Motte; *dicht.:* Sommervogel

faltig: runzlig, zerknittert, -klüftet, knittrig, kraus, gekerbt, zer-, ge-, durchfurcht, verrunzelt, -hutzelt, nicht glatt, schlaff, hutzelig, zerschründet, welk, furchig, faltenreich; *ugs.:* zerknautscht, schrumpelig, verschrumpelt

Falz → Falte

falzen → falten ‖ zusammenpressen (Blech), verbinden, -quicken, -schmelzen, zusammenfügen, aneinander fügen

Fama: Gerücht, Sage, Ondit, Klatsch, Flüsterpropaganda, Gerede, -tuschel, -flüster, Ruf

familiär: vertraut, -traulich, intim, heimisch, privatim, bekannt, -freundet, warm, persönlich ‖ ungezwungen, zwanglos, formlos, leger, frei, locker, unverkrampft, lässig, ungehemmt, salopp

Familie: Sippe, Verwandtschaft, die Meinen/Verwandten, Anhang, Angehörige, Familienkreis, Sippschaft; *ugs.:* Mischpoke, Clan ‖ Geschlecht, Gattung, Spezies, Rasse

Familienname: Nachname, Zuname, Vater(s)name, Beiname

Famulus → Gehilfe

Fan → Anhänger

Fanatiker: Eiferer, Ideologe, Dogmatiker, Zelot, Streiter, Kämpfer, Verfechter; *abwertend:* Hitzkopf

fanatisch: besessen, stur, blindgläubig, -wütig, eng, eifernd, dogmatisch, starrsinnig, -köpfig, intolerant, eisern, verrannt, unbeugsam, -bekehrbar, -belehrbar, -einsichtig, verbohrt; *ugs.:* vernagelt ‖ feurig, entflammt, begeistert, glühend, leidenschaftlich, eifrig

Fang: Beute, Raubgut, Eroberung, Prise, Treffer, Schlag, Coup, Griff ‖ Kralle, Klaue

fangen: auf-, einfangen, haschen, → fassen ‖ → angeln ‖ **sich f.** → s. fassen

Fantasie: Einbildungskraft, -vermögen, Vorstellungskraft, -vermögen ‖ Fantasie, Imagination, Einbildung, Spekulation, Fiktion, Erdichtung, Unwirklichkeit, Irrealität, Vision, Phantom, Utopie, Wunschtraum, Luftschloss; *ugs.:* Wolkenkuckucksheim, Seifenblase; *abwertend:* Hirngespinst ‖ Schöpferkraft, Erfindungsgabe, Einfalls-, Ideenreichtum, Ingeniosität, Kreativität, Originalität

fantasiebegabt → fantasievoll

fantasielos: einfallslos, ideenarm, unschöpferisch, nüchtern, ohne Fantasie/Einfälle, trocken, prosaisch, einförmig, grau, fade, schal, langweilig, amusisch, unoriginell

fantasieren: wirr/irre reden, fiebern; *med.:* delirieren ‖ s. vorstellen, träumen, einen Traum haben, schwärmen, s. ausmalen, -denken, erfinden, -dichten, fabeln, fabulieren, spintisieren, s. Luftschlösser bauen, Traumgebilde/-häuser schaffen, Gedanken spinnen, dichten, mit dem Gedanken spielen, s. Illusionen machen, in den Wolken schweben ‖ improvisieren (Musik), aus dem Stegreif spielen

fantasievoll: voll(er) Fantasie, einfalls-, ideen-, erfindungsreich, fantasiebegabt, -reich, findig, schöpferisch, erfinderisch, geistreich, genial, ingeniös, produktiv, originell, kreativ, spielerisch, lebendig, spritzig

Fantast → Schwärmer

fantastisch → großartig ‖ unglaublich, -wahrscheinlich, -geheuerlich, -erhört, -beschreiblich, beispiellos, himmelschreiend, haarsträubend, noch nicht dagewesen; *ugs.:* toll, nicht mehr feierlich ‖ unwirklich, -heimlich, seltsam, gespenstig, bizarr, fabel-, märchen-, traumhaft, irreal, wunderlich, skurril, grotesk, ausgefallen, absonderlich, erstaunlich; *ugs.:* verrückt, irre

Farbe: Couleur, Färbung, Kolorit, Anstrich, Tönung, Ton, Nuance, Kolorierung, Schimmer, Schattierung, Bemalung ‖ **F. bekennen** → gestehen

farbecht: wasch-, lichtecht, kochfest, indanthren, wetterfest

färben: tönen, anmalen, -streichen, einfärben, bemalen, mit Farbe versehen, farbig machen, kolorieren, die Farbe verändern ‖ **sich f.:** Farbe bekommen (Blätter), farbig/bunt werden

farbenfroh → bunt

farbenprächtig → bunt

farbig: bemalt, koloriert, angestrichen, -gemalt ‖ → bunt ‖ lebendig, anschaulich, dekorativ, bilderreich, illustrativ, sprechend, malerisch, plastisch

Farbiger: Schwarzer, Afrikaner, Mohr; *abwertend:* Neger, Nigger, Bimbo

farblos: ungefärbt, -bemalt, naturfarben ‖ blass, matt, fahl, fad(e), reizlos, grau, langweilig, unscheinbar, nichts sagend, monoton, einförmig, ausdruckslos, uninteressant

Farbstift: Bunt-, Zeichen-, Malstift

Färbung → Farbe ‖ Richtung, Trend, Tendenz, Prägung, Strömung, Einschlag, Zug, Drift

Farce: Posse, Schwank, Burleske, Komödie, Lustspiel, Klamotte, Slapstick ‖ Füllung, Fülle, Füllsel, Füllmasse, Einlage ‖ nichts sagendes/leeres Getue

Farm: Land-, Bauerngut, Landwirtschaft, landwirtschaftlicher Betrieb, Ranch; *öster.:* Ökonomie

Farmer: Landwirt, Rancher, Siedler, Bauer, Pflanzer

Färse → Kuh

faschieren → durchdrehen

Fasching: Karneval, Fastnacht, die närrische Zeit, die tollen Tage, Faschings-, Fastnachtzeit

Faselei → Gerede

faseln → schwafeln

Faser: Fädchen, Faden, Strang, Fiber, Fluse, Fussel; *med.:* Fibrille

Fass: Tonne ‖ → Fettwanst

Fassade: Vorderseite, -ansicht, Schau-, Stirn-, Straßenseite, Front, Hauptansicht ‖ → Täuschung

fassbar: fasslich, begreiflich, auf der Hand liegend, durchschaubar, -sichtig, eingängig, verständlich, einfach, greifbar, zugänglich, einsichtig, verstehbar, unkompliziert

fassen: (er)greifen, fangen, packen, erwischen, stellen, dingfest machen, habhaft werden, nehmen, überführen, aufgreifen, ertappen; *ugs.:* schnappen, kriegen, kaschen ‖ aufnehmen (als Inhalt), hineinpassen, -gehen ‖ **sich f.:** wieder ins Gleichgewicht kommen, s. beruhigen, die Fassung wiedergewinnen, zu s. kommen, s. erholen

fasslich → fassbar

Fasson: (Zu)schnitt, (Pass)form, Machart ‖ Art, Weise, Lebensform, Daseinsweise, Stil, Manier ‖ Revers, Aufschlag

Fassung: Einfassung, Rahmen, Um-, Einrahmung, Umrandung ‖ (Selbst)beherrschung, innere Haltung, Besonnen-, Gefasst-, Abgeklärt-, Gelassenheit, Umsicht, Ruhe, Gleichmut, Contenance, Gleichgewicht ‖ Bearbeitung, Form, Auflage, Ausgabe, Text, Gestaltung, Ausführung, Darstellung, Formulierung ‖ Version, Interpretation, Auffassung, Lesart, Deutung, Erklärung

fassungslos: erschüttert, verwirrt, sprach-, wortlos, starr, bestürzt, erstarrt, verstört, -steinert, perplex, entgeistert, verblüfft, erstaunt, entsetzt, betroffen, konsterniert, außer sich/Fassung, betreten, wie vor den Kopf gestoßen, reglos; *ugs.:* verdattert, durcheinander, baff, platt, völlig aus dem Häuschen

Fassungsvermögen: Aufnahmefähigkeit, Fassungskraft, Kapazität, Volumen

fast: beinahe, nahezu, um Haaresbreite/ein Haar, bald, es fehlt(e) nicht viel, um ein Kleines, halb, praktisch gerade noch, kaum, knapp; *ugs.:* so gut wie, schier ‖ → annähernd

fasten: hungern, nichts essen, abmagern, s. kasteien, eine Schlankheitskur/Diät machen, abnehmen; *ugs.:*

abspecken, die Pfunde/Kilos abwerfen/loswerden

Fastenkur → Schlankheitskur

Fastfood → Imbiss

Fastnacht → Fasching

faszinieren: fesseln, bezaubern, blenden, reizen, hinreißen, betören, umgarnen, beeindrucken, anziehen, berücken, -stricken, -geistern, für s. einnehmen, entzücken, eine Faszination ausüben, bannen, nicht mehr loslassen

faszinierend → attraktiv ‖ → spannend

fatal → katastrophal ‖ → unangenehm

fatalistisch: schicksalsergeben, -gläubig, resignativ, pessimistisch, gottgegeben

Fata Morgana: Luftspiegelung ‖ → Einbildung

Fatum → Schicksal

fauchen: zischen, schnauben, schnoben, blasen, prusten; *öster.:* pfauchen

faul: verdorben, ungenießbar, verfault, -west, -rottet, schlecht, verkommen, faulig, alt, nicht frisch/mehr gut; *ugs.:* gammelig, vergammelt, hinüber ‖ träge, arbeitsscheu, untätig, müßig, bequem, passiv, inaktiv, phlegmatisch, faulenzerisch; *ugs.:* stinkfaul

faulen: verderben, -faulen, -wesen, -rotten, -modern, s. zersetzen, in Fäulnis übergehen, ver-, umkommen, schimmeln/schlecht/ungenießbar werden; *ugs.:* vergammeln

faulenzen: nicht arbeiten, nichts tun, die Hände in den Schoß legen, die Zeit totschlagen, s. einen schönen Tag/ein paar schöne Stunden machen, s. die Zeit vertreiben, es s. gut gehen lassen, untätig/arbeitsscheu/faul/müßig sein; *ugs.:* bummeln, s. auf die faule Haut legen, dem lieben Gott die Zeit stehlen, den lieben Gott einen frommen Mann sein lassen,

Däumchen drehen, blaumachen, schwänzen, keinen Finger rühren, (krank)feiern, rumfreaken, rumhängen

Faulenzer: Nichtstuer, Faulpelz, -tier, Müßiggänger, Tagedieb, Nichtsnutz, Taugenichts, Flaneur, Drückeberger, Drohne; *ugs.:* fauler Strick/Sack/Hund

Faulheit: Trägheit, Müßiggang, Untätigkeit, Müßigkeit, Bequemlichkeit, Arbeitsscheu, Passivität, Phlegma, Faulenzerei; *schweiz.:* Flohn

faulig → faul

Fäulnis: Verwesung, -fall, Zerfall, -setzung, Putreszens, Auflösung ‖ Schimmel, Moder, Fäule

Faulpelz → Faulenzer

Fauna: Tierwelt, -reich

Fausthieb: Boxhieb, Kinnhaken, Faustschlag, Schwinger

Faustkampf: Boxkampf, Boxen, Fight

Faustrecht: Selbstjustiz, -hilfe

Fauteuil: Lehn-, Arm-, Polstersessel

Fauxpas → Fehler

favorisieren: begünstigen, -vorzugen, fördern, bevorrechten, Vorrechte einräumen, voranstellen, den Vorzug geben, vorziehen, über andere setzen, herausstellen

Favorit: Günstling, Liebling, Protegé, Schützling ‖ Spitzenreiter, Champion, voraussichtlicher Sieger

Faxen → Unsinn

Fazit → Ergebnis

fechten: die Klingen kreuzen, s. schlagen, kämpfen

Feder: Spring-, Sprungfeder ‖ Daune, Flaum; *reg.:* Dune ‖ Schreib-, Zeichenfeder

Federball: Badminton

Federbett: Plumeau, Deck-, Oberbett, Bett-, Daunendecke; *reg.:* Zudeck(e), Federdecke; *öster.:* Tuchent; *schweiz.:* Flaumdecke

Federfuchser → Pedant
federführend: verantwortlich, maßgebend, zuständig, bestimmend, ausschlag-, tonangebend, entscheidend, autoritativ
Federhalter: Füllfederhalter, Füllfeder; *öster.:* Feder; *ugs.:* Füller
federn: schwingen, schnellen, wippen
federnd → elastisch
Federvieh: Geflügel, Nutzvögel
federweich → weich
Fegefeuer: Vorhölle, Purgatorium
fegen: (auf)kehren, säubern, sauber machen, reinigen || → sausen || → angeben
Fehde: Streit, Feindschaft, Zwist, Kampf, Auseinandersetzung, Kontroverse, Konflikt, Zank, Händel, Hader, Feindseligkeit, Konfrontation, Gefecht, Reiberei, Unfriede, Zerwürfnis; *ugs.:* Krach, Stunk, Krieg
Fehlbetrag: Defizit, Verlust, Minus, Manko, Unterschuss, -bilanz, Ausfall, Einbuße, Differenzbetrag
fehlen: abwesend/fort/fern/ausgeblieben/abgängig/absent sein, nicht anwesend/zugegen/da sein, abgehen, vermisst werden, fern-, wegbleiben, s. fernhalten, durch Abwesenheit glänzen, ausfallen, nicht teilnehmen/kommen; *ugs.:* schwänzen, blaumachen || mangeln, knapp sein, vermissen, benötigen, brauchen, nicht genug haben, abgehen; *gehoben:* gebrechen; *ugs.:* hapern || entbehren, Sehnsucht haben || → sündigen
Fehler: Inkorrektheit, Missgriff, Irrtum, Unrichtig-, Unstimmigkeit, Versehen, Lapsus, Fehlleistung, -griff, -schluss, Verrechnung; *ugs.:* Schnitzer, Bock, Patzer || Fehltritt, Verstoß, -gehen, -fehlung, Taktlosigkeit, Zuwiderhandlung, Übertretung, Fauxpas, Entgleisung, Ungeschick; *ugs.:*

Dummheit || Schwäche, Gebrechen, Mängel, Laster, Defekt, schwache Stelle, Nachteil, Unzulänglichkeit, Makel, wunder Punkt; *ugs.:* Macke
fehlerfrei → fehlerlos
fehlerhaft: nicht einwandfrei, unvollkommen, den Anforderungen nicht entsprechend, voller Fehler, schadhaft, unzulänglich, mangelhaft, defekt, beschädigt, minderwertig, schlecht, ungenügend, halbwertig, zweitklassig, billig, miserabel; *ugs.:* dünn, nichts dran, mies, schäbig, lausig, unter aller Kanone/Kritik
fehlerlos: fehlerfrei, vollkommen, -endet, zutreffend, richtig, korrekt, tadellos, ohne Fehl, einwandfrei, ideal, makellos, untadelig, in Ordnung, genau, vorschriftsmäßig, -bildlich, perfekt, komplett, meisterhaft, lupenrein, mustergültig; *ugs.:* tipptopp, astrein
Fehlgeburt: Abort(us), Abgang
fehlgehen: das Ziel verfehlen, einen falschen Weg einschlagen, s. verirren, die Orientierung verlieren, vom Weg abkommen, irregehen, s. verlaufen || → s. irren
Fehlgriff → Fehler
Fehlschlag: Fehlpass, -schuss || Misserfolg, Versagen, Rückschlag, Katastrophe, Enttäuschung, Missgeburt, Debakel, Durchfall, Niederlage, Zusammenbruch, Fiasko, Misslingen, Ruin, Abfuhr, Bankrott, Pech, Niete; *ugs.:* Reinfall, Pleite, Schlappe, Panne, Blamage, kalte Dusche, Schlag ins Wasser, Schiffbruch; *derb:* Scheiße
fehlschlagen → scheitern
Fehltritt → Fehler
Fehlurteil: Justizirrtum, Fehlentscheidung
Feier: Fest, Festlichkeit, Festveranstaltung, -akt, -sitzung, Feierstunde, Feierlichkeit, Ehrung, Empfang || Party, Festivität, Vergnügen, Lust-

barkeit, geselliges/festliches Beisammensein, Gesellschaft, Cocktailparty, Hausball, Geselligkeit, bunter Abend, Veranstaltung, Ball, Gelage; *ugs.:* Fete, Budenzauber

Feierabend: Dienst-, Arbeits-, Büro-, Geschäftsschluss, Arbeitsruhe ‖ Freizeit, Muße

feierlich: festlich, würde-, weihevoll, solenn, erhaben, pathetisch, gehoben, -tragen, andächtig, majestätisch, gravitätisch, zeremoniell, stimmungsvoll, galamäßig, glanzvoll

Feierlichkeit: Festlichkeit, festliche Atmosphäre, Solennität, Erhabenheit, Würde, heiliger Ernst ‖ → Feier

feiern: festlich begehen, zelebrieren; *schweiz.:* festen ‖ ehren, verherrlichen, rühmen, bejubeln, loben, glorifizieren, Kult treiben mit, hoch halten, preisen, Beifall spenden ‖ eine Gesellschaft/ein Fest geben, eine Feier veranstalten, s. belustigen, s. amüsieren, s. vergnügen; *ugs.:* durchmachen, zechen, eine Fete/Party machen, das Haus auf den Kopf stellen, Leute einladen, eine Orgie veranstalten, es krachen lassen ‖ → faulenzen

Feiertag: Festtag

feige: mutlos, ängstlich, furchtsam, übervorsichtig, klein-, schwachherzig, angstvoll, schreckhaft, zaghaft; *ugs.:* hasenfüßig, zittrig, memmenhaft, schlottrig

Feigling: Angsthase, Drückeberger, Memme, Hasenfuß, -herz, Schwächling, Weichling; *ugs.:* Waschlappen, Flasche, Duckmäuser, Schlappschwanz, Angstpeter, -meier, Hosenscheißer, Kneifer, Schisser, Bangbüx

feil: erhältlich, (ver)käuflich, zu haben, vorrätig, auf Lager, vorliegend, verfügbar, parat ‖ absetzbar, zu verkaufen, veräußerlich

feilbieten: anbieten, -preisen, ein Angebot machen, feilhalten, andie-

nen, -tragen, zum Kauf vorschlagen, offerieren, empfehlen

feilen an: verbessern, be-, überarbeiten, vervollkommnen, korrigieren, schleifen an, ausfeilen, vervollständigen, perfektionieren; *ugs.:* den letzten Schliff geben, durchackern, letzte Hand anlegen

feilhalten → feilbieten

feilschen: (herunter)handeln, abhandeln, handeln um, schachern, abdingen, den Preis drücken

fein: dünn, durchsichtig, -scheinend, duftig, hauchfein, -zart, zart, zierlich, subtil, zerbrechlich, weich, fragil, grazil, wie aus Porzellan ‖ → ausgezeichnet ‖ von bester Qualität, erste Wahl, qualitätsvoll, edel, exquisit, süperb, erlesen, köstlich, schmackhaft, appetitlich, kulinarisch, lecker, pikant, delikat, aromatisch, deliziös; *öster.:* gustiös ‖ empfindlich, exakt, genau, präzise, scharf, treffend, akkurat ‖ feinsinnig, fein fühlend, gebildet, vornehm, kultiviert, stilvoll, nobel, distinguiert, solide, manierlich, gesittet, honorig ‖ → elegant

Feind: Gegner, Widerpart, -sacher, Gegenspieler, -part, Antipode, Rivale, Kontrahent, Opponent, Gegenseite, Antagonist, die andere Seite, Konkurrent, Tod-, Erzfeind

feindlich: gegnerisch, feindselig, -schaftlich, hasserfüllt, animos, übelwollend, abgeneigt, böse, aggressiv, gehässig, erbittert, bissig, ablehnend

Feindschaft: Gegnerschaft, Feindlichkeit, -seligkeit, Streit, Hass, Kampf, Unfrieden, -versöhnlichkeit, Verbitterung, Krieg, Fehde, Zank, Bitterkeit, Zwist, Abneigung, Antipathie, Aversion, Unzuträglichkeit, Hader, Zerwürfnis, Zwietracht, Spannung, Konflikt, Kontroverse, Animosität, Ranküne

feindselig → feindlich

Feindseligkeit → Feindschaft

feinfühlig: empfindsam, sensibel, zart fühlend, einfühlsam, empfindlich, zart besaitet, feinsinnig, -nervig, mimosenhaft, verletzlich, -bar, sensitiv, hellhörig

Feingefühl → Zartgefühl

feingliedrig → zart

Feinheit: Zartheit, Subtilität, Qualität, Raffinesse, Feine, Kostbarkeit, Anmut, Raffinement, Finesse, Erlesenheit, Exklusivität ‖ Nuance, Differenziertheit, Verfeinerung, Einzelheit, Unterschied ‖ Vornehmheit, Distinktion, Noblesse, Erhabenheit

Feinkost: Lebens-, Genussmittel, Leckerbissen, Delikatessen, Köstlichkeiten, Gaumenfreuden; *öster.:* Gustostückerl; *schweiz.:* Schleck; *reg.:* Schmankerl

feinmachen, sich → s. herausputzen

feinnervig → feinfühlig

Feinschmecker: Gourmet, Schlemmer, Schwelger, Genießer, Kulinarier, Lukullus, feine Zunge, feiner Gaumen, Kenner

feinsinnig → feinfühlig

feist: dick, fett, fest, stark, korpulent, beleibt, drall, fleischig, wohl genährt, speckig, üppig, mächtig, massig, mollig, füllig, rund, voluminös, voll; *ugs.:* prall, mopsig, kugelig

feixen: *(ugs.):* grinsen, grienen, hohnlachen, kichern, die Zähne blecken, belächeln, in Gelächter ausbrechen, aus-, verlachen, s. lustig machen/ mokieren über, verspotten; *ugs.:* s. tot-/krank-/schieflachen über, s. einen Ast lachen

Feld: Acker, Flur, (Pflug)land, Ackerboden, -land, landwirtschaftliche Nutzfläche, Grund und Boden, Erde ‖ → Gebiet ‖ → Fach ‖ Kampfplatz, Schlachtfeld, Front, Kriegsschauplatz, Kampfzone

Feldherr: (Heer)führer, Befehlshaber, Imperator

Feldsalat: Acker-, Rebensalat; *volkst.:* Rapunzel, Nüsschen, Nisselsalat, Schafmäulchen, Mausöhrchen; *öster.:* Vogerlsalat

Feldstecher → Fernglas

Feldzug: Kriegs-, Heereszug, Militäraktion, -operation, Krieg ‖ Kampagne, Vorstoß, Aktion, Maßnahme, Auseinandersetzung

Felge: Radkranz

Fell: Haut, Pelz, Schwarte, Haardecke, -kleid, Balg, Vlies

Fels: Felsblock, -brocken, -gestein, Felsen; *gehoben:* Gefels

felsenfest: ganz fest, sehr stark, unerschütterlich, gewiss, unbeirrt, eisern, hart, stählern, standhaft, willensstark, unbeugsam, -nachgiebig, wie ein Fels

felsig: steinig, voller Steine/Felsen

feminin: weiblich, fraulich, frauenhaft; *abwertend:* weibisch

Feministin: Frauenrechtlerin, -kämpferin, Emanzipierte, emanzipierte Frau; *hist.:* Suffragette, Amazone; *abwertend:* Emanze

Fensterbrett: Fensterbank, -sims, -bord

Ferien: Urlaub, Erholungs-, Reisezeit, Pause

Ferkel → Schwein

fern: weit, entfernt, -legen, in der Ferne, fern-, weitab, abseits, fern liegend, abgelegen, unbekannt, fremd, abgeschieden, unzugänglich, -erreichbar; *ugs.:* weit weg/vom Schuss, am Ende der Welt, jwd; *derb:* am Arsch der Welt ‖ vergangen, der Vergangenheit angehörig, überlebt, gewesen, aus früheren/verflossenen Tagen, vorbei

fernbleiben → fehlen

Fernblick → Ausblick

Ferne: Weite, Abstand, Entfernung, Distanz, Zukunft, Vergangenheit, Gestern ‖ Ausland, Übersee, die weite Welt

ferner: außerdem, ebenfalls, weiterhin, dazu, überdies, weiter(s), zudem, des Weiteren, daneben, ansonsten, sonst, zum andern, zusätzlich, auch, obendrein, darüber hinaus, und, alsdann

Fernglas: Seh-, Fernrohr, Feldstecher, Teleskop, Opernglas; *ugs.:* Gucker

fernhalten: zurück-, auf-, abhalten, Halt gebieten, nicht herankommen/in die Nähe lassen, den Zugang versperren/-hindern, schützen vor, abschirmen, -wehren, -schrecken, nicht zulassen; *ugs.:* vom Leibe/Hals halten ‖ **sich f.:** weg-, fort-, aus-, fernbleiben, nicht teilnehmen/kommen, s. absondern, s. ausschließen

fernliegen: nicht in den Sinn kommen, nicht in Erwägung ziehen, nicht im Traum daran denken, nicht in Frage kommen, nicht auf die Idee/den Gedanken kommen, nicht erwägen/einfallen/beabsichtigen/vorhaben/wollen/planen/bezwecken/zu tun gedenken/abzielen auf, nicht im Schilde führen/Auge haben, s. nicht einfallen lassen, s. nicht mit dem Gedanken tragen

Fernrohr → Fernglas

Fernsehapparat → Fernsehgerät

fernsehen: im Fernsehen ansehen/verfolgen, vor dem Fernseher sitzen; *ugs.:* in die Röhre schauen/gucken/glotzen, Fernseh schauen, (durch die Kanäle) zappen

Fernsehgerät: Fernsehapparat, -empfänger, Bildfunk, -schirm, Fernseher, Television, TV; *ugs.:* Glotze, Glotzofon, Glotzkasten, -kiste, -kommode, (Flimmer)kiste, Mattscheibe, Kasten, Heimkino, Röhre, Showfenster

Fernsicht → Ausblick

Fernsprechbuch: Telefonbuch, Fernsprech-, Teilnehmerverzeichnis

Fernsprecher: Telefon, Fernsprechapparat; *ugs.:* Strippe

fernstehen: jmdm. fremd/nicht vertraut sein, zu jmdm. ohne Beziehung sein/keine Beziehung haben

Fernstraße: Fernverkehrs-, Schnell-, Überlandstraße, Autobahn, Highway

Fernweh: Reiselust, Sehnsucht nach der Ferne

Ferse: Hacke(n)

fertig: abgeschlossen, vollendet, ausgeführt, fertig gestellt, beendet, erledigt; *ugs.:* fix und fertig ‖ zu Ende, geschafft, unter Dach und Fach, aus sein, getan, vom Tisch sein, zum Abschluss gekommen/gelangt ‖ (start)bereit, vorbereitet, soweit, gerüstet, -richtet, zur Verfügung/Disposition/Hand, disponibel, verfügbar, in Bereitschaft ‖ angezogen, gestiefelt und gespornt ‖ reisefertig, abmarsch-, abfahrbereit ‖ beziehbar (Haus), bezugsfertig, komplett ‖ zubereitet (Essen), tischfertig, angerichtet, gar, gekocht ‖ → erschöpft ‖ **f. werden mit** → bewältigen ‖ → s. durchsetzen ‖ → überstehen

fertig bekommen → fertig bringen

fertig bringen: erreichen, zustande/-wege bringen, können, in die Tat umsetzen, (ein)lösen, ermöglichen, bewirken, geschickt anstellen, in die Wege leiten, arrangieren, in die Hand nehmen, vermögen, vollbringen, meistern, bewerkstelligen, ausrichten, verwirklichen, erzielen, leisten, realisieren, durchführen, wahr machen; *ugs.:* deichseln, machen, schaffen, durchziehen, schaukeln, drehen, fertig bekommen/kriegen, auf die Beine stellen, hinbiegen, -bekommen, -kriegen

fertigen → anfertigen

Fertigkeit: Geschicklichkeit, Fähigkeit, Gewandtheit, Wendigkeit, Geschick, Finger-, Kunstfertigkeit ‖ Erfahrung, Routine, Übung, Praxis, Technik

fertig kriegen → fertig bringen

fertig lesen: zu Ende lesen, durchlesen, auslesen

fertig machen: fertig stellen, vollenden, zu Ende führen, zum Abschluss bringen, abschließen, beend(ig)en, verrichten, vollstrecken, durchführen, erledigen, abwickeln, (ab)leisten, aufarbeiten, letzten Schliff geben, letzte Hand anlegen; *ugs.:* unter Dach und Fach bringen ‖ zurecht-, bereitmachen, (vor)bereiten, präparieren, richten ‖ → erschöpfen ‖ → schimpfen ‖ → quälen ‖ → ruinieren ‖ → besiegen ‖ **sich f.** → s. einstellen auf

fertig stellen → fertig machen

fesch → elegant ‖ → attraktiv

Fessel: Zwang, Behinderung, Hemmnis, Einschränkung, Zwangsjacke, Abhängigkeit, Hemmschuh, Kette, Einengung, Unfreiheit, Druck, Ballast, Handikap, Erschwernis, Hindernis

fesseln: an Händen/Füßen binden, Ketten/Fesseln anlegen, anketten, an-, festbinden, knebeln ‖ Interesse/ Aufmerksamkeit/Spannung hervorrufen, in Atem halten, gefangen nehmen, in seinen Bann ziehen, bannen, absorbieren, mitreißen ‖ → faszinieren

fesselnd → spannend ‖ → attraktiv

fest: hart, stählern, steinern, dick, steif, trocken, erstarrt, starr, eisern ‖ haltbar, stabil, strapazierfähig, massiv, solid(e), widerstandsfähig, unverwüstlich, -zerbrechlich, bruchfest, kompakt ‖ sicher, dauerhaft, verbindlich, feststehend, unlösbar, beständig, langlebig, bleibend, unverbrüchlich, dauernd, von Dauer/Bestand, bindend, für immer, unzerstörbar, stetig, zuverlässig, unerschütterlich, -trennbar, -auflöslich ‖ standhaft, unnachgiebig, -beugsam, beharrlich, hartnäckig, willensstark, aufrecht

Fest → Festtag ‖ → Feier ‖ → Happening

Festakt → Feier

Festbankett → Festessen

festbeißen, sich → s. verbeißen

festbinden: zusammen-, anbinden, zuschnüren, verknüpfen, befestigen, anschnallen, festmachen; *ugs.:* anmachen ‖ → fesseln

festbleiben: durchhalten, ausharren, -dauern, -halten, standhalten, auf dem Posten/dabei/einer Sache treu bleiben, nicht weichen/wanken/ablassen von/nachlassen/nach-/aufgeben/abgehen von, s. nicht abbringen/beirren lassen, unbeirrt fortführen, weitermachen, beharren, s. behaupten, bestehen auf, s. durchsetzen, s. bewähren, hart bleiben, s. nicht vertreiben lassen, beharrlich/ -ständig sein, widerstehen, s. widersetzen; *ugs.:* dranbleiben, durchziehen, bei der Stange bleiben, das Feld behaupten, nicht schlappmachen, die Ohren steifhalten

Festessen: Tafel, (Fest)bankett, -mahl, -schmaus, Diner, Galadiner, -essen, Gast-, Ehrenmahl, Festgelage; *ugs.:* Göttermahl; *derb:* großes Fressen

festfahren: stecken bleiben, in eine Sackgasse geraten, auf der Strecke bleiben, festlaufen, -sitzen, -liegen, stocken, ins Stocken geraten, erlahmen, stagnieren, s. verrennen; *ugs.:* nicht ein noch aus wissen

festhalten: fixieren, konservieren, einfangen, registrieren, → aufschreiben ‖ **f. an** → aufrechterhalten ‖ → bestehen auf ‖ **sich f.:** s. klammern an, nicht loslassen, s. anhalten/ -klammern, umklammern, s. anhängen

festigen: stärken, kräftigen, stabilisieren, (ab)stützen, befestigen, verankern, konsolidieren, erhärten, zementieren, ausbauen, erstarken, si-

chern, vertiefen, fundieren, untermauern, verdichten
Festigkeit: Härte, Dichte, Stabilität, Zähig-, Widerstandsfähigkeit, Resistenz, Haltbarkeit ‖ → Beständigkeit
Festigung: Stärkung, Stabilisierung, Stützung, Befestigung, Konsolidierung, Ausbau, Kräftigung, Zementierung, Sicherung, Vertiefung, -dichtung, -ankerung
Festival: Festspiele, -woche, Veranstaltungsreihe
Festivität → Feier
festkleben → ankleben ‖ haften, festsitzen, fest sein, halten, kleben; *ugs.:* (zusammen)pappen; *öster.:* picken
Festland: Kontinent
festlegen → anberaumen ‖ → abmachen ‖ beim Wort nehmen, nötigen; *ugs.:* festnageln ‖ **sich f.:** s. binden, s. verpflichten, sein Wort geben, eine Bindung eingehen, eine Verpflichtung auf sich nehmen, ganz fest/verbindlich zusagen, fest versprechen
Festlichkeit → Feier ‖ → Feierlichkeit
festliegen: festsitzen, festgelaufen/ -gefahren/auf Grund gelaufen/gefahren/stecken geblieben sein ‖ → feststehen
festmachen → befestigen ‖ → abmachen ‖ anlegen, vor Anker gehen, ankern
Festmahl → Festessen
festnageln → festlegen
Festnahme → Verhaftung
festnehmen: verhaften, gefangen nehmen/setzen, ins Gefängnis stecken, unschädlich/dingfest machen, inhaftieren, in Haft/Gewahrsam/ Verwahrung nehmen, einsperren, in Arrest bringen/stecken, internieren, arretieren, festsetzen, -halten, abführen, auf-, ergreifen, abholen, jmds. habhaft werden, fangen, erwischen, fassen; *ugs.:* hinter Schloss und Riegel bringen, einlochen, kriegen,

schnappen, wegbringen, kaschen, kassieren, einbunkern, -buchten, -gittern, -kasteln
festschnallen → anschnallen
festsetzen → anberaumen ‖ → abmachen ‖ → festnehmen ‖ **sich f.** → s. einnisten
festsitzen → festliegen
Festspiele → Festival
feststehen: sicher/endgültig/gewiss/ verbindlich/festgesetzt/abgemacht/ fixiert / beschlossen / ausgemacht / vereinbart/abgesprochen/bestimmt/ verabredet/anberaumt sein, außer Zweifel stehen, keinem Zweifel unterliegen
feststellen: ermitteln, ausfindig machen, in Erfahrung bringen, ergründen, -forschen, herausfinden, -bekommen, diagnostizieren, eruieren, klären, lokalisieren, auskundschaften, ans Licht bringen, identifizieren, ersehen; *ugs.:* herauskriegen, dahinterkommen ‖ (be)merken, wahrnehmen, gewahren, registrieren, gewahr werden; *ugs.:* spannen, mitkriegen ‖ zum Ausdruck bringen, konstatieren, sagen, äußern, betonen, niederlegen, hervorheben, -ausstellen, hinweisen auf, unterstreichen, ausdrücklich erwähnen ‖ erkennen, (ein)sehen, die Erfahrung machen, zu der Erkenntnis kommen
Feststellung: Aussage, Äußerung, Bemerkung, Statement, Behauptung, Darlegung, Konstatierung ‖ Befund, Diagnose, Erkenntnis, Beurteilung, Ergebnis, Resultat
Festtag: Feier-, Ehrentag, Fest
Festung: Befestigungs-, Verteidigungsanlage, Bollwerk, Fort, Befestigung, Bastion, Zitadelle, Festungsbau, Burg, Wall, Feste, Kastell, Schanze, Bastei, Wehr ‖ Festungshaft, -arrest, Freiheitsentzug, Gewahrsam
Festwoche → Festival

Festzug: Umzug, Prozession
Fete → Feier
fett: üppig, kräftig, fruchtbar, gehaltvoll, -reich ‖ → einträglich ‖ fettig, ölig, speckig, fetthaltig, -triefend, schmalzig, schmierig, tranig ‖ → dick
Fett: Speck, Schmalz, Fettpolster, -gewebe, -masse, Schmer, Flom(en)
fettig → fett
fettleibig → dick
Fettleibigkeit → Körperfülle
Fettwanst: *(ugs.):* Dicke(r); *ugs.:* Kloß, Dickerchen, Pummel(chen), Mops, Bulle, Koloss, Kugel, Fettsack, Brocken, Fass, Tonne, Nudel ‖ Schmerbauch; *ugs.:* Wampe, Dick-, Fettbauch, Ranzen
Fetzen: Lumpen, Lappen, Plunder ‖ Streifen, Schnitzel, Schnipsel, Stück(e); *ugs.:* Schnippel
feucht: nass, klamm, nässlich, humid ‖ verregnet, regnerisch, tröpfelnd ‖ benetzt, -gossen, -wässert, -träuft ‖ angelaufen, überzogen, beschlagen
feuchtfröhlich: beschwingt, heiter, wein-, bierselig, fidel, angeheitert, alkoholisiert, lustig, vergnüglich, ausgelassen, berauscht, angetrunken; *ugs.:* bezecht, angesoffen, -gesäuselt, bedudelt, -schwipst, -nebelt, -duselt, angetütet
Feuchtigkeit: Nässe, Nass, Humidität
feudal: ritterlich, höfisch, adlig, aristokratisch, edelmännisch, junkerlich ‖ prunkvoll, vornehm, fürstlich, prachtvoll, nobel, fein, distinguiert, erlaucht, herrschaftlich, kultiviert ‖ luxuriös, verschwenderisch, prassend, überladen, üppig, strotzend
Feuer: Brand, Flammen, Feuersbrunst, -not, Schadenfeuer, Flammenmeer, -säule ‖ Kugelfeuer, Beschuss, Schuss-, Feuerwechsel, Feuergefecht, Kugelhagel, Bombardement, Trommelfeuer ‖ → Leidenschaft

Feuerleger → Brandstifter
feuern → schießen ‖ *ugs.:* schleudern, (hin)werfen; *ugs.:* (hin)schmeißen, hinpfeffern, -schmettern ‖ → entlassen
Feuerprobe: Feuertaufe, Prüfstein, Bewährungsprobe
Feuerwechsel → Schusswechsel
Feuerwehr: Löschzug, Feuerwehrauto
Feuilleton: Kultur-, Unterhaltungsteil, -beilage ‖ → Aufsatz
feurig: feuerrot, -farben ‖ → leidenschaftlich
Fez → Unsinn
Fiasko → Fehlschlag
Fiber: Faser, Fibrille
ficken → koitieren
fickrig → nervös
fidel → lustig
Fieber: erhöhte Temperatur
fieberhaft: fiebrig, fieberkrank; *med.:* febril ‖ eifrig, ungeduldig, krampfhaft, hastig, angespannt, aufgeregt, geschäftig, beflissen, emsig, ehrgeizig, stürmisch, eilfertig, überstürzt, in rasender Eile, Hals über Kopf ‖ unruhig, erwartungsvoll, gespannt, bebend, zitternd, nervös; *ugs.:* auf Kohlen sitzend, mit Herzklopfen
fiebern: Fieber/Temperatur haben, fiebrig sein ‖ erwarten, aufgeregt/-gewühlt/gespannt/erwartungsvoll/nervös sein, zittern; *ugs.:* auf Kohlen sitzen, Herzklopfen haben ‖ **f. nach:** ersehnen, s. sehnen/verlangen/gieren/lechzen/schmachten/dürsten/hungern nach, begehren; *ugs.:* darauf brennen, versessen sein auf, haben wollen, toll sein nach
fiebrig → fieberhaft
Fi(e)del: *(ugs.):* Violine, Geige
fies → ekelhaft
fighten → kämpfen
Figur: Wuchs, Gestalt, Körperbau, -form, Statur, Erscheinung, Konstitu-

tion, Körper, Bau, Typ ‖ Plastik, Statue, Skulptur, Standbild
figurativ: figürlich, bildlich, gleichnishaft, übertragen, metaphorisch, sinnbildlich ‖ darstellend, konkret, als Beispiel dienend, gegenständlich, plastisch, anschaulich
figurieren: erscheinen/auftreten/ fungieren/agieren als, darstellen, spielen, die Rolle einnehmen, verkörpern, mimen, vorstellen
figürlich → figurativ
Fiktion: Erfindung, -dichtung, Ausgedachtes, Gedanken, Fantasie, Einbildung, Illusion, Imagination, Vorstellung, Utopie, (Wunsch)traum, Luftschloss, Vision; *ugs.:* Hirngespinst, Seifenblase ‖ Unterstellung, (Falsch)annahme, Vermutung, Hypothese, Konstruktion, Idee
fiktiv: erfunden, -dichtet, (aus)gedacht, angenommen, imaginär, vorgestellt, ideell, fingiert, hypothetisch, vorgetäuscht
Filiale: Zweigniederlassung, -geschäft, -stelle, Nebenstelle, Tochterfirma, -unternehmen, Außenstelle, Niederlage, Agentur, Vertretung; *öster.:* Expositur; *schweiz.:* Ablage
Filius → Sohn
Film: Bildstreifen, -folge, Filmwerk ‖ Filmrolle, -band ‖ Überzug, (dünne) Schicht, Belag, Lage, Bedeckung
filmen: (einen Film) drehen, verfilmen, mit der Kamera aufnehmen; *ugs.:* kurbeln
Filmfan → Cineast
Filmtheater: Kino, Lichtspielhaus, -theater, Filmpalast, -bühne; *ugs.:* Kintopp
Filou: Spitzbube, Schelm, Schlaukopf, schlauer Fuchs; *ugs.:* Schlitzohr, Schlauberger, -meier, Luder, Schlawiner ‖ → Betrüger
filtern: filtrieren, (durch)sieben, klären, durch den Filter/das Sieb laufen lassen, (durch)seihen

filzen → durchsuchen ‖ → stehlen
Fimmel → Marotte
Finale: Endrunde, -spiel, -kampf, (End)spurt, Entscheidungsphase, Finish, Schlussrunde, -kampf, letzte Runde ‖ Ende, Ausgang, Schlussakt, -teil, (Ab)schluss, Auslauf
Finanzen: Geld(mittel), Vermögen, Kapital(ien), Barschaft, Guthaben ‖ Geld-, Vermögensverhältnisse, Finanz-, Kapitallage, Finanzkraft ‖ Staatshaushalt, -etat, -einkünfte, Budget
finanziell: geldlich, -mäßig, pekuniär, wirtschaftlich
finanzieren: die Kosten tragen/bestreiten/übernehmen, aufkommen für, die Geldmittel zur Verfügung stellen, subventionieren, bezuschussen, -zahlen
finanzschwach → zahlungsunfähig
finanzstark → reich
finden: entdecken, vor-, auffinden, antreffen, ausfindig machen, stoßen auf, aufspüren, gewahren, erblicken, sichten, sehen, erkennen, orten, ermitteln, feststellen, herausfinden, -bekommen, auf die Spur kommen, aufstöbern, ausmachen, einen Fund machen, in die Hände fallen, zutage fördern/bringen, ans Licht bringen; *ugs.:* auftreiben, -gabeln, -lesen, -fischen, herauskriegen, -bringen ‖ halten für, meinen, glauben, der Meinung/Ansicht sein ‖ **sich f.:** zum Vorschein/an die Oberfläche kommen, auftauchen, s. zeigen, aufkreuzen ‖ s. gegenübersehen, s. vorfinden ‖ zusammenfinden, -kommen, ein Paar werden ‖ zu s. kommen, in s. gehen ‖ s. herausstellen, s. ergeben, s. erweisen ‖ vorkommen, in Erscheinung treten, auftreten, existieren, vorhanden sein
findig → schlau
Finesse: Kniff, Trick, Kunstgriff, Praktik, Schliche; *ugs.:* Dreh, Ma-

sche ‖ Feinheit, Raffinement, Einzelheit, Spitzfindigkeit, Detail
fingerfertig: praktisch, geschickt, -wandt, handfertig, anstellig, gelenkig, wendig, beweglich, kunstfertig
Fingerfertigkeit → Fertigkeit
Fingerspitzengefühl: Einfühlungsvermögen, -kraft, -gabe, Zart-, Feingefühl, Verständnis, Einsicht, Gespür, Behutsamkeit, Sensibilität, Takt, Empfinden; *ugs.:* Antenne, Draht
Fingerzeig: Hinweis, Wink, Zeichen, Andeutung, Tip, Anspielung
fingieren: vortäuschen, erdichten, vorgeben, -spiegeln, -machen, -gaukeln, so tun als ob, s. verstellen, heucheln, Theater spielen, simulieren, vorschützen, mimen, bluffen, s. den Anschein geben
Finish → Finale
finster: dunkel, düster, schwarz, stockdunkel, schummrig; *ugs.:* (zappen)duster, raben-, pechschwarz ‖ mürrisch, unfreundlich, -wirsch, -leidlich, missmutig, verdrossen, -stimmt, übel gelaunt, verdrießlich, missgestimmt; *ugs.:* grantig, sauer, muffig ‖ unheimlich, -heilvoll, obskur, ominös, suspekt, nicht geheuer, vage, nebulös, rätselhaft, zweideutig, halbseiden, undurchsichtig, zweifelhaft
Finsternis → Dunkel
Finte: Vorwand, List, Falle, Kniff, Täuschungsmanöver, Irreführung, Bluff, Behelf; *ugs.:* Dreh
fipsig → nervös
Firlefanz: Beiwerk, Tand(werk), Flitter(kram), Ramsch, Zierrat, Kinkerlitzchen, Talmi, Plunder, Schund, Kram, Kitsch, Zeug; *ugs.:* Klimbim, Schnickschnack, Krempel, Krimskrams ‖ → Unsinn
firm: beschlagen, sicher, geübt, erfahren, bewandert, versiert, sachverständig, -kundig, sattelfest, geschult,

-bildet, qualifiziert, kenntnisreich; *ugs.:* fit, in Form, auf der Höhe
Firma: Geschäft, Betrieb, Unternehmen, Werk, Fabrik, Anlage, Konzern, Gesellschaft, Haus, Werkstatt
Firmament: Himmelsgewölbe, -zelt, -dach, -dom, Sternenzelt, -himmel, Äther
firmen: einsegnen, konfirmieren, Sakrament spenden
Firnis: Politur, Anstrich, Überzug, Film ‖ Schein, Fassade, Tünche, Bluff, Täuschung, Trug
First: Mauerkrone, Giebel, Dachfirst ‖ Gebirgskamm, Kuppe, Spitze, Höhe, Scheitel
fischen: angeln, Fische fangen; *ugs.:* den Wurm baden
Fischzug: Fischfang, Fischerei, Fang ‖ *ugs.:* Beute, Treffer, Coup, Gewinn, Erfolg, Wurf, Gelingen
Fiskus: Staatskasse, -vermögen, -schatz, -gelder, Finanzen, öffentliche Mittel
fit: leistungsfähig, trainiert, in Form, topfit, vorbereitet, qualifiziert, in guter körperlicher Verfassung, s. wohl fühlend, Kondition habend; *ugs.:* auf der Höhe ‖ gesund, kraftvoll, rüstig, frisch, kräftig
Fittich: Flügel, Schwinge
fix: fest (Kosten), feststehend ‖ → gewandt ‖ → schnell ‖ **f. und fertig** → erschöpft
fixen: Heroin (ein)spritzen; *ugs.:* s. einen Schuss setzen, schießen, an der Nadel hängen, knallen, drücken, drauf sein
Fixer: *ugs.:* Junkie, Schießer
fixieren: festhalten, protokollieren, niederlegen, -schreiben, aufzeichnen, registrieren, vermerken, notieren ‖ → abmachen ‖ → befestigen ‖ beständig/haltbar machen, konservieren, festigen, härten, stabilisieren ‖ → anstarren ‖ **sich f. auf:** s. konzentrieren / verlegen / -steifen / festlegen

auf, s. binden an, angewiesen sein auf, abhängig sein von

Fixum → Lohn

Fjord: Meeresbucht, -arm, -busen, Bai, Bucht, Golf, Förde

flach: eben, glatt, waagerecht, platt, plan, gerade, breitgedrückt, ausgedehnt, -gestreckt ‖ niedrig, von geringer Höhe, klein, fußhoch, untief, seicht ‖ fad(e), abgedroschen, oberflächlich, banal, nichts sagend, unbedeutend, verwässert, ohne Gehalt, abgeschmackt, trivial, geistlos, phrasenhaft, hohl, gewöhnlich, schal, inhaltsleer, vordergründig; *ugs.:* ausgeleiert

Fläche: Ebene, Tafel, Platte, Flachland, Plateau, Plattform ‖ → Gebiet

Flachland → Ebene

flachsen → scherzen

flackern: züngeln, zucken, flacken, wabern, unruhig brennen, lodern

Flagge → Fahne

flaggen: die Flagge/Fahne hissen/aufziehen/setzen/heißen/hochziehen

flagrant → offenbar

Flair → Reiz

Flamme: Feuer, Lohe, Brand ‖ → Geliebte

flammen: brennen, flackern, lohen, lodern, züngeln, wabern, in Flammen stehen, glimmen ‖ glühen, blitzen, (auf)leuchten, glänzen, strahlen, funkeln

flammend: lohend, lodernd, lichterloh, wabernd, wallend, flackernd ‖ → leidenschaftlich

Flammenmeer: Flammensäule, Brand, Feuersbrunst, Schadenfeuer, Feuer

flanieren: schlendern, wandeln, spazieren (gehen), lustwandeln, umhergehen, -schlendern, promenieren, s. ergehen, bummeln, einen Spaziergang/Bummel machen

Flanke: Seite, Flügel, Seitenteil ‖

Weiche ‖ Vorlage (Spiel), Abgabe, Pass, Ab-, Zuspiel

Flasche: *ugs.:* Pulle, Buddel, Bottel ‖ *ugs.:* Versager, Feigling, Drückeberger, Angsthase, Schwächling; *ugs.:* Niete, Waschlappen, Schlappschwanz, Hosenscheißer, Kneifer, Schisser, Null, Nulpe, Pfeife

Flash: *(ugs.):* Hit, Kick

flatterhaft: unbeständig, leichtfertig, -lebig, wankelmütig, unzuverlässig, launenhaft, unstet, -berechenbar, veränderlich, wechselnd, wandelbar, schwankend, sprunghaft, wechselhaft, wetterwendisch, unsolide

flattern: fliegen, schwirren, durch die Luft schießen, segeln, schwingen ‖ wehen, baumeln, s. bewegen; *ugs.:* bammeln, schlackern

flau: *(ugs.):* schwach, leicht übel, schwächlich, matt, schlecht, unpässlich, indisponiert, schlaff, schlapp, kraftlos, weichlich, unwohl, hungrig; *ugs.:* blümerant, verkatert, mau, mies ‖ → schal ‖ → langweilig

Flaum: Federn, Daune; *reg.:* Dune ‖ Milchbart

flauschig: weich, flockig, flaumig, zart, wollig, flaumweich; *ugs.:* puschelig

Flausen → Unsinn ‖ → Allüren

Flaute: Windstille, Kalme ‖ Baisse, Konjunkturrückgang, -niedergang, Rezession, Tiefstand, -punkt, Krise, Depression; *ugs.:* Ebbe

Fläz → Flegel

flechten: ineinander schlingen, binden, zusammenflechten, -knüpfen

Flechtwerk → Geflecht

Fleck(en): Schmutzstelle, Klecks, Spritzer; *ugs.:* Klecker, Dreckfleck ‖ Ort(schaft), Landstrich, Siedlung, Winkel, Stelle, Platz ‖ Flicken, Lappen

fleckig: be-, verschmutzt, schmutzig, unsauber, -rein, verunreinigt, befleckt, mit Flecken; *ugs.:* dreckig, versaut ‖ gefleckt, scheckig, gescheckt

Flegel: Lümmel, Rüpel, Grobian, Rohling, Rowdy, Rabauke, Frechdachs, Lausejunge, -bengel, -bube; *ugs.:* Fläz, Schnösel, Lackel, Bauer, Klotz, Strolch, Stoffel

flegelhaft: ungezogen, lümmel-, pöbel-, rüpelhaft, rüpelig, frech, unhöflich, -gehobelt, plump, ruppig, ohne Benehmen, ungebührlich, -erzogen, -manierlich, rüde, derb; *ugs.:* fläzig, schnöselig

flegeln, sich: *(ugs.):* s. (hin)lümmeln; *ugs.:* s. fläzen

flehen: inständig/kniefällig bitten, erbitten, -suchen, bestürmen, -schwören, erflehen, (an)betteln, ansuchen, bedrängen, keine Ruhe geben; *ugs.:* winseln, löchern, bohren, in den Ohren liegen, die Hölle heiß machen, quengeln, zu Füßen fallen, zusetzen ‖ beten, anrufen

flehentlich: inständig, knie-, fußfällig, demütig, demutsvoll, eindringlich, inbrünstig, innig, fest, sehnlich, stürmisch, intensiv, nachdrücklich, emphatisch, ernsthaft, von ganzem Herzen, beschwörend

Fleischbrühe: (Kraft)brühe, Suppe, Bouillon, Konsommee

Fleischer: Metzger, Schlachter; *öster.:* Fleischhauer, Selcher, Fleischhacker

Fleischerei: Metzgerei, Schlachterei, Fleischerladen; *öster.:* Selcherei, Fleischhauerei

fleischig → dick

Fleischkloß → Frikadelle

Fleiß: Arbeitsamkeit, Eifer, Arbeitsdrang, -eifer, Emsigkeit, Schaffens-, Arbeitsfreude, Tatendrang, Strebsamkeit, Aktivität, Beflissenheit, Mühe, Bereitwilligkeit ‖ **mit F.** → absichtlich

fleißig: arbeitsam, arbeitsfreudig, -willig, aktiv, produktiv, leistungsfähig, tätig, strebsam, bestrebt, -müht, ehrgeizig, eifrig, tatkräftig, schaffensfreudig, -lustig, nimmermüde, unermüdlich, rastlos, tüchtig, emsig; *öster.:* ambitioniert; *schweiz., reg.:* schaffig

flektieren: beugen, konjugieren, deklinieren

flennen → weinen

flexibel → gewandt ‖ → elastisch ‖ anpassungsfähig, formbar, empfänglich, undogmatisch, beeinflussbar, aufnahmefähig, elastisch

flicken: stopfen, nähen, ausbessern, instand setzen, reparieren, richten

Flicken: Fleck(en), Stück, Flicklappen; *ugs.:* Schnippel

Flickwerk: Stümperei, Pfuscherei, Geschluder, Pfusch-, Schluderarbeit, Stoppelwerk, Murkserei, Hudelei, Sudelei, schlechte Arbeit, Halbheit, Ausschuss; *ugs.:* Geschlampe, Murks, Bruch, Schrott

fliegen: flattern, schweben, schwingen, gleiten, segeln, schwirren, flirren, (Kreise) ziehen, durch die Luft schießen; *ugs.:* trudeln, kurven ‖ mit dem Flugzeug reisen; *ugs.:* fahren ‖ wirbeln, wehen, baumeln, stieben ‖ → eilen ‖ *ugs.:* entlassen werden, gehen/seinen Hut nehmen/zurücktreten müssen, den Abschied bekommen, herausgeschmissen/-geworfen werden; *ugs.:* gegangen werden ‖ **f. auf:** eine Schwäche/ein Faible haben für, in Liebe entbrennen, sein Herz verlieren; *ugs.:* Feuer fangen, stehen auf, scharf/wild/versessen sein auf, verrückt sein nach

Flieger → Pilot ‖ → Flugzeug

fliehen: flüchten, entlaufen, -fliehen, ausbrechen, s. absetzen, fort-, weg-, davonlaufen, die Flucht ergreifen, entkommen, davonrennen, das Weite suchen, entweichen, Reißaus nehmen, entwischen, -rinnen, wegschleichen, s. befreien, s. retten, s. in Sicherheit bringen; *ugs.:* abhauen, ausrücken, s. abseilen, durchbrennen, ausbüxen, s. aus dem Staub machen, türmen, ausreißen, verduften, s. verdünnisieren, stiften gehen, durchgehen, auskneifen, Fersengeld geben, verschwinden, s. davonmachen, die Mücke machen ‖ desertieren, fahnenflüchtig/abtrünnig werden, seinen Posten verlassen ‖ meiden, aus dem Wege gehen, s. entziehen, ausweichen, umgehen, scheuen, einen Bogen machen um; *ugs.:* s. drücken vor, kneifen

Fliehkraft: Zentrifugalkraft

Fliese: Kachel, Platte

Fließblatt: Fließpapier, Löschblatt, -papier

fließen: strömen, rinnen, sprudeln, quellen, fluten, wallen, laufen, rieseln, sickern, plätschern, wogen, s. ergießen, rauschen, branden, treiben ‖ herausströmen, -rinnen, -schießen, -quellen, -sprudeln, -tropfen, ausfließen, -laufen

fließend: ohne Stocken/Schwierigkeiten, flüssig, perfekt, mühelos, zügig, geläufig, ohne stecken zu bleiben/zu stocken, ununterbrochen, in einem Zuge, schnell und stetig, einwandfrei, tadel-, fehlerlos, sicher; *ugs.:* hintereinander weg ‖ ohne feste Abgrenzung, offen, ineinander übergehend, gleitend, ohne Übergang, unbestimmt

Flimmerkiste → Fernsehgerät

flimmern → leuchten ‖ vibrieren, zucken, zittern, flattern, flackern, flirren, wackeln

flink → schnell ‖ → gewandt

Flinte: Gewehr, Büchse, Karabiner, (Schuss)waffe, Drilling; *ugs.:* Knarre, Eisen, Ballermann

flirren → flimmern ‖ → leuchten

Flirt: Liebelei, Spiel, Geschäker, Tändelei, Getändel, Schäkerei, Gekose, (Liebes)abenteuer, Erlebnis,

Amouren, Amoureske, Affäre, Romanze, Episode; *ugs.:* Techtelmechtel, Geplänkel

flirten: turteln, schäkern, schöntun, schöne Augen/den Hof machen, tändeln, anbändeln, aufreizen, (um)werben, charmieren, bezirzen, -zaubern, Avancen machen, umgarnen, -schmeicheln, kokettieren, plänkeln; *ugs.:* poussieren

Flittchen: leichtes Mädchen, Betthase; *reg.:* Flitscherl; *ugs.:* Schlampe

Flitter: Pailletten, Zierrat, Schmuck, Tand(werk), Flitterkram, Kinkerlitzchen, Talmi, Kram, Kitsch, Firlefanz, Zeug; *ugs.:* Klimbim, Schnickschnack, Krempel, Krimskrams

Flitterwochen: Honigmonat, -mond, Honeymoon

flitzen → sausen

flöhen → durchsuchen ‖ → ausbeuten

Flor: Blüte, Hochstand, Boom, Konjunktur, Hausse, Wohlstand, Gedeihen, Prosperität ‖ Gewebe, Tuch, Seidenstoff ‖ Schleier

Flora: Pflanzenwelt, -reich, -wuchs, Vegetation

florieren: blühen, gedeihen, gut (voran)gehen, prosperieren, Erfolg haben, vorwärtskommen, in Schwung sein, einen Aufschwung erleben, erstarken, s. entfalten, voranschreiten, s. entwickeln, Fortschritte machen

Floskel → Phrase

flöten gehen → verloren gehen

flott: schick, adrett, schmuck, hübsch, alert, kess, kleidsam, gefällig, fesch; *ugs.:* zackig ‖ schwungvoll, flink, schneidig, schmissig, wendig, aufgeweckt, rasant, geschickt, beweglich ‖ → schnell

Flotte: Seestreitkräfte, Marine, Armada, Flottenverband, Seemacht

flottmachen: fahrbereit machen, in Schwung bringen, in Gang setzen, in

Betrieb setzen, leistungsfähig machen, funktionabel machen

Fluch: Verwünschung, Schmähung, Verdammung, Lästerung, Verfemung, Gotteslästerung, Drohwort ‖ Unheil, Verderben, -hängnis, Heimsuchung, Unsegen, schlechter Stern

fluchen: verwünschen, -dammen, lästern, einen Fluch ausstoßen; *ugs.:* zum Teufel schicken ‖ (be)schimpfen, schelten, zetern, wettern, poltern, keifen, geifern; *ugs.:* s. Luft machen, kläffen, fauchen, Gift und Galle speien, ein Donnerwetter loslassen

Flucht: Ausbruch, Entkommen

fluchtartig: in großer Eile, hastig, eilig, sehr schnell, geschwind, schleunigst, augenblicklich, eilends, blitzartig, sofort, ungesäumt, überstürzt, auf schnellstem Wege, Hals über Kopf, in Windeseile, unverzüglich, prompt, auf der Stelle, im Nu

flüchten → fliehen

flüchtig: fliehend, entflohen, verschwunden, entwichen, -laufen, ausgebrochen ‖ → nachlässig ‖ vergänglich, von kurzer Dauer, begrenzt, kurzlebig, endlich, vorübergehend, zeitweilig, kurzfristig, passager

Flüchtling: Um-, Aussiedler, (Heimat)vertriebener, Ausgebürgerter, -gewiesener, Verbannter

fluchwürdig → schändlich

Flug: Flug-, Luftreise ‖ Zug (Vögel), Ziehen, Wandern

Flugblatt: Handzettel, Flugschrift

Flügel: Schwinge, Fittiche ‖ Tragfläche ‖ Seitentrakt, -bau ‖ Klavier, Piano(forte)

·Fluggast: (Luft)passagier, Flugreisender

flügge: flugfähig ‖ selbständig, erwachsen, groß, entwickelt, reif, mündig, eigenständig, dem Elternhaus entwachsen

Flughafen: Flugplatz, Airport, Lufthafen, Landeplatz

flugs → schnell ‖ → sofort

Flugzeug: Luftfahrzeug, Aeroplan, Maschine, Jet; *ugs.:* Kiste, Mühle, Flieger

Flugzeugführer → Pilot

Fluidum → Reiz

fluktuieren → schwanken

flunkern → lügen

Flur: Gang, Diele, Korridor, Halle, Entree, Eingang ‖ Feld, Gefilde, Ackerland, Grund und Boden

Fluse: Fussel, Faser, Fädchen, Staubflocke

Fluss: Wasserlauf, -straße, -ader, Strom, (Fließ)gewässer ‖ Gang, Lauf, Bewegung, Schwung

flüssig: verflüssigt, geschmolzen, zerflossen, aufgetaut ‖ → fließend ‖ liquid, zahlungsfähig, solvent, verfügbar; *ugs.:* bei Kasse

flüstern: hauchen, tuscheln, wispern, säuseln, fispern, zischeln, raunen, murmeln, leise reden, jmdm. etwas ins Ohr/heimlich sagen, mit gedämpfter Stimme sprechen

Flut: Hochwasser, auflaufendes/ansteigendes Wasser ‖ → Menge

fluten: strömen, fließen, s. ergießen, rinnen, quellen, wogen, branden, laufen ‖ eindringen, -fallen, hereinkommen

Flutlicht: Scheinwerfer-, Schlaglicht

Föderation: Bündnis, Staatenbund, Bundesstaat, Verband, -einigung, -bindung, Konföderation, Zusammenschluss

Fohlen: Jungpferd, Füllen

Föhn: Fallwind ‖ Haartrockner, -trockengerät, Heißlufttrockner

föhnen: die Haare trocknen

Föhre: *reg.:* Kiefer

Folge: (Aus)wirkung, Konsequenz, Ergebnis, Resultat, Erfolg, Frucht, Antwort, Strafe, Reich-, Tragweite, Effekt, Lohn, Dank, Fazit, (End)produkt, Summe, Nachwirkung, -spiel, -wehen; *ugs.:* das Ende vom Lied, die

Bescherung/Quittung, Salat ‖ Reihe, Fortsetzung, Serie, Reihenfolge, Sequenz, Aufeinander-, Abfolge, Reihung, Turnus, Zyklus

folgen: hinterher-, nachgehen, s. anschließen, nachfolgen, -kommen, mitgehen, hinterdreinkommen ‖ zuhören, aufpassen, s. anhören, lauschen, s. konzentrieren auf, aufmerksam/hellhörig sein, verfolgen, das Augenmerk richten auf, Beachtung/Aufmerksamkeit schenken, beachten; *ugs.:* bei der Sache/ganz Ohr sein, dabei sein ‖ s. leiten lassen von, gehen nach, s. richten nach, s. halten an ‖ gehorchen, hören auf, Folge/Gehorsam leisten, gehorsam sein, Gefolgschaft leisten, befolgen; *ugs.:* parieren, spuren ‖ die Nachfolge antreten, ein Amt übernehmen; *ugs.:* in jmds. Fußstapfen treten ‖ **f. können:** verstehen, begreifen, erfassen, Schritt halten, nachvollziehen, durchblicken, s. vorstellen; *ugs.:* kapieren, schalten, fressen ‖ **f. aus:** s. zeigen, resultieren aus, s. ergeben, hervorgehen, deutlich/sichtbar/erkennbar werden, zur Konsequenz haben, herauskommen, s. herausstellen, s. erweisen, s. entpuppen, s. erhellen, s. herausschälen

folgend: (zu)künftig, später, nach-, darauf folgend, kommend, weiter, nächst, hinterher ‖ nachstehend, weiter unten, an späterer Stelle

folgendermaßen: auf folgende/diese Art und Weise, in dieser Weise, derart, so, folgenderweise, dergestalt, solcher-, dermaßen, wie folgt; *öster.:* dieserart; *schweiz.:* derweise

folgenreich → folgenschwer

folgenschwer: wesentlich, einschneidend, weit tragend/reichend, bedeutend, ausschlaggebend, entscheidend, beträchtlich, erheblich, außerordentlich, gravierend, schwer wiegend, gewichtig, bestimmend, fol-

genreich, ernst, essenziell, zentral, relevant, fatal, bedrohlich, gefährlich, verhängnisvoll, unglückselig, katastrophal, unheilvoll

folgerichtig: konsequent, logisch, folgerecht, schlüssig, systematisch, denknotwendig, deduzierbar, deduktiv

folgern: schließen, den Schluss/eine Folgerung ziehen, ab-, herleiten, urteilen, ersehen, schlussfolgern, deduzieren, entnehmen, zu dem Schluss kommen, konkludieren, induzieren, entwickeln

Folgerung: Schluss, Konsequenz, Konklusion, Schlussfolgerung, Folge, Ab-, Herleitung, Deduktion, Lehre, Induktion

folgewidrig: unlogisch, inkonsequent, widerspruchsvoll, unvorschriftsmäßig, widersinnig, paradox

folglich: darum, aus diesem Grund, deswegen, -halb, demnach, daher, also, mithin, somit, infolgedessen, demgemäß, danach, logischerweise, ergo, demzufolge, sonach, aufgrund dessen, dementsprechend, insofern

folgsam: gehorsam, fügsam, ergeben, artig, brav, anständig, lieb, gefügig, zahm, botmäßig, gutwillig, willfährig, wohl erzogen, lenkbar, willig, manierlich

Folgsamkeit → Gehorsam

Folie: Hintergrund, Rahmen, Fond, Tiefe, Background

folkloristisch: volkstümlich, -verbunden, populär

Folter → Qual ‖ → Misshandlung

foltern → quälen

Fond: Hinter-, Rücksitz ‖ (Hinter)grund, Folie, Background ‖ Brühe, Fleischsaft

Fonds → Fundus

Fontäne: Springbrunnen; *schweiz.:* Spritzbrunnen

foppen → narren ‖ → necken

forcieren: vorantreiben, beschleuni-

gen, verstärken, nachhelfen, intensivieren, ankurbeln, das Tempo steigern; *ugs.:* einen Zahn zulegen, Dampf/Druck dahinter setzen, auf Touren bringen, Beine machen, den Hahn aufdrehen, einen Gang zulegen, auf die Spitze treiben
Förderer: Mäzen, Sponsor, Gönner, Geldgeber, Wohltäter; *ugs.:* edler Spender
förderlich → fruchtbar
fordern: verlangen, geltend machen, s. ausbitten/-bedingen, bestehen auf, abfordern, beanspruchen, den Anspruch erheben, postulieren, eine Forderung anmelden/erheben/(auf) stellen, wünschen, wollen, zur Bedingung machen, begehren, dringen auf, heischen, ansinnen, beharren/pochen/insistieren auf ‖ **sich f.** → s. anstrengen
fördern: unterstützen, protegieren, lancieren, helfen, vorwärts-, emporbringen, Förderung angedeihen lassen, die Bahn ebnen, begünstigen, favorisieren, aufbauen, in den Sattel helfen, s. verwenden für; *ugs.:* auf die Sprünge helfen, unter seine Fittiche nehmen, hochbringen ‖ → sponsern ‖ gewinnen (Kohle), ausbeuten, abbauen
Förderung: Gewinnung, Abbau ‖ Protektion, Unterstützung, (Bei)-hilfe, Gönnerschaft, Fürsprache, Beistand
Form: Gestalt, Fasson, Formung, Zuschnitt, Kontur, Machart, Bauweise, Design, Styling ‖ Art, Manieren, Anstand, Benehmen, Etikette, Anstandsregeln, -vorschriften, Haltung ‖ **in F.** → fit
formal: äußerlich, formell, dem Buchstaben nach, unpersönlich, der Form nach, bürokratisch, vorschriftsmäßig
Formalität: Formsache, -vorschrift, Formalie, Äußerlichkeit, Vorschrift,

Förmlichkeit; *ugs.:* Formen-, Büro-, Papierkram
Format: (Aus)maß, Größe, Form, Umfang, Stärke, Nummer, Kaliber ‖ Haltung, Niveau, Bedeutung, Rang, Qualität, Geltung, Profil, Persönlichkeit, Charakter
Formation: Truppenverband, -einheit, -teil, Gliederung, Aufstellung, Zusammensetzung ‖ Bildung, Gestaltung, Struktur, Gefüge, Beschaffenheit, Aufbau, Gepräge
Formblatt: Formular, Vordruck
Formel → Redewendung ‖ mathematischer Satz, Kurzform ‖ → Phrase
formelhaft → schematisch ‖ → phrasenhaft
formell → förmlich
formen: bilden, gestalten, modellieren, Form/Gestalt geben, ausarbeiten, in eine Form bringen, anfertigen, erschaffen ‖ → beeinflussen
formidabel → außergewöhnlich
formieren: aufstellen, gruppieren, in eine bestimmte Ordnung bringen, zusammenstellen, zusammensetzen, gliedern, anordnen, einteilen ‖ **sich f.** → s. bilden
förmlich: steif, unpersönlich, äußerlich, der Form nach, formell, konventionell, zeremoniell, in aller Form ‖ regelrecht, ausgesprochen, buchstäblich, geradezu, direkt, nachgerade ‖ amtlich, offiziell, dienstlich, nach Vorschrift ‖ zum Schein, nach außen hin, pro forma, nur der Form halber
formlos: ungestaltet, -gegliedert, -geformt, -strukturiert, -förmig, struktur-, gestaltlos, amorph ‖ → zwanglos
Formsache → Formalität
Formular: Vordruck, Formblatt
Formulierung: Ausdruck, Wortlaut, (Ab)fassung, Text ‖ → Redewendung
forsch: frisch, schneidig, unternehmend, schwungvoll, flott, schmissig, wendig, rasant, munter, energisch, dynamisch, stramm, entschlossen,

zielbewusst, resolut, kühn, beherzt, furchtlos, dezidiert, selbstbewusst, tatkräftig

forschen: eruieren, zu erkennen/finden/entdecken suchen, recherchieren, ermitteln, (unter)suchen, auskundschaften, ergründen, fahnden nach, nach-, erforschen, in Erfahrung bringen/ausfindig machen/auf die Spur kommen wollen, durchleuchten, nachspüren, -gehen, studieren, explorieren, analysieren, s. (eingehend) befassen/auseinander setzen/beschäftigen mit, auf den Grund gehen

Forscher → Gelehrter

Forst: Wald, Holz, Waldung, Gehölz

fort: weg, nicht zu Hause/da(heim)/anwesend/zugegen, anderswo, von dannen, dahin, abwesend, unterwegs, absent, auswärts, -häusig, aus-, fortgegangen, unerreichbar, fern, auf Reisen, verreist; *ugs.:* aus, auf der Achse, ausgeflogen ‖ → verschwunden ‖ → verloren ‖ **in einem f.** → dauernd

Fort → Festung

fortan → künftig

fortbegeben, sich → weggehen

Fortbestand → Dauer

fortbestehen: (an)dauern, weiterbestehen, s. erhalten, bleiben, fortdauern, weitergehen, s. fortsetzen, (fort)währen, anhalten, überleben, weiterwirken, Bestand haben, von Dauer sein, s. hinziehen, kein Ende haben/nehmen, s. erstrecken über, überdauern, fortleben

fortbewegen: von der Stelle bringen/entfernen/rücken, wegrücken, -schieben, beiseite schieben ‖ **sich f.** → gehen ‖ → laufen

fortbilden, sich: s. weiterbilden/-entwickeln, weiterlernen, sein Studium/seine Ausbildung fortsetzen, seine Kenntnisse/sein Wissen ausbauen/vervollständigen/erweitern/

vergrößern, s. qualifizieren, s. vervollkommnen, an s. arbeiten

fortbleiben: weg-, fern-, ausbleiben, fehlen, s. fernhalten, nicht kommen/eintreffen, nicht da sein/anwesend sein

fortbringen → wegräumen

Fortdauer → Dauer

fortdauern → fortbestehen

Fortentwicklung → Fortschritt

fortfahren: abreisen, -fahren, s. auf die Reise begeben/machen, verreisen, wegfahren, auf Reisen gehen, Ferien/Urlaub machen, aufbrechen ‖ fortsetzen, -schreiten, weiter-, fortführen, weitermachen, -gehen, wieder aufnehmen/beginnen, weiterspinnen, -verfolgen; *ugs.:* den Faden wieder aufnehmen

fortfallen: weg-, ent-, ausfallen, unterbleiben, nicht in Betracht/in Frage kommen, ausscheiden, nicht zur Diskussion stehen; *ugs.:* ins Wasser/unter den Tisch fallen, flachfallen

fortführen → fortfahren

Fortgang: Ab-, Fort-, Verlauf, Entwicklung, Weitergang, Folge, Fortsetzung, Lauf, Prozess, (Her)gang, Werdegang, Progress

fortgehen → weggehen

fortgesetzt → dauernd

fortjagen: vertreiben, hinauswerfen, verstoßen, -bannen, -scheuchen, davon-, ver-, wegjagen, in die Flucht schlagen, vergrämen, ausstoßen, die Tür weisen, den Laufpass geben; *ugs.:* hinausbefördern, vor die Tür setzen, hinausschmeißen, -feuern, schassen, zum Teufel jagen

fortkommen → verloren gehen ‖ → Erfolg haben

Fortkommen: Vorwärts-, Emporkommen, Erfolg, Fortschritt, Aufschwung ‖ Auskommen, Lebensführung, Dasein, Existenz

fortlassen → auslassen

Fortlauf → Fortgang

fortlaufen: fort-, weg-, davonrennen, davonsausen, -laufen, -hasten, -stieben, fortsausen, -eilen, -stürzen, -stürmen ‖ → fliehen

fortlaufend: kontinuierlich, kursorisch, in stetigem Fortgang, anschließend, ohne Unterbrechung ‖ → dauernd

fortleben → fortbestehen

fortmachen, sich → weggehen

fortpflanzen, sich: s. vermehren, Nachkommen hervorbringen/zeugen, die Art erhalten ‖ s. ver-/ausbreiten

forträumen → wegräumen

fortschaffen → wegräumen

fortschicken: wegschicken, zu gehen auffordern, zum Weggehen veranlassen, die Tür weisen, den Laufpass geben, hinauswerfen, abweisen, -wimmeln; *ugs.:* hinausbefördern, vor die Tür setzen

fortschleichen, sich → s. fortstehlen

fortschreiten: Fortschritte machen, s. weiterentwickeln, vorankommen, weitergehen, vorwärtskommen, gedeihen, s. entfalten, reifen, florieren, Erfolg haben, blühen ‖ → fortfahren

Fortschritt: Weiter-, Fort-, Aufwärtsentwicklung, Erfolg, Zunahme, Neuerung, Progress, Wachstum, Entfaltung, Aufschwung, Aufstieg, Steigerung, Weiterkommen, Verbesserung

fortschrittlich: progressiv, revolutionär, entwickelt, avantgardistisch, zukunftsweisend, -gerichtet, -orientiert, vorkämpferisch, zeitgemäß, mit der Zeit, modern, en vogue, innovativ

fortschrittsfeindlich → reaktionär

fortsetzen → fortfahren

fortstehlen, sich: s. fort-/wegschleichen, s. davonstehlen, s. heimlich entfernen/wegbegeben; *ugs.:* s. verdrücken/-dünnisieren, verduften, s. aus dem Staub machen, verschwinden, s. verkrümeln, ausrücken, s. auf

französisch empfehlen, s. heimlich davonmachen, stiften gehen

fortwähren → fortbestehen

fortwährend → dauernd

fortwerfen → wegwerfen

fortziehen: um-, weg-, ver-, ausziehen, um-, übersiedeln, den Wohnsitz/Aufenthaltsort verlegen, weggehen, den Ort verlassen, seine Zelte abbrechen, seine Wohnung aufgeben/wechseln/auflösen/räumen, s. verändern

Forum: Gremium, Kreis, Runde, Zirkel, Ausschuss, Kommission ‖ öffentliche Diskussion, Aussprache, Debatte, Meinungsaustausch ‖ Versammlungsort, Öffentlichkeit, Plattform

Fossil: Versteinerung, Petrefakt

Foto → Fotografie

fotogen: bildwirksam, zum Fotografieren geeignet

Fotografie: (Licht)bild, Foto, Aufnahme, Abbild(ung), Diapositiv, Wiedergabe, Schnappschuss, Momentaufnahme, Passfoto, Porträt

fotografieren: ein Foto/Bild/eine Fotografie/Aufnahme machen, aufnehmen, auf dem Film festhalten; *ugs.:* knipsen, ein Foto schießen

Fotokopie: Ablichtung, Lichtpause, Vervielfältigung, Wiedergabe, Kopie, Reproduktion, Hektografie, Xerokopie, Dublette

fotokopieren: eine Fotokopie/Ablichtung/Lichtpause machen, ablichten, vervielfältigen, kopieren, lichtpausen, xerokopieren, reproduzieren, hektografieren

Fotomodell: Model, Modell; *f.:* Mannequin, Vorführdame; *m.:* Dressman

Fötus: Leibesfrucht, Embryo, Fetus

Foul: Verstoß, Regelwidrigkeit, Unsauberkeit

Foyer: Vorraum, Wandelhalle, -gang, Vestibül, Aufenthaltsraum

Fracht: Ladung, Versand-, Fracht-, Stückgut, Fuhre, Transport, Sendung, Schub, Lieferung, Warenmenge, Posten, Last

Frage: An-, Nachfrage, Erkundung, -mittlung || Thema, Problem, Angelegenheit, Fragestellung, Problematik, Aufgabe, Schwierigkeit, Sache, Fall, Punkt

fragen: eine Frage stellen/aufwerfen, um Auskunft bitten, eine Auskunft erbitten, eine Frage richten an-, vorbringen/-legen, be-, anfragen, s. wenden an, wissen wollen, um Aufschluss bitten, zurate ziehen, konsultieren, ermitteln, anklopfen, -tippen || **sich f.:** s. die Frage stellen, → denken || **f. nach:** s. kümmern um, s. erkundigen, Erkundigungen einziehen, nachfragen, zu ermitteln suchen, s. umhören/-tun, s. informieren, s. orientieren, auskundschaften; *ugs.:* die Ohren offen halten, herumhorchen || **f. um** → bitten

fragil: zart, zerbrechlich, fein, durchsichtig, leicht, duftig, zierlich, grazil, feingliedrig, gläsern, delikat, (hauch)dünn

fraglich: zweifelhaft || betreffend, genannt, in Rede stehend, besagt, vorerwähnt

fraglos ohne Frage, bestimmt, sicher, zweifellos, unbestritten, -streitig, -widerlegbar, -zweifelhaft, -bezweifelbar, zweifelsfrei, außer Zweifel, auf jeden Fall, absolut, uneingeschränkt, gewiss

Fragment: Bruchstück, (Über)rest, Torso, Teil, unvollständiges Werk

fragmentarisch → unvollständig

fragwürdig → zweifelhaft || → anrüchig

Fraktion: Lager, Gruppe, Sektion, Block, Partei

frankieren → freimachen

frappant: überraschend, auffallend, ins Auge springend, verwunderlich, bemerkenswert, verblüffend, unerwartet, außergewöhnlich, -ordentlich, erstaunlich, groß, eindrucksvoll, erheblich, beachtlich, imposant, schlagend, unvermutet, markant, hervorstechend, krass

frappieren → überraschen

Fraß: Fressen, Tiernahrung, Futter || *derb:* Sau-, Hunde-, Schlangenfraß, Saufutter

fraternisieren → s. verbrüdern

Fratze → Gesicht || Fratzenspiel, Grimasse || Zerrbild, -spiegel, Entstellung, Verzerrung, -fälschung

Frau: Dame, weibliches Wesen, Sie; *scherzh.:* Krone der Schöpfung, Frauenzimmer, Eva; *abwertend:* Weibsbild, -person, -stück, Weib(chen), Frauensperson; *derb:* Schrulle, Schachtel, Zicke || → Ehefrau || **Frauen:** das schwache Geschlecht, Frauenwelt, -volk, die Weiblichkeit

Frauenarzt: Gynäkologe

Frauenbewegung: Feminismus, Kampf um die Rechte der Frau/die Gleichberechtigung/die Gleichstellung, Emanzipationsbewegung; *abwertend:* Emanzenbewegung

Frauenheld: Casanova, Don Juan, Herzensbrecher, Belami, Schürzenjäger, Frauenliebling, -jäger, Playboy, Charmeur, Verführer, Schwerenöter; *ugs.:* Weiberheld, Wüstling, Ladykiller

Frauenrechtlerin → Feministin

Fräulein: Jungfer, Jungfrau, Unverheiratete || Kellnerin, Serviererin, Bedienung, Serviermädchen; *schweiz.:* Saaltochter

fraulich: weiblich, feminin, frauenhaft

Freak → Anhänger || → Gammler

frech: ungezogen, -verschämt, -verfroren, -gebührlich, -manierlich, -artig, -gehobelt, schamlos, dreist, anmaßend, schnippisch, vorlaut, gemein, impertinent, flegelhaft, keck, grob, beleidigend, ausfallend, frivol, unhöflich, lausbübisch, angriffslustig, patzig, derb; *öster.:* präpotent; *ugs.:* rotzig, nassforsch, schnodderig, pampig, geschert

Frechdachs: (Lause)bengel, Schlingel, Strolch, Range, Wildfang, Springinsfeld, Lausbub(e), Flegel, Frechling, Schelm, Lausejunge, Lauser, Spitzbube; *ugs.:* Strick, freches Stück, Luder, Rotzjunge, -bub, -nase, -löffel, freche Schnauze, Lümmel, Früchtchen

Frechheit: Unverschämtheit, -verfrorenheit, -gezogenheit, Schamlosigkeit, Beleidigung, Zumutung, Dreistigkeit, Chuzpe, Impertinenz, Bodenlosigkeit, Unart; *ugs.:* ein starkes Stück, starker Tobak

frei: unabhängig, -gebunden, selbständig, autark, autonom, auf s. gestellt, unbeschränkt, -behindert, sein eigener Herr, emanzipiert, auf eigenen Füßen stehend, fessellos, souverän, selbstverantwortlich, ohne Zwang, unbelastet, -kontrolliert, -beaufsichtigt, für s. allein, uneingeschränkt ‖ ledig, unverheiratet, -vermählt, allein (stehend); *ugs.:* noch zu haben ‖ verfügbar, disponibel, zur Verfügung, unbesetzt, zu haben, leer, vakant, offen ‖ entlassen, wieder in Freiheit, befreit, erlöst ‖ aus dem Stegreif, unvorbereitet, improvisiert, ohne Vorbereitung; *ugs.:* freihändig ‖ kostenlos, gratis, umsonst, gebührenfrei, unentgeltlich, ohne Geld ‖ → zwanglos

freibekommen → befreien

Freibrief: Rechtfertigung, Erlaubnis, Recht, Plazet, Freistellung, Gewährung, Billigung, Zustimmung, Lizenz, Ermächtigung, Berechtigung, Konzession, Befugnis; *ugs.:* Persilschein, Blankoscheck

Freidenker → Freigeist

Freie: Natur, Feld und Wald, Landschaft, die frische Luft; *ugs.:* das Grüne

freien: anhalten um, einen Heiratsantrag machen, werben/s. bemühen um, den Hof machen, um jmds. Hand bitten, die Ehe antragen; *ugs.:* buhlen um, nachlaufen, auf die Freite gehen

Freier → Bewerber

freigeben → freilassen ‖ zulassen, übergeben ‖ beurlauben, Urlaub geben, befreien, suspendieren, freistellen, entbinden

freigebig: großzügig, gebe-, schenkfreudig, generös, hoch-, weitherzig, nobel, splendig, eine offene Hand habend; *ugs.:* spendabel; *schweiz.:* large

Freigeist: Freidenker, Glaubensloser, Atheist, Gottloser, Ungläubiger, Religions-, Konfessionsloser, Liberaler, Aufgeklärter

freigeistig → freisinnig

freigiebig → freigebig

freihalten: einladen, bezahlen, spendieren; *ugs.:* einen ausgeben, Spendierhosen anhaben, in Geber-/Spendierlaune sein, seinen sozialen Tag haben, zum Besten geben, eine Runde geben/stiften, etwas springen lassen ‖ → reservieren

Freiheit: Unabhängig-, Selbständigkeit, Selbstbestimmung, Eigenständigkeit, Freizügigkeit, Autarkie, Ungebundenheit, Libertät, Zwanglosigkeit, Autonomie ‖ (Vor)recht, Privileg, Vergünstigung

freiheitlich: liberal, repressionsfrei, ohne Zwang, demokratisch, freiheitsliebend

Freiheitsentzug: Gefangenschaft, Arrest, Freiheitsstrafe, -beraubung, Haft, Gewahrsam, Gefängnis; *veraltet:* Zuchthaus; *ugs.:* Knast

Freiheitskampf: Widerstands-, Befreiungs-, Partisanenkampf, Guerillakrieg

Freiheitskämpfer → Freischärler
Freiheitsstrafe → Freiheitsentzug
freiheraus → aufrichtig
freikämpfen → befreien
freikaufen: loskaufen, Lösegeld bezahlen, retten; *öster.:* auslösen
Freikörperkultur: Nacktkultur, FKK, Nudismus
freilassen: ent-, herauslassen, auf freien Fuß/in Freiheit setzen, freigeben, die Freiheit wiedergeben/schenken, freisetzen, gehen/laufen lassen ‖ → reservieren
freilegen: aufdecken, ausgraben, -schaufeln, -heben, bloßlegen, sichtbar machen, an die Oberfläche bringen
freilich: allerdings, aber, (je)doch, indes, allein ‖ ja, natürlich, gewiss, selbstverständlich, sicher(lich), zwar, wohl, auf jeden Fall, ohne Frage, zweifellos, allemal; *ugs.:* klar, klarer Fall
freimachen: frankieren, mit Briefmarken versehen, Marken aufkleben, postfertig machen ‖ **sich f.** → s. ausziehen
Freimarke: (Brief)marke, (Post)wertzeichen
freimütig → aufrichtig
Freischärler: Guerilla, Guerillero, Partisan, Widerstands-, Freiheits-, Untergrundkämpfer, Aufständischer, Rebell
freisinnig: freigeistig, liberal, aufgeklärt, freidenkend, tolerant, freigesinnt, undogmatisch, offen
freisprechen: lossprechen, absolvieren, entsühnen, von Sünden/einer Schuld befreien, vergeben, Absolution erteilen, verzeihen, für unschuldig erklären, exkulpieren, etwas erlassen
freistehen: überlassen/anheim gestellt/unbenommen/erlaubt/gestattet sein, dürfen, können, offenstehen
freistellen: anheim stellen, überlas-

sen, zubilligen, anheim geben, einräumen, freie Hand lassen, konzedieren, gestatten, in jmds. Ermessen stellen, jmdn. selbst entscheiden lassen, jmdm. etwas vorbehalten
Freitod: Selbstmord, -tötung, -entleibung, Suizid ‖ **den F. wählen** → s. umbringen
freiweg → aufrichtig
freiwillig: aus eigenem Willen/Antrieb, aus freien Stücken, ungefragt, -geheißen, -aufgefordert, -gezwungen, spontan, nach eigenem Belieben, ohne Zwang/Druck, aus s. heraus, von selbst/selber, ohne Aufforderung, gutwillig, automatisch, selbstverständlich; *ugs.:* von allein
Freizeit: Muße, Feierabend, Mußestunden, nach Dienstschluss/der Arbeit
freizügig → tolerant ‖ → freigebig
fremd: unbekannt, nicht vertraut, fremdartig, fern (stehend), ungewohnt, verschieden ‖ fremdländisch, exotisch, orts-, wildfremd, ausländisch, -wärtig, nicht von hier, von außerhalb ‖ nicht geläufig/zugänglich/gegenwärtig, ungeläufig
fremdartig → fremd
Fremde: Ferne, Ausland, Übersee, die weite Welt ‖ Gäste, Reisende, Touristen, Urlauber ‖ Ausländer, Fremdlinge, Unbekannte
Fremdenführer: Reiseführer, -begleiter, -leiter ‖ *w.:* Hostess
Fremder: Unbekannter, Ausländer, Fremdling, ein fremder Mann
fremdgehen: *(ugs.):* ehebrechen, Ehebruch begehen, untreu sein, betrügen, einen Seitensprung machen; *ugs.:* Hörner aufsetzen
Fremdherrschaft: Besatzung, Besatzungsmacht, -truppen, -armee, Okkupationsmacht; *ugs.:* Besatzer
Fremdkörper: Einsprengsel, Störenfried, Eindringling, Ruhestörer
fremdländisch → fremd

Fremdling → Fremder
frenetisch: rasend, tobend, leidenschaftlich, stürmisch, wild, toll, ungestüm, enthusiastisch, begeistert, heftig, tosend
frequentieren → besuchen
Fressalien → Lebensmittel
Fresse → Gesicht ‖ → Mund
fressen: grasen, weiden, äsen, schlingen, futtern ‖ → essen ‖ *ugs.:* (ver)brauchen, -schlingen, schlucken ‖ angreifen (Rost), zerstören, -setzen ‖ **es f.** → verstehen
Fressgier → Gefräßigkeit
Freude: Frohsein, Fröhlichkeit, Entzücken, Glück, Frohsinn, Wonne, Beglückung, Glückseligkeit, Hochgefühl, Jubel, Triumph, Vergnügen, Begeisterung, Stimmung, Wohlgefallen, Zufriedenheit, Behagen ‖ Genuss, Vergnüglichkeit, Lust, Spaß, Ergötzen, Pläsier, Befriedigung
Freudenausbruch → Jubel
Freudenhaus: Bordell, Dirnenhaus, öffentliches Haus, Etablissement, Eroscenter; *derb:* Puff, Hurenhaus
Freudenmädchen → Prostituierte
Freudentaumel → Jubel
freudestrahlend → freudig
freudig: voll Freude, froh, freudestrahlend, -voll, glücklich, frohmütig, -gemut, erfreut, munter, fröhlich, zufrieden, sonnig, beschwingt, ungetrübt, wohlgemut, -gefällig, heiter, (glück)selig, optimistisch, fidel, vergnügt ‖ gut, erfreulich, vergnüglich, wohl tuend, günstig, vorteilhaft, angenehm, freudenreich, erquicklich
freudlos: ohne Freude, traurig, trostlos, betrübt, unglücklich, leidvoll, gebrochen, elend, schwermütig, freudenarm, -leer, desolat, trist, düster, dunkel, öde, pessimistisch, bedrückt, unfroh, bekümmert, mut-, lustlos
freuen: erfreuen, Freude bereiten/machen, beglücken, froh machen/

stimmen, erbauen, entzücken, glücklich/Spaß machen, zufrieden stellen, behagen, gefallen, ergötzen ‖ **sich f.:** Freude haben/empfinden, s. erfreuen/-götzen, s. weiden an, s. vergnügen, froh/glücklich/begeistert/ heiter sein, jubilieren, frohlocken, jubeln, (Wohl)gefallen haben/finden an, strahlen, guter Dinge sein, jmdm. hüpft das Herz/lacht das Herz im Leibe; *ugs.:* s. freuen wie ein Schneekönig, vor Freude an die Decke springen, Hurra schreien
Freund: Kamerad, Herzensbruder, Gespiele, Vertrauter, Gefährte, Intimus, Genosse, Verbündeter, Getreuer; *ugs.:* Kumpel, Kumpan, Spezi ‖ Geliebter, Liebhaber, Liebster, Bekannter, der Erklärte, Schatz, Partner, Galan, ständiger Begleiter, Liebling, Kavalier; *ugs.:* Verhältnis, Macker, zweite Hälfte, Herzblatt, Amigo, Lover
Freundeskreis: die Freunde, Bekannte(nkreis), Anhänger-, Bekanntschaft, Anhang, Clique, Zirkel, Kreis; *ugs.:* Blase, Clan; *öster.:* Haberer
Freundin: Vertraute, Gespielin, Kameradin, Gefährtin, Verbündete, -traute; *ugs.:* Kumpanin, Kumpel ‖ Geliebte, Liebste, Liebling, Liebhaberin, Schatz, Partnerin, ständige Begleiterin, Holde, Herzensdame, Traute, Liebchen, Herz(blatt), Auserwählte; *ugs.:* Flamme, Verhältnis, die andere Hälfte, (Top)schnecke
freundlich: liebenswürdig, entgegen-, zuvorkommend, freundschaftlich, jovial, gut gemeint, nett, herzlich, wohlwollend, -meinend, wohlgesinnt, gefällig, gütig, gut gelaunt, heiter, höflich, kordial, zugetan, einnehmend, warm, lieb, sympathisch, annehmlich ‖ angenehm (Wetter), sonnig, schön, hell, strahlend, klar
Freundlichkeit → Güte

Freundschaft: Kameradschaft, Verhältnis, Brüderschaft, Verbundenheit, -bindung, Beziehung, Bund, Geistesverwandtschaft, Zusammengehörigkeit, Gemeinschaft, Eintracht; *ugs.:* Kumpanei

freundschaftlich → brüderlich

Frevel: Entgleisung, Verstoß, -gehen, -brechen, -fehlung, Schurkerei, Zuwiderhandlung, Misse-, Untat, Delikt, Sünde, Übertretung, Sakrileg, Lästerung, Schand-, Frevel-, Straf-, Übeltat

frevelhaft → lästerlich

freveln: sündigen, verstoßen, s. vergehen, übertreten, fehlen, eine Sünde/einen Fehltritt/Frevel begehen, Unrecht tun, abirren, vom Wege abkommen

Friede(n): Ruhe, Eintracht, -klang, -vernehmen, Einigkeit, Harmonie, Stille, Entspannung, Verständigung, Friedenszustand, -zeit

friedfertig → friedlich

Friedhof: Kirchhof, Begräbnisstätte, Gottes-, Totenacker, Gräberfeld

friedlich: friedfertig, -sam, -liebend, -voll, -selig, versöhnlich, -träglich, gütlich, einträchtig, harmonisch ‖ still, ruhig, beschaulich, idyllisch ‖ pazifistisch

frieren: frösteln, Kälte empfinden, schauern, zittern, kalt sein, unter Kälte leiden, schaudern, schlottern, mit den Zähnen klappern; *ugs.:* bibbern, Gänsehaut bekommen, schnattern ‖ gefrieren, zu Eis werden, erstarren, unter den Gefrierpunkt sinken, vereisen, zufrieren

frigid(e): kühl, gefühlskalt, -arm, leidenschaftslos, unempfindlich, -empfänglich, impotent, nicht hingabefähig

Frikadelle: Fleischkloß, Bulette, Klops; *öster.:* Fleischlaberl; *reg.:* Fleischpflanzerl

frisch: von heute, frisch-, neubacken, taufrisch, jung ‖ sauber, unbenutzt, neu, ungebraucht ‖ kühl, frostig, eisig, kalt, schattig ‖ gesund, munter, blühend, unverbraucht, knackig, ausgeruht, erholt, rüstig, lebendig, fit, leistungsfähig, in Form, kraftvoll, kräftig; *ugs.:* auf der Höhe

frischweg → sofort

Friseur: Coiffeur, Barbier, Haarschneider, -künstler, Hairstylist, Haircutter; *scherzh.:* Figaro, Bader

Friseuse: Coiffeuse, Friseurin

frisieren: kämmen, die Haare machen, bürsten, das Haar ordnen, s. die Haare/Frisur richten ‖ *ugs.:* verändern, beschönigen, zurechtmachen, aufmöbeln, ausschmücken, verbrämen; *ugs.:* auf Touren bringen

Frisör → Friseur

Frist: Zeit(raum), Bedenkzeit, Zeitspanne, -punkt, Aufschub, Stundung, Atempause, Stichtag, Termin

fristen: darben, dahinleben, vegetieren, Hunger/Mangel/Not leiden, in Armut leben, s. mühsam durchbringen; *ugs.:* herumkrebsen, dahinvegetieren, s. durchschlagen

fristgemäß: rechtzeitig, pünktlich, zur rechten/richtigen Zeit, fahrplanmäßig, wie geplant, exakt, genau, ohne Verspätung, fristgerecht, wie vereinbart, ordnungsgemäß

fristlos: ohne Frist, (ab) sofort, augenblicklich, im Nu, auf der Stelle, ungesäumt, -verzüglich

Frisur: Haarschnitt, -tracht, -pracht, -putz

frivol: kess, → anstößig

froh: glücklich, dankbar, erleichtert, -löst, befreit, heilfroh, beruhigt, erfreut, entlastet ‖ → fröhlich

fröhlich: vergnügt, in froher Stimmung, gut gelaunt, frohmütig, -gestimmt, freudig, sonnig, guter Dinge/Laune, heiter, beschwingt, -flügelt, lustig, zufrieden, munter, unkompliziert, stimmungsvoll, lebhaft, frisch, lebendig, schwungvoll, froh(gemut), frohen Mutes, freudenvoll, ungetrübt, fidel, optimistisch

frohlocken → jubeln ‖ schadenfroh sein, s. die Hände reiben, s. weiden, s. heimlich freuen, lachen/spotten über, s. ins Fäustchen lachen

Frohsinn: Fröhlichkeit, gute Laune, Heiterkeit, heitere Stimmung, Humor, Geselligkeit, Frohmut, Munterkeit, Vergnügen, (Lebens)freude, Wonne

fromm: religiös, gläubig, gottergeben, -gefällig, glaubensstark, gottesfürchtig, heilsgewiss, orthodox, kirchlich, demütig, andächtig, gottselig

frömmlerisch: bigott, frömmelnd, scheinheilig, -fromm, heuchlerisch

Fron: Härte, Mühe, Plage, Mühsal, Knechtschaft, Last, Plackerei, Anstrengung, Sklaverei; *ugs.:* Schinderei, Knochen-, Hundearbeit, Rackerei

frönen: s. hingeben, aufgehen in, s. ergeben, auskosten, genießen, s. ausleben, s. erbauen/-götzen, huldigen, verfallen sein, s. überlassen

Front: Fassade, Vorderseite, -ansicht, Schau-, Stirn-, Straßenseite, Hauptansicht ‖ Kampf-, Gefechts-, Feuer-, Hauptkampflinie, Feld, Kriegsschauplatz, Kampfplatz, -zone, Schlachtfeld

frontal: von vorn, frontseitig, vorn befindlich, an der Vorderseite

Frosch: Lurch, Unke, Kröte; *reg.:* Krott(n), Pogg(e), Padde, Hütsch(ke), Gecke, Ütze, Lork(e); *ugs.:* Hüpfer, Quaker

Frost: Temperatur unter Null/dem Gefrierpunkt, → Kälte

frösteln → frieren

frostig: kühl, (bitter)kalt, frisch, eisig, winterlich, unterkühlt, frostklirrend; *ugs.:* sau-, hunde-, lausekalt ‖ unfreundlich, abweisend, unzugäng-

lich, distanziert, unnahbar, spröde, herb, reserviert

frottieren: abreiben, -trocknen, trockenreiben; *ugs.:* abrubbeln, ribbeln

frotzeln → necken

Frucht: Obst ‖ → Ergebnis

fruchtbar: ertragreich, Frucht bringend, ergiebig, fett, üppig, tragend, einbringlich, trächtig ‖ nützlich, effektiv, produktiv, ersprießlich, gedeihlich, erfolgreich, nutzbringend, förderlich, dienlich, wirksam, konstruktiv, aufbauend, positiv, wegweisend, gut, sinnvoll, hilfreich, programmatisch, von Nutzen, interessant, lohnend, schöpferisch ‖ zeugungs-, fortpflanzungs-, vermehrungsfähig, geschlechtsreif, fertil, potent

Früchtchen: Schelm, Schlingel, Strolch, Schlitzohr, Bürschchen, Lausbub, Tunichtgut

Früchtebrot: *reg.:* Hutzelbrot; *öster.:* Kletzenbrot

fruchten: nutzen, helfen, Erfolg haben, wirken, Wirkung zeigen/zeitigen, nützen, von Nutzen sein, Nutzen bringen, seine Wirkung tun, einschlagen, zur Geltung kommen, s. auszahlen, Gewinn bringen, Früchte tragen, dienen, s. bezahlt machen; *ugs.:* ziehen

fruchtlos → nutzlos

Fruchtpresse: Entsafter, Saft-, Obstpresse, (Ent)moster, Presse; *ugs.:* Obstquetsche

frugal: mäßig, einfach, bescheiden, schlicht, kärglich, anspruchslos, genügsam, simpel, spartanisch, prunklos

früh: (früh)zeitig, bald, am Morgen, (früh)morgens, in der/aller Frühe, rechtzeitig, zur (rechten) Zeit, bei Tagesanbruch, beizeiten, beim ersten Hahnenschrei; *ugs.:* in aller Herrgottsfrühe

Frühe → Tagesanbruch

früher: ehedem, -mals, vormals, -dem, -her, -zeiten, einst, einmal, da-, zuvor, damals, Anno dazumal, seinerzeit, in/zu jener Zeit, einstens, einstmals, vor Zeiten/alters, dereinst, in fernen Tagen, es ist vorbei/lange her/vergangen, vorig, alt, gewesen, damalig; *ugs.:* verflossen ‖ einstig, bisherig, ehemalig, bis dato/jetzt ‖ eher, davor, vorher, sonst, wie immer

Frühgeschichte: Vor-, Urgeschichte, Prähistorie

Frühling: Frühjahr, Nachwinter, Vorsommer; *dicht.:* Maienzeit, Lenz

frühzeitig → früh

Frust → Frustration

Frustration: Ernüchterung, Miss-, Unbehagen, Frustrierung, Langeweile, Unbefriedigtsein, Überdruss, Unlust, Desillusionierung, Enttäuschung, Unzufriedenheit, Missmut, Verdrossenheit, Ärger; *ugs.:* Frust, kalte Dusche, Katzenjammer

frustrieren: enttäuschen, unbefriedigt lassen, vor den Kopf stoßen, verdrießen, ärgern, Un-/Missbehagen auslösen; *ugs.:* frusten, gegen den Strich gehen

frustriert → unzufrieden

Fuchs: *f.:* Füchsin; *volkst.:* Reineke Fuchs ‖ Schlaukopf, Schlitzohr, Filou; *ugs.:* Schlaumeier, -berger, Pfiffikus, Schlawiner, ein ganz Schlauer, Luder

fuchsen → ärgern

fuchteln: *(ugs.):* fuhrwerken, gestikulieren, hin und her bewegen; *ugs.:* herumfuchteln

fuchtig → wütend

Fuge: Spalt(e), Naht-, Verbindungsstelle, Einschnitt, Schlitz, Ritze, Lücke, Riss, Sprung, Furche, Loch, Leck, Rille

fügen: verbinden, anschließen, verknüpfen, -flechten, -einigen, -quicken, zusammenfügen, koppeln, anreihen ‖ **sich f.:** s. anpassen, nachge-

ben, ja sagen, gehorchen, s. beugen, einlenken, s. unterwerfen/-ordnen, zurückstecken, kapitulieren, parieren, Wünschen entsprechen/-gegenkommen, s. richten nach, konform gehen, zurückweichen; *ugs.:* klein beigeben, die Segel streichen, spuren, kuschen, s. ducken, nach der Pfeife tanzen, weich werden, in die Knie gehen, zu Kreuze kriechen, einen Rückzieher machen, kneifen, den Schwanz einziehen ‖ **sich f. in:** hinnehmen, s. abfinden mit, s. ergeben/ schicken in, akzeptieren, ertragen, s. zufrieden geben, s. begnügen, in Kauf nehmen; *ugs.:* in den sauren Apfel beißen

fügsam → folgsam

Fügung: Schicksal, Bestimmung, Schickung, Vorsehung, Prädestination, höhere Gewalt, Los

fühlbar: merklich, spürbar, sichtlich, wahrnehmbar, sichtbar, wirklich, erkennbar, deutlich, greifbar, einschneidend, auffallend, gravierend, tief gehend, offenbar, markant

fühlen: feststellen, merken, wahrnehmen, (ver)spüren, erleben, hegen, empfinden, tasten, bemerken, gewahr werden, gewahren, ergriffen/ bewegt werden von ‖ ahnen, vorhersehen, erspüren, auf s. zukommen sehen, ein Vorgefühl/eine innere Stimme/einen Verdacht/eine Befürchtung haben, annehmen, rechnen mit; *ugs.:* schwanen, tippen, Lunte riechen ‖ **sich f.:** s. befinden, gehen, zumute sein, s. vorkommen ‖ s. halten für, s. finden, der Meinung/ Ansicht sein

Fühlung: Kontakt, Beziehung, Verbindung, Berührung, Tuchfühlung

Fuhre: (Wagen)ladung, Fuder ‖ → Fracht

führen: geleiten, begleiten, gehen mit ‖ leiten, verwalten, an der Spitze stehen, befehligen, den Vorsitz führen, die Fäden in der Hand haben/halten, lenken, die Leitung innehaben, vorstehen, (be)herrschen, regieren, gebieten, formen, beeinflussen, -arbeiten, einwirken auf, dirigieren, kommandieren; *ugs.:* die Hauptrolle/erste Geige spielen ‖ anführen, führend/maßgeblich sein, den ersten Platz belegen, dominieren, überlegen sein, die Oberhand haben, die Spitze halten, Spitzenreiter/Favorit sein ‖ wegweisen, vorangehen, bahnbrechend sein, vorstoßen, Neuland betreten, die Richtung angeben, den Weg weisen/zeigen, vorzeichnen ‖ steuern, fahren, bedienen, -tätigen, chauffieren, lotsen, kutschieren handhaben; *ugs.:* bugsieren ‖ vorrätig/auf Lager/zur Verfügung haben ‖ **f. zu:** zur Folge/Konsequenz/zum Ergebnis/Resultat haben, mit s. bringen, nach s. ziehen, entstehen, herauskommen ‖ **sich f.:** s. betragen/-nehmen, s. verhalten

führend: tonangebend, wegweisend, bahnbrechend, vorherrschend, bestimmend, dominant, richtungweisend, maßgebend, überlegen, revolutionär, avantgardistisch, entscheidend, maßgeblich

Führer: Leiter, Begleiter, -treuer, Lenker, Vorsteher, Kapitän (Sport), Chef, Direktor, Oberhaupt, Kopf, Steuermann, Spiritus Rector, Führungskraft, Haupt, Anführer, Leader, Hauptmann, -person, Häuptling, Befehlshaber, Vorgesetzter; *ugs.:* Boss, Leithammel, Macher, Kopf ‖ Herrscher, Regent, Macht-, Gewalthaber, Potentat, Diktator, Tyrann, Alleinherrscher, Despot ‖ Fahrer, Chauffeur, Wagenlenker, Kraftwagenführer ‖ Wegweiser, Ratgeber, Anleitung, Plan, Handbuch

Führerschein: Fahrerlaubnis, -ausweis, -berechtigung

Führung: Leitung, Herrschaft, Regie, Verwaltung, Weisung, Vorsitz, Direktion, Vorstand, Gewalt, Spitze, Macht, Regiment, Lenkung, Ägide, Stab, Management, Oberaufsicht, Kontrolle, Direktorium, Kommando ‖ Besichtigung, Rundgang, -fahrt ‖ Benehmen, Verhalten, Betragen, Aufführung, -treten

Fuhrunternehmen: Spedition, Fuhrgeschäft, -betrieb, Transportunternehmen, -firma, Rollunternehmen; *schweiz.:* Camionnage

fuhrwerken: *(ugs.):* gestikulieren, hin und her bewegen, hantieren, wirtschaften, geschäftig sein; *ugs.:* herumfuchteln ‖ → arbeiten

Fülle → Vielfalt ‖ → Überfluss ‖ → Mengel ‖ Füllung, Füllsel, Füllmasse, Einlage, Farce ‖ → Körperfülle

füllen: voll machen/schütten/gießen/stopfen, an-, auf-, abfüllen, einschenken, hineinpressen ‖ einnehmen (Platz), beanspruchen, ausfüllen, fordern, (mit Beschlag) belegen, nötig haben, (ver)brauchen, verlangen ‖ **sich f.:** voll werden

Füllen: Fohlen, Jungpferd

Füller: Füllfederhalter; *ugs.:* Füllhalter

füllig → dick

Füllung → Fülle ‖ Einlage, Plombe, Inlay

fulminant → außergewöhnlich

fummeln: *(ugs.):* an-, berühren, anlangen an-, betasten, anfassen, s. zu schaffen machen an; *ugs.:* hinlangen, befingern, -fummeln, -tatschen, angrapschen ‖ (herum)basteln, bearbeiten; *ugs.:* pusseln, herummodeln, -murksen, -stochern

Fund: Fundsache, Entdeckung, Ausgrabung, Freilegung, Ausbeute, Enthüllung

Fundament: Grundmauer, -feste, -stein, Sockel, Unterbau, -teil, Fuß, Piedestal, Postament ‖ Basis, Grundlage, -stock, Unterlage, Voraussetzung, Ansatz-, Ausgangspunkt, Vorbedingung, Plattform, Substrat ‖ → Fundus

fundamental: grundlegend, -sätzlich, schwer wiegend, prinzipiell, elementar, absolut, von Grund auf, entscheidend, maßgebend, -geblich, wichtig, einschneidend, bedeutend, ausschlaggebend, bestimmend

fundieren: (be)gründen, belegen, untermauern, erhärten, einen Untergrund geben, das Fundament legen zu, konstituieren, errichten, stiften, etablieren

fundiert: bewandert, kundig, gebildet, -lehrt, -schult, informiert, wissend, sicher, unterrichtet; *ugs.:* sattelfest, gescheit ‖ hieb- und stichfest, gesichert, begründet, zuverlässig, unangreifbar, -widerlegbar, verbürgt, untermauert

Fundus: Grundlage, -stock, Bestand, Basis, Fundament, Inventar, Vorrat, Mittel, Quelle ‖ (Vermögens)reserve, Stock, Rücklage, Fonds, Geldvorrat; *ugs.:* Topf

fungieren: tätig/wirksam sein, amtieren / wirken / figurieren / auftreten / agieren/dienen als

Funk: Rund-, Hörfunk, Rundfunksender, Radio; *schweiz.:* Rundspruch

funkeln → leuchten

funkelnagelneu → neu

funken: morsen, einen Funkspruch durchgeben, drahtlos/durch Funk übermitteln, ausstrahlen, senden, übertragen, kabeln, telegrafieren ‖ → verstehen

Funktion: (An)stellung, Stelle, Amt, Posten, Position, Beruf ‖ Aufgabe, Auftrag, Bestimmung, Rolle, Arbeit, Pflicht, Obliegenheit ‖ Tätigkeit, Betätigung, Verrichtung, Beschäftigung, Wirksamkeit, Geschäft, Leistung, Dienst, Handwerk

Funktionär: Beauftragter, Parteiarbeiter, Repräsentant, Delegierter, Bevollmächtigter, Vertreter, Agent

funktionieren: ordnungsgemäß/ richtig/reibungslos ablaufen, gehen, arbeiten, laufen, in Betrieb/Gang/ auf Touren sein, von der Hand/glatt gehen, gut abgehen, vorschriftsmäßig/wie geplant erfolgen, nach Wunsch gehen; *ugs.:* klappen, in Ordnung sein, in Schuss sein, wie am Schnürchen/geschmiert gehen, flutschen

für: auf, zugunsten, pro, zuliebe, um, zu, an ‖ (an)statt, anstelle von, im Austausch, stellvertretend, ersatzweise, gegen, im Tausch gegen ‖ **f. sich** → einsam ‖ **f. mich:** meinetwegen, -halben, um meinetwillen, mir zuliebe

Fürbitte → Gebet ‖ → Fürsprache

Furche: Vertiefung, Einbuchtung, Mulde, Höhlung, Kerbe, Riss, Rille, Fuge, Schlitz, Ritz, Spalte ‖ Falte, Runzel, Krähenfüße; *ugs.:* Schrumpel

Furcht → Angst

furchtbar: schrecklich, entsetzlich, fürchterlich, erschreckend, abscheulich, Abscheu/Furcht/Entsetzen/ Grauen erregend, grausig, scheußlich, abstoßend, widerlich, ekelhaft, grässlich, gräulich, widerwärtig, schauderhaft, schlimm, verabscheuenswert, schändlich, übel, verwerflich, wüst, ruchlos, gemein, bestürzend, horrend, grauenhaft, -voll, horribel, beängstigend, schaurig, schauerlich, unheimlich ‖ → sehr

fürchten: befürchten, ahnen, bangen, Bedenken/Argwohn haben/hegen, argwöhnen, s. Gedanken/Sorgen/ Kummer machen, s. sorgen ‖ **sich f.** → s. ängstigen

fürchterlich → furchtbar ‖ → sehr

furchtlos → furchtfrei, frei von Furcht/Angst, ohne Furcht, → mutig

Furchtlosigkeit → Mut

furchtsam → ängstlich

Furie: Rachegöttin, Erinnye, Eumenide, Nemesis ‖ → Xanthippe

furios → wütend ‖ leidenschaftlich, wild, stürmisch, rasend, ungezügelt, kämpferisch, streitbar, aggressiv, offensiv, mitreißend, hitzig

Furore → Aufsehen ‖ F. **machen** → auffallen

Fürsorge: Pflege, Betreuung, Hilfe, Behandlung, Wartung, Versorgung, Fürsorglichkeit, Obsorge ‖ Sozialfürsorge, -hilfe, Diakonie

fürsorglich: sorgsam, besorgt, umsichtig, betulich, liebevoll, behutsam, schonungs-, hingebungsvoll, hingebend, rührend, mit Bedacht, rücksichtsvoll, schonend, achtsam, mütter-, väterlich

Fürsprache: Fürbitte, -spruch, Bitte, Befürwortung, Einsatz, Intervention ‖ Empfehlung, Protektion, Gönnerschaft

Fürsprecher → Anwalt

fürstlich: üppig, reichlich, prächtig, stattlich, königlich, pompös, aufwendig, herrlich, glanzvoll, schön, märchenhaft, prunkvoll, glänzend, luxuriös, prangend, hervorragend, splendid, bestechend, feudal, reich, opulent, großartig, ausgezeichnet, exzellent, erstklassig, fantastisch, wundervoll; *ugs.:* toll, fabelhaft, prima, dufte, famos, Klasse

Furunkel: eitrige Haarwurzelentzündung, Eitergeschwür, Abszess

fürwahr: tatsächlich, wahrhaftig, wirklich, effektiv, wahrlich, beileibe, bei/weiß Gott, in der Tat, ohne Übertreibung, ungelogen, bestimmt, nicht übertrieben; *ugs.:* ehrlich, ohne Schmarrn/Flachs, echt

furzen: *derb:* Darmwind/Blähungen abgehen lassen; *ugs.:* einen fahren/gehen/ziehen/fliegen/sausen lassen, pupsen

Fusel → Schnaps

Fusion: Zusammenschluss, -legung, Vereinigung, -schmelzung, -flechtung, -bindung, Liaison

Fuß: *ugs.:* Bein, Quadratlatsche ‖ Sockel, Grundlage, Postament, Piedestal, Gestell, Unterbau ‖ F. **fassen** → s. einleben

Fußabstreifer: Türvorleger, Fußmatte, -abtreter, -streicher

Fußball: *ugs.:* Leder, Pille, Nülle, Ei ‖ F. **spielen:** *ugs.:* kickern, knödeln, lappen, holzen, bolzen, hacken, klotzen

Fußballspieler: *ugs.:* Fußballer, Kicker, Balltreter, -künstler, Dribbler

Fussel: Fluse, Faser, Fädchen, Staubflocke

fußen auf → stammen von

fußfällig → flehentlich

Fußgänger: Passant; *öster.:* Fußgeher

Fußgängerübergang: Zebrastreifen, Fußgängerüberweg, -schutzweg, -streifen

Fußgängerweg: Gehweg, -steig, Fußweg, Bürgersteig, Trottoir

Fußmatte → Fußabstreifer

Fußnote: Anmerkung, Fußbemerkung, Zusatz, Ergänzung

Fußpflege: Pediküre

Fußsoldat: Infanterist; *ugs.:* Landser, Muschkote, Sandhase

Fuß(s)tapfen: Fußspur, -abdruck, Fährte, Tritt

Fußvolk → Anhänger

Fußweg → Fußgängerweg

futsch → verschwunden

Futter: Tiernahrung, Fraß, Fressen ‖ Auskleidung, Fütterung

Futteral: Etui, (Schutz)hülle, Behälter, Schoner, Überzug

füttern: Futter/zu fressen geben, atzen, mästen ‖ Nahrung/zu Essen geben, (er)nähren, be-, verköstigen, verpflegen, sättigen, den Hunger stillen, satt machen, eingeben; *ugs.:* päppeln ‖ mit Futter versehen, ausfüttern

G

Gabe: Geschenk, Präsent, Aufmerksamkeit, Zueignung; *ugs.:* Mitbringsel ‖ Almosen, milde Gabe, Spende, Scherflein, Obolus, Beitrag ‖ Begabung, Talent, Fähigkeit, Befähigung

gabeln, sich: s. verzweigen, abzweigen, auseinander gehen, abgehen, s. teilen, s. spalten, s. trennen

gackern → lachen

gaffen: neugierig (an)starren, aufdringlich zusehen/-schauen, an-, bestaunen, stieren; *ugs.:* Stielaugen machen, glotzen; *derb:* Maulaffen feilhalten

Gaffer → Zuschauer

Gag: witziger Einfall/Gedanke, geistreiche Idee, Geistesblitz, Spaß, Clou; *ugs.:* Schau

Gage → Lohn

gähnen: klaffen, offen sein, auf-, offenstehen; *ugs.:* auf sein

Gala: Festkleidung, -gewand, große Aufmachung; *ugs.:* Staat, Wichs

Galadiner → Festessen

galant: höflich, liebenswürdig, ritterlich, chevaleresk, kavaliersmäßig, aufmerksam, gentlemanlike, zuvorkommend, charmant

Galaxis: Galaxie, galaktisches System, Milchstraße, Sternenhaufen, Sternsystem

Galerie: Ausstellung, Sammlung ‖ oberster Rang (Theater), Empore; *ugs.:* Olymp, Juchhe

Galgenfrist: Bewährungs-, Gnadenfrist, Bedenkzeit, Strafaufschub, Prüfungs-, Wartezeit, Verzögerung

gallig: bitter, gallenbitter ‖ böse, unfreundlich, -gehalten, erbittert, verärgert, beißend, bissig, sarkastisch, ätzend

galoppieren: Galopp reiten ‖ → eilen

gammelig → faul

Gammler: Hippie, Beatnik, Aussteiger, Nichtstuer, Müßiggänger, Tramp, Freak, Outdrop; *abwertend:* Langhaariger; *ugs.:* Ausgeflippter ‖ → Clochard

Gämse: Gams; *f.:* Geiß; *m.:* Bock, Gäms-, Gamsbock; *jung:* Kitz, Geraffel (Rudel)

Gang: Gang-, Fortbewegungsart, Schritt, Tritt; *ugs.:* Trott ‖ Spaziergang, -weg, Promenade, Marsch; *ugs.:* Bummel, Trip, Runde ‖ Ver-, Ablauf, Fortgang, Prozess, Hergang, Entwicklung, Vorgang, Lauf ‖ Korridor, Flur, Diele ‖ Speisenfolge, Einzelgericht ‖ Weg, Besorgung, Verrichtung, Erledigung ‖ → Gruppe

gangbar → möglich

gängeln: am Gängelband führen, bevormunden, dirigieren, lenken, vorschreiben, bestimmen über; *ugs.:* jmdm. das Heft aus der Hand nehmen

gängig: allgemein bekannt, gewohnt, üblich, gebräuchlich, -läufig, vertraut, landläufig, normal, regulär, alltäglich, eingefahren, -gespielt, verbreitet, eingewurzelt, herkömmlich, eingeführt, gang und gäbe, sprichwörtlich ‖ verkäuflich, gesucht, -fragt, beliebt, empfohlen, viel verlangt, begehrt, gern gekauft, gut zu verkaufen

Gangster: Betrüger, Schwindler, Lügner, Scharlatan, Defraudant, Schieber, Spitzbube, Falschspieler, Fälscher, Hehler, Preller, Beutelschneider, Bauernfänger, Erpresser, Wucherer, Schuft, Schurke, Gauner,

Bandit, Verbrecher, Krimineller, Gewalt-, Übeltäter, Dieb, Ganove, Hochstapler, Filou, Lump, Strolch, Halunke, Kanaille, Wicht, Malefizbube; *öster.:* Fal(l)ott; *derb:* Dreckskerl, Schweinehund
Gangway: Laufsteg (Flugzeug), Treppe
Ganove → Gangster
Gans: *m.:* Gänserich; *ugs.:* Ganter, Ganser, Gänsehahn; *öster.:* Ganauser ‖ **dumme G.** → Dummkopf
Gänseblümchen: Maßliebchen, Tausendschön; *volkst.:* Monatsblümchen
ganz: total, in toto/extenso, (ins)gesamt, in vollem Umfang/Maße, gänzlich, ganz und gar, in jeder Hinsicht/Beziehung, von oben bis unten/A bis Z/innen und außen/Kopf bis Fuß/vorn bis hinten, bis auf den Grund/zur Neige, voll und ganz, überhaupt, schlechterdings, schlechtweg, hundertprozentig, wirklich, genau, absolut, grundlegend, von Anfang bis Ende, ohne Ausnahme, lückenlos, voll, völlig, vollkommen, -ständig, -auf, -ends, komplett, restlos, mit Haut und Haar, vom Scheitel bis zur Sohle, auf Gedeih und Verderb, durch und durch, über und über, sämtlich, alles ‖ heil, intakt, unversehrt, -beschädigt, -berührt, gesund, wohlbehalten, nicht entzwei/kaputt; *ugs.:* in Schuss, auf dem Damm, reinweg
Ganzheit: Gesamt-, Allgemeinheit, das Ganze, Totalität, Vollständigkeit, Einheit; *reg.:* Gänze
gänzlich → ganz
gar: fertig, genügend gekocht/-braten/-backen, weich; *ugs.:* durch ‖ etwa, vielleicht, womöglich, ja wirklich
Garant → Bürge
Garantie: Gewähr, Bürgschaft, Sicherheit, Haftung, Gewährleistung, Sicherheit

garantieren → bürgen ‖ versichern, -sprechen, zusagen, sein Wort geben, geloben
Garbe: Bund, Bündel ‖ Feuergarbe, -stoß
Garçon → Kellner
Garde: Leibwache, -garde, Wachmannschaft, -posten ‖ Kern-, Elitetruppe
Garderobe: (Kleider)ablage, Kleiderständer ‖ Um-, Ankleideraum, Umkleidekabine ‖ → Kleidung, Aufmachung, Ausstattung, Outfit
Gardine: Vorhang, Store
garen → braten ‖ → kochen
gären: in Gärung übergehen, sauer werden, moussieren, schäumen, s. zersetzen, säuern ‖ → kriseln
Garn: (Näh)faden, Zwirn
Garnelen: Krabben, Shrimps
garnieren: verzieren, schmücken, verschönern, dekorieren, hübsch anrichten (Speisen), dressieren ‖ *ugs.:* reichlich ausschmücken/-statten (Hut)
Garnison → Truppe ‖ Truppenstandort, -unterkunft
Garnitur: Satz, Serie, Reihe, Set, Gruppe, Zusammenstellung
garstig → böse ‖ unfreundlich (Wetter), unschön, hässlich, scheußlich, schauerlich, widerlich, ekelhaft, fürchterlich
Garten → Park
Gasse: schmale Straße, schmaler Weg
Gassenhauer → Schlager
Gast: Besucher, (Ein)geladener, Fremder ‖ Stammgast, Pensionär
gastfreundlich: gastlich, -frei, großzügig, wirtlich ‖ **g. sein:** ein offenes Haus führen/haben
Gastgeber: Hausherr, Herr des Hauses
Gasthaus → Gaststätte
Gasthof → Gaststätte ‖ Herberge, Hospiz, Hotel, Pension

Gastronomie: Gaststättengewerbe, -branche ‖ Kochkunst, gute/feine Küche, Schlemmerküche
Gaststätte: Gasthaus, Gasthof, (Gast)wirtschaft, Wirtshaus, Lokal, Restaurant, Restauration, Krug, Schenke; *ugs.:* Kneipe, Kaschemme, Schwemme, Beisel, Pinte; *öster.:* Tschecherl; *abwertend:* Spelunke
Gastwirt: Wirt, Schenk-, Schankwirt; *reg.:* Krüger; *ugs.:* Kneipier
Gastwirtschaft → Gaststätte
Gatte → Ehemann
Gatter: Gitter, Zaun
Gattin → Ehefrau
Gattung: Art, Sorte, Typ, Spezies, Genre, Schlag, Klasse, Kategorie, Zweig, Rasse, Familie
GAU: Umweltkatastrophe; *abmildernd:* Störfall ‖ → Unglück
Gaube: Dachfenster, -luke, Giebel-, Bodenfenster
Gaudium: Spaß, Freude, Hochgenuss, Unterhaltung, Vergnügen, Ergötzen, Belustigung, Amüsement; *ugs.:* Gaudi; *öster.:* Ramasuri
Gaukelei → Einbildung
gaukeln: fliegen, flattern, schweben, segeln, schwirren
Gaukler: Zauber-, Zirkus-, Varietekünstler, Artist, Taschenspieler, Fakir
Gaul: altes Pferd/Ross, Klepper, Mähre; *abwertend:* Schindmähre, Bock
Gauner → Gangster
Gaunerei → Betrug
gaunerhaft → unlauter
gaunern → betrügen
Gazette → Zeitung
geachtet → angesehen
geächtet: verfemt, vogelfrei, rechtlos, entrechtet, ausgeschlossen, -gestoßen, verworfen, schutzlos
geartet: veranlagt, beschaffen, geprägt, -formt; *ugs.:* gebaut
Geäst: Gezweig, Astwerk, Gesträuch

Gebabbel → Gerede
Gebäck: Backware, -werk; *ugs.:* Knusperchen, Knabbereien
Gebälk: Balken-, Strebewerk, Verstrebung
Gebärde: Geste (Kopf-, Hand)bewegung, Wink, Zeichen
gebärden, sich → s. benehmen
gebaren, sich → s. benehmen
Gebaren: Auftreten, Benehmen, -tragen, Habitus, Verhalten, Handlungsweise, Art, Führung; *ugs.:* Allüren
gebären: ein Kind/Baby bekommen/ zur Welt bringen, entbinden, niederkommen, einem Kind das Leben schenken, Mutter werden, kreißen; *ugs.:* ein Kind kriegen; *gehoben:* eines Kindes genesen ‖ → werfen
Gebäude: Bau(werk), Baulichkeit, Haus; *ugs.:* Kasten
gebefreudig → freigebig
Gebein(e): Skelett, Gerippe, Knochen(gerüst)
geben: (dar-, über)reichen, aushändigen, darbieten, präsentieren, versehen/-sorgen/ausstatten mit, übergeben, -eignen, -stellen, -tragen, -lassen, -antworten, s. einer Sache entäußern, zuteil werden/zukommen lassen, abliefern, -treten, verabfolgen, -abreichen, in die Hand drücken; *ugs.:* langen ‖ (be)schenken, verehren, zueignen, stiften, mitgeben, -bringen, angedeihen lassen, bedenken/-glücken mit, bescheren, spendieren, zuteilen, weggeben, vermachen, (aus)teilen; *ugs.:* zustecken ‖ vorkommen, auftreten, erscheinen, vorhanden/da sein, existieren, bestehen, s. befinden ‖ → aufführen ‖ → veranstalten ‖ **sich g.** → s. benehmen
Gebet: Fürbitte, Anrufung, Bitten, Flehen, Versenkung, Andacht
Gebiet: Region, Land, Bezirk, Bereich, Areal, Fläche, Feld, Komplex,

Flur, Terrain, Territorium, Zone, Revier, Gemarkung, Raum, Sphäre, Reich, Gegend, Landstrich, Gefilde, Breiten, Gelände, Land(schaft), (Um)kreis, Landesteil, Sektor, Distrikt; *ugs.:* Ecke, Winkel ‖ → Fach

gebieten → befehlen ‖ → herrschen ‖ → erfordern

Gebieter → Herrscher

gebieterisch → herrisch

Gebilde: Gestalt, Form, Gegenstand, Ding, Objekt, Fabrikat, Elaborat; *abwertend:* Machwerk

gebildet: gelehrt, -schult, kultiviert, niveauvoll, studiert, kenntnisreich, qualifiziert, akademisch, belesen, -schlagen, -wandert, firm, fit, erfahren, weise, klug, kundig, (sach)verständig, wissend, versiert, gescheit

Gebirge: Gebirgszug, -kette, Fels-, Gebirgsmassiv, Höhenzug, Berge

gebirgig → bergig

Gebiss: Zähne, Kauwerkzeuge ‖ Zahnersatz, künstliche/falsche Zähne, (Zahn)prothese

Geblüt → Geschlecht

gebogen: krumm, nicht gerade, geschwungen, -schweift, halbrund, gewölbt, ge-, verkrümmt, wie ein Fragezeichen

geboren: gebürtig, stammend aus ‖ g. **werden:** das Licht der Welt erblicken, zur/auf die Welt kommen; *ugs.:* ankommen

geborgen: sicher, geschützt, behütet, gut aufgehoben, in sicheren Händen, zu Hause, daheim, beschirmt, wohl

Geborgenheit → Sicherheit

Gebot: Angebot, Vorschlag, Antrag ‖ Befehl, Weisung, Vorschrift, Geheiß, Anordnung, Bestimmung, Diktat, Order, Kommando, Auftrag, Verfügung, Maßregel, Richtlinie, Erlass, Edikt ‖ (moralisches/göttliches) Gesetz, Glaubenssatz, Postulat, Forderung, Maxime

geboten → nötig

gebrauchen: (be)nutzen, -nützen, Gebrauch machen, in Gebrauch nehmen, s. bedienen, s. zunutze/nutzbar/dienstbar machen, ver-, anwenden, Verwendung haben für, in Anwendung/zum Einsatz bringen, einsetzen, verwerten, -arbeiten, handhaben; *ugs.:* brauchen ‖ → brauchen

gebräuchlich: üblich, gewohnt, bekannt, gängig, geläufig, vertraut, landläufig, alltäglich, eingefahren, -gespielt, -gewurzelt, -geführt, verbreitet, herkömmlich, normal, regulär, gang und gäbe

Gebrauchsanweisung: Anleitung, Ratgeber, Führer, Leitlinie, Hinweis, Wegweiser, Angabe, Verhaltensmaßregel, Benutzungs-, Bedienungsvorschrift

gebrauchsfertig: einsatz-, betriebsbereit, einsatz-, betriebsfertig, einsatz-, betriebsfähig

Gebrauchsgüter: Konsum-, Bedarfsgüter, Bedarfsartikel, -gegenstände

gebraucht → antiquarisch

gebrechen → fehlen

Gebrechen → Krankheit ‖ Mangel, Nachteil, Manko, Fehler, Defekt, Makel, Schaden, Minderwertigkeit, Unzulänglichkeit

gebrechlich: (alters)schwach, dünn, kränklich, wackelig, hinfällig, zittrig, kaduk, alt, kachektisch, abgelebt, -gespannt, -genutzt, (die Kräfte) verschlissen, -fallen, kraftlos, schwächlich, schlapp, matt, abgezehrt; *ugs.:* klapprig, angeknackst, taprig, tapprig, tatt(e)rig; *reg.:* tuttelig, krachelig; *schweiz.:* bresthaft, schitter

gebrochen: deprimiert, mutlos, entmutigt, niedergeschlagen, -gedrückt, resigniert, demoralisiert, verzagt, (am Boden) zerstört, verzweifelt; *ugs.:* geknickt ‖ holprig, nicht fließend/flüssig, stockend, stammelnd, abgehackt

Gebrüll: Geschrei, -heul, -johle, -plärr, -kreisch, -töse, Lärm; *ugs.:* Gegröle

Gebühr: Abgabe, Beitrag(szahlung), (Geld)leistung, Tribut, Unkosten, Betrag, Taxe, Preis; *öster.:* Maut

gebühren: zustehen, -kommen, angemessen sein, verdienen, wert sein ‖ **sich g.:** s. gehören, s. ziemen, s. schicken

gebührend → angemessen ‖ → anständig

gebührenfrei: kostenlos, gratis, unentgeltlich, ohne Geld, umsonst, geschenkt, (kosten)frei

gebunden: unfrei, -selbständig, abhängig, untertan, angewiesen auf ‖ liiert (sein)

Geburt: Entbindung, Niederkunft, Ankunft, freudiges Ereignis, schwere Stunde, Lebensbeginn; *med.:* Partus ‖ Abstammung, Ab-, Herkunft, Herkommen ‖ Anfang, Beginn, Auftakt, Anbruch, Start, Wiege, Quelle, Keim, Ursprung, Ausgangspunkt, Entstehung; *gehoben:* Anbeginn

Geburtenregelung: Geburtenbeschränkung, -kontrolle, Familienplanung

gebürtig: geboren, stammend aus

Geburtshelferin: Hebamme

Geburtsname: Familien-, Eigen-, Nach-, Zu-, Mädchenname

Geburtsort: Geburtsstätte, Heimatort

Geburtstag: Ehrentag, Wiegenfest

Gebüsch: Buschwerk, Gesträuch, -strüpp, Strauchwerk, Dickicht

Geck: Snob, Dandy, Elegant, Stenz, Fant, Stutzer, Schönling, Zieraffe, eitler Mensch; *abwertend:* Fatzke, feiner Pinkel, Laffe, (Lack)affe; *öster.:* Gigerl

gedacht: imaginär, ideell, fiktiv, vorgestellt, gedanklich, angenommen, theoretisch, immateriell, begrifflich

Gedächtnis: Erinnerung, Ge-, Andenken ‖ Gedächtniskraft, Erinnerungsvermögen, Merkfähigkeit

Gedächtnisrede → Nachruf

Gedächtnisschwäche: Gedächtnisschwund, -lücke, -störung, Erinnerungslücke, Vergesslichkeit; *med.:* Amnesie

Gedächtnisstütze: Gedächtnisbrücke, -hilfe, Anhaltspunkt, Orientierungs-, Lern-, Merkhilfe; *ugs.:* Eselsbrücke

gedämpft: halblaut, mit verhaltener Stimme, leise, ruhig, still, piano, dumpf, ton-, laut-, klanglos

Gedanke: Idee, Vorstellung, Überlegung ‖ Einfall, Intuition, Eingebung, Inspiration, Geistes-, Gedankenblitz, Flash

Gedankenaustausch → Gespräch

Gedankenblitz → Gedanke

Gedankengang: Gedankenfolge, -kette, -reihe, -faden, Ideenfolge, -kette, -gang, Denkvorgang, Überlegung, Gedankenverbindung, -verknüpfung, Assoziation, Reflexion, Vorstellungsablauf

gedankenlos: unbedacht, -überlegt, -achtsam, achtlos, impulsiv, ohne Überlegung/Bedacht, unbesonnen ‖ mechanisch, automatisch, blind, teilnahmslos ‖ zerfahren, -streut, (geistes)abwesend, fahrig, kopflos, unkonzentriert, konfus, unaufmerksam, gedankenverloren

Gedankenübertragung: Telepathie

Gedankenverbindung → Gedankengang

gedankenverloren → geistesabwesend

gedankenvoll: nachdenklich, besinnlich, versonnen, tiefsinnig, grüblerisch, grübelnd, in s. gekehrt, (in Gedanken) versunken

gedanklich → gedacht

Gedärm: Eingeweide, Gekröse, -scheide, Innereien; *ugs.:* Därme, Geschlinge, Kaldaunen

gedeihen: (auf-, er)blühen, florieren, (gut) wachsen, s. (gut) entwickeln, gut gehen, prosperieren, Fortschritte machen, ansteigen, s. steigern, Erfolg haben, einen Aufstieg/Aufschwung erleben, anwachsen, -steigen, voranschreiten, s. entfalten, geraten; *ugs.:* flott gehen, hinhauen ‖ erstarken, stärker/kräftiger/dicker werden, strotzen

gedenken → beabsichtigen ‖ → s. erinnern

Gedenken: Erinnerung, Andenken, Gedächtnis

Gedenkrede → Nachruf

Gedenkstein → Denkmal

Gedicht: Verse, Poem

gediegen: solid(e), wertbeständig, reell, ordentlich, verlässlich, zuverlässig, vertrauenswürdig, haltbar, qualitätvoll, stabil, gut, echt, massiv, pur, lauter, rein, unverfälscht

Gedränge: Getriebe, -wühl, -wimmel, -menge, -woge, -tümmel, drängelnde Menschenmenge, Auflauf, Enge, Tumult, (Menschen)ansammlung, Zusammenlauf, -rottung, Durcheinander, Aufruhr; *ugs.:* Geschiebe, Rammelei, Geschubse

gedrängt: dicht an dicht, Kopf an Kopf, Schulter an Schulter, zusammengedrückt, -gepresst, eingeklemmt, -gekeilt, beengt ‖ → kurz

gedrückt → niedergeschlagen

gedrungen: untersetzt, stämmig, massiv, kompakt, bullig, pyknisch

Geduld: Ausdauer, Langmut, Nachsicht, Gelassenheit, Gleichmut, Toleranz, Friedfertigkeit, Milde, Ruhe, Sanftmut ‖ → Beständigkeit

gedulden, sich: geduldig sein, Geduld haben/üben, (aus)harren, ab-, zuwarten, s. Zeit lassen, die Dinge auf s. zukommen lassen; *ugs.:* abwarten und Tee trinken

geduldig: mit/voller Geduld, langmütig, nachsichtig, gleichmütig, gelassen, tolerant, friedfertig, ruhig ‖ → ausdauernd

geehrt: verehrt, wert, geschätzt, teuer, gnädig, lieb ‖ → angesehen

geeignet: passend, richtig, recht, ideal, gelegen, -geben, wie geschaffen für ‖ befähigt, fähig, tauglich, qualifiziert, berufen, prädestiniert, talentiert, begabt ‖ verwend-, brauchbar, nützlich, praktikabel, praktisch, dienlich, zweckmäßig

Gefahr: Gefährlichkeit, -fährdung, Bedrohung, Krise, Risiko, Unsicherheit; *dicht.:* Fährnis

Gefahr bringend → gefährlich

gefährden: in Gefahr bringen, aufs Spiel setzen, bedrohen, gefährlich werden; *ugs.:* schlecht stehen, ans Leben gehen ‖ **sich g.:** Gefahr laufen, s. einer Gefahr aussetzen, s. in Gefahr begeben

gefährlich: gefahrvoll, Gefahr bringend, bedrohlich, -unruhigend, -ängstigend, unheilvoll, Unheil bringend, nicht geheuer, bedenklich, ernst, kritisch, brenzlig, zugespitzt ‖ riskant, abenteuerlich, gewagt, verwegen, tollkühn, heikel, zweischneidig, halsbrecherisch, selbstmörderisch, lebensgefährlich ‖ ansteckend (Krankheit), infektiös, übertragbar, heimtückisch, bösartig

gefahrlos: ungefährlich, -gefährdet, risiko-, harmlos, unschädlich, -verfänglich, sicher

Gefährt → Fahrzeug

Gefährte: Freund, Kamerad, Genosse, Sozius, Vertrauter, Begleiter, Getreuer, Bruder, Intimus, Verbündeter; *ugs.:* Spezi, Kumpan, Kumpel

gefahrvoll → gefährlich

Gefälle: Abfall, Neigung, Senkung, Höhenunterschied, Abschüssigkeit, Schräge, Steile

gefallen: Anklang/Beifall/gute Aufnahme finden, es jmdm. angetan haben, für s. einnehmen, ansprechen, zusagen, behagen, -stechen, imponieren, beliebt sein, Gefallen/Geschmack/schön finden, entsprechen, passen, sympathisch/(an)genehm/recht sein, gelegen/zupass kommen, s. großer Beliebtheit erfreuen, Zuspruch/Widerhall finden, konvenieren, mögen, Eindruck machen, hinreißen, Erfolg haben, zufrieden stellen, belieben, anziehen, wirken, Geschmack abgewinnen, den Geschmack treffen, beeindrucken; *ugs.:* ankommen, in die Augen stechen, schmecken, etwas geht glatt herunter, einschlagen ‖ Chancen haben bei, jmds. Typ sein, nach jmds. Herzen sein; *ugs.:* auf jmdn. stehen

Gefallen: (Liebes-, Freundes)dienst, Gefälligkeit, Entgegenkommen, Freundlichkeit, Hilfeleistung, -stellung ‖ → Anklang ‖ Zuneigung, Sympathie, Interesse, Wohlwollen, Geschmack

gefällig: hilfsbereit, entgegen-, zuvorkommend, diensteifrig, bereitwillig, aufmerksam, beflissen, kulant, konziliant, freundlich, höflich ‖ → sympathisch ‖ → reizend

Gefälligkeit → Gefallen

gefälligst → tunlichst

Gefallsucht: Putzsucht, Eitelkeit, Hoffart, Selbstgefälligkeit, -herrlichkeit, Koketterie, Gecken-, Stutzerhaftigkeit, Dandytum; *ugs.:* Affigkeit

gefälscht: unecht, nachgeahmt, -gemacht, künstlich, imitiert, falsch

gefangen: gefesselt, -packt, ergriffen, begeistert, fasziniert ‖ **g. sein:** in Haft sitzen, inhaftiert/arretiert/interniert/festgesetzt sein, im Gefängnis sitzen, im Kerker/hinter Stacheldraht/Gittern sein, einsitzen; *ugs.:* sitzen, eingelocht/-gebuchtet sein, brummen, Arrest schieben

Gefangener: Häftling, Inhaftierter, Arrestant, Gefängnisinsasse, Zuchthäusler, Sträfling; *ugs.:* Knastologe

gefangen nehmen: beeindrucken, -geistern, fesseln, in den Bann ziehen, faszinieren, erregen, -schüttern, -greifen ‖ gefangen setzen, inhaftieren, einsperren, festnehmen, verhaften, arretieren, in Haft/Gewahrsam nehmen, aufgreifen, abführen, internieren, hinter Stacheldraht/Gitter/Schloss und Riegel bringen, in Ketten legen, dingfest machen; *ugs.:* einlochen, -buchten, hopp nehmen, schnappen, kaschen, hinter schwedische Gardinen setzen, einbunkern, -kasteln

Gefangenschaft → Haft

gefangen setzen → gefangen nehmen

Gefängnis: Straf(vollzugs)anstalt, JVA, Haftanstalt, Zuchthaus, Verlies, Kerker, Karzer, Bagno; *ugs.:* Arrestlokal, Bau, Bunker, Loch, Knast, Käfig, Kittchen; *öster.:* Gefangenenhaus, Häfen

Gefängnisstrafe: Freiheitsstrafe, -entzug, Haft, Arrest, (polizeilicher) Gewahrsam, Verwahrung, Gefangenschaft, Kerkerstrafe; *ugs.:* Knast, Kittchen

gefärbt → parteiisch

Gefasel → Gerede

Gefäß: Behälter, Behältnis

gefasst: ruhig, beherrscht, diszipliniert, gesammelt, -setzt, -zügelt, -lassen, besonnen, leidenschaftslos, sicher, überlegen, gleichmütig, stoisch, kaltblütig

Gefasstheit → Ruhe

Gefecht: Kampf, Schlacht, Schießerei, Schuss-, Feuer-, Kugelwechsel, Treffen, Geplänkel; *veraltet:* Scharmützel; *ugs.:* Geschieße

gefeiert → berühmt

gefeit: widerstandsfähig, geschützt, immun, unempfänglich, resistent, nicht anfällig

gefesselt → gefangen

Gefieder: Federn, Federkleid

Gefilde → Gebiet

Geflecht: Flecht-, Maschen-, Netzwerk, Verflechtung, Gewebe
gefleckt → scheckig
geflissentlich → absichtlich
Geflügel: Federvieh, Nutzvögel
Geflunker → Lüge
Geflüster: Flüstern, leises Sprechen, Gewisper, -zischel, -raune
Gefolge: Gefolgschaft, Anhang, Anhänger-, Jüngerschaft, Gefolgsleute, -männer, Mitstreiter, Getreue, Begleitung, Geleit, Suite
Gefolgschaft → Gefolge
Gefolgsmann → Anhänger
gefragt → beliebt
gefräßig: esslustig, unstillbar, -ersättlich, -mäßig, nicht satt zu bekommen, nimmersatt; *derb:* fressgierig, -süchtig, verfressen
Gefräßigkeit: Esslust, -gier, -sucht; *derb:* Verfressenheit, Fresssucht, -gier
gefrieren: einfrieren, -frosten, tiefkühlen ‖ erstarren, steif/starr/unbeweglich werden, vereisen, zufrieren
Gefrierpunkt: Nullpunkt, null Grad
Gefrorenes: Sorbet, (Speise)eis, Eiscreme; *schweiz.:* Glace
gefuchst → schlau
Gefüge: Struktur, Aufbau, Zusammensetzung, Gliederung, Einteilung, Fächerung, Konstruktion, Anlage, Bau, Gerüst, Anordnung
gefügig: willig, gewillt, -neigt, -sonnen, willfährig, fügsam, gehorsam, lenkbar, folgsam, ergeben, nachgiebig, zahm, brav, untertan; *abwertend:* hörig ‖ **g. machen** → zwingen
Gefühl: Tastsinn ‖ Gefühls-, Gemütsbewegung, Empfindung, Empfinden, Emotion, Stimmung, seelische Regung, Spürsinn, Gespür, Organ, Witterung, Instinkt ‖ Innenwelt, Inneres, Innenleben, Seele, Psyche ‖ Ahnung, Vorgefühl, Vermutung, innere Stimme, Spürnase; *ugs.:* sechster Sinn, Riecher

gefühllos → unempfindlich ‖ → blutleer ‖ roh, ohne (Mit)gefühl/Wärme, gefühlsarm, gefühlskalt, gemütsarm, unverletzbar, dumpf, teilnahmslos, (eis)kalt, kaltherzig, hartherzig, herzlos, seelenlos, stumpf, abgestumpft, lieblos, frigid, rau, verhärtet, ungerührt, unbeeindruckt, unzugänglich, eisig, leidenschaftslos, abgebrüht; *ugs.:* dickfellig, hart gesotten, wurstig
Gefühllosigkeit → Kälte
gefühlsarm → gefühllos
gefühlsbetont → gefühlvoll
Gefühlsduselei → Rührseligkeit
gefühlsduselig → sentimental
gefühlskalt → gefühllos
Gefühlskälte → Kälte
gefühlsmäßig: instinktiv, intuitiv, unbewusst, emotional, emotionell
gefühlvoll: empfindsam, gefühlsbetont, emotional, emotionell, sensibel, sensitiv, gemütvoll, gemütsreich, innerlich, beseelt, fein/zart fühlend, feinfühlig, einfühlsam
gefüllt → voll
gegebenenfalls → möglicherweise ‖ andernfalls, im anderen Fall, wenn der Fall eintritt, wenn es notwendig/passend ist
Gegebenheit: Tatsache, Fakt(um), Realität, Umstand, Sachlage, -verhalt, Tatbestand, Wirklichkeit, Gewissheit
gegen: kontra, wider, entgegen ‖ gegenüber, im Gegensatz zu, verglichen mit, im Vergleich/Verhältnis zu ‖ → annähernd
Gegenangriff → Vergeltung
Gegenargument → Einwand
Gegenbeweis: Widerlegung, Entkräftung
Gegend → Gebiet ‖ → Umgebung
gegeneinander: zueinander, einer gegen den anderen
Gegengewicht: Gegenpol, -satz, Kontrast, Unterschied, Divergenz
Gegenkultur → Alternativbewegung

Gegenleistung: Entschädigung, Ersatz, Äquivalent, Gegenwert, -dienst, Wiedergutmachung, Abfindung, -geltung, -stand, Ausgleich, Preis, Erkenntlichkeit, Belohnung, Vergeltung, Entgelt, Dank, Lohn

Gegenliebe: Zustimmung, Beifall, Anklang, Echo, Anerkennung, Resonanz, Gefallen, Wertschätzung, Gunst, Würdigung, Zuspruch

Gegenmaßnahme: Gegenstoß, Vergeltungsmaßnahme, Repressalie, Druckmittel, Mittel und Wege

Gegenmeinung → Einwand

Gegenmodell → Alternative

Gegenpart → Gegner

Gegenpartei → Gegner

Gegenrede → Antwort

Gegensatz: Gegensätzlichkeit, Widerspruch, Antagonismus, Kontrast, Kehrseite, Gegenpol, Antithese, Gegenteil, -stück, Unterschied, Verschieden-, Ungleichheit, Abweichung, Divergenz, Diskrepanz, Kluft, Trennung, Differenz

gegensätzlich: widersprüchlich, -spruchsvoll, -sinnig, -stimmig, einander ausschließend, gegenteilig, entgegengesetzt, konträr, disparat, inkompatibel, unverträglich, -vereinbar, diametral, dualistisch, oppositionell, antagonistisch, antithetisch, polar, umgekehrt, kontradiktorisch, entgegenstellend, extrem, nicht vereinbar/übereinstimmend, → verschieden

Gegenschlag → Vergeltung

Gegenseite → Gegner

gegenseitig: wechselseitig, -weise, abwechselnd, beiderseits, alternierend, umschichtig, einer für den anderen

Gegenspieler → Gegner

Gegenstand: Körper, Ding, Sache, Objekt, Gebilde ‖ Thema(tik), Stoff, Sujet, Aufgabenstellung, Materie, Inhalt, Frage, Punkt, Problem

gegenständlich: konkret, dinglich, bildlich, figurativ, wirklichkeitsnah, bildhaft, anschaulich, greifbar, figürlich

gegenstandslos: grund-, haltlos, hinfällig, unbegründet, ohne Grund, aus der Luft gegriffen, unmotiviert ‖ überflüssig, nicht mehr notwendig, null (und nichtig), ungültig, -nütz, -nötig, nutz-, sinn-, zweck-, wertlos, es erübrigt sich

Gegenstimme → Einwand

Gegenstoß → Vergeltung

Gegenstück: Pendant, Entsprechung, Korrelat ‖ → Gegensatz

Gegenteil → Gegensatz

gegenteilig → gegensätzlich

gegenüber: auf der anderen Seite, vis-a-vis, jenseits ‖ gegen, im Gegensatz zu, verglichen mit, im Vergleich/Verhältnis zu

gegenüberstellen: konfrontieren, zusammenbringen ‖ vergleichen, dagegenhalten, nebeneinander stellen/halten, vergleichsweise beurteilen/abwägen/messen/prüfen, zum Vergleich heranziehen, eine Parallele ziehen, einen Vergleich anstellen

Gegenüberstellung → Vergleich

Gegenwart: das Jetzt/Heute, Jetztzeit, unsere heutige/die gegenwärtige Zeit, das Hier und Jetzt, Augenblick ‖ Anwesenheit, Zugegen-, Dabeisein, Präsenz, Teilnahme, Beteiligung

gegenwärtig: heute, heutzutage, jetzt, jetzig, zur Zeit, augenblicklich, momentan, im Augenblick/Moment, derzeit(ig), zur Stunde, gerade ‖ → aktuell ‖ → anwesend ‖ → zeitgenössisch

gegenwartsnah → aktuell

Gegenwehr → Widerstand ‖ → Verteidigung

Gegenwert → Gegenleistung

Gegner: Gegenspieler, Rivale, Widersacher, -part, Feind, Kontrahent,

Opponent, Antipode, Antagonist, Gegenpart, -seite, -partei, Konkurrent, Mitbewerber, Nebenbuhler, die andere Seite, Konkurrenz, Opposition ‖ → Dissident

gegnerisch → feindlich

Gegnerschaft → Feindschaft ‖ → Konkurrenz

Gegröle → Geschrei

Gehabe(n): Auftreten, Gebaren, Benehmen, Betragen, Verhalten, Art, Handlungsweise ‖ → Zirkus ‖ Ziererei, Gespreizt-, Affektiert-, Gekünsteltheit; *ugs.:* Geziere, Mache, Getue, Affigkeit, Menkenke, Mätzchen

Gehacktes → Hackfleisch

Gehalt: *n.:* → Einkommen ‖ *m.:* Gedanken-, Ideengehalt, Inhalt, Substanz, Essenz, Wesen, Sinn, Bedeutung

gehaltlos → geistlos

Gehaltsstufe: Tarif, Besoldungsgruppe, -stufe, Gehaltsklasse, Einstufung

gehaltvoll: nahrhaft, kräftig, kalorienreich, sättigend, deftig, reichhaltig ‖ inhaltsreich, -voll, substanziell, aussagekräftig, -drucksstark, geistreich, -voll, einfallsreich, substanzhaltig, bedeutungsvoll, viel sagend

gehandikapt: eingeschränkt, behindert, gehemmt, benachteiligt, gefesselt

gehässig: hasserfüllt, bissig, giftig, schadenfroh, hämisch, odiös, maliziös, infam, niederträchtig, übel gesinnt/wollend, böse, bösartig, boshaft

Gehässigkeit → Bosheit

Gehege: Einfriedung, Ein-, Umzäunung ‖ **ins G. kommen** → stören

geheim: verborgen, -deckt, -schleiert, -hüllt, nicht öffentlich/bekannt, sekret, konspirativ, im Geheimen, hinter verschlossenen Türen, intra muros, heimlich ‖ unbemerkt, unerkannt, verstohlen, unter der Hand,

unauffällig, inoffiziell, insgeheim, intern, ohne Aufsehen, still, diskret, verschwiegen ‖ geheimnisvoll, undurchdringlich, inkognito, anonym, unter vier Augen, intim, vertraulich, unter dem Siegel der Verschwiegenheit, illegal, klandestin; *ugs.:* hintenherum, unter der Hand, abgekartet

geheimbündlerisch → konspirativ

Geheimdienst: Abwehr-, Nachrichtendienst

geheim halten: verheimlichen, -bergen, -hehlen, -schweigen, für s. behalten, vorenthalten, totschweigen, unterschlagen, tarnen, kaschieren, verhüllen, -schleiern, -tuschen, nicht verraten ‖ → schweigen

Geheimnis: Heimlichkeit, Rätsel, Dunkel, Unerklärliches, -erforschliches, Mysterium

Geheimniskrämer: Heimlichtuer

geheimnisvoll: undurchdringlich, -greifbar, -erkennbar, -durchsichtig, -durchschaubar, doppelbödig, unbestimmt, hinter-, abgründig, rätselhaft, nebulös, vieldeutig, orakelhaft, dunkel, mystisch, magisch, delphisch, sibyllinisch, mysteriös, schwer zu verstehen, nicht zu begreifen; *ugs.:* schleierhaft

Geheiß → Befehl

gehemmt: gefesselt, (an)gebunden, behindert, verpflichtet, unfrei, angewiesen auf ‖ gezwungen, verkrampft, blockiert, befangen, verklemmt, scheu, schüchtern, ängstlich, ohne Selbstbewusstsein, unsicher, steif

Gehemmtheit → Hemmung

gehen: s. (fort)bewegen, s. begeben, einen Fuß vor den anderen setzen, schreiten, marschieren, (lust)wandeln, spazieren, flanieren, wandern, schlendern, bummeln, stolzieren, stelzen, stöckeln, tänzeln, trotten, trippeln, tappen, stapfen, stiefeln, staksen, schlurfen, schleichen, trödeln; *ugs.:* latschen, hatschen, watscheln, trampeln, tapsen, tippeln, zotteln, zuckeln, zockeln ‖ abfahren (Zug), abgehen, starten ‖ → arbeiten ‖ möglich/gang-/ausführ-/denkbar sein, im Bereich des Möglichen liegen ‖ (regelmäßig) besuchen (Schule), frequentieren ‖ s. fühlen, s. befinden, zumute sein ‖ → verlaufen ‖ → weggehen ‖ → kündigen ‖ → anfangen ‖ → s. erstrecken ‖ **g. um:** s. handeln um, die Rede sein von, betreffen, -rühren, s. beziehen auf, zu tun haben mit, anbelangen; *ugs.:* s. drehen um ‖ **g. in:** ein-, betreten, hineingehen, -kommen, -treten ‖ **g. lassen** → freilassen

gehen lassen, sich: s. nicht zusammennehmen/-reißen, mutlos/deprimiert/niedergeschlagen sein, keine Energie/Antriebskraft besitzen/aufbringen; *ugs.:* s. hängen lassen

Geheul → Geschrei ‖ → Gejammer

Gehilfe: Adlatus, Famulus, Mitarbeiter, Hilfskraft, Assistent, rechte Hand, Helfer, Beistand, Stütze ‖ → Diener

Gehirn: Hirn, Zerebrum

Gehirnschlag → Schlaganfall

gehoben → feierlich

Gehöft: Bauernhof, Hof, Gut, Anwesen; *schweiz.:* Heimwesen, Hofstatt, -reite

Gehölz: Wäldchen, kleiner Wald, Horst; *dicht.:* Hain, Tann

Gehör: Gehörsinn, Hörvermögen

gehorchen: hören auf, (be)folgen, Gehorsam/Folge leisten, gehorsam/artig/brav sein, willfahren, Wünschen entsprechen/nachkommen, beherzigen, Ja sagen, → nachgeben, einlenken, s. beugen, s. fügen, s. anpassen, s. unterordnen/-werfen, klein beigeben; *ugs.:* parieren, kuschen, spuren, s. ducken, nach jmds. Pfeife tanzen, die Segel streichen

gehören: jmds. Eigentum sein, in jmds. Besitz sein, besitzen, sein Eigen

nennen, innehaben, in Händen haben, verfügen über, eignen ‖ **g. zu:** zählen zu, zugeordnet/-gerechnet werden, integriert/eingegliedert sein, angehören ‖ **sich g.:** angebracht/-gemessen sein, s. schicken, s. (ge)ziemen, s. gebühren, anstehen

gehörig → angemessen ‖ *ugs.:* gründlich, tüchtig, ordentlich, nicht zu knapp, ausreichend, nach Strich und Faden, dem Anlass entsprechend, zünftig, feste, kräftig, weidlich, anständig, groß, reichlich, viel, prächtig, ungeheuer, wacker, gewaltig, immens, enorm

gehörlos: taub, schwerhörig; *ugs.:* stocktaub

gehorsam → folgsam

Gehorsam: Folgsam-, Fügsam-, Gehorsam-, Gefügig-, Willfährig-, Gutwillig-, Artigkeit, Bravheit, Unterordnung, -würfigkeit, Subordination, Nachgiebigkeit, Servilität

Gehorsamkeit → Gehorsam

Gehsteig: Gehweg, Fuß(gänger)weg, Bürgersteig, Trottoir

Gehweg → Gehsteig

Geifer → Speichel

geifern: speicheln; *ugs.:* sabbern, sabbeln ‖ mit Schaum vorm Mund reden ‖ → schimpfen

Geige: Violine; *ugs.:* Fi(e)del

geil → lüstern

Geilheit → Wollust

Geisel: Unter-, Faustpfand, Gekidnappter, -fangener

Geiß → Ziege

Geißel: Peitsche, Knute, Zuchtrute ‖ → Plage

geißeln: peitschen, mit der Peitsche schlagen/hauen; *ugs.:* eins mit der Peitsche überziehen ‖ heftig kritisieren, anprangern, an den Pranger stellen, anklagen, bloßstellen, brandmarken, angreifen, maßregeln, desavouieren, verpönen; *ugs.:* verreißen

Geist: Verstand, Bewusstsein, Vernunft, Intellekt, Denkfähigkeit, -vermögen, Auffassungsgabe, Klugheit, Esprit, Scharfsinn; *ugs.:* Hirn, Köpfchen, Grütze, Grips ‖ Gesinnung, Sinn, geistige Haltung, Einstellung, Grundhaltung, Denkweise, -art ‖ Genie, Genius, Begabung, Koryphäe, Phänomen, Kapazität ‖ Gespenst, Spuk(gestalt), Phantom, Erscheinung

Geisterfahrer: Falsch-, Gespensterfahrer

Geistergeschichte → Schauergeschichte

geisterhaft → schauerlich

geistern → spuken

geistesabwesend: abwesend, gedankenverloren, versunken, -träumt, traumverloren, träumerisch, vertieft, entrückt, selbstvergessen, zerstreut, abgelenkt, nicht bei der Sache, unaufmerksam, -ansprechbar, -erreichbar, nachdenklich, grübelnd, in Gedanken; *ugs.:* weit weg, weggetreten, in den Wolken

Geistesblitz → Einfall

Geistesgegenwart: Reaktionsfähigkeit, -vermögen, schnelles Reagieren/Handeln, Entschlusskraft

geistesgestört: geisteskrank, (geistig) umnachtet, wahn-, schwach-, irrsinnig, debil, irr(e), unzurechnungsfähig, idiotisch, imbezil(l), blöde, blödsinnig, verblödet; *med.:* phrenetisch; *ugs.:* verrückt, närrisch, meschugge, plemplem, damisch, mall, nicht dicht

geisteskrank → geistesgestört

Geisteskranker → Irrer

Geisteskrankheit → Wahnsinn

geistesverwandt: ebenbürtig, gleichgesinnt, wesensgleich, innerlich verwandt, auf gleicher Stufe

geistig: begrifflich, abstrakt, unwirklich, ideell, imaginär, irreal ‖ unkörperlich, immateriell, unsinnlich, metaphysisch, platonisch

geistlich: sakral, nicht weltlich, theologisch, kirchlich, klerikal

Geistlicher: Pfarrer, Prediger, Pastor, Theologe, Seelsorger, Seelenhirte, Pfarrherr, geistlicher Herr, Kirchenmann, Gottesmann, Pater, Priester, Kleriker, Gottesdiener; *abwertend:* Pfaffe, Schwarzrock

geistlos: (inhalts)leer, ideen-, gehalt-, substanzlos, stumpfsinnig, geisttötend, mechanisch, dumpf, stupid(e), stereotyp, ohne Gehalt/Tiefe, einfallslos, oberflächlich, flach, seicht, trivial, hohl, billig, platt, banal, nichts sagend, unbedeutend, abgeschmackt, phrasenhaft, alltäglich, gewöhnlich, abgegriffen, verbraucht, witzlos, epigonenhaft, schal; *ugs.:* abgestanden, -gedroschen, ausgeleiert, saftlos

geistreich: geistvoll, einfallsreich, sprühend, spritzig, witzig, unterhaltsam, anregend, ideen-, erfindungsreich, erfinderisch, genial, kreativ, originell, produktiv ‖ → intelligent

geistvoll → geistreich

Geiz: Sparsamkeit, Habgier, -sucht, Raff-, Geld-, Gewinn-, Profit-, Besitzgier, Kleinlichkeit; *ugs.:* Knauserei, Schäbigkeit, Knickerei, Pfennigfuchserei

geizen: übertrieben sparen/Haus halten, geizig sein, das Geld zusammenhalten, kargen, sparsam leben; *ugs.:* knausern, knapsen, knickern, filzen, nichts rausrücken, die Hand auf den Beutel halten, am Geld hängen, auf seinem Geld sitzen, den Pfennig dreimal herumdrehen, knorzen

Geizhals → Geizkragen

geizig: übertrieben sparsam, geld-, raffgierig, gewinn-, profit-, habsüchtig, schäbig, kleinlich, berechnend; *ugs.:* knauserig, knick(e)rig, popelig, mickrig, schofel ‖ **g. sein** → geizen

Geizkragen: Geizhals, Harpagon; *ugs.:* Pfennigfuchser, Filz, Knauser, Knicker, Nimmersatt

Gejammer: Wehklagen, Lamentieren, Gewimmer, Geheul, -zeter, (Weh)geschrei, Stöhnen
Gejohle → Geschrei
Gekicher → Gelächter
geknebelt → unfrei
geknechtet → unfrei
geknickt → niedergeschlagen
gekonnt → fachmännisch
gekränkt: beleidigt, verstimmt, -letzt, pikiert, getroffen; *ugs.:* sauer, eingeschnappt, verschnupft, auf den Fuß/Schlips getreten
gekräuselt → lockig
Gekreisch → Geschrei
Gekröse → Eingeweide
gekrümmt → gebogen
gekünstelt: maniert, geziert, unecht, -natürlich, theatralisch, affektiert, gespreizt, -stelzt, -schraubt, -zwungen, -sucht, -schwollen, preziös, künstlich
Gelaber → Gerede
Gelächter: Lachen, Lachsalve, Gekicher; *ugs.:* Gelache, Gewieher
geladen → wütend
Gelage: Orgie, Schwelgerei, Völlerei, Zecherei, Bacchanal; *ugs.:* Besäufnis, feuchter Abend; *derb:* Fresserei, Sauferei
gelähmt: lahm, gebrechlich, hinfällig, gehbehindert, nicht gehfähig ‖ ohnmächtig, blockiert, handlungsunfähig, paralysiert
Gelände → Gebiet ‖ Grund(stück), Anwesen
Geländer: Brüstung, Balustrade, Reling (Schiff)
gelangen: kommen zu, hin-, ankommen, erreichen, eintreffen, s. einfinden ‖ **g. zu** → erlangen
Gelärme → Geschrei ‖ → Lärm
gelassen: beherrscht, gefasst, ruhig, gleichmütig, gemütlich, stoisch, überlegen, gesammelt, diszipliniert, leidenschaftslos, unerschütterlich, gesetzt, sicher, besonnen, -dacht, in aller Ruhe, entspannt, ausgeglichen; *ugs.:* lässig
Gelassenheit → Ruhe
Geläster → Kritik
Gelatine: Gallert(e), Gelee, Stärke(mittel); *reg.:* Glibber
geläufig → fließend ‖ vertraut, (wohl) bekannt, gewohnt, nicht fremd, alltäglich
gelaunt: gestimmt, -sonnen, aufgelegt, disponiert, zumute, in der Lage, in Form
Geld: Bargeld, (Geld-, Zahlungs)mittel, Münzen, Banknoten, Währung; *ugs.:* Moneten, Mammon, Zechinen, Marie, Groschen, Steine, Kies, Moos, Mäuse, Zaster, Zunder, Knete, Pinkepinke, Kröten, Pulver, Lappen, Eier, Kohle(n), Piepen, Koks, Schotter, Taler ‖ Vermögen, Kapital, Finanzen, Besitz, Reichtum, Aktiva
Geldanlage → Investition
Geldbeutel → Geldbörse
Geldbörse: Geldbeutel, -tasche, Brieftasche, Portmonee, Beutel, Börse; *ugs.:* Portjuchhe
Geldentwertung: Inflation, Abwertung, Preissteigerung, Kaufkraftminderung
Geldgeber: Mäzen, Gönner, Sponsor, Förderer, Protektor ‖ Arbeitgeber, Chef ‖ → Gläubiger
Geldgier → Geiz
Geldinstitut: (Bank)haus, Kreditinstitut, -anstalt, Sparkasse
Geldmann → Kapitalist
Geldschein: (Bank)note, Papiergeld
Geldschrank → Safe
Geldstück: Münze, Klein-, Hart-, Silbergeld; *ugs.:* Groschen, Taler, Kreuzer
gelegen: passend, günstig, willkommen, erwünscht, geeignet, opportun, gern gesehen, lieb, bequem, genehm ‖ **es kommt g.:** trifft sich gut, sagt jmdm. zu, ist praktisch, kommt wie gerufen

Gelegenheit: Anlass, besonderes Ereignis ‖ Möglichkeit, Chance, günstiger Augenblick/Moment, günstige Umstände/Konstellation, Okkasion, Aussicht; *ugs.:* Schnäppchen

gelegentlich: bei Gelegenheit, zur passenden Zeit ‖ → manchmal ‖ → anlässlich

gelehrig: gelehrsam, lernfähig, wach, verständig, intelligent, aufgeweckt, hell ‖ → fähig

Gelehrsamkeit → Wissen

gelehrt: gebildet, -schult, studiert, akademisch, qualifiziert, kenntnisreich, belesen, -schlagen, -wandert, erfahren, weise, wissend, klug, kundig, (sach)verständig, versiert, gescheit

Gelehrter: Wissenschaftler, Forscher, Akademiker, Studierter, Intellektueller, Geistesarbeiter; *scherzh.:* gelehrtes Haus; *abwertend:* Intelligenzler

Gelehrtheit → Wissen ‖ → Klugheit

Geleit: Gefolge, -folgschaft, Begleitung, Geleitzug, Eskorte, Konvoi, Schutz

geleiten → begleiten

gelenkig → elastisch

gelernt: ausgebildet, geschult, sachverständig, -kundig, vom Fach, geübt, gut unterrichtet, erprobt, bewährt, routiniert, qualifiziert, eingearbeitet, versiert, erfahren

Gelichter → Gesindel

Geliebte: Liebhaberin, Liebste, (Herzens)freundin, Angebetete, Auserwählte, Liebling, Konkubine, Kurtisane, Mätresse, Herzensdame, Favoritin, Erklärte, Gespielin; *dicht.:* Buhle(rin); *ugs.:* Herzchen, Dulzinea, Nebenfrau, Liebe, Bettgenossin, Schatz, Holde, Flamme, Verhältnis, Gspusi, Puppe, Zahn

Geliebter: Liebhaber, Liebster, (Herzens)freund, Angebeteter, Auserwählter, Verehrer, Erklärter, Gespiele, Kavalier, Favorit, Galan, Romeo; *ugs.:* Liebe, Bettgenosse, Schatz, Holder, Verhältnis, ständiger Begleiter, Gspusi, Scheich, Macker, Lover

gelinde: sanft, mild, nicht stark, leicht (Strafe) ‖ vorsichtig, behutsam, schonend, rücksichtsvoll, sacht, sorgsam

gelingen: glücken, glücklich vonstatten gehen, gut ablaufen/ausgehen, wunschgemäß verlaufen, nach Wunsch gehen, zum Guten ausschlagen, zustande kommen, in Ordnung gehen, auf fruchtbaren Boden fallen, funktionieren, fertig bringen, von der Hand gehen, glattgehen, geraten, werden; *ugs.:* klappen, klargehen, hinhauen ‖ Glück/Erfolg haben, fort-, weiter-, emporkommen, siegen, das Ziel erreichen, seinen Weg/Karriere machen, s. durchsetzen, es schaffen, die Probe bestehen; *ugs.:* Dusel/Schwein haben

Gelingen → Erfolg

gellen: laut/durchdringend ertönen/hallen/schallen

gellend → laut

geloben: feierlich versprechen/zusichern/-sagen, sein Wort geben, s. verbürgen, s. verpflichten, schwören, beeid(ig)en, auf seinen Eid nehmen, garantieren, verbriefen, beteuern

Gelöbnis → Versprechen

gelockert → gelöst ‖ → zwanglos

gelöst: entspannt, -krampft, ruhig, gelockert ‖ → zwanglos

gelten: (vor)herrschen, walten, s. durchgesetzt haben, gültig sein, Gültigkeit haben, verbindlich sein ‖ bedeuten, wert sein, zählen, ins Gewicht fallen, schwer wiegen, Gewicht haben, ausmachen ‖ betreffen, -rühren, tangieren, s. beziehen auf, zu tun haben mit, Bezug haben, anbelangen ‖ **g. als:** angesehen/betrachtet/erkannt werden, einen Namen/Ruf haben/beachtet werden als, dar-, vorstellen, Achtung genießen, gehalten werden für, jemand sein || **g. lassen** → anerkennen

geltend → gültig

Geltung: Gültig-, Verbindlichkeit, Durchsetzungskraft, -vermögen || → Einfluss || → Ansehen

Gelübde → Versprechen

Gelump → Ramsch

gelüsten → begehren || → begierig

gemach → langsam

Gemach → Zimmer

gemächlich → langsam

Gemahl → Ehemann

Gemahlin → Ehefrau

gemahnen: erinnern, ins Gedächtnis rufen, in Erinnerung bringen, mahnen, auffrischen

Gemälde: Bild(nis), Kunstwerk, Studie, Abbild(ung), Darstellung, Wiedergabe, Porträt; *abwertend:* Schinken

gemäß: laut, zufolge, nach, entsprechend, nach Maßgabe || → angemessen

gemäßigt: ausgeglichen (Klima), nicht extrem || → mäßig

Gemecker → Kritik

gemein: niederträchtig, infam, nichtswürdig, erbärmlich, miserabel, garstig, hässlich, boshaft, hinterlistig, gehässig, widerwärtig, widerlich, ekelhaft, schlecht, schmutzig, schäbig, niedrig, schändlich, schnöde, schmählich, scheußlich, schmachvoll, übel, verwerflich, abscheulich, schrecklich, wüst, schuftig, ruchlos, verrucht, perfide, teuflisch, schurkisch; *ugs.:* schofel, mistig, dreckig, lumpig || → anstößig

Gemeinde: Gemeinwesen, Kommune, Ort, Dorf || Gemeinschaft, -samtheit, die Angehörigen/Anhänger(schaft), Gesellschaft, Gruppe, Schar, Kreis, Kollektiv, Zirkel || Kirchengemeinde, Pfarrei, Sprengel

Gemeinheit: Bosheit, Bösartigkeit, -willigkeit, Boshaftigkeit, Niedertracht, Niedrigkeit, Häme, Niederträchtigkeit, Hinterlist, Schadenfreude, Gehässigkeit, Übelwollen, böse Absicht, böser Wille, (Heim)tücke, Arglist, Intriganz, Infamie, Garstig-, Schlechtigkeit, Teufelei, Gift, Schikane, Schurkerei, Unverschämtheit, Abscheulich-, Ruchlosigkeit; *derb:* Sauerei, Schweinerei

gemeinhin → generell

gemeinnützig: sozial, wohltätig, (mit)menschlich, uneigennützig

Gemeinplatz: Binsenwahrheit, -weisheit, nichts sagende/allgemeine Redensart, Plattheit, Plattitüde, Selbstverständlichkeit, Trivialität, hohle/leere/große Worte, Geschwätz, Formel, Banalität, Allgemeinheit(en), Allgemeinplatz, Floskel, Schlagwort, Phrase; *ugs.:* alter Zopf/Hut, olle/alte Kamellen, kalter Kaffee

gemeinsam: gemeinschaftlich, zusammen, miteinander, verein(ig)t, geschlossen, kollektiv, kooperativ, Seite an Seite, Hand in Hand, Arm in Arm, in Zusammenarbeit/im Verein mit, im Chor, alle; *ugs.:* mitsammen

Gemeinsamkeit: Gemeinschaft(lichkeit), Miteinander, Zusammenhalt, -gehörigkeit, -arbeit, Verbundenheit, Solidarität, Partnerschaft || (Geistes)verwandtschaft, Ähnlichkeit, Affinität, Berührungspunkt, Verbindung, geistiges Band

Gemeinschaft → Gemeinde || → Gemeinsamkeit

gemeinschaftlich → gemeinsam

Gemeinschaftlichkeit → Gemeinsamkeit

Gemeinwohl: Allgemeinwohl, Gemeinnutz, Gemeinnützigkeit, allgemeines Interesse

Gemenge: Gemisch, Mischung, Mixtur || → Gedränge

gemessen: majestätisch, würdevoll, hoheitsvoll, gravitätisch, gesetzt, würdig, feierlich ‖ angemessen (Abstand), gebührend, -bührlich, -hörig, -ziemend, schicklich, passend, angezeigt, adäquat

Gemetzel: Metzelei, Massaker, Blutbad, -vergießen, Abschlachtung, Schlächterei, Massenmord, Morden

Gemisch → Mischung

gemischt: (kunter)bunt, zusammengewürfelt, -gesetzt, komplex, abwechslungsreich, variabel, mannigfaltig, vielfältig, verschieden(artig), schillernd, Mädchen und Jungen (Schule) ‖ unbestimmt (Gefühle), undefiniert, -klar, -deutlich, nicht eindeutig, widersprüchlich, -sprechend, vage, verschwommen

Gemunkel → Gerede

Gemüt: (seelische) Empfindung, (fühlendes) Herz, Innerlichkeit, Innenwelt, -leben, Seelenleben, Seele, Psyche, Inneres, innere Verfassung/Befindlichkeit

gemütlich: behaglich, anheimelnd, heimelig, häuslich, wohlig, angenehm, wohnlich, bequem, traut, traulich, lauschig, intim, harmonisch, beschaulich, friedlich; *ugs.:* kommod ‖ ruhig, freundlich, umgänglich, gemächlich, -lassen, -ruhsam

gemütsarm: gefühllos, gefühlsarm, -kalt, herz-, seelenlos, eiskalt, kalt-, hartherzig, stumpf, abgestumpft, lieblos, verhärtet

Gemütsart → Wesensart

gemütskrank: nervenkrank, psychopathisch, neurotisch, → depressiv

Gemütslage: Gemütszustand, -verfassung, Stimmung, Laune, Seelenlage, -zustand, -verfassung, Gefühlslage, Grundgefühl, Aufgelegtsein, Disposition, -poniertheit

Gemütsruhe → Ruhe

Gemütsverfassung → Gemütslage

Gemütszustand → Gemütslage

genau: exakt, präzise, akkurat, treffend, treffsicher, (haar)scharf, haargenau, -klein, prägnant, klar, deutlich, säuberlich, bestimmt, wohl gezielt, eindeutig, tadellos, sauber, reinlich, speziell, unmissverständlich ‖ gründlich, profund, tief, intensiv, umfassend, ausführlich, eingehend, detailliert, grundlegend, erschöpfend, vollständig ‖ buchstäblich, getreu, (wort)wörtlich, buchstaben-, wortgetreu ‖ sorgfältig, -sam, ordentlich, gewissenhaft, richtig, korrekt, fehlerlos, minuziös, zuverlässig, fein, penibel, pedantisch ‖ rechtzeitig, pünktlich, auf die Minute/Sekunde ‖ gerade, eben (noch), unbedingt

Genauigkeit → Sorgfalt

genauso: ebenso, geradeso, in demselben Maße, in gleicher Weise, gleicherweise, -maßen ‖ (auch) so, item, dito; *öster.:* detto

Gendarm → Polizist

genehm → gelegen

genehmigen → erlauben ‖ **sich einen g.** → trinken

Genehmigung → Erlaubnis

geneigt: willig, willens, gewillt, -sonnen, erbötig, gefügig, -fällig, entgegen-, zuvorkommend, bei der Hand ‖ wohlwollend, -meinend, wohl gesinnt, huldvoll, hold, freundlich, gnädig ‖ schief, schräg, abfallend, ab-, aufsteigend

Geneigtheit → Wohlwollen

generalisieren: verallgemeinern, objektivieren, abstrahieren; *abwertend:* schablonisieren

Generation: Menschenalter, Zeitraum von etwa 25 Jahren ‖ Altersklasse, -stufe, -gruppe, Jahrgang, Geburtsjahr ‖ Geschlecht(erfolge)

generell: im Allgemeinen, weit-, gemeinhin, weitgehend, grundsätzlich, prinzipiell, im Großen und Ganzen, mehr oder weniger/minder, in summa, alles in Allem, in aller Regel, für gewöhnlich, durchgängig, fast immer, vielfach, oft; *öster.:* durchwegs; *ugs.:* durch die Bank

generös → freigebig

Genese: Entstehung, -wicklung, Bildung, Beginn, Anfang, Aufkommen, Geburt, Genesis

genesen: gesunden, geheilt/wiederhergestellt werden, seiner Genesung entgegengehen, auf dem Wege der Besserung sein; *ugs.:* wieder auf den Damm/die Beine kommen

Genesung: Gesundung, Heilung, Wiederherstellung, Rekonvaleszenz, Besserung, Erholung, Kräftigung, Stärkung, Neubelebung, Aufschwung

genial: genialisch, schöpferisch, kreativ, geistreich, -voll, einfalls-, ideenreich, erfinderisch, originell, produktiv, hoch begabt / talentiert, überdurchschnittlich, bahnbrechend, begnadet ‖ → großartig

Genialität → Genie

Genick: Nacken

Genie: Genius, Schöpfergeist, schöpferische Persönlichkeit, Geistesgröße, Kapazität, Phänomen, Koryphäe, Meister ‖ Genialität, Schöpfertum, Kreativität, Einfalls-, Ideenreichtum, Talent, Begabung, Produktivität, Auserwähltheit

genieren → stören ‖ **sich g.** → s. schämen

genießbar: ess-, trinkbar, einwandfrei, bekömmlich ‖ erträglich, passabel, leidlich, vertretbar, akzeptabel, annehmbar

genießen: schwelgen, durch-, auskosten, ausschöpfen, Genuss empfinden, zu schätzen wissen, frönen, sich's wohl sein lassen, s. nichts abgehen lassen, zu leben verstehen, etwas vom Leben haben, s. ergötzen, s. erfreuen, s. delektieren ‖ erhalten (Ausbildung), bekommen, empfangen, zuteil werden

Genießer: Genussmensch, Lebenskünstler, Kenner, Epikuräer, Phäake, → Feinschmecker

genießerisch: genüsslich, genussfreudig, -süchtig, schwelgerisch, hedonistisch, kulinarisch, schlemmerhaft, lukullisch, lustvoll, sinnenfreudig

Genitale: Sexual-, Geschlechtsorgan, -teil; *f.:* → Vulva; *m.:* → Penis

Genius → Genie

Genörgel → Kritik

Genosse: Gesinnungsfreund, -bruder, Verbündeter, Getreuer, -fährte, Kamerad, Freund; *ugs.:* Kumpel, Spezi ‖ Parteifreund, -mitglied

Genre: Gattung, Art, Wesen, Typ, Spezies, Typ, Zweig, Klasse

Gentleman: Ehrenmann, Kavalier, Gentilhomme, Grandseigneur, Mann von Bildung/guter Erziehung

gentlemanlike: kultiviert, ritterlich, vornehm, höflich, kavaliersmäßig, fein, nobel, hochherzig, großmütig, aufmerksam, zuvorkommend, gefällig, hilfsbereit

genug: genügend, aus-, hin-, zureichend, hinlänglich, zur Genüge, sattsam ‖ **es ist g.:** das Maß ist voll, Schluss/Punktum; *ugs.:* es reicht/ langt ‖ **g. haben:** angewidert/-geekelt/überdrüssig sein, Abscheu/ Ekel empfinden, jmdm. widerstehen; *ugs.:* zum Hals heraushängen, es über/satt haben, bedient/eine Sache leid sein; *derb:* ankotzen, -stinken, jmdm. stinkt etwas, die Nase/ Schnauze voll haben, jmdm. steht es bis oben/bis an den Hals ‖ → ausreichen

genügen → ausreichen

genügend → genug

genügsam → bescheiden

Genugtuung: Befriedigung, Zufriedenheit, Wohlgefallen, Behagen ‖ Satisfaktion, Wiedergutmachung, Sühne

genuin → echt ‖ → angeboren
Genuss: (Sinnen)freude, Vergnügen, Wonne, Wohlbehagen, Hochgenuss, Entzücken, Ergötzen, (Wol)lust ‖ Labsal, Erquickung, Annehmlichkeit, Augenweide, Ohrenschmaus, Gaumenkitzel ‖ Schwelgerei, Schlemmerei
genussfreudig → genießerisch
genüsslich → genießerisch
Genussmensch → Genießer
genusssüchtig → genießerisch
geöffnet → offen
Geografie: Erd-, Länderkunde
Geographie → Geografie
geordnet → ordentlich
Gepäck: Reisegepäck, Ausrüstung, Traglast, Habe, Habseligkeiten; *ugs.:* Sack und Pack, Siebensachen; *veraltet:* Bagage ‖ Ballast, Bürde, Ladung, Last, Gewicht, Fracht; *ugs.:* Packen
gepackt → gefangen
Gepäckträger: Dienstmann, Träger
gepfeffert: scharf, gewürzt; *reg.:* rass; *schweiz.:* räss ‖ *ugs.:* geharnischt, übertrieben, -höht, -mäßig, teuer, kostspielig, unbezahlbar, -erschwinglich, horrend, happig, unverschämt ‖ → derb
gepflegt: gewählt, kultiviert, vornehm, soigniert, geschmackvoll, distinguiert, nobel ‖ elegant, schick, apart, schmuck, adrett, gefällig, kleidsam, gut angezogen ‖ ordentlich, sauber, sorgfältig, überlegt, ausgewogen; *ugs.:* geleckt, geschniegelt, proper
Gepflogenheit → Brauch
Geplapper → Gerede
Geplärr → Geschrei
Geplätscher → Gerede
Geplauder Plausch, Smalltalk, Plauderei; *ugs.:* Geschwafel, Geplätscher, Gelaber ‖ → Gespräch
Gepolter → Lärm
Gepräge → Eigenart
Geprahle → Angabe

Geprotze → Angabe
Gequake → Gerede
Gequassel → Gerede
Gequatsche → Gerede
gerade → aufrichtig ‖ eben, jetzt, vor einem/in diesem Augenblick, just, vorhin, unmittelbar vorher ‖ genau, eben noch, ausgerechnet ‖ erst recht, überhaupt, sowieso, jetzt erst recht ‖ → geradlinig
Gerade: gerade(r) Linie/Strich/Zug/ Zeile
geradebiegen → bereinigen
geradeheraus → aufrichtig
gerädert → erschöpft
geradeso → genauso
gerade stehen: aufrecht/straff/ stramm stehen
geradestehen für: verantworten, einstehen für, die Verantwortung tragen/übernehmen, s. verantwortlich fühlen, die Folgen tragen; *ugs.:* herhalten müssen, auf seine Kappe nehmen, den Kopf hinhalten, ausbaden
geradestellen → zurechtrücken
geradewegs: direkt, ohne Umweg/ -schweife, (schnur)stracks, geradlinig, zielgerichtet ‖ → aufrichtig
geradezu: direkt, ausgesprochen, regelrecht, richtiggehend, schlechterdings, schlechthin, -weg, förmlich, praktisch, nahezu, beinahe, fast, rein, ganz besonders, wirklich, tatsächlich, sehr, typisch, buchstäblich, nachgerade, ganz und gar, vollkommen, völlig; *ugs.:* rund-, glattweg
geradlinig: gerade, linear, in einer Linie, nicht krumm ‖ → aufrichtig
Geradlinigkeit → Beständigkeit
Geraffel → Ramsch
gerafft → kurz
Gerassel → Lärm
Gerät: Apparat(ur), Instrument, Anlage, Maschine(rie), Werk, Getriebe, Vor-, Einrichtung, Mechanismus, Automat ‖ Werkzeug, Gerätschaften

geraten → gelingen ‖ → gedeihen ‖ g.
nach → ähneln
Geratter → Lärm
geräuchert: *reg., öster.:* geselcht
geräumig: groß, weit, breit, ausgedehnt, viel Platz/Raum bietend, groß-, weiträumig, großflächig, riesig
Geraune → Gerede
Geräusch: Ton, Laut ‖ Rascheln, Geraschel, Knistern, Geknister, Brummen, Gebrumm, Summen, Gesumm ‖ → Lärm
geräuschlos: lautlos, leise, still, kaum hör-/vernehmbar, auf Zehen/Fußspitzen; *ugs.:* mäuschenstill, auf Samt-/Katzenpfoten
geräuschvoll: (über)laut, (unüber)hörbar, vernehmbar, lärmend, lautstark, dröhnend, polternd, schallend, ohrenbetäubend, schrill, grell
gerecht: rechtdenkend, unparteiisch, -voreingenommen, sachlich, objektiv, vorurteilslos, -frei, unbestechlich, fair, loyal, redlich ‖ billig, gerechtfertigt, verdient, rechtmäßig, angemessen, adäquat, richtig, gebührend, in Ordnung
Gerede: Klatsch, Gerücht, Stadtgespräch, Gemunkel, Munkelei, Geraune, Tuschelei, Getuschel, Nachrede, Geflüster; *ugs.:* Rederei, Geplapper, Klatscherei, Gequassel, Quatscherei, Gerüchteküche, Getratsche, Tratsch(erei), Geschnatter, Kakelei ‖ Unsinn, Smalltalk, Phrasen, Banalitäten; *ugs.:* (dummes) Geschwätz, Palaver, Gefasel, Blabla, Gewäsch, (leeres) Stroh, Geschwafel, Blödsinn, Gequatsche, dummes Zeug, Gelaber, Papperlapapp, Gebabbel, Faselei, Gequake, Sermon, Geplätscher, Larifari
gereift → reif
gereizt → ärgerlich
gereuen → bereuen
Gericht: Gerichtshof, -behörde, Tribunal ‖ Essen, Speise, Mahl(zeit),

Schmaus, Kost, Imbiss, Snack; *derb:* Fraß, Futter
Gerichtsbarkeit: Rechtswesen, Justiz, Rechtsprechung, -spflege, Jurisdiktion
Gerichtshof → Gericht
Gerichtsverfahren: Strafprozess, -verfahren, Rechtsstreit, Gerichtsverhandlung
gering → minimal ‖ → kläglich ‖ von niederer Herkunft, gewöhnlich, sozial niedrig gestellt, niedrig stehend, nieder, einfach
gering achten → verachten
Geringachtung → Missachtung
geringfügig → unbedeutend
gering schätzen → verachten
geringschätzig → abfällig
Geringschätzung → Missachtung
gerinnen: flockig/klumpig/sauer werden (Milch), stocken; *reg.:* zusammengehen, -laufen, -fahren; *ugs.:* krisselig werden
Gerippe: Gebein(e), Skelett, Knochen(gerüst)
gerissen → schlau
gern(e): bereitwillig, anstandslos, mit Vergnügen/Freude/Vorliebe, freudig ‖ natürlich, ohne weiteres, selbstverständlich, -redend ‖ **g. haben:** mögen, schätzen, eine Vorliebe/Schwäche/ein Faible/viel übrig haben für, lieben; *ugs.:* einen Bären gefressen haben ‖ **g. gesehen:** beliebt, -gehrt, geschätzt, erwünscht, willkommen, erbeten, umschwärmt, angesehen
Geröll: Fels-, Gesteinsschutt, Kies
Gerte: Peitsche, Rute
gertenschlank → dünn
Geruch: Duft, Odeur, Aroma, Parfum, Blume (Wein), Bukett (Wein), Ruch, Ausdünstung, Witterung ‖ **schlechter G.:** Gestank; *ugs.:* Mief, Smell
Gerücht: Fama, Sage, Legende, Flüsterpropaganda, Ondit, Gerede, Klatsch; *derb:* Latrinenparole

gerüchtweise: dem Vernehmen nach, vom Hörensagen, wie man hört

geruhen: bereit/geneigt/-wogen/ -sonnen/gnädig/huldreich sein, s. herablassen, s. bequemen

gerührt: ergriffen, bewegt, -troffen, überwältigt, aufgewühlt, erschüttert, (tief) beeindruckt, erregt

geruhsam: ruhig, ruhevoll, gemächlich, gemach, ohne Hast/Eile/Überstürzung, gemütlich, beschaulich, -haglich, friedlich

Gerümpel → Ramsch

Gerüst: Stützwerk, Gestell ‖ Grundstruktur, -plan, Anlage, Leitfaden, Abriss, roter Faden, Modell, Skelett, Rohfassung; *ugs.:* Gerippe

gerüstet → fertig

gesalzen: salzig, versalzen ‖ *ugs.:* geharnischt, übertrieben, -höht, -mäßig, teuer, kostspielig, unbezahlbar, -erschwinglich, horrend, unverschämt; *ugs.:* happig, gepfeffert ‖ → derb

gesamt → ganz

Gesamtheit: das Ganze, Ganzheit, Totalität, Allgemeinheit, Vollständigkeit, Einheit; *reg.:* Gänze

Gesandter: Diplomat, Konsul, Legat, Staatsvertreter; *reg., öster.:* Missionär

Gesandtschaft: Botschaft, Konsulat, diplomatische Vertretung, Auslandsvertretung, ständige Vertretung, (Auslands)mission

Gesang: Singen, Melodie; *ugs.:* Getriller, -träller, -schmetter, Singsang; *abwertend:* Gekrächze; *gehoben:* Canto ‖ Lied, Song, Chanson, Arie, Kanzone, Kanon, Hymne, Psalm, Choral, Schlager

Gesangverein → Chor

Gesäß: *med.:* Nates; *ugs.:* Hinterteil, -backen, Hintern, verlängerter Rücken, Popo, Po(dex), Pöker, Sterz, Allerwertester, jmds. vier Buchstaben; *derb:* Arsch

gesättigt → satt

geschafft → erschöpft

Geschäft: (Handels)unternehmen, Firma, Gesellschaft, Betrieb ‖ Laden, Verkaufsstelle, -stätte, Kaufhaus, -halle, Warenhaus, Boutique, Kaufladen, Groß-, Supermarkt ‖ Geschäftsabschluss, Handel, Transaktion ‖ Aufgabe, Tätigkeit, Verrichtung, Auftrag, Verpflichtung, Arbeit ‖ Gewinn, Profit, Überschuss, Ausbeute; *ugs.:* guter Schnitt

geschäftig: betriebsam, rührig, regsam, rege, eifrig, aktiv, beflissen, emsig, fleißig, bestrebt, strebsam, bemüht, unermüdlich, -verdrossen, arbeitsam, schaffensfreudig, tatkräftig

Geschäftigkeit → Eifer

geschäftlich: dienstlich, amtlich, von Amts wegen, offiziell, behördlich, formell, unpersönlich ‖ finanziell, pekuniär, geldlich, merkantil, kommerziell, wirtschaftlich, ökonomisch, kaufmännisch, gewerblich

Geschäftsmann: Kaufmann, Händler, Businessman; *ugs.:* Geschäftemacher, Pfeffersack

geschäftstüchtig → schlau

Geschäftsviertel: Einkaufs-, Geschäftszentrum, Shoppingcenter

Geschäker → Flirt

geschätzt → angesehen ‖ → beliebt

geschehen: s. ereignen, s. zutragen, verlaufen, sein, s. abspielen, vorkommen, -fallen, erfolgen, passieren, ablaufen, s. begeben, s. einstellen, vonstatten/vor s. gehen, vorgehen, zustande kommen, stattfinden, zugehen, eintreten, s. vollziehen; *ugs.:* abrollen, über die Bühne gehen, s. tun, s. schieben, los sein ‖ → zustoßen ‖ g. lassen → billigen

Geschehen → Ereignis

Geschehnis → Ereignis

gescheit → klug

Gescheitheit → Klugheit

Geschenk: Gabe, Präsent, Aufmerksamkeit, Zueignung, *geh.:* Dedikation; *ugs.:* Mitbringsel ‖ Schenkung, Spende, Stiftung

geschert → frech

Geschichte: Vergangenheit, Historie, das Gestern/Frühere/Gewesene, Vorzeit, -welt, Tradition, Überlieferung ‖ Entwicklung(sgang), Prozess, Entfaltung, Fortentwicklung, Werdegang ‖ Lebenslauf, Vorleben, Biografie ‖ Ereignis, Geschehnis, Erlebnis, Vorfall, Vorgang, Episode, Zwischenfall, -spiel, Schauspiel, Phänomen, Intermezzo, Abenteuer, Kuriosum, Sensation ‖ Bericht, Story, Erzählung, Roman, Darstellung, Beschreibung ‖ → Angelegenheit

geschichtlich → historisch

Geschick → Schicksal ‖ Gewandtheit, (Kunst-, Finger)fertigkeit, Geschicklich-, Wendig-, Beweglichkeit, Flinkheit, Talent, Routine, Technik

geschicklich → geschickt

Geschicklichkeit → Geschick

geschickt: geschicklich, kunst-, fingerfertig, praktisch, anstellig, vielseitig, routiniert, fix, flink, geübt, clever ‖ → gewandt ‖ → fähig

Geschlecht: Generation ‖ Familie, Stamm, Geblüt, Haus, Sippe, Verwandtschaft, Anverwandte, -gehörige, Clan, Sippschaft, Anhang, Gattung ‖ Geschlechtswort, Artikel, Genus

geschlechtlich: sexuell, erotisch

Geschlechtsakt → Geschlechtsverkehr

Geschlechtsorgan: Geschlechtsteil, Genital(e)

Geschlechtsteil → Geschlechtsorgan

Geschlechtsverkehr: Beischlaf, Koitus, (Geschlechts)akt, Begattung, (Liebes)vereinigung, (Intim)verkehr, intime Beziehung, Kohabitation, Kopulation, Liebesvollzug, -spiel, Schäferstündchen; *ugs.:* GV, Vögeln, Nummer; *derb:* Fick

geschliffen → gewandt ‖ → scharf

geschlossen → einheitlich ‖ → gemeinsam ‖ ver-, zu-, abgeschlossen, zu-, abgesperrt, verriegelt, nicht offen/geöffnet, zu, nicht zugänglich, unbetretbar, dicht

Geschmack: Aroma, Würze ‖ Stil(empfinden), Stilgefühl, Schönheitssinn, ästhetisches/künstlerisches Empfinden, Kunstverständnis, Form-, Qualitätsgefühl, Gout, Kultur ‖ Zuneigung, Anklang, Gefallen, Echo, Resonanz, Sympathie, Interesse, Wohlwollen

geschmacklos → schal ‖ stillos, -widrig, unschön, formlos, kitschig, hässlich, überladen ‖ → taktlos

geschmackvoll: stilvoll, apart, passend, hübsch, schön, ästhetisch, kultiviert, künstlerisch, vornehm, nobel, elegant, schick, gut angezogen, kleidsam, gewählt, auserlesen, fein, smart, distinguiert

Geschmeide: Schmuck, Juwelen, Preziosen, Bijouterie, Zierrat, Kostbarkeiten

geschmeidig → elastisch

Geschöpf: (Lebe)wesen, Kreatur ‖ Person, Figur, Mensch, Subjekt, Individuum, Gestalt, Persönlichkeit

Geschoss: Kugel, Projektil, Granate, Schrapnell ‖ Stock(werk), Etage

geschraubt → geziert

Geschrei: Gebrüll, Brüllen, → Lärm, Krach, Johlen; *ugs.:* Gekreisch, -heul, -johle, -zeter, -plärr, -lärme, -gröle, Konzert, Krakeel ‖ → Gejammer

geschult → gebildet

Geschütz: Kanone, Haubitze

geschützt → sicher ‖ windstill, -geschützt, nicht zugig

Geschwätz → Gerede ‖ → Gemeinplatz

geschwätzig: schwatzhaft, klatschhaft, -süchtig, viel/aufdringlich redend, redselig; *ugs.:* tratschsüchtig, salbaderisch

geschweift → gebogen
geschwind → schnell
Geschwindigkeit: Schnelligkeit, Schnelle, Hast, Tempo, Eile, Behändigkeit; *ugs.:* Rasanz, Galopp, Karacho, Speed, Zahn
geschwollen: dick, aufgetrieben, -gebläht, -gedunsen ‖ → geziert ‖ → überheblich
Geschworener: Schöffe, Laienrichter
Geschwulst: Auswuchs, Wucherung, Tumor, Gewächs, Schwellung, Knoten, Verdickung, Wulst, Verhärtung, Geschwür
geschwungen → gebogen
Geschwür: Eiterbeule, Abszess, Karbunkel, Furunkel, Fistel, Geschwulst, Schwellung
Geselchtes: Geräuchertes, Rauchfleisch; *reg.:* Selchfleisch
gesellen, sich → s. anschließen
gesellig: kontaktfreudig, -fähig, soziabel, menschenfreundlich, → aufgeschlossen, umgänglich, kommunikationsfreudig, extravertiert ‖ unterhaltsam, -haltend, vergnügt, amüsant, angenehm, -regend, kurzweilig, ungezwungen, zwanglos, ergötzlich, (lebens)lustig, fidel, fröhlich ‖ gastfreundlich, gastlich, -frei, großzügig, freigebig, spendabel
Geselligkeit → Gesellschaft ‖ gesellschaftlicher Umgang/Verkehr, Soziabilität
Gesellschaft: geselliges/festliches Beisammensein, Zusammenkunft, -sein, Geselligkeit, Fest(ivität) ‖ Begleitung, Umgang, Verkehr ‖ → Gruppe ‖ Vereinigung, Unternehmen, Firma, Betrieb ‖ Allgemeinheit, Öffentlichkeit
Gesellschafter: Teilhaber, Mitinhaber, Partner, Kompagnon, Sozius, Komplementär, Kommanditist, Kommanditär ‖ Unterhalter, unterhaltsamer Redner, Plauderer, Causeur

gesellschaftlich: sozial, politisch, öffentlich, allgemein, kollektiv ‖ bedeutend (Ereignis), bedeutsam, -deutungsvoll, wichtig, groß, spektakulär
gesellschaftsfähig → salonfähig ‖ → anständig
Gesellschaftsschicht → Schicht
Gesetz: Recht, Lex, Verfassung ‖ Verordnung, -fügung, Vorschrift, Bestimmung, Statut, Paragraph, Weisung, Diktat, Order, Erlass, Edikt, Gebot, -heiß, Maßnahme, Richtlinie ‖ Gesetz-, Regelmäßigkeit, Regel, Norm, Ordnung, Grundsatz, Standard, Prinzip
Gesetzgebung: Legislative, Legislatur, Legislation, gesetzgebende Gewalt
gesetzlich → rechtmäßig
gesetzlos: plan-, regellos, ungeordnet, ohne feste Ordnung, chaotisch, verworren, wirr, anarchisch, wild
Gesetzlosigkeit → Anarchie
gesetzmäßig → rechtmäßig ‖ vorschrifts-, regelmäßig, erwartungs-, ordnungs-, naturgemäß, natürlich, buchstäblich immer so, tatsächlich/ wirklich so, regelrecht ‖ angeordnet, verordnet, vorgeschrieben, verbindlich, -pflichtend, obligatorisch
Gesetzmäßigkeit → Gesetz
gesetzt: ruhig, besonnen, gelassen, -fasst, gemessen, ausgeglichen, gleichmütig, reif, überlegt
gesetzwidrig: rechts-, verfassungs-, ordnungswidrig, widerrechtlich, unrechtmäßig, -rechtlich, -gesetzlich, ohne Recht, gegen das Gesetz/die Vorschrift (verstoßend), strafbar, sträflich, kriminell, illegal, illegitim, außerhalb der Legalität, auf ungesetzlichem Weg, verboten, -pönt, unstatthaft, -erlaubt, -zulässig, tabu, untersagt, ohne gesetzliche Grundlage, unbefugt, irregulär, nicht erlaubt
Gesicht: Angesicht, Physiognomie, (Gesichts)züge; *dicht.:* Antlitz; *ugs.:*

Fassade; *abwertend:* Visage, Fratze; *reg.:* Gefrieß; *derb:* Fresse, Schnauze ‖ → Miene ‖ → Ansehen ‖ → Einbildung

Gesichtsausdruck → Miene

Gesichtsfeld → Gesichtskreis

Gesichtskreis: Horizont, Gesichts-, Blickfeld, Umkreis, -feld, Sehkreis, Reichweite, Gedankenwelt, Weltbild, Verständnis; *ugs.:* Radius

Gesichtspunkt → Standpunkt

Gesichtswinkel → Standpunkt

Gesichtszug → Miene

Gesinde → Personal

Gesindel: das gemeine Volk, Lumpenpack, Pöbel, Mob, Brut, Gelichter, Abschaum, verkommene Gesellschaft, Gezücht, Asoziale, Sippschaft, Plebs; *ugs.:* Bagage, Bande, Pack, Meute, Gesocks, Horde, Teufelsbrut, Geschmeiß

Gesinnung: Denkart, -weise, Sinnesart, Einstellung, (Grund)haltung, Weltanschauung, -bild, Lebensanschauung, Ideologie, Geisteshaltung, Betrachtungsweise

gesinnungslos: opportunistisch, verführ-, beeinflussbar, korrupt, käuflich, bestechlich

Gesinnungslosigkeit → Opportunismus

gesittet → anständig

Gesöff → Getränk

gesondert: extra, separat, individuell, apart, (ab)getrennt, einzeln, für sich (allein), isoliert, speziell

gesonnen: willens, gewillt, -neigt, entschlossen, bereit ‖ eingestellt, gelaunt, -stimmt, aufgelegt, disponiert

gespalten: zerrissen, zwiespältig, zweifelnd, unentschlossen, entscheidungsunfähig, unausgegoren

gespannt → erwartungsvoll ‖ straff, stramm, nicht locker ‖ spannungsgeladen, explosiv, dramatisch, kritisch, gereizt, verhärtet, feindselig

Gespanntheit → Spannung

Gespenst: Geist, Dämon, Spuk(gestalt), Phantom, Erscheinung

Gespenstergeschichte → Geistergeschichte

gespensterhaft → schauerlich

gespenstisch → schauerlich ‖ → grauenhaft

Gespiele → Freund ‖ → Geliebter

Gespielin → Freundin ‖ → Geliebte

Gespinst → Gewebe

Gespött → Spott

Gespräch: Unterredung, -haltung, Gedanken-, Meinungsaustausch, Konversation, Plauderei, Geplauder, Smalltalk, Zwiesprache, -gespräch, Dialog, Erörterung, Diskurs, Kolloquium, Diskussion, Aussprache, Besprechung, -ratung, Verhandlung, Befragung, Interview; *ugs.:* Plausch, Schwatz ‖ Debatte, Auseinandersetzung, Meinungsverschiedenheit, Kontroverse, Disput, Streitgespräch, Wortwechsel, Wortgefecht

gesprächig: redelustig, -freudig, mitteilsam, redselig; *abwertend:* schwatzhaft, geschwätzig, klatschsüchtig

gespreizt → geziert

Gespreiztheit → Gehabe

gesprenkelt: getüpfelt, -punktet, -mustert

Gespür: Spürsinn, -nase, Gefühl, Instinkt, Empfindung, Organ; *ugs.:* Riecher, Ader, sechster Sinn

Gestade: Ufer, Küste, Strand

Gestalt: Figur, Wuchs, Körperbau, -form, Statur, Erscheinung, Konstitution, Bau, Typ ‖ Form, Fasson, Formung, Gebilde ‖ Person, Persönlichkeit, Charakter, Mensch, Wesen, Frau, Mann, Kopf

gestalten: formen, bilden, Form/Gestalt geben, in eine Form bringen, modellieren, ausarbeiten, anfertigen, erschaffen, ausführen ‖ arrangieren, anordnen, einrichten, zusammenstellen; *ugs.:* aufziehen

gestalterisch → schöpferisch

gestaltlos: formlos, ungestaltet, -geformt, amorph

Geständnis: Eingeständnis, Beichte, Offenbarung, Schuld-, Sündenbekenntnis

Gestank: schlechter/übler Geruch, verbrauchte Luft, Ausdünstung; *ugs.:* Mief

gestatten → erlauben

gestattet → zulässig

Geste: Gebärde, (Kopf-, Hand)bewegung, Wink, Zeichen

gestehen: zugeben, bekennen, geständig sein, eingestehen, -räumen, die Wahrheit sagen, ein Bekenntnis/Geständnis ablegen, ein Geständnis machen, etwas entdecken, die Wahrheit sagen, enthüllen, aussagen, eine Aussage machen, offenbaren, beichten, sein Gewissen erleichtern, eröffnen; *ugs.:* die Karten auf den Tisch legen, auspacken, mit der Sprache herausrücken, Farbe bekennen, die Katze aus dem Sack lassen

Gestein: Fels(en), Felsbrocken, -block, -gestein; *dicht.:* Gefels

Gestell: Stellage, Regal, Bord, Ablage, Gerüst

gestelzt → geziert

Gestern, das → Vergangenheit

Gestichel → Anspielung ‖ → Kritik

gestikulieren: Gesten machen, mit Gesten ausdrücken, mit den Händen reden; *ugs.:* (herum)fuchteln, -fuhrwerken

gestimmt → gelaunt

Gestirn: Stern, Himmelskörper, Planet

gestorben → erledigt ‖ → tot

Gesträuch: Gebüsch, Buschwerk, Gestrüpp, Strauchwerk, Dickicht, Hecke, Unterholz

gestreßt → erschöpft

gestrig → altmodisch

Gestrüpp → Gesträuch ‖ → Unordnung

Gesuch: Bitte, Bittschrift, Antrag, Eingabe, Anfrage, -suchen, Petition, Fürbitte, Bittgesuch, Bewerbung

gesucht: unnatürlich, gezwungen, -künstelt, -wollt, weit hergeholt; *ugs.:* an den Haaren herbeigezogen ‖ → beliebt

gesund: wohl(auf), nicht krank, blühend, kerngesund, → kräftig ‖ intakt, heil, unversehrt, -verletzt; *ugs.:* noch ganz ‖ gesundheitsfördernd, kräftigend, nahrhaft, bekömmlich, zuträglich, aufbauend ‖ arbeits-, erwerbsfähig ‖ natürlich (Anschauungen), normal, einsichtig, vernünftig, verständig ‖ g. sein: wohlauf/fit/in guter körperlicher Verfassung sein; *ugs.:* mobil/in Form/auf der Höhe/dem Posten/Damm sein ‖ g. werden → gesunden ‖ g. machen → heilen

gesunden: genesen, gesund/geheilt/wiederhergestellt werden, seiner Genesung entgegengehen, auf dem Wege der Besserung sein; *ugs.:* wieder auf den Damm/die Beine kommen

Gesundheit: Wohlbefinden, -ergehen, -sein, Wohl, gutes Befinden, Rüstigkeit, Frische, gute Verfassung, langes Leben

gesundstoßen, sich → s. bereichern

Gesundung → Genesung

Getöse → Lärm

Getränk: Trank, Trunk, Trinkbares, Drink; *abwertend:* Gesöff, Plempe, Gebräu, Brühe, Plörre; *öster.:* Gschlader

Getratsche → Gerede

getrauen, sich → riskieren

Getreide: Korn, Halm-, Körnerfrucht

getrennt: geteilt, unverbunden ‖ für sich, separat, isoliert, einzeln, vereinzelt, gesondert

getreu → treu ‖ → genau

Getreuer → Freund ‖ → Anhänger

getreulich → treu

Getriebe: Maschinerie, Räderwerk ‖ → Gedränge

getrost: zuversichtlich, vertrauensvoll, ruhig, guten Mutes, unverzagt, bedenkenlos

Getue → Zirkus ‖ → Gehabe

Getümmel → Auflauf ‖ → Betrieb

Getuschel → Gerede

Gewächs: Pflanze ‖ Geschwür, -schwulst, Auswuchs, Wucherung

Gewächshaus: Treib-, Glashaus

gewagt: waghalsig, abenteuerlich, riskant, gefährlich, verwegen, tollkühn, heikel, zweischneidig, mutig, halsbrecherisch, selbstmörderisch

gewählt: vornehm (Sprache), gehoben, -pflegt, distinguiert, nobel ‖ → elegant

Gewähr: Garantie, Sicherheit, Bürgschaft, Haftung, Gewährleistung

gewahren: bemerken, wahrnehmen, gewahr/aufmerksam werden, entdecken, erblicken, erkennen, sehen, sichten; *gehoben:* innewerden

gewähren → bewilligen ‖ **g. lassen:** nicht stören/hindern, den Willen lassen, die Freiheit geben, freies Spiel/freien Lauf lassen, schalten und walten lassen

gewährleisten → bürgen

Gewährleistung → Gewähr

Gewahrsam: Verwahrung, Aufbewahrung, Verschluss, Sicherheit ‖ Haft, Arrest, Gefangenschaft ‖ **in G. nehmen** → gefangen nehmen ‖ → aufbewahren

Gewährsmann: Bürge, Garant

Gewalt → Herrschaft ‖ Gewaltsamkeit, Brachialgewalt, Zwang, Druck, Pression ‖ Stärke, Kraft, Wucht, Heftigkeit, Vehemenz

Gewalthaber → Herrscher

Gewaltherrschaft: Tyrannei, Despotie, Despotismus, Diktatur, Schreckensherrschaft, Terror(ismus), totalitäres System, absolutistische Herrschaft

gewaltig: riesig, massig, (über)mächtig, wuchtig, gigantisch, monströs, unermesslich, kolossal, riesengroß, -haft, immens, überdimensional, sehr groß, von beachtlichem/ungeheurem Ausmaß, voluminös, monumental, übergroß, titanisch, enorm, außerordentlich, exorbitant; *ugs.:* mordsmäßig ‖ heftig, stark, wild, vehement, → sehr

gewaltsam: mit/unter Anwendung von Gewalt, unter Zwang, wider Willen ‖ → brutal

Gewaltsamkeit → Gewalt

Gewalttat: Gewaltakt, -handlung, -verbrechen, -streich

gewalttätig → brutal ‖ handgreiflich, tätlich ‖ → anarchistisch

Gewand → Kleid ‖ Aufmachung, Ausstattung, Gestaltung, Äußeres, Aufzug, Form

gewandt: elastisch, gelenkig, -schmeidig, beweglich, wendig, flink, leichtfüßig, behände, rasch, agil; *ugs.:* fix ‖ geschliffen, routiniert, flexibel, taktisch, diplomatisch, sicher, erfahren, elegant, weltläufig, -männisch, geschickt, aufgeweckt ‖ → fähig

Gewandtheit → Geschick

gewärtigen: gefasst/vorbereitet/gewärtig sein ‖ *veraltet:* erwarten, entgegensehen

Gewäsch → Gerede

Gewässer: Meer, See, Ozean, (das große) Wasser, Strom, Fluss, Kanal, Wasserader, -lauf, -weg, Bach, Rinnsal, Teich, Tümpel, Weiher, Becken, Bassin

Gewebe: Stoff, Tuch, Gewirk, -spinst, -flecht

Gewehr: Flinte, Büchse, Karabiner, Drilling, (Schuss)waffe; *ugs.:* Knarre, Schießeisen, Ballermann

Geweih: Gehörn, -stänge, Schaufeln (Hirsch), Hörner (Gämse); *Jägerspr.:* Stangen

gewellt → lockig
Gewerbe: Handwerk, -arbeit ‖ Tätigkeit, Beschäftigung, Geschäft, Verrichtung, Arbeit, Beruf, Metier, Job
gewerbsmäßig: berufsmäßig, -ruflich, professionell
Gewerkschaft: Arbeitnehmervertretung, -organisation
gewesen → vergangen
Gewicht: Schwere, Masse, Last ‖ Druck, Kraft, Stärke, Gewalt, Wucht, Härte, Heftigkeit, Vehemenz ‖ Wichtigkeit, Bedeutung, Bedeutsam-, Wirksamkeit, Tragweite, Relevanz, Geltung, Wert, Ernst, Rang, Größe, Tiefe, Einfluss ‖ → Akzent
gewichtig → wichtig
gewieft → schlau
gewiegt → schlau
Gewieher → Gelächter
gewillt: willens, geneigt, -sonnen, entschlossen, bereit
Gewimmel → Gedränge
Gewimmer → Gejammer
Gewinn: Profit, (Netto)einnahme(n), (Rein)erlös, Ausbeute, (Netto-, Rein)ertrag, (Rein)verdienst, Gewinn-, Handelsspanne, Überschuss, Mehr(wert), Plus, Geschäft, guter Handel, Vorteil, Nutzen ‖ Treffer, Großes Los, Glückslos
Gewinn bringend → einträglich
gewinnen: siegen, als Sieger hervorgehen, Sieger sein, den Sieg erringen/ davontragen/erlangen, jmdn. schlagen, den Preis davontragen, triumphieren, überlegen sein, als erster ans Ziel kommen, den Kampf für sich/zu seinen Gunsten entscheiden; *ugs.:* das Rennen machen ‖ → besiegen ‖ profitieren, Gewinn haben/erzielen/ ziehen aus, Nutzen haben/ziehen, ernten; *ugs.:* Geschäfte/einen guten Schnitt machen, herausholen, -schlagen, einheimsen ‖ erwerben, -reichen, -langen, bekommen, kommen/ gelangen zu ‖ fördern (Kohle), ab-

bauen ‖ **g.für:** überreden, -zeugen, interessieren/werben für; *ugs.:* breitschlagen, herumkriegen, einwickeln ‖ **für sich g.** → einnehmen, für sich
gewinnend → sympathisch ‖ → attraktiv
Gewinner → Sieger
Gewinnsucht → Geiz
gewinnsüchtig → habgierig
Gewirr → Unordnung
Gewisper → Geflüster
gewiss: sicher(lich), zweifellos, unstreitig, ohne Zweifel/Frage, zweifelsohne, fraglos, auf jeden Fall, selbstverständlich, bestimmt, allemal, schon; *ugs.:* klar, klarer Fall ‖ gesichert, wahr, wirklich, authentisch, unbezweifel-, unwiderlegbar, unbestritten ‖ ganz gewiss, natürlich, freilich, aber ja ‖ nicht genauer bestimmt/näher bezeichnet
Gewissen: innere Stimme, inneres Gebot, sittliches Bewusstsein, Ethos, Moral, Verantwortung(sbewusstsein)
gewissenhaft: gründlich, genau, exakt, peinlich, penibel, präzis, akkurat, sorgfältig, ordentlich, sorgsam, pflichtbewusst, -getreu, verantwortungsbewusst, ausdauernd, stetig, beständig, -harrlich, pünktlich, zuverlässig, verlässlich, -trauenswürdig, Vertrauen erweckend
Gewissenhaftigkeit → Sorgfalt
gewissenlos: skrupel-, rücksichts-, verantwortungs-, bedenken-, hemmungs-, ruchlos, pflichtvergessen, leichtfertig, nach-, fahrlässig, ohne Skrupel
Gewissensbisse: Schuldbewusstsein, -gefühl, schlechtes Gewissen, Skrupel, Gewissensnot, -qual, -angst, moralische Bedenken, Zerknirschung; *ugs.:* Gewissenswurm
gewissermaßen: sozusagen, soviel wie, gleichsam, mehr oder minder/ weniger, so gut wie, an und für sich, wie wenn, quasi, gleichwie

Gewissheit: Sicherheit, Überzeugung, sichere Kenntnis, Klarheit
Gewitter → Unwetter
gewittrig: schwül, drückend, stickig, gewitterschwer
gewitzt → schlau
gewogen: zugetan, wohlwollend, -meinend, wohl gesinnt, freundlich gesinnt, geneigt, hold
gewöhnen: vertraut/bekannt machen mit ‖ **sich g. an:** s. einfügen, s. anpassen, s. akklimatisieren, s. einstellen auf, s. angleichen, s. assimilieren, s. eingewöhnen/-leben, heimisch/vertraut werden, Fuß fassen; *ugs.:* warm werden ‖ zur Gewohnheit machen, s. angewöhnen, s. zu Eigen machen, s. aneignen, annehmen
Gewohnheit: Brauch, Sitte, Gepflogenheit, Usus, Regel, Herkommen, Tradition, Konvention ‖ Angewohnheit, Gepflogenheit, Eigenart ‖ **G. werden** → s. einbürgern
gewohnheitsmäßig → gewöhnlich
gewöhnlich: alltäglich, üblich, gewohntermaßen, normal, geläufig, -bräuchlich, -wohnt, herkömmlich, allgemein, gewohnheitsmäßig, eingewurzelt, -gebürgert, -gefahren, -gespielt, regulär, regelmäßig, gängig ‖ niveaulos, unfein, gemein, ordinär, nichts sagend, unbedeutend, banal, nieder, vulgär, primitiv; *ugs.:* prolo ‖ meist(ens), im Allgemeinen, in der Regel
gewohnt: bekannt, vertraut, geläufig, nicht fremd ‖ → gewöhnlich
gewohntermaßen → gewöhnlich
gewölbt: gebogen, -schwungen, halbrund, bauchig
Gewühl → Gedränge
gewürzt → würzig
gezähmt → zahm
Gezänk → Streit
Gezeiten: Ebbe und Flut, Tide
Gezeter: Schimpfen, Keifen; *ugs.:* Gekeife ‖ → Geschrei ‖ → Gejammer

gezielt: zielbewusst, geplant, planmäßig, -voll, überlegt, durchdacht, konsequent, methodisch, systematisch
geziemen, sich: s. gehören, s. schicken, s. gebühren, angebracht/-gemessen sein, anstehen
geziemend → angemessen
Geziere → Gehabe
geziert: unnatürlich, affektiert, künstlich, stilisiert, manieriert, hochtrabend, schwülstig, unecht, gespreizt, -stelzt, -schraubt, -zwungen, -stellt, -sucht, -schwollen, -künstelt, preziös; *ugs.:* affig, etepetete, gemacht
Gezücht → Gesindel
gezwungenermaßen: notgedrungen, unfreiwillig, zwangsweise, der Not gehorchend, schweren Herzens, wider Willen, widerwillig, -strebend, wohl oder übel, nolens volens
Giebel: (Dach)first
Gier: Begierde, (heftiges) Verlangen/Begehren, Begehrlichkeit, Unersättlichkeit, (Hab)sucht; *reg.:* Gieper, Jieper ‖ → Wollust
gieren, nach: begierig/hungrig/versessen sein auf, s. reißen um; *ugs.:* s. die Finger lecken nach, aus sein/spitzen auf, verrückt sein auf/nach, wie der Teufel hinter der armen Seele her sein
gierig: begierig, lüstern, unersättlich, hungrig, verlangend, -sessen, süchtig, erpicht, wild, dürstend, lechzend, nimmersatt; *ugs.:* heiß, scharf, geil, spitz
gießen: schütten, eingießen, (ein)füllen ‖ begießen, (be)sprengen, mit Wasser versorgen ‖ → regnen
Gift: Giftstoff; *med.:* Toxikum ‖ → Bosheit
giften, sich → s. ärgern
gifthaltig → giftig
giftig: gifthaltig, schädlich, gefährlich, tödlich; *med.:* toxisch, virulent ‖

gehässig, hasserfüllt, odiös, bissig, garstig, böse, bösartig, boshaft

Gigant → Riese

gigantisch → gewaltig

Gilde: Zunft, Innung ‖ (Interessen)gruppe, Schar, Partei, Gesellschaft, Kreis

Gipfel: (Berg)spitze, (Berg)kuppe, Scheitel ‖ (Baum)krone, Wipfel ‖ → Krönung

gipfeln: kulminieren, den Höhe-/Gipfel-/Kulminationspunkt erreichen, die Krönung finden

Gipfelpunkt → Krönung

Gipfelstürmer → Bergsteiger

Gischt: Schaum

Gitarre: *ugs.:* Klampfe

Gitter: Gatter, Umzäunung

Gladiole: *volkst.:* Schwertel

Glanz: Licht, Schimmer, Schein, Leuchten, Gefunkel, -flimmer, -glitzer; *dicht.:* Glast ‖ Ruhm, Glorie, Pracht, Prunk, Herrlichkeit, Größe, Nimbus

glänzen → leuchten ‖ → brillieren

glänzend: blinkend, funkelnd, blitzend, glitzernd, leuchtend, strahlend, schimmernd, schillernd, gleißend, opalisierend ‖ (spiegel)blank, poliert, spiegelnd ‖ glanzvoll, brillant, hervorragend, ausgezeichnet, hinreißend, bestechend, -rückend, großartig, fantastisch, prächtig, herrlich, trefflich, meisterhaft, vorbildlich, grandios, genial, überwältigend, einmalig, einzigartig, erstklassig, wundervoll, famos, exzellent, vorzüglich, außerordentlich, ruhmvoll, -reich, glorreich, glorios, triumphal; *ugs.:* toll, ganz groß, Klasse, dufte, prima

Glanzleistung → Krönung

glanzlos: matt, stumpf, blind

Glanznummer → Glanzpunkt

Glanzpunkt → Krönung ‖ Sensation, (Haupt)attraktion, Clou, Schlager, Zug-, Paradenummer, Zugpferd,

-stück, Gala-, Glanznummer, Glanzstück, -licht

Glanzstück: Pracht-, Prunk-, Schau-, Kabinettstück, Prachtexemplar ‖ *ugs.:* Prachtmensch, -kerl, feiner Kerl, Perle ‖ → Krönung ‖ → Glanzpunkt

glanzvoll → glänzend

gläsern: durchsichtig, transparent, glasklar ‖ → glasig

glasig: gläsern, verglast, stier, starr, trüb/feucht schimmernd

glasklar → durchsichtig

Glasur: Lasur, Guss, Überzug

glatt: ganz eben/flach, platt, plan, faltenlos, poliert, gleichmäßig ‖ spiegel-, eisglatt, glitschig, rutschig, schlüpfrig ‖ mühe-, reibungslos, einfach, ohne Komplikationen/Hindernisse/Zwischenfälle, ruhig, ungehindert, zügig, perfekt, einwandfrei ‖ aalglatt, schlangenartig, allzu gewandt/höflich, raffiniert, schlau ‖ *ugs.:* glatt-, schlankweg, geradewegs, ohne Umschweife, freiweg, direkt, rundheraus, eindeutig

glätten: glatt machen/streichen/ziehen ‖ (ein)ebnen, nivellieren, ausgleichen, gleichmachen, egalisieren, begradigen, planieren, walzen, (ab)schleifen, abziehen, (glatt) hobeln, (ab)schmirgeln, glatt feilen/schleifen, abfeilen, polieren ‖ → ausgleichen ‖ *reg.:* bügeln, plätten

glattgehen → gelingen ‖ → funktionieren

glatt machen → glätten

glattweg → kurzerhand ‖ → aufrichtig

Glatze: Kahl-, Glatzkopf; *ugs.:* Platte, Spielwiese, Landeplatz

glatzköpfig → kahl

Glaube(n): Gläubigkeit, Frömmigkeit, Gottvertrauen, Religiosität ‖ Religion, Konfession, (Glaubens)bekenntnis, Glaubensrichtung ‖ (gefühlsmäßige) Überzeugung, Gewissheit ‖ Zuversicht, Erwartung, Hoffnung, Vertrauen

glauben: für wahr halten, überzeugt sein, Glauben schenken, für bare Münze nehmen; *ugs.:* abkaufen, -nehmen ‖ bauen/vertrauen auf, Vertrauen schenken, rechnen mit ‖ meinen, vermuten, denken, für richtig erachten, annehmen, schätzen, wähnen, finden, für möglich halten; *ugs.:* schwanen

glaubhaft → einleuchtend

gläubig → fromm ‖ vertrauensvoll, -selig, gutgläubig, in gutem Glauben, ergeben, nicht zweifelnd/fragend, unkritisch, naiv, arglos

Gläubiger: Geld-, Kreditgeber, Kreditor

glaubwürdig: zuverlässig, vertrauenswürdig, Vertrauen erweckend, verlässlich, ehrlich, aufrichtig, wahr(haftig) ‖ → einleuchtend

gleich: übereinstimmend, identisch, kongruent, konform, → analog, → ähnlich, homogen, einheitlich, unterschiedslos, ohne Unterschied, genauso ‖ gleichbedeutend, eins, einerlei ‖ voll-, gleichwertig, äquivalent, gleichrangig, -berechtigt, -gestellt, paritätisch, ebenbürtig ‖ → gleichgültig ‖ entsprechend, gemäß, adäquat, vergleichbar ‖ → sofort

gleichartig → analog

gleichbedeutend: synonym, bedeutungsgleich, -ähnlich, sinnverwandt

gleichberechtigt → gleich

Gleichberechtigung: Gleichheit, -stellung, -wertigkeit, -rangigkeit, Parität, Ebenbürtigkeit, Emanzipation

gleichbleiben: unverändert/konstant bleiben, s. nicht ändern, von Dauer/Bestand sein, s. (er)halten

gleichen: gleich/gleichwertig/-rangig/ebenbürtig sein, übereinstimmen, kongruieren, korrespondieren, (s.) entsprechen, s. decken, gleichkommen ‖ → ähneln

gleichermaßen → ebenso

gleichfalls → ebenfalls

gleichförmig → langweilig ‖ schablonenhaft, uniform, schematisch ‖ gleichartig, verwandt, -gleichbar

gleichgeschlechtlich → homosexuell

gleichgesinnt: wesensgleich, geistesverwandt, einig, übereinstimmend, einhellig, -mütig, -trächtig, einer Meinung, solidarisch, verbündet, -schworen

gleichgestellt → gleich

Gleichgewicht: Balance, Ausgewogenheit

gleichgültig: interesselos, ohne Interesse, des-, uninteressiert, indifferent, unbeteiligt, teilnahms-, acht-, leidenschaftslos, ungerührt, kühl, passiv, nicht betroffen, apathisch, (nach)lässig ‖ → unbedeutend ‖ einerlei, egal; *ugs.:* gleich, schnuppe, wurscht, schnurz, piepegal

Gleichgültigkeit → Desinteresse

Gleichheit: Übereinstimmung, Identität, Kongruenz, Homogenität, Konformität, Analogie, Harmonie, Einklang, Entsprechung ‖ → Gleichberechtigung

gleichkommen → gleichen

gleichmachen → anpassen ‖ → glätten

Gleichmaß: Ebenmaß, Gleich-, Eben-, Regelmäßigkeit, Symmetrie, Harmonie, Ausgewogenheit, -geglichenheit, ausgewogenes Verhältnis, gleichmäßiger Ablauf, periodischer Wechsel, zyklische Wiederkehr/-holung ‖ → Beständigkeit ‖ → Ruhe

gleichmäßig → ebenmäßig ‖ → einheitlich ‖ halb und halb, zu gleichen Teilen; *ugs.:* fifty-fifty

Gleichmut → Ruhe

gleichmütig → gelassen

Gleichnis: Parabel, Analogie, Vergleich, Sinnbild, Lehrstück

gleichrangig → gleich

gleichsam → gewissermaßen

gleichschalten → anpassen

gleichsehen → ähneln

gleichsetzen: gleichstellen, gleich behandeln, auf eine Stufe stellen, als dasselbe betrachten/identifizieren, nicht unterscheiden; *ugs.:* zusammenwerfen, mit der gleichen Elle messen

gleichstellen → gleichsetzen

gleichtun → gleichziehen ‖ → nachahmen

gleichviel: einerlei, wie dem auch sei, wie auch immer, egal, ohne Rücksicht darauf

gleichwertig → gleich

gleichwie → gewissermaßen

gleichwohl → dennoch

gleichzeitig: zur selben/gleichen Zeit, im selben Augenblick, synchron, simultan, gleichlaufend, zusammen, auf einmal ‖ zugleich, in einer Person

gleichziehen: gleichtun, mitziehen, dasselbe leisten; *ugs.:* an demselben Strang ziehen ‖ → s. anpassen

gleißen → leuchten

gleißend → glänzend

gleiten → rutschen

Gletscher: Firn; *reg.:* Ferner

Glied → Teil ‖ → Mitglied ‖ → Penis

gliedern → einteilen ‖ **sich g.:** zerfallen in, s. unterteilen, s. zusammensetzen aus, s. verästeln

Gliederung: Durch-, Auf-, Untergliederung, Ein-, Auf-, Unterteilung, (Auf)fächerung, Staffelung, Klassifikation, Stufung, Aufschlüsselung, Systematisierung, Differenzierung, Struktur(plan), → Aufbau

Gliedmaße(n): Extremitäten, Glieder, Körperteile

glimmen: schwach glühen/brennen, schwelen; *reg.:* glosen; *schweiz.:* glosten

glimpflich: leidlich, schlecht und recht, passabel, erträglich, halbwegs, einigermaßen ‖ behutsam, nachsichtig, rücksichtsvoll, gnädig, sanft, mild, schonend, vorsichtig, sorgsam, -fältig, pfleglich

glitschen → schlittern

glitschig: glatt, rutschig, schlüpfrig, matschig

glitzern → leuchten

glitzernd → glänzend

global: universal, universell, weltweit, -umspannend, -fassend, international, mondial ‖ allgemein (gültig), total, gesamt, umfassend, allseitig, generell, absolut, erschöpfend, enzyklopädisch

Globetrotter: Weltenbummler, Weltreisender, Abenteurer

Globus: Erdball, -kugel, Erde, Weltkugel

Glocke: Klingel; *reg.:* Schelle, Bimmel

Glorie: Ruhm, Glanz, Herrlichkeit, Größe ‖ → Gloriole

glorifizieren → verherrlichen

Gloriole: Heiligenschein, Glorienschein, Glorie, Aureole, Nimbus

glorios → rühmlich

glorreich → rühmlich

Glosse: Marginalie, Randbemerkung ‖ spöttischer Kommentar, → Anmerkung

Glotze → Fernsehgerät

glotzen → starren

Glück: Glückssache, -fall, Segen, Wohl, Heil, Gelingen, günstige Umstände, guter Verlauf, Erfolg, Gunst des Schicksals, Güte des Geschicks, Fortuna, (guter) Stern, Füllhorn, Freudenbecher; *ugs.:* Dussel, Massel, Schwein ‖ Beglückung, -seligung, (Glück)seligkeit, Wonne, Entzücken, Freude, Sonnenschein, Hochgefühl, Jubel, Begeisterung; *ugs.:* mein Ein und Alles ‖ **G. haben:** ein Glückskind sein, unter einem günstigen Stern geboren sein, den Himmel auf Erden haben; *ugs.:* das große Los ziehen, fein heraus sein, Schwein haben

Glucke: Gluck-, Bruthenne
glucken → brüten
glücken → gelingen
gluckern: glucksen; *reg.:* blubbern
glücklich: (glück)selig, glückstrahlend, beglückt, erfüllt, freudestrahlend, überglücklich, -selig, freudig, beseligt, -flügelt, -schwingt, -geistert, froh(gemut), fröhlich; *ugs.:* high ‖ erfolgreich, günstig, vorteilhaft, gesegnet, -deihlich, sorgen-, wolkenlos, ungetrübt, vom Glück begünstigt ‖ g. sein → s. freuen
glücklicherweise: zum Glück, gottlob, Gott/dem Himmel sei Dank, erfreulicherweise
Glücksbringer: Talisman, Amulett, Maskottchen
glückselig → glücklich
Glückseligkeit → Glück
glucksen → gluckern
Glücksfall → Glück
Glückskind: Sonntagskind, Glückspilz, Hans im Glück, Liebling der Götter
Glückspilz → Glückskind
Glücksritter: Abenteurer, Glücksjäger, -spieler, Waghals, Hasardeur; *ugs.:* Zocker
Glückssache → Glück
Glücksspiel: Hasard-, Vabanquespiel, Roulett, Spekulation, Spiel, (Klassen-)lotterie
Glücksspieler → Glücksritter
glückstrahlend → glücklich
Glückwunsch: Gratulation, Segenswünsche
glühend: brütend, brennend, siedend, heiß ‖ strahlend, leuchtend, feurig, → leidenschaftlich, begeistert, entzückt, -flammt, enthusiastisch, hingerissen, passioniert
Glühlampe: (Glüh)birne
Glühwürmchen: Leuchtkäfer; *ugs.:* Johanniskäfer, -würmchen, -fünkchen, -vögelchen; *öster.:* Sonn(en)wendkäfer

Glut: (Glut)hitze, Wärme, Schwüle; *ugs.:* Brut-, Bullen-, Affenhitze ‖ → Leidenschaft
Gnade: Wohlwollen, Güte, Gunst, Huld, Jovialität, Freundlichkeit ‖ Entgegenkommen, Kulanz ‖ Milde, Nachsicht, Verzeihung, -gebung, Erbarmen, Schonung, Barmherzigkeit ‖ → Straferlass
Gnadenfrist: Aufschub, Galgen-, Bewährungsfrist, Bedenkzeit
gnadenlos → hart ‖ → brutal
gnädig: wohlwollend/wohlmeinend, entgegenkommend, kulant, gut gesinnt, gütig, liebenswürdig, freundlich ‖ mild, nachsichtig, schonungs-, rücksichtsvoll, behutsam, sanft, vorsichtig, glimpflich ‖ jovial, gönnerhaft, herablassend; *ugs.:* von oben herab
gnatzig → mürrisch
Gnom: Zwerg, Kobold, Wichtel(mann)
Goalkeeper → Torwart
Gockel: Hahn; *reg.:* Gickel; *schweiz.:* Güggel; *Kinderspr.:* Kikeriki; *kastriert:* Kapaun
Go-in → Demonstration
golden: aus Gold; *dicht.:* gülden ‖ goldfarben
goldig → reizend
Goldkind → Liebling
Golf: (Meeres)bucht, Meerbusen, Bai, Förde, Fjord
gondeln → schlendern ‖ → fahren
gönnen: vergönnen, (neidlos) zugestehen, -billigen, gewähren, einräumen, bewilligen ‖ **sich g.:** s. genehmigen, s. erlauben, s. gestatten, s. leisten, an s. selbst denken, s. zugute tun, s. nicht versagen, sich's wohl sein/gut gehen lassen; *ugs.:* s. nichts abgehen lassen
Gönner: Wohltäter, Förderer, Mäzen, (Geld)geber, Sponsor, (edler) Spender, Protektor
gönnerhaft → jovial

Gör(e): *(ugs.):* vorlautes/ungezogenes Kind, Wildfang, Krabbe, Frechdachs, -ling, Schlingel; *ugs.:* Fratz, Strick, Racker, Rübe, Balg, Satansbraten, Rotznase, freches Stück

Gosse: Abflussrinne, Rinnstein

Gott: Herr(gott), Gottvater, himmlischer Vater, Allvater, Er, der Höchste/Allmächtige/-wissende/Ewige/höchste Richter, Schöpfer, Erhalter, Weltenlenker, Jahwe, Jehova, der Herr Zebaoth, Göttlichkeit, Gottheit, der liebe Gott

gottergeben → fromm ‖ → ergeben

Göttermahl → Festessen

Gottesacker → Friedhof

Gottesdiener → Geistlicher

Gottesdienst: Messe, Amt, Andacht

gottesfürchtig → fromm

Gotteshaus → Kirche

Gottessohn → Christus

gottgefällig → fromm

göttlich: gottähnlich, -gleich, götterhaft ‖ heilig, himmlisch, sakrosankt, numinos ‖ allmächtig, omnipotent, allwissend, barmherzig, gnädig ‖ vollkommen, -endet, unübertroffen, -erreicht, perfekt, einzigartig, vortrefflich ‖ → ausgezeichnet

gottlob → glücklicherweise

gottlos: ungläubig, atheistisch, un-, irreligiös, religions-, glaubenslos, freidenkerisch, -geistig, gottesleugnerisch

Gottvertrauen → Glaube

Götze: Götzenbild, Abgott, Idol, Fetisch

Götzenbild → Götze

Gourmand: Vielfraß, maßloser Schwelger, Schlemmer, Genüssling; *ugs.:* Leckermaul, Prasser; *öster.:* Genussspecht

Gourmet → Feinschmecker

goutieren → billigen

Gouvernante: Kindermädchen, Amme, Bonne ‖ Lehrerin, Erzieherin, Lehrmeisterin, Ausbilderin

Grab: Grabplatz, -stelle, -stätte, Ruhestatt, -stätte, Begräbnisstätte, (Toten)gruft; *dicht.:* Grube

graben: ausheben, -schachten, -höhlen, (in der Erde) wühlen, schürfen, scharren, schaufeln; *reg.:* schippen; *ugs.:* buddeln ‖ → stöbern

Graben: Vertiefung, Mulde, Grube, Furche, Rinne, Schacht, Stollen, Gang

Grabmal: Monument, Grabstein

Grabstätte → Grab

Grad: Intensität, Stärke, Größe, (Aus)maß, Dimension, Format ‖ Rang, Stufe, Abstufung, Stellung, Dienstgrad

graduell → allmählich

Gram → Leid

grämen, sich → s. sorgen

gramerfüllt → sorgenvoll

grämisch → mürrisch

Grammatik: Sprachlehre

Grammofonplatte, Grammophonplatte → Schallplatte

gramvoll → sorgenvoll

Gran: Körnchen, Stäubchen, Prise, eine Spur, ein wenig/bisschen, etwas, eine Kleinigkeit; *ugs.:* eine Idee, ein Deut

Granate: (Brand)geschoss, Projektil, Sprengkörper

grandios → großartig

granteln → murren

grantig → mürrisch

Grapefruit: Pampelmuse

Gras → Wiese ‖ → Marihuana

grasen: weiden, Gras fressen, äsen

Grasfläche → Wiese

Grashüpfer → Heuschrecke

grassieren → s. ausdehnen

grässlich → ekelhaft ‖ → entsetzlich

Grat: (Berg)rücken, -kamm, Gebirgskamm, Kante

Gratifikation: (freiwillige) Vergütung / Entschädigung / Zuwendung, (Sonder)zulage, Prämie, finanzielle Mehrleistung, Zuschlag

grätig → mürrisch

gratis: frei, kostenlos, umsonst, unentgeltlich, gebührenfrei, ohne Geld, geschenkt; *ugs.:* für nichts, so

grätschen: spreizen, auseinander strecken, wegstrecken

Gratulation → Glückwunsch

gratulieren: beglückwünschen, Glück wünschen, Glückwünsche über-/darbringen/aussprechen/übermitteln

grau: grauhaarig, grau meliert, ergraut, altersgrau, weiß(haarig), schlohweiß, alt, greisenhaft, bejahrt, betagt, ältlich, in vorgerücktem Alter ‖ → langweilig

Gräuel: Grausam-, Abscheulichkeit, Schrecken, Scheußlichkeit, Gräueltat, Brutalität, Unmenschlich-, Schlechtigkeit, Bestialität, Unbarmherzigkeit, Grauen erregende Tat ‖ Ekel, Abscheu, Widerwille, Abneigung, Grauen, Horror, Schauder, Degout

gräulich → abscheulich ‖ → grauenhaft

grauen: hell/Tag werden, dämmern, tagen ‖ **sich g.:** s. grausen, s. graulen, s. gruseln, schaudern, einen Horror/Furcht/Angst haben, Unbehagen empfinden, s. ängstigen, s. fürchten, s. entsetzen, Gänsehaut bekommen

Grauen: Entsetzen, schreckliche Angst/Furcht, Grausen, Schauder, Panik, Horror; *ugs.:* Zähneklappern, Heiden-, Höllenangst

Grauen erregend → grauenhaft

grauenhaft: grauenvoll, Grauen erregend, grausig, gräulich, grässlich, düster, entsetzlich, schrecklich, schauderhaft, schauervoll, schaurig, schauerlich, (be)ängstigend, fürchterlich, furchtbar, horrend, katastrophal, gespenstisch, unheimlich, gruselig

grauenvoll → grauenhaft

grauhaarig → grau

graulen, sich → s. grausen

graupeln → hageln

grausam: brutal, roh, herz-, gefühllos, unbarmherzig, erbarmungs-, schonungs-, rücksichts-, gnadenlos, gewalttätig, bestialisch, tierisch, kaltblütig, -schnäuzig, krude, verroht, entmenscht, inhuman, unmenschlich, barbarisch, unerbittlich, -gerührt, rigoros; *ugs.:* viehisch ‖ hart, schlimm, böse

Grausamkeit → Gräuel

grausen, sich → s. grauen

Grausen → Grauen

grausig → grauenhaft

gravid → schwanger

gravieren: (ein)ritzen, (ein)kerben, (ein)kratzen, stechen; *ugs.:* s. verewigen

gravierend: schwer wiegend, erschwerend, belastend, ins Gewicht fallend, durchgreifend, tief greifend, entscheidend, bedeutend, fühl-, spürbar, nachhaltig, s. stark auswirkend, ernstlich, existenziell

gravitätisch: würdevoll, ernst, gemessen, -wichtig, hoheitsvoll, erhaben, gesetzt, feierlich, majestätisch

Grazie → Anmut

grazil: zierlich, schlank, zart-, feingliedrig, zart gebaut, gazellenhaft, rank, schmächtig, schmal, zerbrechlich, fragil, durchsichtig, wie aus Porzellan ‖ → graziös

graziös: anmutig, -mutsvoll, gefällig, lieblich, (lieb)reizend, leichtfüßig, grazil, geschmeidig, bezaubernd, zierlich, gazellenhaft, mit Grazie

greifbar: ganz nah, zum Greifen nähe, nahebei, in Reichweite ‖ verfügbar, parat, präsent, anwesend ‖ → offenbar ‖ → real

greifen: zu-, ergreifen, (er)fassen, packen, nehmen, auffangen, festhalten ‖ (ein)fangen, aufgreifen, erwischen, habhaft werden, ertappen; *ugs.:* schnappen, kriegen, kaschen, beim Schopf packen, beim Wickel/am Schlafittchen nehmen, hopp nehmen ‖ **g. nach:** langen nach; *ugs.:* grapschen nach ‖ **um sich g.** → s. ausdehnen

greinen → weinen

Greis: alter Mann/Herr, der Alte; *ugs.:* Opa, Großvater, Mummel-, Tattergreis, alter Knabe/Knacker, altes Semester, Gruftspion, Asbacher

greisenhaft → alt

Greisin: alte Frau/Dame, die Alte; *ugs.:* Oma, Großmutter, alte Tante

grell: blendend, ungedämpft ‖ grellfarben, kontrastierend, unangenehm auffallend/hervorstechend, leuchtend, in die Augen fallend/stechend, reißerisch, aufdringlich, knallig, scheckig, kunterbunt, schreiend ‖ → laut

Gremium → Ausschuss

Grenze: Grenz-, Trennungs-, Demarkationslinie, Grenzziehung, Ab-, Begrenzung, Schlagbaum ‖ Grenz-, Markscheide, Gemarkung, Scheide (-linie, -wand), Rand ‖ Trennwand, Hürde, Sperre, Barriere, Graben, Kluft, Abgrund, Schranke

grenzen an: anschließen, -stoßen, -liegen, -rainen, s. berühren mit ‖ nahe kommen, fast gleichkommen, gleichen, entsprechen, ähneln, erreichen

grenzenlos: unbegrenzt, -endlich, überaus groß, unübersehbar, immens, unbeschränkt, schrankenlos, unerschöpflich, endlos ‖ → sehr

Grenzlinie → Grenze

Griesgram: *ugs.:* Miesepeter, Muffel, Murrkopf, Brummbär, -bart, Sauertopf, Nieselprim, Knasterer, Krauterer, Trauerkloß, Stoffel; *öster.:* Fadian

griesgrämig → mürrisch

Griff: Henkel, Bügel, Schaft, Heft, Knauf, Stiel, Halter, Klinke, Knopf, Anfasser

griffbereit → parat

griffig → handlich

Grill: (Brat)rost

Grille: *volkst.:* Heimchen ‖ Laune, Eigenart, -heit

grillen: auf dem Grill braten/rösten; *ugs.:* brutzeln

grillenhaft → launisch

Grimasse: Fratze, Faxe

grimmig: zornig, wütend, wild, erzürnt, böse, aufgebracht, ärgerlich, verärgert, entrüstet, unwirsch, wutentbrannt, -schnaubend, empört, martialisch; *ugs.:* fuchtig ‖ heftig, schneidend (Kälte), übermäßig, stark (Schmerzen), schlimm, unerträglich

Grind: (Haut)schorf; *reg.:* (Schuppen)kruste, Borke, Räude

grinsen: den Mund verziehen, (schadenfroh/dumm) lächeln; *ugs.:* grienen, feixen, s. eins in den Bart lachen

Grippe: (fiebrige) Erkältung; *med.:* Influenza

Grips → Verstand

grob: grob gemahlen, nicht fein, großkörnig ‖ taktlos, sehr unhöflich/-freundlich, abweisend, barsch, schroff, rüde, unwirsch, ruppig, roh, brüsk, rau, rüpelhaft; *reg.:* g(e)schert ‖ → grobschlächtig ‖ schlimm, arg, übel, unangenehm, böse, schrecklich, groß, stark, gröblich

Grobian: Rohling, Rüpel, Flegel, grober Klotz, Raubein, Flegel, Lümmel, Wüstling, Unmensch, Barbar, Scheusal, ungehobelter Kerl; *ugs.:* Büffel, Lackel, Bauer, Holzkopf

grobschlächtig: grob(schrötig), derb, unfein, roh, ungeschlacht, drastisch, unkultiviert, -manierlich, -geschliffen, -gehobelt, -zivilisiert, -gesittet, ohne Manieren/Benehmen/Kultur/ Stil; *ugs.:* unpoliert ‖ → klobig

groggy → erschöpft

grölen: *(ugs.):* aufdringlich/laut und falsch singen ‖ schreien; *ugs.:* plärren, kreischen, johlen, krakeelen

Groll: Bitterkeit, Bitternis, Er-, Verbitterung, Ärger, Verärgerung, Unmut, -wille, Verstimmung, (unterdrückter) Hass
grollen: Groll empfinden/hegen, zürnen, böse/gram/spinnefeind sein, s. ärgern, schmollen, hadern, übelnehmen, verargen, -übeln; *ugs.:* krumm nehmen, ankreiden ‖ donnern, gewittern; *ugs.:* krachen
Gros: Mehrheit, Über-, Mehrzahl, Hauptmasse, Majorität, Großteil
groß: riesig, riesengroß, -haft, unermesslich, tief, außerordentlich, gewaltig, mächtig, enorm, gigantisch, ungeheuer, immens, von beachtlichem Ausmaß/Umfang, voluminös, ausgedehnt, geräumig, groß-, weiträumig, umfangreich, umfassend ‖ hoch gewachsen/aufgeschossen, von hohem Wuchs, hünenhaft, lang; *ugs.:* baumlang, -groß, wie eine Bohnenstange ‖ erwachsen, reif, mündig, flügge, aus den Kinderschuhen, kein Kind mehr ‖ stark, intensiv, kräftig (Hunger), hochgradig, nicht gering/schwach ‖ → außergewöhnlich ‖ → berühmt
großartig: (wunder)schön, prachtvoll, prächtig, grandios, genial, famos, wunderbar, -voll, himmlisch, hervorragend, ausgezeichnet, fantastisch, märchen-, traum-, sagenhaft, klassisch, überwältigend, fabelhaft, fulminant, erstklassig, sehr gut, exzellent, vorzüglich, -trefflich, überragend, außerordentlich, triumphal, tadellos, vorbildlich, beispiellos, mustergültig, → musterhaft, umwerfend, glänzend, brillant, bestechend, einzigartig, meisterhaft, einmalig, exzeptionell, virtuos, erstrangig, herrlich, phänomenal; *ugs.:* toll, pfundig, prima, dufte, Klasse, bombig, irre, picobello, (total) super, lässig
Größe: Körpermaß, Höhe, Länge, Stattlichkeit, Statur ‖ Ausmaß, -deh-

nung, Tiefe, Weite, Geräumigkeit, Unermesslichkeit, Mächtigkeit, Dimension, Umfang, Reichweite ‖ Kapazität, Star, Meister, Berühmtheit, Koryphäe, Könner, Virtuose; *ugs.:* Kanone, Ass ‖ → Bedeutung
Größenwahn: Hybris, Megalomanie
Großhändler: Grossist
großherzig → großzügig
großjährig → mündig
großkotzig → prahlerisch
Großmacht: Welt-, Supermacht
Großmama → Großmutter
Großmaul → Angeber
großmäulig → prahlerisch
Großmut: Groß-, Hochherzigkeit, Großzügigkeit, Edelmut, nobles Verhalten, Selbstlosigkeit, Toleranz, Duldsamkeit, Generosität, Freigebigkeit
großmütig → großzügig
Großmutter: Ahne; *ugs.:* Großmama, Oma, Omi, Ömchen, Nonna
Großpapa → Großvater
großsprecherisch → prahlerisch
großspurig: überheblich, anmaßend, arrogant, hochmütig, hochnäsig, dünkelhaft, unbescheiden ‖ → prahlerisch
Großstadt: Millionen-, Weltstadt, Metropole
Großteil → Mehrheit
größtenteils → meist
großtun → angeben
Großvater: Ahn(e); *ugs.:* Großpapa, Opa, Opi, Nonno; *öster.:* Ahn(d)l
großziehen: aufzüchten ‖ heran-, auf-, erziehen; *ugs.:* auffüttern, hoch-, aufpäppeln
großzügig: freigebig, gebe-, schenkfreudig, generös, hoch-, weit-, großherzig, großgesinnt, -mütig, edel, selbstlos, nobel, splendid; *ugs.:* spendabel; *schweiz.:* large ‖ tolerant, nicht engherzig/kleinlich, freizügig, nachsichtig, verständnisvoll, duldsam

grotesk: absurd, unsinnig, abstrus, lachhaft, lächerlich, komisch, ridikül, skurril, makaber

Grotte: (Fels)höhle

Groupie → Anhänger

Grube: Loch, Vertiefung, Mulde, Graben; *reg.:* Kuhle ‖ Zeche, Mine, Stollen, Bergwerk ‖ Grab, (Toten)gruft

grübeln → denken

grüblerisch → nachdenklich

Gruft: Totengruft, Grabgewölbe, -kammer, Grab(stätte), Krypta

grün: unreif (Obst), sauer ‖ → kindlich ‖ → unwissend ‖ umweltbewusst, -schützend, gegen Atomkraft(werke), ökologisch, naturbewusst, alternativ; *ugs.:* anti-AK

Grünanlage → Park

Grund: Boden, Land, Grundstück, Gelände, Terrain, Anwesen, Acker, Scholle, Erde ‖ Anlass, Veranlassung, Motiv, Ursache, Anstoß, -sporn, Beweg-, Hintergrund, Impuls, Antrieb, Triebfeder, Bedingung, Aufhänger ‖ Grundlage, Basis, Fundament, Unterlage, -bau ‖ Begründung, Erklärung, Argument

Grundbesitz: Boden-, Landbesitz, Grund und Boden, Länderei, Grundeigentum, Liegenschaften, Immobilien

Grundeigentum → Grundbesitz

gründen: begründen, errichten, etablieren, konstituieren, ins Leben rufen, aus der Taufe heben, schaffen, einrichten, stiften, eröffnen, anfangen, beginnen, das Fundament legen zu; *ugs.:* aufmachen, -ziehen ‖ **sich g. auf** → stammen von

Gründer: Erbauer, -zeuger, Urheber, Schöpfer, Stammvater, Stifter

Grundgedanke → Leitgedanke

Grundgesetz → Verfassung

Grundhaltung → Gesinnung

Grundlage: Grund, Basis, Fundament, Unterbau, -lage, -grund, Sockel

‖ Grundstock, Fundus, Fonds, Bestand, Reserve, Rücklage ‖ Voraussetzung, (Vor)bedingung, Prämisse, Ausgangspunkt, Nährboden, Substrat

grundlegend: elementar, fundamental, grundsätzlich, prinzipiell, von Grund auf, entscheidend, bestimmend, wesentlich, radikal, durchgreifend, einschneidend, durch und durch, ausschlaggebend, maßgebend, -geblich, konstitutiv, schwer wiegend, wichtig, bedeutend, gründlich, bis in die Wurzel/ins Kleinste/Letzte

gründlich: sorgfältig, ordentlich, sorgsam, gewissenhaft, korrekt, fehlerlos, akkurat, präzis(e), genau, exakt, minuziös, penibel, pedantisch, pflicht-, verantwortungsbewusst ‖ profund, intensiv, umfassend, ausführlich, eindringlich, -gehend, tief (-schürfend), → grundlegend, erschöpfend, detailliert, vollständig ‖ gehörig, tüchtig, gewaltig, sehr, überaus; *ugs.:* feste, nach Strich und Faden, zünftig, weidlich ‖ radikal, von Grund auf, bis ins Letzte, total, völlig

Gründlichkeit → Sorgfalt

grundlos: ohne Begründung/Erklärung/Grund/Motiv/Anlass, unbegründet, -motiviert, -berechtigt, -gerechtfertigt, beliebig, halt-, gegenstandslos, hinfällig, aus der Luft gegriffen ‖ abgrundtief, -gründig, bodenlos

Grundmauer → Fundament

Grundmotiv → Leitgedanke

Grundriss: Aufriss, (Bau)plan, Entwurf ‖ Leitfaden, Auszug, Zusammenfassung, Abriss, Kompendium, Einführung

Grundsatz: Prinzip, feste Regel, Richtlinie, -schnur, Maxime, Maßstab, Leitlinie, Lebensregel, Motto, moralisches Gebot, Moralprinzip, leitender Gedanke, Devise, Doktrin

grundsätzlich → grundlegend
Grundstein → Fundament
Grundstock → Grundlage
Grundstück: (Grund und) Boden,
Land, Gelände, Terrain, Areal, An-
wesen ‖ → Grundbesitz
grundverschieden → verschieden
Grundvorstellung → Leitgedanke
Grundzug → Charakteristikum
grünen: grün werden, sprießen, trei-
ben, keimen; *ugs.:* ausschlagen
Grünen, die: Umwelt-, Naturschüt-
zer, Atomkraftgegner, ökologische
Alternativbewegung; *ugs.:* Natur-
freaks, die Alternativen
Grünfläche → Rasen ‖ → Park
Grünkohl: Winter-, Blattkohl;
volkst.: Krauskohl
Grünschnabel: Anfänger, Neuling,
Greenhorn, Unerfahrener, Grünling,
junger Dachs, Gimpel, Naseweis,
Tor; *ugs.:* Tropf, Einfaltspinsel,
Guck-in-die-Welt, Harzer, Youngs-
ter
Grünstreifen → Rasen
Gruppe: Team, Clique, Clan, Ge-
meinschaft, Kollektiv, Gesellschaft,
Schar, Kreis, Zirkel, Runde, Ring,
Korona, Gang; *ugs.:* Bande, Blase,
Klüngel, Verein; *abwertend:* Sippe,
Sippschaft, Meute, Rotte ‖ Kolonne,
Pulk, Zug, Trupp(e), Reihe; *ugs.:*
Schwarm, Schub, Herde, Horde,
Haufen ‖ Verband, Einheit, Abtei-
lung, Kommando, Geschwader,
Mann-, Belegschaft ‖ Fraktion, Sek-
tion, Lager, Block ‖ Schicht, Klasse,
Kaste, Stand
gruppieren → einteilen ‖ → anordnen
Gruselgeschichte → Schauergeschichte
gruselig → schauerlich ‖ → grauenhaft
gruseln, sich → s. grauen
grüßen: begrüßen, einen Gruß zuru-
fen/ausrichten/zunicken, guten Tag

sagen, den Hut lüften/ziehen, die
Hand geben/schütteln/reichen, will-
kommen heißen, s. verbeugen/-nei-
gen, nicken, einen Diener machen,
seine Reverenz erweisen; *milit.:* salutieren, Ehrenbezeigung erweisen ‖
Grüße senden/übermitteln/weiter-
geben
Grütze → Verstand
Gspusi → Geliebte, → Geliebter
gucken → blicken
Guerilla → Partisan
Guerillakampf: Guerilla-, Klein-
krieg, Freiheits-, Widerstands-, Untergrundkampf
Guerillero → Partisan
Guillotine: Fallbeil
guillotinieren → enthaupten
Gülle → Jauche
Gully: Abwasserkanal, Abfluss, Senk-
loch, Sinkkasten
gültig: geltend, valid, beglaubigt,
amtlich/behördlich bescheinigt, gesetzmäßig, unanfechtbar, verbindlich, unbestreitbar, -bezweifelbar, authentisch
Gummiknüppel: Schlagstock
Gunst: Gewogenheit, -neigtheit,
Freundlich-, Liebenswürdigkeit,
Wohlwollen, Güte, Aufmerksamkeit,
Zuwendung, Herzlichkeit, Anteilnahme, Liebe ‖ Gnade, Huld, Auszeichnung, Ehre
günstig: aussichtsreich, vorteilhaft,
viel/Erfolg versprechend, verhei-
ßungs-, hoffnungsvoll, mit Perspektive / Aussicht auf Erfolg, voller
Chancen/Möglichkeiten ‖ glücklich,
erfreulich, angenehm, gut ‖ positiv,
optimistisch, wohlwollend / wohl-
meinend/gesinnt, freundlich, huldvoll, hold, gnädig ‖ → billig
Günstling: Schützling, Liebling, Favorit, Protegé
Günstlingswirtschaft → Vetternwirtschaft
Gurgel: *(ugs.):* Kehle, Kragen, Hals

gurgeln: den Mund (aus)spülen ‖ glucksen, gluckern

Gurke: Kukumer; *reg.:* Gummer, Kümmerling, Kukumber, Umurke

Gurkenkraut: Dill

Gurt → Gürtel

Gürtel: Gurt, Riemen, Koppel ‖ Ring, Zone

Guss: Glasur, Lasur, Überzug ‖ Schauer, Platzregen, Wolkenbruch ‖ Schwall, Flut, Suade

Gusto → Appetit ‖ → Neigung

gut: vortrefflich, nicht übel/schlecht, ausgezeichnet, vorzüglich, -bildlich, tadellos, lobenswert ‖ → anständig ‖ edel, nobel, selbstlos, uneigennützig, human, gütig, herzensgut, liebenswert, lieb, wertvoll, hilfsbereit, gutartig, -herzig, -mütig, mitfühlend ‖ freundlich, vertraut, wohlwollend/meinend/gesinnt, herzlich ‖ günstig, erfreulich, schön, wohl tuend, angenehm, willkommen, glücklich, vorteilhaft ‖ → fruchtbar ‖ → ja

Gut: Besitz, Ware, Eigentum ‖ Gutshof, Landgut, -sitz, landwirtschaftlicher Betrieb, Landwirtschaft, Bauernhof, Farm

Gutachten: (fachmännisches) Urteil, Zeugnis, Stellungnahme, Kritik, Diagnose, Beurteilung, -wertung, Untersuchung, Expertise

gutartig → harmlos

Güte: Freundlichkeit, Herzlichkeit, Herzensgüte, Wärme, Warmherzig-, Liebenswürdigkeit, Wohlwollen, Entgegenkommen, Nächstenliebe, Hilfsbereitschaft, Selbstlosig-, Gut-

mütig-, Innigkeit, Anteilnahme, Aufmerksamkeit, -geschlossenheit, Zuwendung, -neigung ‖ → Qualität

Güterverkehr → Handel

gut gehend: florierend, blühend, erfolgreich

gut gemeint → freundlich

gutgläubig → arglos

Guthaben: Ersparnis, erspartes Geld, Aktiva, Aktivposten, Positivsaldo

gutheißen → billigen

gutherzig → gütig

gütig: herzlich, seelen-, herzensgut, gut-, weichherzig, gut-, sanftmütig, hilfsbereit, mild-, wohltätig, tolerant, mitfühlend, entgegenkommend, mild, sanft, barmherzig, erbarmungsvoll, verzeihend, wohlwollend, gnädig, nachsichtig, Verständnis habend, geduldig, duldsam, schonend, behutsam, freundlich, liebevoll, fürsorglich

gütlich: ohne Streit, friedfertig, versöhnlich, friedlich, einträchtig, harmonisch

gutmütig → gütig

Gutmütigkeit → Güte

Gutschein: Gutschrift, Wertmarke, Bon

gutschreiben: anrechnen, als Guthaben eintragen

Gutshof → Gut

gut tun: wohl tun, helfen, angenehm sein, eine gute Wirkung haben, gefallen; *öster.:* taugen

gutwillig: gewillt, -neigt, -sonnen, willfährig, bereit, gefügig, willens ‖ → freiwillig

H

Haar(e): *ugs.:* Mähne, Fell, Pelz, Zotteln, Wolle, Strähnen ‖ **um ein Haar** → fast
haargenau → genau
haarig → heikel
haarklein → genau
Haarknoten: Nest, Knoten, Dutt, Chignon
Haarkünstler → Friseur
Haarlocke → Locke
haarlos → kahl
haarscharf → genau
Haarschneider → Friseur
Haarschnitt: Frisur, Haartracht, -putz
Haarspalter → Wortklauber ‖ → Pedant
Haarspalterei: Spitzfindigkeit, Wortklauberei, Pedanterie, Besserwisserei, Klügelei, Rabulistik, Kasuistik, Sophistik, Sophisterei, Sophismus; *ugs.:* Pingeligkeit, Erbsenzählerei
haarspalterisch → spitzfindig
haarsträubend → unerhört
Haartracht → Haarschnitt
Haartrockner → Fön
Habe: Besitz, Eigentum, Habseligkeiten, Schätze, Vorrat, das Sein(ig)e, Hab und Gut, Geld und Gut, irdische Güter; *ugs.:* Siebensachen
haben: innehaben, besitzen, sein Eigen/Eigentum nennen, gehören, verfügen über, aufzuweisen/-zuzeigen/in seinem Besitz/zur Verfügung haben, gebieten/disponieren über, ausgestattet/versehen sein mit, auf Lager haben, zu Gebote stehen; *gehoben:* eignen ‖ **viel h.:** reich sein, im Überfluss leben, mit Glücksgütern gesegnet sein; *abwertend:* im Fett sitzen ‖ **h. wollen:** begierig/wild/hungrig/versessen sein auf, s. reißen um, gelüsten nach; *ugs.:* s. die Finger lecken nach, verrückt/aus sein/spitzen auf ‖ wünschen, ersehnen, -träumen, -hoffen, begehren, an-, erstreben ‖ **sich h.** *ugs.:* s. zieren, s. genieren, s. anstellen, s. spreizen, Theater machen, zimperlich/prüde sein
Habenichts → Armer
Habgier → Geiz
habgierig: hab-, gewinnsüchtig, geldgierig, raffgierig, besitzgierig, geizig, übertrieben sparsam, profitsüchtig, berechnend, materialistisch; *ugs.:* knausrig
Habitus: (äußere) Erscheinung, Aussehen, Gestalt, Äußeres, Anblick ‖ Haltung, Auftreten, Gebaren, Benehmen, -tragen
Habseligkeiten → Habe
Habsucht → Geiz
habsüchtig → habgierig
Hacke(n): Ferse ‖ (Schuh)absatz
hacken: zerstückeln, -kleinern, (zer)spalten, kleinschlagen; *ugs.:* kleinmachen
Hackfleisch: Tatar (ohne Fett); *reg.:* Mett; *ugs.:* Gehacktes, Hackepeter; *öster.:* Faschiertes
Hader → Streit
hadern: unzufrieden/enttäuscht/verbittert/-härmt/-grämt sein, s. verletzt/betrogen fühlen, mit sich und der Welt zerfallen sein; *ugs.:* s. in seiner Haut nicht wohl fühlen ‖ → streiten ‖ → grollen
hadersüchtig → zänkisch
Hades → Unterwelt
Hafen: Ankerplatz, Anlegestelle, Port ‖ *reg.:* Topf

Hafendamm: Kai, Pier, Hafenmauer, Mole

Haft: Gewahrsam, Verwahrung, Gefangenschaft, Arrest, Freiheitsentzug, -strafe; *ugs.:* Knast, Kittchen

Haftanstalt: Straf(vollzugs)anstalt, Gefängnis, Zuchthaus, Kerker, Karzer, Bagno, Verließ; *ugs.:* Arrestlokal, Bau, Bunker, Loch, Knast, Käfig, Kittchen; *öster.:* Gefangenenhaus

haftbar: (schaden)ersatzpflichtig, haftpflichtig, verantwortlich, zuständig

haften: (fest)kleben, festsitzen, -hängen, halten; *ugs.:* pappen; *reg.:* (fest)backen ‖ bürgen, Sicherheit/Gewähr leisten, einstehen/-treten für, seine Hand ins Feuer legen für, garantieren, Garantie leisten/übernehmen, die Verantwortung tragen/übernehmen, verantwortlich sein für, Brief und Siegel geben, s. verbriefen/-pflichten, die Folgen tragen; *ugs.:* den Kopf hinhalten

haften bleiben → hängen bleiben

Häftling: (Straf)gefangener, Inhaftierter, Arrestant, Gefängnisinsasse, Zuchthäusler, Sträfling, Straffälliger; *ugs.:* Knastologe, Knacki, JVAler

haftpflichtig → haftbar

Haftschale → Kontaktlinse

Haftung → Sicherheit ‖ → Verantwortung

Hagelkorn: Eiskorn, Schloße, Graupel

hageln: graupeln; *reg.:* schloßen, schauern, kieseln ‖ niederprasseln (Proteste), s. häufen, einstürmen; *ugs.:* wimmeln

hager → dünn

Hagestolz → Junggeselle

Hahn: *ugs.:* Gockel(hahn); *reg.:* Gickel(hahn), Gigerl; *schweiz.:* Güggel; *kastriert:* Kapaun; *Kinderspr.:* Kikeriki

Hain: Wäldchen, Gehölz, Horst; *dicht.:* Hag, Tannicht

Haken → Schwierigkeit

halb: zur Hälfte, zweigeteilt ‖ → unvollständig ‖ → fast

Halbblut: Mischling; *abwertend:* Bastard

Halbbruder: Stiefbruder

Halbdunkel: Dämmerung, Zwielicht, Dämmerlicht, -grau, -stunde, Morgengrauen, Schummerstunde; *ugs.:* blaue Stunde

halbieren: zweiteilen, in zwei Hälften trennen/schneiden/teilen/zerlegen, brüderlich teilen

Halbschlaf: Halbschlummer, Dämmerschlaf, -zustand

Halbschwester: Stiefschwester

halbseiden: anrüchig, -stößig, übel/schlecht beleumundet, von zweifelhaftem Ruf, zweifelhaft, dunkel, obskur, zwielichtig, suspekt, fragwürdig, bedenklich, undurchsichtig, dubios, verrufen

Halbstarker: Halbwüchsiger, → Rocker; *ugs.:* Teddy-Boy, Feger

halbtot → erschöpft

halbwegs → einigermaßen ‖ → mäßig

Halbwelt: Demimonde

Halbzeit → Pause

Halde: (Ab)hang, Böschung, Gefälle, Lehne; *öster.:* Leite

Hälfte: halber Teil, das Halbe, halbes Stück, halbe Portion/Ration ‖ Mitte, halber Weg, halbe Strecke ‖ Halbzeit ‖ *ugs.:* halbe-halbe, fifty-fifty

Halle: großer Raum, Saal, Vorraum, Foyer, Entree, Eingang, Diele

hallen: (er)schallen, gellen, weithin tönen, (er)dröhnen

Hallo → Lärm

Hallodri → Leichtfuß

Halluzination → Einbildung

Halm: Stiel, Stängel, Rohr, Schaft

Hals: *ugs.:* Rachen, Kehle, Gurgel, Kragen, Schlund

Halsabschneider: Wucherer, Ausbeuter, Betrüger, Gangster, Gauner, Scharlatan, Schuft, Schurke, Geld-,

Beutelschneider, Blutsauger, Hyäne, Geschäfte-, Profitmacher
Halsbinde → Krawatte
halsbrecherisch: (lebens)gefährlich, waghalsig, gewagt, riskant, abenteuerlich, verwegen, selbstmörderisch, heikel, tollkühn, → mutig
halsstarrig → eigensinnig
Halsstarrigkeit → Trotz
halt: stopp! Schluss! genug! kein Wort mehr! keinen Schritt weiter! ‖ *ugs.:* eben, einfach, nun einmal
Halt: Stütze, Rückhalt, Beistand, Hilfe; *ugs.:* rettender Anker ‖ Stillstand, Stockung, Anhalten, Unterbrechung, Pause, Rast, Aufenthalt ‖ → Haltestelle
haltbar: beständig, strapazier-, widerstandsfähig, unverwüstlich, langlebig, dauerhaft, resistent, stabil, solide, massiv, fest ‖ unverderblich, -verweslich
halten: festhalten, nicht loslassen; *ugs.:* nicht aus den Fingern lassen ‖ anhalten, zum Stehen/Stillstand kommen/bringen, (ab)stoppen, stehen bleiben, Halt machen, bremsen, abstellen, stocken, aussetzen, einstellen, ein-, innehalten, unterbrechen, bleiben, (ver)weilen, s. niederlassen, ausruhen, Atem schöpfen, rasten ‖ veranstalten, abhalten, durchführen, stattfinden lassen, geben, über die Bühne gehen lassen ‖ einhalten, erfüllen, befriedigen, Genüge tun, zufrieden stellen ‖ zurück-, dabehalten, nicht fortlassen, nicht hergeben ‖ bewahren (Richtung), beibehalten, bleiben bei, nicht verändern/abgehen von ‖ angestellt/-geschafft haben, unterhalten, beziehen, abonniert haben ‖ **h. für:** ansehen/erachten für, auffassen/verstehen/betrachten/-urteilen/interpretieren/einschätzen/bewerten als, zählen zu, eine bestimmte Vorstellung haben von, denken über; *gehoben:* befinden

‖ **h. auf:** achten auf (Ordnung), Acht geben, aufpassen, sein Augenmerk richten auf, Beachtung/Aufmerksamkeit schenken, beachten ‖ **h. zu:** unterstützen, stehen hinter, Rückhalt geben, das Rückgrat stärken, helfen, einstehen/s. einsetzen/s. erklären/s. engagieren für, → eintreten für ‖ **sich h.:** genieß-/essbar bleiben, haltbar sein, nicht schnell verderben/-kommen, nicht schlecht werden, nicht schnell verwelken/-blühen/-dorren; *ugs.:* nicht vergammeln ‖ s. behaupten, s. durchsetzen, überleben, -stehen, aushalten, -halten, standhalten, auf dem Posten bleiben ‖ **sich h. an:** befolgen, -herzigen, handeln/s. richten nach, einhalten, s. fügen, s. bewegen, Folge leisten, gehorchen
Haltepunkt → Haltestelle
Halter: (Hand)griff, Henkel, Bügel, Stiel ‖ Besitzer, Eigentümer, Eigner, Inhaber ‖ *öster.:* Hirt, Hüter
Haltestelle: Halt(epunkt), Station, Bahnhof
haltlos → charakterlos ‖ unbegründet, gegenstandslos, aus der Luft gegriffen, grundlos, unmotiviert, hinfällig, erfunden
Halt machen → halten
Haltung: Auftreten, Verhalten, Betragen, Habitus, Benehmen, Gebaren, Art, Lebensart, -weise ‖ Positur, Stellung, Pose, Attitüde ‖ → Ruhe
Halunke → Gangster
hämisch: schadenfroh, gehässig, höhnisch, spöttisch, verschlagen, hinterhältig, intrigant, missgünstig, maliziös, boshaft, bösartig, -willig, übel gesinnt/wollend
Hammel → Schaf ‖ → Dummkopf
Hammer: Fäustel, Schlägel
hämmern: schlagen, klopfen, pochen, trommeln; *ugs.:* ballern
Hampelmann: *(ugs.):* Versager, Blindgänger, Schwächling, Weichling; *derb:* Niete, Flasche

hampeln: zappeln, nicht stillsitzen, hin und her wippen, strampeln, schlenkern

hamstern → anhäufen

Hand: *ugs.:* Pfote, Pranke, Pratze, Patsche, Tatze, Flosse, Klaue

Handbesen: Handfeger

Handbuch: Lehrbuch, Kompendium, Leitfaden, Ratgeber, Vademekum, Einführung, Grundriss, Zusammenfassung, Nachschlagewerk

Handel: Geschäft(sabschluss), Tausch, Transaktion ‖ (Handels)abkommen, Vereinbarung, Pakt, Übereinkommen, -kunft, Abmachung, Vertrag, Kontrakt ‖ Kauf und Verkauf, Warenverkehr, -austausch, Güterverkehr, -austausch, Geschäfts-, Wirtschaftsleben, Handels-, Geschäfts-, Wirtschaftsbeziehungen

Händel → Streit

handeln: kaufen und verkaufen, Handel treiben, Geschäfte machen ‖ herunterhandeln, den Preis drücken, feilschen; *ugs.:* schachern; *abwertend:* schieben ‖ vorgehen, verfahren, agieren, wirken, tätig sein, operieren, zur Tat schreiten, aktiv/initiativ werden, Initiative ergreifen/entwickeln; *ugs.:* tun, machen ‖ **h. mit** → verkaufen ‖ **h. von/über:** behandeln, zum Thema/Inhalt/Gegenstand haben, gehen um, beinhalten, thematisieren, darstellen, berichten, erzählen ‖ **sich h. um:** betreffen, anbelangen, zu tun haben mit, s. beziehen auf, die Rede sein von; *ugs.:* s. drehen um

Handelsabkommen → Handel

Handelsbeziehungen → Handel

Handelsembargo → Embargo

Handelsvertreter: (General)vertreter, (Handlungs)reisender, Agent; *abwertend:* Klinkenputzer

händeringend: verzweifelt, in größter/höchster Not, (weh)klagend, jammernd, lamentierend; *ugs.:* nicht ein noch aus wissend

handfest: kräftig, derb, kraftvoll, -strotzend, markig, kernig, rüstig, zäh, unempfindlich, widerstandsfähig, standfest, robust, hart, rau ‖ unwiderlegbar (Beweis), klar, ein-, unzweideutig, genau, exakt, deutlich, augenfällig, anschaulich, bestechend, prägnant, unmissverständlich, -zweifelhaft, überzeugend; *ugs.:* glas-, sonnenklar

Handgemenge: Schlägerei, Rauferei, Handgreiflich-, Tätlichkeit, Krawall, handgreiflicher Zank/Streit, Prügelei, Boxerei, Balgerei; *ugs.:* Keilerei, Geraufe, -balge

handgreiflich: tätlich, gewalttätig ‖ → offenbar ‖ **h. werden** → schlagen

Handhabe: Anlass, Beweis-, Beweg-, Hintergrund, Ursache, Veranlassung, Grundlage, Möglichkeit, Motiv, Argument, Mittel (und Wege)

handhaben: richtig gebrauchen, bedienen, -nutzen, -tätigen, praktizieren, anwenden, ausüben, hantieren/umgehen mit, führen, lenken, steuern, bewerkstelligen, zustande/-wege bringen, anstellen, behandeln, traktieren, verfügen über, anfassen, verfahren mit; *ugs.:* anpacken, managen, schmeißen, deichseln, drehen, hinkriegen, umspringen

Handikap → Hindernis

Handlanger: Aushilfe, (Aus)hilfskraft, Hilfs-, Zuarbeiter ‖ → Komplize

Händler: An- und Verkäufer, Kauf-, Geschäftsmann

handlich: leicht handhabbar, bequem benutzbar, handgerecht, praktisch, zweckmäßig, griffig

Handlung: Tat, Tun, Aktion, Akt ‖ Geschehen (Roman), Inhalt, Stoff, Vor-, Hergang, Geschichte, Fabel, Gang der Handlung, Handlungsgerüst, Ablauf, -folge

Handlungsreisender → Handelsvertreter

Handlungsweise: Vorgehens-, Verfahrens-, Verhaltensweise, Handeln, Tun

Handschrift: Schreibart, -weise, Duktus; *abwertend:* Gekritzel, -krakel, -schmiere, Klaue, Pfote; *derb:* Sauklaue, -pfote ‖ Ausdrucksweise, -art, Darstellungsweise, Stil, Diktion, Sprache, Feder; *ugs.:* Schreibe, Stempel

Handstreich: (plötzlicher) Überfall, Angriff, Einfall, Attacke, Überrumpelung, Gewaltstreich, Offensive, Anschlag

handwarm → lau

Handwerk: Gewerbe, Handarbeit ‖ Tätigkeit, Beschäftigung, Geschäft, Verrichtung, Arbeit, Beruf, Metier, Job

Handwerkszeug → Werkzeug

Handzettel: Flugblatt, -schrift, -zettel, Reklame-, Werbezettel, Prospekt

hanebüchen: derb, grob, → unerhört

Hang: Abhang, -fall, Böschung, Lehne; *öster.:* Leite ‖ → Neigung

hängen: schweben, pendeln; *reg.:* hangen; *ugs.:* baumeln, bammeln ‖ hin-, aufhängen, (in der Höhe/oben) befestigen, festmachen, anbringen, aufstecken, -ziehen ‖ → erhängen ‖ **h. an** → lieben ‖ **sich h. an** → s. aufdrängen

hängen bleiben: haften/stecken bleiben, festsitzen, -stecken, nicht wegkommen; *ugs.:* festhaken ‖ *ugs.:* zu lange bleiben, den Absprung nicht mehr finden, s. festreden, den Weg nicht nach Hause finden; *ugs.:* s. festhocken, hocken bleiben, versumpfen, versacken ‖ → durchfallen

hängen lassen: vergessen mitzunehmen (Hut), dalassen ‖ **jmdn. h.:** *(ugs.):* im Stich lassen, sitzen lassen, dem Schicksal überlassen, nicht mehr helfen/unterstützen, s. nicht mehr kümmern um ‖ **etwas h.** → vernachlässigen ‖ **sich h.** → s. gehen lassen

Hansdampf → Draufgänger

hänseln → aufziehen

Hanswurst → Spaßvogel ‖ → Dummkopf

hantieren: herumwirtschaften ‖ → arbeiten ‖ **h. mit** → handhaben

hapern → fehlen

Happen: *(ugs.):* Bissen, Brocken, Stück(chen), Mundvoll ‖ Imbiss, kleine Mahlzeit, Stärkung, Snack

Happening: Ereignis, Spektakel, Überraschung, Veranstaltung, Aktion, Fest, Schau, Show, Demonstration, Orgie

happig: *(ugs.):* übertrieben, zu hoch/teuer, geharnischt, -salzen, -pfeffert, haarig, horrend, unverschämt

Happyend: glückliches Ende, guter Ausgang/(Ab)schluss/Schlusspunkt

Häretiker → Ketzer

häretisch → ketzerisch

Harke: Rechen; *reg.:* Forke

harken: rechen

Harlekin → Spaßvogel

härmen, sich → s. sorgen

harmlos: ungefährlich, -verfänglich, -schädlich (Medikament), gutartig (Krankheit), nicht ansteckend, heilbar ‖ friedlich, treuherzig, zutraulich, offenherzig, vertrauensselig, gut-, leichtgläubig, unschuldig, naiv, einfältig, kindlich, arglos, ohne Arg(wohn), kritiklos, unkritisch, ahnungslos, undifferenziert, bieder, schlicht, unbedarft, simpel, einfach

Harmonie: Wohl-, Zusammenklang ‖ Übereinstimmung, Ausgewogen-, Ausgeglichenheit, Gleichmaß, -gewicht, Ebenmaß ‖ Eintracht, -klang, Gleichklang, -gesinntheit, Einigkeit, Einheit, -vernehmen, -helligkeit, -verständnis, gegenseitige Zustimmung/Bejahung / Anerkennung, Friede, Brüderlichkeit, Zufriedenheit

harmonieren: übereinstimmen, in Einklang stehen, (zusammen)passen, -stimmen, s. vertragen/-stehen, miteinander aus-/zurechtkommen, harmonisch/einträchtig/einig/in Frieden leben, s. zu nehmen wissen, s. schätzen, einander ergänzen; *ugs.:* gut stehen

harmonisch: wohl klingend/lautend/tönend, abgewogen, zusammenstimmend, stimmig, melodisch ‖ einträchtig, übereinstimmend, friedlich, -fertig, verträglich, brüderlich, ausgeglichen, mit sich im Frieden/reinen/ausgesöhnt, abgeklärt ‖ aus-, abgewogen, abgestimmt, eben-, gleichmäßig, im Gleichgewicht, symmetrisch, wohlproportioniert, (zusammen)passend, im richtigen Verhältnis

harmonisieren: aufeinander abstimmen, in Einklang/Übereinstimmung bringen, einander annähern/-gleichen, anpassen, koordinieren mit, verein(ig)en, vereinheitlichen, einen; *ugs.:* unter einen Hut bringen

Harn: Urin, Wasser; *Kinderspr.:* Pipi; *derb:* Pisse, Seiche

harnen → urinieren

Harnisch → Panzer

harren: (sehnsüchtig) warten, zu-, abwarten, s. gedulden ‖ hoffen, die Hoffnung haben, s. in der Hoffnung wiegen, s. der Hoffnung hingeben

hart: fest, knochen-, eisen-, stahl-, steinhart, steinern, stählern, steif, starr ‖ streng, grausam, böse, unnachsichtig, -nachgiebig, -erbittlich, grob, schonungs-, rücksichts-, gnaden-, mitleidslos, rigoros, unbarmherzig, erbarmungslos, brutal, kalt, lieb-, gefühl-, herzlos, ungerührt, hartherzig, unsanft, -zugänglich, eisig, nicht zu erweichen, ohne Erbarmen / Rücksicht(nahme) / Mitleid, keinen Bitten zugänglich, radikal, vor nichts zurückschreckend ‖ heftig (Aufprall), stark, scharf, kräftig ‖ schwer (Schicksal), schmerzlich, bitter, schwierig, traurig, betrüblich ‖

ausgetrocknet, -gedörrt, trocken, altbacken (Brot) ‖ zäh, robust, ausdauernd, unverwüstlich; *ugs.:* nicht umzubringen

Härte: Stabilität, Festig-, Widerstandsfähig-, Zähig-, Unverwüstlichkeit, Robustheit ‖ Strenge, Grausam-, Unerbittlich-, Kompromisslosig-, Schonungslosig-, Rücksichtslosigkeit, Brutalität, (Gefühls)kälte, Ungerührtheit, Verhärtung ‖ Benachteiligung, Ungerechtigkeit, Vernachlässigung, Zurücksetzung ‖ Schärfe, Anstrengung (Kampf), Gewalt

härten: hart machen, erhärten, festigen, stählen

Hartgeld: Münze(n), Geldstück(e), Metall-, Kleingeld; *ugs.:* ein paar Zerquetschte

hart gesotten → gefühllos

hartherzig → hart

Hartherzigkeit → Kälte ‖ → Schärfe

hartnäckig → eigensinnig ‖ → beharrlich

Hartnäckigkeit → Beständigkeit

Haruspex → Wahrsager

Hasardeur: Glücks-, Hasardspieler ‖ Abenteurer, Waghals

haschen: fangen, (er)greifen, fassen, packen, schnappen, zu fassen bekommen, Fangen spielen ‖ **h. nach:** jagen nach, nachhetzen, -laufen, -stellen, -springen ‖ → kiffen

Häscher: *(dicht.):* Verfolger, Scherge

Haschisch: weiche Droge; *ugs.:* Stoff, Shit, Hasch, Kiff

Haschischzigarette → Joint

Hase: *f.:* Häsin; *m.:* Rammler; *volkst.:* Meister Lampe, Mümmelmann, Langohr

Hasenfuß → Feigling

haspeln: aufrollen, -spulen, -wickeln, -winden ‖ *ugs.:* hastig sprechen/reden, s. verhaspeln/-heddern/-sprechen

Hass: Feindseligkeit, -schaft, Hassgefühl, Odium, Groll, Missgunst,

Animosität, Rachsucht, -gier, Verbitterung

hassen: Hass empfinden, feindselig gesinnt sein, nicht leiden können, verachten, Zorn hegen, anfeinden, verabscheuen, zürnen, grollen; *ugs.:* nicht sehen/riechen/ausstehen/verputzen/-knusen können, spinnefeind/nicht grün sein, dick/satt/gefressen haben

hasserfüllt: gehässig, bissig, giftig, schadenfroh, hämisch, odiös, maliziös, infam, niederträchtig, übel gelaunt, übelwollend, böse, bösartig, boshaft

Hassgefühl → Hass

hässlich: nicht schön, unästhetisch, scheußlich, abscheulich, schauerlich, unansehnlich, abstoßend, -schreckend, widerlich, -wärtig, ekelhaft, missgestaltet, verunstaltet, geschmack-, stillos, unvorteilhaft ‖ unfreundlich (Wetter), unschön, garstig, fürchterlich, grauenhaft ‖ → gemein

Hast: Eile, Hektik, Unruhe, -rast, Ruhe-, Rastlosigkeit, Jagd, Gejagtheit, -triebe, Wirbel, Geschäftigkeit, Betriebsamkeit, Zeitmangel; *ugs.:* Hetze(rei), Gehetze, Hatz, Gejage

hasten: eilen, hetzen, jagen, stürmen, stürzen, spurten, sprinten, rasen, sausen, rennen, laufen, preschen, huschen, stieben; *ugs.:* pesen, wetzen, schesen, schwirren, fegen, flitzen, fliegen, spritzen; *öster.:* pledern, blädern

hastig → eilig

hätscheln: liebkosen, herzen, zärtlich sein, kraulen, tätscheln, streicheln, schmusen mit, abdrücken; *ugs.:* abknutschen

Hauch: Atem, Luft; *dicht.:* Odem; *ugs.:* Puste ‖ (Luft)zug, Luftstrom, -hauch, Durchzug, Lüftchen, sanfter Wind ‖ Anflug, -deutung, -klang, -satz, Schimmer, Schatten, Spur, Nuance, Touch, Stich, Idee, Kleinigkeit, ein wenig

hauchen: Hauch ausstoßen, ausatmen, blasen; *ugs.:* pusten ‖ flüstern, säuseln, wispern, tuscheln; *reg.:* fispern

Haudegen → Draufgänger

hauen → schlagen

Haufen → Gruppe ‖ → Menge ‖ *ugs.:* Kot, Dreck, Fladen; *derb:* Scheiße

häufen: (an)sammeln, zusammentragen, -bringen, auf-, anhäufen, (auf)speichern, (auf)stapeln, horten, (ak)kumulieren, agglomerieren, zurück-, weglegen, beiseite legen/bringen, lagern, aufbewahren ‖ **sich h.:** s. ansammeln, immer mehr werden, s. an-/aufstauen, s. ballen, zusammenkommen ‖ zu-, überhand nehmen, s. ausweiten, anwachsen, -schwellen, s. summieren, zu viel werden; *ugs.:* über den Kopf wachsen

haufenweise → massenhaft

häufig → oft

Häufung: Anhäufung, (An)sammlung, Ballung, (Ak)kumulation, Haufen, Stoß, Stapel, Menge, Masse, Berg; *ugs.:* Wust, Batzen, Ladung ‖ häufigeres Vorkommen/Auftreten, Wiederholung

Haupt: Kopf, Schädel; *ugs.:* Dach, Rübe, Birne, Kürbis, Melone, Ballon, Dez, Kolben ‖ (An)führer, Anstifter, Rädels-, Bandenführer, Boss, Leiter, Chef, Leader, Hauptperson, -mann, wichtigste Person, Häuptling, Oberhaupt, Befehlshaber; *ugs.:* Leithammel

Haupteigenschaft → Charakteristikum

Hauptfigur → Hauptperson

Hauptgedanke → Leitgedanke

Hauptgehalt → Wesen

Hauptgewinn: (Voll)treffer, Großes Los, Glückslos, erster Preis, Gewinn

Häuptling: Stammesoberhaupt ‖ → Haupt

häuptlings → kopfüber

Hauptmann → Haupt

Hauptperson: Hauptfigur, -darsteller, -rolle, -akteur, Titelrolle, tragende Figur/Rolle, Schlüsselfigur, Protagonist, Held, Heros ‖ Mittelpunktfigur, Berühmtheit, Stern, Star, Anführer; *ugs.:* große Nummer ‖ → Haupt

Hauptreisezeit: (Haupt)saison, Hochsaison

Hauptrolle → Hauptperson

Hauptsache: Kern(punkt), Kardinalpunkt, Quintessenz, Inbegriff, das Wesentliche/Wichtige/Entscheidende, Schwergewicht, -punkt, Grundgedanke, springender Punkt, das A und O

hauptsächlich → besonders ‖ wesentlich, (ge)wichtig, zentral, relevant, signifikant, substanziell, entscheidend, maßgebend, -geblich, Ausschlag gebend, vorherrschend

Hauptstadt: Metropole, Residenz, Regierungssitz

Hauptverkehrszeit: Rushhour, Stoßzeit

Haus: Bau(werk), Anwesen, Gebäude; *ugs.:* Bude, Kasten, Schuppen; *öster.:* Objekt ‖ Heim, Zuhause, Domizil, Unterkunft ‖ Geschlecht, Dynastie, Familie, Sippe, Stamm, Clan, Herrscherhaus

Hausangestellte(r): *f.:* Hausgehilfin, -hälterin, Wirtschafterin, (Dienst)mädchen, (Haushalts)hilfe, (Arbeits)kraft; *öster.:* Bedienerin; *ugs.:* Stütze, Perle, Faktotum, dienstbarer Geist, Mädchen für alles, Minna, Donja; *abwertend:* Trampel ‖ *m.:* → Diener ‖ *pl.:* Personal, Gesinde, Bedienstete

hausbacken: bieder, harmlos, langweilig, fad(e), reizlos, uninteressant, ohne (jeden) Reiz, spießig

Hausdiener → Diener

Hausdrachen → Xanthippe

hausen → wohnen ‖ wüten (Sturm), toben

Haushalt: Haushaltung, -stand, -arbeit, Haus(wesen), (Haus)wirtschaft, Haushaltsführung; *schweiz.:* Heimwesen ‖ → Haushaltsplan

haushalten → sparen

Haushälterin → Hausangestellte

haushälterisch → sparsam

Haushaltsplan: Etat, Budget, Staatshaushalt, Finanz(ierungs)plan

Hausherr: Hauswirt, -eigentümer, -besitzer, Wohnungseigner, Vermieter; *schweiz.:* Hausmeister ‖ Gastgeber, Herr des Hauses ‖ Familienoberhaupt, -vorstand, -vater, Haushalt(ung)svorstand

hausieren: an der Türe verkaufen/handeln mit/anbieten/-preisen/feilhalten/-bieten, werben, betteln; *ugs.:* an den Mann bringen

häuslich → gemütlich ‖ → sparsam

Hausmeister: Hausverwalter, Hauswart, Concierge; *öster.:* Hausbesorger; *schweiz.:* Abwart ‖ Schuldiener; *veraltet:* Pedell

Hausrat: Mobiliar, Inventar, Haushalt, (Wohnungs)einrichtung, Einrichtungsgegenstände, Meublement, bewegliche Habe; *ugs.:* Kram

Hausschuhe: Pantoffeln, Filzschuhe; *ugs.:* Schlappen, Latschen, Babuschen, Schluffen; *öster.:* Schlapfen, Patschen

Hausstand → Haushalt

Hausverwalter → Hausmeister

Hauswart → Hausmeister

Haut: *med.:* Epidermis, Cutis ‖ → Schale ‖ Teint

häuten: ab-, enthäuten, abziehen, -streifen, (ab)schälen; *Fachsp.:* abbalgen; *öster.:* abhäuteln; *ugs.:* (ab)pellen ‖ **sich h.:** s. schälen, s. schuppen, s. lösen

hauteng → eng

Hautevolee → Highsociety

Headline → Überschrift

Hebamme: Geburtshelfer(in), Entbindungspfleger, Geburtshilfe
heben: auf-, an-, hochheben, hochnehmen, -bringen, -ziehen, aufnehmen, empor-, erheben, lüften; *reg.:* lüpfen, lupfen ‖ ausgraben, zutage fördern, ans Licht bringen ‖ steigern, verbessern, -größern, stärken, erhöhen, aufwerten
Hebung → Zunahme
hechten → springen
Hecke: Einfriedung, -zäunung, Buschwerk; *dicht.:* Hag
Heckenrose: Hunds-, Wildrose
Heer → Menge ‖ Truppe(nverband), Armee, (Land)streitkraft, Landmacht, Streitmacht, Bodentruppen
Heereszug → Feldzug
Heerführer: Befehlshaber, Kommandant, Kommandeur, Anführer; *hist.:* Feldherr, Imperator
Heft: Broschüre, Schrift; *ugs.:* Kladde ‖ Nummer, Faszikel ‖ Griff, Schaft, Stiel
heften: an-, zusammenheften, (an)-klammern, befestigen, festmachen, -knipsen ‖ broschieren ‖ lose nähen; *reg.:* reihen
Hefter → Ordner
heftig: stark, kräftig, kraftvoll, vehement, ungestüm, intensiv, toll, massiv, gewaltig, maßlos, wuchtig, scharf, gewaltsam, wild, stürmisch ‖ → leidenschaftlich ‖ ungeduldig, -beherrscht, -sanft, hitzig, hitzköpfig, heißblütig, cholerisch, aufbrausend, -geregt, -gebracht, außer sich, ärgerlich, erbost, -zürnt, -bittert, -grimmt, gereizt, -laden, empört, entrüstet, reizbar, böse, hochgehend, wütend, wutentbrannt, -schnaubend, rasend, frenetisch, furios, tobend, fanatisch, hysterisch, jäh(zornig) ‖ grob, roh, schroff, derb, rüde, brutal, barsch, ruppig ‖ grimmig (Kälte), schneidend, scharf
Heftigkeit → Wucht

Hegemonie: Vorherrschaft, -macht, -rangstellung, Überlegenheit, führende Rolle
hegen: pflegen, umsorgen, betreuen, fürsorglich/schonend/pfleglich behandeln, hüten, schützen, kultivieren, warten; *abwertend:* verpäppeln, -hätscheln ‖ auf-, heran-, großziehen ‖ empfinden, fühlen, (ver)spüren, erleben
Heide: Atheist, Ungläubiger, Gottloser, Nichtchrist, Gottesleugner, Ungetaufter
Heidekraut: Heide, Erika; *volkst.:* Besenheide
Heidelbeere: Blaubeere; *reg.:* Bick-, Wald-, Schwarz-, Mollbeere; *öster.:* Zechbeere
heikel: delikat, prekär, diffizil, problematisch, kritisch, neuralgisch, zwiespältig, zweischneidig, verfänglich, nicht geheuer, bedenklich, Besorgnis erregend, gewagt, ernst, kompliziert, schwierig, peinlich, unangenehm; *ugs.:* kitzlig, knifflig, brenzlig, mulmig, haarig, verzwickt, -trackt ‖ wählerisch, verwöhnt, schwer zu befriedigen, differenziert, eigen, anspruchsvoll; *öster.:* extra; *ugs.:* mäklig, schleckig
heil: gesund, wohl(behalten), unverletzt, -versehrt; *ugs.:* wohlauf, auf dem Damm ‖ ganz, intakt, unbeschädigt, nicht entzwei; *ugs.:* in Schuss, nicht kaputt
Heil: Glück, Wohl(befinden), Wohlergehen, Rettung, Segen ‖ Gnade, Seligkeit, Seelenheil
Heiland → Christus
heilen: gesund machen, (aus)kurieren, helfen, (wieder)herstellen, aus-, abheilen, sanieren, retten, (erfolgreich) behandeln; *ugs.:* durch-, hochbringen, aufpäppeln, wieder auf die Beine bringen/helfen, über den Berg bringen ‖ genesen, -sunden, vergehen, -schwinden, zurückgehen,

s. bessern, abklingen, wieder aufleben, s. erholen, auf dem Weg der Besserung sein

heilend → heilsam

heilig: geheiligt, -weiht, -segnet, sakral, sakrosankt, selig, gnadenreich, göttlich, himmlisch ‖ unantastbar, ernst, tabu

Heiligabend → Weihnachten

heiligen: weihen, segnen, konsekrieren, die Weihe erteilen ‖ heilig halten, heilig erachten, ehren

Heiligenschein: Glorie(nschein), Gloriole, Korona, Strahlenkranz, Aureole, Mandorla, Nimbus

heilig sprechen: kanonisieren

Heiligtum: Gotteshaus, Weihe-, Kult-, Opferstätte; *scherzh.:* das Allerheiligste ‖ Kostbarkeit, größter Schatz, höchster Wert, Kleinod, Juwel; *ugs.:* Augapfel

heillos: furchtbar, fürchterlich, schlimm, arg, übel, entsetzlich, beträchtlich, -achtlich, ungeheuer, -beschreiblich, -vorstellbar, -erhört, -sagbar, außerordentlich, -gewöhnlich, kolossal, horrend; *ugs.:* riesig, irrsinnig, toll, verflixt, grässlich

Heilmittel → Medikament

heilsam: nützlich, nutzbringend, hilfreich, förderlich, fruchtbar, wirksam, wertvoll; *schweiz.:* nutzig ‖ heilend, heilkräftig, gesundheitsfördernd

Heilstätte: Sanatorium, Genesungs-, Pflege-, Erholungsheim

Heiltrank: Elixier, Zaubertrank

Heilung: Genesung, -sundung, Gesundungs-, Heilungsprozess, Wiederherstellung, Besserung, Rekonvaleszenz, Erholung, Regeneration

heim: nach Hause, heimwärts, gen/ Richtung Heimat, zurück

Heim: Zuhause, Daheim, vier Wände, Eltern-, Vaterhaus ‖ Behausung, Heimstatt, -stätte, Wohnung, Wohnsitz, Domizil, Haus; *ugs.:* Bleibe

Heimat: Heimat-, Vaterland, Geburtsort, -land, Ursprungs-, Herkunftsland, Zuhause; *ugs.:* Bleibe

Heimatliebe: Patriotismus, Vaterlandsliebe, Nationalgefühl, -stolz, -bewusstsein, Heimatverbundenheit; *übersteigert:* Nationalismus, Chauvinismus

heimatlos: ohne Heimat, wurzellos, entwurzelt, ungeborgen; *ugs.:* umgetrieben

Heimatort → Wohnsitz

heimbegeben, sich → heimgehen

heimbegleiten → begleiten

heimbringen → begleiten

heimelig: anheimelnd, behaglich, gemütlich, wohlig, traut

Heimfahrt → Rückfahrt

heimführen → heiraten

Heimgang → Tod

heimgehen: nach Hause gehen, heimkehren, s. heimbegeben, nach Hause/auf dem Heimweg/Rückweg begeben, zurückgehen, -kehren, s. zurückbegeben; *ugs.:* s. auf den Heimweg machen, heimwärts ziehen ‖ → sterben

heimisch: vertraut, nicht fremd, wohlbekannt, wie zu Hause ‖ → einheimisch ‖ **h. werden** → s. einleben ‖ **sich h. fühlen:** s. wohl/behaglich/ heimelig/zu Hause fühlen

Heimkehr → Rückkehr

heimkehren: heim-, zurück-, wiederkommen, um-, zurück-, wiederkehren, nach Hause kommen/finden, heim-, zurückfinden, heimgehen, -fahren, -reisen, -fliegen

Heimkino → Fernsehgerät

heimkommen → zurückkommen

heimlich: geheim, verborgen, unbemerkt, -gesehen, -beachtet, -erkannt, -beobachtet, ohne viel Aufhebens zu machen, sang- und klanglos, unauffällig, verstohlen, stillschweigend, diskret ‖ im Geheimen, insgeheim, im Stillen/Verborgenen, in aller Heimlichkeit/Stille, ohne Aufsehen, still und leise, hinter jmds. Rücken, unter der Hand, unerlaubt, -statthaft, verboten(erweise), illegal, hinter verschlossenen Türen, hinter den Kulissen, bei Nacht und Nebel, klandestin; *ugs.:* klammheimlich, hintenherum, schwarz

Heimlichkeit: Geheimnis, Verschleierung, dunkle Machenschaften ‖ Heimlichtuerei, Geheimniskrämerei, Versteckspiel

Heimlichtuerei → Heimlichkeit

Heimreise → Rückfahrt

Heimstatt → Heim

Heimstätte → Heim

heimsuchen: s. jmds. bemächtigen, befallen, -schleichen, verfolgen, überfallen, -kommen, -mannen, ergreifen, -fassen, treffen, schlagen, plagen

Heimsuchung → Unglück

Heimtücke → Arglist

heimtückisch: tückisch, hinterhältig, versteckt, unehrlich, -aufrichtig, verschlagen, hinter-, arglistig, meuchlings, gefährlich, bösartig, teuflisch, diabolisch, satanisch, niederträchtig, infam, intrigant, falsch, perfide; *ugs.:* link, hinterrücks, -tückisch; *derb:* hinterfotzig

heimwärts → heim

Heimweg → Rückweg

heimzahlen → rächen

Heimzahlung → Vergeltung

Heirat → Hochzeit

heiraten: eine Ehe schließen/eingehen, ehelichen, s. vermählen/-heiraten/-ehelichen, s. (ver)binden, hochzeiten, Hochzeit feiern/machen/halten, in den Ehestand treten, den Bund fürs Leben schließen, die Hand fürs Leben reichen, das Jawort geben, zum Altar gehen/führen, s. eine Frau/einen Mann nehmen, einen Hausstand/eine Familie gründen, heimführen, s. trauen lassen, Ringe tauschen/wechseln; *ugs.:* unter die Haube kommen, in den Hafen der Ehe einlaufen, s. kriegen

Heiratsvermittlung: Eheanbahnung, -vermittlung

heischen → fordern

heiser: rau, belegt, krächzend, kratzig, rauchig, stimm-, ton-, klanglos; *ugs.:* stockheiser

heiß: sehr warm, glühend, siedend, kochend (heiß), sommerlich, schwül, drückend, tropisch; *ugs.:* bullenheiß ‖ *ugs.:* brenzlig, heikel, explosiv, hochaktuell, brisant, brennend, spannend, drängend ‖ → leidenschaftlich ‖ → Erfolg versprechend ‖ → brünstig

heißblütig → leidenschaftlich

heißen → benennen ‖ genannt werden, s. nennen, s. schreiben, den Namen tragen/haben, lauten, den Titel tragen ‖ → bedeuten ‖ → befehlen

heiter: froh(gemut, -gestimmt), fröhlich, lebenslustig, -froh, vergnügt, -gnüglich, gut gelaunt, unbeschwert, gut aufgelegt, beschwingt, munter, fidel, strahlend, sorgenfrei, -los, erheiternd; *ugs.:* quietschvergnügt, aufgekratzt, -geräumt ‖ sonnig (Wetter), wolkenlos, freundlich, schön, klar, hell, aufgeheitert, sommerlich

heizen: Feuer machen, be-, an-, einheizen, warm machen, (durch-, er)wärmen, den Ofen anmachen, die Heizung aufdrehen/anstellen

Heizgerät → Ofen

Heizmaterial: Brennstoff, -material, Heizstoff, Feuerung

Heizung → Ofen

Hektik → Eile ‖ → Erregung

hektisch: gehetzt, fieberhaft, fiebrig, ruhelos, unruhig, -stet, fahrig, nervös, erregt, aufgeregt, -gelöst, turbulent; *ugs.:* zappelig, kribbelig, fickrig

hektographieren → kopieren

Held: Heros, Heroe, Recke, Kämpe, Matador, Sieger, Gewinner, Gigant,

Draufgänger ‖ Hauptperson, -darsteller, -figur, Titel-, Hauptrolle, Protagonist, tragende Figur/Rolle ‖ Berühmtheit, Star, Stern, Mittelpunkt(figur), Publikumsliebling

heldenhaft → mutig

Heldentum: Heldenhaftig-, Tapferkeit, Kühnheit, Mut, Unerschrocken-, Beherztheit, Furchtlosigkeit, Verwegenheit, Courage, Wagemut, Waghalsigkeit, Tollkühnheit; *ugs.:* Schneid

helfen: unterstützen, behilflich sein, assistieren, beistehen, Beistand/Hilfe leisten, zu Hilfe kommen, zur Seite stehen, zur Hand gehen, Handreichungen machen, zu-, anfassen, zugreifen, -packen, -langen, Hand anlegen, mithelfen, -arbeiten, -wirken, s. nützlich machen, s. zur Verfügung stellen, einen Gefallen tun, bei-, einspringen, sekundieren, entlasten, (her)aushelfen, retten; *ugs.:* in die Bresche springen, unter die Arme greifen, die Stange halten ‖ nützen, Nutzen bringen, hilfreich/förderlich sein, dienen, guttun, gute Dienste leisten/tun, zugute-/-statten kommen, fruchten, zweckmäßig sein

Helfer → Hilfe

Helfershelfer → Komplize

Helikopter: Hubschrauber

hell: licht(erfüllt), leuchtend, strahlend, hellicht, freundlich, sonnig, glänzend, lichtdurchflutet, beleuchtet, erleuchtet ‖ hohe (Stimme), (glas)klar, (glocken)rein, silbern ‖ sehr, ganz, hellauf, völlig

helle → klug

Helle → Licht

hellhörig: schalldurchlässig, schlecht isoliert, laut, nicht schalldicht ‖ → aufmerksam

hellicht → hell

Helligkeit → Licht

hellsehen: Gedanken lesen/(er)raten, (in) die Zukunft sehen/deuten, prognostizieren, vorhersagen, -sehen, voraussehen, -schauen, -sagen, -ahnen, prophezeien, weis-, wahrsagen, etwas kommen sehen; *ugs.:* das Gras wachsen hören, einen sechsten Sinn haben

Hellseher → Wahrsager

hemdsärmlig → ungezwungen

hemmen: aufhalten, (be)hindern, hinderlich sein, blockieren, beeinträchtigen, einschränken, -engen, Schranken setzen, Fesseln anlegen, handlungsunfähig/ohnmächtig machen, lähmen, (ab)drosseln, verzögern, (ab)bremsen, (ein)dämmen, zügeln, Zügel anlegen, sabotieren, entgegenwirken, -arbeiten, stören, ein Handikap sein, im Wege stehen, erschweren, Steine in den Weg legen, Sand ins Getriebe streuen; *ugs.:* Knüppel zwischen die Beine werfen, lahmlegen, querschießen, abwürgen, die Flügel stutzen

hemmend → hinderlich

Hemmnis → Hindernis

Hemmschuh → Hindernis

Hemmung: Verlegenheit, Befangenheit, Unsicherheit, Schüchternheit, Scheu, Gehemmtheit, -sein, (Minderwertigkeits)komplex, Verkrampfung; *ugs.:* Verklemmtheit, Sperre ‖ → Hindernis ‖ *pl.:* Skrupel, Gewissensbisse, Bedenken

hemmungslos: ohne Hemmung, enthemmt, ungehemmt, frei, zwanglos, ungeniert ‖ bedenkenlos, unbedenklich, verantwortungs-, gewissen-, rücksichts-, skrupellos ‖ zügellos, ungezügelt, -kontrolliert, ausschweifend, liederlich, disziplinlos, undiszipliniert, zuchtlos, unbeherrscht, maßlos, leidenschaftlich, wild, exzessiv, triebhaft, gierig, unersättlich, -stillbar, schrankenlos

Hengst → Pferd ‖ → Lüstling

Henkel: (Hand)griff, Halter ‖ Auf-, Anhänger

henken → erhängen

Henker: Scharfrichter, Henkersknecht

Henne: Huhn; *brütend:* Glucke

herab: hin-, herunter, hinab, (her)nieder, abwärts, nach unten, in die Tiefe; *ugs.:* runter

herabblicken → herabsehen

herablassen, sich: geruhen, s. bequemen, s. herbeilassen, gnädig sein; *ugs.:* nicht so sein, mit s. reden lassen

herablassend: gönnerhaft, gnädig, → eingebildet

Herablassung → Dünkel

herabschauen → herabsehen

herabsehen: herabblicken, -schauen ‖ **h. auf:** verachten, gering achten/schätzen, gering denken von, von oben herab ansehen, von oben herab behandeln, die Nase rümpfen über, nichts halten von, nicht für voll ansehen, nicht ernst nehmen; *ugs.:* scheel ansehen

herabsetzen: senken, heruntersetzen, -gehen (mit), reduzieren, vermindern, -ringern, drücken, herunterschrauben, (ver)kürzen, ein-, beschränken, nachlassen, ermäßigen, abbauen, verbilligen, -langsamen, drosseln, dezimieren; *schweiz.:* absenken; *ugs.:* Abstriche machen ‖ → demütigen ‖ **sich h.** → s. demütigen

herabsetzend → abfällig

Herabsetzung → Preisnachlass ‖ → Diskriminierung ‖ → Kürzung

herabstürzen → abstürzen

herabwürdigen → demütigen

Herabwürdigung → Diskriminierung

heranbilden → erziehen ‖ **sich h.:** s. entwickeln, s. bilden, entstehen, (heran)reifen, s. entfalten, er-, heranwachsen, gedeihen, -raten, er-, aufblühen, s. qualifizieren; *ugs.:* s. mausern, s. herausmachen

heranbringen → bringen

herangehen: s. (an)nähern, zugehen auf, nahen, herantreten, lossteuern auf; *ugs.:* s. heranmachen ‖ → anfangen

herangewachsen → erwachsen

heranholen → beschaffen ‖ → bringen

herankommen: s. nähern, näher kommen, s. annähern, nahe kommen, zukommen auf, (da)herkommen; *ugs.:* anrücken, -rollen, -tanzen, im Anzug sein, anmarschieren, aufkreuzen, eintrudeln ‖ er-, heranreichen, gleichkommen, ebenbürtig sein, nicht nachstehen, es aufnehmen können mit ‖ **(an sich) h. lassen:** abwarten, geduldig sein, s. in Geduld üben/fassen, auf s. zukommen lassen

heranmachen, sich: *(ugs.):* s. nähern/nahen, nahe kommen, umwerben, s. einschmeicheln, s. anbiedern; *ugs.:* s. lieb Kind machen bei

herannahen: heranrücken, bevorstehen, heraufziehen, drohen, in der Luft liegen, s. andeuten, im Anzug sein, Schatten vorauswerfen, aufkommen, s. zusammenbrauen; *ugs.:* ins Haus stehen

heranreifen → heranwachsen

heranrufen → zitieren ‖ → zusammenrufen

heranschaffen → beschaffen ‖ → bringen

heranschleichen, sich → s. anschleichen

herantragen → bringen ‖ **h. an:** in Kenntnis/ins Bild setzen, informieren, wissen lassen, kundtun, verständigen, übermitteln

herantreten → herangehen ‖ **h. an:** s. wenden an, jmdn. ansprechen/-schreiben/-rufen/-gehen, vorsprechen bei; *ugs.:* jmdm. kommen mit; *schweiz.:* gelangen an

heranwachsen: im Wachstum begriffen sein, in die Höhe schießen, aufschießen, größer/groß/erwachsen/flügge werden, aufwachsen, (heran)reifen, s. entwickeln/-falten,

s. (zu seinem Vor-/Nachteil) verändern, den Kinderschuhen entwachsen, die Kinderschuhe abstreifen; *ugs.:* s. mausern, s. (heraus)machen
heranziehen: hin-, herbei-, (hin)zuziehen, zu Rate ziehen, bemühen, heran-, herbei-, hinzuholen, zu Hilfe holen, einsetzen; *öster., schweiz.:* beiziehen; *ugs.:* einspannen ‖ in Betracht ziehen, erwägen, berücksichtigen, ver-, auswerten, s. zunutze/ nutzbar machen, (be)nutzen ‖ zum Gedeihen bringen, auf-, großziehen, aufzüchten, hochbringen ‖ (her)aufziehen (Unwetter), nahen, s. nähern, herankommen, im Anzug sein, s. zusammenbrauen, drohen, dräuen
herauf: aufwärts, nach oben, (hin)auf, empor, von unten her, in die Höhe; *dicht.:* hinan; *ugs.:* hoch, rauf
heraufbeschwören: verursachen, -anlassen, evozieren, herbeiführen, -vorrufen, -vorbringen, bewirken, -dingen, mit s. bringen, nach s. ziehen, ins Rollen bringen, in Bewegung/in Gang setzen, auslösen, provozieren, zur Folge haben, entfesseln; *ugs.:* einbrocken ‖ in Erinnerung bringen, ins Gedächtnis zurückrufen
heraufsetzen: anheben, erhöhen, steigern, ver-, aufbessern, in die Höhe schrauben, hochtreiben, aufschlagen, teurer machen, aufwerten, verteuern
heraufziehen → heranziehen
herausangeln → herausholen
herausarbeiten: verdeutlichen, deutlich/sichtbar machen, klarlegen, -machen, darlegen, -stellen, erhellen, aufdecken, (auf)zeigen, herausstellen, -kristallisieren, -schälen, -holen, demonstrieren, betonen, pointieren, dartun ‖ *ugs.:* auf-, nachholen, einholen, -bringen, nach-, aufarbeiten, ausgleichen; *öster.:* einarbeiten; *ugs.:* wettmachen

herausbekommen: ausfindig machen, in Erfahrung bringen, ergründen, auf den Grund gehen/kommen, eruieren, feststellen, klären, (auf)lösen, die Lösung finden, enträtseln, -schlüsseln, zutage fördern, auf die Spur kommen, → herausfinden, → herausbringen; *ugs.:* (he)rauskriegen, dahinterkommen, ausklamüsern ‖ zurückerhalten, -bekommen, wiederbekommen, die Differenz erhalten; *ugs.:* zurück-, wieder-, (he)rauskriegen
herausbilden, sich → entstehen
herausbringen: von sich geben, hervorbringen, sagen, reden, sprechen ‖ herausschaffen, hinausschaffen, -bringen, nach draußen bringen ‖ entlocken, abringen, -trotzen, -listen, → herausbekommen ‖ → publizieren ‖ zur Aufführung/auf die Bühne bringen, aufführen, zeigen, spielen
herausfinden: finden, entdecken, stoßen auf, sehen, auf-, vorfinden, aufspüren, orten, ausmachen, → herausbekommen; *ugs.:* aufstöbern, -treiben, -gabeln, -lesen, -fischen
herausfischen → herausholen
herausfordern → reizen
herausfordernd → provokativ
Herausforderung: Provokation, Affront, (Auf)reizung, Kampfansage, Brüskierung, Fehdehandschuh, Kriegserklärung
Herausgabe → Publikation
herausgeben: zurück-, wiedergeben, zurück-, wiederbringen, ausliefern, frei-, preis-, übergeben; *ugs.:* (he)rausrücken ‖ → publizieren
Herausgeber: Editor
herausgehen, aus sich: auftauen, warm/munter werden, die Scheu/ Hemmungen verlieren/ablegen, s. entspannen, s. lockern
herausgeputzt → elegant
heraushalten, sich: die Finger lassen von, s. nicht die Finger schmutzig

machen/verbrennen, nichts zu tun haben wollen mit, s. distanzieren, nicht teilnehmen/s. nicht beteiligen an

herausheben → betonen

heraushelfen → retten

herausholen: herausnehmen; *ugs.:* herauspulen, -fingern, -fischen, -angeln, -klauben ‖ → retten ‖ → ausfragen ‖ → profitieren ‖ → herausarbeiten

herauskehren → betonen

herauskommen: heraustreten, nach draußen kommen, verlassen ‖ nach außen dringen, ins Freie gelangen ‖ → s. herumsprechen ‖ erscheinen, zum Vorschein kommen, veröffentlicht/publiziert werden ‖ s. ergeben, zu einem Ende/Ergebnis kommen, s. zeigen, entstehen, s. entfalten/-wickeln, (er)wachsen, hinauslaufen, ausgehen, end(ig)en ‖ → s. lohnen ‖ *ugs.:* zum Ausdruck kommen, formuliert/vorgebracht werden ‖ → avancieren

herauskriegen → herausbekommen

herauskristallisieren: zusammenfassen, -ziehen, kurz und präzise darstellen, → herausarbeiten ‖ **sich h.** → s. herausstellen ‖ → s. bilden

herauslassen → freilassen

herausmachen: entfernen (Fleck), beseitigen; *ugs.:* weg-, abmachen ‖ **sich h.** *ugs.:* s. entwickeln/-falten, gedeihen, s. (zu seinem Vorteil) verändern/entwickeln, aufblühen, -leben, heranreifen ‖ s. erholen, zu Kräften/ auf die Beine/auf den Damm kommen; *ugs.:* s. mausern, s. hoch-/aufrappeln

herausnehmen, sich → s. anmaßen

herausplatzen → entfahren

herausputzen, sich: s. schmücken, s. schön/zurecht-/feinmachen, Toilette machen, s. putzen, s. mit Schmuck behängen, s. verschönern; *ugs.:* s. (her)ausstaffieren, s. schniegeln, s.

stylen, s. in Schale/Gala/Staat/ Wichs werfen/schmeißen, s. auftakeln; *abwertend:* s. aufdonnern/-machen

herausragen → s. hervortun ‖ → vorspringen

herausreden, sich: Ausflüchte machen, eine Ausrede gebrauchen, etwas vorschieben, s. herauslügen/-schwindeln/-winden; *öster., schweiz.:* s. ausreden auf

herausreißen → ausreißen

herausrücken → herausgeben ‖ → ausplaudern

herausrupfen → ausreißen

herausrutschen → entfahren

herausschaffen → herausbringen

herausschälen: (her)auslösen ‖ → herausarbeiten ‖ **sich h.** → s. herausstellen

herausschlagen → profitieren

herausschwindeln, sich → s. herausreden

herausspringen → s. lohnen

herausstaffieren, sich → s. herausputzen

herausstellen → betonen ‖ heraus-, emporbringen, lancieren, fördern, aufbauen, ins Geschäft bringen ‖ **sich h.:** s. ergeben, s. zeigen, s. erweisen, s. entpuppen, s. herauskristallisieren, s. abzeichnen, zu erkennen sein, klar/ offenbar/sichtbar/deutlich werden, ans Licht kommen, ins Auge springen, zutage treten, s. dartun, hervorgehen aus, s. finden ‖ → angeben

herausstreichen: tilgen (Wörter), eliminieren, weg-, ausstreichen ‖ → loben ‖ **sich h.** → angeben

herauswinden, sich → s. herausreden

herausziehen → ausreißen

herb: bitter, scharf, streng, sauer (Wein), trocken ‖ hart (Schicksal), schwer, schmerzlich ‖ spröde (Mensch), kühl, unaufgeschlossen, -zugänglich, verschlossen, reserviert; *ugs.:* zugeknöpft, vermauert

herbeieilen: herbeilaufen, -stürmen, -jagen, -hasten, -stürzen, -rennen, her-, entgegeneilen, herankommen, lossteuern auf, im Anzug sein, zusammenlaufen, -strömen

herbeiführen → bewirken

herbeiholen → beschaffen ‖ → bringen

herbeilaufen → herbeieilen

herbeirufen → zitieren ‖ → rufen ‖ → zusammenrufen

herbeischaffen → beschaffen ‖ → bringen

herbeisehnen → erwarten

herbeizitieren → zitieren

herbemühen, sich → kommen

Herberge → Unterkunft

herbestellen → zitieren

herbitten → zitieren

herbringen → bringen

Herd: Kochgelegenheit, -stelle, Ofen ‖ → Brennpunkt

Herde → Gruppe ‖ Meute, Rudel, Horde, Schwarm, Kolonne, Zug, Kompanie

herdenweise → massenhaft

hereinbekommen: *(ugs.):* (geliefert) bekommen, erhalten, empfangen; *ugs.:* hereinkriegen

hereinbrechen: zum Ausbruch kommen, plötzlich/unerwartet einsetzen/ anheben/beginnen/anfangen; *ugs.:* losgehen, ins Rollen kommen

hereinfallen: betrogen/überlistet/getäuscht/hintergangen werden, in die Falle/Schlinge/ins Netz/Garn gehen; *ugs.:* der Dumme/Lackierte sein, angeschmiert/übers Ohr gehauen/aufs Kreuz gelegt werden, aufsitzen, auf den Leim gehen/kriechen, herein-, hineinsausen, herein-, hineinfliegen

hereinfliegen → hereinfallen

hereinkommen: (her)eintreten, betreten, hereinspazieren, -marschieren, hineingelangen, -gehen, -kommen, Einzug halten, gehen/treten in

hereinlassen → einlassen

hereinlegen → betrügen

hereinplatzen: *(ugs.):* überfallen, -rumpeln, -raschen, unangemeldet/ -erwartet erscheinen/kommen; *ugs.:* hereinschneien, ins Haus/in die Tür fallen

hereinsausen → hereinfallen

hereinschauen → besuchen

hereinschneien: unangemeldet besuchen ‖ → kommen ‖ → hereinplatzen

hereinspielen, mit → anklingen

hereintreten → hereinkommen

herfallen über: angreifen, -springen, -fallen, überfallen, -raschen, -rumpeln, s. stürzen auf, zu Leibe rücken, attackieren; *ugs.:* s. hermachen über, los-, dreinschlagen ‖ → bedrängen ‖ → demütigen ‖ *ugs.:* hastig/gierig essen, hinunter-, verschlingen; *ugs.:* reinhauen, spachteln, stopfen

Hergang: (Ver)lauf, Ablauf, -folge, (Vor)gang, Entwicklung, Fortgang, Prozess, Geschehen, Gang/Fluss der Handlung

hergeben: geben, reichen, zuschieben, aus-, einhändigen ‖ → schenken ‖ *ugs.:* ergiebig/lohnend sein; *ugs.:* etwas bringen

hergebracht → herkömmlich

herhalten → einstehen für

herholen → bringen ‖ → holen

herkommen → kommen ‖ → stammen von

Herkommen → Brauch ‖ → Herkunft

herkömmlich: (alt)hergebracht, gewohnt, -wöhnlich, -wohnheitsmäßig, -läufig, -bräuchlich, traditionell, konventionell, eingeführt, erprobt, klassisch, normal, regulär, gängig, gang und gäbe, nach (alter) Väter Sitte, bewährt, alltäglich, landläufig, (weit) verbreitet, anerkannt, -gestammt, eingefahren, -gespielt, -gebürgert, überkommen, -liefert, bekannt, vertraut, tradiert

Herkunft: Her-, Abkommen, Abstammung, -kunft, Ursprung, Provenienz, Deszendenz, Geburt, -schlecht, Familie, Stamm(baum); *scherzh.:* Stall

herleiten: (schluss)folgern, schließen, ableiten, entwickeln aus, zurückführen, einen Schluss/Folgerungen ziehen, konkludieren, de-, induzieren, nachweisen ‖ **sich h.** → stammen von

hermachen → wirken ‖ → herfallen ‖ → anfangen

hermetisch: dicht verschlossen, undurchlässig, -durchdringlich

hernach → danach

hernehmen → beanspruchen

Heroin: *ugs.:* Junk, Snief, Smack, Horse, H ‖ **H. spritzen** → fixen

heroisch → mutig

Heroismus → Mut

Heros → Held

Herr: Mann, Er, männliches Wesen, Ehren-, Weltmann, Gentleman, Grandseigneur, Kavalier ‖ Besitzer, Eigentümer, Inhaber, Eigner, Halter ‖ → Herrscher ‖ → Gott

herrichten: instand setzen, ausbessern, in Ordnung bringen, (vor)bereiten, richten, fertig machen, bereit-, zurechtmachen, zurechtstellen, -legen, anordnen, arrangieren

herrisch: tyrannisch, diktatorisch, despotisch, gebieterisch, -bietend, machthaberisch, herrschsüchtig, autoritär, unerbittlich, -nachsichtig, -nachgiebig, -barmherzig, erbarmungs-, gnaden-, rücksichtslos, selbstherrlich, autokratisch, apodiktisch, rechthaberisch, rigoros, massiv, energisch, (ge)streng, entschieden, bestimmt, drastisch, barsch, hart, grob, schroff, brüsk, obrigkeitlich, repressiv, patriarchalisch, drakonisch, scharf

herrlich → großartig, wunder-, bildschön, fantastisch, wie gemalt, strahlend, glanzvoll, vollendet, unübertrefflich, -übertroffen, -nachahmlich, -vergleichlich, überdurchschnittlich, zauberhaft, köstlich, wonnig(lich), wonnevoll, himmlisch, göttlich, paradiesisch, elys(ä)isch, vollkommen, → großartig; *ugs.:* hinreißend, umwerfend, irre, bombig, picobello

Herrlichkeit → Schönheit ‖ → Prunk

Herrschaft: Macht, Regierung, Gewalt, Regentschaft, Regime(nt), Befehl(sgewalt), Führung, Führerschaft, Autorität, Leitung, Lenkung, Obrigkeit, Verwaltung

herrschaftlich → prächtig

herrschaftsfrei → antiautoritär

herrschen: gebieten, regieren, beherrschen, -fehligen, schalten, walten über, verwalten, die politische Führung haben, vorstehen, -sitzen, leiten, lenken, führen, die Herrschaft/Gewalt/Macht ausüben/besitzen/(inne)haben, die Geschicke des Landes bestimmen, an der Spitze stehen; *ugs.:* am Ruder sein, das Ruder/Regiment führen, das Steuer/Heft/die Zügel/Fäden in der Hand haben, das Zepter schwingen ‖ sein, bestehen, (ob)walten, vorhanden sein, vorherrschen, wirken

Herrscher: Gebieter, Regent, Herr, (Ober)haupt, Kopf, Befehls-, Macht-, Gewalthaber, Landesvater, -herr, (An)führer, Chef, Leader, Potentat, Häuptling, Kommandeur, Imperator; *ugs.:* Boss; *abwertend:* Diktator, Tyrann, Despot, Usurpator, Unterdrücker

herrschsüchtig → herrisch

herrühren → stammen von

hersagen → aufsagen

herschaffen → bringen

herschenken → schenken

herstammen → stammen von

herstellen → anfertigen

Hersteller → Fabrikant

Herstellung → Fabrikation

hertragen → bringen
herum: rings-, rundum(her), rings-, rundherum, reihum, umher, allseitig, im Kreise, in jeder Richtung, an allen Seiten; *reg.:* umma; *ugs.:* rum ‖ **um** … **h.** → annähernd
herumalbern → scherzen
herumbasteln *(ugs.):* ugs.: herummurksen, -fummeln, -doktern, -modeln, pusseln
herumbekommen: *(ugs.):* totschlagen (Zeit), hinter s. bringen, absitzen; *ugs.:* rumkriegen ‖ → überreden
herumdrücken, sich: *(ugs.):* umgehen, ausweichen, s. entziehen, (ver)meiden, fliehen, einen Bogen machen, aus dem Weg gehen; *ugs.:* kneifen, s. drücken, s. winden ‖ → s. herumtreiben
herumerzählen → verbreiten
herumfuchteln → gestikulieren
herumgehen → kursieren
herumgeistern → spuken
herumhorchen → fragen nach
herumkommen: *(ugs.):* viel reisen/sehen/erleben, herumreisen, s. umtreiben, umherziehen, etwas von der Welt sehen; *ugs.:* s. den Wind um die Nase wehen lassen ‖ **h. um:** davonkommen, entgehen; *ugs.:* drum'rumkommen, so wegkommen
herumkriegen → überreden
herumkritteln → nörgeln
herumlaufen: *(ugs.):* s. schlecht kleiden/anziehen, verlottert/-schlampt/-wahrlost angezogen sein ‖ → s. herumtreiben
herumlottern → s. herumtreiben
herumlungern: *(ugs.):* faul/untätig herumstehen/-liegen; *ugs.:* s. (he)rumfläzen/-flegeln/-lümmeln, s. gehen lassen ‖ → s. herumtreiben
herummeckern → nörgeln
herummosern → nörgeln
herummurksen → herumbasteln
herumnörgeln → nörgeln
herumplagen, sich → s. anstrengen

herumschlagen, sich → s. anstrengen
herumschnüffeln → auskundschaften
herumsprechen, sich: bekannt/laut/publik/kund/öffentlich/offenbar/-sichtlich/ruchbar/entdeckt werden, ans Tageslicht/an den Tag kommen, an die Öffentlichkeit dringen/treten, von Mund zu Mund gehen, umgehen, in Umlauf/aller Munde sein, kursieren, s. (wie ein Lauffeuer) verbreiten, durchsickern, -dringen, Schlagzeilen machen, aufkommen, unter die Leute kommen, zutage treten, zur Kenntnis gelangen; *ugs.:* herum-, herauskommen
herumstehen: faul/untätig/unnütz sein; *ugs.:* herumlungern, Maulaffen feilhalten
herumstromern → s. herumtreiben
herumsuchen → kramen
herumtragen → verbreiten
herumtreiben, sich: herumziehen, -laufen, -kommen, s. umhertreiben, ohne festen Wohnsitz sein, s. treiben lassen, (herum)stromern, von Ort zu Ort ziehen, auf der Straße leben, streunen, vagabundieren, zigeunern, strolchen, umherziehen, -streifen, -laufen, -streichen, -streunen, -schweifen, -schwirren, -strolchen, -irren, s. herumdrücken; *ugs.:* (he)rumlungern, -lottern, -tigern
herumziehen → s. herumtreiben
herunter: herab, -nieder, hinunter, -ab, abwärts, nach unten, in die Tiefe, nieder; *ugs.:* runter
herunterbeten → aufsagen
herunterfallen → entfallen ‖ → abstürzen
herunterfliegen → abstürzen
heruntergehen → fallen ‖ **h. mit** → senken
heruntergekommen → verwahrlost ‖ → dünn
herunterhandeln → feilschen
herunterhauen → ohrfeigen

herunterkommen → verwahrlosen ‖
h. lassen → vernachlässigen
herunterleiern → aufsagen
heruntermachen → schimpfen
herunterputzen → schimpfen ‖
→ demütigen
herunterrattern → aufsagen
heruntersausen → abstürzen
herunterschnurren → aufsagen
heruntersetzen → senken
herunterspielen: bagatellisieren,
verharmlosen, -niedlichen, -kleinern,
als geringfügig/unbedeutend hinstellen, abschwächen, mildern, beschönigen, schönfärben, untertreiben,
-bewerten, gering machen
herunterspringen → abspringen
heruntersteigen → absteigen
herunterstürzen → abstürzen
hervorbringen → schaffen ‖ → hervorrufen ‖ → anfertigen
hervorgehen → stammen von ‖ → s.
ergeben
hervorheben → betonen
hervorholen → ausgraben
hervorkehren → betonen
hervorkommen → hervortreten
hervorragend → großartig, unübertrefflich, -übertroffen, -nachahmlich,
überdurchschnittlich, -ragend, fein,
blendend, bestens, sondergleichen,
→ großartig; *ugs.:* bombig, knorke,
eins a
hervorrufen: verursachen, bewirken,
-dingen, auslösen, zeitigen, herbeiführen, hervorbringen, evozieren,
heraufbeschwören, -rufen, entfachen, -fesseln, veranlassen, -schul-
den, zur Folge haben, nach s. ziehen,
mit sich/ins Rollen bringen, in Be-
wegung/Gang setzen, anrichten,
provozieren, erregen, -zeugen, (er)-
wecken, ins Leben rufen, in die Welt
setzen, zum Vorschein/Ausbruch
bringen
hervorstechen → auffallen
hervorstechend → auffallend

hervortreten: hervorkommen, zutage
treten, zum Vorschein/ans Licht
kommen, s. herausstellen, s. zeigen,
offenbar/sichtbar/erkennbar werden, s. enthüllen, s. entpuppen ‖ → s.
hervortun
hervortun, sich: hervortreten, -ste-
chen, -ragen, herausragen, auffallen,
s. exponieren, von s. reden machen, s.
einen Namen machen, s. auszeichnen, s. verdient machen, Staub aufwirbeln, beeindrucken, Eindruck/
Furore/Schlagzeilen machen, Aufsehen erregen/verursachen, Beachtung finden, die Aufmerksamkeit auf
s. ziehen, in Erscheinung/ins Ram-
pen-/Scheinwerferlicht/ins Licht der
Öffentlichkeit treten
Herz: *med.:* Cor, Kardia; *ugs.:*
Pumpe ‖ Gemüt, (Mit)gefühl, Ein-
fühlsamkeit, -fühlungsgabe, Innerlichkeit, Inner(st)es, Innig-, Zärtlich-
keit, Innen-, Seelenleben, Seele, Psyche, Verständnis, Empfindung, Empfinden, Emotion(alität) ‖ → Herzblatt ‖ → Mittelpunkt
Herzblatt: Liebling, Darling, Chéri,
Schatz, Herz, Schätz-, Herz-, Liebchen, Geliebte(r), (Herzaller)liebs-
te(r), Augapfel, Einzige(r), Auser-
wählte(r); *ugs.:* Flamme, Puppe,
Zahn, Macker; *reg.:* Gspusi, Spezi
herzen → liebkosen
Herzensbrecher → Frauenheld
herzhaft: nach Herzenslust, kräftig,
ordentlich, tüchtig, anständig, fest,
gehörig, -diegen ‖ würzig, gut gewürzt, pikant
herziehen: schlecht/abfällig/gehäs-
sig reden über, lästern, schlecht machen, verunglimpfen, → demütigen;
ugs.: klatschen/(t)ratschen über,
durchhecheln, heruntermachen, s.
das Maul zerreißen
herzig → reizend
Herzklopfen: Auf-, Erregung, Nervosität, Beklemmung, -klommenheit,

-unruhigung, -engung, Bangigkeit, Unruhe, Lampenfieber, (Prüfungs)angst, Zittern, Zähneklappern || **H. haben** → aufgeregt sein

herzlich: liebenswürdig, liebevoll, freundlich, warm(herzig), innig, nett, vom Herzen kommend || dringend, eindringlich, inbrünstig, -ständig, nachdrücklich, flehentlich, kniefällig, von ganzem Herzen || → sehr

Herzlichkeit → Güte

herzlos: gefühllos, (gefühls)kalt, roh, kalt-, hartherzig, lieblos, ohne (Mit)gefühl, mitleids-, erbarmungs-, schonungs-, rücksichtslos, unbarmherzig, eisig, grausam, barbarisch, unmenschlich, inhuman, → bösartig, → brutal; *ugs.:* abgebrüht, hart gesotten

Herzlosigkeit → Kälte

herzzerreißend: herzbewegend, -ergreifend, -brechend, steinerweichend, kläglich, erbärmlich, jämmerlich, jammervoll, bejammerns-, beklagenswert, -würdig, Mitleid erregend, bemitleidenswert, -würdig

Hetäre → Prostituierte

heterogen → verschieden

Hetze → Verleumdung || → Eile

hetzen: nachstellen, -setzen, vorwärts-, (an)treiben, (nach)jagen, verfolgen, bedrängen, hinter jmdm. her sein, s. jmdm. an die Fersen heften, jmdm. auf den Fersen bleiben, jmdn. in die Enge treiben; *ugs.:* jmdm. Beine machen, auf Trab/in Schwung bringen, scheuchen || → eilen || Zwietracht/Hass säen, aufhetzen, -peitschen, -putschen, -wiegeln, -rühren, -reizen, an-, aufstacheln, böses Blut machen, Öl ins Feuer gießen, sticheln, lästern, angreifen, fanatisieren; *ugs.:* stänkern, scharfmachen, quertreiben

Hetzjagd → Jagd

heucheln: vortäuschen, -geben, -gaukeln, -machen, -spiegeln, -schützen,

blenden, bluffen, s. verstellen, s. stellen als ob, den Schein wahren, s. den Anstrich geben, seine Gesinnung verbergen, schauspielern, mimen, markieren, weismachen, Komödie/ Theater spielen, so tun als ob, fingieren, simulieren, s. anders geben/zeigen

Heuchler: Scheinheiliger, Leisetreter, Schleicher, Frömmler, Biedermann, Pharisäer, Tartüff, Lügner, Schmeichler; *ugs.:* Mucker, falscher Fuffziger/Hund, falsche Schlange/ Katze

heuchlerisch → scheinheilig

heuer: *(reg.):* in diesem/dieses Jahr

heulen → weinen

Heuschrecke: *ugs.:* Grashüpfer, -pferd, Heupferdchen, -bock, -gumper, -hüpfer, -hupfer, -hopser, -springer, Springhahn, -bock, Haferbock, Hoppepferd

Heustadel: Scheune, Scheuer, Heuboden, -speicher; *reg.:* Schober, Schauer; *schweiz.:* Heubühne

heute: am heutigen Tag, an diesem Tag || heutzutage, heutigentags, derzeit(ig), gegenwärtig, zur Zeit, jetzt, nunmehrig, heutig, neuerdings

Heute, das → Gegenwart

heutig → zeitgenössisch || → heute

heutzutage → gegenwärtig || → heute

Hexe: Zauberin, böse Frau, Drude || → Xanthippe

hexen: zaubern, Hokuspokus machen/treiben, Zauberei (be)treiben, den Zauberstab schwingen, beschwören, -sprechen, verwünschen

Hexer → Zauberer

Hieb: Schlag, Stoß, Klaps, Puff; *ugs.:* Schubs, Stumper, Stups, Knuff; *öster.:* , Stupfer, Schupfer; *schweiz.:* Putsch || Spitze, Anspielung, Stich(elei), Gestichel, Spott, Bosheit || **Hiebe** → Prügel

hier: an/auf dieser Stelle, an diesem Ort, diesseits, bei uns, hierzulande,

an Ort und Stelle, an/auf dieser Seite; *dicht.:* allhier; *reg.:* hierselbst, dahier ‖ **von h.** → einheimisch
Hierarchie: Rangordnung, Stufenleiter, Rangfolge, Stufenfolge, Stufenordnung, Hackordnung, Ranggliederung, Stufengliederung
hierbei: bei dieser Gelegenheit, an dieser Stelle, hieran, dabei; *reg.:* hiebei
hierfür: dafür, (eigens) zu diesem Zweck, ad hoc; *reg.:* hiefür
hierin: in diesem Punkt, darin, -bei, in dieser Beziehung, in Bezug darauf, diesbezüglich
hiermit: damit, mit der betreffenden Sache, da-, hierdurch; *reg.:* hiemit ‖ auf diese Weise, so
hierüber: (dar)über, dazu, da-, hiervon, in Bezug auf; *ugs.:* drüber
hierunter: darunter; *ugs.:* drunter
hierzu: dazu, zu/in diesem Punkt, diesbezüglich, in Bezug auf, in dieser Beziehung, im Hinblick auf
hiesig: hier befindlich, → einheimisch
high: *(ugs.):* unter Drogen, im Rausch, in Euphorie, euphorisch; *ugs.:* auf der Reise/dem Trip, abgefahren, angeturned, -getörnt, stoned, weggepfiffen, -geblasen, drauf, angeknallt, voll, vollgeknallt, -gepumpt, angedröhnt, ausgespaced ‖ → euphorisch ‖ → glücklich
Highsociety: große Welt, Oberschicht, Hautevolee, die oberen Zehntausend, Crème de la Crème, Establishment, Elite, vornehme/gute Gesellschaft, die reichen Leute, Geldadel, die führende(n) Kreise/Schicht, alles was Rang und Namen hat, die Spitzen/Stützen der Gesellschaft, Schickeria; *ugs.:* High Snobiety, die Großkopfe(r)ten, Schickimicki
Hightech: (Spitzen)technologie, moderne Ausstattung ‖ → Technik

Hilfe: Unterstützung, Assistenz, Beistand, (Da)zutun, Ab-, Aus-, Beihilfe, Hilfestellung, Dienst(leistung), Mitwirkung, -arbeit, Befreiung, Beitrag, Zuschuss ‖ Stütze, (Rück)halt, rechte Hand, Helfer, Hilfskraft, Gehilfe, Mitarbeiter, Assistent, → Hausangestellte, → Putzfrau ‖ → Schutz
Hilferuf: Notruf, -schrei, -signal, SOS-Ruf, Alarm, Appell, Aufruf
hilflos: hilfsbedürftig, auf Hilfe angewiesen, ohnmächtig, machtlos, schwach, kraftlos, unselbständig, -sicher, abhängig, in Not/Verlegenheit ‖ unbeholfen, verwirrt, ratlos, verlegen, in einer Sackgasse; *ugs.:* aufgeschmissen, bedeppert ‖ → schutzlos ‖ **h. sein:** nicht weiter/keinen Rat/nicht ein noch aus wissen, festsitzen, -stecken, mit seiner Weisheit am Ende sein, die Hände gebunden haben; *ugs.:* in der Klemme/Patsche stecken
hilfreich: hilfsbereit, gefällig, zuvor-, entgegenkommend, dienstbeflissen, -fertig, -willig, -eifrig ‖ → nützlich
hilfsbereit → hilfreich
Hilfskraft: Assistent, Mitarbeiter, Helfer, Gehilfe, Famulus, Adlatus ‖ Hilfs-, Zu-, Gelegenheitsarbeiter, Aushilfe, Handlanger, Tagelöhner ‖ → Diener
Hilfsmittel → Mittel
Himmel: Firmament, Himmelsgewölbe, -kuppel, -zelt, -dach, -dom, Äther, Sternenzelt ‖ Jenseits, Überwelt, Insel der Seligen, Elysium, Olymp, Nirwana, Walhalla, Reich Gottes, Ewigkeit, ewige Seligkeit, Paradies; *ugs.:* die ewigen Jagdgründe
himmelschreiend → unerhört
himmlisch: göttlich, überirdisch, wie aus einer anderen Welt, jenseitig, übersinnlich, heilig, ewig, unsterblich, -endlich ‖ → herrlich
hin: hinzu, dorthin ‖ → tot ‖ → entzwei

hinab → herab
hinauf → herauf
hinaufgehen: nach oben/aufwärts gehen/steigen, an-, (her)auf-, hoch-, emporsteigen; *ugs.:* hochgehen, hoch-, raufsteigen
hinaufklettern → avancieren
hinaufziehen → hochziehen
hinaus: weg, fort
hinausbefördern → hinauswerfen
hinausbringen → herausbringen
hinausgehen: nach draußen gehen, hinaustreten, ins Freie treten, verlassen (Raum) ‖ spazieren gehen, einen (Spazier)gang machen; *ugs.:* frische Luft schnappen, s. die Beine vertreten ‖ **h. über** → übertreffen ‖ überschreiten, -borden, den Rahmen sprengen, über das Ziel schießen
hinausjagen → hinauswerfen
hinausschaffen → herausbringen
hinausscheuchen → hinauswerfen
hinausschieben → aufschieben
hinauswachsen → übertreffen
hinausweisen → hinauswerfen
hinauswerfen: hinausjagen, -weisen, fortjagen, die Tür weisen, aus dem Haus werfen/jagen/weisen, abschieben, ausquartieren; *ugs.:* hinausbefördern, -feuern, -schmeißen, -scheuchen, vor die Tür/an die (frische) Luft setzen, ins Freie befördern, schassen ‖ → entlassen
hinauswollen → beabsichtigen
hinausziehen → aufschieben
hinauszögern → aufschieben
hinbekommen → fertig bringen
hinbiegen → bereinigen ‖ → fertig bringen
Hinblick → Aspekt ‖ **im H. auf** → hinsichtlich
hinbringen → bringen ‖ → hinführen
hinderlich: störend, hemmend, (be)hindernd, lästig, belastend, nachteilig, erschwerend, im Wege, unbequem, -günstig, -gelegen, -angenehm, -vorteilhaft, zeitraubend

hindern → behindern ‖ → verhindern
Hindernis: Hürde, Barriere, Barrikade, Blockade, Sperre, Absperrung, Schranke ‖ Hemmnis, Behinderung, Erschwerung, -schwernis, Handikap, Hemmung, Fessel, Hemmschuh, Schwierigkeit, Widerstand; *ugs.:* Brems-, Hemmklotz, Klotz am Bein
hindeuten → hinweisen
hineindenken, sich: s. (hinein)versetzen (in jmds. Rolle), s. einfühlen/-leben, etwas nachvollziehen/-empfinden, jmdm./einer Situation gerecht werden
hineindeuten: hineinlegen, -interpretieren, falsch auslegen/herauslesen/deuten; *ugs.:* hineingeheimnissen
hineinfliegen → hereinfallen
hineingehen: be-, eintreten, gehen/treten in, hineinspazieren, -gelangen ‖ aufnehmen, fassen, hineinpassen
hineingeraten: dazwischengeraten, hineingezogen/verwickelt werden; *ugs.:* hineinschlittern ‖ dazu-, hinzu-, hineinkommen, hinzutreten
hineinknien, sich → s. beschäftigen mit
hineinlegen → hineindeuten
hineinmanövrieren → hineinziehen
hineinreden: unterbrechen, dazwischenreden, ins Wort fallen, das Wort abschneiden, nicht ausreden lassen, alles besser wissen; *ugs.:* über den Mund fahren ‖ s. einmischen/-mengen, eingreifen, intervenieren, ein Machtwort sprechen; *ugs.:* dazwischenfunken, -pfuschen, ins Handwerk pfuschen, dreinreden, seine Nase in alles stecken
hineinreiten → hineinziehen
hineinriechen: *(ugs.):* etwas kennenlernen, s. vertraut machen mit; *ugs.:* reinschnuppern
hineinsausen → hereinfallen
hineinschlüpfen → anziehen
hineinstecken: einführen, -geben; *ugs.:* hineintun ‖ investieren, auf-

wenden, -bieten, daran-, einsetzen, anlegen, unterbringen; *ugs.:* reinstecken, dransetzen

hineinsteigern, sich: s. echauffieren, s. auf-/erregen, s. erhitzen, übertreiben, entbrennen, -flammen, Feuer fangen, hochspielen; *ugs.:* in Fahrt kommen

hineinversetzen, sich → s. hineindenken

hineinwachsen: s. einleben, s. (ein)gewöhnen, vertraut werden, Fuß fassen, s. einfügen, s. einordnen, akklimatisieren, assimilieren; *ugs.:* warm werden

hineinziehen: hineinmanövrieren, -reiten, gefährden, verwickeln, -stricken, in eine unangenehme Lage/Situation bringen; *ugs.:* reinreißen, eine Suppe einbrocken

hinfallen: (nieder)stürzen, hinschlagen, (zu Boden) fallen; *ugs.:* hinfliegen, -segeln, -sausen, -hauen, -knallen, -plumpsen, -purzeln, auf die Nase fliegen, s. auf den Allerwertesten setzen

hinfällig → gebrechlich ‖ gegenstands-, wesen-, grund-, haltlos, unbegründet, ohne Grund, ungerechtfertigt, -motiviert, aus der Luft gegriffen ‖ überflüssig, nicht mehr notwendig, ungültig, (null und) nichtig, unnütz, -nötig, nutz-, sinn-, zweck-, wertlos ‖ **es ist h.:** es erübrigt sich

hinfliegen → hinfallen

hinfort → künftig

hinführen: hinbringen, -begleiten, -lenken; *ugs.:* hinschaffen, -lotsen, -schleifen

Hingabe: Hingebung, Einsatz(bereitschaft), (Feuer)eifer, Idealismus, Engagement, Leidenschaft, Nächstenliebe ‖ (Selbst)aufopferung, Opferbereitschaft, Entsagung ‖ → Eifer ‖ Entäußerung, Preis-, Weggabe, Abtretung, Verzicht, Überlassung, Auslieferung

hingeben: opfern, Opfer bringen, abtreten, weg-, fort-, her-, preis-, vergeben, (weg-, her-, ver)schenken, zum Geschenk machen; *ugs.:* dreingeben ‖ **sich h.:** s. widmen, s. ergeben, s. (auf)opfern, s. darbringen, sein Herzblut geben, s. schenken, jmdm. zu Willen sein ‖ frönen (Laster), verfallen sein, huldigen, s. überlassen

hingebungsvoll → eifrig ‖ → liebevoll

hingegen → dagegen

hingehören: passen, entsprechen, s. eignen, geeignet sein, in Betracht/ Frage kommen, angebracht sein

hingelangen → hinkommen

hingerissen → begeistert

hingeschieden → tot

hinhalten: (an)bieten, an-, hinreichen, entgegenstrecken ‖ warten lassen, vertrösten, Zeit gewinnen wollen; *ugs.:* zappeln lassen, abspeisen, Katz und Maus spielen ‖ aufhalten, hemmen, hinziehen, verzögern, -schleppen, -langsamen

hinhauen → hinfallen ‖ → aufgeben ‖ → gelingen ‖ → passen ‖ **sich h.** → s. hinlegen

hinhören → zuhören

hinken: humpeln, lahmen, am Stock/an Krücken gehen; *reg.:* hatschen ‖ nicht passen/zutreffen/stimmen, einen Haken haben, schräg sein

hinknallen → hinfliegen ‖ → hinwerfen

hinkommen: (hin)gelangen, (heran)kommen, näher kommen, s. nähern, nahen, s. einfinden/-stellen, anlangen, eintreffen, erscheinen, -reichen; *ugs.:* aufkreuzen, antanzen, -rücken, auftauchen ‖ → passen ‖ → ausreichen

hinkriegen → fertig bringen

hinlänglich: genug, -nügend, aus-, hin-, zureichend, zur Genüge, sattsam

hinlegen: ablegen, -setzen, -stellen, niederlegen, -setzen, platzieren, de-

ponieren; *ugs.:* hintun ‖ **sich h.:** s. (nieder)legen, s. hinstrecken, s. zur Ruhe begeben, ruhen, s. schlafen legen, schlafen/ins/zu Bett gehen; *ugs.:* s. hinhauen, s. aufs Ohr legen/hauen, in die Federn/Falle/Klappe/Heia gehen, alle viere von s. strecken, zum Feder-/Kissenball gehen
hinlenken → hinführen
hinlotsen → hinführen
hinnehmen → annehmen ‖ s. abfinden mit, s. etwas gefallen/bieten lassen, (er)dulden, s. fügen/schicken/ergeben in, über s. ergehen lassen, akzeptieren, (er)tragen, (mit Geduld/Fassung) (er)tragen, in Kauf nehmen, auf s. nehmen; *ugs.:* einstecken, (hinunter)schlucken
hinplumpsen → hinfallen
hinpurzeln → hinfallen
hinreichen → ausreichen ‖ hin-, entgegenstrecken, anbieten, hinhalten, geben, (an)reichen, darreichen, -bieten, ein-, aushändigen, hin-, zuschieben
hinreichend → hinlänglich
hinreißen → begeistern
hinreißend → reizend
hinrichten: exekutieren, die Todesstrafe/das Todesurteil vollstrecken/-ziehen, guillotinieren, köpfen, enthaupten, den Kopf abschlagen, → töten
hinsausen → hinfallen
hinschaffen → bringen ‖ → hinführen
hinscheiden → sterben
Hinscheiden → Tod
hinschlachten → töten
hinschlagen → hinfallen
hinschleifen → hinführen
hinschleppen → bringen ‖ sich h. → s. hinziehen
hinschleudern → hinwerfen
hinschmeißen → hinwerfen ‖ → aufgeben
hinschwinden → vergehen

hinsegeln → hinfallen
hinsetzen → setzen ‖ **sich h.** → s. setzen
Hinsicht → Aspekt ‖ **in H. auf** → hinsichtlich
hinsichtlich: bezüglich, in Bezug auf, betreffs, (in) puncto, in Hinsicht/im Hinblick auf, was das betrifft/angeht/-belangt, mit Rücksicht/Bezugnahme auf, in Anbetracht, betreffend, zu der Frage
hinstellen: absetzen, -stellen, -legen, hin-, niedersetzen, deponieren; *ugs.:* hintun ‖ postieren, aufstellen, platzieren, einen Platz zu-/anweisen/geben; *ugs.:* aufpflanzen, -bauen ‖ darstellen / wiedergeben / bezeichnen/ausgeben/charakterisieren als; *ugs.:* stempeln
hinsteuern → abzielen
hinstrecken → hinreichen ‖ **sich h.** → s. hinlegen
hintansetzen → vernachlässigen
hintanstellen → vernachlässigen
hinten: am Schluss/Ende, im Rücken/Hintergrund, auf der Rück-/Kehrseite, rückseitig, an letzter Stelle, im hinteren Teil, zuhinterst, achtern (Schiff); *öster.:* rückwärts; *ugs.:* hintendran
hintenherum: indirekt, auf Umwegen, mittelbar ‖ → heimlich
Hinterbliebene(r) → Erbe
hinterbringen → ausplaudern
hintereinander: eins/einer nach dem anderen, in Reih und Glied, der Reihe/Ordnung nach, auf-, nacheinander, in Aufeinanderfolge, (aufeinander) folgend, ununterbrochen, zusammenhängend; *ugs.:* im Gänsemarsch ‖ → dauernd
hintergehen → betrügen
Hintergehung → Betrug ‖ → Täuschung
Hintergrund: Background, Fond, Tiefe, Folie, Rückseite, -wand ‖ Grund, Zusammenhang, das Warum,

Voraussetzung, Bezug, Ursache, Wurzel
hintergründig → geheimnisvoll
Hinterhalt: Schlupfwinkel, Versteck ‖ Falle, (Fall)grube, Schlinge, Netz
hinterhältig: (heim)tückisch, verschlagen, unaufrichtig, -ehrlich, versteckt, hinter-, arglistig, meuchlings, gefährlich, bösartig, niederträchtig, infam, perfide, intrigant, falsch, teuflisch, satanisch, diabolisch; *ugs.:* link, hinterrücks; *derb:* hinterfotzig
hinterher: hintendrein, (hinten)nach; *ugs.:* als Schlusslicht ‖ → danach
hinterhergehen → folgen
hinterherhinken → zurückbleiben
hinterherjagen → hinterherlaufen
hinterherlaufen: (nach)folgen, nachlaufen, -jagen, -setzen, -rennen, -eilen, hinterherkommen, -jagen, -rennen, auf dem Fuß folgen, s. an jmds. Fersen heften/hängen, auf den Fersen/der Fährte/der Spur sein/bleiben ‖ nachgehen (Mädchen), nachstellen; *ugs.:* hinter jmdm. her sein, nachsteigen
hinterherrennen → hinterherlaufen
hinterlassen → vererben ‖ → zurücklassen
Hinterlassenschaft → Erbe
hinterlegen: deponieren, in Verwahr(ung) geben, sicherstellen, lagern, unterbringen, aufbewahren lassen
Hinterlegung → Bürgschaft
Hinterlist → Arglist
hinterlistig → hinterhältig
Hintermann: Auftraggeber, Anstifter, Boss, Chef, Schlüsselfigur, Hauptperson, -figur, graue Eminenz, Dunkelmann, Obskurant, Drahtzieher
Hintern → Gesäß
hinterrücks: von hinten, meuchlings, überraschend, unvermutet, -versehens ‖ → hinterhältig

Hinterseite: Rück-, Kehr-, Ab-, Schattenseite, Hof-, Hinter-, Rückfront, Hofseite, Rücken
Hinterteil → Gesäß ‖ (Ab)schluss, Ende, Schluss, Rückteil, hinterer Teil, Schwanz, Heck (Schiff)
hintertreiben → vereiteln
Hintertür: (Aus)weg, (Rückzugs)möglichkeit, Lösung, Mittel, Hoffnung, Hilfe
hinterwäldlerisch → rückständig ‖ → reaktionär
hinterziehen: unterschlagen, veruntreuen, in die eigene Tasche stecken, nicht bezahlen, betrügen; *ugs.:* prellen
hintragen → bringen
hinüber: nach drüben, da-, dorthin ‖ → vergangen
hinunter: hinab, abwärts, in die Tiefe, nieder(wärts), herunter, -ab, -nieder, nach unten, zu Boden; *ugs.:* runter
hinunterschlingen → hinunterschlucken
hinunterschlucken: (ver)schlucken, hinunterstürzen, hastig trinken/essen; *ugs.:* (ver)schlingen, in s. hineinfressen, reinhauen, hinunterschlingen, -würgen ‖ nicht aufkommen lassen, nicht hochkommen lassen, unterdrücken, niederhalten, bezwingen, ersticken ‖ → hinnehmen
hinunterstürzen: (in die Tiefe) fallen/stürzen, zu Fall kommen, den Halt verlieren, herab-, herunterfallen, nieder-, herab-, (hin)abstürzen; *ugs.:* runterfallen, -stürzen, -sausen, -fliegen, -segeln, -purzeln, -plumpsen, -rasseln ‖ → hinunterschlucken
hinwegkommen über: fertig werden mit, verwinden, -kraften, -schmerzen, -arbeiten, überwinden, -stehen, -leben, durchstehen, aushalten, ertragen, s. in etwas schicken/finden/fügen/ergeben; *ugs.:* verdauen

hinwegsehen über: ignorieren, außer Acht lassen, übersehen, -gehen, die Augen verschließen vor, nicht beachten/eingehen auf, keine Beachtung schenken, keine Notiz nehmen von, hinweggehen/s. hinwegsetzen über

hinwegsetzen, sich → übertreten ‖ → hinwegsehen

hinwegtäuschen über, sich: s. etwas vormachen/-gaukeln/-spiegeln, nicht sehen wollen, blind sein für, hinwegsehen über, ignorieren, die Augen verschließen vor

Hinweis: Tip, Wink, Zeichen, Verweis, Fingerzeig, Andeutung, -spielung, Bemerkung, Rat(schlag), Empfehlung, Mitteilung, Bekanntmachung

hinweisen: (ver)weisen/hindeuten/-zeigen auf, ins Blickfeld rücken, aufmerksam machen, Schlaglichter werfen auf; *ugs.:* mit der Nase stoßen auf ‖ → andeuten ‖ **h. auf** → informieren

hinwenden, sich → s. zuwenden

hinwerfen: (zu)werfen, hinschleudern, fallen lassen; *ugs.:* hinschmeißen, -feuern, -pfeffern, -knallen ‖ → aufgeben

hinzeigen → hinweisen

hinziehen: hinausziehen, -zögern, -schieben, verlangsamen, retardieren, hängen/anstehen lassen, aufschieben, auf die lange Bank schieben ‖ **sich h.:** (lange) dauern/anhalten/währen, s. verzögern, s. in die Länge ziehen, in Verzug kommen/geraten; *ugs.:* s. hinschleppen ‖ s. erstrecken, s. ausdehnen, reichen; *ugs.:* gehen

hinzielen → abzielen auf

hinzufügen: ergänzen, -weitern, vervollständigen, komplettieren, nachtragen, aufrunden, bei-, an-, zufügen, (hin)zusetzen, zugeben, dazutun, beigeben, -legen, -mengen, -mischen, anschließen, -reihen

hinzukommen: dazukommen, hinzutreten, hineingeraten, s. anschließen, s. bei-/hinzugesellen

hinzusetzen → hinzufügen

hinzutreten → hinzukommen

hinzuziehen → heranziehen

Hippie: Blumenkind, Pazifist ‖ → Gammler

Hirn: Gehirn, Zerebrum ‖ → Verstand

Hirngespinst: Schnapsidee, Spinnerei, Verrücktheit ‖ → Einbildung

Hirnschlag → Schlaganfall

hirnverbrannt → verrückt

Hirte: Hüter, Hütejunge, Schäfer ‖ Beschützer, Protektor, Schirm-, Schutzherr, -patron

hissen: in die Höhe ziehen, hoch ziehen/winden, flaggen, hieven

Historie → Geschichte

historisch: geschichtlich, überliefert, bezeugt, verbürgt, authentisch ‖ geschichtsträchtig (Augenblick), zukunftsweisend, bedeutsam, bedeutungsvoll, -schwer, einmalig

Hit: Glanzstück, -nummer, Zugstück, -nummer, (Publikums)erfolg, Tabellenführer, Spitzenreiter, Treffer, Gassenhauer, Evergreen; *ugs.:* Renner, Knüller; *abwertend:* Schnulze, Schmachtfetzen ‖ (Verkaufs)schlager, Kassenmagnet, Bestseller, Longseller; *ugs.:* Reißer, Topding

hitchhiken: trampen, per Anhalter/Autostop fahren, mitfahren

Hitze: Glut, Schwüle, (große) Wärme, Bruthitze; *ugs.:* Affen-, Bullen-, Knallhitze

hitzig → leidenschaftlich ‖ → aufbrausend

Hitzkopf → Fanatiker ‖ → Chaot

hitzköpfig → aufbrausend

Hobby: Liebhaberei, Steckenpferd, Lieblings-, Freizeitbeschäftigung, Passion, Leidenschaft, Privatvergnügen, -interesse, (liebster) Zeitvertreib, Spezialität, Spielerei; *ugs.:* Sport

hobeln: glätten, (ab)schleifen, abhobeln, glattschleifen, -hobeln, -schaben, abziehen ‖ → erziehen

hoch: empor-, aufragend, von hohem Wuchs, groß, stattlich, hoch gewachsen/aufgeschossen, lang, nicht niedrig ‖ herauf, hinauf, nach oben, aufwärts, in die Höhe, von unten her ‖ → hoch gestellt ‖ hell, (glocken)rein, glasklar ‖ → sehr

Hoch: Schönwetterzone, Hochdruckzone, -gebiet ‖ Toast, Hochruf, Vivat

hoch achten → achten ‖ → verehren

Hochachtung: Achtung, Respekt, Verehrung, Ehrfurcht, -erbietung, Wert-, Hochschätzung, Bewunderung, Anerkennung, Tribut, Gruß

hochachtungsvoll: mit (vorzüglicher) Hochachtung, voll(er) Ehrfurcht/ Respekt/Hochachtung, ergebenst, untertänigst, mit (dem Ausdruck tiefster) Verehrung

hocharbeiten, sich → avancieren

hoch begabt → fähig

Hochbetrieb → Betrieb

hochblicken → aufsehen

Hochblüte → Blüte

hochbringen → ärgern ‖ heilen

hoch bringen → fördern

Hochburg → Mittelpunkt

Hochdeutsch: Schriftdeutsch, Schrift-, Hoch-, Literatur-, Bühnensprache, siebsche Hochlautung, Standardsprache, -deutsch ‖ Oberdeutsch

Hochdruck: *(ugs.):* Intensität, Macht, Kraft-, Arbeitsaufwand, Verve, Schwung, Elan, Anstrengung, Angespanntheit, Dynamik

hochexplosiv → spannungsgeladen

hochfahren: in die Höhe fahren, auffahren, -schrecken, -springen, -zucken, hochschnellen ‖ → aufbrausen

hochfahrend → hochmütig

Hochgefühl → Freude

hochgehen → explodieren ‖ → aufbrausen ‖ → aufgehen ‖ → scheitern ‖ **h. lassen** → verraten ‖ erwischen, -tappen, -greifen, fassen, ausheben, hochnehmen; *ugs.:* schnappen, kriegen, hoppnehmen, auffliegen lassen

hoch gehen: *(ugs.):* hinauf-, emporgehen, nach oben/aufwärts gehen/ steigen, herauf-, (hin)auf-, hoch-, empor-, ansteigen

Hochgenuss: Freude, Genuss, Ergötzen, Labsal, Erquickung, Augenweide, Ohrenschmaus; *reg.:* Gaudi(um) ‖ Köstlichkeit, Leckerbissen, Leckerei, Delikatesse, Gaumenfreude, -kitzel, Schleckerei

hoch geschätzt → verehrt ‖ → angesehen

hoch gestellt: hoch stehend, gehoben, führend, von hohem Rang, in leitender Stellung/Position, vorgesetzt, übergeordnet, wichtig, bedeutend, angesehen, hoch

hochgestochen → schwülstig

hochgradig: stark, groß, intensiv, extrem, krass, ausgeprägt, → sehr

hoch halten: ehren, achten, in Ehren halten, pflegen, Achtung erweisen/ zollen, werthalten, -achten, respektieren, schätzen, anerkennen

Hochhaus: Wolkenkratzer, Skyscraper

hochherzig: großzügig, -mütig, -herzig, -denkend, -gesinnt, edel(mütig), edelherzig, -sinnig, hochsinnig, nobel, selbstlos, uneigennützig, altruistisch, freigebig, splendid, weitherzig

hochjagen → aufscheuchen ‖ → verteuern

hochkommen → avancieren ‖ → auftauchen ‖ → s. erholen

Hochmut → Dünkel

hochmütig → eingebildet

hochnäsig → eingebildet

hochnehmen → betrügen ‖ → verspotten ‖ (auf-, an)heben, hochbringen, auflesen, -sammeln

hochprozentig → konzentriert
hochreißen → hoch ziehen
hoch schätzen → achten ‖ → verehren
hochschauen → aufsehen
hochscheuchen → aufscheuchen
hoch schlagen: aufflammen, -brennen, -flackern, -lodern; *ugs.:* aufprasseln ‖ aufschlagen, -klappen, -stülpen, -stellen, hoch klappen
hochschnellen → hochfahren
hochschrauben → verteuern
Hochschule: Universität, Alma Mater, Akademie, College, Lehr-, Forschungsanstalt; *ugs.:* Uni
hochsehen → aufsehen
Hochsitz: Hochstand, (Jagd)kanzel, Anstand, -sitz, Wildkanzel
Hochspannung → Spannung
hochspielen → aufbauschen
Hochsprache: Schrift-, Literatur-, Bühnensprache
höchst → sehr
Hochstand → Hochsitz
Hochstapelei: Angabe
Hochstapler → Betrüger
hoch stehend → hoch gestellt
hoch steigen → aufsteigen
höchstens: maximal, längstens, nicht mehr als, im äußersten Fall, allen-, besten-, äußerstenfalls ‖ außer, ausgenommen, mit Ausnahme von, bis auf, abgesehen von, es sei denn
Hochstimmung: Begeisterung, Glücksgefühl, -taumel, Hochgefühl, → Freude
Höchstleistung: Best-, Spitzen-, Meister-, Glanz-, Gipfelleistung, Krönung, Glanzstück, Rekord, Nonplusultra, Höhepunkt, Optimum, Clou, Spitze, Meisterstück, Spitzenklasse, Mega-Qualifikation
Höchstmaß: Maximum, Optimum, das Höchste/Äußerste, Höchstwert, -stand, Höhepunkt, Gipfel
höchstwahrscheinlich → wahrscheinlich

hochtönend → prahlerisch ‖ → schwülstig
hochtrabend → prahlerisch ‖ → schwülstig
hochtreiben → verteuern
hoch verehrt → verehrt
Hochwasser: Überschwemmung, -flutung, Flut, ansteigendes/auflaufendes Wasser
hochwertig: wertvoll, kostbar, edel, erstklassig, -rangig, exquisit, auserlesen, -gesucht, -gewählt, von bester Qualität, erste Wahl, exzellent, hervorragend, vortrefflich, -züglich, ausgezeichnet, großartig, süperb, qualitätsvoll, fein, gediegen; *ugs.:* prima
Hochzeit: Heirat, Eheschließung, Vermählung, -heiratung, -ehelichung, -bindung, Trauung, Ringwechsel
hochzerren → hochziehen
hochziehen: hinauf-, emporziehen, in die Höhe/nach oben ziehen, heben, (hoch)hieven ‖ → hissen ‖ hochzerren, -reißen, aufrichten; *ugs.:* auf die Beine helfen
hocken: kauern, da-, niederhocken, sitzen, s. aufhalten; *ugs.:* herumhocken
hocken bleiben → durchfallen
Höcker: Buckel, krummer Rücken, Auswuchs, Wölbung; *ugs.:* Ranzen ‖ → Hügel
höckerig → bucklig
Hof: Bauernhof, -gut, (Bauern)gehöft, Gut(shof), landwirtschaftlicher Betrieb, Anwesen, Besitz; *reg.:* Ansitz; *öster.:* Ökonomie; *schweiz.:* Heimwesen, Hofstatt; *ugs.:* Klitsche, Quetsche ‖ **den H. machen** → werben um
Hoffart → Dünkel
hoffen: die Hoffnung haben/hegen, s. in der Hoffnung wiegen, s. Hoffnungen/Illusionen . machen, der Hoffnung sein, s. der Hoffnung hin-

geben, den Mut nicht sinken lassen, erwarten, harren, (er)träumen, wünschen, s. ausmalen, fantasieren, mit dem Gedanken spielen

Hoffnung: Zuversicht, (Zukunfts)glaube, Erwartung, Optimismus, Ver-, Zutrauen, Aussicht, Zuversichtlichkeit, positive Perspektive, Lichtblick, Silberstreifen, Ausweg, Chance, Möglichkeit

hoffnungsfroh → optimistisch

hoffnungslos: aussichts-, ausweg-, sinnlos, ohne Hoffnung, ohne Aussicht auf Erfolg, verfahren, -wickelt, -zweifelt, düster, unrettbar, -heilbar, -verbesserlich, niedergeschlagen, unglücklich, eingefleischt; *ugs.:* witzlos ‖ → pessimistisch

hoffnungsvoll: aussichtsreich, Erfolg versprechend/verheißend, viel versprechend, Glück verheißend, verheißungsvoll, zukunftsträchtig ‖ → zuversichtlich

hofieren → schmeicheln

höflich: galant, ritterlich, artig, formgewandt, kavaliersmäßig, geschliffen, aufmerksam, zuvor-, entgegenkommend, rücksichts-, taktvoll, gentlemanlike, wohlerzogen, manierlich, voll Anstand, anständig, freundlich, liebenswürdig, gefällig, verbindlich, umgänglich

Höflichkeit: Anstand, Takt, Feingefühl, Aufmerksamkeit, gutes Benehmen, gute Manieren/Umgangsformen, Galanterie, Courtoisie, Ritterlichkeit, Entgegenkommen, Freundlich-, Liebenswürdigkeit

Hofnarr → Spaßvogel

Höhe → Hügel ‖ Abmessung, Ausmaß, -dehnung, Größe, Dimension, Reichweite

Hoheit → Würde ‖ Schirmherrschaft, Patronat, Schutz, Protektorat, (Ehren)vorsitz

hoheitsvoll → majestätisch

Höhenunterschied → Gefälle

Höhepunkt → Krönung ‖ → Orgasmus

hohl: ausgehöhlt, eingebogen, konkav ‖ → dumpf ‖ → geistlos

Höhle: (Fels)grotte ‖ → Wohnung

hohl klingend → dumpf

Hohlkopf → Dummkopf

hohlköpfig → dumm

Hohlweg: Enge, Engpass

Hohn → Spott

höhnisch: spöttisch, voller Verachtung/Hohn, hämisch, boshaft, spitz, scharf, beißend, bissig, gallig, ätzend, verletzend, maliziös, schadenfroh, zynisch, kaustisch, sarkastisch, mokant, ironisch, verächtlich

hohnsprechen → widersprechen

Hokuspokus → Zauberei ‖ → Unsinn

hold: lieblich, reizend, holdselig, anmutig, -mutsvoll, graziös, voll/mit Grazie, bezaubernd, anziehend, entzückend ‖ wohl gesinnt/meinend, wohlwollend, geneigt, -wogen, zugetan, gut gesinnt, günstig, gnädig, freundlich, huldreich, -voll

holen: ab-, her(zu)-, heran-, herbei-, fort-, wegholen, be-, heran-, her(bei)schaffen, herbringen, nehmen, besorgen, verhelfen zu; *reg.:* beibringen; *ugs.:* auftreiben, anschleppen ‖ **sich h.:** s. zuziehen, davontragen, (eine Krankheit) bekommen, krank werden, s. anstecken, s. infizieren; *ugs.:* wegbekommen, s. etwas einfangen

Hölle: Inferno, Ort der Finsternis/Verdammnis, ewige Finsternis, Unterwelt, Schattenreich, Hades, Orkus ‖ → Qual

Höllenfürst → Teufel

Höllenqual → Qual

höllisch → sehr

Holocaust: Auslöschung, -rottung, -merzung, -brennung ‖ Judenverfolgung, -vernichtung, -vergasung, Massenmord, -vernichtung, Endlösung, Naziverbrechen

holp(e)rig: uneben, -gleichmäßig, nicht glatt, rumpelig, höckerig, steinig, felsig ‖ stockend, stammelnd, stottrig, abgehackt

holpern: stoßen, rumpeln, rattern; *reg.:* stuckern

holzen: fällen, schlagen, ab-, umhauen, absägen, roden ‖ klotzen (Fußballspiel), hacken, bolzen

hölzern:steif, linkisch, wie ein Stock/ Stück Holz, eckig, ungeschickt, -beholfen, -gewandt, -gelenkig, -sportlich, lahm

Holzkopf → Dummkopf

Homo → Homosexueller

homogen: gleich(artig), übereinstimmend, einheitlich, in Einklang stehend, kongruent, konvergent, homolog, konform

homophil → homosexuell

homosexuell: *Männer:* gleichgeschlechtlich empfindend, zum eigenen Geschlecht neigend, homoerotisch, homophil, invertiert; *ugs.:* schwul, warm, anders-, verkehrtherum, von der anderen Fakultät, vom anderen Ufer; *Frauen:* lesbisch, sapphisch

Homosexuelle → Lesbierin

Homosexueller: Homophiler, Invertierter, Männerfreund, Androphiler, Urning, Uranist, Kinäde; *ugs.:* Homo, warmer Onkel/Bruder, Warmer; *derb (abwertend):* Schwuler, Schwuli, Hinterlader, Hundertfünfundsiebziger, Schweizer, Spinatstecher ‖ Päderast, Ephebophiler; *abwertend:* Knabenschänder ‖ Strichjunge ‖ *derb (abwertend):*Schwuchtel (Frauenpart), Tunte, (Fummel)trine, Tucke

Honorar → Lohn

honorieren: würdigen, belohnen, anerkennen, Anerkennung/Tribut zollen, jmdm. etwas danken ‖ → bezahlen

honorig → ehrenhaft

Hooligan → Raufbold

hoppeln → hüpfen

hopsen → hüpfen

Hopser → Sprung

hörbar: vernehmbar, -lich, laut, unüberhörbar, deutlich, mit lauter Stimme, lauthals, -stark, geräuschvoll

horchen → lauschen

Horde → Herde ‖ → Gruppe ‖ → Gesindel ‖ (Obst)steige, Lattengestell, -rost; *reg.:* Hürde

hören: (klar) vernehmen, akustisch aufnehmen ‖ wahrnehmen, an-, zu-, hinhören, s. anhören, aufmerksam sein; *ugs.:* aufschnappen, mitkriegen ‖ erfahren, in Erfahrung bringen, Kenntnis erhalten/bekommen, s. sagen lassen, zu Ohren kommen; *ugs.:* läuten hören, Wind bekommen ‖ **h. auf** → gehorchen ‖ (be)achten, Beachtung/Aufmerksamkeit schenken/zollen, berücksichtigen, s. zu Herzen nehmen, annehmen

Hörfunk: (Rund)funk, Radio

hörig: verfallen, abhängig, süchtig, gefügig, untertan, willfährig, ausgeliefert

Horizont: Sichtgrenze, Kimm(ung) ‖ Gesichts-, Blickfeld, Gesichts-, Sehkreis, Blickwinkel, Reichweite ‖ Auffassungsvermögen, Gedankenwelt, Bildungsstand, -grad, Niveau, Wissen, Kenntnis

horizontal: waagrecht

Horoskop: Voraus-, Vorhersage, Prognose, Prophezeiung, Weissagung

horrend → furchtbar ‖ → übertrieben

Horror: Abscheu, Ekel, Grauen, Gräuel, Abneigung, Aversion, Widerwille, Entsetzen ‖ → Angst

Horsd'œuvre: Vorspeise, -gericht, Entree

Hort: Kinderheim, -tagesstätte, -garten, -laden, (Kinder)krippe ‖ Schatz ‖ Schutz, (Ob)hut, Zuflucht, (sicherer)

Hafen, (Ob)dach || *gehoben:* Mittelpunkt, Zentrum
horten → anhäufen
Hosenscheißer → Feigling
Hospital → Krankenhaus
Hostess: Fremdenführerin, Betreuerin, Info-Dame || → Prostituierte
Hotel: Gasthaus, -hof, Pension, Gästehaus, Fremdenheim, Inn, Motel, Unterkunft, Herberge, Hospiz; *abwertend:* Absteige
hübsch → reizend || → attraktiv
Hubschrauber: Helikopter
Hügel: (An)höhe, (Boden)erhebung, Höhenrücken, -zug, Höhe, Höcker, Buckel, Steigung; *reg.:* Büh(e)l, Hübel, Mugel
hügelig → bergig
Huhn: *f.:* Henne; *ugs.:* Hinkel; *brütend:* Glucke; *m.:* Hahn; *ugs.:* Gickel(hahn), Gockel(hahn); *reg.:* Gigerl, Güggel; *kastriert:* Kapaun; *jung:* Küken; *ugs.:* Küchlein; *Kinderspr.:* Kikeriki || **dummes H.** → Dummkopf
Huld: Wohlwollen, Gewogenheit, -neigtheit, Gunst, Gnade, Güte, Liebenswürdigkeit, Sympathie, Zuwendung
huldigen: frönen, s. hingeben, verfallen sein, s. überlassen, s. widmen, genießen, s. verschreiben, s. ergeben || (ver)ehren, preisen, rühmen, würdigen, feiern, hoch achten/schätzen, vergöttern, zu Füßen liegen, aufsehen/schauen/blicken zu
Hülle: Schoner, Überzug, Schutzhülle || Behälter, Futteral, Etui || Verpackung, Einband, Umschlag, Hülse, Schale
hüllen → einhüllen
Hülse: Schale, Schote, Hülle; *reg.:* Pelle, Schluse, Schlaube
human → menschlich
humanitär → menschlich
Humanität: Menschlichkeit, Menschenliebe, -freundlichkeit, Humani-

tas, humane Gesinnung, Philanthropie
Humbug → Unsinn
Hummer: Lobster
Humor: (Mutter)witz || fröhliche Laune/Stimmung, Heiterkeit, Frohsinn, Vergnügtheit || → Scherz
humoristisch → lustig
humorlos: ohne Humor, trocken, (tod)ernst, ernsthaft; *ugs.:* tierisch ernst || empfindlich, mimosenhaft, reizbar
humorvoll → lustig
humpeln → hinken
Hund: *ugs.:* Köter, Kläffer, Zamperl; *Kinderspr.:* Wauwau; *f.:* Hündin; *ugs.:* Töle; *reg.:* Zohe, Zauke; *m.:* Rüde
hundertmal → oft
hundertprozentig: ausnahmslos, → ganz, → sicher
hündisch → unterwürfig || → gemein
Hüne: Riese, Gigant, Hünengestalt, Koloss, Baum, Goliath, Titan; *ugs.:* Kleiderschrank
hünenhaft → groß
Hunger: (Hungers)not, (Nahrungs)mangel || Appetit, Esslust, Heiß-, Riesen-, Bärenhunger; *ugs.:* Kohldampf, Mordshunger; *öster.:* Gusto || Gier, Lust, Verlangen, Bedürfnis, Sehnsucht, Begier, -gehrlichkeit, Gelüste, Begehr(en)
hungern: nichts zu essen haben, Hunger leiden/haben, darben, Not/Mangel leiden, fasten, arm sein; *ugs.:* nichts zu brechen/beißen/knabbern haben, am Hungertuch nagen, Kohldampf haben || **h. nach** → s. sehnen
hungrig: ausgehungert, ungesättigt; *ugs.:* mit knurrendem Magen
hupen: tuten, ein (Warn)signal geben
hüpfen: springen, kleine Sprünge machen, hoppeln; *ugs.:* hupfen, hopsen, Hopser machen
Hüpfer → Sprung
Hürde → Hindernis

Hure → Prostituierte
Hurenhaus → Bordell
hurtig → schnell
huschen: auf leisen Sohlen eilen, s. vorsichtig/behutsam/leise bewegen; *ugs.:* wischen
husten: hüsteln; *ugs.:* krächzen ‖ **h. auf** → übertreten ‖ → verzichten
Hut: Kopfbedeckung; *ugs.:* Kappe, Deckel ‖ → Schutz
hüten: bewahren, -aufsichtigen, -schützen, -wachen, -treuen, -schirmen, im Auge behalten, nicht aus den Augen lassen, sehen nach, s. kümmern/annehmen um, unter die Fittiche nehmen, die Hand halten über, Schutz gewähren, in seine (Ob)hut nehmen, umsorgen ‖ warten, hegen, Fürsorge/Pflege angedeihen lassen, pflegen, schonen, sorgsam behandeln/ umgehen mit, wie seinen Augapfel hüten ‖ **sich h. vor:** s. in Acht nehmen, vorsichtig sein, s. vorsehen, aufpassen, Acht geben, auf der Hut/ Wacht sein
Hüter → Hirte ‖ → Aufseher
Hütte: Baracke, Bude, (Bretter)verschlag, Blockhaus, Schuppen, Häuschen; *reg.:* Kate
hutz(e)lig: runzelig, zerfurcht, -schründet, verhutzelt, welk, faltig, knittrig, schrumpelig, verschrumpelt, zerknittert; *ugs.:* zerknautscht ‖ alt, bucklig
Hyäne → Xanthippe ‖ → Halsabschneider
hybrid → eingebildet
Hybris → Dünkel
Hygiene: Körper-, Gesundheitspflege ‖ Sauber-, Reinlichkeit
hygienisch: sauber, rein(lich) ‖ steril, keimfrei, gesundheitsfördernd
Hymne: Festgesang, Lobgesang, Weihelied
hypnotisieren: in Hypnose versetzen, in Trance versetzen, willen-/widerstandslos machen
Hypothek: Grundschuld, Anleihe, Grundstücksbelastung, Verschuldung
Hypothese: (wissenschaftliche) Annahme, Voraussetzung, Unter-, Feststellung, Behauptung, Präsumtion, Supposition, These, Vermutung, Mutmaßung
hysterisch: nervenschwach, neurasthenisch, gereizt, hektisch, fiebrig, leicht erreg-/reizbar, cholerisch, aufbrausend, übernervös, aufgeregt, überreizt

I

ich: die eigene Person, das Selbst, mein Inneres, ich für meinen Teil, was mich angeht/betrifft, meine Wenigkeit

ichbezogen: egozentrisch, selbstbezogen, -süchtig, selbstisch, ichsüchtig, egoistisch, geltungsbedürftig, eigennützig, nur an sich denkend, ichbefangen

Ichsucht → Selbstsucht

ideal: vollkommen, den höchsten Vorstellungen entsprechend, mustergültig, vorbildlich, beispiellos, erstklassig, einwandfrei, trefflich, vollendet, perfekt, göttlich, unvergleichbar, hervorragend, unerreicht, klassisch, unübertroffen, -tadelig, makellos, das Beste, traumhaft, fantastisch, mit allen Vorzügen, bestmöglich, wie im Bilderbuch, sehr gut, vorzüglich, herrlich, exzellent, blendend, glänzend, prächtig, ausgezeichnet, grandios, wunderbar; *ugs.:* prima, toll, Klasse, famos, fabelhaft, dufte, pfundig ‖ wie geschaffen für, geeignet, passend, gegeben, berufen, richtig; *ugs.:* goldrichtig

Ideal: Vor-, Leit-, Wunsch-, Traumbild, höchstes Ziel, Richtschnur, Leitstern, -figur, Wunschbild, Muster(bild), Modell, Idol, Abgott, Inbegriff, Maßstab, Idee

idealisieren: verklären, -schöne(r)n, -herrlichen, beschönigen, schönfärben, glorifizieren, vergolden, als angenehm/glücklich erscheinen lassen, schwärmen von, in höchsten Tönen reden; *ugs.:* in den Himmel heben

Idealismus: Begeisterung, Schwärmerei, Enthusiasmus, Überzeugung, Inbrunst, Feuer, Eifer, Elan, Schwung, Überschwang, Romantik ‖ Nächstenliebe, Hingebung, -gabe, Aufopferung, Einsatzbereitschaft

Idealist: Schwarmgeist, Schwärmer, Träumer, Fantast, Illusionist, Weltverbesserer, Utopist, Romantiker, Fanatiker, Himmelsstürmer, Eiferer, Mystiker

idealistisch: träumerisch, schwärmerisch, hochfliegend, wirklichkeitsfern, lebens-, weltfremd, weltverloren, -entrückt, unrealistisch ‖ selbstlos, altruistisch, edelmütig, aufopferungsvoll, hingebungsvoll, uneigennützig, engagiert

Idee: Gedanke, Einfall, Vorstellung, Impuls, Eingebung, Geistesblitz, Funke, Intuition, Erleuchtung, Gag, Inspiration ‖ Urform, -bild, Leitgedanke, -motiv, Grundvorstellung, -gedanke, -gerüst, Gehalt, Gedankengut, Abstraktion, Begriff, Substanz, Essenz, Bedeutung ‖ **fixe I.** → Einbildung ‖ Marotte, Schrulle, Spleen; *ugs.:* Tick, Verrücktheit, Fimmel ‖ Zwangs-, Wahnvorstellung, Manie, Komplex, Neurose ‖ **eine I.:** ein wenig/bisschen/Quäntchen/Hauch/Schuss, etwas, eine Kleinigkeit/Prise/Spur/Winzigkeit, nicht viel

ideell: nur gedacht, geistig, vorgestellt, abgezogen, begrifflich, gedanklich, abstrakt, ungegenständlich, -körperlich, metaphysisch, irreal, theoretisch, imaginär, angenommen, fiktiv, immateriell

ideenarm → fantasielos

ideenreich → einfallsreich

identifzieren: (wieder)erkennen, feststellen, bestimmen, festhalten, vermerken ‖ **sich i. mit:** etwas zu seiner eigenen Sache machen, s. gleichsetzen mit, auf eine Stufe stellen, s. hineinversetzen, Parallelen ziehen, s. einfühlen in, voll übereinstimmen mit

identisch: völlig gleich, ein und dasselbe, eins, übereinstimmend, gleichartig, kongruent, unterschiedslos, deckungsgleich, konvergierend, ununterscheidbar, gleichbedeutend, s. deckend, zusammenfallend, homogen

Identität: Gleichheit, Übereinstimmung, Wesenseinheit, Deckung, Kongruenz, Konformität, Analogie ‖ Personalien, Personalangaben, -daten

Ideologie: (Wert)auffassung, Weltanschauung, Denkweise, -art, Grundeinstellung, Sinnesart, Weltbild, Gesinnung, Lebensansicht, Philosophie, Anschauungsweise, Meinung, weltanschauliche Konzeption

Idiom → Redewendung

Idiot → Irrer ‖ → Dummkopf

idiotensicher → leicht

Idiotie → Wahnsinn ‖ → Unsinn

idiotisch: schwachsinnig, debil, irr, psychopathisch, geistesgestört, -schwach, -krank, blöd(e), imbezil(l), blödsinnig ‖ → dumm

Idol: Götzenbild, (Ab-, Halb)gott, Götze, Ideal, Angebeteter, Leit-, Vorbild, Trendsetter, Leitstern, Schwarm, (Publikums)liebling, Heros, Held

idyllisch: harmonisch, friedvoll, malerisch, paradiesisch, romantisch, schön, beschaulich, friedlich, bukolisch, heimelig, lauschig, still gelegen, verträumt, abgeschieden, ländlich, pastoral

Igel: *ugs.:* Stachelschwein, Schweinigel, Scharphase

Ignorant: Unwissender, → Dummkopf

Ignoranz: Unwissenheit, -kenntnis, Ignorantentum, Nichtwissen, Unerfahrenheit, Ahnungslosigkeit, Des-, Uninformiertheit, Dummheit, Einfältigkeit

ignorieren: nicht beachten/zur Kenntnis nehmen/ansehen, unbeachtet lassen, überhören, -sehen, keine Notiz nehmen, missachten, keine Beachtung schenken, hinwegsehen/-gehen über, die Augen verschließen vor, nicht wissen wollen, außer Acht lassen, keines Blickes würdigen, wie Luft behandeln, vernachlässigen, mit Nichtachtung strafen, meiden, um-, übergehen, die kalte Schulter zeigen, jmdn. nicht sehen wollen, nicht mehr kennen, abrücken/s. abwenden von, s. hinwegsetzen über, nicht eingehen auf; *ugs.:* schneiden, links liegen lassen

illegal → gesetzwidrig

illegitim → gesetzwidrig ‖ außer-, nicht-, vor-, unehelich; *ugs.:* ledig (Kind)

illiquid → zahlungsunfähig

illoyal: untreu, treulos, unredlich, -solidarisch, falsch, vertragsbrüchig

illuminieren: (festlich) erleuchten, → beleuchten

Illusion: Selbsttäuschung, trügerische/falsche Hoffnung, → Einbildung

illusorisch: trügerisch, scheinbar, unrealistisch, irreal, illusionär, schimärisch, falsch, unwirklich, nur in der Illusion bestehend, irreführend, fantastisch ‖ → aussichtslos

Illustration: Abbildung, Bebilderung, Bildbeigabe, -schmuck, Illustrierung, Bild ‖ Veranschaulichung, Erläuterung, Demonstration, Verdeutlichung, Konkretisierung

illustrativ → anschaulich

illustrieren: bebildern, mit Bildern versehen/ausschmücken/auflockern ‖ → veranschaulichen

Illustrierte: Zeitschrift, Journal, Magazin

Image: (Charakter)bild, Ruf, Ansehen, Nimbus, Prestige, Namen, Renommee, Reputation

imaginär: eingebildet, unwirklich, vorgestellt, fiktiv, theoretisch, gedacht, angenommen, hypothetisch, abgezogen, erdacht, -funden, irreal

imbezil(l) → idiotisch ‖ → dumm

Imbiss: Zwischenmahlzeit, Stärkung, Erfrischung, Kleinigkeit; *ugs.:* Happen, Bissen, Fast Food, Snack; *öster.:* Jause

Imitation: Nachahmung, -bildung, Reproduktion, Kopie, Abguss, Wiedergabe, Abklatsch, Plagiat, Fälschung, Doublette, Anleihe, Falsifikat, Verdoppelung

imitieren → nachahmen

imitiert: unecht, gefälscht, nachgemacht, -geahmt, -gebildet, falsch, kopiert, künstlich

Imker: Bienenzüchter

immanent: innewohnend, darin enthalten, inhärent, eigen

immateriell: unkörperlich, -stofflich, → übersinnlich

immatrikulieren, sich: s. an der Hochschule/Universität anmelden/einschreiben/eintragen lassen; *öster.:* s. inskribieren

immens: unermesslich, sehr groß, riesig, beträchtlich, mächtig, ungeheuer, gigantisch, riesengroß, enorm, gewaltig, kolossal, überdimensional ‖ → sehr

immer → dauernd

immerfort → dauernd

immerhin: wenigstens, auf jeden Fall, jedenfalls, jedoch, aber, freilich, allerdings, wohl, zwar, schließlich, zumindest ‖ trotz allem

immerzu → dauernd

immigrieren: ein-, zuwandern, ansässig werden, zuziehen, einreisen, s. ansiedeln

Immobilien: Grundbesitz, -stücke, Häuser, unbewegliches Vermögen, Grundvermögen, -eigentum, Liegenschaften, Grund und Boden; *öster.:* Realitäten

immun: unempfindlich, widerstandsfähig, geschützt, -feit, resistent, nicht anfällig, abwehrfähig, geimpft ‖ (rechtlich) unantastbar, vor Strafverfolgung geschützt/sicher, unter Immunität stehend

Imperialismus: Großmacht-, Hegemonie-, Weltmachtstreben, Expansionsstreben, -drang, Unterwerfung, Annektionismus

impertinent: unverschämt, frech, ungehörig, dreist, unverfroren, -gezogen, -gebührlich, -gehobelt, schamlos, anmaßend, gemein, grob, beleidigend, ausfallend, patzig, unhöflich; *ugs.:* nassforsch

Impetus: Antrieb, Drang, Schwung, Verve, Dynamik, Elan, Temperament, Stoß-, Triebkraft, Begeisterung, Drift; *ugs.:* Schmiss, Zug, Fahrt

impfen: schutzimpfen, eine Impfung vornehmen, immunisieren, immun machen, vorbeugen

implantieren → transplantieren

implizieren: einbeziehen, -schließen, erfassen, nach s. ziehen, enthalten, umfassen, -greifen, in s. fassen, bergen, beinhalten, verwickeln, hineinziehen, in Zusammenhang/Verbindung bringen, in s. schließen, mit s. bringen, zur Folge haben

implizit: inbegriffen, mit einbezogen/-geschlossen, einschließlich, -gerechnet, innewohnend, anhaftend

imponieren: großen Eindruck machen, Bewunderung/Achtung/Anerkennung hervorrufen, beeindrucken, -stechen, gefallen, zusagen, faszinieren, Wirkung haben auf

importieren: (aus dem Ausland) einführen

imposant: imponierend, eindrucksvoll, stattlich, einprägsam, tief gehend, nachhaltig, unvergesslich, einschneidend, sensationell, wirkungs-, effektvoll ‖ → außergewöhnlich

impotent: zeugungsunfähig, unfruchtbar, infertil, steril ‖ *ugs.:* unvermögend, -tüchtig, -begabt, -produktiv, -tauglich, -geeignet, -schöpferisch, schwach, kraftlos, einfallslos, außerstande

Impotenz: Zeugungsunfähigkeit, Mannes-, Erektionsschwäche; *ugs.:* Dauerhänger ‖ → Unfähigkeit

imprägnieren: wasserdicht/-undurchlässig machen, tränken, sättigen, vor Wasser/Zerfall schützen

Impression: (Sinnes)eindruck, Empfindung, Gefühlseindruck, (Sinnes)wahrnehmung

Improvisation: Stegreifstück, -erfindung, -darbietung, -spiel, Extempore, Einfall ‖ Impromptu, Fantasie

improvisieren: fantasieren (Musik), aus dem Stegreif/unvorbereitet ausführen, aus dem Boden stampfen, rasch herstellen; *ugs.:* aus dem Handgelenk schütteln

improvisiert: unvorbereitet, frei, aus dem Stegreif/Handgelenk, ohne Vorbereitung/Probe/Übung, auf Anhieb

Impuls → Antrieb

impulsiv: rasch, lebhaft, heftig, leidenschaftlich, leicht erregbar, triebhaft, vehement, hitzig, jäh, ungestüm ‖ spontan, einem plötzlichen Antrieb folgend, unbesonnen, -überlegt, -bedacht, ohne Überlegung, blindlings, übereilt, leichtfertig, -sinnig, vorschnell

imstande sein: in der Lage/gewachsen/mächtig sein, vermögen, s. verstehen auf, beherrschen, wissen, können; *ugs.:* bringen

in: innerhalb, -mitten, im Bereich, zwischen, unter, mittendrin ‖ binnen,

während, im Laufe/in der Zeit/im Verlauf von ‖ **in sein:** modern/aktuell/en vogue/up to date/in Mode/der letzte Schrei/der Dernier cri/neu sein, tonangebend, führend, bestimmend, avantgardistisch, maßgebend

inadäquat → unangebracht

Inbegriff: Verkörperung, In-, Urbild, Prototyp, Inkarnation, Ausbund, Musterfall, Archetyp, Personifikation, Gipfel

inbegriffen: eingeschlossen, -schließlich, -begriffen, inklusive, mit-, eingerechnet, zuzüglich, samt, mit, plus

Inbrunst → Leidenschaft

inbrünstig: voller Inbrunst, leidenschaftlich, inständig, aus tiefster Seele, von ganzem Herzen, intensiv, glühend, innig, flammend, passioniert, eifrig, nachdrücklich, eindringlich, sehnlich, flehentlich

indem: während, solange, dieweil, indes(sen), als, derweil, während-, unterdessen ‖ dadurch/damit dass

indes(sen): unterdessen, inzwischen, mittlerweile, währenddessen, -dem, derweilen, in der Zwischenzeit, dazwischen, dabei, zwischenzeitlich ‖ während, indem, solange, die-, derweil, als ‖ (je)doch, aber, wo-, hin-, dement-, dagegen, freilich, allein, trotzdem

Index: (Stichwort)verzeichnis, Tabelle, Liste, Register, Katalog, Nomenklatur, Konspekt, Zusammen-, Aufstellung, Sachweiser ‖ Kenn-, Unterscheidungsziffer (Mathematik), Messzahl (Statistik), Vergleichszahl, Messziffer

indezent → taktlos

Indianer: Rothaut, Uramerikaner, Indio

indifferent: unbestimmt, -differenziert, -scharf, -geklärt ‖ → gleichgültig

indigniert: unwillig, empört, peinlich berührt, entrüstet, aufgebracht über, ungehalten, schockiert, böse, verärgert, erbost, wütend, grimmig, erbittert, außer sich, erzürnt, verdrossen, missgestimmt, grantig

indirekt: mittelbar, auf Umwegen, nicht direkt/unmittelbar, unausgesprochen, -artikuliert, -gesagt, verblümt, andeutungsweise, in Andeutungen, verschleiert, -hüllt, -kappt, -klausuliert, durch Vermittlung; *ugs.:* hintenherum, durch die Blume

indiskret: neugierig, nicht verschwiegen, gesprächig, → taktlos

indiskutabel: nicht der Erörterung/ Diskussion/Rede wert, nicht in Frage kommend/zur Debatte stehend, ausgeschlossen, unmöglich, -ausführbar

indisponiert: unpässlich, elend, unwohl, nicht gesund, in schlechter Verfassung, nicht in Form; *ugs.:* nicht fit/auf der Höhe

Individualist: Einzelgänger, Sonderling, Nonkonformist, Außenseiter, Eigenbrötler, Original; *ugs.:* Subjektivist

Individualität: Eigenart, Originalität, Wesensart, Exklusivität, Besonderheit, Eigenständigkeit, -heit, Charakter(istikum), Einmaligkeit, Spezifikum, Einzigartigkeit, Natur, Wesen, Eigenschaften ‖ Persönlichkeit, Mensch, Geschöpf, Charaktergestalt, Person, Subjekt

individuell: persönlich, auf die Person bezogen, von der Person abhängig, eigen, subjektiv, mich betreffend ‖ spezifisch, verschieden, jedesmal anders ‖ einzigartig, besonders, mit besonderer Note, in besonderer Weise, originell, speziell, einmalig

Individuum: Einzelmensch, -person, -wesen, Subjekt, Geschöpf, Wesen, Gestalt, Figur, Erdenbürger, -sohn

Indiz: Hinweis, (An)zeichen, Anhaltspunkt, Beweis, Verdachtsgrund, -moment

indoktrinieren: manipulieren, beeinflussen, Einfluss nehmen, umerziehen, lenken, agitieren, politisieren, ideologisch durchdringen

Industrie: Massenherstellung, -fabrikation, -produktion, maschinelle Produktion ‖ Großtechnologie ‖ Wirtschaft, Unternehmerschaft

Industrieller → Fabrikant

in extenso → ausführlich

infam: niederträchtig, unverschämt, gemein, schändlich, ehrlos, niedrig, schmutzig, schäbig, schuftig, ruchlos, erbärmlich, böse, boshaft, schimpflich, schmählich, feige; *abwertend:* schurkisch, hundsföttisch, -gemein; *ugs.:* schofel(ig), dreckig

Infanterist: Fußsoldat; *ugs.:* Landser, Muschkote, Sandhase

infantil: kindisch, zurückgeblieben, kindlich, un(ter)entwickelt, unreif; *ugs.:* zurück, blöd

Infektion: Ansteckung, Übertragung, ansteckende Krankheit, Infizierung, Infekt, Entzündung

infernalisch: höllisch, teuflisch, diabolisch, satanisch, dämonisch, Entsetzen erregend, schrecklich, grauenvoll, scheußlich, grässlich, schauerlich, furchtbar, zum Fürchten, horrend, abscheulich, grauslich, unerträglich, widerlich

Inferno → Hölle

infertil → unfruchtbar

infiltrieren: eingeben, -flößen, -träufeln, -füllen ‖ unterwandern, durchsetzen, eindringen, -schleusen ‖ einsickern, durchtränken

infizieren: anstecken, verseuchen, übertragen ‖ **sich i.:** befallen/krank werden, s. anstecken, s. etwas zuziehen, bekommen; *ugs.:* s. etwas holen, etwas fangen/(auf)schnappen/aufgabeln

in flagranti: auf frischer Tat, dabei, überraschend, unvorbereitet, -erwartet

Inflation: Geldentwertung, Preissteigerung, Abwertung, Kaufkraftminderung

infolge: wegen, auf Grund, anlässlich, zwecks, dank, weil, bedingt durch, aufgrund, kraft, aus

infolgedessen: folglich, also, deshalb, -wegen, darum, somit, daher, aus diesem Grunde, aufgrund dessen, sonach, demgemäß, ergo

Information: Unterrichtung, Benachrichtigung, Aufklärung, Mitteilung, Nachricht, Bekanntmachung, -gabe, Bulletin, Meldung, Äußerung, Bescheid, Angabe, Bericht, Erklärung, Auskunft, Antwort, Aufschluss, Hinweis, Belehrung

informativ: belehrend, aufschlussreich, lehrreich, viel sagend, instruktiv, erhellend, wissenswert, interessant, aufklärend, fördernd, Aufklärung/Einblicke bietend, lesens-, sehens-, hörens-, erwähnens-, erzählenswert, sehenswürdig, bildend

informieren: aufklären, einführen, -weihen, orientieren, die Augen öffnen, vertraut machen mit, Aufschluss geben, in Kenntnis/ins Bild setzen, belehren, instruieren, Auskunft erteilen; *ugs.:* jmdm. reinen Wein einschenken ‖ Nachricht/Auskunft/Bescheid geben, unterrichten, verständigen, benachrichtigen, wissen lassen, unterbreiten, eröffnen, eine Mitteilung/Meldung machen, mitteilen, sagen, melden, kundgeben, -tun, -machen, bekannt machen/geben, Bericht erstatten/geben, berichten, erzählen, ver-, übermitteln, hinweisen/aufmerksam machen auf, auf dem Laufenden halten ‖ → s. anvertrauen ‖ **sich i.:** s. Einblick/Kenntnis/Klarheit/einen Überblick verschaffen, wissen wollen, um Aufschluss/Auskunft bitten, zu ermitteln suchen, s. umhören, s. unterrichten, (nach)fragen, Erkundigungen einziehen, s. Informationen beschaffen, auskundschaften ‖ **informiert sein** → kennen

Ingredienzien: Zutaten, Bestandteile, Elemente, Komponenten, Zubehör, Beimengungen, -mischungen, -werk

Ingrimm: Ärger, Zorn, Grimm, Raserei, Entrüstung, Aufgebrachtheit, Furor, Verdrossenheit, Wut, Erbitterung, Aufwallung; *ugs.:* Rage, Stinkwut

Inhaber: Eigentümer, Besitzer, Eigner, Herr, Wirt, Halter

inhaftieren → festnehmen

Inhaftierter → Gefangener

Inhaftierung → Verhaftung

inhalieren: Dämpfe/Rauch einziehen/-atmen/-saugen, Lungenzüge machen; *ugs.:* Lunge rauchen

Inhalt: Füllung, das Verpackte ‖ Gehalt, Kern, Substanz, Gedankengut, Essenz, Sinn, Bedeutung, das Mitgeteilte/Ausgedrückte, Botschaft, Mitteilung, Gedanken-, Ideengehalt, Wesen

Inhaltsangabe: Zusammen-, Kurzfassung, Übersicht, Resümee

inhaltsleer → geistlos

inhaltsreich: gehalt-, inhaltsvoll, substanzhaltig, substanziell, geistreich, aussagekräftig, bedeutungsvoll, viel sagend, ausdrucksvoll, -stark, geist-, ideenreich

inhärent: anhaftend, innewohnend, eigen, immanent, darin enthalten

inhuman: unmenschlich, -barmherzig, rücksichtslos, brutal, barbarisch, bestialisch, roh, grausam, unsozial, kaltblütig, erbarmungs-, schonungs-, herz-, seelenlos, entmenscht

Initiative: Entschlusskraft, Unternehmungsgeist, Entschlossenheit, Tatkraft, Aktivität, Energie, Willensstärke, Stoßkraft, Schwung ‖ Aktionsgruppe, Arbeitskreis, Interessengemeinschaft ‖ Antrieb, -regung, -stoß, Impuls

Initiator: Urheber, (Be)gründer, Schöpfer, Anstifter, Vater, Anreger, Spiritus Rector, Motor

initiieren → anregen

injizieren: (ein)spritzen, eine Spritze/Injektion geben

Inkarnation: Fleisch-, Menschwerdung, Verleiblichung ‖ → Inbegriff

inklusive → inbegriffen

inkognito: anonym, unerkannt, unter falschem/anderem Namen/einem Pseudonym/Decknamen, unbekannt, ohne Angabe des Namens/ Namensnennung, ungenannt

inkommodieren → stören

inkompetent: unbefugt, -berechtigt, nicht zuständig / verantwortlich / maßgebend / bevollmächtigt / autorisiert ‖ unfähig, außerstande, einfallslos, unvermögend, -tauglich, -geeignet, nicht gewachsen

inkonsequent: unbeständig, wankelmütig, schwankend, unstet, flatterhaft, wetterwendisch, wechsel-, sprunghaft ‖ folgewidrig, unlogisch, widerspruchsvoll, -sprüchlich

inkorrekt → falsch

inländisch: einheimisch, hiesig, von hier

inliegend → beiliegend

inmitten: im Zentrum/Herzen von, in der Mitte von, zentral, im Mittelpunkt/Kern, mitten in ‖ während, bei

innehaben: bekleiden, verwalten, ausüben, einnehmen, besitzen, versehen sein mit, amtieren, tätig sein als, verfügen über, in Händen haben

innehalten: aufhören, unterbrechen, aussetzen, einhalten, stoppen, einstellen, stehen bleiben, stocken, eine Pause einlegen, zögern

innen: im Innern, inwendig, drinnen, darin, innerhalb ‖ → anbei

Innenleben → das Innere

Innenstadt: Zentrum, Stadtmitte, -kern, -zentrum, City, das Stadtinnere; *schweiz.:* Innerstadt

Innere, das: das Innerste, Mitte, Tiefe, Zentrum, Kern, Herz, Seele, Wesen, Psyche, Seelen-, Gefühls-, Innenleben, Gemüt, Innenwelt ‖ Interieur, Innenraum, -einrichtung, -ausstattung, Zubehör

Innereien: Eingeweide, Gedärme, Kaldaunen, Gekröse, Kutteln, Geschlinge

innerhalb: im Bereich, in, inmitten ‖ binnen, während, im Laufe/in der Zeit/im Verlauf von

innerlich: im Innern, drinnen, inwendig ‖ → empfindsam

innewerden: bemerken, feststellen, gewahren, erkennen, wahrnehmen, aufmerksam werden, (ein)sehen, entdecken, spüren, herausfinden, gewahr werden

innewohnen: enthalten/immanent/ inhärent/eigen/darin sein, in s. fassen, bergen, einschließen

innig: herzlich, tief empfunden, sehr nah, warmherzig, eng ‖ → inständig

Innovation → Neuerung

innovativ: neu, einfallsreich, schöpferisch, kreativ, ideenreich, produktiv, originell, gestalterisch, fantasievoll

Innung: Zunft, Gilde, Handwerkerverein

inoffiziell: vertraulich, nicht amtlich/ öffentlich, außerdienstlich, inoffiziös, intern

in punkto: hinsichtlich, betreffend, in Bezug auf, bezüglich, was das betrifft/angeht/-belangt, zu der Frage, betreffs

Insasse: Fahrgast, Mitfahrender, Passagier ‖ Haus-, Heimbewohner, Mieter ‖ → Gefangener

insbesondere → besonders

Inschrift: Aufschrift, Text, Beschriftung

Insel: Eiland, Atoll, Sandbank, Schäre

Inserat → Anzeige

inserieren: annoncieren, eine Anzeige/Annonce/ein Inserat aufgeben, anzeigen, bekannt machen/geben, werben, anbieten, in die Zeitung setzen

insgeheim: im Stillen/Geheimen, still und leise, im Verborgenen, heimlich, in aller Heimlichkeit; *ugs.:* hintenherum

insgesamt: im ganzen, zusammen, alles in Allem, pauschal, summa summarum, gesamt, alles eingerechnet, vollends, total, → ganz

insistieren → bestehen auf

insofern: in dieser Hinsicht, deshalb, -wegen, aufgrund dessen, aus diesem Grund, demzufolge, mithin, somit, -nach, darum, diesbezüglich, hinsichtlich, in Bezug auf, was das betrifft/angeht/-belangt ‖ falls, wenn, für/gesetzt den Fall, vorausgesetzt

in spe: (zu)künftig, hinfort, später, in Zukunft

Inspektion → Kontrolle

Inspiration → Einfall

inspirieren → anregen

inspizieren → kontrollieren

Inspizierung → Kontrolle

installieren: anbringen, -schließen, einbauen, -setzen, montieren, befestigen, fest-, anmachen ‖ **sich i.** → einrichten

instand halten: in Ordnung halten, pflegen, warten, schonen, hüten, umsorgen, betreuen, konservieren, schützen, erhalten

inständig: flehend, flehentlich, inbrünstig, innig, eindringlich, fest, sehnlich, intensiv, nachdrücklich, emphatisch, von ganzem Herzen, beschwörend, knie-, fußfällig, demütig, stürmisch, ernsthaft, aus tiefster Seele

instand setzen → reparieren

Instanz: zuständige Behörde/Stelle, Obrigkeit, Amt, Dienststelle, verhandelndes Gericht, Amtsweg

Instanzenweg → Dienstweg

Instinkt → Trieb ‖ → Spürsinn

instinktiv: gefühlsmäßig, unbewusst, intuitiv, emotional, emotionell, sicher, nachtwandlerisch ‖ triebmäßig, instinktbedingt, über den Instinkt, durch den Instinkt geleitet, instinktsicher

Institution: (öffentliche) Einrichtung, Anstalt, Organisation

instruieren → anleiten ‖ → informieren

instruktiv → informativ

Instrument: Gerät, (feines) Werkzeug, Apparat, Gerätschaft, → Mittel

insuffizient: ungenügend, mangelhaft, leistungsunfähig, schwach, unzulänglich, -geeignet, -vermögend, -zureichend, -befriedigend, dürftig

inszenieren: in Szene setzen, eine Aufführung vorbereiten/gestalten, ausrichten, organisieren, arrangieren, ins Werk setzen, einstudieren, zur Durchführung bringen; *ugs.:* machen, aufziehen, auf die Beine stellen, über die Bretter gehen lassen ‖ → anstiften

intakt: in Ordnung, funktionierend, unbeschädigt, ganz, heil, unversehrt, -verletzt, wohlbehalten, einwandfrei, rund, solide; *ugs.:* in Schuss

integer: charakterfest, redlich, makellos, sauber, rechtschaffen, ordentlich, achtbar, anständig, unbescholten, vertrauenswürdig, korrekt, einwandfrei, untadelig, solide, in Ordnung, ohne Makel, unbestechlich

integrieren: zusammenschließen, -fassen, eingliedern, -fügen, -flechten, -betten, -passen, vereinigen, -einen, -binden, einverleiben; *ugs.:* unter einen Hut bringen, zusammenbringen

Intellekt: Verstand, Geist, Denk-, Erkenntnisfähigkeit, Geisteskraft, Scharfsinn, Urteilskraft, Denkvermögen

intellektuell: geistig, verstandesmäßig, wissend, reflektiert, gebildet, kritik-, urteilsfähig, begrifflich
Intellektueller: Verstandesmensch, Geistes-, Kopfarbeiter, Wissenschaftler, Gelehrter, Geistesschaffender, Akademiker; *abwertend:* Bildungsphilister, Intelligenzler, Eierkopf
intelligent: klug, einsichtig, gescheit, scharfsinnig, gelehrig, (vernunft)begabt, aufgeweckt, umsichtig, lern-, kombinations-, denkfähig, verständig, geistreich, -voll; *ugs.:* helle, nicht auf den Kopf gefallen, mit Köpfchen, fix im Kopf
Intelligenz → Klugheit
intendieren → beabsichtigen
intensiv: angespannt, -gestrengt, konzentriert, gesammelt, mit größter Anstrengung/Kraft, unter Aufgebot aller Kräfte, angeregt, aufmerksam ‖ heftig, stark, fest, ernsthaft, tief, erschöpfend, umfassend, groß, hochgradig, eindringlich, nachdrücklich, -haltig, gründlich, durchdringend, massiv
intensivieren: steigern, verstärken, erhöhen, -weitern, ausbauen, vertiefen, vorantreiben, ankurbeln, aktivieren, verdoppeln, -vielfachen, forcieren; *ugs.:* Druck/Dampf dahintersetzen, in die Höhe bringen, anheizen
Intention → Absicht
intentional: zweckbestimmt, zielgerichtet, → absichtlich
Interaktion: Wechselbeziehung, Verhältnis, Zusammenhang, Kommunikation, Interdependenz
interessant → informativ ‖ → außergewöhnlich ‖ → einträglich ‖ → fruchtbar ‖ → anregend, beflügelnd, unterhaltsam, ansprechend, -ziehend, reizvoll, attraktiv, einnehmend ‖ → spannend
Interesse: Anteil(nahme), Aufmerksamkeit, Beachtung, Augenmerk, Beteiligung, Neugier, Gespanntheit, Eifer, Achtsamkeit, Hingabe, Lerneifer, Wissbegier(de), Teilnahme, Wissensdurst ‖ Neigung, Vorliebe, Hang, Tendenz, Sympathie, Faible, Zuneigung, Zug ‖ Vorteil, Nutzen, Belange, Angelegenheiten ‖ Gewicht, Wichtigkeit, Belang, Wert, Bedeutung, Rang
interesselos → gleichgültig
Interessent → Bewerber ‖ kauflustiger Kunde, Käufer
interessieren: Interesse/Aufmerksamkeit/Neugierde/Anteil(nahme) wecken, fesseln, in seinen Bann ziehen, anregen, jmdn. gewinnen für ‖ **sich i. für:** Interesse haben/s. erwärmen/begeistern/sein Herz entdecken für, Wert legen auf, s. interessiert zeigen, interessiert sein an, Beachtung schenken, teilnehmen
Interieur: Inneneinrichtung, -ausstattung, Zubehör, das Innere, Innenraum
Intermezzo: Zwischenspiel, -fall, Interludium, Vorfall, Episode
intern: nicht öffentlich, vertraulich, untet dem Siegel der Verschwiegenheit, inoffiziell; *ugs.:* unter uns, im kleinen Kreis
international: über-, zwischenstaatlich, weltweit, -umfassend, Staaten verbindend, Völker umfassend, global, nicht national begrenzt
internieren: hinter Stacheldraht/Gitter bringen, in ein Konzentrationslager sperren, → festnehmen
Interpretation → Auslegung ‖ künstlerische Wiedergabe, Darstellung, Präsentation, Aufführung, Verständnis
interpretieren: deuten, auslegen, erklären, herauslesen, deuteln, erläutern, explizieren, klar/begreiflich/verständlich machen, aufschließen, -zeigen, erleuchten; *ugs.:* verdeutschen

Intervall: Zwischenzeit, -raum, Lücke, Zeitabstand, -spanne, Pause, Distanz

intervenieren: eingreifen, dazwischentreten, s. einmischen/-schalten, Einspruch erheben, protestieren, vermitteln, ein Wort einlegen für, s. ins Mittel legen, s. verwenden für; *ugs.:* dazwischenfahren, -funken

Interview: Fragegespräch, Befragung, Umfrage, Unterredung

interviewen: ein Interview machen, aus-, befragen, Fragen stellen, verhören, aushorchen, -forschen, eine Umfrage halten; *ugs.:* bohren

intim: vertraut, innig, eng, liiert, freundschaftlich, familiär, wohlbekannt, gewohnt, heimisch, warm, tief, sehr nah ‖ sehr genau, fundiert, sicher, gesichert, begründet, zuverlässig, verbürgt ‖ gemütlich, heimelig, behaglich, traulich ‖ persönlich, verborgen, geheim, privat, nicht für fremde Ohren bestimmt

Intimus → Freund

intolerant: unduldsam, dogmatisch, engstirnig, unaufgeschlossen, starr, unflexibel, doktrinär, borniert, eng, engherzig, voreingenommen, voller Vorurteile; *ugs.:* kleinkariert, zu, versperrt

Intoleranz → Vorurteil

Intrige: Verwicklung, Machenschaft, Ränke, Arg-, Hinterlist, Intrigen-, Ränkespiel, Hinterhältigkeit, Verschlagenheit, Schliche, Winkelzug, Doppelspiel, Manöver, Quertreiberei; *dicht.:* Kabale

intrigieren: Ränke spinnen/schmieden, einen gegen den anderen ausspielen, Verwicklungen inszenieren; *ugs.:* kunkeln

introvertiert: nach innen gerichtet/-kehrt/-wendet, verschlossen, unzugänglich, zugeknöpft, undurchdringlich, zurückhaltend, schweigsam, verschwiegen

Intuition: Eingebung, Erleuchtung, Inspiration, Geistesblitz, Funke, Ahnung, Instinkt, Spürsinn; *ugs.:* Riecher

intuitiv: gefühlsmäßig, instinktiv, unbewusst, nachtwandlerisch, eingegeben

invalid(e): (schwer) beschädigt, arbeits-, erwerbs-, dienstunfähig, körperbehindert, versehrt, -krüppelt

Invalide → Körperbehinderter

invariant → dauerhaft

Invasion: Einfall, -dringen, -marsch, Überfall, -rumpelung, Besetzung, Angriff, Gewaltstreich

Inventar: Bestand(sverzeichnis), Besitzstand, Fundus, Mobiliar, Einrichtung(sgegenstände), Vermögenswerte, Ausrüstung, -stattung, Lager(bestand), Hausrat; *ugs.:* Klamotten

Inventur: Bestandsaufnahme, Jahresabschluss

investieren: anlegen, aufwenden, zur Verfügung stellen, ausgeben, verausgaben; *ugs.:* Geld in etwas stecken/reinstecken ‖ anwenden, aufbieten, einsetzen, hineinstecken, opfern, mobilisieren, daransetzen

Investition: Geld-, Kapitalanlage, Investierung

involvieren: einschließen, enthalten, einbegreifen, in s. schließen/fassen/begreifen, mit s. bringen, nach s. ziehen, umspannen, bergen, implizieren, beinhalten ‖ **involviert sein:** in eine Sache verwickelt/hineingezogen sein

inwendig: im Innern, innen, drinnen, innerlich, -halb

inwiefern → warum

Inzucht: Inzest, Blutschande

inzwischen: unterdessen, mittlerweile, währenddessen, derweil(en), in der Zwischenzeit, währenddem, solange, dazwischen, zwischenzeitlich, -durch, einstweilen, indessen

irdisch: diesseitig, vergänglich, erdgebunden, eitel, weltlich, zeitgebunden, endlich, begrenzt, profan, säkular, fleischlich, leiblich ‖ terrestrisch
irgendeiner: irgendwer, -welcher, jemand, gleichgültig wer, eine Person, ein x-beliebiger, jeder
irgendwann: einmal, eines (schönen) Tages, gleichgültig wann, früher oder später, irgendeinmal, über kurz oder lang
irgendwer → irgendeiner
irgendwie: so oder so, gleichgültig wie, auf die eine oder andere Weise
irgendwo: an irgendeiner Stelle/irgendeinem Ort/Platz, gleichgültig/ egal wo
Ironie → Spott
ironisch: spöttisch, voll Ironie, beißend, mokant, mit feinem Spott, sarkastisch, zynisch, höhnisch, spitz, bissig, anzüglich, scharf-, spitzzüngig; *ugs.:* frotzelnd
irr(e) → geistesgestört ‖ → sehr ‖ → großartig
irreal: unreal, -wirklich, traumhaft, fantastisch, illusorisch, eingebildet, utopisch, imaginär, wirklichkeitsfremd, unrealistisch, hoffnungslos, vergeblich, aussichtslos
irreführen → täuschen
Irreführung → Täuschung
irregehen → s. irren ‖ s. verirren, einen falschen Weg einschlagen, den Weg verfehlen, fehlgehen, die Orientierung/Richtung verlieren, vom Weg abkommen/-irren, s. verlieren/ -laufen
irregulär → gesetzwidrig ‖ außerplanmäßig, regelwidrig, ungewöhnlich, -üblich, -regelmäßig, anormal, abnorm, atypisch
irreleiten → täuschen
irrelevant → unbedeutend
irreligiös → ungläubig
irremachen: verunsichern, beirren, in Zweifel stürzen, unsicher machen,

verwirren, durcheinander bringen, aus dem Konzept/in Verwirrung/aus der Fassung bringen, verlegen/kopfscheu/konfus machen, konsternieren, irritieren, verstören; *ugs.:* drausbringen, den Kopf verdrehen
irren, sich: fehlgehen, -schlagen, Fehler machen, s. täuschen, s. im Irrtum befinden, s. verrechnen/-sehen/-kalkulieren, verkennen, auf der falschen Fährte sein, einen falschen Weg einschlagen, irregehen, verblendet/im Irrtum sein, in die Irre gehen; *ugs.:* s. zwicken, s. vertun/-hauen, auf dem Holzweg sein, danebenhauen, -schießen, s. schneiden, s. brennen, s. vergaloppieren, auf dem falschen Dampfer sitzen, schiefgewickelt sein, schiefliegen, s. verbiestern
Irrenanstalt → Nervenklinik
Irrer: Geistesgestörter, -kranker, Kretin, Debiler, Schwach-, Wahnsinniger, Psychopath, Idiot, Unzurechnungsfähiger; *ugs.:* Verrückter
Irrgarten: Labyrinth, Irrgang
irrig → falsch ‖ → abwegig
irritieren → irremachen
Irrsinn → Wahnsinn ‖ → Unsinn
irrsinnig → geisteskrank ‖ → sehr
Irrtum: Versehen, Fehlgriff, (Denk)fehler, Inkorrektheit, Lapsus, Fehl-, Trugschluss, Missgriff, Schnitzer, Unrichtigkeit, Täuschung, Fehlurteil, Verkennung, Fehleinschätzung, Verrechnung; *ugs.:* Bock, Patzer
irrtümlich: fälschlich(erweise), → unabsichtlich
Irrweg: Abweg, Abirrung; *ugs.:* Holzweg
Isolation → Einsamkeit
isolieren: ab-, aussondern, vereinzeln, abspalten, ausschließen, scheiden, trennen, separieren, sondern, entfernen, ausstoßen, eliminieren, aussperren, -nehmen, verbannen, aufs Abstellgleis schieben, in den Hintergrund/ins Abseits drängen ‖

abdichten, -dämmen ‖ **sich i.** → s. abkapseln

isoliert: abgesondert, vereinzelt, (ab)getrennt, separat, für sich, apart, extra, allein, einsam, beziehungs-, kontaktlos, abgeschnitten, ohne Freunde / Beziehung / Gesellschaft / Andere, mutterseelenallein, verlassen, zurückgezogen, ab-, ausgeschlossen, vereinsamt; *ugs.:* solo

J

ja: sicher, natürlich, jawohl, aber ja, selbstverständlich, gewiss, freilich, bestimmt, auf jeden Fall, jedenfalls, gut, einverstanden; *ugs.:* okay, (geht) in Ordnung, klar, ist geritzt, abgemacht, gebongt, o. k. ‖ nur, bloß, auf keinen Fall ‖ doch, (nun) einmal, eben, einfach ‖ sogar, selbst, geradezu, mehr noch, auch, darüber hinaus, dazu, überdies, zugleich

Jacke: Jackett, Joppe, Sakko; *reg.:* Rock; *öster.:* Janker

Jackett → Jacke

Jagd: Jägerei, Pirsch, Weidwerk, Hatz, Treib-, Hetzjagd ‖ Suche, Verfolgung, Hetze, Fahndung, Kesseltreiben, Nachstellung

Jagdfrevler: Wilderer, Wilddieb, -schütz

Jagdgebiet: (Jagd)revier, Gehege

jagen: auf die Jagd/Pirsch gehen, Jagd machen auf, pirschen, nachstellen, treiben, Wild erlegen/zur Strecke bringen ‖ suchen (Verbrecher), verfolgen, zu fangen suchen, fahnden nach, hetzen, jmdm. nachsetzen/-jagen, hinterher sein, hinterherjagen, s. an jmds. Fersen heften ‖ rasen, rennen, stürmen, stürzen, preschen, hasten, sausen; *ugs.:* fegen, flitzen, schwirren, stieben, wetzen, pesen

Jäger: Weidmann, Jägersmann

Jägerlatein → Lügenmärchen

jäh → plötzlich ‖ → steil

jahrelang: viele Jahre, mehr-, langjährig, seit Jahren, lange

jähren, sich: nach einem Jahr wiederkehren/s. wiederholen

Jahrestag: Gedenktag, Jubiläum, Ehrentag

Jahreswende: Silvester, Jahresende, -ausklang, -wechsel, 31. Dezember; *reg.:* Altjahrestag

Jahrgang: Altersgruppe, -stufe, -klasse, Geburtsjahr, Generation

jährlich: in jedem Jahr, jedes Jahr, alljährlich, alle Jahre wieder, Jahr für Jahr, jahraus jahrein, pro Jahr, von Jahr zu Jahr

Jahrmarkt: Volksfest, Dult, Kirmes, Kirchweih; *reg.:* Dom, Wasen, Messe; *ugs.:* Rummel; *öster.:* Kirtag

jähzornig → aufbrausend

Jalousie → Rolllade(n)

Jammer: Klagen, Wehklage(n), -geschrei, Gejammer, Lamentation; *ugs.:* Gejammere, Lamento ‖ → Leid

jämmerlich → kläglich ‖ → sehr

jammern: wimmern, winseln, (weh)klagen, weinen, quäken, lamentieren, schluchzen, stöhnen, ächzen, s. beschweren, Schmerz/Trauer/Unzufriedenheit äußern, in Klagen ausbrechen, ein Jammergeschrei erheben, die Hände ringen; *ugs.:* jaulen, heulen, flennen, plärren, greinen, brüllen, quengeln, ein Klagelied anstimmen; *reg.:* maunzen, zatschen ‖ beklagen, -weinen, -trauern, trauern um/über, untröstlich sein

jammerschade → schade

jammervoll → kläglich

japsen: *(ugs.):* nach Luft/Atem ringen, keuchen, schnaufen, pusten, schnauben

jäten: Unkraut entfernen/(aus)rupfen, von Unkraut befreien; *reg.:* krauten

Jauche: *reg.:* Gülle, Odel, Pfuhl, Pudel; *öster.:* Adel

jauchzen → jubeln

jaulen: heulen, wimmern, winseln
Jause → Imbiss
jawohl → ja
Jawort: Zustimmung, -sage, Einwilligung, -verständnis, Billigung
je: jemals, irgendwann ‖ jeweils, pro, von jedem, à, jedesmal
jeck → verrückt
jedenfalls: jedoch, freilich, allerdings, in jedem Fall, immerhin, schließlich, wenigstens, wie auch immer, auf jeden Fall
jeder → alle
jedermann → alle
jederzeit → dauernd
jedesmal: immer wenn, in jedem Fall, → dauernd
jedoch: doch, aber, dagegen, indessen, trotzdem, dennoch, gleichwohl, allein, nichtsdestoweniger
jemals: überhaupt einmal, irgendwann, je
jemand: irgendeiner, -wer, eine Person, sonst einer, irgendjemand
jener: der da/dort, dieser, derjenige
jenseits: auf der anderen Seite, drüben, am anderen Ende/Ufer, gegenüber, entgegengesetzt
Jenseits: Himmel-, Gottesreich, Paradies, Ewigkeit, ewige Seligkeit
Jesus: Christus, Heiland, Messias, Erlöser, (Er)retter, Gottessohn, Lamm Gottes, Gekreuzigter, Menschensohn, Schmerzensmann, der gute Hirte; *dicht.:* Seelenbräutigam
Jet: Düsenflugzeug, -maschine, -jäger
Jetset → Highsociety
jetzig: augenblicklich, gegenwärtig, derzeitig, heutig, momentan, aktuell, gegeben
jetzt: nun, augenblicklich, momentan, im Augenblick/Moment, zur Zeit/Stunde, gerade (eben), gegenwärtig, derzeit, just, aktuell, heute
Jetzt → Gegenwart
jeweils: immer, jedesmal, je

Job → Arbeit
Joch: Last, Bürde, Kreuz, Belastung, Schwere, Gewicht, Bedrückung ‖ Knechtschaft, Repression, Sklaverei, Drangsalierung, Unterdrückung, -jochung, Unfreiheit, Versklavung, Knebelung, Zwang, Fessel
joggen: dauer-, langlaufen, rennen
Jogging: Fitness-, Gelände-, Wald-, Dauerlauf
Johannisbeere: Johannestraube; *reg.:* Träub(e)le; *öster.:* Ribisel
johlen: grölen, lärmen, schreien, kreischen, brüllen; *ugs.:* Krach/Konzert machen, röhren, quäken, krakeelen
Joint: (Haschisch)zigarette; *ugs.:* Doobie, Torpedo, Trompete, Tüte, Rohr ‖ **einen J. rauchen** → kiffen
Jokus → Scherz
jonglieren → lavieren
Joppe → Jacke
Journal: Zeitschrift, Illustrierte, Magazin, Gazette
Journalist: Presse-, Zeitungsmann, Berichterstatter, Reporter, Korrespondent, Publizist, Zeitungsschreiber
jovial: wohlwollend, gönnerhaft, leutselig, freundschaftlich, gnädig, entgegenkommend, gutgesinnt, wohlmeinend, kulant
Jubel: Freude, Begeisterung, Enthusiasmus, Freudentaumel, -ausbruch, -geheul, -sturm, Gejubel, Jauchzen, Gejauchze, Frohlocken ‖ → Beifall
jubeln: jubilieren, frohlocken, jauchzen, Freudenschreie ausstoßen, juchzen, triumphieren, strahlen, glücklich sein, s. freuen, Luftsprünge machen, einen Freudentanz aufführen, jmdm. hüpft das Herz vor Freude/lacht das Herz; *ugs.:* s. freuen wie ein Schneekönig, juhuen, vor Freude an die Decke springen, Hurra schreien
Jubiläum: Jahres-, Ehren-, Gedenktag

jubilieren → jubeln
juchzen → jubeln
jucken: kribbeln, prickeln, krabbeln, kitzeln, beißen, kratzen; *ugs.:* pieken
Judendiskriminierung → Antisemitismus
Judenvernichtung → Holocaust
Jugend: Jugendzeit, -alter, Entwicklungs-, Reifejahre, Blütezeit, Adoleszenz; *dicht.:* Lenz des Lebens ‖ die jungen Leute/Jugendlichen, das Jungvolk; *ugs.:* junges Gemüse, die Kids
jugendlich → jung
Julikäfer: Grüner Maikäfer
jung: jugendlich, halbwüchsig, klein, heranwachsend, unreif, kindlich, jung an Jahren, unfertig, -erfahren; *ugs.:* grün hinter den Ohren ‖ frisch, neu, jungfräulich, unverbraucht, -berührt
Junge: Knabe, der Kleine, Bub, Sohn, Kind, Jüngling; *ugs.:* Bursche, Hüpfer, Bengel, Kerl, Knirps, Bürschchen, Wicht, Steppke, Dreikäsehoch ‖ → Jüngling
jungen → werfen
Jünger → Anhänger
Jungfrau: Jungfer, Fräulein, Mädchen
jungfräulich: unschuldig, -befleckt, -berührt, -verdorben, rein, keusch ‖ unbetreten (Land), unerforscht, -entdeckt, -erschlossen
Jungfräulichkeit → Reinheit
Junggeselle: Hagestolz, Einspänner, Unverheirateter, Single, Alleinstehender
Jüngling: Halbwüchsiger, Bursche, Heranwachsender, Jugendlicher, Teen(ager), junger Mann, Junge, Twen, Knabe; *ugs.:* Spund
jüngst → kürzlich
Jüngste(r): Kleinste(r), Nesthäkchen, Küken; *m.:* Benjamin
Junior: der Jüngere, Sohn, Juniorchef ‖ Jungsportler
Junk → Rauschgift ‖ → Heroin
Junkie: *ugs.:* Fixer, Schießer
Jurist: Rechtswissenschaftler, -gelehrter, (Rechts)anwalt, Advokat, Rechtsbeistand, Verteidiger
juristisch: rechtlich, gesetzlich, de jure, nach dem Recht/Gesetz, rechtswissenschaftlich; *öster.:* juridisch
Jury: Preisrichter(kollegium), Preisgericht, Schieds-, Kampfgericht (Sport)
just → jetzt
justieren → einstellen
Justiz: Rechtsprechung, Rechtswesen, Rechtspflege, Gerichtsbarkeit, -wesen, Jurisdiktion, Recht sprechende Gewalt
Justizirrtum: Fehlurteil, -entscheidung
Juwel: Edelstein, Schmuckstück, Kostbarkeit, Schatz, Prachtstück, Kleinod
Jux → Scherz
juxen → scherzen

K

Kabale → Intrige
kabbeln, sich → s. streiten
Kabel: (elektrische) Leitung, Zuleitung, Draht, Seil, Schnur ‖ Telegramm, Depesche
kabeln: telegrafieren, depeschieren, drahten, ein Telegramm schicken, telegrafisch übermitteln
Kabine: Umkleideraum (Bad) ‖ Kajüte, Logis, Wohn-, Schlafraum (Schiff)
Kabinett → Zimmer ‖ (Minister)rat, Regierung
Kachel: (Ton)platte, Fliese
Kacke → Kot
kacken → Stuhlgang haben
Kadaver: Tierleiche, Aas; *Jägerspr.:* Luder
Kader: Kerngruppe, Führungsstamm, Leitung; *ugs.:* Macher
Kaff → Dorf ‖ → Städtchen
Kaffeehaus: Café, Kaffeestube, Cafeteria, Espresso
Kaffeeklatsch: Kaffeekränzchen, -stündchen, Plauderstündchen
Käfig: Zwinger ‖ (Vogel)bauer, Vogelhaus, -käfig, Voliere
kahl: frei, leer, entblößt; *ugs.:* ratzekahl ‖ entlaubt, -blättert ‖ unbewachsen, baumlos, versteppt ‖ kahl-, glatzköpfig, haarlos; *ugs.:* glatzert
kahl fressen: leer-, abfressen, abäsen, -weiden, -grasen, -nagen
kahlköpfig → kahl
Kai: Anlegestelle, Hafendamm, Pier, Mole ‖ Uferstraße
Kajüte → Kabine
Kakelei → Gerede
Kalamität → Not
Kalauer: albernes Wortspiel, Witzelei, dummer/fauler Witz, Calembour

Kaldaunen: Innereien, Eingeweide, Gedärm(e), Gekröse
Kalender: Zeitrechnung, Almanach, Jahresweiser
Kalesche → Kutsche
Kaliber: Durchmesser, lichte Weite, Stärke ‖ Format, Größe, Niveau, Rang, Qualität, Profil, Persönlichkeit, → Art
Kalkül: (Be)rechnung, Überschlag, -legung, Schätzung, Planung, Kalkulation, Voranschlag, Kostenaufstellung ‖ Spekulation, Taktik, Politik
Kalkulation → Kostenvoranschlag
kalkulieren: be-, errechnen, veranschlagen, fest-, ansetzen, überschlagen, taxieren, bemessen, planen ‖ überlegen, erwägen, abschätzen, vermuten, spekulieren, annehmen, mutmaßen, ahnen, rechnen mit, erwarten, gefasst sein auf; *ugs.:* tippen, riechen, s. zusammenreimen
kalt: kühl, frostig, winterlich, frisch, eisig (kalt), eiskalt, bitterkalt, unterkühlt, frostklirrend, ab-, ausgekühlt; *ugs.:* sau-, hunde-, lausekalt, schattig ‖ gefühlskalt, -fühllos, kalt-, hartherzig, herzlos, ohne (Mit)gefühl/ Wärme, lieblos, ungerührt, mitleid-, seelen-, erbarmungslos, unfreundlich, distanziert, unzugänglich, leidenschaftslos; *ugs.:* fischblütig
kaltblütig: beherrscht, geistesgegenwärtig, bedacht, gelassen, ruhig, kühl, gefasst, gesetzt, unerschütterlich, besonnen; *ugs.:* ohne mit der Wimper zu zucken, lässig, cool ‖ ungerührt, kaltherzig, unbarmherzig, gnadenlos, brutal, mitleidslos, roh, schonungslos, barbarisch, gefühllos, grausam

Kälte: Kühle, Frost, Frische, kalte Jahreszeit, niedrige Temperatur || Herz-, Gefühl-, Seelenlosigkeit, Nüchternheit, Frostigkeit, Steifheit, Ungerührtheit, Kalt-, Hartherzigkeit

kaltherzig → kalt

kalt lassen → an jmdm. abprallen

kaltmachen → töten

kaltschnäuzig: herz-, rücksichtslos, frech, kalt, schnöde, kaltlächelnd, unbewegt, -gerührt, schonungs-, erbarmungs-, mitleidslos, unbeeindruckt || → brutal

kaltstellen → entmachten

Kamel: Trampeltier, Wüstenschiff || → Dummkopf

Kamera: Fotoapparat, Box

Kamerad: Freund, Spiel-, Schulgefährte, Intimus, Kollege, Genosse, Verbündeter, -trauter, Getreuer; *ugs.:* Kumpan, Kumpel, Spezi

Kameradin: Gefährtin, Freundin, Verbündete, -traute; *ugs.:* Kumpanin, Kumpel

Kameradschaft: Freundschaft, Verhältnis, Brüderschaft, Verbundenheit, -bindung, Beziehung, Bund, Geistesverwandtschaft, Zusammengehörigkeit, Gemeinschaft, Eintracht; *ugs.:* Kumpanei

Kamin: Schornstein, Esse, Schlot, Rauchfang || offene Feuerstelle; *schweiz.:* Cheminee

Kaminkehrer: Schornstein-, Schlotfeger; *öster.:* Rauchfangkehrer; *Kinderspr.:* der schwarze Mann

Kamm: Bergrücken, Grat, Scheitel || *ugs.:* Läuserechen

kämmen: frisieren, die Haare machen, bürsten, das Haar ordnen, s. die Haare/Frisur richten, durchkämmen

Kammer: Kabäuschen, Mansarde, Gelass, Kabinett; *ugs.:* Kabuff, Bude; *derb:* Loch

Kampagne: Feldzug, Aktion, Vorstoß, Unternehmung, Operation, Maßnahme

Kampf: Gefecht, Schlacht, Krieg, Waffengang, Feindseligkeiten, Fehde, Blutvergießen, -bad, Kugel-, Schusswechsel, kriegerische Handlungen, Kampfhandlung, Streit, Auseinandersetzung, Schießerei, Plänkelei, Geplänkel || Ringen, Streben, Tauziehen, Mühe, Eintreten, Engagement, Hin und Her, Bemühen, Einsatz || Bekämpfung, Abwehr, Widerstand, Behauptung || Konkurrenz, Rivalität, Wettstreit, Gegnerschaft

kämpfen: Krieg führen, ins Feld ziehen, s. schlagen, fechten, streiten, die Schwerter kreuzen, Blut vergießen, Kugeln wechseln, schießen, s. messen mit || **k. gegen:** befehden, -kämpfen, -kriegen, angreifen, attackieren, ankämpfen/vorgehen gegen, entgegentreten, -wirken, anfeinden, zu bezwingen/Herr zu werden suchen, s. zur Wehr setzen, abwehren || **k. für:** einsetzen, fighten, ringen um, s. engagieren, eintreten/-stehen/plädieren/s. stark machen/Stellung beziehen/Partei ergreifen für, s. bekennen zu, s. bemühen um, streben nach || konkurrieren, rivalisieren, wetteifern || **mit sich k.:** unschlüssig/-entschlossen sein, zaudern, zögern, schwanken, zagen, mit s. zu Rate gehen

Kämpfer: Streiter, Verfechter, Pionier, Vorkämpfer, Verteidiger, Schrittmacher, Avantgardist || Soldat, Waffenträger, Fechter, Krieger || → Draufgänger

kämpferisch: kampflustig, -mutig, kriegerisch, streitbar, -süchtig, angriffs-, streitlustig, kampfesfreudig, kombattant, militant, aggressiv, martialisch, herausfordernd, provokant, -vokativ, offensiv, unfriedlich, händelsüchtig, zänkisch || engagiert, eifernd, unverzagt, kühn, stark, heldenmütig, beherzt, wagemutig, draufgängerisch, couragiert, mutig, hitzig

Kampflinie → Kriegsschauplatz
kampflos: ohne Widerstand/Gegenwehr, widerstandslos, ohne s. zu wehren
Kampfplatz → Kriegsschauplatz
Kampfrichter: Schiedsrichter, Unparteiischer, Referee, Ringrichter (Boxen), Punktrichter, Juror
kampieren: im Freien übernachten, notdürftig/provisorisch wohnen, zelten, lagern, campen, sein Lager/Zelt aufschlagen, absteigen; *öster., schweiz.:* campieren
Kanaille: Schurke, Schuft, Lump, Gauner, Halunke, Tunichtgut, Strolch, Schelm, Gangster, Spitzbube, Ganove; *ugs.:* Lumpenkerl, Biest; *derb:* Schweinekerl, Luder, Dreckstück, Aas, Schweinehund ǀǀ *ugs.:* Biest, Luder, Aas, Mist-, Weibsstück, Hexe
Kanal: künstlicher Wasserlauf, Wasserstraße, -weg, Meeresstreifen, Wassergraben, Durchgang ǀǀ Frequenzbereich
Kanalisation: Abwässersystem, Abflussgraben, Kanalisierung, Regulierung, Entwässerungsgraben, -rinne, Dränierung, Dränage
Kanapee → Sofa
Kandelaber: Kerzenleuchter, -halter, -ständer, -träger
Kandidat: Anwärter, Bewerber, Aspirant, Bittsteller, Reflektant, Prätendent, Exspektant, Postulant, Antragsteller ǀǀ Prüfling, Examenskandidat, Examinand, Absolvent
kandidieren: s. (um ein Amt) bewerben, s. zur Wahl stellen, als Kandidat aufgestellt sein/werden
Kaninchen: *ugs.:* Karnickel, (Stall)hase
Kannibale: Menschenfresser, Wilder ǀǀ → Scheusal
kannibalisch → brutal
Kanon: Regel, Richtschnur, -linie, -maß, Leitfaden, Norm, Direktive,

Prinzip, Grundsatz, Faustregel, Vorschrift, Rechtsbestimmung, Statut
Kanonade: Beschuss, Kugelregen, -hagel, Geschützfeuer, Beschießung
Kanone: schweres Geschütz, Flak, Haubitze ǀǀ → Fachmann ǀǀ → Pistole ǀǀ → Champion
Kante: Schnittlinie, Nahtstelle, Rand, Ecke
Kanten: Brotende, -kanten; *reg.:* Knust, Ranft, Knörzel, Knaus, Kappe; *öster.:* Scherz(el)
kantig: eckig, spitz, scharf
Kanzel: Cockpit ǀǀ Hoch-, Ansitz, Hoch-, Anstand
Kanzlei: (Anwalts)büro, Dienststelle, Amtsräume, Office, (Verwaltungs)behörde
Kapazität: Fassungskraft, -vermögen, -gabe ǀǀ Aufnahmefähigkeit, -vermögen ǀǀ Umfang, Ausmaß, Volumen, Größenordnung, Stärke ǀǀ → Fachmann
Kapelle: Orchester, Band, Ensemble, Truppe ǀǀ Gottes-, Bethaus
Kapellmeister: Dirigent, Orchester-, Chorleiter
kapern: erbeuten, aufbringen, entern, Besitz ergreifen von, in Besitz bringen ǀǀ *ugs.:* gewinnen für, einfangen, kriegen, bekommen, locken, erobern, angeln; *ugs.:* breitschlagen, einwickeln, herumkriegen
kapieren → verstehen
Kapital: Geldbesitz, Vermögen, Barschaft, -vermögen, Finanzen, Geld, Mittel, Guthaben, Ersparnisse, Schatz, Vorrat, Substanz, Bestand
Kapitalanlage: Investition, Investierung, Geldanlage
Kapitalist: Geldmann, -magnat, Finanzmann, Besitzender, Bankier, Unternehmer, Fabrikant, reicher Mann, Finanzier, Bourgeois, Aktionär, Krösus, Finanzgröße; *abwertend:* Geldaristokrat, Bonze, Ausbeuter, Geldsack, Finanzhyäne

Kapitän: Spiel-, Mannschaftsführer ‖ Flugzeugführer, Pilot

Kapitel: Hauptabschnitt, Passus, Stück, Passage, Absatz, (Haupt)teil

kapitulieren: s. (dem Feind) ergeben, die Waffen strecken/niederlegen, s. geschlagen geben, den Kampf aufgeben, die Flagge/Segel streichen, die Hände heben, s. beugen, zurückstecken, die weiße Fahne hissen, passen; *ugs.:* klein beigeben, in die Knie gehen, die Flinte ins Korn werfen, den Schwanz einziehen, das Handtuch werfen, aufstecken ‖ → aufgeben

Kappe: Mütze, Barett, Käppi ‖ → Kanten

kappen: weg-, ab-, beschneiden, ab-, zurechtstutzen, scheren, kürzen; *ugs.:* beschnippeln, abzwacken ‖ durch-, zerschneiden, (durch)trennen

Kaprice: Laune, Grille, Kapriole, Schrulle, Mucke, Anwandlung, Einfall, Allüre, Gehabe, Marotte, Getue; *österr:* Kaprize; *ugs.:* Flausen

kapriziös: launenhaft, eigenwillig, -sinnig, launisch, grillenhaft, bizarr, wetterwendisch, unlenksam; *ugs.:* schrullig

Kapsel: Hülse, Gehäuse ‖ Tablette, Pastille; *ugs.:* Pille

kaputt → defekt ‖ → erschöpft

kaputtgehen: *(ugs.):* zerbrechen, -splittern, -schellen, -reißen, -platzen, -springen, -bersten, entzweien, auseinander brechen, zusammenfallen, verderben, aus den Fugen gehen/geraten, eingehen, (ver)dorren, vertrocknen, ab-, einreißen, einstürzen, -fallen, zugrunde gehen, s. verbiegen/-formen, defekt/unbrauchbar werden; *ugs.:* aus dem Leim/in die Binsen gehen, s. in Wohlgefallen auflösen, draufgehen

kaputtlachen, sich → lachen

kaputtmachen: *(ugs.):* zerstören, -schlagen, -rütten, -treten, -schmet-

tern, -trümmern, -reißen, -drücken, -hauen, -stampfen, zugrunde richten, destruieren, ruinieren, demolieren, verwüsten, -heeren, herunterwirtschaften, zuschanden/-nichte machen, untergraben, einwerfen, entzweien, lädieren, in Stücke brechen, beschädigen, unbrauchbar machen, entzwei-, einschlagen; *ugs.:* ramponieren, zerteppern, -schmeißen, -trampeln, kleinkriegen, hinmachen, zusammenschlagen, -hauen ‖ **sich k.:** s. ruinieren, s. zugrunde richten, abwirtschaften, s. zerstören, s. aufzehren, s. verschleißen; *ugs.:* s. umbringen, s. totmachen

Karacho → Geschwindigkeit

Karambolage: Zusammenstoß, -prall, Kollision, Aufprall, Auffahrunfall

karambolieren → zusammenstoßen

karg: ertragsarm, unergiebig, dürr, trocken, unfruchtbar ‖ → kläglich

kargen → geizen

kärglich → kläglich

kariert: gewürfelt, mit Karos gemustert, gekästelt, schachbrettartig

Karikatur: Spott-, Zerrbild, Scherzzeichnung, -darstellung, Verzerrung, -höhnung, Fratze, Entstellung, Witzzeichnung, Persiflage

karikieren: ins Lächerliche ziehen, lächerlich machen, verzerren, -höhnen, -spotten, ironisieren, persiflieren, zur Karikatur machen

karitativ: mild-, wohltätig, barmherzig, humanitär

Karneval: Fasching, Fastnacht, Faschings-, Fastnachtszeit, die tollen Tage, die närrische Zeit

Karnickel → Kaninchen

Karosse: Pracht-, Staatskutsche, Equipage, Kalesche, Kremser

Karosserie: Wagenaufbau, -oberbau

Karotte: Mohrrübe, gelbe Rübe, Möhre; *reg.:* Gelbrübe, Würzelchen

Karre → Auto

Karree: Viereck, Quadrat, Rhombus, Karo

Karriere: Werdegang, Laufbahn, Lebenslauf, -weg, Fortkommen, Aufstieg, Erfolg, Entwicklung ‖ **K. machen** → avancieren

Karte: Fahrkarte, -schein, -berechtigung, Fahr(t)ausweis, Billett, Ticket ‖ Ansichts-, Postkarte ‖ Eintritts-, Einlasskarte ‖ Speisekarte, -zettel, Menükarte ‖ Spielkarte, Blatt

Kartei: Zettelkasten, -katalog, Kartothek, Verzeichnis

Kartoffel: Erdapfel, -birne; *volkst.:* Grundbirne ‖ → Nase

Kartoffelpuffer: *reg.:* Reibekuchen, -plätzchen, Kartoffelpfannkuchen, Reiberdatschi

Kartoffelpüree: Kartoffelbrei, -mus; *reg.:* Quetsch-, Stampfkartoffeln, Kartoffelstampf; *öster.:* Erdäpfelkoch, -püree; *schweiz.:* Kartoffelstock

Karton: Pappe(ndeckel), Steifpapier ‖ (Papp)schachtel, Box

Karussell: Ringelspiel; *reg.:* Reitschule; *öster.:* Ringelbahn; *schweiz.:* Rösslibahn

Karzinom: Krebs(geschwulst), Neoplasma, maligner/bösartiger Tumor, Knoten

Kaschemme: (üble) Kneipe, Spelunke; *ugs.:* Pinte, Beisel, Schuppen, Destille, Schwemme

kaschieren → verbergen

Käse → Unsinn

Käseblatt → Zeitung

käseweiß → blass

käsig → blass

Kasino: Spielbank, -hölle ‖ Klub-, Gesellschafts-, Unterhaltungsraum

Kaskade: Wasserfall, -sturz, Katarakt

Kasper(l) → Spaßvogel

Kasperletheater: Puppenspiel, -theater, Marionettentheater

Kasse: Geldkasten, -kassette, -schatulle (Kassen)schalter, Zahlstelle,

-schalter ‖ Geldvorrat, -bestand, Finanzen, Barschaft, Geldhaushalt ‖ Krankenkasse, -versicherung

Kassenschlager → Bestseller

Kassenzettel: Quittung, Rechnung, Kassenbeleg, -bon, Bon

Kassette: Kästchen, Schatulle

Kassettenrekorder: Taperecorder ‖ Walkman

kassieren: einnehmen, -ziehen, -kassieren, -sammeln, -treiben, vereinnahmen; *ugs.:* zur Kasse bitten, einstreichen ‖ für ungültig/nichtig erklären, außer Kraft/Kurs setzen, aufheben, ein-, zurückziehen, annullieren, ein-, abstellen, auflösen, abschaffen, rückgängig machen, streichen ‖ → verhaften

Kaste: (Gesellschafts)schicht, Gruppe, Stand, Klasse

kasteien, sich: enthaltsam leben, s. Entbehrungen/Bußübungen auferlegen, s. geißeln, s. enthalten/-schlagen, fasten, hungern

Kastell: Burg, (Be)festigung, Verteidigungsanlage, Bollwerk, Fort, Bastion, Festungsbau, Wall, Feste, Bastei, Wehr, befestigtes Truppenlager, Schanzlager

Kasten: Kiste, Truhe ‖ Fach, Lade, Regal, Bord ‖ → Haus

Kastrat: Entmannter, Eunuch, Verschnittener

kastrieren: verschneiden, entmannen, zeugungsunfähig/unfruchtbar machen, sterilisieren, der Manneskraft/Potenz berauben

Kasus: (Beugungs)fall ‖ → Fall

Katalog: Verzeichnis, Auf-, Zusammenstellung, Handbuch, Liste, Konspekt, Index, Übersicht, Aufzählung

Katarakt: *m.:* Stromschnelle ‖ Wasserfall, -sturz, Kaskade ‖ *f.: med.:* grauer Star

Katarr(h): Schnupfen, Nasenschleimhautentzündung, Rhinitis, Erkältung

katastrophal: verhängnisvoll, fürchterlich, furchtbar, entsetzlich, schrecklich, fatal, unheilvoll, folgenschwer, tragisch, schicksalhaft, unglücklich, schlimm, un(glück)selig, erschütternd, bestürzend, schauderhaft, erschreckend, grässlich, Grauen erregend, beängstigend, horrend, desolat, verderblich, Besorgnis erregend, sehr schlecht, übel, gefährlich, bedenklich

Katastrophe → Unglück

Kate → Hütte

Kategorie: (Grund)begriff, Größe, Verstandesbegriff, Aussageart, Erkenntnisform ‖ Art, Klasse, Gattung, Typ, Genre, Familie, Stamm, Rubrik, Gruppe, Sorte, Schlag

kategorisch: keinen Widerspruch zulassend/duldend, unbedingt gültig/geltend, behauptend, apodiktisch, nachdrücklich, entschieden, bestimmt, ausdrücklich, dezidiert

Kater: Katze ‖ Kopfschmerzen, Katerstimmung, Unwohlsein, Missbehagen, Hangover, Ernüchterung, Niedergeschlagenheit, Tiefstand, Depression; *ugs.:* Katzenjammer, Brummschädel, Moralischer, dicker Schädel/Kopf

Katheder: Pult, Kanzel, Predigt-, Lehrstuhl, Podium

Kathedrale: Dom(kirche), Münster, bischöfliche Hauptkirche

katzbuckeln → kriechen

Katze: *f.:* Kätzin; *m.:* Kater; *Kinderspr.:* Mieze(katze), Muschi; *schweiz.:* Büsi

Katzenauge: Rückstrahler, -leuchte, Schlusslicht

Katzenjammer → Kater

kauen: (zer)beißen; *ugs.:* mampfen, malmen, mahlen, mümmeln, mantschen ‖ k. an → denken ‖ → s. beschäftigen mit

kauern: (zusammengekrümmt) dahocken/-sitzen; *reg.:* hucken

Kauf: Erwerb, An-, Einkauf, Bezug, Abnahme, Anschaffung, Besorgung, Erledigung; *scherzh.:* Errungenschaft; *ugs.:* Geschäft, Handel

kaufen: erstehen, -werben, anschaffen, ein-, an-, ab-, aufkaufen, abnehmen, einen Kauf tätigen, besorgen, Besorgungen / Einkäufe / Shopping machen, s. etwas beschaffen/zulegen, an s. bringen, s. eindecken/versorgen mit, beziehen, übernehmen, ersteigern, zugreifen; *ugs.:* ein Schnäppchen machen, holen, (mit)nehmen; *schweiz.:* posten, zutun ‖ **jmdn. k.** → bestechen ‖ **sich jmdn. k.** → s. jmdn. vornehmen

Käufer: Abnehmer, Kunde, Verbraucher, Konsument, Bezieher, Auftraggeber, Kundschaft, Interessent

Kaufhaus → Geschäft

Kaufinteresse → Nachfrage

käuflich: erwerbbar, vorrätig, lieferbar, zu haben, vorhanden, feil, erhältlich, auf Lager ‖ → bestechlich

Kaufmann: Händler, Geschäfts-, Handelsmann, Ladenbesitzer, -inhaber, Geschäftsbesitzer, Businessman; *öster.:* Greißler; *ugs.:* Krämer

kaufmännisch → geschäftlich

Kaufpreis → Preis

kaum: wahrscheinlich/vermutlich/wohl nicht, schwerlich ‖ beinahe/fast nicht, nur mit Mühe, mit Müh und Not, mit letzter Anstrengung, schlecht und recht; *ugs.:* mit Ach und Krach, mit Hängen und Würgen ‖ wenig, fast gar nichts, gerade noch, knapp, unmerklich, so gut wie nie, selten, ab und zu, vereinzelt ‖ gerade, (so)eben, im Augenblick/Moment, zur Stunde

kausal: ursächlich, bewirkend, -gründend, dem Kausalgesetz entsprechend

Kaution: Bürgschaft, Sicherheit(sleistung), Hinterlegungssumme, Garantie, Pfand

Kauz → Sonderling
kauzig → schrullig
Kavalier: Gentleman, Ehrenmann, Gentilhomme, Mann von Welt ‖ → Freund
keck: munter, forsch, dreist, kess, ungeniert, beherzt, draufgängerisch, frech, unbefangen, vorlaut, kühn, furchtlos, unverfroren, selbstsicher, burschikos
Kehle: Luft- und Speiseröhre; *ugs.:* Hals, Gurgel, Kragen
Kehre: Biegung, Kurve, Wende, Bogen, Schleife, Knie, Krümmung, Knick, Windung, Abknickung, -biegung, Haken, Schwenkung, Schlinge, Wendung, Wende
kehren: (auf)fegen, aufkehren, säubern, sauber machen, reinigen ‖ wenden, die andere Seite zeigen, umdrehen, -krempeln, -stülpen
Kehricht: Abfall, Müll, Schutt, Schmutz, Unrat, Rückstände; *ugs.:* Dreck, Mist
Kehrseite: Rück-, Hinter-, Schattenseite, Hinterfront ‖ Nachteil, Mangel, Schwäche, Fehler, Manko, Minus; *ugs.:* Haken, Macke
kehrtmachen: (s.) umdrehen, umkehren, s. um-/abwenden, s. abkehren, s. wegwenden, den Rücken kehren, wegtreten
keifen → schimpfen
keilen: spalten, durchhacken ‖ *ugs.:* (an)werben, locken, einfangen, angeln, kriegen, bekommen; *ugs.:* aufreißen, fischen ‖ **sich k.:** s. durchzwängen/-schieben/-arbeiten, s. hindurchdrängen, s. einen Weg bahnen; *ugs.:* s. durchquetschen/-drängeln ‖ → s. schlagen
Keilerei → Schlägerei
Keim: Trieb, Knospe, Keimling, Schössling, Sämling, Spross, Auge, Ableger ‖ Kern, Ursprung, Erreger, Wurzel, Ursache, Ansatz, Herd, Quelle, Anfang, Beginn, Geburt

keimen: s. entwickeln, zu wachsen/blühen beginnen, sprießen, aufkeimen, (aus)treiben, sprossen, knospen, ausschlagen, wachsen, s. heranbilden, s. auftun, werden, aufblühen, zum Vorschein kommen, hervorbrechen, grünen, aufgehen, grün werden, s. entfalten, emporkommen
keimfrei: steril, anti-, aseptisch, sterilisiert
Keimzelle: Geschlechtszelle, Gamet; *f.:* Ei(zelle), Ovum, Ovulum; *m.:* Samen(zelle), Samenfädchen, Spermium
keiner: (gar) niemand, kein einziger/Mensch, keine (Menschen)seele, nicht einer; *derb:* kein Schwanz/Aas/Teufel/Schwein, keine Sau
keinesfalls: gewiss/bestimmt/sicher nicht, niemals, auf keinen Fall, mitnichten, nie und nimmer, unter keinen Umständen, nicht um alles in der Welt, keineswegs ‖ → nein
keineswegs: durchaus nicht, nicht im Geringsten/Entferntesten, keinesfalls, auf keinen Fall, unter keinen Umständen, unmöglich, in keiner Weise, ganz und gar nicht, nicht entfernt, weit gefehlt, mitnichten ‖ → nein
Kelle: Schöpflöffel, -kelle, Schöpfer
Kellner: Bedienung, Ober, Garçon, Steward (Schiff)
Kellnerin: Bedienung, Fräulein, Serviererin, Serviermädchen, Stewardess (Flugzeug); *schweiz.:* Saaltochter
kennen: wissen, übersehen, -schauen, Kenntnis haben von, unterrichtet/s. bewusst/orientiert/firm/informiert/auf dem Laufenden/(sach)kundig/aufgeklärt/im Bilde/versiert/einer Sache mächtig/in etwas zu Hause/bewandert/gebildet/beschlagen sein, beherrschen, s. auskennen, s. zurechtfinden, Bescheid wissen, über Wissen verfügen, ge-

hört/erfahren/gelesen haben von, studiert/Einblick haben; *ugs.:* fit sein, intus/den Durchblick haben ‖ bekannt/vertraut/befreundet sein mit, Bekanntschaft gemacht/kennen gelernt haben

kennen lernen: mit jmdm. bekannt/vertraut/warm werden, jmds. Bekanntschaft machen, s. näher kommen, Bekanntschaft schließen, in Beziehung treten, s. an-/befreunden, s. begegnen, aufeinander treffen

Kenner → Fachmann ‖ → Feinschmecker

Kennkarte → Ausweis

kenntlich: erkennbar, -sichtlich, wahrnehm-, sichtbar ‖ **k. machen** → kennzeichnen

Kenntnis: Wissen, Erfahrung, Praxis, Überblick, Einsicht, -blick, Beschlagenheit, Bildung, Know-how, Verständnis ‖ **in K. setzen** → informieren ‖ **zur K. nehmen:** aufnehmen, registrieren, beachten, Notiz nehmen von

Kennwort: Chiffre, Parole, Losung(swort), Stichwort, (Erkennungs)zeichen, Schibboleth, Kennziffer, -zahl

Kennzeichen: Merkmal, Zeichen, Kriterium, Attribut, Charakteristikum, (Charakter)zug, Symptom, Eigentümlichkeit, Prüfstein, Besonderheit, Signum

kennzeichnen: markieren, ankreuzen, kenntlich/ein Zeichen/erkennbar machen, einzeichnen, anstreichen, bezeichnen, -nennen, -schriften, -schildern, mit einem Kennzeichen versehen, abstecken

kennzeichnend: typisch, charakteristisch, aus-, bezeichnend, eigentümlich, wesenseigen, art-, wesensgemäß, spezifisch, unverkennbar, zugehörig, symptomatisch, eigen, signifikant

Kennzeichnung → Bezeichnung

kentern: umkippen, -fallen, -schlagen, untergehen, sinken; *ugs.:* absaufen, -sacken, Schlagseite bekommen

Keramik: Töpfer-, Tonware, Steingut

Kerbe: Einschnitt, -kerbung, Furche, Schnitt, Scharte, Ritze, Schlitz

Kerker → Gefängnis

Kerl → Mann ‖ → Bursche

Kern: Samen-, Obstkern, Stein ‖ Herz(stück), Zentrum, Hauptsache, Wesen, Mittel-, Brenn-, Angel-, Schwer-, Kernpunkt, der springende Punkt, das A und O, das Wesentliche, Hauptgehalt, Sinn, Schwergewicht, Akzent, Pointe, Nerv, Grundgedanke; *ugs.:* des Pudels Kern, Witz der Sache, der Hase im Pfeffer

Kernenergie: Atom-, Kernkraft, Atomenergie

Kerngebiet → Mittelpunkt

kerngesund → gesund

kernig: urwüchsig, kräftig, kraftvoll, stählern, stark, markig, robust, rüstig, stramm; *Fachsp.:* sthenisch

Kernkraftwerk: Kern-, Atomreaktor, Atommeiler, -ofen

Kernpunkt → Kern

Kernwaffen: Atom-, Nuklearwaffen, atomare/nukleare Waffen

kess: dreist, draufgängerisch, keck, frech, forsch, beherzt, unverfroren, selbstsicher, ungeniert, kühn ‖ → flott

Kesseltreiben: Hetze, Jagd, Verfolgung, Nachstellung

Kette: Halsband, Kollier ‖ Reihe, Linie

Ketzer: Abweichler, Häretiker, Abtrünniger, Sektierer, Abgefallener, Renegat, Verräter, Irrgläubiger, Schismatiker, Deviationist

ketzerisch: abtrünnig, sektiererisch, abgefallen, treulos, verräterisch, irrgläubig, häretisch

keuchen: schnaufen, nach Luft/Atem ringen, schnauben, hecheln, röcheln

Keule: Schenkel, Schlegel
keusch: enthaltsam, rein, züchtig, sittsam, unschuldig, jungfräulich, unberührt, -verdorben, -befleckt
Keuschheit → Reinheit
kichern: lachen, gickeln; *ugs.:* glucksen, kickern, gibbeln
kicken → Fußball spielen
kidnappen: entführen, rauben, weg-, verschleppen
Kidnapping: Menschenraub, (Kindes)entführung, Luftpiraterie, Geiselnahme
Kids: Kinder, Jugendliche, Teenies; *ugs.:* Kiddies
kiebitzen: *(ugs.):* zuschauen, -sehen; *ugs.:* zugucken, gaffen, hineinschielen
Kies: Kiesel(steine), Splitt ‖ → Geld
Kiff → Haschisch ‖ → Marihuana
kiffen: Rauschgift nehmen, Haschisch/Marihuana/einen Joint rauchen; *ugs.:* einen durchziehen, s. anturnen, haschen
killen → töten
Kind: Nachkomme, Sprössling, Spross, Abkömmling, Nachwuchs, -fahr, Erbe, Ehesegen; *ugs.:* Wurm, Matz, Spatz, Bams, Blag, Balg, Dreikäsehoch, Wicht ‖ → Kleinkind ‖ → Sohn ‖ → Junge ‖ Tochter, Filia, sein eigen Fleisch und Blut, die Kleine, → Mädchen
Kindbett: Wochenbett
Kinderei → Unsinn
Kindergarten: Kinderhort, -krippe, -tagesstätte, -laden
Kindermädchen: Kinderschwester, -frau, -pflegerin, Bonne, Erzieherin, Gouvernante
Kinderspiel → Kleinigkeit
Kinderstube: Umgangsformen, Erziehung, Benehmen, Manieren, Verhalten, Schliff, Anstand, Betragen
Kindesentführung → Kidnapping
Kindheit: Kinderjahre, -zeit, Kindesalter, Jugend

kindisch: albern, lächerlich, närrisch, einfältig, töricht, läppisch, blöd, infantil, dumm, lachhaft; *ugs.:* kälberig ‖ → kindlich
kindlich: unreif, naiv, jung, unfertig, infantil, kindisch, kindhaft, unerfahren, ahnungslos, unmündig, -entwickelt; *ugs.:* grün, feucht/nicht trocken hinter den Ohren
Kindskopf → Dummkopf
Kinkerlitzchen → Firlefanz ‖ → Unsinn
Kinnhaken: Fausthieb, -schlag, Schwinger, Haken
Kino: Filmtheater, -palast, -bühne, Lichtspielhaus, -theater, Lichtspiele; *ugs.:* Kintopp, Traumfabrik
Kiosk: Stand, Bude, Häuschen, Trinkhalle; *öster.:* Trafik
Kippe: *(ugs.):* (Zigaretten)stummel; *öster.:* Tschick
kippen: (her)ausschütten, aus-, entleeren, ausgießen ‖ umkippen, -fallen, -sinken, -schlagen ‖ schräg (hin)stellen
Kirche: Bet-, Gotteshaus, Dom, Kathedrale, Münster ‖ Gottesdienst, Messe, Andacht, Amt
Kirchendiener: Messner, Küster, Sakristan; *schweiz.:* Messmer
Kirchhof: Friedhof, Gottes-, Totenacker, Begräbnisstätte, Gräberfeld
kirchlich: christlich, klerikal, geistlich, sakral
kirre → zahm
Kismet → Schicksal
Kiste: Kasten, Karton ‖ → Fahrzeug ‖ → Auto ‖ → Flugzeug
Kitsch: Geschmacklosigkeit, Schund ‖ Tand, Kinkerlitzchen, Plunder, Ramsch, (Flitter)kram, Zeug, Firlefanz; *ugs.:* Klimbim, Schnickschnack, Krimskrams, Krempel, Mist, Schmarren
kitschig: geschmacklos, überladen, schmalzig, schnulzig, sentimental, süßlich, abgeschmackt

Kitt → Klebstoff
Kittchen → Gefängnis
kitten: leimen, kleistern, kleben;
ugs.: (zusammen)pappen ‖ *(ugs.:):* in
Ordnung bringen (Ehe), instand setzen, auffrischen, wiederherstellen;
ugs.: ganz-, heil-, gutmachen
Kitzel: Reiz, Antrieb, Stimulus, Zauber, Verlockung, Anziehung, Verlangen, -suchung, -führung
kitzeln: kraulen, krabbeln, zum Lachen bringen; *Kinderspr.:* killekille
machen ‖ jucken, kribbeln, prickeln,
beißen, kratzen; *ugs.:* pieken
kitzlig → heikel
Klacks → Kleinigkeit
klaffen: auf-, offenstehen, offen sein,
gähnen; *ugs.:* auf sein
kläffen: bellen, anschlagen; *reg.:*
bläffen, blaffen; *ugs.:* belfern, bäffen; *schweiz.:* bauzen ‖ → schimpfen
Kläffer → Hund
Klage: Beschwerde, Anklage, Be-,
Anschuldigung, Belastung, Anzeige,
Bezichtigung ‖ Wehklage(n), Elegie,
Jammer, Händeringen, Geschrei,
-wimmer, -heul, -zeter, Stöhnen, Lamentation, Jeremiade, Klagelied,
-gesang; *ugs.:* Gejammere, Lamento,
Wimmern
klagen → anklagen ‖ jammern, wimmern, wehklagen, winseln, lamentieren, in Klagen ausbrechen, ein Jammergeschrei erheben, die Hände ringen, schluchzen, Schmerz/Trauer/
Unzufriedenheit äußern, ächzen,
stöhnen, s. beschweren, krächzen;
ugs.: jaulen, ein Klagelied anstimmen; *reg.:* maunzen, zatschen ‖ **k.
um:** beweinen, -klagen, -trauern,
trauern um/über, untröstlich sein
kläglich: gering, dürftig, knapp,
kümmerlich, nicht viel, kaum genug,
jämmerlich, schäbig, lumpig, schmal,
mager, spärlich, karg, kärglich,
schmählich, schmachvoll, unrühmlich, geringwertig, niedrig, unergie-

big, wenig, sparsam, bescheiden,
-schränkt, unzureichend, -genügend,
-zulänglich, -befriedigend, mangelhaft; *ugs.:* mick(e)rig, pop(e)lig, dünn
(gesät), für den hohlen Zahn ‖ elend,
erbärmlich, miserabel, jammervoll,
bedauerns-, bemitleidenswert, arm-
(selig), ärmlich, Mitleid erregend,
herzzerreißend, -bewegend, -ergrei-
fend, -zerbrechend, elendiglich, beklagenswert, -würdig, un(glück)se-
lig, betrüblich, deplorabel ‖ in be-
schämender Weise, beschämend,
völlig, total, ganz und gar, vollständig, in vollem Umfang, durch und
durch, komplett, auf der ganzen
Linie
Klamauk: *(ugs.):* Tumult, lautes Treiben, Trubel, Lärm, Unsinn, Krach,
Aufruhr, Gepolter, Radau, Getöse,
Spektakel, Geschrei, Aufsehen, Wirbel, Unruhe, Durcheinander, Schabernack, Ulk; *ugs.:* Wirrwarr, Zirkus,
Krawall, Heiden-, Mordslärm, Rabatz, Tamtam, Krakeel, Trara, Höllenspektakel, Rummel
klamm: (leicht) feucht, (feucht)kalt,
nässlich ‖ steif (Finger), starr, gefroren
Klamm: (Felsen)schlucht, Tiefe, Abgrund, Kluft, Schrund, Schlund,
Klause, Felsspalte; *schweiz.:* Krachen, Klus
Klammer: Klemme, Spange; *reg.:*
Kluppe(rl)
klammern: verbinden, zusammenhalten, -fügen, befestigen ‖ **sich k. an:**
s. (fest)halten an, nicht loslassen, s.
anklammern, umklammern, nicht ablassen von, eingeschworen sein auf
Klamotte: Stein-, Ziegelbrocken ‖
→ Kleidung ‖ → Mobiliar ‖ → Komödie
Klampfe: *(ugs.):* Gitarre
Klan → Clan
Klang: Ton, Schall, Hall, Laut ‖
Klangart, -farbe, Tonfall, -farbe, Ko-

lorit, Timbre, Farbton, Sound ‖ *pl.:*
Melodie, Musik, Tonfolge
klanglos:unmerklich, -bemerkt, -auf-
fällig, -gesehen, -hörbar, heimlich,
still und leise, verstohlen, ohne viel
Aufhebens, sang- und klanglos ‖
matt, hohl, stumpf, heiser, belegt
klangvoll: (wohl)klingend, tönend,
wohllautend, tragend, melodisch
Klappe → Bett ‖ → Mund
klappen → gelingen
klapperdürr → dünn
klappern: scheppern, klappen, klirren, klimpern, krachen, rasseln, raffeln, rappeln, lärmen, rumpeln, knallen; *ugs.:* bullern, bumpern
klapprig → gebrechlich
Klaps → Hieb
Klapsmühle → Nervenklinik
klar:durchsichtig, sauber, ungetrübt,
rein, hell, kristall-, glasklar, durchscheinend, gläsern, transparent ‖
wolkenlos, unbewölkt, aufgeklärt,
sonnig, strahlend, heiter, schön ‖
(unmiss)verständlich, eindeutig, unzweideutig, einleuchtend, anschaulich, exakt, präzise, genau, durch-
schau-, greif-, erkenn-, fass-, sichtbar,
augenfällig, handgreiflich, bestimmt,
fest umrissen, prägnant, verstehbar,
eingängig, artikuliert, gut wahrnehmbar, deutlich, manifest, erkenntlich ‖ evident, logisch, offensichtlich, selbstverständlich, gewiss,
unbestreitbar, -leugbar, -bezweifel-
bar, erwiesen, sicher; *ugs.:* klarer
Fall, todsicher, klaro, logo ‖ → aufrichtig
klären:(s.) Klarheit verschaffen, ab-,
aufklären, aufhellen, -decken, klar-,
offenlegen, entschleiern, -hüllen,
Licht bringen in, bereinigen, ordnen,
richtig-, klarstellen, enträtseln, ins
rechte Licht rücken/setzen, in Ordnung bringen, klarlegen, einer Klärung zuführen; *ugs.:* reinen Tisch
machen, klare Bahn schaffen ‖ filtern, reinigen, läutern, sieben ‖
→ klarstellen
klargehen → gelingen
klarkommen → bewältigen ‖ → s. einigen
klarlegen: erläutern, -klären, klarmachen, deutlich/verständlich/begreif-
lich machen, darlegen, auseinander
setzen/legen, veranschaulichen, dartun, konkretisieren, verdeutlichen,
(auf)zeigen, ins Bild setzen, explizieren, umreißen, darstellen, ausdeuten,
berichtigen, entwirren
klarmachen → klarlegen
klarsehen: durchblicken, Bescheid
wissen, s. auskennen, überschauen,
einen Überblick/Einblick haben, s.
zurechtfinden, im Bilde/informiert/
orientiert sein, auf der Höhe/dem
Laufenden sein, einer Sache mächtig
sein, etwas beherrschen; *ugs.:* den
Durchblick haben, fit sein
klarstellen: richtigstellen, klären, berichtigen, entwirren, erhellen, beleuchten, korrigieren, revidieren,
verbessern, klarlegen, dementieren,
ins rechte Licht rücken/setzen, jmdn.
eines Besseren belehren, verdeutlichen, (auf)lösen, aufdecken
Klärung → Aufklärung
klar werden, sich: einsehen, s. bewusst machen, erkennen, s. Rechenschaft ablegen über, herausfinden,
durchschauen, ins Bewusstsein dringen, zum Bewusstsein kommen, begreifen, verstehen, erfassen, jmdm.
gehen die Augen auf, zu der Erkenntnis kommen; *ugs.:* dahinterkommen, dämmern, funken, kapieren, es fressen, jmdm. geht ein Licht
auf
Klasse: Rubrik, Gattung, Art, Kategorie, Typ, Genre, Ordnung, Abteilung, Familie, Stamm, Sorte, Schlag ‖
Klassenzimmer, -raum ‖ (Gesellschafts)schicht, Gruppe, Stand ‖
→ ausgezeichnet

klassifizieren: in Klassen einteilen, nach Klassen ordnen, gliedern, gruppieren, fächern, einstufen, systematisieren, rubrizieren, einreihen, staffeln ‖ → abstempeln als

klassisch: musterhaft, -gültig, vorbildlich, beispielhaft, -gebend, nachahmenswert, vollkommen, -endet, beispiellos, exemplarisch, ausgewogen, -gereift, Maßstäbe setzend, perfekt, ideal, unerreicht, -übertroffen ‖ zeitlos, allgemein gültig, nicht der Zeit/Mode unterworfen, nicht zeitgebunden ‖ herkömmlich, traditionell, konventionell, üblich, (alt)hergebracht, überkommen, altbewährt, gewohnt ‖ typisch, bezeichnend, charakteristisch, kennzeichnend, spezifisch, unverkennbar, symptomatisch ‖ alt, antik ‖ → ausgezeichnet

Klatsch → Gerede

Klatschbase → Schwätzerin

klatschen: prasseln, trommeln, schlagen ‖ applaudieren, Beifall spenden/klatschen/bekunden/zollen, akklamieren, mit Applaus überschütten, Ovationen bereiten ‖ → ausplaudern ‖ → s. unterhalten ‖ **k. über jmdn.:** reden über, herziehen/-fallen/s. aufhalten über, durchhecheln, lästern, schlechtmachen, etwas nachsagen/-reden, in Verruf bringen, in ein schlechtes Licht rücken/setzen/stellen, verächtlich machen, mit dem Finger zeigen auf, nichts Gutes sagen über, ins Gerede bringen; *ugs.:* s. den Mund zerreißen über, in den Schmutz ziehen, tratschen

Klatscherei → Gerede

klatschnass → nass

klatschsüchtig: (sehr) geschwätzig, schwatz-, klatschhaft, viel/aufdringlich redend, redselig; *ugs.:* tratschsüchtig, salbaderisch

Klatschtante → Schwätzerin

klauben: auflesen, -sammeln, zusammenlesen, -klauben, -nehmen, pflücken, abbeeren; *öster.:* brocken

Klaue: Kralle, Fang, Pfote, Pranke, Tatze ‖ → Hand ‖ → Handschrift ‖ *ugs.:* Gewalt, Macht, Herrschaft(sbereich), Knute

klauen → stehlen

Klause: Zelle, Einsiedelei, Eremitei, Eremitage ‖ → Zimmer

Klausel: Nebenbestimmung, -bedingung, Vorbehalt, Einschränkung, Auflage, Sonderabmachung, -vereinbarung, Kautel

Klausur: Einsamkeit, Abgeschlossen-, Zurückgezogen-, Abgeschieden-, Verborgenheit, Isolation ‖ Prüfungsarbeit, Klassenarbeit, Testat

Klavier: Piano(forte), Flügel, Pianino; *ugs.:* Klimperkiste, Drahtkommode, Klapperkasten

kleben: leimen, kleistern, kitten, zusammenkleben, -fügen, befestigen; *ugs.:* anmachen, pappen ‖ haften, festkleben, -sitzen, halten, fest sein; *ugs.:* pappen, heben; *reg.:* backen; *öster.:* picken

klebrig: pappig, leimig, harzig, haftend; *reg.:* backig

Klebstoff: Kleister, Leim, Bindemittel, Kitt, Kleber; *ugs.:* Klebe, Papp; *öster.:* Pick

kleckern → beschmutzen

Klecks: Fleck(en), Spritzer, Schmutzstelle; *ugs.:* Klecker, Dreckfleck

Kleid: Gewand, Dress; *ugs.:* Fähnchen, Kleidchen, Fummel

kleiden: zu jmdm. passen, jmdm. stehen/schmeicheln ‖ **sich k.:** s. an-/bekleiden, Kleidung anlegen/antun, hineinschlüpfen; *ugs.:* in die Kleider/Sachen schlüpfen/fahren

Kleidung: Bekleidung, Kleidungsstücke, Kleider, Tracht, Garderobe, Kluft, Outfit, Gewandung; *ugs.:* Klamotten, Sachen, Aufzug, Montur, Zeug

klein: von geringem Ausmaß, winzig, wenig, zierlich, klein gewachsen, kurz, zwergenhaft, knapp; *ugs.:* fipsig, kurz geraten, klitzeklein; *reg.:* lütt ‖ jung, unreif, kindlich, unfertig, heranwachsend, jung an Jahren; *ugs.:* grün hinter den Ohren ‖ → unbedeutend

Kleinbürger → Spießbürger

kleinbürgerlich: spießbürgerlich, engstirnig, -herzig, bieder, spießig, hinterwäldlerisch, provinziell, philiströs, intolerant, spießerhaft, ohne Horizont, eng, kleinleutemäßig, philister-, banausenhaft; *ugs.:* kleinkariert, begrenzt

Kleingeld: Münzen, Wechselgeld, kleines Geld, Hartgeld, Geldstücke; *ugs.:* Groschen, Pfennige, ein paar Zerquetschte

kleingläubig: zweifelnd, misstrauisch, skeptisch, vorsichtig, ängstlich, argwöhnisch, zaghaft, engherzig, verzagt

Kleinhandel: Einzel-, Detailhandel, Klein-, Ladenverkauf, offenes Geschäft

Kleinigkeit: Nebensache, Belanglosigkeit, Lappalie, Bagatelle, Lächerlichkeit, Kinderspiel, Spiel(erei), Nichtigkeit, Quisquilien, Leichtigkeit, Nichts, Nebensächlich-, Geringfügig-, Unwichtig-, Bedeutungslosigkeit; *ugs.:* Kleinkram, kleiner Fisch, Pappenstiel, Kinkerlitzchen, Läpperei, Klacks ‖ Imbiss, Kostprobe, Mundvoll, Stückchen; *ugs.:* Happen, Bissen, Snack ‖ **eine K.:** ein wenig, bisschen/Quentchen/Hauch/Schuss, nicht viel/nennenswert, eine Spur/Winzigkeit/Prise/Idee

kleinkariert: *(ugs.):* krämerhaft, pedantisch, kleinkrämerisch, engherzig, -stirnig, spieß-, kleinbürgerlich, bieder, spießig, hinterwäldlerisch, provinziell, philiströs, intolerant, spießerhaft, eng, ohne Horizont, kleinleutemäßig, spitzfindig, bürokratisch, klein denkend, krähwinklig,

eindimensional, banausisch, haarspalterisch; *ugs.:* begrenzt, pinslig

Kleinkind: Kind, Kleines, Schoßkind, Spross, Sprössling; *ugs.:* Fratz, Bams, Balg, Spatz, Knirps, Dreikäsehoch, Zwerg, Bengel, Göre, Wurm, Matz, Pusselchen, Racker, Blag, Wicht, Steppke, Knopp ‖ → Säugling

Kleinkram → Kleinigkeit ‖ *ugs.:* Einzelheiten, Feinheiten, Details

kleinkriegen: *(ugs.):* bezwingen, jmds. Widerstandskraft brechen, zermürben, mürbe/gefügig machen, jmdm. beikommen, in den Griff bekommen, niederwerfen, in die Knie zwingen; *ugs.:* weichmachen, unterkriegen, -bekommen ‖ zerkleinern/-stückeln /-teilen /-trennen /-legen, auseinander nehmen/legen/schneiden können; *ugs.:* kleinmachen können ‖ → kaputtmachen ‖ ver-, aufbrauchen, verwirtschaften, aufzehren, konsumieren, vertun, -prassen, -schwenden, ausgeben; *ugs.:* verbraten, -buttern, durchbringen

kleinlaut: ver-, beschämt, (nieder)gedrückt, ver-, eingeschüchtert, still, verstummt, gesenkten Hauptes, betreten, verlegen, befangen; *ugs.:* klein, blamiert, geknickt, flügellahm, wie ein begossener Pudel, gedämpft

kleinlich: krämerhaft, kleinkrämerisch, engherzig, kleinmütig, klein denkend, eindimensional, haarspalterisch, banausisch, pedantisch, übergenau, kleinkariert, schulmeisterlich, päpstlicher als der Papst, spitzfindig, grundsätzlich, wortklauberisch, eng; *ugs.:* begrenzt, unlässig, pingelig, superklug, übergescheit ‖ berechnend, geizig, sparsam, karg; *ugs.:* knausrig, knickerig, knorzig, mickerig, schäbig, poplig, gnietschig

kleinmütig: mutlos, kleingläubig, -herzig, zaghaft, übervorsichtig, verzagt, schwachherzig, ängstlich, bange

Kleinod: Kostbarkeit, Wert-, Zierstück, Wertgegenstand, -sache, -objekt, Schatz, Juwel, Preziosen, Schmuck-, Prachtstück, Rarität, Zierrat, Bijouterie, Heiligtum
Kleinstadt → Städtchen
kleinstädtisch: provinziell, eng, ländlich, hinterwäldlerisch, bieder, spießbürgerlich, spießig, kleinbürgerlich, krähwinklig
Kleister → Klebstoff
kleistern → kleben
Klemme: Klammer, Spange ‖ → Not
klemmen: zwängen, halten, tragen ‖ blockieren, sperren ‖ quetschen, einzwängen, -schnüren, -drücken
Kleptomanie: Stehltrieb, -zwang
klerikal: geistlich, kirchlich, nicht weltlich, theologisch, sakral
Klerus: Priesterschaft, Priesterstand, Geistlichkeit; *abwertend:* Pfaffentum
klettern: (auf)steigen, erklimmen, bergauf gehen, emporklettern; *ugs.:* kraxeln, hochsteigen, krabbeln
Kletterpflanze: Spalier-, Rankengewächs, Schlingpflanze, -gewächs
Klient: Kunde, Auftraggeber, Mandant
Klientel: Kundenkreis, -stamm, Mandanten, Klienten
Klima: Wetter-, Witterungslage, Wetter ‖ Stimmung, Atmosphäre, Fluidum, Air, Flair, Dunstkreis, Ambiente, Kolorit, Ausstrahlung
Klimakterium: Wechseljahre, kritische Jahre, kritisches Alter; *med.:* Klimax
Klimbim → Firlefanz
klimpern: scheppern, klappern, klirren, krachen, rasseln, lärmen ‖ *ugs.:* spielen, musizieren, Musik machen; *ugs.:* wursteln, herumstümpern
Klingel: Glocke, Schelle, Bimmel, Gong
klingeln: läuten, gongen, die Glocke ziehen/drücken; *ugs.:* bimmeln; *reg.:* schellen

klingen: (er)tönen, lauten, (er)schallen, hallen, (er)dröhnen, erklingen, schwingen ‖ s. anhören, wirken, den Eindruck machen/hervorrufen, den Anschein haben, s. ausnehmen
Klinik: Krankenhaus, Hospital, Spital, Anstalt
Klinke: (Tür)griff, (Tür)drücker, Türklinke; *öster.:* (Tür)schnalle; *schweiz.:* Türfalle
Klippe: Riff, Felsklippe, Schroffe ‖ Hindernis, Pferdefuß, Gefahr, Schwierigkeit, Hürde, Barriere, Handikap; *ugs.:* eine harte Nuss, Haken, dicker Brocken
klirren: klappern, rasseln, surren, sirren, scheppern, klimpern, krachen, poltern
Klischee: Abklatsch, Nachahmung, -bildung, Kopie, Wiedergabe, Nach-, Auf-, Abguss, Reproduktion, Imitation ‖ Schablone, Gemeinplatz, Stereotyp
klitschnass → nass
Klo → Klosett
Kloake: Senk-, Sicker-, Mistgrube ‖ Abwässerkanal, Ablaufrohr, -rinne, Abzugsrinne, Gully
klobig: unförmig, plump, massig, grob, ungeschlacht, grobschlächtig, derb, unzierlich, schwerfällig, ungefüge, klotzig, ungraziös, vierschrötig, ungelenk, breit
klönen → plaudern
klopfen: schlagen, hämmern, ticken, pochen, trommeln; *ugs.:* bumsen, ballern, pumpern
Klops: Fleischkloß, -klößchen, Frikadelle, Bulette; *öster.:* Fleischlaberl; *reg.:* Fleischpflanzerl
Klosett: Toilette, Abort, WC, 00, Pissoir (Männer); *ugs.:* Klo, gewisses Örtchen, Häusl, Lokus, Thron; *derb:* Scheißhaus, Pinkelbude
Kloß: Knödel, Krokette ‖ → Fettwanst ‖ Klumpen, Brocken; *ugs.:* Frosch, Trumm, Flatschen

Kloster: Stift, Konvent, Abtei
Klosterbruder → Mönch
Klosterschwester → Nonne
Klotz: Kloben, Block, Brocken ‖
→ Grobian
klotzig → klobig ‖ → sehr
Klub: Verein, Organisation, Vereinigung, Bund, Ring, Verband, Zusammenschluss, Interessengemeinschaft, Liga, Union ‖ Klubhaus, Kasino, Kulturhaus, Heim
Kluft: Riss, Spalt, Abgrund, Tiefe, Schlucht, Krater, Klamm, Schlund, Schrund; *schweiz.:* Klus, Krachen ‖ Ferne, Abstand, Distanz, Gegensatz, Kontrast, Unterschied, Verschiedenheit, Antagonismus, Divergenz, Differenz, Diskrepanz, Wand, Mauer, Schranke, Barriere, Sperre ‖ → Kleidung
klug: intelligent, begabt, gescheit, vernünftig, -ständig, umsichtig, scharfsinnig, (auf)geweckt, weit blickend, gelehrig, wach, klar denkend, vernunftbegabt, geistreich, lern-, denkfähig, philosophisch, besonnen, überlegt, weise, mit Geist; *ugs.:* helle, nicht auf den Kopf gefallen, mit Köpfchen ‖ → schlau ‖ → erfahren
Klugheit: Intelligenz, Gescheitheit, -lehrtheit, Weisheit, Schlauheit, Scharfsinn, gesunder Menschenverstand, Gewitztheit, → Verstand ‖ → Erfahrung
Klugscheißer → Besserwisser
Klumpen: Brocken, Block; *ugs.:* Batzen, Trumm, Flatschen
Klüngel → Gruppe
knabbern: nagen, herumbeißen, mümmeln; *reg.:* knuppern ‖ knacken
Knabe: Junge, Bub(e), Jüngling, der Kleine, Kind, Sohn; *ugs.:* Bursche, Bürschchen, Bengel, Hüpfer, Pimpf, Kerl, Knirps, Wicht, Steppke, Dreikäsehoch, halbe Portion
knacken: aufbrechen, -knacken, -beißen, -machen, zerdrücken ‖

→ aufbrechen ‖ krachen, knirschen, rascheln, rumoren, rattern ‖ → lösen
Knackpunkt: Lösung, Schlüssel, das, worauf es ankommt
Knacks: *(ugs.):* Sprung, Riss, Knick, Ritz(e) ‖ Schaden, Beeinträchtigung, Misserfolg, Bruch, Entzweiung, Lähmung, Einbuße, Schädigung, Abwertung ‖ Defekt, Gebrechen, Störung, Makel; *ugs.:* Schlag, Knick in der Optik, Dachschaden, Knall, Fimmel, Macke, Tick
Knall: (Donner)schlag; *ugs.:* Bums, Polterer, Krach ‖ → Knacks
knallen: krachen, donnern, grollen, knattern, poltern, böllern; *ugs.:* scheppern, bullern ‖ → schießen ‖ → koitieren ‖ **jmdm. eine k.** → ohrfeigen
knalleng → eng
knallig: *(ugs.):* grell, schreiend, leuchtend, auffallend, in die Augen fallend/stechend, reißerisch, aufdringlich; *ugs.:* aufgedonnert
knapp: rar, selten, kaum zur Verfügung, nicht vorrätig/da/vorhanden ‖ → kläglich ‖ → kurz ‖ → kaum ‖ → eng ‖ **k. bei Kasse** → zahlungsunfähig
knapp halten → kurz halten
Knappheit: Mangel, Verknappung, Beschränktheit, Not, Bedürftigkeit, Kargheit, Bedrängnis, Entbehrung ‖ Enge
Knarre → Gewehr ‖ Rassel, Klapper; *reg.:* Ratsche
knarren: ächzen, schnarren, knattern, krachen
Knast → Gefängnis
Knatsch → Streit
knattern: knarren, krachen, poltern, knallen, donnern, böllern; *ugs.:* scheppern, bullern, ötteln
Knäuel: Bündel, Paket, Packen, Ballen, Stoß, Fülle, Durcheinander, Wirrsal, Chaos, Gewirr, Wirrwarr, Wust, Komplex, Ansammlung; *ugs.:*

Mischmasch, Kuddelmuddel, Sammelsurium ‖ Bausch; *reg.:* Knaul
Knauf: Griff, Knopf, Henkel, Heft, Schaft
Knauser → Geizkragen
knauserig → geizig
knausern → geizen
knautschen → knittern
knebeln: fesseln, an Händen/Füßen binden, Ketten/Fesseln anlegen, an-, festbinden ‖ → knechten
Knecht: Arbeitskraft, Feld-, Landarbeiter ‖ Untergebener, Diener, Abhängiger, Sklave, Ausgebeuteter ‖ (Stall)bursche
knechten: niederhalten, beherrschen, unterdrücken, versklaven, knebeln, ducken, tyrannisieren, unterjochen, ins Joch spannen, in Schach halten, paralysieren, nicht auf-/hochkommen lassen, terrorisieren, bedrängen, jmdm. das Rückgrat brechen, drangsalieren, in Unfreiheit halten, jmdm. seinen Willen aufzwingen, jmdn. kurz halten; *ugs.:* klein halten
knechtisch: unterwürfig, -tänig, kriecherisch, ergeben, sklavisch, servil, devot, hündisch, buhlerisch, duckmäuserisch, liebedienerisch, speichelleckerisch, fügsam, ohne Stolz, submiss, fußfällig; *ugs.:* ohne Rückgrat
Knechtschaft: Unterdrückung, Unfreiheit, Joch, Repression, Sklaverei, Unterjochung, Versklavung, Knebelung, Terror, Bedrückung, Zwang, Freiheitsberaubung, Einschränkung, Fessel, Drangsalierung, Last, Kreuz, Bürde, Abhängig-, Hörigkeit
kneifen: zwicken, zwacken; *reg.:* kneipen, petzen ‖ → s. entziehen
Kneipe → Gaststätte
Knete → Geld
kneten: (durch)walken, durchkneten, -arbeiten, quetschen, drücken, vermengen; *reg.:* durchwirken ‖ massieren, durchreiben

Knick: Falte, Falz, Kante, Bruch, Kniff ‖ Sprung, Riss, Ritz(e); *ugs.:* Knacks ‖ → Kurve
knicken: ein-, umknicken, kniffen, falten, (an)brechen, umbiegen, -schlagen; *ugs.:* knacksen
knickrig → geizig
Knie → Biegung ‖ **übers Knie legen** → schlagen
kniefällig → flehentlich
knien: auf den Knien liegen, niederknien, s. hinknien, auf die Knie fallen
Kniff: Falte, Knick, Falz, Kante, Bruch ‖ → Trick
knifflig → heikel
knipsen: *(ugs.):* lochen, perforieren, entwerten (Fahrschein), stempeln; *ugs.:* zwicken ‖ → fotografieren
Knirps → Knabe ‖ → Zwerg
knirschen: knistern, ratschen, knacken
knistern: rascheln, knirschen, prasseln, zischen, knacken
knittern: Falten werfen, zerknittern, (zer)knüllen, sich zusammendrücken; *ugs.:* (zer-, ver)knautschen, verkrumpeln, verkrunkeln
knobeln → denken
Knochen: (Ge)bein, Skelett, Gerippe
Knochenarbeit → Mühe
knochendürr → dünn
knochenhart → hart
knochig → dünn
knockout → k. o.
Knödel: Kloß, Krokette
knorrig: knorzig, knollig, klumpig; *reg.:* knubbelig ‖ → eigensinnig
knospen → keimen
knoten: einen Knoten machen, zusammenbinden, -knüpfen, -schnüren
Knoten: Verschlingung, -knüpfung, -wicklung ‖ Dutt, Chignon, Nest, Haarknoten ‖ Geschwulst, Verdickung, Wulst, Verhärtung, Auswuchs; *ugs.:* Knubbel, Knuddel
Knotenpunkt: Mittel-, Schnitt-, Kreuzungs-, Dreh-, Konvergenz-,

Sammel-, Brenn-, Schwerpunkt, Mitte, Kern, Zentrum, Herz(stück), Nabel (der Welt), Tummelplatz, Center, Hochburg, Achse, Pol, Puls, Seele, Scheitel

Know-how → Erfahrung

Knuff → Stoß

knuffen → stoßen

knüllen → knittern

Knüller → Attraktion

knüpfen: binden, (zusammen)knoten, -schnüren, -flechten; *gehoben:* winden

Knüppel: Schlagstock, Knüttel, Prügel, Stecken, Rohrstock, spanisches Rohr

knurren: brummen, murren; *ugs.:* brummeln, granteln, gnatzen, schnauzen ‖ → nörgeln

knurrig → mürrisch

knusprig: rösch, kross; *reg.:* krosch; *öster.:* resch ‖ jung, frisch, blühend, anziehend, lecker; *ugs.:* knackig

Knust → Kanten

Knute: Peitsche, Gerte, Rute, Karbatsche, Geißel, Kantschu, Ziemer, neunschwänzige Katze ‖ Macht, Gewalt, Herrschaft

knutschen → küssen

k. o. → erschöpft ‖ knockout, schachmatt, besiegt, am Boden liegend, außer Gefecht, bezwungen, kampfunfähig, unterlegen

koalieren → s. verbünden

Koalition: Bündnis, Bund, Vereinigung, Zusammenschluss, Verbindung, Interessengemeinschaft, Pakt, Allianz

Kobold → Zwerg

kochen: das Essen (zu)bereiten/machen/richten; *ugs.:* zusammenbrauen ‖ sieden, garen, weich machen/kochen, gar machen; *reg.:* wellen ‖ erhitzen, (auf)brühen, zum Kochen bringen, aufkochen, brodeln, aufwallen ‖ → s. ärgern ‖ → kriseln

kochend heiß → heiß

kochfest → waschecht

Kode: Schlüssel (einer Geheimschrift), Chiffre, Geheimzeichen ‖ Telegrafenschlüssel, Depeschenkode

Köder: Lockvogel, -mittel, -speise, Reiz-, Zugmittel, Anziehungspunkt, Magnet

ködern → anlocken

Kodex: Handschrift(ensammlung) ‖ Gesetzbuch, Gesetzessammlung ‖ Verhaltensregeln, -vorschriften

Kohl: Kraut; *reg.:* Kappes; *schweiz.:* Kabis ‖ → Unsinn

Kohldampf → Hunger

Kohle → Geld

Kohlepapier: Karbon-, Blau-, Durchschlagpapier

Kohlrübe: Steckrübe, Runkelrübe; *reg.:* Wruke

Koinzidenz: Zusammentreffen, Zusammenfall

koitieren: (Geschlechts)verkehr/intime Beziehungen haben, s. lieben, begatten, kopulieren, mit jmdm. schlafen/ins Bett gehen/zusammen sein/intim werden/ein Abenteuer haben, den Akt/Beischlaf vollziehen, (eine Frau) beschlafen, s. verbinden/-einigen, beiwohnen, -liegen, s. hingeben, einswerden, s. schenken, jmdm. zu Willen sein, die ehelichen Pflichten erfüllen, einander gehören/befriedigen, verschmelzen, zeugen, schwängern, s. mit jmdm. einlassen/abgeben, sündigen; *biblisch:* erkennen; *ugs.:* s. paaren, es mit jmdm. haben/treiben/machen, mit jmdm. ins Bett steigen, jmdn. vernaschen, mit jmdm. spielen; *derb:* bumsen, ficken, rammeln, pimpern, knöpern, hacken, rupfen, rüpfen, jmdn. ran-/rauflassen, bespringen, eine Nummer schieben, bürsten, stoßen, aufs Kreuz legen, umlegen, orgeln, hopsen, vögeln, mausen, besteigen, knallen, einen wegstecken, pudern, stopfen, schnackseln, ballern

Koitus → Geschlechtsverkehr

Koje: Schiffsbett ‖ → Bett ‖ Ausstellungsstand, -raum

Kokain: *ugs.:* Coke, White Stuff, Schnee, Snow, Coco, C, Charley, Koks, Caesar

kokett: gefall-, putzsüchtig, eitel, geziert, selbstgefällig, eingebildet, stutzer-, geckenhaft

kokettieren: s. interessant machen, seine Reize spielen lassen, jmdn. zu reizen versuchen, Gefallen zu erregen suchen, s. gefallen in, aufreizen, herausfordern, charmieren, s. aufspielen/-blasen/-plustern, s. wichtig machen, s. brüsten, großtun, s. in Szene setzen, s. in den Vordergrund stellen; *ugs.:* dick auftragen, eine Schau abziehen, s. herausstreichen ‖ → flirten

Kokolores → Unsinn

Kokotte → Prostituierte

Koks → Kokain ‖ → Geld ‖ → Unsinn

Kolik: Leibschmerzen, Krampf

kollabieren: einen Kollaps/Zusammenbruch/Schwächeanfall erleiden, zusammenbrechen, ohnmächtig werden, in Ohnmacht fallen, umfallen; *ugs.:* schlappmachen, alle viere von s. strecken, umkippen, zusammenklappen, Sterne sehen

kollaborieren: mit dem Feind zusammenarbeiten/-wirken, Hand in Hand arbeiten, kooperieren, am gleichen Strang ziehen

Kolleg: Hochschulvorlesung ‖ Fernunterricht, -studium

Kollege: Mitarbeiter, Arbeitskamerad, Amtsbruder, Fach-, Betriebs-, Berufsgenosse, Kumpel

kollegial: kameradschaftlich, wie unter Kollegen, hilfsbereit, gefällig, partnerschaftlich, solidarisch, loyal, freundschaftlich

Kollegium: Ausschuss, Körperschaft, Gremium, Beirat, Komitee,

Rat, Kreis, Kommission, Team, Kollektiv, Kollegenschaft

Kollekte: (kirchliche) Geld-, Spendensammlung, Spendenaktion

Kollektion: Auswahl, Sortiment, (Muster)sammlung, Zusammenstellung

kollektiv → gemeinsam

Kollektiv: Gruppe, Team, Aktiv, Arbeits-, Produktionsgemeinschaft, Gespann, Brigade, Ensemble, Stab, Arbeitsgruppe

kollektivieren: in Kollektiv-/Volkseigentum überführen, vergesellschaften, -gemeinschaften, -staatlichen, sozialisieren, nationalisieren, enteignen, expropriieren

Koller → Wutausbruch

kollidieren: aufeinander prallen, zusammenstoßen, -prallen, karambolieren, s. ineinander verkeilen, rammen; *ugs.:* zusammenkrachen, -knallen, -rumpeln, -rumsen, -rauschen, -rasseln ‖ s. überschneiden/-lappen/-kreuzen, zusammenfallen, zusammenlaufen, zusammentreffen, konvergieren ‖ → s. streiten

Kollision → Zusammenstoß ‖ → Streit

Kolloquium: Fachgespräch, Gedanken-, Meinungsaustausch, Beratschlagung, Diskurs, Erörterung, Diskussion, Besprechung, Konsultation, Beratung, Aussprache, Debatte, Konsilium, Sitzung, Tagung, Konferenz, Symposion, Symposium, Versammlung

Kolonie: (An)siedlung, Niederlassung, Ort, Gemeinde, Gründung, Standort, Flecken ‖ (Ferien)lager ‖ Tierverband, -gruppe ‖ Überseebesitz, Auslandsterritorium

kolonisieren: urbar/nutzbar machen, (wirtschaftlich) erschließen, entwickeln, kultivieren, besiedeln, -völkern, Siedlungen/Besitzungen gründen

Kolonne: Schar, Zug, Pulk, Reihe, Trupp(e), Treck; *ugs.:* Schwarm, Schub, Haufen, Herde, Horde ‖ Verband, Einheit, Abteilung, Gruppe, Kommando, Geschwader, Mann-, Belegschaft

Kolorit: Farbgebung, -wirkung, farbliche Gestaltung, Kolorierung ‖ Klangfarbe, -wirkung, Timbre, Tonfarbe, Klang(art), Farbton, Sound ‖ Stimmung, Atmosphäre, Ausstrahlung, Fluidum, Flair, Ambiente, Besonderheit

Koloss: Hüne, Riese, Gigant, Goliath; *ugs.:* Bulle, Turm, Schlagetot, Lulatsch, Schlaks ‖ → Fettwanst

kolossal → gewaltig ‖ → sehr

kolportieren → ausplaudern

Kolumne: (Zeitungs)spalte, Rubrik, Abschnitt ‖ Zahlenreihe

Koma: tiefe Bewusstlosigkeit, Ohnmacht, Besinnungslosigkeit

Kombination: Zusammenstellung, -fügung, -spiel, Verknüpfung, -bindung, -schmelzung, Arrangement ‖ Arbeits-, Schutzanzug, Overall ‖ Ziffernfolge (Tresor), Schlüssel, Kode, Chiffre ‖ Gedankenspiel, Folgerung, Ableitung, Hypothese, Assoziation, Gedankenverbindung, Schluss, Synthese

kombinieren: (gedanklich) verbinden, -knüpfen, -schmelzen, zusammenfügen, -schmieden, -stellen, aneinander fügen, koppeln, (schluss)folgern, schließen

Komet: Schweif-, Haar-, Irrstern

kometenhaft → schnell

komfortabel: bequem, -haglich, wohnlich, angenehm, mit Komfort, gemütlich, wohlig, heimelig

Komiker → Spaßvogel

komisch: erheiternd, drollig, spaßig, putzig, köstlich, possenhaft, ulkig, närrisch, burlesk, witzig, skurril, kauzig, originell, amüsant, zum Lachen, trocken, humorvoll, belustigend, lustig, vergnüglich; *ugs.:* zum Schießen/ Brüllen, urkomisch, gelungen, spleenig ‖ → merkwürdig

Komitee → Ausschuss

Kommandeur: Befehlshaber, Kommandant, Heerführer

kommandieren: befehligen, den Befehl haben über, Befehle/Anweisungen erteilen, Befehlsgewalt besitzen, führen, Befehl/Order geben ‖ → anordnen

Kommando: Befehl, Anordnung, Weisung, Bestimmung, Auftrag, Order, Aufforderung, Gebot, Direktive, Diktat, Verordnung, Erlass, Edikt, Verfügung ‖ Verband, Einheit, Truppe, Kolonne, Gruppe, Abteilung, Teil

kommen: gelangen, s. einfinden, eintreffen, herbei-, an-, daher-, heran-, her-, hin-, entgegenkommen, s. nähern, s. nahen, s. herbemühen, erreichen, anlangen, landen, einlaufen, zukommen auf, näher kommen, des Weges/gegangen kommen, anrücken, -marschieren, -rollen, (auf der Bildfläche) erscheinen, im Anmarsch/Anzug sein, s. einstellen; *ugs.:* aufkreuzen, -tauchen, eintrudeln, anspaziert/-gestiefelt/-gewackelt kommen, antanzen, s. blicken lassen, hereinschneien, anzittern ‖ bevorstehen, s. ankündigen, zu erwarten sein, s. bemerkbar machen, s. abzeichnen, s. andeuten/-bahnen; *ugs.:* s. zusammenbrauen, seine Schatten vorauswerfen ‖ in Erscheinung treten, hervorkommen, sichtbar werden, an die Oberfläche kommen, auftreten, -tauchen, s. zeigen, eintreten, auf den Plan treten, zum Vorschein kommen, Wirklichkeit werden, s. erfüllen, s. bestätigen ‖ **hinter etwas k.** → aufspüren ‖ **k. von** → stammen von ‖ **k. aus** → stammen ‖ **zu sich k.** → s. erholen ‖ **zugute k.** → nutzen

Kommentar → Erklärung
kommentieren → erklären
kommerziell: geschäftlich, ökonomisch, gewerblich, kaufmännisch, merkantil, auf Gewinn/Profit bedacht
Kommilitone: Mitstudent, Studiengenosse, -kollege, -freund
Kommiss → Kriegsdienst
Kommissar: Bevollmächtigter, Kommissär, Beauftragter, Agent, Sachverwalter
Kommission → Ausschuss
kommod → gemütlich
Kommune: Gemeinde, Ort, Gemeinwesen, Dorf ‖ Wohn-, Interessen-, Wirtschaftsgemeinschaft, WG, Wohngruppe
Kommunikation: (Ver)bindung, Zusammenhang, Band, Bezug, Relation, Beziehung, Konnex, Nexus, Verhältnis ‖ Verständigung, Kontakt, Verkehr, Interaktion, Brückenschlag, Informationsübermittlung
Kommunikee → Kommuniqué
Kommunion → Abendmahl
Kommuniqué → Bekanntmachung
kommunistisch → links
kommunizieren: Verbindung/Kontakt haben, in Beziehung/Interaktion/Verkehr stehen mit, → s. unterhalten ‖ die Kommunion empfangen, das Abendmahl nehmen, zur Kommunion/zum Abendmahl gehen
Komödie: Lust-, Possenspiel, Posse, Farce, Schwank, Burleske; *ugs.:* Klamotte, Gaudistück
Kompagnon: Teilhaber, Mitinhaber, Partner, Gesellschafter, Sozius, Associé
kompakt: dicht, massiv, fest (gefügt), eng, gedrängt, (zusammen)gepresst ‖ gedrungen, stämmig, untersetzt, bullig; *med.:* pyknisch
Kompanie: Truppeneinheit, -teil, Truppe, Garnison, Bataillon, Regiment, Formation, Heeresverband ‖

→ Herde ‖ Unternehmen, (Handels)gesellschaft, Firma, Konzern; *veraltet:* Compagnie
Komparse: Statist, stumme Rolle, Figurant
Kompendium: Lehr-, Handbuch, Abriss, Leitfaden, Ratgeber, Einführung, Führer, Nachschlagewerk, Vademekum
Kompensation: Ausgleich, Aufwiegung, Angleichung, Ersatz, Abhilfe ‖ Erstattung, Vergütung, Entschädigung, Verrechnung, Abfindung, Wiedergutmachung, Abgeltung
kompensieren → ausgleichen
kompetent: zuständig, maßgebend, urteilsfähig, maßgeblich, ausschlaggebend ‖ befugt, verantwortlich, berechtigt, ermächtigt, autorisiert
komplett: vollständig, (ab)geschlossen, fertig, vollendet, ausgeführt, fertig gestellt, vollkommen, umfassend, vervollständigt, vollzählig, total, lückenlos, ausgereift, perfekt, rund, aus einem Guss, tadellos ‖ → ganz
komplettieren → ergänzen
komplex: kompliziert, vielschichtig, zusammengesetzt, -hängend, beziehungsreich, verwickelt, -flochten, -zweigt, -schlungen, -strebt, -worren, mehrteilig, unübersichtlich, schwer zugänglich, schwer fassbar, schwer verständlich; *ugs.:* vertrackt, verzwickt
Komplex: Einheit, Gesamtheit, Gruppe, Gebiet, Trakt, Block, Gefüge, Anlage, Gebilde, Bereich, Feld ‖ → Minderwertigkeitskomplex
Komplice → Komplize
Komplikation: Schwierigkeit, Verwicklung, Erschwerung, -schwernis ‖ → Not
Kompliment: Höflichkeitsbekundung, Schmeichelei, schöne Worte, Artigkeit, Aufmerksamkeit, Bewunderung; *ugs.:* Lobhudelei, Schöntuerei, -rederei, Honig

Komplize: Mittäter, -schuldiger, -beteiligter, Konsorte, (Helfers)helfer, Sympathisant, Kumpan, Handlanger, Mitwissender, Spießgeselle; *öster.:* Komplize

kompliziert: schwierig, diffizil, mit Schwierigkeiten verbunden, heikel, problematisch, prekär, verwickelt, unübersichtlich, schwer zugänglich/verständlich/zu fassen, komplex, verflochten, -schlungen, dornig, mühsam, schwer, subtil; *ugs.:* knifflig, vertrackt, -zwickt, eine harte Nuss

Komplott: Verschwörung, Anschlag, Intrige, Konspiration, Geheimbündelei, Unterwanderung, Attentat, Überfall, Angriff

Komponente: Bestandteil, Teilkraft, Element, Seite, Ingrediens, Zubehör

komponieren: kunstvoll zusammensetzen, anordnen, aufbauen, aufeinander abstimmen, arrangieren, zusammenstellen, in eine bestimmte Ordnung/Reihenfolge bringen ‖ vertonen, in Töne setzen, ein Musikstück verfassen

Komponist: Tonkünstler, -setzer, -schöpfer, -dichter

Komposition: Zusammensetzung, -stellung, Aufbau, Arrangement, Anordnung, Gliederung, Mischung ‖ Musikwerk, -stück, Tondichtung, -stück

Kompost: Naturdünger, Dung, Mist

Kompresse: (feuchter) Umschlag, Wickel, Packung

komprimieren: zusammendrücken, -drängen, -ziehen, verdichten, kürzen, straffen, konzentrieren

komprimiert → kurz

Kompromiss: Ausgleich, Verständigung, Übereinkunft, Vergleich, Einigung, Abmachung, Zugeständnis, Entgegenkommen, Konzession, Einräumung, (Zwischen)lösung, Mittelweg

kompromittieren → blamieren

kondensieren: verflüssigen, -dichten, komprimieren ‖ verkochen, -dampfen, -dicken, eindampfen, -dicken; *Fachsp.:* evaporieren

Kondition: körperliche Verfassung, Beschaffenheit, Zustand, Leistungsfähigkeit, Form ‖ → Bedingung

Konditorei: Feinbäckerei; *reg.:* Zuckerbäckerei; *schweiz.:* Konfiserie, Patisserie

kondolieren: sein Beileid aussprechen/bezeigen/bekunden/ausdrücken, seine Teilnahme bezeigen

Kondom: Präservativ, Gummischutz-, Verhütungsmittel; *ugs.:* Pariser, Überzieher, Flopp, Präser; *schweiz.:* Verhüterli

Konfekt: Süßigkeiten, Pralinen, Nasch-, Zuckerwerk, Fondant, Süßwaren, Schleckereien, Näschereien, Leckereien

Konfektion: Fertig-, Serienbekleidung; *ugs.:* Kleidung von der Stange

Konferenz: Beratung, Sitzung, Besprechung, Unterredung, Session, Symposion, Symposium, Verhandlung, Tagung, (Gipfel)treffen, Versammlung, Konvent

konferieren: (be)ratschlagen, Rat halten, s. beraten/-sprechen/-reden, erörtern, tagen, s. zusammensetzen, zusammentreten, verhandeln, diskutieren, Verhandlungen führen, eine Sitzung/Konferenz/Tagung abhalten, s. austauschen

Konfession: (Glaubens)bekenntnis, Religion, Glaube ‖ Bekenntnisschrift, Offenbarung, (Ein)geständnis, Beichte

Konfirmation: Einsegnung

konfiszieren → beschlagnahmen

Konfitüre: Marmelade, Jam; *schwäb.:* Gsälz, Fruchtaufstrich

Konflikt → Auseinandersetzung ‖ Zwiespalt, Zerrissenheit, Unentschiedenheit, Widerstreit, Unschlüssigkeit, Schwierigkeit, Bedrängnis,

können

Kalamität, Ratlosigkeit, Engpass, Notlage, Bredouille, Dilemma; *ugs.:* Klemme, Zwickmühle, Patsche

Konföderation: Bündnis, Staatenbund, Zusammenschluss, Vereinigung, Föderation, Bundesstaat, Verband

konföderieren → s. verbünden

konform: übereinstimmend, einig, gleichgesinnt, -gerichtet, einheitlich, unterschiedslos, uniform, einhellig, entsprechend, gleichgeordnet, korrespondierend ‖ **k. gehen:** entsprechen, eines Sinnes/einer Meinung sein, im Einklang stehen mit, übereinstimmen, jmdm. beipflichten/Recht geben, → s. anpassen, → billigen

Konfrontation → Auseinandersetzung ‖ Gegenüberstellung, Vergleich

konfrontieren → gegenüberstellen ‖ **sich k. mit** → s. beschäftigen mit

konfus: verwirrt, -worren, -stört, -dutzt, -dreht, kopflos, durcheinander, fahrig, wirr, desorientiert, zerfahren, kopfscheu, konsterniert; *ugs.:* durchgedreht, verdattert ‖ ungeordnet, chaotisch, wirr, diffus (kunter)bunt, zusammenhanglos, ohne Zusammenhang, beziehungs-, plan-, sinnlos, undurchsichtig, -ausgegoren, -verständlich, -zusammenhängend, -verbunden, -gereimt, -klar, -übersichtlich, abstrus, kraus, abgerissen; *ugs.:* wie Kraut und Rüben

Konfusion → Verwirrung ‖ → Unordnung

kongenial: geistesverwandt, geistig ebenbürtig, gleichgesinnt, wesensgleich, gleichrangig, -wertig

Konglomerat: Gemenge, Zusammengewürfeltes, -setzung, -getragenes, -ballung, Gemisch, Mischung, Mixtur, Durcheinander, Mengung, Vielerlei, Mixtum Compositum, Kunterbunt, Sammlung; *ugs.:* Sammelsurium, Klitterung, Ragout

Kongress → Tagung

kongruent: übereinstimmend, deckungsgleich, gleich, identisch, s. deckend, zusammenfallend, s. genau entsprechend, konvergent, unterschiedslos, gleichartig, konform, dasselbe, eins, konvergierend

königlich: majestätisch, erhaben, würdevoll, feierlich, hoheitsvoll, gravitätisch, Achtung gebietend, ehrwürdig ‖ → fürstlich

konjugieren: beugen, flektieren, deklinieren, abwandeln

Konjunktur: Wirtschaftslage, wirtschaftliche Entwicklung

Konklusion → Folgerung

konkret: wirklich, gegenständlich, anschaulich, sinnlich wahrnehmbar, greifbar, fest umrissen, dinglich, faktisch, tatsächlich, realitär, vorhanden, real, existent, bestehend, körperlich, dinghaft, stofflich, fassbar, im Zusammenhang, deutlich

konkretisieren → veranschaulichen

Konkubine → Geliebte

Konkurrent → Gegner

Konkurrenz: Wettstreit, -bewerb, -kampf, Rivalität, Gegnerschaft, Nebenbuhlerschaft, Wirtschafts-, Erwerbskampf ‖ (Wett)spiel, Turnier, Kampfspiel, Rennen, Wettlauf, Begegnung ‖ → Gegner

konkurrenzfähig: wettbewerbsfähig, auf gleicher Höhe/Stufe, wettbewerbsorientiert, der Konkurrenz gewachsen

konkurrieren: jmdm. Konkurrenz machen, mit jmdm. im Wettbewerb stehen, in Wettbewerb treten, wettstreiten, -eifern, rivalisieren, ankämpfen/-gehen gegen

Konkurs: Zahlungsunfähigkeit, -einstellung, Bankrott, finanzieller/wirtschaftlicher Zusammenbruch, Ruin, Geschäftsaufgabe, Illiquidität, Nonvalenz, Insolvenz; *ugs.:* Pleite

können: fähig/in der Lage/imstande/gewachsen/mächtig sein, beherrschen, s. verstehen auf, im Griff/in der Hand haben, Bescheid wissen, meistern, vermögen, nicht schwer fallen, taugen zu; *ugs.:* bringen, s. leicht tun, aus dem Ärmel schütteln ‖ berechtigt/erlaubt/befugt/gestattet/ermächtigt sein, die Genehmigung/Möglichkeit/Einwilligung/Macht/Erlaubnis/das Recht haben ‖ denkbar sein, im Bereich des Möglichen liegen, nicht von der Hand zu weisen sein; *ugs.:* drin sein

Können → Fähigkeit

Könner → Fachmann

Konnex → Kommunikation

Konsens → Erlaubnis ‖ Einverständnis, Übereinkommen, Anerkennung, Einvernehmen, Einigkeit, Eintracht, Gleichsinn, Einhellig-, Einmütig-, Gemeinsamkeit

konsequent: folgerichtig, logisch, folgerecht, schlüssig ‖ beständig, -harrlich, zielstrebig, streng, planmäßig, stetig, fest, standhaft, zäh, unbeirrt, systematisch, eisern, entschlossen, energisch, resolut, willensstark, charakterfest, ausdauernd, hartnäckig, geradlinig, unerschütterlich

Konsequenz → Folge ‖ Folgerichtigkeit, Logik, Systematik, Strenge ‖ → Beständigkeit

konservativ → reaktionär

Konservatorium → Musikhochschule

Konserve: Konservendose, -büchse, Blechdose, -büchse

konservieren: haltbar machen, einkochen, -legen, -machen, -wecken, -dicken, -(ge)frieren, -pökeln, -dosen, marinieren, tiefkühlen, kandieren ‖ erhalten, aufbewahren, pflegen, instand halten, hüten, schonen, schützen, warten, umsorgen, in Ordnung halten

Konsistenz → Beschaffenheit ‖ Dichte, Dickflüssigkeit, Zähigkeit, Dichtheit, Festigkeit

Konsole: Mauervorsprung, Träger, Stützbalken ‖ Wandbrett, -gestell, Regal, Bord

konsolidieren → festigen

Konsorte → Komplize

Konspiration → Komplott

konspirativ: verschwörerisch, geheimbündlerisch, im Untergrund arbeitend, klandestin ‖ → geheim

konspirieren → s. verschwören

konstant → dauernd

Konstanz → Beständigkeit

konstatieren → feststellen

Konstellation: Lage, Situation, Zusammentreffen von Umständen, Verhältnisse, Umstände, Sachlage, Status, Stellung (Sterne), Gruppierung, Stand, Gegebenheiten

konsterniert: betroffen, -stürzt, entsetzt, verstört, -wirrt, -dutzt, durcheinander, konfus, überrascht, entgeistert, fassungslos, wie vor den Kopf geschlagen, außer Fassung, betreten, verblüfft, perplex, sprachlos; *ugs.:* verdattert, platt

konstituieren: bilden, (be)gründen, errichten, schaffen, aufbauen, stiften, ins Leben rufen, herbeiführen, etablieren, bewirken, aus der Taufe heben, festsetzen, hervorbringen ‖ **sich k.:** zusammentreten, s. bilden, s. zusammensetzen

Konstitution: Körperverfassung, -beschaffenheit, -zustand, Form ‖ Zusammensetzung (Chemie), Struktur, Anordnung, Gliederung, Aufbau, Gefüge ‖ Verfassung, Grundgesetz, Rechtsbestimmung, Satzung ‖ Konzilbeschluss, päpstlicher Erlass

konstruieren → entwerfen

Konstruktion → Entwurf ‖ Bauwerk, Baulichkeit, Komplex, Anlage, Gebilde ‖ Entwicklung, Bau, Herstellung, Anfertigung, Erschaffung, Montage, Zusammenbau ‖ Bauart, Gefüge, Aufbau, Struktur, Zusammensetzung ‖ → Fiktion

konstruktiv → fruchtbar ‖ → schöpferisch
Konsulat → Gesandtschaft
Konsultation: Beratung, Unterredung, Konsilium, Aussprache, Erörterung, Befragung, Orientierung
konsultieren: jmds. Rat einholen, um ein Urteil bitten, (be)fragen, zurate ziehen
Konsum: Verbrauch, Konsumption, Verzehr, Konsumierung
Konsument: Verbraucher, Käufer, Kunde, Abnehmer, Bedarfsträger
Konsumgesellschaft: Wohlstands-, Überfluss-, Wegwerfgesellschaft
Konsumgüter: Gebrauchsgüter, -waren, Bedarfsgüter, -artikel, -gegenstände
konsumieren: (ver-, auf)brauchen, verzehren, essen
Kontakt: Berührung, Verbindung, Beziehung, Umgang, Anschluss, Verhältnis, Kommunikation, Tuchfühlung, Verkehr, Konnex, Interaktion, Brückenschlag ‖ **K. aufnehmen:** Verbindung/Beziehung aufnehmen, ins Gespräch kommen, Fühlung nehmen, s. annähern, zukommen auf, das Eis brechen; *ugs.:* s. heranmachen
kontaktarm: kontaktscheu, verschlossen, ungesellig, zurückhaltend, menschenscheu, unzugänglich, zugeknöpft, verhalten, introvertiert
kontaktfreudig → gesellig
Kontaktlinse: Kontakt-, Haftschale, Haft-, Kontaktglas
Kontaktmann: Verbindungs-, Mittels-, Gewährsmann, Vermittler, Bindeglied
kontemplativ: beschaulich, anschauend, betrachtend, erbaulich, betrachtsam, innerlich, besinnlich
kontemporär: gleichzeitig, zeitgenössisch, gegenwärtig, zur Zeit, jetzig, heutigentags
Konterfei → Bildnis·

kontern: zurückschlagen, einen Gegenschlag versetzen, antworten, entgegnen, dagegenhalten, begegnen, Kontra geben, abwehren, s. zur Wehr setzen, selbst angreifen, erwidern
Kontext: Zusammenhang, Bezugsrahmen, Text, Umgebung
Kontinent: Erd-, Weltteil ‖ Festland
Kontingent: (An)teil, Menge, Quote, Teilhabe, Dosis, Rate ‖ Pflichtbeitrag, Abgabe ‖ Truppenstärke
kontinuierlich → dauernd
Kontinuität → Beständigkeit
kontra: wider, gegen
kontradiktorisch → gegensätzlich
Kontrahent: Vertragspartner ‖ → Gegner
Kontrakt: Vertrag, -einbarung, Abkommen, -machung, Übereinkunft, Pakt, Abschluss
konträr → gegensätzlich
Kontrast → Gegensatz ‖ → Unterschied
kontrastieren: s. abheben/-grenzen von, in Gegensatz/Kontrast/Opposition stehen zu, abstechen gegen, einen Kontrast bilden, s. unterscheiden, differieren, divergieren, abweichen; *ugs.:* aus der Reihe/dem Rahmen fallen ‖ → gegenüberstellen
Kontrolle: Überwachung, Aufsicht, Beaufsichtigung, Beobachtung, Wacht, Zensur ‖ (Über-, Nach)prüfung, Besichtigung, Probe, Durchsicht, Untersuchung, Stichprobe, Revision, Visitation, Musterung, Inspektion, Test, Inspizierung; *ugs.:* Probe aufs Exempel ‖ Beherrschung, Gewalt, Herrschaft, Macht, Übersicht, Regiment
Kontrolleur: Prüfer, Inspekteur, Aufsichtsbeamter, Inspizient; *ugs.:* Aufpasser; *öster.:* Kontrollor
kontrollieren: überwachen, (nach-, über)prüfen, untersuchen, ein-, nachsehen, inspizieren, begutachten, abnehmen, besichtigen, mustern,

examinieren, kritisch betrachten, testen, s. überzeugen, durchsehen, -gehen, -suchen, s. vergewissern, nach dem Rechten sehen/schauen, einer Revision/Prüfung unterziehen, einer Kontrolle unterwerfen, nachzählen, -rechnen, visitieren, (ab)checken, nachschauen, revidieren, ein wachsames Auge haben auf; *ugs.:* unter die Lupe nehmen, auf die Finger schauen

Kontroverse → Auseinandersetzung

Kontur: Umriss(linie), Silhouette, Schattenriss, Linie

konturieren → umreißen

Konvent: Kloster, Stift, Abtei ‖ Versammlung, Zusammenkunft, Konzil, Tagung, Synode, (Zusammen)treffen, Konventikel

Konvention → Vertrag ‖ → Brauch

konventionell: herkömmlich, üblich, gebräuchlich, hergebracht, traditionell, überliefert, gewohnt, klassisch ‖ nach Brauch/Sitte, formell, steif, förmlich, in aller Form, zeremoniell

konvergieren: aufeinander zustreben, s. annähern, s. nahe kommen, s. fast gleichen, übereinstimmen, s. überschneiden, s. (über)kreuzen, zusammenlaufen, -fallen

Konversation: Geplauder, Plauderei, Smalltalk, Gerede; *ugs.:* Geplätscher, Geschwafel, Larifari, Blabla ‖ → Gespräch

konvertieren: die Konfession/Religion/den Glauben wechseln, übertreten, -wechseln, s. bekehren, einen anderen Glauben annehmen, s. einer anderen Konfession anschließen

Konvoi: Geleitzug, Eskorte, Gefolge

konzedieren: zugestehen, einräumen, erlauben, zulassen, -billigen, gewähren, Zugeständnisse machen, gestatten, die Einwilligung geben, einwilligen

Konzentration: Zusammendrängung, -ballung, -legung, -fassung, -ziehung, Konzentrierung, Zentralisierung, Zentralisation ‖ Sammlung, Anspannung, höchste Aufmerksamkeit, Andacht, Hingabe, Interesse, Anteilnahme, Beteiligung, Achtsamkeit

Konzentrationslager: (Massen)vernichtungslager, KZ, Deportations-, Internierungslager

konzentrieren: zusammenballen, -ziehen, -drängen, -fassen, -legen, -schließen, -nehmen, (an)sammeln, zentralisieren, straffen, vereinigen, komprimieren ‖ anreichern, sättigen, verdichten ‖ **sich k.:** s. sammeln, seine Aufmerksamkeit anspannen, seine Gedanken richten/hinwenden auf, seinen Verstand/seine fünf Sinne zusammennehmen, Acht geben, aufpassen, aufmerksam sein, sein Augenmerk richten auf, s. versenken/ -tiefen ‖ **sich k. auf** → s. beschäftigen mit

konzentriert → aufmerksam ‖ gehäuft, -ballt, intensiv, hochprozentig, gesättigt, angereichert, stark ‖ → kurz

Konzept: erste Fassung, Entwurf, Skizze ‖ Plan, Vorstellung, Exposee, Vorhaben, Projekt, Layout, Treatment, Programm

Konzeption: Einfall, Idee, Grundgedanke, Konzept ‖ Empfängnis, Befruchtung, Schwängerung

Konzern → Unternehmen

Konzession: Zugeständnis, Kompromiss, Entgegenkommen, Einräumung ‖ Genehmigung, Erlaubnis, Be-, Einwilligung, Billigung, Lizenz, Recht, Zulassung, Ermächtigung, Vollmacht, Befugnis, Autorisierung, Berechtigung

Konzil → Konvent

konziliant: umgänglich, versöhnlich, entgegenkommend, zu Zugeständnissen bereit, kulant, verbindlich, großzügig, wohlwollend, freundlich

konzipieren → entwerfen

konzis → kurz

Kooperation: Gruppen-, Zusammen-, Gemeinschafts-, Kollektivarbeit, Teamwork, Koproduktion, Erfahrungsaustausch, Arbeitsteilung

kooperieren → zusammenarbeiten

koordinieren: aufeinander abstimmen, ab-, einstellen auf, anpassen, -gleichen, in Einklang bringen mit, zusammenstellen, verzahnen, -binden, -knüpfen, beiordnen

Kopf: Haupt, Schädel; *derb:* Birne, Hirnkasten, Rübe, Dez, Kürbis, Dach, Ballon, Oberstübchen, Melone, Kolben, Nischel ‖ Über-, Aufschrift, Titel ‖ → Anführer ‖ → Führer ‖ **aus dem K.** → auswendig

Kopfarbeiter → Intellektueller

Kopfbedeckung → Hut ‖ Tuch ‖ → Mütze

köpfen: den Kopf abschlagen, enthaupten, guillotinieren, durch das Beil hinrichten ‖ *öster.:* köpfeln (Fußball)

kopflos: unüberlegt, gedankenlos, unbedacht, zu schnell, ohne Überlegung, flüchtig, oberflächlich, blind, übereilt, vorschnell, -eilig, überstürzt, ohne zu überlegen, Hals über Kopf; *ugs.:* holterdiepolter ‖ außer Fassung, verwirrt, konfus, aufgelöst, verstört, durcheinander, desorientiert, konsterniert; *ugs.:* durchgedreht

Kopfschmerzen: Kopfweh, Migräne; *ugs.:* Brummschädel

kopfüber: häuptlings, mit dem Kopf voran/zuerst

Kopie: Abschrift, Wiedergabe, Durchschlag, Duplikat, Zweitschrift, Abzug, Doppel(ausfertigung), Pause, Duplum ‖ Nachahmung, -bildung, -formung, Reproduktion, Imitation, Abklatsch, Abguss, Plagiat, Fälschung, Dublette ‖ Fotokopie, Ablichtung, Vervielfältigung, Hektographie, Xerokopie, Lichtpause, Reprint

kopieren: wiedergeben, abschreiben, eine Zweitschrift anfertigen, abmalen, -zeichnen ‖ → nachahmen ‖ covern (Musiktitel) ‖ einen Abzug/eine Kopie herstellen, abziehen, reproduzieren, hektographieren, ablichten, (licht)pausen, foto-, xerokopieren, vervielfältigen

Koppel: Gurt, Gürtel, Hüftriemen ‖ Weide, Trift, Weideplatz

koppeln: miteinander verbinden, (ver)kuppeln, vereinigen, -knüpfen, -quicken, -ketten, zusammenfügen, -bringen, -setzen, aneinander fügen, ankuppeln, -hängen; *ugs.:* anmachen

Koppelung → Verbindung

kopulieren → koitieren ‖ → verbinden

Korb: *reg.:* Kiepe; *öster.:* Schwinge ‖ **einen K. geben** → ablehnen

Kordel → Schnur

kordial → freundlich

Korken: Kork, Stöpsel, Propf(en), Pfropf(en), Spund, Stopfen, Zapf(en); *öster.:* Stoppel

Korn: Getreide, Halm-, Körner-, Feldfrucht ‖ Branntwein, Schnaps; *ugs.:* Klarer, Feuerwasser, Fusel, Rachenputzer, Kurzer

körnig: granulös, gekörnt

Korona: Strahlenkranz (Sonne) ‖ Heiligen-, Glorienschein, Gloriole, Aureole ‖ → Gruppe

Körper: Leib, Fleisch (und Blut), Physis, Gestalt, Figur, Wuchs, Statur, Konstitution, Organismus; *ugs.:* Korpus ‖ → Gegenstand

Körperbau → Figur

körperbehindert → invalid(e)

Körperbehinderter: Invalide, Versehrter (Schwer)beschädigter, Krüppel

Körpererziehung → Sport

Körperfülle: Korpulenz, Fett-, Dickleibigkeit, Beleibtheit, Leibesfülle, Ausmaß, Massigkeit, Stärke, Umfang, Breite, Übergewicht, Feistheit,

Wohlbeleibtheit, -genährtheit, Embonpoint; *ugs.:* Volumen, Dickwanstigkeit

körperlich: leiblich, physisch, somatisch

Körperschaft: Zweckgemeinschaft, Vereinigung, Union, Verband, Organisation, Bund, Liga, Korporation, Verein

Körperverletzung → Misshandlung

Korporation → Körperschaft

Korps: (Studenten)verbindung, Verband, Gemeinschaft, Bund, Verein, Klub, Organisation, Union, Liga ‖ Truppenverband, -einheit, -teil, Kompanie, Truppe, Heeresverband, Formation

korpulent → dick

Korpulenz → Körperfülle

Korpus → Körper

korrekt → fehlerfrei ‖ → anständig ‖ → gründlich

Korrektur: Verbesserung, Berichtigung, Korrektion, Emendation, Richtigstellung, Revision, (Ver-, Ab)änderung, Umarbeitung, Klarstellung, Klärung, Dementi, Widerruf, Gegendarstellung (Presse)

Korrelation: Wechselbeziehung, -verhältnis, -wirkung, Aufeinanderbezogensein, Verbindung, Wechselseitigkeit, Gegenseitigkeit

korrelieren: in Wechselwirkung/-beziehung stehen, s. bedingen

Korrespondent: (Auslands)berichterstatter, Berichter, Reporter, Journalist

Korrespondenz: Brief-, Schriftwechsel, Briefverkehr, -austausch ‖ Übereinstimmung, Kongruenz, Deckung, Parallelismus, Gleichheit, Konformität, Identität, Einigkeit, Parallelität, Analogie

korrespondieren: Briefe schreiben/wechseln, im Briefverkehr/Schrift-/Briefwechsel/in Korrespondenz stehen, brieflich/schriftlich verkehren

mit, brieflich umgehen, s. schriftlich austauschen, mit jmdm. brieflich in Verbindung stehen, Briefkontakt haben, jmdn. brieflich auf dem Laufenden halten, Bericht erstatten, (s.) schreiben ‖ übereinstimmen, s. einig/ einer Meinung/eins/in Einklang sein, kongruieren, s. entsprechen, s. decken, konform gehen

Korridor: Flur, Gang, Diele, Eingang

korrigieren → berichtigen

korrumpieren → bestechen

korrupt → bestechlich

Korsar: Seeräuber, Freibeuter, Pirat

Korsett: Mieder, Body, Hüftgürtel, Korsage, Korselett, Schnürleib

Koryphäe → Fachmann

kosen: Zärtlichkeiten austauschen, liebkosen, herzen, zärteln; *ugs.:* schmusen, turteln

Kosmetik: Schönheitspflege, Makeup, Hautpflege

Kosmonaut: (Welt)raumfahrer, Astronaut; *schweiz.:* Lunaut

Kosmopolit: Weltbürger, -reisender

Kosmos: Weltraum, -all, Universum, kosmischer Raum, Unendlichkeit, Weltenraum, Himmel(sraum), Weltganze, -ordnung

Kost: Ernährung, Verpflegung, Nahrung, Essen, Lebensmittel

kostbar: wertvoll, von guter Qualität, qualitätsvoll, erlesen, hochwertig, edel, fein, teuer, exquisit, viel wert, rar, erstklassig, kostspielig, unbezahlbar, -schätzbar, -ersetzbar, selten, einmalig

kosten: probieren, eine (Kost)probe nehmen, versuchen, -kosten, (ab)schmecken, vorkosten, begutachten, -urteilen, sein Urteil abgeben; *öster.:* gustieren ‖ einen Preis haben von, betragen, ausmachen, s. belaufen/-ziffern auf; *ugs.:* verschlingen, -schlucken, machen ‖ erfordern, verlangen, in Anspruch nehmen, beanspruchen, nötig haben, ergeben

Kosten: Ausgaben, Preis, Betrag, Summe, Unkosten, Aufwand, Auslagen, Aufwendungen, Spesen, Zahlungen, Belastungen

kostenlos: (kosten)frei, gratis, umsonst, gebührenfrei, ohne Geld, geschenkt, unentgeltlich; *ugs.:* für nichts, so

Kostenvoranschlag: Kostenanschlag, -plan, -aufstellung, (Voraus)berechnung, Schätzung, Überschlag, Kalkulation

köstlich → schmackhaft ‖ → ausgezeichnet

Kostprobe: Beispiel, Beweis, Muster, Probe, Zeichen, Er-, Nachweis, Dokumentation

kostspielig → teuer

Kostüm: Faschings-, Maskenanzug, Bühnenkleidung, Verkleidung, Kostümierung, Maske, Maskierung ‖ Ensemble, Komplet

kostümieren, sich: s. verkleiden, ein Kostüm anziehen, s. vermummen, s. unkenntlich machen, s. tarnen

Kot: Fäkalien, Stuhl(gang), Exkrement, Darmausscheidung, Fäzes, Losung (bei Tieren); *ugs.:* Häuflein; *derb:* Scheiße, Kacke, Schiet; *Kinderspr.:* Aa

Köter → Hund

kotzen → s. übergeben

krabbeln: kriechen, robben; *reg.:* krauchen ‖ kitzeln, kribbeln, prickeln, beißen, jucken, kratzen; *ugs.:* pieken

Krabben: Shrimps, Garnelen

Krach: Lärm, Trubel, Gepolter, Ruhestörung, Getöse, Krachen, Gerassel, Dröhnen, Radau, Spektakel, Geschrei, Aufruhr, Knall, Donnerschlag; *ugs.:* Krawall, Krakeel, Heiden-, Höllenlärm, Rabatz, Rummel ‖ → Auseinandersetzung ‖ **K. haben** → s. streiten

krachen: poltern, donnern, knallen, böllern, knattern, dröhnen, grollen,

lärmen, rumoren, rattern, knacken; *ugs.:* Krach machen, scheppern, bullern ‖ **sich k.** → s. streiten

krächzen: eine heisere/raue Stimme haben, heiser sein, knarzen, kehlig sprechen, schnarren

kraft: aufgrund, vermittels, wegen, durch, dank, vermöge, anhand/mit Hilfe von, über, mit, infolge, ob, aufgrund, angesichts, aus

Kraft: Stärke, Power, Körperkräfte, Potenz ‖ (Leistungs)fähigkeit, Können, Arbeitsvermögen, Potenzial, Spannkraft, Tatkraft, Lebenskraft, Energie, Reserven, Vitalität ‖ Arbeitskraft, Mitarbeiter, Stütze, Hilfe ‖ Gewalt, Macht, Heftigkeit, Vehemenz, Wucht, Härte, Druck ‖ → Hausangestellte

Kraftaufwand → Anstrengung

Kraftbrühe → Brühe

kräftezehrend → anstrengend

Kraftfahrer: Autofahrer, Führer, Chauffeur, Lenker

Kraftfahrzeug: Kfz, Gefährt, Auto, Verkehrsmittel, Fuhrwerk, Kraftwagen, Fahrzeug, Wagen, Automobil; *ugs.:* Vehikel, Kiste, Karre, Klitsche, Schlitten, Kasten

kräftig: stark, stabil, fest, kraftvoll, -strotzend, rüstig, stramm, robust, zäh, hart, sthenisch, muskulös, athletisch, riesen-, bären-, baumstark, kernig, stämmig, sportlich, nervig, drahtig, sehnig, markig, abgehärtet, widerstandsfähig, unempfindlich, immun, gefeit, nicht anfällig, wehrhaft, standfest, resistent, kompakt, dick, gesund, breitschultrig ‖ nahrhaft, gehaltvoll, -reich, kräftigend, füllend, nährend, kalorienreich, sättigend, mächtig, deftig, aufbauend, herzhaft ‖ derb, rau, unfein, grob, unedel, -geschliffen, vulgär, ungehobelt ‖ leuchtend, intensiv, lebhaft, satt, grell, farbig, bunt(scheckig), saftig, voll; *ugs.:* knallig, schreiend ‖

wuchtig, gewaltig, heftig, vehement ||
→ gehörig || → sehr
kräftigen: stärken, Kraft geben, aufrichten, erfrischen, -muntern, stabili-
sieren, stählen, ertüchtigen || **sich k.:**
zu Kräften kommen, Kraft gewinnen,
gesunden, erstarken, kräftig/stark
werden; *ugs.:* s. machen
kraftlos: entkräftet, geschwächt,
schwach, energielos, matt, schlapp,
ermattet, marklos, schlaff, widerstandslos, müde; *ugs.:* lasch, (flü-
gel)lahm || → erschöpft
Kraftlosigkeit → Schwäche
Kraftmensch: Herkules, Muskel-
mann, Athlet, Supermann, Tarzan,
Bär, Riese, Bodybuilder; *ugs.:*
Kraftmeier, -protz, Muskelpaket,
-protz, Kraftlackel
Kraftprobe: Kräftemessen, Macht-,
Zerreißprobe, Nervenkrieg
Kraftprotz → Kraftmensch
Kraftrad: Motorrad, Moped, Maschine, Motorroller, Mofa; *ugs.:*
Feuerstuhl
Kraftstoff: Benzin, Treibstoff; *ugs.:*
Sprit
kraftstrotzend → kräftig
kraftvoll → kräftig
Kraftwagen → Kraftfahrzeug
Kraftwerk: Elektrizitätswerk
Kragen → Hals
krähen: schreien, krächzen, knarzen
Krähenfüße: Augenfalten, Runzel,
Furche; *reg.:* Schrumpel || → Kritze-
lei
Krakeel → Geschrei || → Auseinan-
dersetzung
krakeelen → lärmen
krallen → kratzen
Kram → Ramsch
kramen: (herum)suchen, stöbern,
wühlen, durchsuchen, -kämmen;
ugs.: graben, das Haus auf den Kopf
stellen
Krämer → Kaufmann
Krämerseele → Pedant

Krampf: Kolik, Konvulsion, Kon-
traktion; *med.:* Spasmus || → Unsinn
krampfartig: krampfhaft, konvul-
siv(isch), zuckend; *med.:* spasmisch
krampfhaft: verbissen, gewaltsam,
beharrlich, bis zum Letzten, mit aller
Kraft, hartnäckig, zäh, verzweifelt ||
→ krampfartig
krank: nicht gesund, bettlägerig, leidend, malade, erkrankt an, angegriffen, siech, kränklich, fiebrig, pflegebedürftig, unpässlich, -gesund,
-wohl, morbid, indisponiert, krän-
kelnd, tod-, sterbens-, schwerkrank,
todgeweiht, unheilbar (krank), auf
den Tod krank, erkältet, elend, befallen von, arbeits-, dienstunfähig; *ugs.:*
marod, nicht auf der Höhe/dem Pos-
ten || **k. werden** → erkranken || **k. sein:**
ans Bett gefesselt sein, im Bett liegen,
das Bett hüten, darniederliegen, leiden, bettlägerig sein, kränkeln,
jmdm. fehlt etwas, kranken, liegen
müssen, dahinsiechen, klagen über, s.
nicht wohl fühlen, schlecht (er)ge-
hen; *ugs.:* auf der Nase/Schnauze
liegen, s. nicht auf der Höhe/dem
Damm fühlen, nicht in Ordnung/auf
dem Posten sein, es zu tun haben mit,
angeknackst sein
kränkeln → krank sein
kranken: leiden unter, fehlen, Mangel haben an, mangeln
kränken: verletzen, -bittern, beleidigen, vor den Kopf stoßen, verwunden, Leid/Schmerz/Unrecht zufügen, jmdn. ins Herz treffen, einen
Stich versetzen, weh tun, schmerzen,
brüskieren, schmähen; *ugs.:* einen
Hieb versetzen
Krankenhaus: Hospital, Klinik, Spital, Krankenanstalt, Heilstätte; *milit.:*
Lazarett
Krankenkasse: Krankenversiche-
rung
Krankenkost: Schonkost, Diät
Krankenwagen → Rettungswagen

krankfeiern → krankmachen
krankhaft: anormal, pathologisch, zwanghaft, abnorm, pervers, unnatürlich, übertrieben, extrem, übermäßig, maßlos
Krankheit: Leiden, Beschwerden, Gebrechen, Erkrankung, Übel, Siechtum, Unwohlsein, Bettlägerig-, Unpässlichkeit, Seuche, Störung; *schweiz.:* Gebresten; *ugs.:* Wehwehchen
kranklachen, sich → lachen
kränklich → krank ‖ anfällig, schwächlich, empfindlich, zart, empfänglich, labil
krankmachen: nicht arbeiten, nichts tun, faulenzen, s. einen schönen Tag machen, es s. gut gehen lassen; *ugs.:* krankfeiern, blaumachen, schwänzen, s. auf die faule Haut legen
Kränkung → Beleidigung
krass: schroff, sehr stark, extrem, augenfällig, markant, schreiend, ausgeprägt, drastisch, hochgradig, auffällig
Krater: Trichter, Vertiefung, Tiefe, Schlucht, Abgrund
Kratzbürste → Xanthippe
kratzbürstig: widerspenstig, spröde, störrisch, widerborstig, renitent, frostig, trotzköpfig, finster, bockig, bockbeinig; *ugs.:* igelig, stachelig
kratzen: ritzen, zerkratzen, schrammen, schürfen, schaben, scharren; *reg.:* schrappen, schruppen, schubben; *ugs.:* krallen ‖ jucken, kribbeln, beißen, kitzeln; *ugs.:* pieken ‖ sich k.: s. reiben, (s.) scheuern; *ugs.:* s. rubbeln
Kratzer: Schramme, (Hautab)schürfung, Ritz(e), Riss, Kratzwunde, Scharte; *ugs.:* Ritzer
kraulen: streicheln, liebkosen, tätscheln
kraus: gekräuselt, wuschelig, gewellt, nicht glatt, geringelt ‖ → faltig ‖ → konfus

kräuseln, sich: s. in Krause/Wellen legen, s. wellen, s. locken, s. ringeln, s. kringeln
Kraut: Kohl; *reg.:* Kappes; *schweiz.:* Kabis ‖ Blätter ‖ → Tabak
Krawall → Ausschreitung ‖ → Aufstand ‖ → Krach
Krawatte: (Hals)binde, Binder, Schlips, Plastron, Selbstbinder
kraxeln → klettern
Kreation: Modeschöpfung, Modell(kleid)
kreativ → schöpferisch
Kreatur: Geschöpf, (Lebe)wesen, Organismus
Krebs: Geschwulst, Tumor, Wucherung, Gewächs, Karzinom, Neoplasma
kredenzen → auftischen
Kredit: Anleihe, Darlehen; *ugs.:* Dispo ‖ Guthaben, Haben(seite)
kregel → lebhaft
kreideweiß → blass
kreieren: entwerfen, -wickeln, schaffen, gestalten, schöpfen, ins Leben rufen, eine neue Mode entwickeln
Kreis → Forum ‖ → Gruppe
kreischen: schreien, brüllen, schrillen, rufen, grölen, johlen; *ugs.:* plärren, quäken
kreisen: s. im Kreis bewegen/drehen, rotieren, s. drehen ‖ → kursieren
Kreislauf: (Blut)zirkulation ‖ Zyklus, (Reihen)folge
kreißen → gebären
Krem(e) → Creme
Krempe: Hutrand
Krempel → Ramsch
krepieren → sterben ‖ platzen, bersten (Sprengkörper), explodieren, zerspringen, s. entladen, detonieren, auffliegen, losgehen, zerknallen; *ugs.:* in die Luft gehen, hochgehen, blindgehen
Kretin → Irrer ‖ → Dummkopf
Kreuz → Rücken ‖ → Plage ‖ Kruzifix

kreuzen: schräg übereinander legen/ schlagen (Beine) ‖ paaren, züchten, hybridisieren, bastardisieren, domestizieren, okulieren, ziehen ‖ **sich k.:** s. (über)schneiden, -lappen, zusammenlaufen, zusammenfallen, zusammentreffen, kollidieren, s. begegnen

kreuzigen: ans Kreuz schlagen

Kreuzung: Schnittpunkt, Gabelung, Abzweigung, Scheideweg, Einmündung, Kreuzungspunkt ‖ Paarung, Bastardierung, Hybridation, Züchtung, Vermischung ‖ Verbindung, Mischling, Hybride, Vereinigung, Bastard; *ugs.:* Mittel-, Zwischending

kribbelig → unruhig

kribbeln: prickeln, jucken, stechen, beißen, kratzen, krabbeln, kitzeln; *ugs.:* pieken

kriechen: krabbeln, robben, s. schlängeln; *reg.:* krauchen ‖ s. unterwürfig zeigen, (katz)buckeln, (liebe)dienern, herumschwänzeln um, schöntun, -reden, antichambrieren, Staub lecken, s. einschmeicheln; *ugs.:* Rad fahren, einen Buckel machen; *derb:* in den Arsch/Hintern kriechen ‖ **zu Kreuze k.** → s. demütigen ‖ **auf den Leim k.** → hereinfallen

Kriecher → Speichellecker

kriecherisch → unterwürfig

Krieg: militärische Auseinandersetzung, Feldzug, bewaffneter Konflikt, → Kampf ‖ → Auseinandersetzung ‖ **K. führen** → s. bekämpfen

kriegen → bekommen ‖ → ergreifen

kriegerisch → kämpferisch

Kriegsdienst: Wehr-, Heeres-, Militärdienst, Militär, Rekrutenzeit; *öster.:* Präsenzdienst; *schweiz.:* Wiederholungsdienst; *ugs.:* Barras, Kommiss

Kriegsgegner: Pazifist, Wehr-, Kriegsdienstverweigerer

Kriegsrecht: Ausnahmezustand, Notstand

Kriegsschauplatz: Kampfplatz, -zone, Schlachtfeld, Kriegs-, Kampfgebiet, (Haupt)kampf-, Gefechts-, Feuerlinie, Feld, Front

Kriegszug → Feldzug

kriminell: verbrecherisch, böse, schändlich, frevelhaft, asozial ‖ → gesetzwidrig

Krimineller → Verbrecher

Krimskrams → Ramsch

Krippe: (Futter)raufe ‖ Krabbelstube, Kindertagesstätte

Krise: Höhepunkt (Krankheit), Krisis, Entscheidung, Wende(punkt), Gipfel ‖ Tiefstand, -punkt, Störung, kritische Situation, → Not

kriseln: s. zuspitzen, ernst sein, s. zusammenbrauen, vor einer Krise stehen, nicht in Ordnung/gestört/kompliziert/schwierig sein, brodeln, gären, kochen, rumoren, schwelen, sieden, gefährlich werden, ein Krisenherd/angespannt sein, es bestehen Spannungen/Unstimmigkeiten/ Probleme

Krisenherd: Gefahrenzone, -herd, Krisengebiet

Kriterium: Unterscheidungsmerkmal, Moment, Kennzeichen, Charakteristikum, Prüfstein

Kritik: (Be)wertung, Beurteilung, Würdigung, Besprechung, Stellungnahme, Rezension, Gutachten, Urteil; *abwertend:* Verriss ‖ Tadel, Beanstandung, Missbilligung, Bemängelung, Anfeindung, Aburteil, Angriff, Vorwurf, Ablehnung ‖ Tadelsucht, Beckmesserei, Nörgelei, Gestichel, Mäkelei; *ugs.:* Gemecker, Meckerei, Krittelei, Genörgel, -läster

kritiklos: unkritisch, arglos, gut-, leichtgläubig, treuherzig, naiv, bedenkenlos, ohne Bedenken, blind(gläubig), vertrauensselig, -voll, bequem, blindlings, wahllos, denkfaul, urteilslos, ohne Problembewusstsein

kritisch: beurteilend, prüfend, unterscheidend, differenziert, argwöhnisch, wachsam, urteilsfähig, -sicher ‖ gefährlich, bedenklich, schwierig, heikel, ernst, bedrohlich, folgenschwer, brenzlig, gefahrvoll, verfänglich, prekär, nicht geheuer, diffizil, problematisch, zweischneidig, Besorgnis erregend, delikat; *ugs.:* knifflig, verzwickt, -trackt, kitzlig, mulmig ‖ tadelnd, missbilligend, ablehnend, abfällig, -schätzig, vernichtend, abwertend, verächtlich, herabsetzend, geringschätzig, schlecht

kritisieren: beurteilen, werten, besprechen, rezensieren, abhandeln, eine Rezension/Kritik/Besprechung/ein Gutachten schreiben, Stellung nehmen; *ugs.:* s. auslassen über; *abwertend:* verreißen ‖ → beanstanden ‖ → angreifen ‖ → zerpflücken

kritteln → beanstanden

Kritzelei: Gekritzel, Schmiererei, Krähenfüße; *abwertend:* Kleckserei, Geschmier, Sudelei; *ugs.:* Gekrakel

kritzeln: krakeln, schmieren, schlecht/unleserlich schreiben, klieren, klecken; *derb:* sudeln, eine Sauklaue haben

Krone: Baumspitze, Wipfel

krönen: die Krone aufsetzen ‖ → beenden

Kronleuchter: Lüster, Leuchter; *öster.:* Luster

Krönung: Höhepunkt, Vollendung, Glanzpunkt, Kulmination, Gipfel(punkt), Sternstunde, Nonplusultra, das Höchste/Schönste/Beste, Maximum, Optimum, Zenit, Glanz-, Spitzen-, Meisterleistung, Clou, Glanzstück, i-Punkt, Tüpfelchen auf dem i; *ugs.:* Spitze

kross → knusprig

Krösus → Kapitalist

Kröte: *ugs.:* Ütze, Krott(e), Hütsch(k)e; *reg.:* Protz, Höppsi(ng), Breitling

Kröten → Geld

Krücke: Krückstock ‖ → Versager

Krume → Krümel

Krümel: Brösel, Brosame, Krume

krumm: ver-, gebogen, nicht gerade, geschweift, verkrümmt, geschwungen, halbrund, gewölbt, wie ein Fragezeichen ‖ missgestaltet, gebeugt, verwachsen, höckrig, bucklig, schief

krümmen: biegen, beugen, winden, schlängeln, anwinkeln; *ugs.:* krumm machen

krumm nehmen → übel nehmen

Krümmung → Biegung

Krüppel → Körperbehinderter

Kruscht → Ramsch

Kruste: Rinde, Schale, Haut, Borke ‖ Belag, Schicht, Überzug ‖ Schorf, Schuppe, Grind

Krux → Not ‖ → Leid

Kruzifix: Kreuz

Krypta: Gruft, Grabkammer, -gewölbe

Kübel: Eimer

Kugel: Patrone, Projektil, Schuss, Geschoss, Munition; *ugs.:* blaue Bohne ‖ → Fettwanst

kugelig → dick

kugeln, sich: rollen, s. wälzen, drehen, kullern, trudeln

kugelrund → rund

Kugelwechsel: Feuer-, Schusswechsel, Schießerei, Feuergefecht, Schießen; *ugs.:* Knallerei, Ballerei

Kuh: Starke; *vor Abkalben:* Färse, Kalbin, Sterke, Kuhkalb ‖ **dumme K.** → Dummkopf

kühl → kalt

Kuhle → Grube

Kühle → Kälte

kühlen: kalt stellen/machen, ab-, auskühlen, abschrecken, erkalten lassen, auf Eis legen ‖ fächern, fächeln, wedeln, erfrischen

Kühlschrank: Eisschrank, Frigidaire, Gefrierschrank, Kühlbox, -truhe; *öster.:* Eiskasten

kühn: mutig, beherzt, gewagt, verwegen, unerschrocken, wagemutig, waghalsig, tollkühn, -dreist, halsbrecherisch, riskant, gefährlich, abenteuerlich, forsch, draufgängerisch, tapfer, furchtlos, couragiert, unverzagt, vermessen, unbesonnen

Kühnheit → Mut

Küken → Huhn

kulant → entgegenkommend

Kulinarier → Feinschmecker

kulinarisch: erlesen, feinschmeckerisch, deliziös, fein, köstlich, lukullisch, opulent, schmackhaft, lecker; *öster.:* gustiös

Kulisse: Bühnenbild, -dekoration, -ausstattung, Szenerie, Hintergrund ‖ → Täuschung

kullern → kugeln

Kulmination → Krönung

kulminieren: gipfeln, den Höhe-/Gipfel-/Kulminationspunkt erreichen, die Krönung finden

Kult: Verehrung, Hochachtung, Pflege, Anbetung, Vergötterung, -götzung, Fetischismus

kultivieren: urbar/zugänglich/ertragreich/nutzbar machen, erschließen, bebauen, Pionierarbeit leisten, besiedeln, kolonisieren, roden, bewässern, -arbeiten ‖ verfeinern, -edeln, -vollkommnen, -bessern, -schönern, zivilisieren, erhöhen

kultiviert → gebildet ‖ → gepflegt

Kultur: Zivilisation, Bildung ‖ Lebensweise, -art, -stil ‖ Bebauung, Anbau, Aufzucht, Bestellung ‖ Zucht, Züchtung

Kulturteil: Feuilleton, Kulturbeilage

Kummer → Leid

kümmerlich → kläglich

kümmern: sorgen, angehen, betreffen, tangieren, gelten, s. beziehen auf, Bezug/zu tun haben, berühren ‖ **sich k. um:** sorgen für, betreuen, pflegen, s. annehmen, um-, versorgen, nach dem Rechten sehen, helfen, nach

jmdm. schauen/sehen, bemuttern, -hüten, unter seine Fittiche nehmen, s. bemühen um, s. interessiert zeigen, Beachtung/Anteilnahme schenken; *ugs.:* s. scheren um, herum sein um

Kümmernis → Leid

kummervoll → betrübt

Kumpan → Komplize ‖ → Kamerad

Kumpel → Kamerad

Kumulation → Ansammlung

kumulieren → anhäufen

Kunde: Käufer, Abnehmer, Verbraucher, Bezieher, Konsument, Interessent, Auftraggeber, Kundschaft ‖ → Nachricht

Kundendienst: Dienst am Kunden, Service, Bedienung

Kundenkreis → Kundschaft

Kundgabe → Bekanntmachung

kundgeben → informieren ‖ → veröffentlichen

Kundgebung: Demonstration, Protest(aktion), Massenversammlung, Aufmarsch, Umzug, Manifestation

kundig: erfahren, orientiert, informiert, versiert, bewandert, -schlagen, geschult, -übt, sachverständig, qualifiziert, wissend, unterrichtet, belesen, kenntnisreich

kündigen → entlassen ‖ sein Arbeitsverhältnis lösen, den Dienst quittieren, aufkündigen, -sagen, zurücktreten von, abtreten, den Abschied nehmen, weggehen, den Rücken kehren, s. verändern, seine Funktion/Stellung aufgeben, die Arbeit/sein Amt niederlegen, abdanken, seinen Rücktritt erklären/nehmen, demissionieren, s. zurückziehen, (aus)scheiden, aufhören, s. zur Ruhe setzen, einen Schlussstrich ziehen, brechen mit, verlassen, sein Amt zur Verfügung stellen, seinen Posten abgeben; *ugs.:* gehen, den Kram hinwerfen/-schmeißen, den Krempel hinhauen

kundmachen → informieren ‖ → veröffentlichen

Kundschaft: Kundenkreis, Stammkunden, → Kunde

Kundschafter: Agent, Späher, Spion, Spitzel, Schnüffler, Detektiv

kundtun → informieren ‖ → äußern ‖ → veröffentlichen

künftig: später, (nach)folgend, kommend, zukünftig, weiter, nächst, darauffolgend, angehend ‖ in Zukunft, von heute/jetzt/nun an, in spe, forthin, -an, -ab, hinfort, fürder(hin), weiterhin, demnächst, in Bälde, des Weiteren, fernerhin, nach wie vor, einst, eines Tages, früher oder später, über kurz oder lang, einmal, dereinst; *schweiz.:* an-, nächsthin

Kunst: Können, Geschick, Fertigkeit, Vermögen, Gewandtheit, Meisterschaft

kunstfertig → geschickt

Kunstfertigkeit → Fertigkeit

kunstgerecht → fachmännisch

Kunstgriff: Trick, Handgriff, Praktik, List, Manöver, Winkelzug, Manipulation, Kniff, (Raf)finesse; *ugs.:* Dreh, Masche; *öster.:* Schmäh

Künstler: Kunstschaffender, -schöpfer

künstlerisch: schöpferisch, kreativ, fantasievoll, ideen-, einfallsreich, erfinderisch, originell ‖ stil-, kunstvoll, kunstreich, ästhetisch, schön, formvollendet

Künstlername: Pseudonym, falscher Name, Deck-, Tarnname

künstlich: unnatürlich, auf künstlichem Weg, synthetisch, chemisch, artifiziell, aus der Retorte, unecht, falsch, nachgemacht, imitiert ‖ → geziert

kunstlos → einfach

kunstreich → kunstvoll

Kunstrichtung: Stil, Schule

Kunststück: Glanznummer, -leistung, Bravour-, Meister-, Schaustück, Attraktion

kunstvoll → künstlerisch

Kunstwerk: Opus, Schöpfung, Œuvre, Artefakt, Kunsterzeugnis, Meisterstück, -leistung, Arbeit, Produkt, Werk

kunterbunt: gemischt, durcheinander, zusammengewürfelt, wirr, ungeordnet, wild, wüst, chaotisch, planlos, unordentlich, vermengt; *ugs.:* wie Kraut und Rüben, drunter und drüber, kreuz und quer

Kupon: Abschnitt, Talon

Kuppe: (Berg)spitze, Horn, Bergkoppe, Gipfel

Kuppel: Wölbung, Gewölbe, Haube, Dom

kuppeln → koppeln ‖ verkuppeln, -mitteln, eine Ehe/Freundschaft stiften; *ugs.:* an den Mann/die Frau bringen

Kur: Heilbehandlung, -verfahren ‖ Kuraufenthalt, -verschickung

Kuratorium: Aufsichtsgremium, -behörde, Ausschuss, Komitee, Kommission, Beirat, Sektion, Rat, die Prüfer/Aufseher

kurbeln: drehen, rollen; *ugs.:* leiern, nudeln ‖ → filmen

küren → auswählen

Kurier → Bote

kurieren → heilen

kurios → merkwürdig

Kurort: Kur-, Heilbad, Bad

Kurpfuscher: Scharlatan, Quacksalber, Medikaster, Stümper, Nichtskönner ‖ → Arzt

Kurs: (Fahrt-, Flug)richtung, Verlauf, Route, Weg, Direktion ‖ Tendenz, Strömung, Trend ‖ Preis (Währung), Wert ‖ Lehrgang, Kursus, Unterricht, Schulung

kursieren: umlaufen, in Umlauf sein, die Runde machen, kreisen, zirkulieren, (her)umgehen, von Hand zu Hand gehen ‖ → s. herumsprechen

kursorisch: fortlaufend, in stetigem Fortgang, hintereinander, ununterbrochen, anschließend, ohne Unterbrechung ‖ rasch, flüchtig, ungenau, kurz, mit wenigen Worten, knapp, schnell, oberflächlich, nachlässig, ungründlich

Kursus → Kurs

Kurtisane → Geliebte

Kurve: (Ab)biegung, (Weg)krümmung, Kehre, Bogen, Schleife, Wende, Wendung, Windung, Knick, Abknickung, Schwenkung, Knie, Haken, Schlinge, Serpentine

kurz: von geringer Länge/Ausdehnung, klein, knapp ‖ vorübergehend, kurzzeitig, -lebig, -fristig, flüchtig, schnell (vorbei), (für) kurze Zeit, nicht lange/für immer/dauernd, eine Weile/Zeitlang, auf einen Augenblick/ein Stündchen, zeit(en)weise, passager, zeitweilig, auf Zeit; *ugs.:* auf einen Sprung/die Schnelle ‖ (kurz und) bündig, gedrängt, straff, konzis, in wenigen Worten, kursorisch, summarisch, lapidar, bestimmt, komprimiert, in groben Zügen, verdichtet, konzentriert, lakonisch, ver-, abgekürzt, umrisshaft, nicht ausführlich, im Telegrammstil, zusammengefasst, -gezogen, gerafft, -strafft ‖ **k. und gut** → also ‖ **k. angebunden** → barsch

Kürzel: Abkürzung, Kurzwort, Abbreviation, Abbreviatur, Sigel

kürzen: ab-, wegschneiden, kürzer machen, abscheren, verkürzen, -kleinern, abtrennen, -zwicken, -hacken, -schlagen, kupieren, beschneiden, stutzen, kürzer machen, ab-, wegstreichen ‖ → vermindern

kurzerhand: ohne langes Überlegen/weiteres/Umschweife/große Umstände/viel Federlesens zu machen, ohne lange zu überlegen/zu zögern, schlankweg, kurz entschlossen, rasch, schnell, plötzlich, einfach; *ugs.:* ohne mit der Wimper zu zucken, glatt(weg), mir nichts, dir nichts

kurzfristig → kurz

kurz halten: *ugs.:* knapp halten, jmdm. den Brotkorb höher hängen, den Hahn zudrehen, jmdn. bremsen

kurzlebig → kurz

kürzlich: unlängst, letzthin, vor kurzem, jüngst, neulich, vor nicht langer Zeit/kurzer Zeit, letztens, dieser Tage, noch nicht lange her, vor einer Weile, eben noch, just, jüngst vergangen, vorhin, eben, gerade ‖ neuerdings, in letzter Zeit, seit kurzem, jüngstens

Kurzschluss → Mattscheibe

Kurzschrift: Stenografie, Schnell-, Eilschrift

kurzsichtig: schwachsichtig, sehbehindert, schlecht sehend ‖ nicht weitblickend, nicht vorausschauend, beschränkt, eng(stirnig), borniert; *ugs.:* vernagelt

kurz treten → sparen

kurzum: um es kurz zu machen, mit einem Wort, kurz und gut, der langen Rede kurzer Sinn

Kürzung: Verminderung, -ringerung, Drosselung, Reduzierung, Herabsetzung, Begrenzung, Be-, Einschränkung, Streichung, Einsparung, Schmälerung, Abbau, Minderung, Beschneidung, Abstrich, Dezimierung, Reduktion

Kurzweil: Amüsement, Unterhaltung, Zeitvertreib, Zerstreuung, Vergnügen, Lustbarkeit, Abwechslung, Spaß, Belustigung, Freude, Geselligkeit, Ablenkung; *ugs.:* Gaudi

kurzweilig: vergnüglich, gesellig, unterhaltsam, anregend, amüsant, spaßig, ergötzlich, unterhaltend, erheiternd, abwechslungsreich, interessant, zerstreuend, erfrischend, angenehm, ergötzend, belebend

kurzzeitig → kurz

kuscheln, sich: s. schmiegen an, s. anschmiegen, s. andrücken

kuschen: s. niederlegen/-setzen (Hund) ‖ → gehorchen

Kusine: Base
Kuss: *ugs.:* Schmatz, Busse(r)l, Bussi, Küsschen; *reg.:* Mäulchen, Schmusschen, Guschel, Schnuss, Schnuckes, Bäss
küssen: einen Kuss geben, abküssen; *ugs.:* bussieren, schnäbeln, einen aufdrücken, knutschen, abschmatzen; *reg.:* busseln, bützen

Küste: Strand, (Meeres)ufer, Gestade
Küster → Kirchendiener
Kutsche: Droschke, Karosse, Kalesche, Fiaker, Equipage, Kremser, Diligence ‖ → Auto
kutschieren → fahren
Kutteln → Innereien
Kuvert: Briefumschlag, -hülle
KZ → Konzentrationslager

L

labberig → schwabbelig ‖ → schal

laben (sich): (s.) erquicken, (s.) erfrischen, (s.) stärken, (s.) ergötzen, (s.) erfreuen

labern → schwafeln

labil: anfällig, schwach, schwächlich, nicht stabil/widerstandsfähig, leicht aus dem Gleichgewicht zu bringen ‖ unausgeglichen, schwankend, unstet, beeinflussbar, ohne jeden Halt, unentschlossen, ratlos, unschlüssig, mit s. uneins, zerrissen, gespalten, unentschieden, -sicher, -zuverlässig, s. untreu

laborieren: s. abmühen (mit einer Krankheit), s. (herum)plagen; *ugs.:* nicht loswerden, herumwerkeln

Labsal: Erfrischung, -quickung, Stärkung, Augenweide, Ohrenschmaus, (Hoch)genuss, Wohltat, Annehmlichkeit ‖ → Trost

Labyrinth: Irrgarten, -gang ‖ → Unordnung

Lache: *ugs.:* Lachen, Gelächter ‖ Pfütze, Pfuhl; *öster.:* Lacke

lächeln: schmunzeln, (lautlos) lachen, strahlen, grinsen; *ugs.:* grienen, feixen ‖ günstig/geneigt/gewogen sein (Glück), s. von der freundlichen Seite zeigen

lachen: in ein Gelächter/Lachen ausbrechen, ein Gelächter anstimmen, hell auflachen, aus vollem Halse/Tränen/schallend lachen, s. vor Lachen ausschütten, kichern, einen Lachanfall bekommen, einen Lachkrampf bekommen, → lächeln; *ugs.:* (los)prusten, -platzen, -brüllen, s. tot-, kaputt-, krank-, schieflachen, wiehern, s. kugeln/kringeln/biegen vor Lachen, s. krumm und schief/ scheckig/einen Ast lachen, gackern, quietschen

lächerlich: lachhaft, ridikül, grotesk, absurd, läppisch, töricht, albern, komisch, verrückt, kindisch, närrisch, ulkig, spaßig

Lachs: Salm

Lackaffe → Geck

Lacke → Lache

Lackel → Flegel

lackieren: (an)streichen, (an)malen, lacken, Lack auftragen ‖ → betrügen

Lade: Schublade, -fach, Schieblade, -fach, (Schub)kasten ‖ Truhe, Kommode, Kasten

laden: aufladen (Strom), speichern ‖ mit Munition versehen (Schusswaffe), schussbereit machen, durchladen ‖ beladen, -packen, -frachten, voll laden, auf-, ein-, verladen, aufbürden, be-, auflasten ‖ einladen, zu s. bitten, zum Kommen auffordern ‖ vorladen, zu s. bescheiden, beordern, -stellen, kommen lassen, evozieren (Gericht); *ugs.:* herbeizitieren, vor den Kadi rufen

Laden → Geschäft

Ladenbesitzer → Kaufmann

Ladenhüter → Schleuderware

lädieren → beschädigen, → kaputtmachen ‖ → verletzen

lädiert → defekt

Ladung: Fracht, Last, Wagenladung, Fracht-, Versandgut, Fuhre, Transport ‖ Vorladung, Aufforderung, Beorderung ‖ → Menge

Ladykiller → Frauenheld

ladylike: damenhaft, fraulich, vornehm, fein, wie eine Lady/große Dame

Laffe → Geck

Lage: Situation, Konstellation, Zustand, Status, Umstände, Verhältnisse, Bewandtnis, Gegebenheiten, Stand (der Dinge), Tatbestand, Stadium, Sachlage, -verhalt ‖ Haltung, Stellung, Position ‖ Schicht ‖ Standort, -punkt, Umgebung ‖ Runde (Bier)

Lager: Magazin, Vorratsraum, Depot, Lagerraum, -haus, Warenlager, Aufbewahrungsort, Abstellraum, Speicher ‖ → Vorrat ‖ → Bett ‖ Lagerstelle, Nachtlager, Camping-, Zeltplatz, Camp ‖ Notunterkunft, Baracken

lagern: einlagern, speichern, magazinieren, deponieren, ablegen, aufbewahren, -stapeln, horten, türmen, schichten, stauen ‖ → rasten

lahm: gehbehindert, -unfähig, gelähmt ‖ → träge ‖ → kraftlos ‖ → langweilig

lahmen: hinken, lahm gehen, humpeln

lähmen: *med.:* paralysieren ‖ → hemmen

lahm legen: stilllegen, zum Stillstand/Erliegen bringen, stoppen, außer Betrieb setzen ‖ → sabotieren ‖ → hemmen

Lähmung: *med.:* Paralyse

Laie: Nichtfachmann, Amateur, Unkundiger, Dilettant, Anfänger, Nichtskönner

laienhaft: dilettantisch, dilettantenhaft, nicht fachmännisch/-gerecht, stümperhaft, unzulänglich, -zureichend, -genügend, -befriedigend, -vollständig, mangel-, lückenhaft

Lakai: (herrschaftlicher) Diener, Kammer-, Hausdiener, Bedien(ste)ter, Butler ‖ → Speichellecker

Lake: Salzlösung, -lake, -brühe, Sole, Lauge

Laken: Betttuch, -laken, Leintuch

lakonisch → kurz ‖ → treffend

lallen: unverständlich/unartikuliert sprechen, stammeln; *ugs.:* brabbeln

lamentieren → jammern

Lamento → Jammer

Lamm: Jungschaf

Lampe: Beleuchtungskörper, Leuchte, Lichtquelle

Lampenfieber: Herzklopfen, Prüfungsangst, Nervosität, Er-, Aufregung, Spannung, Beunruhigung

Lampion: (Papier)laterne

lancieren: begünstigen, protegieren, fördern, managen, favorisieren, ins Geschäft bringen, s. verwenden für, weiterhelfen, vorwärts-, weiterbringen, den Weg bahnen/ebnen, in den Sattel heben, zu einem Erfolg verhelfen, propagieren, groß herausbringen, aufbauen

Land: Staat, Nation ‖ Gebiet, Provinz, Bezirk, Region, Distrikt ‖ Vater-, Geburtsland, Heimat ‖ Erde, Erdreich, Grund, Boden, Acker, Scholle, Feld, Flur, Gelände, Terrain, Areal ‖ Grundstück, Land-, Grund-, Bodenbesitz ‖ **vom L.:** vom Dorf, aus der Provinz

Landebahn → Piste

landen: aufsetzen (Flugzeug), niedergehen, (auf dem Land) ankommen, an Land setzen (Truppen)

landläufig → normal

ländlich: fern/außerhalb der Stadt, bäuerlich, dörflich, rustikal ‖ provinziell; *ugs.:* hinterwäldlerisch

Landpartie → Ausflug

Landschaft: Landstrich, Gegend, Gebiet, Zone, Landesteil, Gefilde, Revier, Ecke, Winkel, Territorium, Terrain, Gelände, Natur, das Freie/Grüne, Szenarium

Landsitz: Gut(shof), Landgut, Bauernhof, Farm, Ferienhaus

Landstreicher: Vagabund, Tramp, heimatloser Geselle, Heimatloser, Obdachloser, Clochard; *ugs.:* Tippelbruder, Pendler, Penner, Penn-,

Walzbruder, Herumtreiber, Stromer; *öster.:* Strabanzer; *veraltet:* Wanderbursche, Vagant, Scholar

Landstreitkräfte: Land-, Bodentruppen → Militär

Landstrich → Landschaft

Landung: Ankunft, Arrival, Eintreffen, Ankommen

Landwirt → Bauer

Landwirtschaft: Agrarwesen, Agrikultur, Ackerbau, Bodenkultur, Feld-, Landbau, Feldarbeit, -bestellung, Pflanzen-, Vieh-, Tierzucht, Viehwirtschaft || Bauernhof, bäuerlicher Betrieb, kleines Gut, Farm, Hof, Bauerngehöft; *öster.:* Ökonomie; *schweiz.:* Heimwesen, Hofstatt, -reite

landwirtschaftlich: bäuerlich, agrarisch

lang: (aus)gedehnt, lang gezogen, ellenlang, nicht kurz || groß, hoch aufgeschossen, von hohem Wuchs; *ugs.:* riesig, wie eine Bohnenstange || lange, langfristig, -wierig, unabsehbar, jahre-, tage-, stunden-, wochenlang, endlos, ewig, unendlich, Wochen, Monate, Jahre, geraume Weile, ohne Ende || ausführlich (Brief), ausgiebig, umfassend, eingehend || → langjährig

langatmig: weitschweifig, umständlich, ausholend, lang und breit, zeitraubend, weitläufig, wortreich, ausführlich, eingehend, in extenso

lange → lang

Länge: Ausdehnung, -maß, Erstreckung, Abmessung, Tiefe, Breite, (Reich)weite, Umfang, Größenordnung, Dimension || (Zeit)dauer, Verlauf || (Körper)größe, hoher Wuchs || *pl.:* langatmige Stellen/Abschnitte

langen → ausreichen || → geben || **l. nach** → greifen nach || **jmdm. eine l.** → ohrfeigen

Langeweile: Eintönigkeit, Ein-, Gleichförmigkeit, Einerlei, Fadheit, Öde, Monotonie, Alltäglichkeit, Mangel an Abwechslung, innere Leere, Trostlosigkeit, Überdruss, Tristesse, Stumpfsinn, Reiz-, Spannungs-, Schwung-, Temperamentlosigkeit, Unlust; *ugs.:* Tretmühle, Trott

Langfinger → Dieb

langfristig: auf lange/längere Zeit, für lange/längere Dauer, dauerhaft, bleibend, geraume Weile, auf lange/längere Sicht || langwierig, unabsehbar

lang gestreckt → ausgedehnt

langjährig: lang, anhaltend, -dauernd, fortgesetzt, ununterbrochen, kontinuierlich, fortwährend, beständig, stetig, mehrjährig, jahrelang, über Jahre

langlebig → dauerhaft

Langmut → Geduld

langmütig → geduldig

längs: der Länge nach, von oben nach unten, an der Seite/am Rand hin, entlang, seitlich, -wärts, neben

langsam → allmählich || gemächlich, -ruhsam, bedächtig, schleppend, sachte, mit geringer Geschwindigkeit, im Schritttempo, gemessenen Schrittes, saumselig, säumig, gemütlich, stockend, zögernd, betulich, kriechend, nicht übereilt/-stürzt; *veraltet:* gemach; *ugs.:* im Schneckentempo, bummlig, trödelig, tranig, nölig || umständlich, schwerfällig, unbeholfen, -geschickt, begriffsstutzig, träge; *ugs.:* lahm, schwer von Begriff/Kapee

längst: seit langer/längerer Zeit, bereits, von langer Hand, seit langem/längerem, lange (vorher), nicht erst || **l. nicht:** bei weitem/beileibe nicht, keineswegs, -falls, in keiner Weise, auf keinen Fall, durchaus/absolut/ganz und gar nicht, nicht im Geringsten/Mindesten, mitnichten; *ugs.:* keine Spur

Langweile → Langeweile

langweilen: anöden, ennuyieren, Überdruss bereiten, ermüden, einschläfern, abstumpfen, entleeren ‖ sich l.: vor Langweile umkommen, Langeweile haben, die Zeit totschlagen, nichts mit s. anfangen können, s. nichts zu sagen haben; *ugs.:* Däumchen drehen

langweilig: eintönig, ohne Abwechslung, öde, leer, trocken, fade, uninteressant, geisttötend, schal, ennuyant, monoton, gleich-, einförmig, ermüdend, ereignis-, reizlos, grau, trostlos, trist, ohne jeden Reiz, einschläfernd, unlebendig, stupid(e), stumpfsinnig, spannungs-, abwechslungslos, ohne Spannung/Schwung, stimmungslos, schwerfällig, langsam, witz-, ausdrucks-, farb-, temperamentlos, langatmig, sterbenslangweilig, müde; *ugs.:* stinklangweilig, lahm, flau, nicht viel los, doof, stieselig, transusig, -funzelig, ledern, zäh, abgeschlafft, nichts los

langwierig: zeitraubend, viel Zeit in Anspruch nehmend/kostend, lang, geraume Zeit dauernd, chronisch, schleppend, schleichend, schwierig, anhaltend, -dauernd, s. in die Länge ziehend

lapidar → kurz

Lappalie → Kleinigkeit

Lappen: Stück (Stoff), Lumpen, Flicken; *ugs.:* Fetzen; *reg.:* Hader, Klunker

läppisch → albern

Lapsus → Fehler ‖ Versprecher, Sichversprechen, Lapsus Linguae, (freudsche) Fehlleistung

Laptop → Computer

Larifari → Unsinn ‖ → Gerede

Lärm: Krach(en), (lautes) Geräusch, Dröhnen, Gedröhn, Radau, Tumult, Donnern, Gedonner, -polter, -rassel, -ratter, -klapper, -rumpel, -klirr, -töse, Aufsehen, Trubel, Aufruhr, Spektakel, Ruhestörung, Unruhe,

Geschrei, -lärme, Skandal, Gekreische; *ugs.:* Rabatz, Hallo, Heiden-, Mordslärm, Höllenspektakel, Tamtam, Trara, Klamauk, Krakeel, Gelärme, Rummel, Krawall, Gekrache, Rambazamba; *öster.:* Bahöl, Ramasuri

lärmen: Lärm/Krawall machen, randalieren, rumoren, krachen, klappern, rasseln, schreien, brüllen, johlen, kreischen, poltern, rumpeln, toben, tosen, donnern, dröhnen; *ugs.:* Radau/Krach machen, bumsen, spektakeln, krakeelen, Rabatz machen

larmoyant: weinerlich, rühr-, tränen-, gefühlsselig, weich, wehleidig, empfindsam, sentimental; *ugs.:* gefühlsduselig, schmalzig

Larve: Made, Raupe, Puppe, Engerling ‖ (Gesichts)maske

lasch → kraftlos ‖ → schal, → ungewürzt ‖ → nachlässig

lassen → erlauben ‖ → belassen ‖ → übergeben ‖ → unterlassen

lässig → nachlässig ‖ → zwanglos ‖ → großartig

Lasso: Fangleine, -seil, Wurfleine, -schlinge

Last: Belastung, Schwere, Gewicht, Zentnerlast, Ballast, Ladung, Fracht(gut) ‖ Mühsal, Beschwerlichkeit, Druck, Plage, Bürde, Joch, Unannehmlichkeit, Mühe, Anstrengung, Fron; *ugs.:* Schlauch, Plackerei, Strapaze ‖ → Leid ‖ **zur L. fallen:** lästig/hinderlich/im Wege sein; *ugs.:* ein Klotz am Bein sein, jmdm. auf der Tasche liegen ‖ → stören ‖ **zur L. legen** → beschuldigen

lasten (auf): auf-, nach-, anhängen, anhaften, belasten, liegen/ruhen auf, (nieder-, be)drücken, beschweren, schwer wiegen, plagen, quälen, peinigen, betrüben, einengen, traurig/unglücklich machen

Laster: Untugend, -sitte, schlechte

Angewohnheit, Ausschweifung, Verirrung, Übel, Schwäche, schwache/wunde Stelle, wunder Punkt, Sünde ‖ → Lastkraftwagen

lasterhaft: verkommen, -dorben, -worfen, -derbt, heruntergekommen, unsittlich, -tugendhaft, tugend-, sittenlos, zweifelhaft, haltlos, unmoralisch, -keusch, -züchtig, liederlich, lose, locker, zügellos, lotterhaft, einem Laster verfallen, ausschweifend, unschicklich, -ziemlich, -gehörig, -gebührlich, -anständig, sündhaft, anstößig, wüst, schmutzig, zuchtlos, verrucht, ruchlos, unsolide, hemmungslos ‖ → lästerlich

lästerlich: abscheulich, frevelhaft, widerwärtig, gräulich, Abscheu erregend, gemein, lasterhaft, unverzeihlich, frevlerisch, verbrecherisch, sündhaft, gottlos, fluchwürdig, böse, gotteslästerlich, blasphemisch, schändlich, ruchlos

lästern: abfällig/schlecht reden/sprechen, spotten, s. mokieren, schmähen, beschimpfen, (ver)fluchen, verunglimpfen, diffamieren, angreifen, mit Schmutz bewerfen, verleumden, schlechtmachen, diskreditieren, in ein schlechtes Licht setzen, in Misskredit bringen, jmdn. verächtlich machen ‖ → klatschen

lästig: auf-, zudringlich, penetrant, frech, unverschämt, -angenehm, taktlos, widerlich, ekelhaft, plump, indiskret ‖ unbequem, -liebsam, störend, beschwerlich, mühsam, -selig, mühevoll, unpassend, -angebracht, -willkommen, -erwünscht, hinderlich, hemmend, belastend, ungelegen, widrig; *ugs.:* überquer ‖ **l. sein** → stören

Lastkraftwagen: Lastwagen, -auto, Transporter, Lieferwagen, -auto, LKW; *ugs.:* Laster; *schweiz.:* Camion

Lasur: Glasur, Guss, Überzug

lasziv → anstößig

latent: verborgen, -steckt, -hüllt, -kappt, -deckt, -schleiert, unterschwellig, unter der Oberfläche, schlummernd, unmerklich, -bemerkt, -erkannt, -sichtbar, nicht offenkundig, dem Auge entzogen

Laterne: (Straßen)leuchte, -lampe, -beleuchtung, Beleuchtungskörper ‖ Lampion, Papierlaterne

latschen → gehen

Latschen → Hausschuhe ‖ → Schuhe

Latte: Planke, Leiste, Brett ‖ → Riese ‖ → Erektion

lau: lauwarm, mäßig warm, ver-, überschlagen, mild, lind, handwarm, leicht temperiert ‖ ohne Begeisterung, halbherzig, mit halbem Herzen, lustlos, gleichgültig, teilnahmslos, kühl, interesselos, des-, uninteressiert, -gerührt

Laub: Blätter, Blatt-, Laubwerk, Belaubung

Lauch: Porree

Laudatio → Lobrede

lauern: im Hinterhalt liegen/warten, auf der Lauer liegen, Ausschau halten, harren, warten, abpassen, be-, auflauern, s. auf die Lauer legen, nachspüren, -spionieren

Lauf: Schritt, Gang, Tritt ‖ (Wett)rennen, Wettlauf ‖ Ver-, Ablauf, Entwicklung, Her-, Fortgang, Nacheinander, (Aufeinander)folge, Prozess, Weg, Fluss, Strom, Bahn

Laufbahn: Werdegang, Karriere, Aufstieg, Entwicklungsgeschichte, Lebensweg, -lauf, Vorwärtskommen

Laufbursche → Bote

laufen: hasten, eilen, s. beeilen, rennen, rasen, stürmen, stürzen, sausen, preschen, spurten, sprinten, galoppieren, traben, huschen, die Beine in die Hand nehmen; *ugs.:* wetzen, pesen, spritzen, wieseln, fegen, flitzen, stieben, schwirren, sputen, jagen, hetzen ‖ (zu Fuß) gehen, s. fortbewegen, spazieren (gehen), wandern, eine

Runde drehen; *ugs.:* marschieren, s.
die Beine vertreten ‖ → fließen ‖
→ arbeiten ‖ gelten, gültig sein, Gül-
tigkeit/Laufzeit haben, verbindlich
sein ‖ → lecken
laufend → dauernd
laufen lassen → freilassen
läufig → brünstig
Laufzeit: Geltung(sdauer), Gültigkeit
Laune: Stimmung, Aufgelegtsein,
Gemütsverfassung, -zustand, -lage,
Disponiertheit ‖ → Lust ‖ Einfall,
Anwandlung, Schrulle, Grille, Kapriole, Kaprize, Exzentrizität; *ugs.:*
Flausen, Allüren, Mucke, Marotte ‖
pl.: schlechte Laune, Launenhaftig-
keit, Übellaunigkeit, Misslaune, Verstimmung, gereizte Stimme, Gereiztheit, Reizbarkeit, Missgestimmtheit
launenhaft → launisch
launisch: launenhaft, wetterwendisch, unberechenbar, -beständig,
-zuverlässig, voller Launen, exzentrisch, bizarr, kapriziös, unausgeglichen, flatterhaft, unstet, wankelmütig, wechselnd, grillenhaft
Lausbub → Frechdachs
Lausbüberei → Streich
lauschen: horchen auf, hin-, zuhören,
s. anhören, ganz Ohr sein, an jmds.
Lippen hängen, jmdm. Gehör schen-
ken/sein Ohr leihen; *ugs.:* die Oh-
ren/Löffel spitzen/aufsperren, lange
Ohren machen ‖ → beobachten
lauschig → gemütlich
Lausebengel → Frechdachs
lausen → ausbeuten
lausig → übel ‖ → sehr
laut: geräuschvoll, voller Lärm, nicht
ruhig/leise, (ohren)betäubend, lautstark, -hals, durchdringend, mit er-
hobener Stimme, aus vollem Hals,
vernehmlich, -nehmbar, hörbar,
markerschütternd, durch Mark und
Bein gehend, ohrenzerreißend, gellend, schrill, grell, aus voller Kehle/

Leibeskräften, unüberhörbar, lärmend, dröhnend, mit voller Laut-
stärke, fortissimo, schallend ‖ gemäß,
entsprechend, nach (Maßgabe), zufolge, auf … hin
Laut: Ton, Schall, Geräusch, Klang,
Hall, Stimme
lauten: heißen, den Titel/Namen ha-
ben/tragen, genannt werden, s. nennen, s. schreiben ‖ klingen, s. anhören
läuten: klingeln, die Glocke ziehen/
drücken, gongen; *ugs.:* bimmeln;
reg.: schellen ‖ klingen, (er)tönen,
(er)schallen, dröhnen, schwingen,
hallen; *ugs.:* scheppern ‖ **l. hören**
→ erfahren
lauter: rein, sauber, makellos, unverdorben, -getrübt, durch nichts beein-
trächtigt/entstellt/vergiftet, unverfälscht, pur ‖ → anständig, aufrichtig,
geradlinig, offen, redlich, ohne Hintergedanken nur, bloß, (einzig und)
allein, ausschließlich, lediglich,
nichts (anderes) als
läutern: klären, reinigen, sublimieren
‖ **sich l.:** s. wandeln, s. bessern, ein
anderer Mensch werden, in s. gehen,
umkehren, reifen, reif werden, s. bekehren, Reue hegen/empfinden, zur
Lehre dienen, Einkehr halten
lauthals → laut
lautlos → leise
lautstark → laut
lauwarm → lau
lavieren: diplomatisch/geschickt/
vorsichtig/klug vorgehen, taktieren,
Taktik anwenden, jonglieren, balancieren, Schwierigkeiten umgehen, s.
taktisch/diplomatisch verhalten;
ugs.: s. durchschlängeln, s. hin-
durchwinden
Lawine: Schneerutsch; *reg., öster.:*
Lahn; *schweiz.:* Lähne ‖ → Menge
lax → nachlässig
Lazarett: Militärkrankenhaus, -hos-
pital
Leader → Führer

Lebemann → Playboy
leben: am Leben/lebendig/nicht tot/ auf der Welt sein, existieren, da sein, vorhanden sein, atmen; *gehoben:* unter den Lebenden/uns weilen ‖ sein Leben verbringen, ein Leben führen/ haben, ein Dasein führen ‖ s. ernähren, seinen Lebensunterhalt bestreiten, s. erhalten, zehren von ‖ wohnen, zu Hause/daheim/wohnhaft/ansässig/angesiedelt/beheimatet sein, seinen Wohnsitz haben, (registriert) sein, residieren, weilen, sitzen, s. aufhalten, s. befinden, seine Tage ver-/zubringen/verleben, s. häuslich niederlassen, hausen, verschlagen worden sein ‖ s. widmen (Aufgabe), aufgehen in, s. ganz verschreiben/hingeben ‖ **schlecht l.:** vegetieren, vom Leben benachteiligt sein, s. durchs Leben schlagen, sein Leben/Dasein fristen, s. über Wasser halten, nicht auf Rosen gebettet sein, nicht leben und nicht sterben können, zum Leben zu wenig und zum Sterben zu viel haben, darben; *ugs.:* ein Hundeleben führen, wie ein Hund leben ‖ **gut l.:** ein Wohlleben führen, auf großem Fuß/in Saus und Braus leben, s. des Lebens freuen, schwelgen, s. nichts versagen/abgehen lassen, es s. gut gehen lassen, in sicheren/wohlhabenden Verhältnissen leben, weich gebettet sein, wie Gott in Frankreich/ein Fürst/die Made im Speck/in Freuden/in Glück leben, auf der Sonnenseite des Lebens stehen
Leben: (Da)sein, Existenz, Bestehen, Fleisch und Blut, Atem ‖ → Lebensart ‖ Lebensdauer, -zeit, -gang, -weg, -bahn, -tage, -lauf, Werdegang, Vita, Biografie; *dicht.:* Erdentage, -leben, -weg, Lebensschiff, -reise ‖ Wirklichkeit, Realität ‖ Betriebsam-, Regsamkeit, Treiben, Trubel, Aktivität, pulsierendes Leben
lebendig: lebend, am Leben, mit Le-

ben erfüllt, nicht tot ‖ → lebhaft ‖ → anschaulich
Lebendigkeit → Schwung
Lebensabend: Alter, die alten Tage, Ruhestand, Lebensausklang, -herbst, die hohen/letzten Jahre, Lebensende; *dicht.:* Lebensneige, Herbst des Lebens
Lebensart: Lebensform, -weise, -stil, -führung, -gestaltung, -wandel, Daseinsweise, -form, Stil, Lebensgewohnheit, Leben; *ugs.:* Fasson ‖ Benehmen, Manieren, Betragen, Auftreten, Verhalten, Anstand, Kinderstube, Umgangsformen, Haltung, Erziehung; *ugs.:* Benimm
lebensbejahend → optimistisch
Lebensende → Tod
Lebenserinnerungen → Memoiren
lebensfremd: ohne Lebenserfahrung, lebens-, wirklichkeitsfern, theoretisch, akademisch, weltfremd, -fern, -entrückt, -verloren, -abgewandt, unrealistisch, idealistisch, versponnen, -träumt, -stiegen
lebensgefährlich → gefährlich ‖ → mutig
Lebensgefährte → Ehemann
Lebensgefährtin → Ehefrau
Lebensgeister: Frische, Munterkeit, Lebenskraft, Vitalität, Spannkraft, Schwung, Elan, Feuer, Temperament, Tatkraft, Energie, Dynamik
Lebensgemeinschaft → Ehe
Lebensgeschichte: (Auto)biografie, Lebensbeschreibung, -erinnerungen, -bild, -abriss, -lauf, Entwicklungsgeschichte, -gang, Werdegang
Lebenskraft → Lebensgeister
Lebenskreis → Umwelt
Lebenslauf: Vita, Laufbahn, Karriere ‖ → Lebensgeschichte
Lebensmittel: Nahrungsmittel, Nahrungsgüter, Nahrung, Esswaren, Nährmittel, Nährstoffe, Essbares, Naturalien; *ugs.:* Fressalien, Futter
lebensmüde: lebensüberdrüssig,

-satt, daseinsmüde, ohne Lebenswillen/Freude am Leben, gebrochen, verzweifelt, depressiv, deprimiert, mutlos, niedergedrückt, -geschlagen, am Ende, schwermütig; *ugs.:* tod-, kreuzunglücklich

Lebensunterhalt: Lebenshaltung(skosten), Unterhalt, das tägliche Brot, Ernährung, Existenz, Erhaltung, Versorgung, Haushaltungskosten, Alimentation, Ein-, Auskommen

lebensverneinend → pessimistisch
Lebenswandel → Lebensart
Lebensweg → Leben
Lebensweise → Lebensart
lebenswichtig → wichtig
Lebewesen: Wesen, Kreatur, Geschöpf, Organismus, Leben
Lebewohl → Abschied ‖ **lebe wohl** → Wiedersehen

lebhaft: (spring)lebendig, temperamentvoll, munter, beweglich, nicht langweilig, anregend, agil, quirlig, flink, behände, wendig, vital, vif, betriebsam, geschäftig, frisch, rege, mit Elan/Schwung, schwungvoll, beschwingt, dynamisch, feurig, voll-, heißblütig, leidenschaftlich, sanguinisch, unruhig, alert, wild, ungestüm, heftig, stürmisch, unternehmungslustig; *ugs.:* kregel, quicklebendig, sprudelnd, quecksilbrig, quick, in Fahrt, wie aufgezogen/-gedreht, zappelig ‖ kräftig (Farbe), auffällig, leuchtend, farbenfreudig, -froh, -prächtig, satt, grell, bunt, farbig; *ugs.:* poppig, knallig, schreiend

Lebkuchen: *reg.:* Pfeffer-, Honigkuchen, Lebzelten, braune Kuchen
leblos: (wie) tot, unbelebt, entseelt, ohne Leben, hingestreckt, starr, kalt, ab-, ausgestorben, regungs-, reg-, bewegungslos, ohne Bewegung, unbewegt, erstarrt; *ugs.:* mausetot ‖ anorganisch, nicht organisch
lechzen: s. sehnen/schmachten/dürs-

ten/hungern nach, vor Sehnsucht vergehen, begehren, Verlangen haben, begierig sein, fiebern/gieren nach, gelüsten, versessen sein, s. verzehren, vergehen vor, drängen nach; *ugs.:* s. alle zehn Finger lecken, hinterher/scharf/erpicht sein, s. zerreißen

leck: undicht, löcherig, durchlässig, porös ‖ defekt, schadhaft, angeschlagen, mitgenommen, lädiert; *ugs.:* ramponiert
Leck: Loch, schadhafte, undichte Stelle, Bruchstelle, Riss
lecken: ein Leck/Loch haben, leck/löcherig/undicht sein, tropfen, auslaufen, -fließen, -strömen, s. (ent)leeren, tröpfeln ‖ (ab)schlecken, ablecken, lutschen; *ugs.:* labbern, suckeln, schlotzen; *öster.:* abzuzeln
lecker → schmackhaft
Leckerbissen: Delikatesse, Spezialität, Köstlichkeit, Leckerei, Gaumenfreude, -kitzel, -reiz, Hochgenuss, Schleckerei, Götterspeise, lukullischer Genuss; *reg.:* Schmankerl; *öster.:* Gustostückerl; *schweiz.:* Schleck
Leckermaul: *(ugs.):* Feinschmecker, Genießer, Schlemmer, Schwelger, Gourmet, Gourmand, Schlecker, Kulinarier, Lukullus; *ugs.:* Naschkatze, Schleckermaul; *öster.:* Genussspecht, Feinspitz
ledern: aus Leder, lederartig, ledrig, zäh, sehnig, hart, (zäh) wie Leder; *reg.:* zach ‖ → langweilig
ledig: unverheiratet, -vermählt, -verehelicht, -gebunden, -abhängig, ehelos, frei, allein stehend, für s. allein, auf s. gestellt, fessellos, single; *gehoben:* gattenlos; *scherzh.:* unbemannt, -beweibt, einspännig; *ugs.:* noch zu haben; *öster.:* alleinig ‖ unbelastet, -behindert, befreit, erlöst ‖ *ugs.:* un-, außer-, vorehelich, illegitim, natürlich, nicht ehelich

lediglich: nur, bloß, ausschließlich, (einzig und) allein, alleinig, uneingeschränkt, nichts/nicht mehr als, just
ledrig → ledern
leer: ohne Inhalt, nichts enthaltend, leer stehend, unbesetzt, unbewohnt, entleert, kahl ‖ unbedruckt, unbeschrieben, frei, vakant ‖ ausgetrunken, ausgegossen ‖ → öde ‖ → geistlos ‖ **l. ausgehen:** zurückstehen, benachteiligt werden, beiseite stehen, das Nachsehen haben, ins Hintertreffen geraten, übergangen/vergessen/nicht bedacht werden, nichts bekommen; *ugs.:* schlecht wegkommen, nichts abkriegen, in den Mond/die Röhre/Luft gucken, in den Kamin schreiben
Leere: Nichts, Vakuum, luftleerer Raum ‖ (Ein)öde, Einsamkeit, Verlassen-, Unbelebt-, Ausgestorbenheit ‖ Geistlosig-, Einfallslosigkeit, Geistesarmut, (Gedanken)armut, Gedankenleere, Hohlheit, Banalität, Trivialität, Stumpfsinn, Beschränkt-, Plattheit, Inhaltslosigkeit, Seichtheit, Gehaltlosigkeit
leeren: ent-, ausleeren, leer machen/werden, herausnehmen, räumen, ausgießen, -schütten, aus-, entladen, auspacken, s. entleeren; *ugs.:* auskippen ‖ (aus)trinken, -schlürfen, bis zur Neige trinken/leeren, ex trinken; *ugs.:* aussaufen, hinunterkippen, -stürzen
Leerlauf: Nutzlosig-, Vergeblichkeit, unrationelle / unnötige / sinnlose / nutzlose Arbeitsgänge/Tätigkeit, Verlustgeschäft, Stillstand
leer stehend → leer
legal: recht-, gesetzmäßig, rechtlich, gesetzlich, amtlich, legitim, zu Recht, nach Recht und Gesetz, de jure, statthaft, zulässig, berechtigt, erlaubt, gestattet, nach den Paragraphen, vorschriftsmäßig, von Rechts wegen, mit Fug und Recht, anerkannt

legalisieren: amtlich bestätigen, beglaubigen, billigen, genehmigen, konsignieren, gutheißen, zum Gesetz erheben, Gesetzeskraft verleihen, ratifizieren, als Gesetz erlassen, legitimieren, anerkennen, sanktionieren, die Genehmigung/Zustimmung geben/erteilen
Legalität: Rechtmäßigkeit, Gesetzmäßigkeit, Berechtigung, Legitimität, Gesetzlichkeit
legen: hinlegen, -stellen, betten, platzieren, absetzen, ab-, niederlegen, unterbringen, deponieren; *ugs.:* hintun ‖ **sich l.** → abflauen ‖ → s. hinlegen
legendär: sagenhaft, -umwoben, mythisch, legendenumwoben
leger → zwanglos
legiert: (ab)gebunden, an-, eingedickt, samig
Legion → Menge
Legislative: Gesetzgebung, gesetzgebende Gewalt/Versammlung, Gesetzgeber, Legislatur, Legislation
legitim → legal ‖ → ehelich
legitimieren → legalisieren ‖ **sich l.** → (s.) ausweisen
lehmig: schlammig, breiig, schmutzig, dreckig, schmierig; *ugs.:* matschig
Lehne: Rückenstütze, Armstütze, Rücken, Stütze, Halt ‖ (Ab)hang, Böschung, Halde, Abfall; *öster.:* Leite
lehnen: anlehnen, -stellen, gegenlehnen, -stellen ‖ **sich l. gegen:** s. (ab-, auf)stützen, s. an-/zurück-/auf-/gegenlehnen, s. stellen gegen, s. anschmiegen, Halt suchen, s. festhalten, s. aufstemmen ‖ **sich l. über:** s. (nieder)beugen, s. (über)neigen, s. krümmen, s. biegen
Lehnsmann: Gefolgsmann, Vasall, Abhängiger
Lehranstalt → Schule
Lehrbuch: Kompendium, Handbuch, Abriss, Leitfaden, Ratgeber, Einführung, Fibel, Schulbuch

Lehre: Lehrzeit, -jahre, (Berufs)ausbildung || heilsame Erkenntnis, Belehrung, Lektion, bittere Arznei, Erfahrung, Mahnung, Denkzettel, Warnung || Theorie, Theorem, These, Schul-, Lehrmeinung, (Lehr)satz, Dogma, Doktrin, Behauptung, Ansicht, Gedanken-, Lehrgebäude, Überzeugung, Glaubenssatz, -system, (Gedanken)system, Wissenschaft, (Welt)anschauung, Bekenntnis, Konfession

lehren → unterrichten

Lehrer: Lehrkraft, -meister, Pädagoge, Erzieher, Ausbilder, Schullehrer, Dozent, Mentor, Magister, Professor, Studienrat; *abwertend:* Schulmeister; *ugs.:* Pauker

Lehrgang: Kurs(us), Unterricht(sreihe), Seminar, Schulung

lehrhaft: schulmäßig, -meisterlich, belehrend, professorenhaft, professoral, dozierend, doktrinär, dogmatisch, didaktisch, pädagogisch, erzieherisch, mit erhobenem Zeigefinger; *abwertend:* paukerhaft || → lehrreich

Lehrjahre → Lehre

Lehrling: Auszubildender, Azubi, Lehrmädchen, -junge, Volontär, Eleve, Praktikant; *reg.:* Lehrbub, Bursche; *ugs.:* Stift, Trainee

Lehrmeister: Meister, Lehrherr, → Lehrer; *veraltet:* Prinzipal || Vorbild, Ideal, Leitstern, -figur, -bild

Lehrplan: Curriculum, Studienplan, -programm, Lehr-, Lernstoff, Pensum

lehrreich: instruktiv, informativ, aufschlussreich, wissenswert, belehrend, interessant, konstruktiv, bemerkens-, beachtens-, lesens-, hörenswert, nützlich, nutzbringend, hilfreich, lohnend, fruchtbar, bildend, erhellend, -leuchtend || → lehrhaft

Lehrstuhl: Professorenstelle, Professur, Ordinariat; *öster.:* Lehrkanzel

Leib → Körper

leibeigen: unfrei, abhängig, gebunden, unterdrückt, geknechtet, versklavt, unter der Knute, sklavisch, untertan, -worfen

Leibeserziehung → Sport

Leibesfrucht → Embryo

Leibesfülle → Körperfülle

Leibgericht: Lieblingsspeise, -essen, -gericht, Leibspeise, Leib- und Magengericht/-speise

leibhaftig: in eigener Person/Gestalt, wirklich (und wahrhaftig), selbst, selber, direkt, persönlich, tatsächlich, real, fass-, greifbar, lebendig, körperlich

Leibhaftiger → Teufel

leiblich: körperlich, physisch || unmittelbar verwandt, blutsverwandt

Leibwäsche → Unterwäsche

Leiche → Leichnam

Leichenbegängnis → Beerdigung

leichenblass → blass

Leichenöffnung → Obduktion

Leichenschmaus: Totenmahl; *öster.:* Kondukt; *schweiz.:* Traueressen

Leichnam: Leiche, der Tote/Verstorbene/Entschlafene/Ver-/Abge-/Hingeschiedene, Verblichener, die Gebeine, toter Körper; *gehoben:* der Heimgegangene/Entseelte/Verewigte, die sterbliche/irdische Hülle, die sterblichen (Über)reste

leicht: nicht schwer/massiv, von geringem/ohne Gewicht, gewichtlos, federleicht, wie eine Feder, tragbar || nicht schwierig, ohne Schwierigkeiten/Mühe, mühe-, problemlos, (sehr) einfach, spielend, baby-, kinderleicht, ein Kinderspiel, problemlos, bequem, mit Leichtigkeit, unschwer, -problematisch, -kompliziert, simpel; *ugs.:* aus dem Handgelenk, mit einem Griff/dem kleinen Finger, im Schlaf, ein Klacks, kein Kunststück, wie geschmiert, am Schnürchen, idiotensicher, puppenleicht || → unbedeutend || bekömmlich, zu-, verträglich, gut/

leicht verdaulich, gesund ‖ von geringem Gehalt, nicht anspruchsvoll, unterhaltend, -haltsam, entspannend, erbaulich, angenehm, oberflächlich, seicht, trivial ‖ → leichtlebig ‖ beim geringsten Anlass, schnell, unversehens, -vermittelt, -vermutet, schlagartig, ohne weiteres, überraschend; *ugs.:* ehe man sich's versieht, wie (ein Blitz) aus heiterem Himmel, mir nichts dir nichts, Knall und Fall ‖ gut, durchaus, unbedingt, absolut, auf jeden Fall, unter allen Umständen

leicht fallen: keine Mühe/Schwierigkeiten machen, mühelos/mit Leichtigkeit gehen, mit leichter Hand schaffen; *ugs.:* wie geschmiert/am Schnürchen gehen

leichtfertig → leichtsinnig

Leichtfuß: Luftikus, Bruder Leichtfuß/-sinn, lockerer/leichter/loser Vogel, windiger Bursche, Libertin, Liederjan, Tunichtgut, Taugenichts; *ugs.:* Windhund, Windbeutel; *reg.:* Hallodri; *öster.:* Haderlump

leichtfüßig → gewandt

leichtgläubig → arglos

leichtherzig: sorglos, unbesorgt, -beschwert, -bekümmert, leicht, mit leichtem/frohem Herzen, frei von/ohne Sorgen ‖ → leichthin

leichthin: ohne zu überlegen/s. (viele) Gedanken zu machen, am Rande, en passant, leichtfertig, -herzig, obenhin, vorschnell, nebenbei, beiläufig, wie zufällig, oberflächlich, flüchtig, unbedenklich, gedankenlos, unüberlegt, -bedacht, -besonnen, übereilt, ohne Bedacht/Überlegung; *ugs.:* blindlings

Leichtigkeit → Kleinigkeit

leichtlebig: lebenslustig, flott, leicht, flatterhaft, unsolide, freizügig, unbekümmert, sorglos, ausschweifend, lose, locker, munter, vergnügungssüchtig, lebensfroh, unbedenklich,

-kompliziert, leichtherzig, unseriös, liederlich; *ugs.:* windig

leicht nehmen: s. keine Sorgen/Gedanken machen, den nötigen Ernst vermissen lassen, ohne den erwarteten Ernst reagieren; *ugs.:* s. keine grauen Haare wachsen lassen, etwas auf die leichte Schulter nehmen

leichtsinnig: verantwortungslos, unverantwortlich, fahrlässig, leichtfertig, pflichtvergessen, unvorsichtig, -entschuldbar, -vertretbar, oberflächlich, sorglos, unbekümmert, -bedacht, -überlegt, -besonnen, ohne Ernst/Sinn und Verstand, gedankenlos, nachlässig, unachtsam, -bedenklich, flatterhaft, bedenken-, skrupellos, sträflich

leid: l. **sein:** *(ugs.):* nicht mehr mögen, einer Sache überdrüssig/müde sein, ablehnen, missbilligen, -fallen, nicht leiden/ausstehen können, zuwider sein, eine Abneigung/Aversion haben, verabscheuen, lästig sein, unangenehm finden; *ugs.:* genug/satt/dick/über haben, bedient sein, nicht sehen/riechen können, bis oben an den Hals stehen, die Nase/Schnauze voll haben, auf die Nerven/den Wecker gehen/fallen, zum Halse heraushängen ‖ **Leid tun:** erbarmen, dauern, (be)mitleiden, in der Seele weh tun, Mitleid erregen, mitfühlen, -empfinden, Mitleid/Bedauern äußern/ausdrücken/bekunden, nachempfinden ‖ → bereuen

Leid: Unglück, Kummer, (tiefer) Schmerz, Last, Qual, Bürde, Marter, Pein, Martyrium, Gram, Sorge, Drangsal, Kümmernis, Jammer, Not, Misere, Trauer, Trübsal, Crux, Elend, Kreuz, Leiden, Seelenschmerz, Düsterkeit, Verzweiflung, Trostlosigkeit; *dicht.:* Herzeleid, (Herz)weh, Harm

leiden: an etwas erkrankt sein, Schmerzen (er)dulden/ertragen/

aushalten, s. quälen, viel/Schlimmes durch-/mitmachen, krank sein, etwas durch-/ausstehen, über s. ergehen lassen, nichts erspart bleiben, Schmerzen fühlen/empfinden, zu klagen haben, erleiden, befallen sein von, schlecht gehen, nicht wohl/in Ordnung sein, bedrückt sein; *ugs.:* herumkrebsen, -laborieren, angeknackst sein ‖ Not l. → darben ‖ l. **können** → mögen
Leiden → Leid ‖ → Krankheit
Leidenschaft: Feuer, Feurigkeit, Glut, Inbrunst, Sturm, Begeisterung, Faszination, Rausch, Ekstase, Elan, Schwung, Enthusiasmus, Temperament, Überschwang, Schwärmerei, Eifer ‖ Verlangen, Begier(de), Gier, Lust, Gefühlserregung, Affekt, Fieber, Aufwallung, Taumel, Trunkenheit, Liebe(sglut) ‖ → Hobby
leidenschaftlich: glühend, passioniert, feurig, voller Leidenschaft, mit innerem Feuer, heftig, eifrig, inbrünstig, besessen, fanatisch, begeistert, schwärmerisch, abgöttisch, lebhaft, temperamentvoll, impulsiv, ungestüm, -bändig, stürmisch, sanguinisch, intensiv, maßlos, wild, heißblütig, rassig, hitzig, flammend, dynamisch, vulkanisch, entflammt, heiß, brennend
leidenschaftslos → gleichgültig
Leidensweg → Passion ‖ → Qual
leider: unglücklicher-, bedauerlicher-, fatalerweise, zu meinem Bedauern/Leidwesen, mit Bedauern, es tut mir Leid, es ist (jammer)schade, Gott sei's geklagt; *ugs.:* dummerweise, leider Gottes
leidgeprüft: vom Schicksal geschlagen, (schwer) geprüft, heimgesucht, vom Pech/Unglück verfolgt, gequält, -plagt, -peinigt
leidig → unangenehm
leidlich: erträglich, -tragbar, passabel, den Verhältnissen/Umständen

entsprechend, hinlänglich, (mittel)mäßig, annehmbar, akzeptabel, zufrieden stellend, befriedigend, ausreichend, notdürftig, schlecht und recht, genügend, einigermaßen, halbwegs, mit Müh und Not; *ugs.:* gerade so eben, ganz nett, mit Ach und Krach, mau, (so) mittel/lala, soso, mittelprächtig, durchwachsen, nicht besonders/sonderlich/berühmt/rosig/berauschend/weit her
Leidtragender: Trauernder, Hinterbliebener; *schweiz.:* Hinterlasserner; *pl.:* Trauergemeinde ‖ → Opfer
Leierkasten: Drehorgel; *reg.:* Leier, Werkel, Nudelkasten
leihen: ver-, ausleihen, (ver-, aus)borgen, (leihweise) zur Verfügung stellen, (zeitweise) überlassen, aushelfen, vorlegen, -strecken, auslegen; *ugs.:* (ver)pumpen, auf Pump geben, herleihen, vorschießen ‖ **sich l.:** s. (aus-, er)borgen, s. ent-/ausleihen, Schulden machen, einen Kredit aufnehmen, entlehnen, eine Anleihe machen, s. in Schulden stürzen, Verbindlichkeiten eingehen, versetzen, -pfänden, beleihen; *ugs.:* anpumpen, -zapfen, -schreiben lassen
Leihhaus: Pfandleihe, -haus, Versatzamt, Leihanstalt
leihweise: auf Kredit/Borg, als Leihgabe, geliehen; *ugs.:* auf Pump
Leim → Klebstoff
leimen: kleistern, zusammenkleben, aneinander kleben, reparieren, (wieder) instand setzen/bringen, richten, den Schaden beheben, in Ordnung bringen; *ugs.:* kitten, pappen, ganz/heil machen ‖ → betrügen
Leine: Zügel ‖ Schnur, Tau, Seil, Strick, Strang; *Fachspr.:* Reep, Trosse ‖ **L. ziehen** → weggehen
Leinen: Leinengewebe, Leinenzeug, Leinwand; *dicht.:* Linnen
Leintuch: (Bett)laken, Betttuch; *reg.:* Leilach, Leilak(en)

leise: nicht laut, gedämpft, flüsternd, piano, laut-, geräuschlos, still, auf Zehenspitzen, ruhig, verhalten, im Flüsterton, kaum hör-/vernehmbar/ vernehmlich, tonlos, nicht störend, auf leisen Sohlen, heimlich

leisetreten → sparen

leisten: vollbringen, -führen, bewerkstelligen, aus-, verrichten, tun, arbeiten, Aufgabe lösen/erfüllen, zustande-/-wege bringen, durch-, ausführen, erledigen, abwickeln, schaffen, erreichen, -zielen, -wirken, -bringen, fertig bekommen, tüchtig sein, powern; *ugs.:* fertig kriegen/bringen ‖ **sich l.:** s. gönnen, s. zugute tun, s. etwas genehmigen, s. finanziell ermöglichen (können), zu s. selbst gut sein, an s. selbst denken, s. nichts abgehen lassen, s. gestatten, s. gütlich tun ‖ → s. anmaßen ‖ → anrichten

Leistung: Kraft, Power, Leistungsfähigkeit, -vermögen, Arbeits-, Spannkraft, Arbeitsvermögen, -potenzial, Können, Funktionieren ‖ (Groß)tat, (Meister)werk, Arbeit, Verdienst, Meriten, Schöpfung, Produkt, Ergebnis, Erfolg, Kunststück ‖ Aufwendung, Zahlung

leistungsfähig: tüchtig, (arbeits)fähig, patent, fit, in Form/guter Verfassung, stark, gesund, kräftig, strapazierbar, sehr gut

Leitbild: Vorbild, Ideal, höchstes Ziel, Richtschnur, Leitstern, -figur, Muster(bild), Modell, Idol, Abgott, Wunschbild, Inbegriff

leiten: führen, lenken, verwalten, an der Spitze stehen, maßgeblich sein, befehligen, kommandieren, die Zügel führen, die Sache in die Hand nehmen, die Fäden in der Hand haben/halten, die Leitung/Führung innehaben, vorstehen, den Vorsitz führen, vorsitzen, präsidieren, (be)herrschen, anführen; *ugs.:* den Ton angeben, die erste Geige spielen

‖ dirigieren, lotsen, den Weg weisen/ zeigen/vorzeichnen, manövrieren, steuern, bugsieren, einweisen ‖ weiter-, fortführen, weiterleiten, hindurchgehen lassen, übertragen (Elektrizität)

Leiter: *m.:* Chef, leitende/führende/ verantwortliche Person/Persönlichkeit, Verantwortlicher, Hauptperson, -figur, Mann an der Spitze, Vorsteher, Direktor, (Geschäfts)führer, Führungskraft, Manager, Entscheidungsträger, Präsident, Kommandant, Dirigent, Lenker, Anführer, Oberhaupt, Kopf, Prinzipal, Leader; *ugs.:* Boss, Macher, Leithammel, der Alte ‖ *f.:* Treppen-, Anstellleiter, Tritt(leiter), Stiege, Staffel, Fallreep

Leitfaden: Einführung, Hand-, Lehrbuch, Kompendium, Ratgeber, Abriss, Vademekum, Grundriss, Führer, Wegweiser, Guide, Gebrauchsanweisung

Leitgedanke: Haupt-, Grundgedanke, Leit-, Grundmotiv, (Grund)idee, roter Faden, Grundvorstellung, das Wesentliche/Wichtigste, das, worauf es ankommt

Leithammel → Leiter

Leitmotiv → Leitgedanke

Leitsatz: Grundsatz, (Faust)regel, Richt-, Leitschnur, Prinzip, Gesetz, Motto, Wahlspruch, Leitgedanke, -spruch, Devise, Maxime

Leitung: (Ober)aufsicht, Management, Direktion, Regie, Führung, Vorsitz, Kommando, Regiment, Lenkung ‖ Führungsgruppe, -stab, Direktorat, Führerschaft, Vorstand, Verwaltung, Spitze, Direktorium, Präsidium ‖ Draht, Kabel, Zuleitung, Verbindungsschnur, (Telefon)verbindung, Rohr(leitung)

Lektion: Kurs(us), (Unterrichts)stunde, Pensum, Schulung, Unterweisung, Anleitung, -weisung, Instruktion, Aufgabe, Lehr-, Lernstunde ‖ Strafpredigt, Zurechtweisung, Maßregelung, Warnung, Mahnung, bittere Arznei, Belehrung, Lehre, Denkzettel, heilsame Erkenntnis/Erfahrung; *ugs.:* Standpauke, Abreibung, Moral-, Gardinenpredigt, Donnerwetter

Lektüre: Lesestoff, Literatur, Buch, etwas zum Lesen

lenken → leiten ‖ fahren, steuern, manövrieren, dirigieren, lotsen, chauffieren, kutschieren; *ugs.:* bugsieren ‖ erziehen, schulen, formen, bändigen, beeinflussen, -arbeiten, einwirken auf ‖ → beeinflussen

Lenker → Fahrer ‖ Lenkstange

Lenkrad: Steuer(rad), Steuerung; *veraltet:* Volant

Lenz: Frühjahr, Frühling, Maienzeit ‖ Jugend, Jugendzeit, -alter, Entwicklungs-, Reifejahre, Blüte(zeit) ‖ *pl.:* (Lebens)jahre

lernbegierig → wissbegierig

lernen: s. Kenntnisse/Wissen/Fähigkeiten aneignen, (ein)studieren, -üben, über Büchern sitzen, s. etwas einprägen/beibringen, erlernen, s. anlesen, Kenntnisse/Fähigkeiten/ Wissen erwerben, auswendig lernen, memorieren, aufnehmen, s. zu Eigen machen, s. präparieren, (durch)exerzieren, trainieren, Schulaufgaben machen, s. (fort-, aus)bilden; *ugs.:* büffeln, (ein)pauken, ochsen, bimsen, s. einhämmern/-bläuen, die Nase ins Buch stecken, durchkauen, s. auf den Hosenboden setzen ‖ in die Lehre gehen, s. ausbilden lassen, eine Berufsausbildung (durch)machen, einen Beruf erlernen; *ugs.:* von der Pike auf lernen

Lesart → Version

lesbar: leserlich, gut/leicht zu lesen/zu entziffern/zu verstehen, leslich, übersichtlich, sauber, deutlich, klar, verständlich, entzifferbar

Lesbierin: Homosexuelle, Urninde,

Homophile, Tribade, Urlinde ‖ *derb(abwertend):* kesser Vater (Männerpart), Kesmus

lesbisch: homosexuell, gleichgeschlechtlich, invertiert, sapphisch

Lese → Weinlese

lesen: ein Buch in die Hand/zur Hand nehmen, studieren, buchstabieren, entziffern, s. vertiefen/-senken in, durch-, auslesen, durcharbeiten, -gehen, s. in ein Buch vergraben; *ugs.:* schmökern, verschlingen, stöbern in ‖ vorlesen, -tragen, etwas zum Besten geben, etwas zu Gehör bringen, rezitieren, deklamieren, ab-, verlesen, zur Verlesung bringen, vorbringen, wiedergeben ‖ dozieren, Vorlesungen halten, unterrichten, Unterricht geben/erteilen ‖ ernten, (ein-, auf)sammeln, einbringen, pflücken

Leseratte: *(ugs.):* Büchernarr, -freund, -liebhaber, -mensch, Vielleser, Bibliomane; *ugs.:* Bücherwurm

Lesung: (parlamentarische) Beratung/Aussprache/Sitzung/Besprechung/Erörterung ‖ Dichterlesung, Vortragsabend

letal: tödlich, todbringend, zum Tode führend

Lethargie → Trägheit

Letter: (Druck)type, Druckbuchstabe, -letter, Schriftzeichen

letzt: vorig, vergangen, -flossen; *schweiz.:* abhin ‖ letztmöglich, äußerst, allerletzt ‖ restlich, übrig, überschüssig, noch vorhanden, verbleibend, übrig geblieben/gelassen/gewesen

letztendlich → schließlich

letztens → kürzlich ‖ → schließlich

letzthin → kürzlich

letztlich → schließlich

Leuchte: Lampe, Licht(quelle), Beleuchtungskörper ‖ *ugs.:* großer Geist, heller/kluger Kopf, Talent, Genie, Kapazität, Koryphäe, Kön-

ner, Größe, Meister, Berühmtheit;
ugs.: Ass, Kanone, Kirchenlicht, großes Licht

leuchten: glänzen, strahlen, funkeln, glitzern, gleißen, schimmern, flimmern, glimmern, flirren, blinken, blitzen, spiegeln, schillern, opaleszieren, opalisieren, szintilieren ‖ Licht/Helligkeit verbreiten/aussenden/-strahlen/fallen lassen, erhellen, blenden, etwas beleuchten, anstrahlen, -leuchten, hell machen, ausleuchten

leuchtend → glänzend ‖ → grell

Leuchter: Kerzenleuchter, Kandelaber, Leuchte, Armleuchter, Flambeau ‖ Kronleuchter, Lüster; *öster.:* Luster

Leuchtkäfer → Glühwürmchen

leugnen → abstreiten

Leumund → Ansehen

Leute: Menschen, die breite Masse, Öffentlichkeit, Allgemeinheit, (das breite) Publikum, Volk, Personen, Wesen, Geschöpfe, Individuen, Bevölkerung, Umwelt, -gebung, Gesellschaft ‖ Gesinde, (Dienst)personal, Dienerschaft, -schar, Dienstleute, Belegschaft, Untergebene, Arbeitskräfte, Angestellte, Mitarbeiter

leutselig: jovial, wohlwollend, gönnerhaft, freundlich, gütig, wohl/gut gesinnt, huldvoll, -reich, konziliant, umgänglich, wohlmeinend, entgegenkommend, kulant

Lex → Gesetz

Lexikon: Nachschlagewerk, Enzyklopädie, Handbuch, Kompendium ‖ Wörterbuch, -verzeichnis, Vokabular(ium), Diktionär

Liaison → Liebschaft ‖ → Bund

Libelle: Wasserjungfer; *volkst.:* Schillerbold

liberal: freiheitlich, vorurteilsfrei, tolerant, aufgeklärt, frei(sinnig), ohne Zwang, repressionsfrei, vorurteilslos

liberalisieren: freiheitlich/großzügig

gestalten, von Einschränkungen befreien, von Einschränkungen frei machen

Libido: Geschlechts-, Fortpflanzungstrieb ‖ Sinnenlust, Wollust, Sinnlichkeit, Begierde

licht → hell ‖ dünn bewachsen, gelichtet, spärlich

Licht: Helligkeit, Schein, Leuchten, Helle, Lichtstrom, -strahl, -fülle, -flut, Licht-, Strahlenkegel, Glanz, Schimmer ‖ Lichtquelle, Beleuchtung(skörper), Lampe, Leuchte ‖ Kerze, Talglicht

Lichtbild → Fotografie

Lichtblick: Lichtpunkt, erfreuliche Aussicht, (gute) Perspektive, Hoffnung(sschimmer), Trost, Labsal, Silberstreifen, Erquickung, Freude, freudiger Moment, Hoffnungsfunke, -strahl

lichten: (Anker) aufholen, herauf-, hochziehen, (be-, aus-, zurück)schneiden, (zurecht)stutzen, kürzen, abholzen, roden ‖ sich l.: s. aufhellen, s. (auf)klären, Licht kommen in, zutage kommen, s. aufheitern, aufklaren, s. entwölken, schön/freundlicher/hell/klar/sonnig werden ‖ s. verringern, weniger/dünner/durchsichtiger/schütter werden, abnehmen, schwinden

Lichtpause → Fotokopie

lichtscheu: zwielichtig, berüchtigt, anrüchig, übel beleumdet, verrufen, -schrien, fragwürdig, undurchsichtig, zweifelhaft, dubios, ominös, obskur, suspekt, dunkel, finster, abenteuerlich, gemein, charakterlos; *ugs.:* nicht ast-/hasenrein

Lichtspiele → Kino

Lichtung: Waldlichtung, Blöße, Rodung, Schneise, (Kahl)schlag, Waldschlag; *Fachsp.:* Schwende, Durchhieb

Lid: *ugs.:* Augendeckel

lieb: teuer, wert, unersetzlich, -ent-

behrlich, ans Herz gewachsen, vergöttert, -ehrt, angebetet, kostbar,
(heiß) geliebt, (hoch) geschätzt ‖
(an)genehm, (hoch)willkommen, erwünscht, recht, erfreulich, gern gesehen, wie gerufen ‖ → folgsam ‖
→ sympathisch ‖ → gut ‖ → liebevoll
liebäugeln: gern haben wollen, s.
wünschen, mit dem Gedanken spielen, s. mit dem Gedanken tragen, er-
picht/versessen/wild/verrückt sein
auf/nach; *ugs.:* scharf sein/aus sein
auf, s. spitzen auf, s. die Finger lecken
nach, hinterher sein ‖ → flirten
Liebchen → Liebling
Liebe: (Zu-, Hin)neigung, Verliebt-
heit, Hingabe, -gebung, -gezogenheit,
Amor, Anhänglichkeit, (Liebes)ge-
fühl, Schwäche für, Leidenschaft,
Verbundenheit, Zärtlich-, Innig-,
Herzlichkeit, Herzenswärme; *dicht.:*
Minne, Liebesverlangen; *ugs.:* Affen-
liebe ‖ → Liebesdienst ‖ → Geliebte,
→ Geliebter
liebebedürftig → anlehnungsbedürftig
Liebediener → Speichellecker
liebedienerisch → unterwürfig
liebedienern → kriechen
Liebelei → Affäre
lieben: zärtliche Gefühle hegen, hängen an, begehren, ins Herz geschlossen haben, sein Herz verschenken,
sein Herz verlieren an, lieb haben,
eine Liebschaft haben mit, ein Auge
geworfen haben auf, verliebt sein,
vergöttern, -ehren, schmachten nach,
entbrannt sein, eine Neigung haben
für, anbeten, zu Füßen liegen,
schwärmen/glühen für, auf Händen
tragen, → mögen; *ugs.:* anhimmeln ‖
sich l. → koitieren
liebenswert → sympathisch ‖ → reizend ‖ → gut
liebenswürdig: entgegen-, zuvorkommend, lieb, gefällig, großzügig,
-mütig, wohlwollend/wohl gesinnt/

meinend, höflich, hilfsbereit, aufmerksam, gütig, warmherzig, freundschaftlich, gut gemeint ‖ → sympathisch ‖ → reizend
lieber: eher, (viel)mehr, vorzugsweise, im Gegenteil ‖ besser, tunlichst, klugerweise, nach Möglichkeit, möglichst, wenn möglich, gefälligst
Liebesabenteuer → Affäre
Liebesdienst: Gefällig-, Nettigkeit,
Freundschafts-, Freundesdienst, Gefallen, Liebesbeweis, -bezeigung,
Liebe, Freundlich-, Liebenswürdigkeit
Liebesgeschichte → Romanze
liebevoll: zärtlich (besorgt), von
Liebe erfüllt, lieb, mit (viel) Mühe
und Sorgfalt, fürsorglich, rührend,
hingebungsvoll, -gebend, mit/voller
Hingebung/Liebe, zart, liebend, innig, aufopfernd, gefühlvoll, empfindsam, sensibel, weich, sanft
lieb gewinnen: s. hingezogen fühlen, ins Herz schließen, s. verlieben,
s. erwärmen für, entbrannt sein für,
s. an- / befreunden, Freundschaft
schließen, (gut) Freund werden mit,
s. jmdm. anschließen
lieb haben → lieben
Liebhaber: Sammler, Interessent,
Freund, Bewunderer ‖ → Geliebter
Liebhaberei → Hobby
Liebhaberin → Geliebte
liebkosen: herzen, kosen, umarmen,
-halsen, -fangen, abdrücken, um den
Hals fallen, ans Herz drücken, zärtlich sein, s. anschmiegen, streicheln,
küssen; *ugs.:* hätscheln, tätscheln,
schmusen, turteln, schnäbeln,
knud(d)eln
lieblich → reizend
Lieblichkeit → Anmut
Liebling: der/die Liebste, Liebchen,
Schatz, Darling, Honey, Herz(blatt),
Herzchen, Schwarm, Augapfel, ein
und alles, Abgott, Angebetete(r), Fa-

vorit, Günstling, Geliebte(r), Chéri(e), Herzenskind, -freund(in), -dame, Sonnenschein, Goldkind, -stück, Schätzchen, Herzallerliebste(r), Einzige(r); *reg.:* Herzbinkerl

Lieblingsbeschäftigung → Hobby

Lieblingsspeise → Leibgericht

lieblos: unliebenswürdig, -freundlich, ohne Wärme/(Mit)gefühl, gefühllos, abweisend, stiefmütterlich, -väterlich, herzlos, hartherzig, kühl, frostig, eisig, (eis)kalt, grob, rüde, barsch, verletzend, kränkend

Liebschaft: Liaison, intime Beziehung, Liebesverhältnis, -verbindung, → Affäre

Liebste(r) → Liebling

Liebstöckl: Maggikraut

Lied: Melodie, Weise, Gesangstück, Song, Chanson, Vokalstück, Choral, Hymne, Arie, Geträller, Gstanzl

liederlich → nachlässig || → anstößig || → lose

lieferbar: vorrätig, verfügbar, vorhanden, disponibel, (jederzeit) zu haben, am/auf Lager, erhältlich, feil, parat

liefern: zustellen, aus-, an-, beliefern, mit Waren versorgen, herbeischaffen, (zu)schicken, (zu)senden, zukommen/-gehen lassen, (zum Versand) bringen, versenden, übermitteln, -geben, austragen, -fahren, zuleiten, spedieren, ins Haus schaffen, verkaufen, hergeben, beibringen, bieten

Lieferung: Aus-, Be-, An-, Ablieferung, Zustellung, -führung, -leitung, -sendung, -fuhr, Über-, Abgabe, Überstellung, -weisung, -mittlung, Weiterleitung, Versand, -schickung, Expedition || → Fracht

Liege: Couch, Liegebett, Diwan, Chaiselongue, Ottomane, Sofa, Kanapee

liegen: ruhen, daliegen, ausgestreckt sein; *ugs.:* langliegen, s. aalen, alle viere von s. strecken || s. befinden, sein, anwesend/zu finden/gelegen sein, s. aufhalten; *gehoben:* weilen || ausgebreitet sein, s. erstrecken, s. (aus)breiten/-dehnen, s. hinziehen, s. erheben || s. verhalten, stehen, bestellt sein, eine Bewandtnis haben || rangieren, einen Platz/eine Stelle/Position einnehmen, kommen || (an)genehm/gelegen sein, schön finden, entsprechen, behagen, zusagen, gefallen, Geschmack/Anklang/Gefallen finden, mögen; *ugs.:* angetan sein, sein Fall sein || **l. an:** obliegen, abhängen von, bedingt sein durch, unterliegen, -stehen, ankommen/fußen/s. gründen/basieren/beruhen auf, kommen von, zusammenhängen mit, herrühren || interessiert sein, Interesse haben, s. interessieren, Wert legen auf, am Herzen liegen, viel bedeuten, von Wert/Bedeutung/Wichtigkeit/Belang sein, eine (große) Rolle spielen, wichtig sein, ein Anliegen sein, schätzen

liegen bleiben: *(ugs.):* übrig bleiben, zuviel/übrig/überzählig sein || nicht aufstehen, im Bett bleiben, ausschlafen || eine Panne haben, nicht weiterkommen/-können

liegen lassen: vergessen, be-, zurücklassen || in Ruhe/unbeachtet lassen (Arbeit), nicht anrühren/bewegen/in Angriff nehmen, übersehen; *ugs.:* verbummeln, -schusseln, -schwitzen || **links liegen lassen** → ignorieren

Liegenschaften → Grundbesitz

Lift: Fahrstuhl, Paternoster, Ascenseur, Aufzug

Liga: Bund, Bündnis, Vereinigung, -bindung, Zusammenschluss, Interessengemeinschaft, Ring, Verein, Verband, (Kon)föderation, Körperschaft, Organisation, Korporation, Assoziation, Bruderschaft || Allianz, Pakt, Koalition, Entente, Verbündetsein, Achse

light: leicht, (kalorien)reduziert, bekömmlich, verträglicher, reiz-, schadstoffarm, alkohol-, koffeinfrei; *ugs.:* bleifrei
liieren, sich: s. verbinden, eine Verbindung eingehen, zusammengehen, s. vereinigen, s. zusammenschließen, s. zusammentun, s. assoziieren, eine Beziehung herstellen ‖ eine Liaison/ Liebesbeziehung / Liebschaft / ein Verhältnis eingehen/haben, s. an einen Mann/eine Frau binden
limitieren → beschränken
Limonade: Brause(limonade); *ugs.:* Limo, Krabbelwasser; *öster.:* Kracherl
Limone: Zitrone
lind → mild ‖ → schonend
lindern: mildern, erträglich machen, (ab)schwächen, dämpfen, bessern, erleichtern, trösten, helfen bei, heilen, mäßigen, (den Schmerz) stillen
linear: gerade, geradlinig, linienförmig, in einer Linie, nicht krumm
Linie: Strich, Gerade ‖ Reihe, Riege, Zeile, Kette, Flucht, Front ‖ Bahnlinie, Verkehrslinie, -verbindung, Strecke, Nummer ‖ Schatten-, Umriss, Kontur, Profil, Silhouette, Riss, Grenzlinie ‖ Verwandtschaft(s-zweig), Abstammung ‖ **in erster L.** → zuerst
linientreu: (treu) ergeben, hundertprozentig, überzeugt, geradlinig, loyal, auf Parteilinie, konform, zuverlässig, angepasst
link → hinterhältig
linkisch: wie ein Stock/Stück Holz, → ungeschickt
links: auf der linken Seite, zur Linken, linker Hand, linksseitig, -seits, backbord(s) (Schiffahrt), an der Herzseite; *ugs.:* wo der Daumen rechts ist ‖ innen, auf der Innen-/Unter-/Rückseite ‖ sozialistisch, kommunistisch, linksorientiert, -gerichtet ‖ progressiv, zukunftsorientiert, fort-

schrittlich, gesellschaftskritisch, -verändernd, revolutionär
linsen → blicken
liquid: zahlungsfähig, solvent, verfügbar ‖ flüssig, geschmolzen, zerflossen, aufgetaut
liquidieren: auflösen, -geben, einstellen, nicht weiterführen, schließen, (aus)verkaufen, veräußern, bankrott gehen, Konkurs anmelden ‖ → abschaffen ‖ → töten ‖ → bereinigen ‖ flüssig machen (Geld); *ugs.:* locker machen ‖ in Rechnung stellen, be-, anrechnen, veranschlagen
lispeln: mit der Zunge anstoßen ‖ flüstern, hauchen, tuscheln, wispern, säuseln, fispern
List: Manöver, Trick, Winkel-, Schachzug, Kunstgriff, Geschick, Schläue, Gewitztheit, Pfiffigkeit, Bauernschläue, Durchtrieben-, Verschlagen-, Gerissenheit, Tücke, Intrige, Ränke(spiel), Täuschung, Übertölpelung, Irreführung, falsches Spiel, Überlistung, Arglist; *ugs.:* Dreh, Kniff, Schlich
Liste: Verzeichnis, Index, Tabelle, Auf-, Zusammenstellung, Übersicht, Nachweis, Aufzählung
listig: schlau, durchtrieben, geschickt, täuschend, listen-, fintenreich, verschmitzt, wissend, pfiffig, clever, gewitzt, raffiniert, bauernschlau, hinterlistig; *ugs.:* gerissen, verschlagen, abgefeimt, ausgepicht, -gekocht, -gefuchst, mit allen Wassern gewaschen
Litanei: (langes) Gebet, Wechselgebet ‖ *ugs.:* endlose Aufzählung, eintöniges Gerede, Vorbeten
Literat → Schriftsteller
Literatur: Dichtung, Dicht-, Wortkunst, Schrifttum, -werk, -gut, Poesie ‖ → Lektüre
Literaturnachweis: Literaturangabe, -verzeichnis, -hinweis, Literatur, Quellen(angabe), Schrifttum(snach-

weis), Bibliografie, Titelangabe, -verzeichnis
Litfaßsäule: Anschlag-, Plakatsäule
Litze: Borte, Bordüre, Blende, Rüsche, Volant, Paspel, Tresse, Einfassung, Besatz, Zierband; *öster.:* Passepoil, Endel; *schweiz.:* Bord
Livesendung: Direktsendung, -übertragung, Originalübertragung, Liveübertragung
Livree: Uniform, Dienstkleidung, -anzug
Lizenz: Genehmigung, Konzession, Erlaubnis, -mächtigung, Zulassung, Befugnis, Recht
LKW → Lastkraftwagen
Lob: anerkennende Worte, (ermunternder) Zuspruch, Belob(ig)ung, Huldigung, Eloge, Anerkennung, Beifall, Wertschätzung, Billigung, Zustimmung, positive Beurteilung, Auszeichnung, Ehrung, Würdigung; *dicht.:* Lobpreisung, Preis
Lobby: politische, parlamentarische Interessengemeinschaft, Aktionsgruppe, Initiative, Pressuregroup
loben: Lob spenden/zollen, ein Lob erteilen, mit Lob bedenken/überschütten/-häufen, des Lobes voll sein, belobigen, (nach)rühmen, (lob)preisen, herausstellen, -heben, würdigen, auszeichnen, s. anerkennend äußern, voll Anerkennung sein, Anerkennung/Beifall zollen, jmds. Ruhm verbreiten, s. in Lobesworten/Lobreden ergehen, schwärmen von, in den höchsten Tönen reden, empfehlen, Gutes nachsagen; *ugs.:* ein Loblied anstimmen, ein Loblied singen, in den Himmel heben, über den grünen Klee loben, herausstreichen, beweihräuchern
lobenswert: ein Lob verdienend, löblich, anerkennens-, rühmenswert, rühmlich, beifallswürdig, verdienstvoll, -dienstlich, achtens-, dankenswert, achtbar, hoch anzurechnen, beachtlich, gut, untadelig, tadellos, musterhaft; *gehoben:* preiswürdig
Lobgesang → Hymne
lobhudeln → schmeicheln
Loblied → Lobrede
lobpreisen: verherrlichen, -klären, glorifizieren, feiern, ehren, → loben
Lobrede: Laudatio, hohes Lob, Huldigung, Loblied, -gesang, Preis(lied), Lobeshymne, Eloge, Lobpreisung, -spruch, Würdigung, Verherrlichung, Glorifizierung
Loch: Öffnung, schadhafte Stelle, Bruchstelle, Leck, Riss, Spalt(e), Schlitz, Ritz(e), Lücke, Einschnitt ‖ Vertiefung, Kerbe, Grube, Mulde, Kuhle, Höhle, Höhlung, Graben, Schacht ‖ → Gefängnis ‖ → Zimmer ‖ → Vagina
lochen: perforieren, durchlöchern, -bohren, mit Löchern versehen, durchstoßen, -stechen, -spießen ‖ entwerten, wertlos machen; *öster.:* zwicken; *ugs.:* knipsen
löcherig: durchlöchert, -lässig, porös, leck, undicht
löchern → ausfragen
Locke: Haarlocke, -büschel, Welle; *scherzh.:* Schmachtlocke, Damen-, Herrenwinker
locken: an-, heranlocken, anziehen, ködern, (heran)rufen ‖ reizen, anziehen, interessieren, den Mund wässerig machen, verlocken, faszinieren, begeistern ‖ sich l.: s. wellen, s. kräuseln, s. ringeln, s. drehen
locker: lose, wackelig, unbefestigt, nicht fest, los-, abgelöst, gelockert ‖ weich, durchlässig, mürbe, bröckelig, zart, leicht zerfallend, krümelig, (auf der Zunge) zergehend, fein ‖ → zwanglos ‖ → leichtlebig
lockern: locker machen/werden, (s. ab)lösen, ab-, losgehen, auflockern, -machen, freimachen ‖ sich l.: s. entspannen, s. lösen, s. entkrampfen
lockig: gelockt, -wellt, -kräuselt, wel-

lig, wuschelig, kraus, ondoliert, nicht glatt, geringelt

Lockvogel: Lockmittel, Köder, Magnet, Anziehungspunkt, Blickfang, Anreiz

lodern: brennen, flackern, flammen, lohen, in Flammen stehen, knistern, leuchten

lodernd → flammend

logieren → übernachten

Logis → Unterkunft ‖ → Wohnung ‖ Kajüte, Kabine

logisch: folgerichtig, -gemäß, konsequent, schlüssig, systematisch, methodisch, planvoll, durchdacht, denkrichtig, widerspruchsfrei, überlegt, vernünftig, einleuchtend, stichhaltig; *ugs.:* hat Hand und Fuß ‖ → klar

logischerweise → folglich

logo → klar

lohen → lodern

Lohn: Bezahlung, (Arbeits)verdienst, (Fest)einkommen, Einkünfte, Einnahme(n), Gehalt, Entlohnung, Bezüge, Entgelt, Vergütung, Honorar, Fixum, Gage (Künstler), Heuer (Matrosen), Sold, Besoldung (Soldaten); *schweiz.:* Salär ‖ Belohnung, Dank, Ab-, Vergeltung, Anerkennung, Entschädigung, Ausgleich, Gegenleistung, -wert

lohnen → belohnen ‖ **sich l.:** s. auszahlen, Nutzen bringen, s. rentieren, (der Mühe) wert sein, s. bezahlt machen, lohnend/einträglich sein, etwas einbringen/abwerfen/erbringen/eintragen, Früchte tragen, Gewinn bringen; *ugs.:* es bringen, herauskommen, -springen

löhnen → bezahlen

lohnend → einträglich

Lohnkampf: Arbeitskampf, Tarifverhandlung, -gespräch, Streik

Lok → Lokomotive

lokal: örtlich, räumlich, regional, beschränkt, -grenzt

Lokal → Gaststätte ‖ → Bar

lokalisieren: ab-, ein-, begrenzen, abstecken, beschränken, -hindern, Schranken/Grenzen setzen, eindämmen, isolieren ‖ (näher) bestimmen, finden, entdecken, orten, aufspüren, ausfindig machen, den Standort bestimmen, ermitteln, in Erfahrung bringen, feststellen, -legen, herausfinden, -bekommen, eruieren, auf die Spur kommen, (genauer) bezeichnen, identifizieren, zuordnen

Lokalität: Raum, Räumlichkeit, Zimmer, Stube, Gemach, Lokal ‖ Ort, Platz, Örtlichkeit, Stätte, Stelle

Lokomotive: Maschine, Dampfwagen, Lok; *scherzh.:* Dampfross; *ugs.:* Loksche

Lokus → Toilette

Look: Aussehen, Äußeres, Erscheinung(sbild) ‖ Modetrend, -richtung, -tendenz, -erscheinung, -stil, Mode

los: abgetrennt, -gerissen, (los)gelöst, locker, nicht fest (verbunden), unbefestigt, frei ‖ weg, fort, schnell, vorwärts, voran, marsch, weiter, Tempo, Beeilung, avanti; *dicht.:* wohlan, -auf; *ugs.:* (hopp) hopp, dalli, auf geht's ‖ **l. sein** → geschehen

Los → Schicksal ‖ Lotterie-, Gewinn-, Glückslos, Anleihschein ‖ **das Große L.:** (Haupt)gewinn, -treffer, Volltreffer, erster Preis, Erfolg, Trumpf ‖ **das Große L. ziehen:** Glück haben, ein Glückskind sein, den Himmel auf Erden haben, unter einem günstigen Stern geboren sein; *ugs.:* Schwein haben, fein heraus sein

losbrechen → abbrechen ‖ → ausbrechen

löschen: auslöschen, ersticken, mit Erfolg bekämpfen, austreten, -drücken, -blasen, aus-, abschalten, zum Erlöschen bringen, stillen; *ugs.:* ausmachen, -drehen, -pusten, -knipsen ‖ beseitigen, aus der Welt schaffen, aufheben, tilgen ‖ → entladen

Löschpapier: Saug-, Fließpapier, Lösch-, Fließ-, Saugblatt

lose → los ‖ unverpackt, ohne Verpackung, einzeln, nicht abgepackt, offen ‖ *ugs.:* mutwillig, frech, keck ‖ locker, leichtfertig, -sinnig, -lebig, flott, lotter-, flatterhaft, unsolide, ausschweifend, freizügig, munter, vergnügungssüchtig, lebenslustig, liederlich, anrüchig, unseriös, bedenken-, skrupellos, frivol, ausgelassen, ungezügelt, zügel-, charakterlos

loseisen: *(ugs.):* freibekommen, befreien, abwerben, abspenstig machen; *ugs.:* ausspannen, los-, herausbekommen ‖ **sich l.** → s. lösen

losen: das Los ziehen/entscheiden lassen, aus-, verlosen, wetten; *ugs.:* knobeln

lösen: aufmachen, -binden, -knoten, -haken, -knöpfen, lockern, ab-, lostrennen, losbinden, -knüpfen, entwirren, auseinander bekommen; *ugs.:* los-, abmachen ‖ auflösen, klären, enträtseln, -schlüsseln, (er)raten, ausrechnen, herausfinden, -bekommen, meistern, bewältigen, -stehen; *ugs.:* herauskriegen, -bringen, dahinterkommen, gut machen, knacken, aufdröseln ‖ zerfallen/-gehen (lassen), flüssig werden/machen, (s.) fein verteilen, (s.) verflüssigen ‖ **sich l.:** s. lockern, losbrechen, s. ablösen, abgehen, -fallen, -platzen, -bröckeln, -springen, -blättern, -splittern, s. abschälen, -schuppen; *ugs.:* losgehen ‖ s. loslösen, s. freimachen, s. trennen, weggehen, verlassen, s. verabschieden, Abschied nehmen, auf Wiedersehen sagen, s. reißen von, brechen (mit), s. scheiden lassen, s. befreien, frei-, entkommen, abschütteln, s. abnabeln, loskommen von, s. abwenden/-kehren, abfallen, s. absondern, s. herauswinden, selbständig werden, s. selbständig/unabhängig/autonom machen, → s. lossagen; *ugs.:* s. los-

machen/-reißen/-eisen, abspringen, s. freischwimmen ‖ s. entspannen, s. lockern, s. entkrampfen

losfahren: weg-, ab-, fortfahren, starten, s. in Bewegung setzen, abgehen, anfahren; *ugs.:* ab-, losbrausen, abziehen ‖ **l. auf** → losgehen auf

losgehen → s. lösen ‖ → anfangen ‖ → weggehen ‖ **auf jmdn. l.:** losfahren/-stürzen/-schlagen auf, angreifen, attackieren, herfallen über, überfallen, zum Angriff übergehen, aggressiv werden, anfallen, s. werfen auf, zu Leibe gehen/rücken, eindringen auf ‖ → explodieren

loskaufen: freikaufen, Lösegeld zahlen, retten, befreien, erlösen; *reg.:* auslösen

losknallen → schießen

loskommen: frei-, ab-, ent-, weg-, fortkommen, entwischen, abschütteln, s. entledigen, → s. lösen; *ugs.:* loswerden, s. vom Halse schaffen

loslassen: freilassen, nicht mehr festhalten, freigeben, -setzen, gehen/laufen/springen lassen, die Freiheit geben/schenken; *ugs.:* fahren lassen; *reg.:* auslassen

loslegen: *(ugs.):* seinem Ärger Luft machen, offen seine Meinung sagen, → schimpfen; *ugs.:* kein Blatt vor den Mund nehmen, die Katze aus dem Sack lassen, nicht hinterm Berg halten, auspacken, wie ein Wasserfall reden ‖ → anfangen

loslösen, sich → s. lösen

losmachen → lösen

losmarschieren → weggehen

losreißen: ab-, weg-, herausreißen, abbrechen; *ugs.:* abrupfen ‖ **sich l.** → s. lösen

lossagen, sich: aufgeben, abschwören, ver-, ausstoßen, verbannen, → s. lösen

losschießen → starten

losschlagen → verprügeln ‖ → angreifen ‖ → verkaufen

lossprechen: absolvieren, Absolution erteilen, freisprechen, vergeben, -zeihen, von einer Schuld befreien, exkulpieren, entbinden, -heben, etwas erlassen

lossteuern: *(ugs.):* direkt/geradlinig auf jmdn. zugehen, zusteuern auf, jmdn. ansteuern, Kurs nehmen auf

Losung: Parole, Losungs-, Kenn-, Erkennungs-, Stichwort, Geheim-, Erkennungszeichen ‖ Wahl-, Leitspruch, Motto, Devise, Leitsatz, -gedanke, Schlagwort, Slogan, Maxime ‖ → Kot

Lösung: Schlüssel, Ausweg, Ergebnis, Resultat, Ei des Kolumbus, Auflösung, Antwort, Deus ex Machina, Mittel und Wege, Patentrezept, -lösung, Auf-, Erklärung, Aufschluss, Bewältigung ‖ Lauge, Tinktur ‖ Trennung, Los-, Auflösung, Spaltung, Scheidung, Aufgabe, Bruch, Auseinandergehen

Losungswort → Losung

loswerden → loskommen ‖ → verkaufen ‖ → verlieren

losziehen → weggehen ‖ **l. gegen** → lästern

Lot: (Senk)blei, Senk-, Grundlot, -blei ‖ **im L.:** ordnungsgemäß ‖ **ins L. bringen** → bereinigen

löten: ver-, an-, zusammenlöten, (ver-, an-, zusammen)schweißen

lotrecht: senkrecht, vertikal, fallrecht

lotsen: den (richtigen) Weg zeigen, einweisen, leiten, lenken, dirigieren, manövrieren; *ugs.:* bugsieren ‖ schleppen, ins Schlepptau nehmen, hinter s. herziehen, bugsieren

lotterhaft → lose

Lotterie: Glücksspiel, Tombola, Verlosung, Lotteriespiel; *öster.:* Glückshafen

lotterig → nachlässig

Lotterwirtschaft → Unordnung

Löwe: *volkst.:* Wüstenkönig, König der Tiere; *dicht.:* Leu

Löwenzahn: Kuh-, Butter-, Ketten-, Ringelblume; *Kinderspr.:* Pusteblume; *volkst.:* Hundeblume, Wucherblume, Saublume, Lichterblume, Hundskamille

loyal: gesetzes-, regierungstreu, getreu, ergeben ‖ anständig, redlich, fair, ehrenhaft, zuverlässig, charaktervoll, sauber, von guter Gesinnung, wie erwartet, rechtschaffen, aufrecht, lauter, solidarisch ‖ → treu

Lücke: Zwischenraum, Spalt, Loch, Leere, Kluft, Abstand, Blöße ‖ → Mangel

Lückenbüßer: Ersatz(mann), Aushilfe, -hilfskraft, Behelf; *ugs.:* Notnagel, Reservemann ‖ → Prügelknabe

lückenhaft → unvollständig

lückenlos → komplett ‖ → ganz

Luder: Aas, Kadaver, Tierleiche ‖ *ugs.:* Person, Mensch, Geschöpf, Subjekt ‖ → Kanaille ‖ → Frechdachs

Luft: (Erd)atmosphäre, Lufthülle, -meer, -ozean, (Luft)hauch, Äther, Ozon ‖ Atem(luft); *dicht.:* Odem; *ugs.:* Puste

Luftangriff: Flieger-, Bombenangriff, Bombardement, Bombardierung

lüften: ent-, durch-, aus-, belüften, ventilieren, frische Luft hereinlassen, die Fenster öffnen, die Luft erneuern, Durchzug machen; *ugs.:* die Fenster aufreißen ‖ auf-, an-, hochheben, -nehmen, -bringen, -ziehen, heben, aufnehmen; *reg.:* lüpfen, lupfen

Luftfahrt: Fliegerei, Luftverkehr, Flugwesen; *veraltet:* Aeronautik

luftig: zugig, windig, böig, auffrischend, stürmisch, frisch, bewegt, dem Wind ausgesetzt, hoch gelegen, kühl ‖ luftdurchlässig, leicht

Luftikus → Leichtfuß

Luftpirat: Flugzeugentführer, Highjacker, Skyjacker

Luftschiff: Zeppelin, (Fessel-, Frei)ballon
Luftschloss → Einbildung
Lüftung: (Frisch)luftzufuhr, Ventilation, Ent-, Belüftung, Luftschacht, Abzug, Klimaanlage
Luftverkehr → Luftfahrt
Luftzug: Luftstrom, -hauch, Zug, Hauch, Wind(hauch), Lüftchen, Windstoß, Brise, Zugluft, Durchzug
Lüge: Unwahrheit, Schwindel, falsche Aussage/Behauptung, Unwahres, Lügerei, Lug und Trug, Entstellung, Verdrehung, Erfindung, Ausflucht, -rede, Irreführung, Vorwand; *ugs.:* Schwindelei, Flunkerei, Geflunker, blauer Dunst; *öster.:* Pflanz || → Märchen
lugen → blicken
lügen: (be-, an-, vor)schwindeln, nicht bei der Wahrheit bleiben, die Unwahrheit sagen, er-, be-, anlügen, verdrehen, -fälschen, -zerren, falsch darstellen, ein falsches Bild geben, entstellen, Ausflüchte machen, unaufrichtig sein, es mit der Wahrheit nicht genau nehmen, Lügen auftischen, s. etwas aus den Fingern saugen, täuschen, erfinden, -dichten, Romane erzählen; *ugs.:* das Blaue vom Himmel herunter lügen, lügen wie gedruckt, blauen Dunst vormachen, zusammenphantasieren, (an)flunkern, ver-, ankohlen, einen Bären aufbinden, anschummeln
Lügenmärchen: Lüge(ngeschichte), (Ammen)märchen, Münchhausiade, Jägerlatein, Seemannsgarn, Legende, Räuberpistole
Lügner: Schwindler, Heuchler, Fabulant, Münchhausen, Scheinheiliger; *ugs.:* Schwindelgeist, -huber, -meier, Flunkerer, Fabelhaus, Lügenpeter, -beutel, -sack, -maul, -hansel
Luke: Fenster(luke), Fensteröffnung, Dachfenster, -luke, -gaube, Bodenfenster, -luke, Luftloch, Oberlicht,

Bullauge (Schiff); *reg.:* Gaupe, Gauke; *ugs.:* Guckfenster, -loch || Öffnung, Einstieg, Auslass, Zugang
lukrativ → einträglich
lukullisch: kulinarisch, gastronomisch, feinschmeckerisch, üppig, schlemmerhaft, schwelgerisch, fürstlich, feudal, (über)reich, luxuriös, verschwenderisch, opulent
Lukullus → Feinschmecker
Lulatsch → Riese
Lümmel → Flegel
lümmelhaft → flegelhaft
lümmeln, sich: *(ugs.):* s. flegeln, s. räkeln, s. gehen lassen; *ugs.:* s. fläzen, s. hinlümmeln, alle viere von s. strecken
Lump: Strolch, Schurke, Halunke, Bösewicht, Gauner, Bandit, Gangster, Ganove, Kanaille, Verbrecher; *ugs.:* Tunichtgut, Schuft, Lumpenkerl, (Lumpen)hund, -strick, Malefizbube; *reg.:* Kujon, Schubiak; *öster.:* Falott; *derb:* Dreckskerl, -stück, Schwein(ekerl), Schweinehund || → Schelm
lumpen: *(ugs.):* s. amüsieren, s. vergnügen, s. zerstreuen, s. verlustieren, s. die Zeit vertreiben, das Leben genießen, durchzechen, -feiern, -trinken, s. herumtreiben, bummeln, lottern; *ugs.:* durchmachen, -sumpfen, eine lange Nacht machen, auf die Pauke hauen, auf der Achse sein, die Nacht um die Ohren schlagen || **sich nicht l. lassen:** *(ugs.):* freigebig/großzügig/generös/nobel/splendid/gebe-/schenkfreudig sein, eine offene Hand haben; *ugs.:* spendabel sein, die Spendierhosen anhaben
Lumpen: Lappen, Flicken; *ugs.:* Fetzen; *reg.:* Hader, Klunker
Lumpenpack → Gesindel
Lumpensammler: Alt(stoff)händler, Altwaren-, Lumpen-, Altmaterial-, Gebrauchtwarenhändler, Trödler; *reg.:* Krempler; *öster.:* Tandler
lumpig → gemein || → kläglich

lungern → s. herumtreiben
Lupe: Vergrößerungsglas
lupfen → lüften
Lust: Freude, Vergnügen, Entzücken, Frohlocken, Fröhlichkeit, Frohsinn, Wonne, Lebenslust, -freude, Daseinsfreude, Lust-, Hochgefühl, Begeisterung, Wohlgefallen, Vergnügtheit, Spaß, Lustigkeit, Genuss ‖ Neigung, Geneigtheit, Bereitwilligkeit, Laune, Stimmung ‖ Begierde, Begehren, Verlangen, Sehnsucht, Leidenschaft, Gier, heißer Wunsch, Begehrlichkeit, Gelüste, Hunger, Durst; *dicht.:* Begehr; *ugs.:* Bock
Lustbarkeit → Feier ‖ → Vergnügen
Lüster: (Kron)leuchter, Krone; *öster.:* Luster
lüstern: gierig, begehrlich, mit/voll Gier, giererfüllt, wollüstig, hungrig, sinnlich, triebhaft, liebestoll, brünstig; *dicht.:* verbuhlt, buhlerisch; *ugs.:* scharf, geil, gieprig, manns-, weibstoll, spitz, tierisch
Lüsternheit → Begierde
lustig: fröhlich, munter, aufgeräumt, heiter, froh, fidel, vergnügt, -gnüglich, in gehobener/vergnügter/fröhlicher Stimmung, frohgemut, froh gestimmt, guter Dinge/Laune, beschwingt, frohen Mutes, spaßig, ulkig, witzig, humorvoll, unterhaltsam, amüsant, ergötzlich, lebenslustig, -froh, leichtlebig, -blütig, gut gelaunt/aufgelegt, (daseins)freudig, sonnig, ungetrübt, zum Lachen, humorig, humoristisch, kurzweilig, unterhaltend, köstlich, belustigend, erheiternd, zerstreuend, wohlgemut, unbeschwert; *ugs.:* aufgekratzt, quietschfidel, -vergnügt, kreuzfidel, obenauf, puppenlustig, urkomisch, gelungen; *reg.:* glatt
Lüstling: Wüstling, Wollüstling, Blaubart, Faun; *ugs.:* Lustmolch, Weiberheld, -hengst, (geiler) Bock/Hengst; *derb:* Hurenbock

lustlos: ohne Lust/Freude, unlustig, gleichgültig, ohne (rechten) Schwung, wider-, unwillig, ungern, widerstrebend, mit Widerwillen/Unlust, notgedrungen, wohl oder übel, gezwungenermaßen, übellaunig, missgelaunt, -mutig, verdrossen, mürrisch, schlecht gelaunt, griesgrämig; *ugs.:* sauertöpfisch, miesepeterig, muff(l)ig, grantig
Lustlosigkeit → Unlust ‖ → Missstimmung
Lustspiel: Komödie, heiteres Schauspiel, Schwank, Burleske, Posse(nspiel), Farce; *abwertend:* Klamotte
lutschen: saugen, im Mund/auf der Zunge zergehen lassen, lecken; *reg.:* zuzeln, schlecken; *ugs.:* nuckeln, suckeln
luxuriös: (sehr) komfortabel, edel, kostbar, wertvoll, teuer, von bester Qualität, exzellent, hochwertig, erstklassig, prunkvoll, prunkhaft, pomphaft, pompös, bombastisch, prächtig, prunkend, funkelnd, feudal, fürstlich, (aus)erlesen, ausgesucht, exquisit, de luxe, verschwenderisch, üppig, aufwendig, (über)reich, teuer; *ugs.:* mit allen Schikanen; *abwertend:* protzig
Luxus: Prunk, Pomp, Pracht(entfaltung), Aufwand, Verschwendung, Staat, Reichtum, Überfluss, Wohlstand, -leben, Gepränge, Vergeudung; *ugs.:* Prasserei
luzid: klar, einleuchtend ‖ durchsichtig, licht, hell
Luzidität: Durchsichtigkeit, Klarheit, Glanz, Leuchten
Luzifer → Teufel
lynchen: Rache üben/nehmen, Vergeltung üben, Lynchjustiz betreiben, s. rächen, es jmdm. heimzahlen, abrechnen mit, misshandeln, foltern; *ugs.:* fertig machen, drangsalieren ‖ → töten

Lyrik: Poesie, (lyrische) Dichtung, Dicht-, Wortkunst

Lyriker → Schriftsteller

lyrisch → poetisch

M

Machart: Ausführung, (Herstellungs)art, Fasson, (Pass)form, Verarbeitung, Modell, Schnitt, Beschaffenheit
Mache → Gehabe ‖ → Angabe
machen → anfertigen ‖ → zubereiten ‖ → bewältigen ‖ → fertig bringen ‖ → handeln ‖ → veranstalten ‖ → kosten ‖ **falsch m.** → anrichten ‖ **sich m.** → s. heranbilden, → heranwachsen
Machenschaften: Intrige, Intrigenspiel, -stück, Ränke(spiel), Quertreibereien, Komplott, Unterwanderung, Umtriebe; *dicht.:* Kabale ‖ → Betrug ‖ Manipulation, Schiebung, Winkel-, Schachzug, Manöver, Praktik, Trick, Kunstgriff; *ugs.:* Schliche, Masche, Dreh, Kniff
Macho: Sexist, Sexprotz, Tyrann, Macher, Pascha, Chauvi
Macht: Herrschaft, Gewalt, Regentschaft, Regiment, Obrigkeit, Regierung, Führung, Führerschaft, Befehlsgewalt ‖ Einfluss(nahme), Geltung, Gewicht, Autorität, Prestige, Ansehen, Machtstellung, -position, Kraft, Stärke, Power, Vermögen, Können, Maßgeblichkeit, Einwirkung, Achtung, Wichtigkeit
Machtgier → Machtstreben
Machthaber → Herrscher
Machthunger → Machtstreben
mächtig → gewaltig ‖ einflussreich, (viel) vermögend, all-, übermächtig, machtvoll, stark, potent, wirkungsvoll, wichtig, wirksam, maß-, tonangebend, angesehen, Achtung gebietend ‖ → sehr ‖ → dick
machtlos: entmachtet, einflusslos, ohnmächtig, hilflos, schwach, wehr-, schutzlos, ausgeliefert

Machtprobe: Kraft-, Zerreiß-, Belastungsprobe, Kräftemessen
Machtstellung → Einfluss
Machtstreben: Machtgier, -besessenheit, -anspruch, -hunger, -wahn, Herrschaftsanspruch, Macht-, Geltungsdrang, Ehrgeiz, Ruhmsucht; *ugs.:* Profilneurose
Machwerk → Gebilde
Macke → Knacks
Macker → Geliebter ‖ → Chef ‖ → Chauvi
Mädchen: Kleine, Kind; *ugs.:* Küken, Göre, Ding ‖ Fräulein, junges Geschöpf, junge Frau, Teenager, Backfisch; *dicht.:* Maid, Mägd(e)lein; *veraltet:* Jungfrau, Jungfer; *reg.:* Dirn(dl), Mädel, Mädle; *ugs.:* Gänschen, Häschen, Pflänzchen, Käfer, Puppe, Puppchen, Girl, Fratz, Motte, (dufte) Biene, Katze, Mieze, (steiler) Zahn, Keulell ‖ → Hausangestellte
Mädchenname: Geburtsname, früherer Familienname
Made: Larve, Engerling
madig: wurmig, wurmstichig, von Maden zerfressen, verdorben, ungenießbar; *reg.:* wurmfräßig ‖ **m. machen** → verderben ‖ → verleumden
Madonna: Mutter Gottes, (Jungfrau) Maria, Gottes-, Gnadenmutter, Himmelskönigin, Unsere liebe Frau, die Heilige Jungfrau, Meerstern, Mater dolorosa, Schmerzensmutter
Mafia: Camorra, terroristischer Geheimbund, Gangstertum, Unterwelt, Ring, Syndikat, Verbrechertum ‖ *ugs.:* Lobby, Gruppe, Organisation, Interessengemeinschaft, Clique, Clan, Gang, Bande; *ugs.:* Klüngel

Magazin → Lager ‖ → Periodikum
magazinieren → lagern
mager → dünn ‖ → unfruchtbar ‖
→ kläglich
Maggikraut: Liebstöck(e)l
Magie: Zauberei, Zauber(kunst),
Hexerei, schwarze Kunst, Teufels-,
Höllenkunst, Hexenwerk, geheimnisvolle Kraft, Psi-Phänomen
Magier → Zauberer
magisch: zauberisch, okkult(istisch),
spiritistisch, übersinnlich, -natürlich,
-irdisch, rätselhaft, geheimnisvoll,
dämonisch, mystisch, unerklärlich
Magister → Lehrer
Magistrat: (Stadt)verwaltung, Administration, Senat, Obrigkeit ‖ hoher Beamter (Antike), Konsul, Praetor; *schweiz.:* Minister, Bundesrat,
Vorsteher (eines Departements)
Magnat: Großindustrieller, Finanzgröße, -mann, -könig, -gewaltiger,
Geldmann, Kapitalist, Industriekapitän; *öster.:* Financier; *ugs.:* Geldsack, Finanzhyäne
Magnet: Anziehungspunkt, Attraktion, Blickfang, Schlager, Zugstück,
-nummer
magnetisch → attraktiv
mähen: sensen, (ab)schneiden,
(ab)sicheln
Mahl: Essen, Mahlzeit, Speise, Kost,
Gericht, Schmaus, Imbiss, Snack;
derb: Fraß, Fressen ‖ Festmahl, -essen, -schmaus, Bankett, Gastmahl,
(Fest)gelage, (Gala)diner, Tafel,
Dinner, Brunch
mahlen: zerkleinern, -mahlen,
(zer)schroten, zerstoßen, -klopfen,
-reiben, -stückeln, -krümeln, -bröseln, -stampfen, kleinhacken, mörsern, pulverisieren, granulieren, zu
Mehl verarbeiten; *ugs.:* klein machen
‖ → kauen
Mahlzeit → Mahl
mahnen: ermahnen, zurückfordern,
-verlangen, -bitten, an-, nach-, ersu-

chen ‖ → appellieren ‖ ver-, gemahnen, eindringlich erinnern/ins Gedächtnis rufen/in Erinnerung bringen, rügen, tadeln, zur Ordnung rufen, predigen, zu bedenken geben,
beschwören, zureden, -setzen, anraten, ins Gewissen reden, (ver)warnen
Maid → Mädchen
Mais: *öster.:* Kukuruz, Welschkorn,
Türkischer Weizen
Maitresse → Mätresse
Majestät → Würde
majestätisch: erhaben, -laucht, hoheitsvoll, gemessen, -setzt, gravitätisch, ehrwürdig, würdevoll, Achtung
gebietend, imposant, -ponierend, gebieterisch, fürstlich, königlich, eindrucksvoll, ernst, gewichtig
Majorität → Mehrheit
makaber → unheimlich ‖ → grotesk
Makel → Schandfleck ‖ → Mangel ‖
Verunzierung, -unstaltung, Missbildung; *ugs.:* Schönheitsfehler
Mäkelei → Kritik
makellos: ohne Makel/Fehl, einwandfrei, fehlerfrei, -los, untadelig,
tadellos, meisterhaft, mustergültig,
perfekt, vollkommen, -endet, lupenrein, richtig, korrekt, ideal
mäkeln → nörgeln ‖ → beanstanden
Make-up: (Gesichts)kosmetik,
Schminke, Rouge, Schönheitsmittel ‖
Schönheitspflege, Verschönerung,
Aufmachung
Makler: (Ver)mittler, Mittelsmann,
Mittelsperson, Bevollmächtigter,
-auftrager, Agent, Immobilien-, Realitätenhändler; *öster.:* Sensal;
schweiz.: Mäkler
Mäkler → Nörgler
Makrokosmos → All
Mal: Merkmal, (Kenn)zeichen, Attribut, Symptom ‖ (Wund)narbe,
Muttermal, (Leber)fleck
malade → krank ‖ → erschöpft
Malechauvinismus: Männlichkeitskult, -wahn, Männerherrschaft, -welt,

Patriarchat, Machismo, Machismus; *ugs.:* Patriarchentum

malen: darstellen, abbilden, wiedergeben, künstlerisch umsetzen, zeichnen, skizzieren, bildnerisch gestalten, aquarellieren, porträtieren ‖ an-, ausmahlen, (an)streichen, (an)pinseln, (über)tünchen, tönen, kolorieren, weiße(l)n, lackieren, färben

malerisch: pittoresk, malenswert, idyllisch ‖ → schön

Malheur: Miss-, Ungeschick, Pech, Misserfolg; *ugs.:* (schöne) Bescherung, Drama, Panne ‖ → Unglück

maligne: böse, bösartig ‖ → boshaft

maliziös: niederträchtig, gehässig, schadenfroh, hämisch, kränkend ‖ → boshaft

mall: *reg.:* , *ugs.:* meschugge, bescheuert, plemplem, behämmert ‖ → verrückt

malmen: mampfen, mahlen, mümmeln ‖ → kauen

malnehmen: vervielfachen, multiplizieren

malochen: schuften, ackern, rackern, → arbeiten

malträtieren: schlecht behandeln, schikanieren, drangsalieren, tyrannisieren

Mammon: Moneten, Kies, Zaster, Knete ‖ → Geld

mampfen: futtern, spachteln, verdrücken, -putzen ‖ → kauen ‖ → essen

Management → Leitung

managen: groß herausbringen, lancieren, aufbauen, protegieren, fördern, favorisieren, ins Geschäft bringen, s. verwenden für, weiterhelfen, vorwärtsbringen, den Weg bahnen/ebnen, in den Sattel heben ‖ → organisieren ‖ → fertig bringen

Manager: Interessenvertreter, Betreuer, -vollmächtigter, Vermittler, Agent, Sachverwalter, Impresario (Musik) ‖ → Leiter ‖ Boss, Wirt-schafts-, Industriekapitän, Wirtschaftsführer, Marketingleute

manche: einige, Einzelne, mehrere, ein paar, eine Anzahl/Reihe, Verschiedene, diverse, etliche, wenige, der eine und der andere, dieser und jener

mancherlei → allerlei

manchmal: gelegentlich, verschiedentlich, zuweilen, bisweilen, mitunter, zeitweise, zeitweilig, von Zeit zu Zeit, zuzeiten, ab und zu, nicht immer, hin und wieder, ab und an, hie(r) und da, sporadisch, stoßweise, vereinzelt, dann und wann, stellenweise, streckenweise

Mandant: Klient, Auftraggeber, Kunde

Mandat: (Vertretungs)vollmacht, Auftrag, Weisung, Ermächtigung, Befugnis, -vollmächtigung, Autorisation ‖ Abgeordnetensitz, -amt

Mangel: Fehler, Defekt, Unzulänglichkeit, -vollkommenheit, Schwäche, Schaden, Lücke, Makel, Manko, Nachteil, schwache Stelle, wunder Punkt; *ugs.:* Macke, Knacks, Schönheitsfehler ‖ Knappheit, Verknappung, Beschränkung, Ausfall, Fehlen, Entbehrung ‖ → Armut ‖ Bügelmaschine, Wäschemangel, -rolle; *ugs.:* Mange

mangelhaft: schlecht, unzureichend, -zulänglich, -befriedigend, -genügend, -vollkommen, halbwertig, den Anforderungen nicht entsprechend, primitiv, kümmerlich, knapp, (not)dürftig, miserabel, erbärmlich, nicht ausreichend, stümperhaft, dilettantisch, minderwertig, fehler-, lückenhaft; *öster.:* unzukömmlich; *schweiz.:* halbbacken; *ugs.:* mies, unter aller Kritik/Kanone; *derb:* unter aller Sau, hundsmiserabel, beschissen

mangeln → fehlen ‖ bügeln; *reg.:* glätten, rollen, mangen

Manie: Sucht, Besessenheit, Leidenschaft, Passion, Drang, Gier, Verlangen, (Be)gierigkeit, Trieb, Zwang, Komplex, fixe Idee ‖ Schwäche, Vorliebe, Faible, Hang, Neigung; *ugs.:* Tick

Manier → Art

Manieren → Benehmen

maniert: gekünstelt, unecht, gespreizt, -stelzt, übertrieben, theatralisch, geziert, affektiert, unnatürlich, geschraubt, -schwollen, -stellt, -sucht, hochtrabend, pathetisch, preziös; *ugs.:* gemacht, affig

manierlich → anständig

manifest → offenbar

Manifest: öffentliche Erklärung/Verkünd(ig)ung, Deklaration, Grundsatzerklärung, -programm, Aufruf, Proklamation, Bekanntmachung, Verlautbarung

manifestieren → darlegen ‖ kundtun, -geben, erkennen lassen, dokumentieren, offenbaren, an den Tag/ans Licht bringen, vor Augen führen, Zeugnis ablegen ‖ **sich m.:** s. zeigen, deutlich/sichtbar/offenbar werden, Zeugnis/Zeichen/Beweis sein, s. präsentieren, s. ausdrücken

Maniküre: Hand-, Nagelpflege

Manipulation → Machenschaften ‖ Indoktrination, Beeinflussung, -arbeitung, Verführung, -hetzung, Demagogie ‖ → Betrug

manipulieren: geschickt handhaben, kunstgerecht umgehen / hantieren mit ‖ bewusst/gezielt beeinflussen/lenken / steuern / dirigieren / einwirken auf, bearbeiten, suggerieren, ein-, überreden, indoktrinieren; *ugs.:* einwickeln ‖ verfälschen, falsch/ungenau wiedergeben, verkehren, -drehen, entstellen, verschleiern ‖ verführen, -hetzen, betrügen, korrumpieren

Manko → Mangel ‖ → Fehlbetrag

Mann: männliches Wesen, Er, Herr (der Schöpfung), das starke Geschlecht, Maskulinum; *ugs.:* Mannsbild, -person, -stück, Scheich; *abwertend:* Kerl, Typ ‖ → Ehemann

Mannequin: *f.:* Modell, Model, Vorführdame, Topgirl, Spitzen-, Topmodell; *m.:* Dressman

Männerherrschaft → Malechauvinismus

mannhaft: couragiert, heldenhaft, wacker; *ugs.:* schneidig ‖ → mutig

mannigfach → mannigfaltig

mannigfaltig: vielfältig, -gestaltig, -seitig, polymorph, abwechslungsreich, mannigfach, reichhaltig, (kunter)bunt, vielförmig, verschieden(artig), allerhand, allerlei, vielerlei, verschiedenerlei, mancherlei, mehrere, diverse

Mannigfaltigkeit → Vielfalt

männlich: maskulin, viril

Mannschaft: Team, Equipe, Auswahl, Besetzung, Gruppe, Gemeinschaft, Ensemble, Kollektiv ‖ Brigade, Korps, Abteilung, Trupp(e), Einheit, Zug, Schar, Kolonne, Haufen ‖ Gespann, Bemannung, Belegschaft, Crew, Stab

mannstoll: nymphoman(isch), verrückt nach Männern, lüstern, liebestoll

Manöver: Gefechts-, Heeres-, Geländeübung, (militärische) Übung, Kriegsspiele ‖ → Machenschaften

manövrieren: geschickt lenken/steuern/lotsen/chauffieren; *ugs.:* kutschieren, bugsieren ‖ → schleppen

Mansarde: Dachwohnung, -kammer, -stube, -zimmer, Giebelzimmer, -stube, Mansardenwohnung, -zimmer, ausgebauter Dachstuhl

manuell: mit der/per Hand

Manuskript: Niederschrift, Aufzeichnung, Text-, Satz-, Druckvorlage, Skript(um), Konzept, Exposee ‖ Hand-, Erst-, Urschrift

Mappe: Akten-, Schultasche, -ranzen, Kollegmappe

Märchen: Geschichte, Erzählung, Fabel; *dicht.:* Mär ‖ Lüge(ngeschichte), Lügen-, Ammenmärchen, Jägerlatein, Seemannsgarn, Räubergeschichte, Roman, Legende, Fiktion, Erfindung, -dichtung, Unwahrheit; *ugs.:* Geflunker, Flunkerei, Ente, Finte

märchenhaft: traum-, zauberhaft, schön, un-, außergewöhnlich, ausgefallen, umwerfend, bewundernswert, -würdig, formidabel, eindrucksvoll, beeindruckend, einzigartig, ohnegleichen, unvorstellbar, sagenhaft, unwirklich, -glaublich, hinreißend, berauschend, → großartig; *ugs.:* ein wahrer Traum

mären → bummeln

Margerite: *volkst.:* Wucherblume

Marginal(i)e: Zwischen-, Randbemerkung, Kurzkommentar, Vermerk, Anmerkung, Fußnote, Notiz, Zusatz, Glosse

Marienkäfer: *ugs.:* Marienwürmchen, Herrgotts-, Muttergottes-, Johannis-, Siebenpunkt-, Glückskäfer, Sonnen-, Muhkälbchen; *öster.:* Jungfernkäfer

Marihuana: *ugs.:* Gras(s), Pot, Mary Jane, Dope, Kiff, Stuff, Tea, Kraut

Marille: *(öster.):* Aprikose

Marine → Flotte

marinieren: einlegen, -säuern (Fisch/Fleisch)

Marionette: Glieder-, Gelenk-, Drahtpuppe ‖ Werk-, Spielzeug, willenloses Geschöpf, Schachfigur, Strohmann, -puppe

markant → auffallend ‖ interessant, ausgeprägt, charakteristisch, scharf geschnitten, einprägsam, klar, deutlich

Marke: Fabrikat, Sorte, Art, Klasse, Wertstufe, Spezies; *ugs.:* Preislage ‖ Merkmal, Kenn-, Erkennungszeichen, -marke, Prägung, Aufdruck, Stempel, Güte-, Handels-, Warenzeichen, Handels-, Fabrik-, Hersteller-, Schutzmarke ‖ Brief-, Freimarke, (Post)wertzeichen, Porto ‖ Bon, Chip, Jeton ‖ → Spaßvogel

markerschütternd → laut

markieren → kennzeichnen ‖ → heucheln

markig → kräftig

Markstein: Meilenstein, Wende-(punkt), Umbruch, -kehr, Höhe-, Tiefpunkt, entscheidendes/bedeutendes Ereignis

Markt: Marktplatz, Forum ‖ Warenhandel, -verkauf, Handels-, Umschlagplatz ‖ Absatz(markt, -gebiet), Wirtschaftslage

Marktforschung: Marketing Research, Marktbeobachtung, -untersuchung, -analyse, Absatzforschung, Bedarfsermittlung, -forschung, -analyse, Käuferbefragung, -analyse

marktschreierisch → reißerisch

Marmelade: Konfitüre, Jam; *ugs.:* Gelee

marode → erschöpft

Marone: (Röst)kastanie, Ess-, Edelkastanie, Maroni

Marotte: wunderliche (An)gewohnheit, Spleen, Tick, Schrulle, Mucke, Absonderlichkeit, fixe Idee, Wunderlichkeit, Verrücktheit, Grille, Laune; *ugs.:* Fimmel, Zicke, Flitz, Macke

Marsch: Marsch-, Schwemmland, Binnengroden; *reg.:* Polder, Koog ‖ Fußmarsch, -reise, Tour, Wanderung; *ugs.:* Trip

marschieren: in Reih und Glied/im Gleichschritt gehen ‖ → wandern

Marter → Qual

martern → quälen

martervoll → qualvoll

martialisch: kriegerisch, kämpferisch, streitbar, -süchtig, militant, kampfmutig, -lustig ‖ grimmig, wild, verwegen

Martyrium: Opfertod ‖ → Qual ‖ → Passion

Masche: Schlinge, Schleife, Schlaufe; *reg.:* Schluppe ‖ → Art ‖ → Trick

Maschine: Apparat(ur), Gerät, Automat, Maschinerie ‖ → Flugzeug ‖ Motor-, Kraftrad

maschinell: mit Maschinenkraft, mechanisch, automatisch, von selbst ‖ fabrik-, serien-, maschinenmäßig, seriell

Maschinerie: Getriebe, Räderwerk, Mechanismus, Maschine, Apparat(ur)

Maschine schreiben: Schreibmaschine schreiben; *ugs.:* tippen

Maske: Larve, (Fastnachts)gesicht ‖ → Maskerade

Maskenball → Maskerade

Maskerade: Kostüm(ierung), Maskierung, Maske, Verkleidung, -mummung ‖ Maskenball, -fest, Kostümball, -fest, Faschingsball, -fest, Mummenschanz, Kappenabend; *öster.:* Redoute, Fetzenball, Gschnas(fest) ‖ Heuchelei, Verstellung(skunst), Vortäuschung, Lippenbekenntnis; *ugs.:* Theater, Komödie, Schauspielerei

maskieren, sich: s. kostümieren, s. verkleiden/-mummen, s. eine Maske/ein Kostüm anlegen ‖ s. unkenntlich machen, s. tarnen, s. verhüllen, (das Gesicht) verstecken/-decken/-bergen

Maskierung → Maskerade

Maskottchen: Talisman, Glücksbringer, Fetisch, Amulett

maskulin: männlich, viril

masochistisch: (selbst)quälerisch, -zerstörerisch, s. selbst ruinierend ‖ pervers, abartig, -norm

Maß: Quantum, Abmessung, Ausmaß, Menge, Dosis, Größe(nordnung), Dimension, Ausdehnung, -breitung, Grad, Spielraum, Reichweite

Massaker → Blutbad

massakrieren: niedermetzeln, -machen, ab-, hinschlachten, hinstrecken, -morden ‖ → quälen ‖ → töten

Masse → Materie ‖ → Menge

Massel: Dusel, Schwein (haben), → Glück

massenhaft: in Massen, en masse, massen-, herden-, reihen-, scharen-, berge-, scheffel-, dutzendweise, reichlich, üppig, eine Menge/Masse, übergenug, mehr als genug, in Hülle und Fülle, ausgiebig, sehr viel, in großer Zahl, wie Sand am Meer, in Scharen/Herden/Reihen, allerhand, unzählig, zahllos; *ugs.:* massig, haufenweise, ein Haufen, in rauen Mengen, knüppeldick

Massenmord → Blutbad

Massenvernichtungslager → Konzentrationslager

Massenversammlung → Kundgebung

massenweise → massenhaft

maßgebend → maßgeblich

maßgeblich: maßgebend, richtungweisend, normativ, autoritativ, wegweisend, entscheidend, ausschlaggebend, bestimmend, tonangebend, beherrschend, federführend, verantwortlich, kompetent, einflussreich, gewichtig, programmatisch

Maß halten: mäßig/maßvoll sein, das (rechte) Maß (ein)halten, sparen, haushalten, s. zurückhalten, s. einschränken, bescheiden leben, Konsumverzicht betreiben, s. mäßigen, s. zügeln; *ugs.:* kürzer treten, den Gürtel/Riemen enger schnallen

massieren: (durch)kneten, (ab)reiben, die Haut streichen/bürsten; *ugs.:* rubbeln ‖ sammeln, konzentrieren, zusammenziehen

massig → massenhaft ‖ → dick

mäßig: maßvoll, gemäßigt, mit Maßen, in Grenzen, gezügelt, beherrscht, zurückhaltend, enthaltsam, abstinent ‖ mittelmäßig, dürftig, durchschnittlich, schwach, nicht besonders; *ugs.:* mittel(prächtig), mickrig, mau, soso, nicht rosig/berühmt/berauschend/doll, durchwachsen, halbwegs

mäßigen: (ab)schwächen, -mildern, ins rechte Maß bringen, lindern, entschärfen, dämpfen, bremsen, zügeln, drosseln, zur Vernunft bringen, einen Dämpfer aufsetzen, herabmindern, -setzen, bändigen ‖ **sich m.** → s. beherrschen ‖ → sparen

Mäßigkeit: Enthaltsamkeit, -sagung, Askese, Abstinenz, Mäßigung, Zurückhaltung, Beherrschung, Disziplin, Sparsam-, Genügsamkeit, Beschränkung, -scheidenheit, Anspruchs-, Bedürfnislosigkeit

Mäßigung: (Selbst)beherrschung, Mäßigkeit, Besonnenheit, Gelassenheit, Ruhe, Beruhigung, -sänftigung, -schwichtigung, Umsicht

massiv: fest, stabil, strapazierfähig, haltbar, beständig, solide, unverwüstlich, widerstandsfähig, unzerstörbar, kräftig, stark ‖ gewaltig, außerordentlich, heftig, ungeheuer, drastisch, scharf, rigoros, hart, energisch, bestimmt, entschieden, strikt, schwer, grob

Massiv: Gebirgszug, -kette, Gebirge

maßlos: unmäßig, ausschweifend, ungezügelt, zügellos, unkontrolliert, -beherrscht, -bändig, ohne Maß (und Ziel), exzessiv, bis zum Exzess, schrankenlos, unbezähmbar, übertrieben, -spitzt, -steigert, extrem, unersättlich, -stillbar, -diszipliniert, genusssüchtig, hemmungslos, heftig, stark, gewaltig, massiv, orgiastisch ‖ → sehr

Maßnahme: Regelung, Maßregel, Schritt, Handlung(sweise), Vorgehen, Aktion, Entscheidung, Bestimmung, Anordnung, Richtlinie, Anweisung, Mittel, Anstalten

Maßregel → Maßnahme

maßregeln → tadeln ‖ → bestrafen ‖ → schimpfen ‖ → zurechtweisen

Maßregelung → Tadel

Maßstab: Metermaß, Zollstock, Elle, Lineal, Messplatte; *schweiz.:* Klappmeter ‖ → Norm

maßvoll → mäßig

Mast: Mastbaum, Pfahl, Pfosten, Pfeiler, Pflock, Träger, Säule ‖ Mästung, Mastkur; *ugs.:* Nudeln

mästen: (voll) stopfen, nudeln; *ugs.:* fett-, heraus-, überfüttern, dick machen

Masturbation → Selbstbefriedigung

masturbieren: onanieren, s. selbst befriedigen; *ugs.:* wichsen, s. einen runterholen/-schütteln, reiben, von der Palme locken, selber machen

Matador: Stierkämpfer, Torero, Espada ‖ Held, Meister, Champion, Favorit, Berühmtheit, Star, Stern, Publikumsliebling, Mittelpunkt, Anführer

Match → Wettkampf

Material → Materie ‖ Werk-, Roh-, Grundstoff, Roh-, Naturprodukt, Element ‖ Unterlagen, Quellen, Dokumente, Hilfsmittel, Belege

Materie: Substanz, Masse, Stoff, Material ‖ Thema(tik), Gegenstand, Sujet, Gebiet, Bereich, Fach, Sache, Angelegenheit

Matinee: Vormittagsvorstellung, -veranstaltung

Mätresse: Konkubine, Kurtisane ‖ → Geliebte

Matrose: Seemann, -fahrer, Mariner; *Fachsp.:* Fahrensmann; *ugs.:* Blau-, Teerjacke, Seebär; *pl.:* die blauen Jungs

Matsch: *öster.:* Gatsch ‖ → Schlamm

matt: glanzlos, fahl, blind, stumpf, dumpf, beschlagen ‖ klanglos (Stimme), belegt, gedämpft ‖ → erschöpft ‖ → schwach

Matte: Fußabtreter, -abstreicher, (Tür)vorleger; *schweiz.:* Türvorlage ‖

Teppich, Läufer ‖ Bergwiese, -weide, Alpweide; *schweiz./ öster.:* Mahd ‖ *ugs.:* Frisur

Mattscheibe → Fernsehgerät ‖ *ugs.:* Black-out, Kurzschluss, Gedächtnisstörung, Blockade, Sperre, Bewusstseinslücke, Ausfall; *ugs.:* Brett vorm Hirn

Matur(a) → Abitur

Mätzchen → Unsinn

mau → mäßig ‖ → flau

Mauer: Wand, Wall, Eingrenzung, -fassung, Umschließung, -fassung ‖ → Kluft

Mauerblümchen: Aschenbrödel, graues Mäuschen, Blaustrumpf

Maul → Mund

maulen → murren ‖ → nörgeln

maulfaul → einsilbig

Maulheld → Angeber

Maulschelle → Ohrfeige

Maultier: Muli ‖ Packesel, Last-, Saum-, Tragtier

Maulwerk → Mund

Maulwurf: Moll; *reg.:* Mul(l), Multwurm, -warp, Wind, Winnewurm, -wurp; *öster.:* Scher

mausen → stehlen

mausern, sich → s. entwickeln ‖ die Federn wechseln

Mausoleum: Grabmonument, -mal, Grab-, Begräbnisstätte

Maxime → Grundsatz ‖ → Spruch ‖ → Losung

Maximum: Höchstmaß, -wert, -stand, -leistung, Höhepunkt, Optimum, Spitzen-, Meisterleistung, das Größte/Beste, Nonplusultra

Mäzen: Gönner, Förderer, Wohltäter, (Geld)geber, Sponsor, (edler) Spender, Protektor

mechanisch: gedankenlos, unwillkürlich, -überlegt, automatisch, von selbst, unbewusst, wie ein Automat, selbsttätig, zwangsläufig ‖ stumpfsinnig, geisttötend, stupid, gewohnheitsmäßig; *ugs.:* blindlings, von sel-

ber ‖ maschinell, mit Maschinenkraft, maschinen-, fabrik-, serienmäßig, seriell

Meckerei → Kritik

Meckerer → Nörgler

meckern → nörgeln

Medaille: Orden, Ehrenzeichen, Auszeichnung, Andenken, Gedenkmünze, Plakette

Medikament: Arznei(mittel), Heilmittel, Droge, Präparat, Medizin, (Haus)mittel, Therapeutikum, Remedium, Pharmakon, Pharmazeutikum

meditieren: Meditation ausüben, s. in einen anderen Bewusstseinszustand versetzen, s. nach innen wenden, in s. kehren/gehen, s. sammeln, s. vertiefen/-senken, s. konzentrieren, s. nicht ablenken lassen, → denken

Medium: Mittel(glied), Vermittlung, Hilfsmittel, Werkzeug, Mittler(in), vermittelndes Element, Binde-, Zwischenglied ‖ Kommunikations-, Informations-, Nachrichtenträger

Medizin → Medikament ‖ Heilkunst, -kunde, ärztliche Wissenschaft, Gesundheitslehre

Mediziner: Arzt, Doktor, Heilkundiger, Therapeut; *ugs.:* Medikus; *veraltet:* Bader; *abwertend:* Kurpfuscher, Quacksalber

Medley: Melodienverschnitt ‖ → Potpourri

Meer: Ozean, die See; *ugs.:* großer Teich, großes Wasser

Meerbusen: (Meeres)bucht, Bai, Golf, Förde, Fjord, Meeresarm

Meerjungfrau: Nixe, Seejungfer, Meerweib, Undine, Melusine, Nereide, Wasserjungfrau, Nymphe

Meerrettich: *reg.:* Kren

Meeting: Zusammenkunft, Treffen, Begegnung, Beisammensein ‖ Versammlung, Sitzung, Veranstaltung ‖ Verabredung, Date, Termin

Megäre → Xanthippe

mehlig: pulvrig, pulverisiert, pulverförmig, staubig, zerrieben, -stoßen, -stampft, -schrotet, -mahlen ‖ breiig, zerquetscht, -matscht ‖ saft-, geschmacklos

Mehlschwitze: Schwitze; *reg.:* Einbrenn(e), Einmache

mehrdeutig: viel-, doppel-, zweideutig, doppelsinnig, -bödig, missverständlich, dehnbar, schillernd, ambivalent, äquivok, homonym, amphibolisch, polysemantisch, unklar, vage, verschwommen, undurchsichtig, -bestimmt, nebulös, viel sagend, strittig ‖ sibyllinisch, rätselhaft, geheimnisvoll, hintergründig

mehrere → einige ‖ → mannigfaltig

mehrfach → oft

mehrfarbig → bunt

Mehrheit: Mehrzahl, Majorität, Viel-, Überzahl, Gros, Großteil, Masse, der überwiegende Teil, die meisten, mehr als/über die Hälfte

mehrmals → oft

mehrsprachig: vielsprachig, polyglott, mehrere Sprachen sprechend/beherrschend

Mehrzahl → Mehrheit

meiden: fernbleiben, s. fernhalten, einen großen Bogen machen, fliehen, aus dem Weg gehen, s. nicht stellen, umgehen, ausweichen, scheuen, vermeiden, s. entziehen, s. zurückhalten; *ugs.:* kneifen, s. (herum)drücken ‖ jmdn. übergehen/ignorieren/schneiden/nicht sehen wollen/nicht mehr kennen, abrücken/s. abwenden von; *ugs.:* jmdm. die kalte Schulter zeigen

Meilenstein: Markstein, Wende-(punkt), Höhe-, Tiefpunkt, Umbruch, -kehr, bedeutendes/entscheidendes Ereignis

Meineid: falscher Eid, Eid-, Wortbruch, falsche Aussage, Falschschwur

meinen: der Meinung/Ansicht sein, denken, glauben, finden, dafürhalten ‖ vermuten, die Vermutung haben/aufstellen/hegen, mutmaßen, für möglich halten, wähnen, schätzen, annehmen, dünken; *ugs.:* tippen auf ‖ abzielen/anspielen auf, im Sinne haben, etwas ansprechen

meinetwegen: was mich betrifft, meinethalben, um meinetwillen, für mich, mir zuliebe ‖ in Gottes Namen, ja, gut, ich habe nichts dagegen/keine Einwände, es soll mir recht sein, wie du willst/meinst; *ugs.:* von mir aus, genehmigt, wenn's denn sein muss

Meinung → Ansicht

Meinungsaustausch → Gespräch

Meinungsforschung: Demoskopie, (Meinungs)umfrage, Rundfrage, (Repräsentativ)erhebung, Enquete, Feldforschung

Meinungsumfrage → Meinungsforschung

Meinungsverschiedenheit → Auseinandersetzung

meißeln: formen, bilden, gestalten, behauen, schlagen, herausarbeiten

meist(ens): (für) gewöhnlich, fast immer/regelmäßig, zumeist, meistenteils, in der Regel/Mehrzahl, normalerweise, erfahrungsgemäß, über-, vorwiegend, größtenteils, zum größten Teil, im Allgemeinen/Großen und Ganzen, durchweg, weitgehend, (sehr) häufig

Meister → Fachmann ‖ Spitzensportler, Champion, Crack, Sieger, Gewinner ‖ Lehrherr, -meister; *veraltet:* Prinzipal

meisterhaft → großartig ‖ → fehlerlos ‖ → fachmännisch

Meisterleistung → Höchstleistung

meistern → bewältigen

Meisterschaft: Championat ‖ Virtuosität, Meisterhaftigkeit, Können, Perfektion, Vollkommenheit, -endetheit, Bravour, Fulminanz, Vollendung, Kunstfertigkeit

Meisterwerk: Glanzstück, Meister-, Spitzenleistung, Meister-, Prunk-, Pracht-, Kabinettstück, Prachtexemplar, Kunstwerk

Melancholie → Trauer

melancholisch: schwermütig, trübsinnig, -selig, wehmütig, elegisch, trist, traurig, freudlos, betrübt, -drückt, -kümmert, unfroh, gedrückt, niedergeschlagen, depressiv, deprimiert, hypochondrisch; *schweiz.:* hintersinnig, wehselig; *ugs.:* down, geknickt

melden → informieren ‖ ankündigen, -melden, -sagen, signalisieren, avisieren, annoncieren ‖ anzeigen, -geben, an-, verklagen, Anzeige erstatten, zur Anzeige bringen, s. beklagen/ -schweren, verraten, denunzieren; *ugs.:* verpetzen, -pfeifen, hochgehen lassen, ans Messer liefern ‖ sich m.: s. bemerkbar machen, die Hand heben, um das Wort bitten, von s. hören lassen

Meldung: Mitteilung, Bescheid, -nachrichtigung, Nachricht, Information, Bericht(erstattung), Neuigkeit, Botschaft, Eröffnung, Angabe, Übermittlung, Bekanntgabe, -machung, An-, Verkündigung, Kundgabe, Report, Rapport; *dicht.:* Kunde ‖ Anmeldung, Bereit(schafts)-, Teilnahmeerklärung ‖ Anzeige, Denunziation

melken: strippen; *Fachsp.:* fausten ‖ → ausbeuten

Melodie: Tonfolge, -weise, Weise, Lied, musikalische(s) Passage/Thema/Motiv

melodisch: melodiös, wohl tönend/ klingend/lautend, klangvoll, harmonisch, sonor, euphonisch, musikalisch, klangrein

Memme → Feigling

memmenhaft → feige

Memoiren: (Auto)biografie, Lebensgeschichte, -beschreibung, -bild, (Lebens)erinnerungen, Aufzeichnungen

Memorandum → Denkschrift

Menge: Masse, An-, Un-, Mehrzahl, Vielzahl, -heit, Reihe, Serie, große Zahl, Schar, Strom, Schwarm, Heer, Legion, Armee, Über-, Unmaß, Schub, Lawine, Stoß, Stapel, Turm, Schwall, Flut, Anhäufung, -sammlung, Ballung, Fülle; *ugs.:* Haufen, Berg, Unmenge, -masse, Schwung, Wucht, Brocken, Wust, Ladung, Batzen ‖ Gedränge, -wühl, -woge, -wimmel, -tümmel, Trubel ‖ die breite Masse, das breite Publikum, Volk, Öffentlichkeit, Allgemeinheit, die schweigende Mehrheit ‖ Dosis, Quantum

mengen → mischen ‖ **sich m. in** → eingreifen

Mensch: Erdenbürger, -gast, (menschliches) Wesen/Geschöpf, Homo sapiens, Person, Persönlichkeit, Charakter, Individuum, Seele, (Lebe)wesen, Kreatur, Gestalt, Jemand, Kopf, Sterblicher; *gehoben:* Erdensohn, Staubgeborener, Ebenbild Gottes, Krone der Schöpfung, Erdenwurm; *ugs.:* Subjekt, Figur, Type; *abwertend:* Element ‖ *pl.:* → Menschheit, → Leute ‖ **das M.:** *abwertend:* Schlampe, liederliches Frauenzimmer, Weibsbild, -stück; *ugs.:* Schlumpe, Vettel, Ruschel, Urschel, Zaupe

Menschenfeind: Misanthrop, Menschenhasser, -verächter

Menschenfresser: Kannibale, Kopfjäger

Menschenfreund: Wohltäter der Menschheit, Philanthrop, Humanist

Menschengeschlecht → Menschheit

menschenleer: unbevölkert, verödet, entvölkert, unbewohnt, -zivilisiert, -kultiviert ‖ → einsam

Menschenraub: Entführung, Verschleppung, Kidnapping, Geiselnahme

menschenwürdig → menschlich

Menschheit: Menschengeschlecht, die Menschen, menschliche Gesellschaft, Menschentum, Erdbevölkerung, Völker der Erde, Nationen, Welt

menschlich: human(itär), menschenfreundlich, philanthropisch, sozial, mitfühlend, wohltätig, -wollend, menschenwürdig, gütig, freundlich, tolerant, entgegenkommend, mild, barmherzig, hilfsbereit, gutherzig

Menschlichkeit → Humanität

Menstruation: Periode, monatliche Blutung, Monatsblutung, -fluss, Regel(blutung), die (kritischen) Tage, Zyklusblutung, Unwohlsein, Menses; *med.:* Menorrhö, Katamenien, Menarche

Mentalität → Denkweise

Mentor: Berater, Ratgeber, Anleiter, Tutor, Lehrer, Erzieher, Beistand

Menü: Speisenfolge, Gedeck, Gang, Mahl(zeit), Essen

merkantil → geschäftlich

merkbar → merklich

merken → bemerken ‖ → s. einprägen

merklich: spür-, fühlbar, sichtlich, -bar, (be)merkbar, deutlich, erkennbar, zusehends, auffallend, beträchtlich, -achtlich, erheblich, → einschneidend

Merkmal: (Kenn)zeichen, Mal, (Charakter)zug, Wesenszug, Eigenschaft, Attribut, Kriterium, Charakteristikum, Besonderheit, Signum, Erkennungszeichen, Eigentümlichkeit

merkwürdig: seltsam, eigenartig, -tümlich, sonderbar, (ver)wunderlich, (ab)sonderlich, kurios, ominös, komisch, drollig, närrisch, befremdend, -fremdlich, verschroben, schrullig, skurril, eigen(brötlerisch), kauzig, fremd anmutend, bizarr, abstrus, barock, spaßig, ungewöhnlich, -gewohnt, erstaunlich, ungereimt, -natürlich, anders, abwegig, -seitig, -weichend, anomal, abnorm, unüblich, ausgefallen, atypisch; *ugs.:* spleenig

meschugge → verrückt

Messe: Ausstellung, (Muster)schau, Exposition ‖ Gottesdienst, Amt, Messfeier, Andacht, Abendmahl(sfeier) ‖ Schiffskantine

messen: ab-, aus-, vermessen, das Maß feststellen, dosieren, abzirkeln, berechnen, eine Berechnung anstellen, bewerten, ermitteln ‖ (ein bestimmtes) Maß haben, betragen, ausmachen, s. belaufen, angegeben werden mit ‖ **m. an** → vergleichen ‖ **sich m. mit:** s. vergleichen, wettstreiten, kämpfen, einen Wettkampf austragen

Messias → Christus

Messner: Kirchendiener, Küster, Sakristan; *schweiz.:* Messmer

Metamorphose: Umgestaltung, Verwandlung, Umformung

Metapher: bildlicher Ausdruck, Bild, Übertragung, Vergleich

metaphorisch → bildlich

metaphysisch: übersinnlich, -natürlich, -irdisch, transzendent, spiritual, spirituell, jenseitig

Metermaß: Zollstock, Lineal, Elle, Zentimetermaß, Maßstab, -band, Bandmaß, Messlatte; *schweiz.:* Klappmeter

Methode: Art der Durchführung, Verfahren(sweise), Vorgehen(sweise), Arbeits-, Behandlungsweise, (Verfahrens)technik, Handhabung, Praktik, Praxis, System, Weg, Strategie, Stil, Taktik

methodisch: planmäßig, -gemäß, -voll, nach Plan, programmmäßig, -gemäß, systematisch, überlegt, durchdacht, geziert, konsequent, folgerichtig, bedacht, zielbewusst, taktisch, wissenschaftlich

Metier → Beruf ‖ → Fach

Metropole: Haupt-, Weltstadt, Residenz, Regierungssitz ‖ → Mittelpunkt

Metzger: Fleischer, Schlächter, Fleischhauer; *reg.:* Schlachter, Selcher, Wurst(l)er, Fleischhacker

meucheln: hinterhältig morden, → töten

meuchlings → hinterrücks

Meute → Herde ‖ → Gruppe ‖ → Gesindel

Meuterei → Aufstand

meutern → aufbegehren ‖ → schimpfen

mickrig pop(e)lig, dünn (gesät), für den hohlen Zahn ‖ → kläglich ‖ → knauserig, knickrig ‖ → geizig

Mieder: Korsett, Korsage, Korselett, Hüftgürtel, -halter, Schnürleib

Mief → Gestank ‖ *übertragen:* zeitlich Überholtes

Miene: (Gesichts)ausdruck, Mienen-, Gebärdenspiel, Mimik, Gesicht(szüge)

Mienenspiel → Miene

mies → schlecht ‖ → minderwertig

miesepetrig → mürrisch

miesmachen → verderben ‖ → verleumden ‖ → schwarz sehen

Miesmacher → Schwarzmaler

mieten: eine Wohnung nehmen/beziehen, s. einmieten/-quartieren/-logieren, pachten, in Pacht nehmen ‖ (aus)leihen, heuern (Schiff), chartern

Migräne: Kopfweh, -schmerzen

milchig: trüb, undurchsichtig, weißlich

Milchmädchenrechnung: *(ugs.):* Trug-, Fehlschluss, Irrtum, Fehler, Verrechnung

Milchstraße: Galaxis, Galaxie, galaktisches System, Sternenhaufen, Sternsystem

mild: lind, lau, warm, nicht rau/kalt, gemäßigt, → angenehm ‖ → schonend ‖ → gütig

mildern: abmildern, mäßigen, lindern, (ab)schwächen, (ab)dämpfen, entschärfen, den Stachel/die Spitze nehmen, herunterspielen, erleichtern, erträglicher machen, bessern, verringern, Abstriche machen, beruhigen, glätten, ausgleichen

mildtätig → gütig ‖ → selbstlos

Milieu: Umwelt, -gebung, -kreis, Lebenskreis, -raum, Mitwelt, (Atmo)sphäre, Lebensbedingungen, -bereich, -umstände, Wirkungskreis, Klima, Ambiente, Elternhaus, soziale Verhältnisse ‖ Szene, (Gesellschafts)kreis

militant → kämpferisch ‖ → zänkisch

Militär: (Land)streitkräfte, Armee, die Soldaten, Heer, Truppen, bewaffnete Macht, Heeresverband, Streitmacht; *abwertend:* Soldateska ‖ → Kriegsdienst

mimen: vortäuschen, -geben, -schützen, -machen, -spiegeln, -gaukeln, -zaubern, simulieren, fingieren, s. verstellen, schauspielern, s. den Anschein/-strich geben; *ugs.:* markieren, Theater spielen, so tun als ob ‖ → darstellen

Mimik → Miene

mimosenhaft → empfindlich

minder: weniger, geringer, in geringerem Maße ‖ → minderwertig

minderbemittelt → arm ‖ → beschränkt

Minderheit: Minorität, Minderzahl, weniger als die Hälfte, der geringere/kleinere Teil

minderjährig: unmündig, noch nicht erwachsen/mündig, unter 18 (21) Jahren, halbwüchsig, minorenn

mindern: beeinträchtigen, Abbruch tun, abträglich sein, schmälern, herab-, heruntersetzen, vermindern, -ringern, -kleinern, -kürzen, dezimie-

ren, reduzieren, drosseln, drücken, ein-, beschränken; *ugs.:* herunterschrauben, Abstriche machen
minderwertig: fehler-, schad-, mangelhaft, zweitklassig, wertgemindert, defekt, beschädigt, ungenügend, billig, schlecht, miserabel, wertlos, inferior, gering-, halbwertig, bescheiden, minder, nichts wert, zu nichts zu gebrauchen, stümperhaft; *ugs.:* dünn, nichts dran, unter aller Kanone/Kritik, zum Davonlaufen/Erbarmen, mies, schäbig, lausig; *derb:* sau-, schweinemäßig, hundsmiserabel, beschissen
Minderwertigkeitskomplex: Minderwertigkeitsgefühl, Komplex, Selbstzweifel, Unsicherheit, Gehemmtheit, Hemmung, Verkrampfung, -krampftheit, Schwierigkeit mit sich selbst, Inferiorität
Minderzahl → Minderheit
mindestens: (zu)mindest, zum Mindesten/wenigsten, wenigstens, geringstenfalls, mehr als, gut (und gerne), nicht weniger als, zuwenigst, als wenigstes, auf jeden Fall, jedenfalls
Mindestmaß → Minimum
Mine: Bergwerk, (Montan)grube, Zeche ‖ Sprengkörper, -ladung
Mineralwasser: Selters, Soda, Tafel-, Selters-, Sodawasser, (Sauer)brunnen, Sprudel(wasser); *ugs.:* (Kribbel)wasser; *öster.:* Mineral
minimal: gering, wenig, klein, winzig, karg, dürftig, spärlich, kümmerlich, kärglich, mager, schmal ‖ geringfügig, unbedeutend, -wesentlich, -beträchtlich, -erheblich, -wichtig, leicht, belanglos, nicht ins Gewicht fallend, verschwindend, nicht der Rede wert, lächerlich, sehr klein, von geringem Ausmaß
Minimum: Mindestmaß, -wert, -zahl, das Mindeste/wenigste/Kleinste, Untergrenze

Ministrant: Mess-, Altardiener, Messknabe
Minorität → Minderheit
minus: abzüglich, nach Abzug, abgerechnet, -gezogen, ohne, weniger, un(ein)gerechnet, nicht inbegriffen, exklusive, ausgenommen
Minus → Fehlbetrag ‖ → Nachteil
minuziös → genau
Mirabelle: Wachspflaume, Reineclaude; *öster.:* Ringlotte
Mirakel → Wunder
Misanthrop → Menschenfeind
mischen: ver-, durchmischen, mixen, zusammenschütten, (ver-, durch-, unter)mengen, versetzen mit, an-, verrühren, unterarbeiten, durcheinander wirken, verquirlen; *ugs.:* zusammenbrauen, -manschen, -panschen ‖ durcheinander werfen/würfeln/bringen, zusammenstellen; *ugs.:* in einen Topf werfen
Mischling: Misch-, Halbblut; *abwertend:* Bastard ‖ Kreuzung (Tiere, Pflanzen), Hybride; *ugs.:* Promenadenmischung (Hunde)
Mischmasch → Unordnung ‖ → Mischung
Mischpoke → Familie
Mischung: Verbindung, Gemisch, -menge, Mixtur, Mixtum Compositum, Konglomerat, Mengung, Komposition, Melange, Allerlei, Sammlung, Durcheinander, Kunterbunt, Zusammensetzung, Mosaik, Potpourri, Quodlibet, Vielerlei; *ugs.:* Mischmasch, Sammelsurium, Kuddelmuddel, Gepansche, -mansche, Panscherei, Gebräu ‖ Mittelding, Vermischung, Kreuzung
miserabel → kläglich ‖ → minderwertig ‖ → schlecht
Misere → Not ‖ → Missstand
missachten → verachten ‖ → ignorieren ‖ → übertreten
Missachtung: Geringschätzung, -achtung, Verachtung, Nicht(be)ach-

tung, Herab-, Zurücksetzung, Respektlosigkeit, Demütigung, Ent-, Herabwürdigung, Despektierlichkeit, Naserümpfen, Pejoration, Verächtlichmachung ‖ Überschreitung, Außerachtlassung, Verletzung, Zuwiderhandlung, Übertretung, Nichteinhaltung

Missbehagen: unangenehmes Gefühl, Widerwillen, Beklommenheit, -klemmung, Missfallen, Lustlosigkeit, → Missstimmung

Missbildung: Deformierung, -formation, Missgebilde, -geburt, -form, -wuchs, -artung, Verunstaltung, Anomalie, Abnormität, -weichung, -irrung, Irregularität, Norm-, (Körper)fehler, Entstellung

missbilligen → beanstanden ‖ → ablehnen

Missbilligung → Tadel

missbrauchen: Missbrauch treiben/begehen, ausnutzen, -beuten, -nehmen; *ugs.:* Schindluder (be)treiben, verschleißen ‖ → vergewaltigen

missdeuten → missverstehen

missen → entbehren

Misserfolg → Fehlschlag

Missetat: böse/üble Tat, Übel-, Un-, Schandtat, Vergehen, Übertretung, Straftat, Verbrechen, -fehlung, Unrecht, Delikt, Verstoß, Zuwiderhandlung, Fehltritt, Frevel(tat), Sünde, Schlechtigkeit; *ugs.:* Bubenstück

Missetäter → Schurke ‖ → Verbrecher

missfallen: Missfallen erregen, ein Dorn im Auge sein, nicht zusagen/behagen, stören, verdrießen, anwidern, widerstreben, unangenehm berühren, abstoßen, einen schlechten Eindruck machen, nicht erbaut sein; *ugs.:* gegen/wider den Strich gehen, nicht (in den Kram) passen, nicht schmecken ‖ nicht gefallen/ansprechen/-kommen, keinen Gefallen/keine Gnade finden, nichts abgewin-

nen können; *ugs.:* nichts finden an, kalt lassen, s. nichts machen aus

Missfallen → Missbehagen

missfällig → abfällig

Missgebilde → Missgeburt ‖ → Missbildung

missgebildet → missgestaltet

Missgeburt: Missgebilde, -gestalt, Monstrum ‖ → Fehlschlag

missgelaunt → mürrisch

Missgeschick → Unglück

missgestaltet: missgebildet, -förmig, ungestalt, monströs, verkrüppelt, -wachsen, -bildet, krüppelig, krumm, bucklig, schief, deformiert, entstellt, fehlerhaft

missgestimmt → mürrisch

missglücken → scheitern

missgönnen: nicht gönnen, (be)neiden, missgünstig/neidisch/eifersüchtig sein, ein missgünstiges Auge werfen auf, schielen nach; *ugs.:* scheel sehen, vor Neid platzen

Missgriff → Fehler

Missgunst → Neid

missgünstig → neidisch

misshandeln → quälen ‖ → vergewaltigen

Misshandlung: Quälerei, Körperverletzung, Peinigung, Schinderei, Folter

Misshelligkeit → Streit

Mission: Aufgabe, -trag, Funktion, Amt, Obliegenheit, Pflicht, Sendung, Berufung, -stimmung

Missklang: Dissonanz, Misslaut, -ton, Disharmonie, Kakophonie, Diskordanz, Paraphonie ‖ → Streit

Misslaune → Missstimmung

misslaunig → mürrisch

Misslaut → Missklang

misslich: prekär, widrig, beschwerlich, lästig ‖ → unangenehm

missliebig → unbeliebt

misslingen → scheitern

misslungen → missraten

Missmut → Missstimmung

missmutig → mürrisch ‖ **m. sein** → muffeln

missraten → scheitern ‖ ungezogen, -artig, -geraten, frech, flegelhaft, lümmelhaft, schlecht erzogen, ungesittet, -manierlich ‖ verfehlt, aus der Art geschlagen, fehlgeschlagen, nicht gelungen, misslungen, falsch, nicht richtig; *ugs.:* verkehrt

Missstand: schlimmer Zustand, unerträgliche/katastrophale Situation, Übel(stand), Elend, Misere, Ungerechtigkeit, -rechtmäßigkeit, -ordnung, Auswüchse, Mängel

Missstimmung: Miss-, Unmut, Verdrossen-, -drießlichkeit, -stimmung, -stimmtheit, -druss, Ärger, Übellaunigkeit, Misslaune, schlechte Laune, Unzufriedenheit, -lust, Lustlosigkeit, Unwille, Groll, Bitterkeit, (V)erbitterung, Bitternis, Miss-, Unbehagen, Spannung, Missvergnügen, Trübsinn, Überdruss; *ugs.:* Katzenjammer

Misston → Missklang

misstönend: dissonant, unmelodisch, -rein, -sauber, falsch, disharmonisch, kakophonisch, verzerrt

misstrauen: Argwohn hegen/schöpfen, Bedenken/kein Vertrauen haben, (be)argwöhnen, argwöhnisch/skeptisch sein, zweifeln, in Frage stellen, nicht glauben, das Vertrauen versagen, verdächtigen; *ugs.:* nicht über den Weg/um die Ecke/dem Frieden trauen, etwas kommt einem spanisch vor

Misstrauen: Skepsis, Argwohn, Zweifel, Bedenken, Unglaube, Verdacht

misstrauisch: argwöhnisch, zweifelnd, klein-, ungläubig, vorsichtig, kritisch, skeptisch, zweiflerisch

Missvergnügen → Missstimmung

missvergnügt → mürrisch

Missverhältnis: Diskrepanz, Disproportion(alität), Widerspruch, Gegensatz, Kontrast

missverständlich → mehrdeutig

Missverständnis: Irrtum, Miss-, Fehldeutung, Fehlschluss, falsche Auslegung, Verkennung, -wechslung ‖ → Streit

missverstehen: s. verhören, falsch hören ‖ falsch verstehen/beurteilen/deuten/auffassen/auslegen/interpretieren, missdeuten, verkennen, nicht richtig erfassen, s. irren, s. täuschen; *ugs.:* in den falschen Hals/die falsche Kehle kriegen/bekommen

Misswirtschaft → Unordnung

Mist: Dung, Dünger, Kompost ‖ → Unsinn ‖ → Ramsch ‖ → Müll ‖ → verflucht

Mistfink → Schmutzfink

mistig → schmutzig ‖ → gemein

Miststück → Xanthippe ‖ → Scheusal

mit → samt ‖ → mittels ‖ **im Verein m.** → gemeinsam

mitarbeiten → mitwirken

Mitarbeiter: Arbeits-, Berufskollege, Assistent, Stütze, rechte Hand, Gehilfe, Helfer, Arbeitskamerad, Hilfskraft; *ugs.:* Kumpel

mitbekommen → verstehen ‖ → erben

Mitbestimmung: Mitsprache(recht)

Mitbringsel → Geschenk

Mitbürger → Bürger ‖ *pl.:* → Bevölkerung

miteinander: gemeinsam, -schaftlich, zusammen, geschlossen, kollektiv, kooperativ, Arm in Arm, Seite an Seite, Hand in Hand, mit vereinten Kräften, verein(ig)t, mitsammen ‖ untereinander, gegenseitig, einer mit dem anderen

mitfühlen: Mitleid/Verständnis haben/empfinden, Anteil nehmen, Teilnahme/Mitgefühl (be)zeigen, nach-, mitempfinden, teilnehmen an, den Schmerz teilen, mitleiden, Leid tun, bedauern

mitfühlend → mitleidig

mitführen: bei sich haben/tragen, mitnehmen; *ugs.:* mitschleppen, -schleifen

mitgeben → geben

Mitgefühl → Mitleid

mitgehen: begleiten, mitkommen, s. anschließen, s. beigesellen, geleiten ‖ → folgen ‖ begeistert/hingerissen/ entzückt / -flammt / enthusiastisch sein ‖ **m. lassen** → stehlen

Mitgift: Aussteuer, -stattung, Heiratsgut, das Eingebrachte, Dotation, Brautausstattung

Mitglied: Angehöriger, Glied, Beteiligter, Mitwirkender, -arbeiter, Teilnehmer, Genosse ‖ **M. werden:** bei-, eintreten, s. anschließen, s. zugesellen

mithalten → mitwirken ‖ **m. können:** konkurrieren/s. messen können, ebenbürtig sein, nicht nachstehen, heranreichen, es aufnehmen können mit

mithelfen → helfen

Mithilfe: Unterstützung, Hilfe, Dienst, Gefälligkeit, Assistenz, Beistand, Zutun, Hilfestellung, -leistung, Handreichung

mithören: (ab)horchen, -hören, belauschen, überwachen

Mitinhaber → Teilhaber

mitkommen → nachkommen ‖ → mitgehen ‖ → verstehen

mitkriegen: *(ugs.):* mitbekommen, kapieren, schnallen ‖ → verstehen

Mitläufer: Opportunist, Jasager; *ugs.:* Wendehals, Wetterfahne; *abwertend:* Gesinnungslump

Mitleid: Mitgefühl, Erbarmen, Barmherzigkeit, (An)teilnahme, Mitfühlen, -empfinden, Anteil, Menschlichkeit, Verständnis, Nächstenliebe

mitleiden → mitfühlen

Mitleid erregend → kläglich

mitleidig: voller Mitleid, mitfühlend, von Mitleid erfüllt, teilnahmsvoll, -nehmend, bedauernd

mitleid(s)los → rücksichtslos

mitmachen → mitwirken ‖ → dulden

Mitmensch: Zeitgenosse, Mitlebender, der Nächste/andere, Nachbar, Bruder, Mitbürger, Hausgenosse, Landsmann

mitmischen → mitwirken

mitnehmen → mitführen ‖ → stehlen ‖ → erschöpfen

mitnichten → keineswegs

mitrechnen → einbeziehen

mitreden: mitsprechen, -diskutieren, s. am Gespräch beteiligen, seine Meinung äußern, ein Wörtchen mitzureden haben, s. einmischen; *ugs.:* seinen Senf dazugeben

mitreißen → begeistern

mitreißend → spannend

mitsammen → miteinander

mitsamt → samt

mitschreiben: protokollieren, zu Protokoll nehmen, ein Protokoll aufnehmen

Mitschuldiger: Mittäter, -wisser, Komplize, Spießgeselle, Helfershelfer, Mitbeteiligter, -verantwortlicher

Mitschüler: Klassen-, Schulkamerad

mitschwingen → anklingen

mitspielen → mitwirken ‖ **übel m.** → quälen

mitsprechen → mitreden

Mitstreiter → Anhänger

Mittag: zwölf (Uhr mittags), Mittagsstunde, -zeit, Highnoon; *dicht.:* Höhe des Tages, Stunde des Pan ‖ Mittagspause, -ruhe, Siesta

Mittagessen: Mittagsmahl, -brot, -tisch, Diner, Lunch; *reg.:* Mittag

Mittäter → Mitschuldiger

Mitte → Mittelpunkt ‖ → Mittelweg ‖ **in der M. von** → inmitten

mitteilen → informieren ‖ → schildern ‖ → ausrichten ‖ → äußern ‖ → weitergeben ‖ **sich m.** → s. anvertrauen

mitteilsam → gesprächig

Mitteilung → Nachricht

Mittel: Hilfsmittel, -quelle, Mittel zum Zweck, Vorwand, Methode, Trick, Instrument, Werkzeug, Waffe, Vehikel, Möglichkeit, Mittel und Wege, Handhabe ‖ → Medikament ‖ Durchschnitts-, Mittelwert, Durchschnitt, goldene Mitte; *ugs.:* Schnitt ‖ → Geld

mittelbar → indirekt

mittellos → arm

Mittellosigkeit → Armut

mittelmäßig: durchschnittlich, gewöhnlich, alltäglich, mäßig, erträglich, mediocre, leidlich, passabel, hinlänglich, genügend, ausreichend, einigermaßen, mit Mühe und Not, nicht überwältigend/besonders, bescheiden, schlecht und recht, ganz nett; *ugs.:* (so) mittel/lala, mittelprächtig, nicht berauschend/-rühmt/ weit her, soso, mau, gerade eben, durchwachsen, mit Ach und Krach

mittelprächtig → mittelmäßig

Mittelpunkt: Zentrum, Herz, Kern, Mitte, Herzstück, Center, Hochburg, Nabel, Achse, Dreh-, Brenn-, Knoten-, Schnitt-, Sammel-, Schwer-, Zentralpunkt, Zentrale, Seele, Kerngebiet, Scheitel, Kreuzung(spunkt), Sammelbecken ‖ **M. sein:** Hahn im Korb sein, die Szene beherrschen, die Hauptperson/der Held des Tages sein, im Zentrum des Interesses stehen, besonders beliebt sein

mittels: mit (Hilfe von), unter Verwendung/an Hand von, durch, per, vermittels, -möge, kraft, unter, dank

Mittelsmann → Vermittler

Mittelsperson → Vermittler

Mittelweg: (goldene) Mitte, gangbarer Weg, Kompromiss, Ver-, Ausgleich, das rechte Maß

mitten → inmitten

mittendrin → dazwischen

Mitternacht: vierundzwanzig/null Uhr, zwölf (Uhr nachts), Tageswechsel, mitternachts, Geisterstunde

Mittler → Vermittler ‖ → Medium

mittlerweile: inzwischen, unter-, währenddessen, in der Zwischenzeit, derweil(en), dazwischen, zwischenzeitlich, -durch, solange, indessen

mittun → mitwirken

mitunter → manchmal

Mitwelt: Umgebung, -welt, Lebenskreis, Mitmenschen, Nachbarn, die anderen, Mitbürger, Landsleute, Zeitgenossen, Mitlebende

mitwirken: mitarbeiten, -machen, -tun, s. beteiligen, teilnehmen, -haben, Anteil haben, dabei sein, dazugehören, partizipieren, beisteuern, assistieren, an die Hand gehen, behilflich sein; *ugs.:* mit von der Partie sein, die Hand im Spiel haben, mitspielen, -mischen, -halten, -ziehen

Mitwisser → Mitschuldiger

mitzählen → einbeziehen

mitziehen: mitgehen, -kommen, s. anschließen, mitreisen, -marschieren, -laufen ‖ → mitwirken

mixen → mischen

Mixgetränk: Cocktail, Flip, Mischgetränk, (Mixed) Drink, Fizz, Longdrink

Mixtur → Mischung ‖ Tinktur, Lösung, Arznei

Mob: Pöbel, (asoziales) Pack ‖ → Gesindel

Möbel → Mobiliar

mobil → beweglich ‖ **mobilmachen:** einberufen, -ziehen, zu den Fahnen/ Waffen rufen, ausheben, mobilisieren, anwerben, rüsten, s. bewaffnen, kampfbereit machen

Mobiliar: Möbel(stücke), Wohnungseinrichtung, -ausstattung, Inventar, Meublement, bewegliche Habe, Einrichtungsgegenstände, Hausrat; *ugs.:* Klamotten, Siebensachen, Kram

mobilisieren: aufbieten, einsetzen, in Bewegung/Tätigkeit setzen, aufwenden, daransetzen, aktivieren, lebendig machen, anstacheln, -spornen, -treiben, beflügeln, in Gang bringen, bewegen zu; *ugs.:* dransetzen, reinstecken, in Schwung/auf Trab/Touren bringen, Dampf machen, einheizen ‖ → mobilmachen

möblieren: einrichten, ausstatten, -gestalten, mit Möbeln vollstellen, Möbel aufstellen, wohnlich machen

Modder → Schlamm

Mode: (Zeit-, Tages)geschmack, Zeitstil, -erscheinung, das Moderne/Modische/Allerneueste, der letzte Schrei, Novität, Neuheit, Fashion; *ugs.:* was man trägt

Modell: Kreation, Modeschöpfung ‖ *f.:* Mannequin, Vorführdame, Topgirl, Model; *m.:* Dressman ‖ Typ(e), (Bau)art, Machart, Ausführung, Schnitt, Fasson ‖ Muster, Vor-, Urbild, Archetyp, Urform, Vorlage, Schablone, Original ‖ Nachbildung, -ahmung, Imitation, Attrappe, Musterstück, Kopie, Abguss; *ugs.:* Abklatsch ‖ → Entwurf

modellieren: (aus)formen, gestalten, bilden, prägen, Form/Gestalt geben/verleihen, anfertigen, arbeiten, herstellen, erschaffen, kneten, modeln

Moder: Fäulnis, Fäule, Schimmel, Zerfall, -setzung, Verwesung

modern: (ver)faulen, verwesen, -rotten, -modern, -derben, -kommen, -schimmeln, in Fäulnis übergehen, Schimmel ansetzen, s. zersetzen, umkommen, den Weg alles Irdischen gehen; *ugs.:* vergammeln, gammelig werden ‖ zeitgemäß, neuzeitlich, (neu)modisch, mit der Zeit, in Mode, à la mode, up to date, auf dem neuesten Stand, der Mode unterworfen, nach der neuesten Mode, neuartig, modegerecht, -bewusst, neu, super, hyper, hochmodern, fashionable, en vogue, soeben aufgekommen, an der Tagesordnung, zeitgenössisch, fortschrittlich, progressiv, aktuell, aufge-

schlossen; *ugs.:* von heute, heutig, im Schwang, gang und gäbe, in

modernisieren: erneuern, überholen, renovieren, restaurieren, auffrischen, -arbeiten, -polieren, verbessern, neu gestalten, umgestalten, -arbeiten, ändern; *ugs.:* aufmöbeln

Modifikation: Abwandlung, Spielart, (Ab)änderung, Modifizierung, Umgestaltung, Variation, Variierung, Variante, Veränderung, Umformung, -bildung

modifizieren → ändern

modisch → modern

Modus → Art

Mogelei → Betrug

mogeln → betrügen

mögen: eingenommen/angetan sein, viel übrig haben, nicht abgeneigt sein, Geschmack finden/gewinnen, Gefallen haben/finden/abgewinnen, Reiz abgewinnen, sympathisch finden, sympathisieren mit, gern haben, zugeneigt/-getan/gewogen/gut sein, lieb haben, hängen an, ins Herz schließen, im Herzen tragen, lieben, verliebt sein, schätzen, leiden können, eine Schwäche/Vorliebe/ein Faible haben, s. hingezogen fühlen, gut finden, Lust haben, bevorzugen; *ugs.:* vernarrt/verrückt sein, einen Narren gefressen haben

möglich: denkbar, erdenklich, vorstellbar, potenziell, nicht ausgeschlossen/unmöglich, im Bereich/Rahmen des Möglichen, nach Möglichkeit, wahrscheinlich, durchführ-, realisier-, gang-, ausführbar, diskutabel, zu erwägen, erwägenswert, geh-, erreichbar, angängig ‖ **m. machen** → ermöglichen ‖ **für m. halten** → vermuten

möglicherweise: vielleicht, eventuell, gegebenenfalls, womöglich, allenfalls, unter Umständen, möglichenfalls, vermutlich, je nachdem, wenn es geht, es ist möglich/denkbar, es besteht die Möglichkeit, es kann sein, es ist nicht auszuschließen, wohl, es liegt im Bereich des Möglichen

Möglichkeit: Weg, Mittel (und Wege) ‖ → Chance ‖ Fall, Eventualität

möglichst → tunlichst

Mohammedaner: Moslem, Muslim, Islamit; *hist.:* Sarazene; *ugs.:* Muselmann

Möhre → Mohrrübe

Mohrrübe: Möhre, Karotte; *reg.:* Wurzel, gelbe Rübe, Gelbrübe; *schweiz.:* Rübli

mokant → spöttisch

mokieren, sich → spotten

Mole: Hafenmauer, -damm, Kai(mauer), Pier

Molkerei: Meierei, Milchwirtschaft, Milch verarbeitender Betrieb

mollig → dick ‖ warm, behaglich, gemütlich, heimelig, anheimelnd, traut, traulich

Moloch: Monstrum, Ungeheuer, Bestie, alles verschlingende Macht, tiefer Abgrund

Moment: *m.:* → Augenblick ‖ *n.:* → Umstand

momentan: augenblicklich, im Moment/Augenblick, zur Zeit/Stunde, gegenwärtig, jetzt, jetzig, nun, gerade (eben), just(ament), derzeit(ig), heute ‖ → vorübergehend

Monarch: Souverän, (Allein)herrscher, Landesvater, Oberhaupt

Mönch: Ordensmann, -geistlicher, -bruder, Kloster-, (Laien)bruder, Pater, Fra(ter); *abwertend:* Kuttenträger ‖ Einsiedler, Eremit, Klausner

mondän: fashionable, modisch, schick, extravagant, von Welt, weltläufig, -männisch, exklusiv, elegant

Moneten: *(ugs.):* Mammon, Moos, Kies, Zaster, Knete ‖ → Geld

monieren → beanstanden

Monolog: Selbstgespräch

Monopol: Alleinrecht, -anspruch, alleiniges Vorrecht

monoton → langweilig

Monotonie → Langeweile

monströs → gewaltig ‖ → abscheulich

Monstrum: Ungeheuer, -getüm, Un(ge)tier, Scheusal, Bestie, Moloch, Drache ‖ Gigant, Riese, Koloss, Hüne; *ugs.:* Goliath, Kleiderschrank

montieren: zusammenbauen, -fügen, -setzen, installieren ‖ anbringen, festmachen, befestigen, an-, aufmontieren, legen; *ugs.:* anmachen

Montur: Uniform, Arbeitsanzug, Dienstkleidung, -anzug, Einheitskleidung ‖ Garderobe, Bekleidung, Kleider, Aufmachung; *ugs.:* Klamotten, Sachen, Zeug, Kluft, Aufzug, Outfit

Monument: Gedenkstein, Mahn-, Ehrenmal, Memorial, Denkmal

monumental → gewaltig

Moor: Sumpf(land), Ried, Bruch; *reg.:* Fenn, Luch, Moos

Mops: *(ugs.):* Kloß, Pummel, Fettsack ‖ → Fettwanst

mopsen: *(ugs.):* klauen, filzen, stibitzen, klemmen, mitgehen lassen ‖ → stehlen

mopsig → dick

Moral: Wertvorstellungen, -maßstäbe, Sinnvorstellungen, Handlungsregeln, Sittlichkeit, Gesittung, Sitte, moralische/ethische Gesinnung, sittliche Einstellung/Grundhaltung, Verantwortungsgefühl, -bewusstsein ‖ Disziplin, Zucht, Ordnung, Selbstvertrauen, innere Kraft, Kampfgeist

moralisch → sittlich

Moralpredigt: (eindringliche) Ermahnung, Lektion, Epistel, (Straf)predigt, Zurechtweisung; *ugs.:* Standpauke, Gardinenpredigt, Donnerwetter

Morast: Modder ‖ → Schlamm

morbid: von Krankheit/Zerfall gekennzeichnet, im Verfall begriffen,

angekränkelt, krank(haft), marode ‖
morsch, brüchig

Mord: Ermordung, Mord-, Bluttat,
Meuchelei, (vorsätzliche) Tötung,
Totschlag, Kapitalverbrechen, Vernichtung, Abschlachtung, Blutvergießen

morden → töten

Mörder → Verbrecher

mörderisch: furchtbar, grausam, brutal, entsetzlich, widerlich, schrecklich, grässlich, gräulich, schauderhaft, abscheulich, ekelhaft, unmenschlich, -barmherzig, blutig ‖
→ sehr

mordsmäßig → sehr ‖ → gewaltig

Morgen: Morgenstunde, Frühe, erste
Tageshälfte, Vormittag, Tagesbeginn, -anbruch; *dicht.:* der junge Tag

Morgendämmerung → Morgengrau-
en

Morgengrauen: Morgendämmerung,
Tagesanbruch, -schimmer, -grauen,
-beginn, Sonnenaufgang, Morgen-
röte, -rot, Frühlicht, der frühe Morgen

Morgenland → Orient

morgens: am Morgen, in der Frühe,
am Vormittag, vormittags, früh, des
Morgens, bei Tagesanbruch, in aller
(Herrgotts)frühe, beim Morgen-
grauen/ersten Hahnenschrei, mit der
Sonne, vor Tau und Tag, (früh)zeitig,
beizeiten ‖ jeden/alle Morgen, Morgen für Morgen, immer morgens/am
Morgen, allmorgendlich, immer
vormittags ‖ am Vormittag

Moritat: Bänkelsang, -lied

morsch: brüchig, mürbe, vermodert,
-rottet, -kommen, faul, ver-, zerfallen,
baufällig, schrottreif, bröcklig ‖
→ morbid

morsen → funken

Möse → Vulva

mosern: *(ugs.):* (herum)mäkeln, motzen ‖ → nörgeln

Moskito → Mücke

Most: (Frucht)saft, Süßmost, Obstwein

Mostrich: Senf, Mustard; *reg.:* Mostert, Möstrich

Motiv: Anlass, Veranlassung, (Be-
weg)grund, Ursache, Triebfeder, Ansporn, -stoß ‖ Thema, Leitgedanke ‖
Tonfigur, musikalisches Thema

motivieren → begründen ‖ m. zu
→ anregen

Motor: (Antriebs)maschine, Antrieb,
Triebwerk, Kraftquelle ‖ → Antrieb ‖
→ Initiator

Motorrad: Kraftrad, Krad, Maschine; *ugs.:* Feuerstuhl

Motto: Wahlspruch, Leitsatz, -ge-
danke, -spruch, Devise, Parole, Losung, Slogan, Schlagwort, Maxime

motzen: *(ugs.):* mosern, (herum)mä-
keln ‖ → nörgeln

moussieren: perlen, prickeln,
schäumen, sprudeln

Mücke: Stechmücke, Moskito; *reg.:*
Schnake, Stanze; *öster.:* Gelse

mucken: *(ugs.):* Krach schlagen, einen Tanz aufführen ‖ → aufbegehren

müde: schläfrig, ruhe-, schlafbedürf-
tig, ermüdet, schlaftrunken, zum
Umsinken/-fallen müde, dösig, todmüde, übermüdet, -nächtigt, verschlafen, unausgeschlafen; *reg.:* marode; *ugs.:* bettreif, hundemüde;
öster.: tramhapert; *derb:* saumüde ‖
→ erschöpft ‖ **m. sein:** Müdigkeit verspüren, mit dem/gegen den Schlaf
kämpfen; *ugs.:* mit offenen Augen
schlafen, vor Müdigkeit umfallen,
einen toten Punkt haben, s. nicht
mehr auf den Beinen halten können,
im Tran sein, nach dem Bettzipfel
schielen, die nötige Bettschwere haben, die Augen fallen zu ‖ **einer Sache m. sein:** gelangweilt/überdrüssig
sein, genug/es satt haben; *ugs.:* etwas
über/dick haben, etwas leid sein, bedient sein, etwas reicht/stinkt jmdm.,

bis zum Hals stehen, zum Hals heraushängen, die Nase voll haben; *derb:* die Schnauze/den Kanal voll haben, das große Kotzen kriegen
Muffel: *(ugs.):* Miesepeter, Nieselpriem, Sauertopf ‖ → Griesgram
muff(e)lig: *(ugs.):* grantig, miesepetrig, schlecht drauf ‖ → mürrisch
muffeln: *(ugs.):* beleidigt/mürrisch/ missmutig / -launig / -gestimmt / -vergnügt / verdrossen / -drießlich / bärbeißig / griesgrämig / brummig/übellaunig/unleidlich/in schlechter Stimmung sein, mit s. und der Welt zerfallen sein; *ugs.:* mit dem linken Fuß aufgestanden sein, jmdm. ist eine Laus über die Leber gelaufen, ungenießbar/sauertöpfisch/muffig/ miesepetrig sein ‖ schlecht/dumpf riechen, einen üblen/merkwürdigen/ unangenehmen Geruch haben/ausströmen/-dünsten, stinken
muffig: dumpf/moderig/schlecht/ übel riechend, ungelüftet, stehende/ schlechte Luft; *ugs.:* stinkig, vermieft, miefig ‖ → einsilbig ‖ → missmutig
Mühe: Bemühung, Anstrengung, Arbeit, Kraft-, Arbeitsaufwand, Aktivität ‖ Mühsal, -seligkeit, Plage, Beschwerlichkeit, -schwer(de), -schwernis, -anspruchung, -lastung, Anspannung, Stress, Strapaze, Last, Fron, Kärrnerarbeit; *gehoben:* Mühewaltung; *ugs.:* Plackerei, Schinderei, Schufterei, Geacker, Rackerei, Schlauch, Schweiß, Knochen-, Heiden-, Mords-, Mist-, Drecksarbeit; *derb:* Scheiß-, Sauarbeit ‖ **mit M.:** gerade/eben noch, knapp, kaum, unter Schwierigkeiten, schlecht und recht, mühsam, mit Mühe und Not/knapper Not/letzter Anstrengung, nach langem Bemühen; *ugs.:* mit Ach und Krach/Hängen und Würgen
mühelos: ohne Mühe, (kinder)leicht, einfach, unkompliziert, mit Leichtigkeit, spielend, unschwer, -problematisch, bequem, ohne Schwierigkeiten, kein Kunststück, ein Kinderspiel, mit dem kleinen Finger, eine Kleinigkeit; *öster.:* kommod; *ugs.:* aus dem Handgelenk, mit einem Griff/links, ein Klacks, kleine Fische, wie im Schlaf/Traum ‖ → fließend ‖ → reibungslos
mühen, sich → s. anstrengen
mühevoll → mühsam
Muhme: Tante, Base
Mühsal → Mühe
mühsam: mühevoll, mühselig, beschwerlich, anstrengend, schweißtreibend, aufreibend, ermüdend, strapaziös, kräftezehrend, langwierig, zeitraubend, unbequem, dornig, steinig, lästig; *ugs.:* sauer
mühselig → mühsam
Mühseligkeit → Mühe
Mulde: (Boden)senke, -vertiefung, flaches Tal, Geländesenkung, Talsenke, Becken, Gesenke, Graben, Grube; *reg.:* Delle
Muli → Maultier
Müll: Abfall, Kehricht, Rückstände, Schmutz, Schrott, Schutt, Unrat; *reg.:* Mist, Dreck ‖ → Ramsch
Mülleimer → Mülltonne
Müllhalde: Müllabladeplatz, -kippe, -deponie, Schuttplatz, -haufen, -halde, Müllgrube, -haufen, Abfallgrube, Schrottplatz
Mülltonne: Abfalleimer, -tonne, Müll-, Ascheimer, Ascheneimer, Müllkübel, -container; *ugs.:* Dreckeimer, Mistkübel
mulmig → unwohl ‖ → heikel
multilateral: mehrseitig, mehrere Seiten betreffend, zwischen mehreren Staaten
multiplizieren: vervielfachen, malnehmen
mumifizieren: (ein)balsamieren, ausstopfen, konservieren, präparieren, haltbar machen, erhalten

Mumm: *(ugs.):* Traute, Schneid ‖
→ Mut

Mumpitz: *(ugs.):* Stuss, Quatsch,
Quark, Humbug ‖ → Unsinn

Mund: *(ugs.):* Klappe, Schnute,
Schnabel, Rand, Rachen, Gosch(e),
Mundwerk; *reg.:* Futterluke, Babbel;
derb: Maul, Schnauze, Fresse,
Schandmaul, Dreckschleuder, Kod-
derschnauze, Maulwerk

Mundart: Dialekt, regionale Sprachvariante

munden → schmecken

münden: fließen in, einmünden, hineinfließen, zusammenströmen, -flie-
ßen, enden

mundfaul → einsilbig

mündig: voll-, großjährig, erwachsen; *veraltet:* majorenn

mündlich: verbal, im/per Gespräch,
mit Worten, gesprochen, -sprächs-
weise, nicht schriftlich, persönlich

Mündung: Ende, Endpunkt, Eintritt,
Auslauf, Zusammenfluss ‖ Ein-,
Flussmündung, Delta

Mundwerk → Mund

munkeln: tuscheln, raunen, Ge-
rüchte/Vermutungen verbreiten, im
Geheimen erzählen, (zu)flüstern

Münster: Dom, Kathedrale

munter: (hell)wach, ausgeschlafen;
ugs.: auf ‖ lebhaft, (spring)lebendig,
rege, regsam, frisch, agil, vif, temperamentvoll, quecksilbrig; *reg.:* kregel; *ugs.:* wie ein Fisch im Wasser,
putzmunter, quicklebendig, wie auf-
gezogen/-gedreht/-gekratzt ‖ → fröhlich

Münze: Geldstück; *pl.:* Hart-, Klein-,
Silbergeld; *ugs.:* Groschen

münzen: zielen/anspielen/eine Anspielung machen, auf jmdn., gegen
jmdn. s. richten/gehen, jmdn. mei-
nen/treffen

mürbe: locker, weich, leicht zerfallend, (auf der Zunge) zergehend,
krümelig, zart, pflaumen-, butter-

weich ‖ spröde, bröckelnd, morsch,
brüchig, bröcklig, gebrechlich, morbid, rissig, wackelig ‖ demoralisiert,
entnervt, widerstandslos, ohne Wi-
derstand(skraft), schwach, nachgiebig, → erschöpft ‖ **m. machen** → zermürben

murksen: schlecht arbeiten, trödeln ‖
→ pfuschen

Murmel: Glaskugel; *reg.:* Marmel,
Marbel, Mermel, Klicker, Letsch,
Bickel, Katzedonier, Schießer,
Schusser, Knicker, Schneller, Bug-
ger, Picker, Alabaster, Steinnuss;
schweiz.: Klucker

murmeln: vor s. hinsagen/-reden,
brumme(l)n; *ugs.:* brabbeln ‖ gluckern (Wasser), gurgeln, glucksen,
blubbern ‖ Murmel spielen; *reg.:*
marmeln, schussern, Klicker spielen,
klickern

murren: schmollen, brummen, maulen, knurren, mucken, bocken, ein
Gesicht/einen Schmollmund ma-
chen/ziehen, nicht gerade begeistert
sein, trotzen, klagen; *reg.:* granteln,
gnatzen; *ugs.:* muckschen, kiebig
werden ‖ → aufbegehren

mürrisch: griesgrämig, verdrossen,
-drießlich, grämisch, brummig, knurrig, bärbeißig, ärgerlich, verärgert,
böse, unwillig, -gehalten, -wirsch,
(v)erbittert, zähneknirschend, grimmig, missmutig, -gelaunt, -launig,
-gestimmt, -vergnügt, schlecht gelaunt, unmutig, -zufrieden, übellaunig, übel gelaunt, unbefriedigt,
-lustig, -leidlich, in schlechter Stimmung, mit sich und der Welt zerfallen; *ugs.:* schlecht drauf, ungenießbar, sauertöpfisch, miesepetrig,
murrköpfig, muff(e)lig, grantig, grätig, muffig; *reg.:* fünsch, leidig,
knautschig, gnatzig ‖ **m. sein:** jmdm.
böse sein, auf jmdn. nicht gut zu
sprechen sein, s. fuchsen, s. giften,
→ muffeln

Mus: Brei, Püree; *reg.:* Platsch, Kasch; *ugs.:* Papp, Pamp(s), Pampf, Klitsch; *öster.:* Koch; *schweiz.:* Stock

Museum: (Kunst-, Gemälde)galerie, Pinakothek, (Kunst)sammlung, Kunsthalle

Musik: Tonkunst ‖ Klänge

Musiker: Musikant, Tonkünstler, Musikinterpret, Instrumentalist, Spieler

Musikwerk: Musikstück, Komposition, Tondichtung, -stück

musisch: künstlerisch (begabt), kunstsinnig, Kunst liebend, kunstverständig, -empfänglich, schöpferisch, feinsinnig

musizieren: Musik machen, (auf)spielen, konzertieren, ein Konzert geben, ein Instrument spielen; *ugs.:* klimpern, dudeln, fiedeln

muskulös → athletisch

Muße: (Frei)zeit, Ruhe(pause), Stille, Beschaulichkeit, Mußestunde, -zeit, (süßes) Nichtstun, Dolcefarniente ‖ Atempause, Rast, Feiertag, -abend, Ferien, Urlaub, Arbeitsschluss

müssen: verpflichtet/gezwungen/ auferlegt/gehalten/genötigt sein, s. gezwungen/-nötigt sehen, nicht umhin können, keine (andere) Wahl haben, s. nicht enthalten können, verurteilt sein zu, sollen, brauchen, nötig sein, jmdm. bleibt nichts anderes übrig, nicht anders können, unter Druck stehen, keinen (anderen) Weg sehen, für nötig/erforderlich halten, s. verpflichtet/bemüßigt fühlen, unfrei sein, unter Zwang handeln, in der Zwangslage handeln, die Pflicht haben, Verpflichtung haben, obliegen

müßig → faul ‖ überflüssig, unnötig, -nütz, zweck-, nutz-, grund-, sinnlos

Müßiggang → Faulheit

Muster: Vorlage, -bild, Schema, Schablone, Musterstück, Leit-, Urbild, Archetyp, Entwurf, Plan, Schnitt, Form ‖ Zeichnung, Muste-

rung, Dessin, Dekor, Verzierung, Ornament, Aufdruck ‖ (Waren)probe, Ansichts-, Mustersendung ‖ Kostprobe, Exemplar, Beispiel, Auswahl, Vorschlag ‖ → Musterfall

Musterfall: Muster, Schul-, Musterbeispiel, Präzedenzfall, Paradebeispiel, Inbegriff, Ausbund, Gipfel, Clou, Prototyp, Inkarnation

mustergültig → musterhaft

musterhaft: beispielhaft, -gebend, -los, nachahmens-, nacheifernswert, unnachahmlich, exemplarisch, comme il faut, richtungweisend, vorbildlich, mustergültig, vollkommen, -endet, unübertroffen, -erreicht, -tadelig, ideal, fehlerlos, makellos, einwandfrei, perfekt, → großartig

mustern → anschauen, → anstarren ‖ → durchsehen ‖ auf Wehrtauglichkeit untersuchen

Mut: Furchtlosigkeit, Beherzt-, Forschheit, Heldenhaftigkeit, Mannesmut, Mannhaftigkeit, Löwenmut, Heldengeist, Heroismus, Tapferkeit, Unverzagt-, Kühn-, Unerschrocken-, Verwegenheit, Wagemut, Waghalsigkeit, Bravour, Zivilcourage, Heldentum, -mut; *ugs.:* Courage, Herz, Schneid, Mumm, Traute

Mutation: Stimmwechsel, -bruch ‖ (Ver)änderung, Wandlung, Umschwung, Wechsel

mutig: beherzt, couragiert, heldenhaft, heroisch, forsch, mannhaft, wage-, todesmutig, waghalsig, stark, halsbrecherisch, riskant, vermessen, abenteuerlich, gewagt, mutvoll, standhaft, entschlossen, fest, (toll)kühn, unerschrocken, verwegen, draufgängerisch, tapfer, unverzagt, furchtlos, frei von/ohne Furcht, herzhaft, kämpferisch, wacker, stramm, löwenherzig, nicht feige, vor nichts zurückschreckend, (lebens)gefährlich, selbstmörderisch; *ugs.:* schneidig

mutlos: verzagt, zaghaft, entmutigt, kleinmütig, niedergeschlagen, -gedrückt, deprimiert, depressiv, niedergebeugt, -geschmettert, verzweifelt, gebrochen, ohne Mut/Zuversicht, resigniert, lebensmüde, pessimistisch; *ugs.:* geknickt, flügellahm, down, groggy, bedrippst ‖ → pessimistisch ‖ → feige

mutmaßen → vermuten

mutmaßlich: verdächtigt, unter Verdacht stehend, angeblich, vermutet, möglich, eventuell, wahrscheinlich, vermeintlich

Mutter: *(ugs.):* Mama, Mutti, Mami, Muttchen, alte Dame, Alte

mütterlich: fürsorglich, besorgt, lieb(evoll), mit Hingebung, hingebungsvoll, rührend, zärtlich, uneigennützig, selbstlos, gütig, aufopfernd

Muttermal: Leber-, Linsenfleck, Gefäß-, Geburts-, Pigmentmal; *med.:* Lentigo, Naevus

mutterseelenallein → einsam

Muttersöhnchen: Weich-, Zärtling, Schürzenkind, Schwächling, Herzenssöhnchen, Mutterknabe; *ugs.:* Wasch-, Jammerlappen, Pimpelhans, Memme

Mutterwitz → Witz

Mutti → Mutter

mutwillig: absichtlich, absichtsvoll, mit/in böser Absicht, böswillig, vorsätzlich, aus Übermut, bewusst, gewollt, willentlich, wissentlich, mit Bedacht, mit Willen, mit Fleiß, mit Bewusstsein, geflissentlich, beabsichtigt, ausdrücklich, geplant, vorbedacht, intentional, wohlweislich, extra, eigens

Mütze: Kopfbedeckung, Kappe, Käppi

mysteriös: rätselhaft ‖ → geheimnisvoll

Mysterium: Geheimnis, Dunkel, Rätsel ‖ Unerklärliches, -erforschliches, Übersinnliches, Metaphysisches, Wunder, Mirakel, Phänomen

Mystifikation: Mystifizierung, Täuschung, Vorspiegelung, Irreführung, Verschleierung, Überhöhung

mystisch: enthoben ‖ → geheimnisvoll

N

nach: in Richtung, gen ‖ danach, später, im Anschluss an, hinter-, nachher, darauf, nachdem, dann, anschließend, hier-, hernach, nachfolgend, in der Folge, schließlich, endlich, hierauf; *ugs.:* hinterdrein ‖ entsprechend, gemäß, zufolge, laut, nach Maßgabe ‖ **n. und n.** → allmählich ‖ **n. wie vor** → weiterhin

nachäffen → nachahmen

nachahmen: nachbilden, -machen, -formen, -eifern, -folgen, -streben, gleichtun, wiedergeben, imitieren, reproduzieren, s. ein Beispiel nehmen an, s. zum Vorbild nehmen, absehen, -schauen, in jmds. Spuren wandeln, wiederholen, entlehnen, s. anlehnen an, lernen von, kopieren, s. richten nach, s. anzugleichen suchen, covern; *ugs.:* nachäffen, -tun

nachahmenswert → beispiellos ‖ → ausgezeichnet

Nachahmung → Imitation

nacharbeiten → nachholen

Nachbar: Anwohner, -rainer; *schweiz.:* Anstößer ‖ Nebenmann

Nachbarschaft: Umwelt, -kreis, -gebung, -gegend, -land, Nähe, Gegenüber, Lebenskreis, Mitwelt

nachbeten → nachreden

nachbilden → abbilden ‖ → nachahmen

Nachbildung → Imitation

nachblicken → nachschauen

nachbohren: *(ugs.):* ein Loch in den Bauch fragen, auf den Busch klopfen, nicht locker lassen, nachhaken ‖ → ausfragen

nachdem: als ‖ → nach ‖ da, weil, zumal

nachdenken → denken

nachdenklich: versonnen, (in Gedanken) versunken, gedankenvoll, besinnlich, überlegt, besonnen, grübelnd, grüblerisch, tiefsinnig, in s. gekehrt, abwägend, gedankenverloren, abwesend

Nachdruck: (Ein)dringlichkeit, Betonung, Bestimmtheit, Ernst, Schärfe, Entschiedenheit, Unterstreichung, Ausdrücklich-, Gewichtigkeit, Drastik, Deutlichkeit, Hervorhebung, Inständigkeit, Emphase, Unmissverständlichkeit, Kraft, Intensität ‖ Bedeutung, Gewicht, Wert, Belang, Geltung, Wichtigkeit, Tragweite, Wirksamkeit, Relevanz, Größe, Bedeutsamkeit, Würde, Rang ‖ Abdruck, Veröffentlichung, Neuauflage, Herausgabe, Reprint, Neufassung ‖ **m. N.** → nachdrücklich

nachdrücklich: (ein)dringlich, mit Nachdruck/Gewicht, betont, entschieden, -schlossen, ausdrücklich, deutlich, unmissverständlich, energisch, emphatisch, ernst(lich), intensiv, akzentuiert, drastisch, ultimativ, bestimmt, eindeutig, dezidiert, ostentativ, unüberhörbar, demonstrativ, gewichtig, prononciert, klar, extra, eigens, explizit, expressis verbis, kategorisch ‖ → inständig

nacheifern: nachstreben, s. ein Beispiel nehmen an, s. zum Vorbild machen ‖ → nachahmen

nacheilen → nachrennen

nacheinander: einer/eines nach dem anderen, in kurzen Abständen, der Reihe nach, hintereinander, in Aufeinanderfolge, (aufeinander) folgend, der Ordnung nach; *ugs.:* im Gänsemarsch, in Reih und Glied

nachempfinden: nach-, mitfühlen, s. einfühlen, nachvollziehen, s. hineinversetzen/-denken, s. einleben in, verstehen, nacherleben
Nachen → Boot
nacherleben → nachempfinden
nacherzählen: wiedergeben, -erzählen, -holen, referieren
Nachfahr(e): Ab-, Nachkomme, Abkömmling, Verwandter, Angehöriger, Spross, Deszendent, Nachwuchs
Nachfolge: Übernahme, Erbe ‖ **die N. antreten** → nachfolgen
nachfolgen: die Nachfolge antreten, folgen, ein Amt übernehmen; *ugs.:* in jmds. Fußstapfen treten ‖ hinterher-, nachgehen, s. anschließen, nach-, hinterdreinkommen ‖ → nachahmen
Nachfolger → Nachfahr(e)
nachforschen: ermitteln, s. Informationen/Kenntnisse verschaffen, eruieren, zu erkennen/finden/entdecken suchen, recherchieren, suchen, auskundschaften, ergründen, fahnden nach, in Erfahrung bringen/ausfindig machen/auf die Spur kommen wollen, untersuchen, nachspüren, -gehen, -suchen, Recherchen/Nachforschungen/Ermittlungen anstellen, abklopfen auf, prüfen; *öster.:* erheben
Nachforschung → Untersuchung
Nachfrage: Verlangen, Bedarf, Kaufinteresse, -lust, Wunsch, Bedürfnis
nachfragen: s. erkundigen, fragen nach, um Auskunft bitten ‖ → ausfragen
nachfühlen → nachempfinden
nachfüllen: auffüllen, nachschütten, ergänzen, voll machen/schütten/gießen
nachgeben: einlenken, s. überreden lassen, s. fügen, s. beugen, s. unterwerfen/-ordnen, zurückstecken, -weichen, -gehen, s. zurückziehen, retirieren, (dem Zwang) weichen, locker lassen, s. anpassen, gehorchen,

kapitulieren, parieren, Wünschen entgegenkommen, konform gehen, s. richten nach, Zugeständnisse machen, den Rückzug antreten, resignieren, aufgeben, die Waffen strecken, s. erweichen lassen, schwach werden, willfahren, s. gefallen lassen, s. ergeben; *ugs.:* klein beigeben, spuren, kuschen, weich werden, in die Knie gehen, einen Rückzieher machen, passen, die Segel streichen, das Feld räumen, kneifen, den Schwanz einziehen ‖ nicht standhalten, s. biegen, s. dehnen ‖ erhören, gewähren, zulassen
nachgehen: nach-, verfolgen, hinterhergehen, nachstellen, -schleichen, -setzen, s. an jmds. Sohlen/Fersen heften, auf der Spur/Fährte bleiben, hinter jmdm. her sein; *ugs.:* nachsteigen ‖ → nachforschen ‖ → s. beschäftigen mit
nachgemacht: abgeschaut; *ugs.:* abgeguckt, abgekupfert ‖ → imitiert
nachgeordnet: nebensächlich, sekundär, an zweiter Stelle ‖ → unbedeutend
nachgeraten → ähneln
Nachgeschmack: Nachklang, -hall, Erinnerung, Andenken
nachgiebig: weich(lich), schwach, willig, beugsam, widerstandslos, ohne Widerstand, gutmütig, willensschwach, willenlos, gütig, sanft(mütig), zart, gutherzig; *ugs.:* waschlappig, wie ein Waschlappen ‖ geschmeidig, elastisch, schmiegsam, formbar, biegsam
nachgrübeln: seinen Geist anstrengen, sich das Hirn zermartern, tüfteln, brüten, rätseln ‖ → denken
nachgucken → nachschauen
Nachhall: Wider-, Rückhall, Nachklang, Nachklingen, Echo, Resonanz, Schall
nachhaltig → einschneidend ‖ anhaltend, dauernd, für längere Zeit

nachhängen → denken ‖ → nachwirken

nachhelfen: Hilfe/Unterstützung gewähren, Hilfestellung geben, Beistand leisten, unterstützen, behilflich sein, beistehen ‖ → anregen

nachher → danach

nachhinken: im Rückstand/Verzug sein, zurück-, hintanbleiben, nachstehen, die Zeit überschreiten, unpünktlich sein; *ugs.:* nachzotteln, nicht mitkommen, jmdm. geht der Atem aus

nachholen: nach-, aufarbeiten, einholen, nachlernen, später erledigen, gut-, wettmachen, nach-, gleichziehen

Nachhut: Nachzügler, die Letzten, Schlusslicht, Nachkömmlinge

nachjagen → nachrennen

Nachklang → Nachhall

Nachkomme → Nachfahr(e)

nachkommen: (nach)folgen, später kommen, hinterherkommen, s. anschließen ‖ Schritt halten, mitkommen, folgen können, den Anforderungen gewachsen sein, auf dem Laufenden bleiben ‖ erfüllen, vollziehen, entsprechen, einlösen, Genüge tun, befriedigen, zufrieden stellen

Nachkömmling: Nachzügler, Spätling

Nachlass: Hinterlassenschaft, Erbe, Erbschaft, -teil, -gut, Vermächtnis, Besitz, Vermögen; *öster.:* Verlassenschaft; *schweiz.:* Vergabung ‖ → Preisnachlass

nachlassen → abflauen ‖ erlassen, -mäßigen, herab-, heruntersetzen, den Preis senken, heruntergehen mit, ablassen, verbilligen, einen Rabatt/Preisnachlass gewähren, Prozente/billiger geben ‖ vererben, -machen, hinter-, überlassen, weitergeben, -reichen ‖ abbauen, -steigen, kraftlos werden, verblühen, im Abstieg begriffen sein, nicht Schritt halten, re-

gredieren, zurückfallen, rückwärtsgehen, s. verschlechtern/-schlimmern; *ugs.:* abschlaffen, -sacken

nachlässig: unordentlich, oberflächlich, ungenau, schlampig, flüchtig, unkorrekt, -aufmerksam, lässig, salopp, leichtfertig, unsorgfältig, liederlich, lax, leicht-, obenhin, sorglos, pflichtvergessen, schludrig, so nebenher, beiläufig, übereilt, nicht gewissenhaft / gründlich / sorgfältig; *ugs.:* schlampert, lasch, husch(e)lig, schludrig, lotterig ‖ unachtsam, lieb-, achtlos, gleichgültig, gedankenlos, indifferent; *ugs.:* wurstig

nachlaufen → nachrennen

nachlesen → nachschauen

nachmachen: gleichtun ‖ → nachahmen

Nachname: Familien-, Zu-, Personen-, Vatername

nachplappern: nachschwatzen ‖ → nachreden

nachprüfen → kontrollieren

Nachprüfung → Kontrolle

nachrechnen → kontrollieren

Nachrede: Diffamierung, Verunglimpfung, Verleumdung, Herabwürdigung, Schmähung, böswillige Unterstellung, Beleidigung, Diskreditierung, Bezichtigung, Anschwärzung, Diffamie, Rufmord; *ugs.:* Schlechtmacherei ‖ → Gerede ‖ → Nachruf

nachreden: nachsagen, -sprechen, -beten, wiederholen, eine Meinung übernehmen; *ugs.:* nachschwatzen, -schwätzen, -plappern ‖ **jmdm. etwas n.** → verleumden

nachrennen: nacheilen, -stürzen, -jagen, -setzen, -stellen, hinterher-, nachgehen, hinterherjagen, -rennen, verfolgen, jmdm. auf der Spur bleiben, hinterher-, nachlaufen, folgen, zu fangen suchen, s. an jmds. Fersen/Sohlen heften, hinter jmdm. her sein ‖ den Hof machen, umwerben; *ugs.:*

scharwenzeln, nachsteigen, hinter-
hersausen

Nachricht: Meldung, Neuigkeit, Mit-
teilung, Botschaft, Information,
Kunde, Bescheid, Benachrichtigung,
Eröffnung, Übermittlung, Äußerung,
Lebenszeichen, Unterrichtung, Aus-
kunft, Schreiben, Post, Gruß ‖ *pl.:*
Tagesmeldungen (Radio), Themen
des Tages ‖ **N. geben** → informieren

Nachrichtendienst: Geheimdienst,
Abwehr(dienst)

nachrücken: aufrücken, -schließen,
(nach)folgen, den Abstand/die
Lücke schließen

Nachruf: Gedenk-, Gedächtnis-,
Nach-, Grab-, Totenrede, Nekrolog,
Würdigung, Denkschrift

nachrüsten → aufrüsten

nachsagen → nachreden ‖ zuschreiben, beilegen, andichten, behaupten,
annehmen, halten für, stempeln zu ‖
jmdm. etwas n. → verleumden

nachschauen: nachblicken, -gucken,
-sehen, mit den Blicken folgen, mit
Blicken verfolgen, hinterhersehen,
-blicken, -schauen; *ugs.:* nachgaffen
‖ Auskunft holen, nachschlagen, -le-
sen, -blättern, in etwas suchen, feststellen, heraussuchen ‖ → kontrollieren

nachschicken: nachsenden, -liefern

nachschlagen → nachschauen ‖
jmdm. n. → ähneln

Nachschlagewerk: Handbuch, Lexi-
kon, Enzyklopädie, Kompendium,
Fachbuch, Leitfaden, Wörterbuch,
Fibel

nachschleichen: nachstellen, -setzen,
sich an jmds. Sohlen/Fersen heften,
auf der Spur/Fährte bleiben, hinter
jmdm. her sein ‖ → bespitzeln ‖
→ nachgehen

Nachschlüssel: Dietrich, Diebsschlüssel, -haken; *Gaunerspr.:* Kate,
Taltel, Daltel, Peterchen, Klaus, König David

nachschnüffeln: *(ugs.):* auskundschaften, herumstochern, -bohren,
seine Nase in etw. stecken ‖ → auskundschaften

nachsehen → nachschauen ‖ → kontrollieren ‖ verzeihen, nachsichtig
sein, Nachsicht üben, durchgehen/
geschehen lassen, zulassen, mit ansehen, erlauben, verschonen; *ugs.:*
beide Augen/ein Auge zudrücken,
fünf gerade sein lassen, durchlassen,
durch die Finger sehen

nachsenden: nachschicken, an die
neue Adresse senden

nachsetzen → nachrennen ‖ → nachgehen

Nachsicht: Verständnis, Geduld,
Schonung, Milde, Rücksicht, Gnade,
Duldsamkeit, Indulgenz, Behutsamkeit, Toleranz, Großzügigkeit, Libe-
ralität, Hochherzigkeit ‖ Verzeihung,
-gebung, Entschuldigung

nachsichtig → schonend

nachsinnen: reflektieren, überlegen,
sinnieren ‖ → denken

Nachsommer → Altweibersommer

Nachspeise: Nachtisch, Dessert,
Süßspeise

Nachspiel → Folge ‖ Epilog, Nachtrag, Nach-, Schlusswort

nachspionieren: bespitzeln, nachgehen ‖ → nachschleichen

nachsprechen → nachreden

nachspüren → bespitzeln, nachgehen
‖ → nachforschen

nächst: ganz in der Nähe, nahe, neben, unmittelbar, zu Seiten, direkt/
dicht bei, in Reichweite ‖ (darauf-,
nach)folgend, kommend

nachstehen: hinter jmdm. zurückstehen, zurückgesetzt sein, unterlegen
sein, benachteiligt sein, nachgeordnet sein, jmdm. das Wasser nicht reichen können, hintanbleiben, zurückbleiben, das Nachsehen haben; *ugs.:*
nicht mitkommen, zu kurz kommen,
ein Waisenknabe sein

nachstehend: (nach-, darauf)folgend, kommend, weiter unten, an späterer Stelle

nachstellen → nachrennen ‖ neu einstellen (Bremsen), → regulieren

Nächstenliebe: Karitas, Menschenfreundlichkeit, Menschlichkeit, Philanthropie, Humanität, Wohl-, Mildtätigkeit, Barmherzigkeit, Mitgefühl

nächstens: in nächster Zeit/naher Zukunft, nächsthin, (als)bald, demnächst, in Bälde/Kürze, binnen kurzem, dieser Tage, gleich

nachsuchen: durchsuchen, -wühlen, -kämmen, absuchen, stöbern in, recherchieren, untersuchen, nachschauen, abklopfen auf; *ugs.:* filzen, durchschnüffeln ‖ bitten, an-/ersuchen/fragen/ansprechen um, einen Antrag stellen/einreichen, beantragen, s. etwas ausbitten, vorstellig werden, jmdm. mit etwas kommen; *ugs.:* anhauen um, jmdm. in den Ohren liegen/auf die Pelle rücken

Nacht: Dunkel(heit), Schwärze, Finsternis ‖ bei N. → nachts ‖ N. werden → dämmern ‖ über N. → plötzlich

Nachtdienst: Bereitschaftsdienst

Nachteil: Mangel, ungünstiger Umstand, Ungunst, Manko, schwache/wunde Stelle, schwacher Punkt, Verlust, Schaden, Schatten-, Kehrseite, Makel, Minus

nachteilig: ungünstig, schädlich, Nachteile bringend, hinderlich, verderblich, nach-, abträglich, verlustreich, negativ, schlecht, unzweckmäßig, -vorteilhaft, -wirtschaftlich, -ratsam, von Übel, hemmend, widrig, misslich, unerfreulich, -gut

Nachtessen → Abendessen

nächtigen → übernachten

Nachtisch: Nach-, Süßspeise, Dessert

Nachtlokal: Bar, Lokal, Nachtklub, Nightclub; *abwertend:* Amüsierlokal; *schweiz.:* Nacht-, Spätcafé

Nachtmahl → Abendessen

Nachtmahr: Alptraum, Alpdrücken ‖ → Angsttraum

Nachtquartier → Unterkunft

Nachtrag: Ergänzung, Nachwort, Erweiterung, Hinzufügung, Anhang, Zugabe, -satz, Nachtragung, Schlusswort, Epilog

nachtragen → übel nehmen ‖ hinzufügen, hinzutun, erweitern, ergänzen, hinzusetzen, vervollständigen, vervollkommnen, komplettieren, ausbauen, dazutun

nachtragend: unversöhnlich, grollend, zürnend, rachsüchtig, hart, verbittert

nachträglich: später, hinter-, nachher, danach, dann, nachfolgend, anschließend, im Anschluss, hintennach, im Nachhinein, darauf, verspätet ‖ → nachteilig

nachtrauern: be-, nachweinen, be-, wehklagen, nachjammern

nachts: bei Nacht, des Nachts, in/während der Nacht, inmitten der Nacht, nachtsüber, zur Nachtzeit, bei Dunkelheit, im Dunkeln, nächtens, zu nächtlicher Stunde/nachtschlafender Zeit, nächtlicherweile

Nachttisch: Nachtschränkchen, -kästchen; *öster.:* Nachtkastel

Nachttopf: Nachtgeschirr, Topf; *ugs.:* Mitternachtsvase; *derb:* Pisspott; *Kinderspr.:* Töpfchen; *bayr.:* Potschamperl

nachtun → nachahmen

nachtwandeln: schlafwandeln, umgehen; *ugs.:* herumgeistern

Nachtwandler: Mondsüchtiger, Somnambuler, Traum-, Schlafwandler

nachvollziehen: nachfühlen, -empfinden, s. einfühlen, s. hineinversetzen/-denken, verstehen, ermessen, einsehen, Verständnis haben für, begreifen, (er)fassen, mitfühlen, s. einleben in, nacherleben, s. in jmds.

Rolle versetzen, s. versetzen in, jmdm. gerecht werden, folgen können; *ugs.:* kapieren, schnallen

Nachwehen: Konsequenz, Auswirkungen ‖ → Folge

Nachweis → Bescheinigung ‖ Richtigkeitserweis, Begründung, Argument, Rechtfertigung

nachweisen → beweisen ‖ → aufdecken

Nachwelt: nachfolgende Generation(en)/Geschlechter, die Folgezeit, kommende Zeiten/Generationen, Nachkommen, Zukunft

nachwirken: nachhängen, eine Wirkung ausüben, nicht verblassen, nachklingen, nicht vergessen werden/in Vergessenheit geraten, unvergessen bleiben, einen Einfluss haben

Nachwirkung → Folge

Nachwort: Nachtrag, Schlusswort, Epilog

Nachwuchs: Kind(er), Nachkommen(schaft), Kindersegen, Nachfolger ‖ → Säugling

nachzählen: nachprüfen, -rechnen ‖ → kontrollieren

nachziehen: anziehen, fest ziehen, spannen ‖ → aufholen

Nachzügler: Nachkömmling, Spätling ‖ die Letzten, Schlusslicht, Nachhut

Nacken: Genick, Hals

nackt: ohne Bekleidung, unbekleidet, hüllenlos, frei, unverhüllt, bloß, entblößt, pudel-, faser-, splitternackt, ausgezogen, enthüllt, kleidungslos, entkleidet, unbedeckt, blank; *gehoben:* bar; *ugs.:* im Adams-/Evakostüm, nackend, barfuß bis an den Hals, wie Gott sie/ihn schuf, im Naturzustand, entblättert, in natura

Nacktbadestrand: FKK-Strand, Nacktbadeplatz, Nudisten-, Naturistenstrand, FKK-Gelände; *scherzh.:* Abessinien, Kamerun, Nackedonien, Äthiopien

Nadel: Anstecknadel, Agraffe, Brosche, (Schmuck)spange, Busennadel

Nagel: (Metall)stift

nagelneu → neu

Nagelpflege: Maniküre, Handpflege

nagen: knabbern, ab-, herumbeißen; *ugs.:* happen; *reg.:* knaufeln ‖ zehren, angreifen, schwächen, quälen, strapazieren, belasten, aufreiben, schaden, zersetzen, beschädigen

nah(e): in der/nächster Nähe, dicht/direkt bei, nicht weit (entfernt), unweit, nahebei, benachbart, zunächst, daneben, in Reichweite, nur ein(en) Katzensprung von hier, zum Greifen nahe, neben(an), um die Ecke, leicht erreichbar; *ugs.:* vor der Nase ‖ nahe stehend, eng, vertraut, innig, intim, gut befreundet

Nähe: Reichweite, kurze Entfernung, Nachbarschaft, Umkreis, Hör-, Sicht-, Rufweite ‖ Berührung, Anwesenheit, Umgebung, Kontakt ‖ **in der N.** → nah(e)

nahe bringen: Verständnis erwecken für, schmackhaft machen, jmdn. interessieren für, erwärmen für, zu begeistern suchen, etwas greifbar machen, verlebendigen

nahe gehen: von Bedeutung sein, innerlich bewegen, berühren, (be)treffen, tangieren, ergreifen, zu Herzen gehen, aufwühlen, erschüttern, bestürzen, schockieren, durch Mark und Bein/unter die Haut gehen, anrühren, er-, aufregen, nicht gleichgültig/kalt lassen; *ugs.:* in die Knochen fahren, durch und durch/an die Nieren gehen

nahe kommen: er-, heranreichen, s. (an)nähern, herankommen ‖ vertraut/bekannt/intim werden, in Kontakt/Beziehung/Verbindung treten, Fühlung nehmen, ins Gespräch kommen, Bekanntschaft schließen, s. anfreunden, kennen lernen, s. näher kommen

nahe legen: auffordern, (zu)raten, vorschlagen, bedeuten, empfehlen, ans Herz legen, zu verstehen geben, anraten; *ugs.:* beibringen, stecken, einen Wink geben

nahe liegend: auf der Hand liegend, einleuchtend, offenbar, verständlich, einsehbar, begreiflich, eingängig, fassbar

nahen → kommen ‖ sich n. → s. nähern

nähen: schneidern, anfertigen ‖ sticheln, flicken, zu(sammen)nähen

näher: genauer, tiefer, intensiver, gründlich, ausführlich, detailliert, umfassend, eingehend

näher kommen, sich → nahe kommen

nähern, sich: zugehen/-steuern auf, herantreten, s. zubewegen, nahen, s. annähern, herankommen, näher kommen, herannahen, anrücken ‖ → kommen

nahe stehen: gut bekannt/vertraut/befreundet/verbunden sein, zusammengehören

nahezu: fast, schier, beinahe, um ein Haar, um Haaresbreite, es fehlt(e) nicht viel, um ein Kleines ‖ → annähernd

Nährboden → Grundlage

nähren: säugen, stillen, die Brust geben, an die Brust nehmen ‖ steigern, vergrößern, schüren, verstärken, eskalieren, vorantreiben, vermehren, fördern ‖ nahrhaft/kräftigend/gehaltvoll/nährend/kalorienreich/sättigend sein ‖ sich n.: s. ernähren, verzehren, essen, zu s. nehmen, s. am Leben erhalten mit, leben von

nahrhaft: kräftig(end), nährend, kalorienreich, sättigend, nährstoffreich, gehaltvoll, substanziell, füllend, aufbauend, gesund, mächtig, nutritiv, Kraft spendend, deftig, herzhaft

Nahrung: Speise, Kost, Essen, Ernährung, Gerichte, Verpflegung, Nahrungszufuhr, Mahlzeiten ‖ Futter, Fraß, Fressen

Nahrungsmittel: Esswaren, Nähr-, Lebensmittel, Nahrungs-, Konsumgüter, Naturalien; *öster.:* Viktualien; *ugs.:* Fressalien

nahtlos: ohne Naht ‖ einwandfrei, fugenlos, wie aus einem Guss, ohne Bruch, fließend

naiv: kindlich, treuherzig, gut-, leichtgläubig, unbefangen, arglos, vertrauensselig, unerfahren, einfältig, kritiklos, unfertig, -kritisch, -schuldig, -vorbereitet, nichts ahnend, ahnungslos, ohne Hintergedanken, natürlich, jung, unbedarft, infantil, unreif, harmlos; *ugs.:* grün/noch feucht hinter den Ohren

Name: Benennung, Begriff, Titel, Terminus, Nomen ‖ → Bezeichnung ‖ Ansehen, Prestige, Ruf, Leumund, Reputation, Nimbus, Renommé, Status, Profil, Image ‖ → Ansehen

namenlos: ohne Namen/Namensnennung, ungenannt, inkognito, unbekannt, fremd, anonym ‖ unsagbar, -säglich, -beschreiblich, -aussprechlich, -glaublich, horrend, heillos, sehr groß, beträchtlich, unermesslich, -endlich, maßlos, über alle Maßen, grenzenlos, → sehr

Namenszug → Unterschrift

namentlich: mit Namen, ausdrücklich, explizit, expressis verbis, im Einzelnen ‖ → besonders

namhaft → berühmt

nämlich: weil, denn, bekanntlich, wie man weiß, bekanntermaßen ‖ und zwar, als da sind, wie ‖ das heißt/ist/bedeutet, genau gesagt, damit ist gemeint, mit anderen/in kurzen Worten, zum Beispiel, gewissermaßen

Napf: Schälchen, Terrine, Schüsselchen

Napfkuchen: Asch-, Topfkuchen; *reg.:* Gugelhupf, Bäbe; *schweiz.:* Gugelhopf

Narbe: (Wund)mal, Schramme, Schmarre, Schmitz; *ugs.:* Schmiss
narkotisieren → betäuben
Narr → Dummkopf ‖ Possenreißer, Hofzwerg, Hanswurst, Spaßmacher, lustige Person/Figur, Schelm, Schalk; *ugs.:* Faxenmacher
narren: irre-, an-, nasführen, täuschen, trügen, hereinlegen, zum Besten/Narren halten, foppen, an der Nase herumführen, aufsitzen lassen, für dumm verkaufen, prellen, ein falsches Spiel treiben, jmdn. hinters Licht/aufs Glatteis führen/aufs Kreuz legen; *ugs.:* anschmieren, verkohlen, -arschen, -hohnepipeln, -gackeiern, -äppeln, -albern, auf den Arm/die Schippe nehmen, ein Schnippchen schlagen, einen Bären aufbinden, reinlegen, verschaukeln
närrisch → albern ‖ übertrieben, verstiegen, ausgefallen, überspannt, toll, verschroben, fantastisch, überspitzt, skurril, wunderlich, komisch, ulkig, witzig, lustig, kurios, schrullig, amüsant; *ugs.:* verdreht, übergeschnappt, spinnig, verrückt, spleenig, durchgedreht
naschen: schlecken; *reg.:* leckern ‖ schnabulieren, kosten, heimlich essen, probieren
naschhaft: genäschig, vernascht, leckermäulig; *reg.:* verleckert; *ugs.:* schleck(r)ig
Naschkatze → Leckermaul
Naschwerk: Süßigkeiten, Naschwaren, Zuckerwerk, Konfekt, Schleckereien, Näschereien
Nase: Geruchs-, Riechorgan; *derb:* Kartoffel, Gesichtserker, Zinken, Zacken, Riecher, Gurke, Rüssel, Knolle, (Riech)kolben, Schnarchzapfen, Gummel ‖ Wildfang (Rotwild), Winder ‖ → Spürsinn
naseweis vorlaut, -witzig, altklug, frech, keck, kess, dreist; *ugs.:* neunmalklug

nass: feucht, durchnässt, -weicht, triefend, tropf-, trief-, regen-, klatsch-, pudel-, patschnass, klamm, nässlich, nass bis auf die Haut; *ugs.:* klitsch-, pitschnass ‖ verregnet, regnerisch, tröpfelnd ‖ beschlagen, angelaufen, überzogen ‖ benetzt, -gossen, -wässert, -träuft
nassauern: jmdn. ausnehmen, auf Kosten anderer leben, schnorren ‖ → schmarotzen
Nässe: Wasser, Nass, Feuchtigkeit, Humidität
nässen: Nässe/Feuchtigkeit/Wasser abgeben ‖ → anfeuchten
Nation: Staatsvolk, Völkerschaft, Volksgemeinschaft
national: vaterländisch, einheimisch, patriotisch, vaterlandsliebend, volksbewusst; *übersteigert:* rechtsradikal, neonazistisch, nationalistisch ‖ → staatlich
nationalisieren → kollektivieren
Nationalist: Chauvinist, Patriot
nationalistisch: übersteigert vaterlands-/heimatliebend, chauvinistisch
Nationalität: Staatsangehörigkeit, Volkszugehörigkeit ‖ nationale Minderheit/Gruppe
Nationalsozialismus: Hitlerfaschismus, Nazismus, Rechtsextremismus
Nationalsozialist: (Hitler)faschist, Nazi(st); *ugs.:* Braunhemd
Natur: unberührte Landschaft, Naturreich, Tier- und Pflanzenwelt, Feld und Wald, Mutter Erde, die Flur; *ugs.:* das Freie/Grüne ‖ Art, Wesen, Charakter, Naturell, Eigenart, Beschaffenheit, Veranlagung, Disposition, Typ, Temperament, Wesens-, Gemütsart
Naturalien: Waren, Rohstoffe, Naturprodukte, → Nahrungsmittel
naturalisieren: einbürgern, die Staatsbürgerschaft geben, die Staatsangehörigkeit verleihen

naturalistisch → naturgetreu

Naturell → Natur

naturgemäß: der Natur/dem Charakter entsprechend, erwartungsgemäß, verständlicherweise, gesetzmäßig, natürlich

naturgetreu: dem Vorbild entsprechend, naturalistisch, wirklichkeitsgetreu, genau nachgebildet, realistisch

natürlich: echt, rein, original, unverfälscht, ursprünglich, unmittelbar, spontan, urtümlich, genuin, authentisch, nicht künstlich/imitiert, urwüchsig, unverbildet, naturhaft, -gemäß, -getreu, ungekünstelt, organisch, unverdorben, der Natur entsprechend ‖ ungezwungen, schlicht, ungeziert, bodenständig, einfach, zwanglos, ungeniert, schmucklos, elementar ‖ wie zu erwarten ist, erwartungsgemäß, zweifelsohne, selbstverständlich, -redend, freilich, zweifellos, ja, ganz gewiss, ohne (jede) Frage, sicher(lich), mit Sicherheit, bestimmt, auf jeden Fall, ohne Zweifel/weiteres, gern(e); *ugs.:* klarer Fall, klar

naturrein: pur, echt, unvermischt, ohne Zusätze, unverfälscht, rein, naturbelassen, natürlich, sauber, unversetzt

Nebel: (Wasser)dampf, Nebelschleier, Brodem, Smog, Fog, Dunst, Trübung; *ugs.:* Brühe, Suppe; *reg.:* Wrasen, Dust

nebelhaft → unklar

nebelig → neblig

neben: an der Seite, seitlich von, bei, zu Seiten, nächst, daneben, (seitlich) angrenzend ‖ → nahe ‖ außer, abgesehen/mit Ausnahme von, ausgenommen, bis auf, ohne, nicht ein-/inbegriffen/mitgerechnet ‖ verglichen, gegenüber, im Vergleich/Gegensatz/Verhältnis zu

nebenan → nahe

nebenbei: beiläufig, wie zufällig, nebenher, am Rande, en passant, übrigens, apropos, leicht-, ohnehin ‖ gelegentlich, bisweilen, unregelmäßig, außer der Zeit/Reihe

Nebenbuhler → Gegner

nebeneinander: einer neben dem anderen, beieinander, bei-, zusammen

nebeneinander halten → gegenüberstellen

nebeneinander stellen → gegenüberstellen

nebenher → nebenbei

Nebenmann: Nachbar

Nebensache → Kleinigkeit ‖ → Beiwerk

nebensächlich: sekundär, an zweiter Stelle, ephemer, → unbedeutend

Nebenstelle → Filiale

Nebenumstände: Begleitumstände, Kontext, Zusammenhang; *ugs.:* das Drum und Dran

neblig: getrübt, dunstig, diesig, dampfig, verhangen, nebelig, grau

nebst: einschließlich, mit eingeschlossen, zusammen mit, inklusive ‖ → samt

nebulös: anstößig, suspekt, obskur, dubios, mysteriös ‖ → anrüchig ‖ → unklar

necken: foppen, aufziehen, hänseln, Scherz/Spott treiben, sticheln, seinen Spaß machen/treiben mit, ärgern, frotzeln, verspotten, vexieren, zum Besten haben/halten, reizen, (ver)höhnen, witzeln, s. mokieren, schäkern, lächerlich/s. lustig machen, verlachen; *ugs.:* hochnehmen, verulken, uzen, auf den Arm/die Schippe nehmen, veralbern, schrauben, flachsen, pflanzen, anpflaumen

neckisch: affig, kess, keck, albern, lächerlich, läppisch, töricht, flott, kindisch

Neckname → Spitzname

negativ: verneinend, ablehnend, -schlägig ‖ ergebnislos, ohne Ergebnis/Resultat, erfolglos, umsonst, fruchtlos, unwirksam, wirkungslos, vergeblich, -gebens, nutzlos, unnütz, zwecklos, missglückt, -lungen ‖ → nachteilig

Neger → Farbiger

negieren: mit nein beantworten, nein sagen, → abstreiten ‖ → ablehnen

nehmen: an-, entgegennehmen, in Empfang nehmen, an s. nehmen, s. schenken lassen ‖ zu-, ergreifen, (er)fassen, packen, in die Hand/zur Hand nehmen; *ugs.:* schnappen ‖ s. einer Sache bedienen, benutzen, Gebrauch machen von, gebrauchen, s. zunutze machen ‖ einnehmen (Pillen), s. einverleiben, zu s. nehmen, essen; *ugs.:* schlucken, futtern ‖ weg-, fort-, abnehmen, entreißen, -winden, -wenden, abjagen, in Besitz nehmen/bringen, Besitz ergreifen, zu seinem Eigentum machen, s. aneignen, s. zu Eigen machen, s. einer Sache bemächtigen, an s. reißen; *ugs.:* einstreichen, -stecken, -sacken, -kassieren, angeln, s. unter den Nagel reißen, grapschen, wegschnappen ‖ auffassen, -nehmen, deuten, auslegen, verstehen, halten für, beurteilen, einschätzen, herauslesen, interpretieren, empfinden als, denken über ‖ → erobern ‖ → stehlen ‖ → kaufen

Neid: Missgunst, böser Wille, Scheel-, Eifersucht; *veraltet:* Abgunst

neiden: nicht(s) gönnen, missgönnen, beneiden, eifersüchtig sein, vor Neid erblassen/platzen/bersten, scheel sehen, neidisch/missgünstig sein, gelb sein vor Neid, scheele Augen machen; *ugs.:* schielen nach

neidisch: neiderfüllt, missgünstig, eifersüchtig, scheel(süchtig); *schweiz.:* neidhaft ‖ **n. sein** → neiden

Neige: Rest, Übriggebliebenes, Übriges, Überbleibsel, Rückstand ‖ → Ende ‖ **bis zur N.** → ganz ‖ **zur N. gehen** → abflauen

neigen: senken, zur Seite drehen/bewegen, sinken lassen, beugen, nach unten biegen ‖ **sich n.:** s. beugen, s. bücken, s. ducken, s. biegen, s. lehnen über, s. krümmen ‖ **n. zu:** tendieren/hinneigen zu, anfällig sein für, s. hingezogen fühlen, streben, den Hang haben

Neigung: Gefälle, Schräge, Senkung, Höhenunterschied, Abfall, Steile, Abschüssigkeit ‖ Vorliebe, Interesse, Talent, Hang, Zu-, Hinneigung, Inklination, Disposition, Veranlagung, Faible, Schwäche, Zug, Sympathie, Bedürfnis, Sehnsucht; *öster.:* Gusto ‖ → Strömung

nein: nicht, keineswegs, -falls, durchaus/ganz und gar/absolut/gewiss/bestimmt/sicher/beileibe nicht, auf keinen Fall, mitnichten, nie und nimmer, unter keinen Umständen, nicht um alles in der Welt, in keiner Weise, nicht im Geringsten/Entferntesten, weit gefehlt, kein Gedanke daran, nie, kommt nicht in Frage, unmöglich, ausgeschlossen, undenkbar, Gott behüte, niemals, das kann nicht sein, um keinen Preis, nicht um alles in der Welt, daran ist nicht zu denken; *ugs.:* nee, woher denn, ach woher, nichts zu machen, nimmer, kommt nicht in die Tüte, Pustekuchen, keine Spur, Fehlanzeige, Nullinger, nichts da, denkste, um Himmels willen, nicht geschenkt, das wär noch schöner, nicht die Bohne/ums Verrecken, nicht im Schlaf, mein Lebtag nicht; *reg.:* na, awa

Nekrolog → Nachruf

Nelke: *volkst.:* Nägelein, Nägelchen

nennen: einen Namen geben, taufen, etikettieren, heißen, betiteln, kenn-, bezeichnen, titulieren, rufen, anreden, -sprechen; *ugs.:* benamsen, schimpfen ‖ anführen, sagen, aufzählen, angeben, ins Feld führen, erwähnen, zitieren, wiedergeben ‖ bezeich-

nen als, charakterisieren, darstellen, bestimmen, schildern, hinstellen als, erklären für; *ugs.:* stempeln zu
nennenswert → beachtlich
Nepp: *(ugs.):* Ausbeutung, Übervorteilung, Preisschwindel; *öster.:* Wurzerei ‖ Wucher
neppen: übervorteilen, prellen, begaunern, ausbeuten, schröpfen, ablisten, plündern, zur Ader lassen, betrügen; *ugs.:* ausnehmen, -ziehen, -räubern, -saugen, erleichtern, rupfen, melken, übers Ohr hauen, abkochen, -ziehen
nerven → aufregen ‖ → stören
Nervenarzt → Psychiater
Nervenklinik: Nervenheilanstalt, psychiatrische Klinik, Heil- und Pflegeanstalt, Irrenanstalt; *ugs.:* Klapsmühle, Irrenhaus
nervenkrank: psychopathisch, neurotisch, gemüts-, seelenkrank, depressiv, neuropathisch, nervenleidend, hysterisch, schizoid
Nervensäge: Plage-, Quälgeist, Störenfried, Ruhestörer; *ugs.:* Nervtöter, Quengler, Quälteufel, Langweiler
nervenzerreißend → spannend
nervös: unruhig, ge-, überreizt, fahrig, reizbar, nervenschwach, rast-, ruhelos, hektisch, aufgeregt, überanstrengt, zerfahren, schusslig, unstet, zappelig, flatterig; *ugs.:* quirlig, fickrig, kribb(e)lig, fipsig
Nest: Brutstätte, -stelle, Horst, Nistplatz ‖ → Bett ‖ → Dorf ‖ → Städtchen ‖ (Haar)knoten, Dutt, Chignon
Nesthäkchen: Benjamin, Zärtling, Schoß-, Schürzenkind, Jüngstes, Nestküken, Kleinstes
Nestwärme: Geborgenheit, Zuwendung, Behütetsein, Liebe
nett: freundlich, liebenswürdig, sympathisch, einnehmend, reizend, warm, lieb, herzlich, gefällig, entgegenkommend, höflich, ansprechend ‖ angenehm, wohl tuend, erquicklich,

zusagend, annehmlich, gemütlich, wohlig, behaglich ‖ → hübsch
Netz: Flecht-, Maschen-, Netzwerk, Geflecht, Verflechtung, Gewebe, Verknotung, -schlingung
netzen: benetzen, -sprengen, -rieseln ‖ → anfeuchten
Netzwerk → Netz
neu: unbenutzt, -gebraucht, -berührt, -getragen, nicht verwendet, neuwertig, fabrik-, (funkel)nagelneu, neugebacken, (tau)frisch, jung; *ugs.:* brand-, niegel-, nagelneu ‖ unbekannt, fremd, fern, verschieden, anders, ungewohnt, erstmalig, neuartig, noch nie dagewesen/gehört/gesehen, originell ‖ noch-, abermals, noch einmal, erneut, wieder, von neuem/ vorn, aufs neue, wiederum ‖ erneuert, wiederhergestellt, neu gemacht, renoviert, repariert, restauriert, saniert
neuartig → neu
neuerdings: seit kurzer Zeit/kurzem/ neuem, in letzter Zeit, nun, letztens
neuerlich → wieder
Neuerung: Neu-, Umgestaltung, Erneuerung, Reform, (Ver)besserung, Wandel, Umwandlung, -bildung, Veränderung, Neuordnung, Reorganisation, Neuregelung, Umstellung, -änderung, Innovation
Neugeborenes → Säugling
Neugier(de): Wissensdurst, Interesse, Ungeduld, Forschertrieb, Vorwitz, Indiskretion, Sensationslust; *abwertend:* Schnüffelei, Fragerei
neugierig: von Neugier erfüllt, indiskret, schaulustig, sensationslüstern, vorwitzig, wissensdurstig, wissbegierig; *gehoben:* faustisch ‖ n. sein: vor Neugier platzen, wissen wollen; *ugs.:* seine Nase in alles stecken, vor Neugier sterben, s. um alles kümmern ‖ **n. machen:** auf die Folter spannen, in Spannung versetzen, gespannt machen auf, jmds. Interesse wecken; *ugs.:* jmdn. zappeln lassen

Neuheit: Neuerscheinung, -bearbeitung, Novität, Novum, Nouveauté, Neuerfindung, -land; *ugs.:* der letzte Schrei
Neuigkeit → Nachricht
Neujahr: Jahresbeginn, -anfang, 1. Januar ‖ Jahreswechsel, Silvester
Neuland → Neuheit
neulich → kürzlich
Neuling: Novize, Anfänger, Unerfahrener, Debütant, Greenhorn; *ugs.:* Grünschnabel, Grünling, unbeschriebenes Blatt
neumodisch → modern
neunmalklug → überklug
neuralgisch → heikel
Neureicher → Emporkömmling
neurotisch → nervenkrank
neutral: parteilos, unparteiisch, -befangen, wertfrei, objektiv, unvoreingenommen, indifferent, unabhängig, sachlich, gerecht, vorurteilslos, -frei, nüchtern, ohne Ansehen der Person, fair, nicht festgelegt
neutralisieren → ausschalten ‖ → ausgleichen
Neuwert: Anschaffungspreis, -wert
neuwertig → neu
Neuzeit: Moderne ‖ modernes Weltbild, New Age
neuzeitlich → modern
nicht → nein
Nichtachtung → Missachtung
Nichtfachmann → Laie
nichtig: wertlos, ungültig, außer Kraft, hinfällig, unwirksam, verfallen, gegenstands-, wesen-, grund-, haltlos, zwecklos, überflüssig, unbrauchbar, es erübrigt sich
Nichtigkeit → Kleinigkeit
nichts: nicht das Mindeste/Geringste, gar/überhaupt nichts; *ugs.:* kein bisschen/Funke/Stück, keine Spur/Silbe, nicht die Bohne/ein Deut, nix, null
Nichts: Leere, Vakuum ‖ → Kleinigkeit

nichts ahnend → naiv
nichtsdestotrotz → dennoch
nichtsdestoweniger → dennoch
Nichtskönner → Laie ‖ → Stümper
Nichtsnutz → Taugenichts
nichts sagend: bedeutungslos, unbedeutend, wesenlos, klein, unwesentlich, belanglos, ohne Ausdruck, ausdruckslos, leer, farblos, fade ‖ → geistlos ‖ → phrasenhaft
Nichtstuer → Faulenzer
Nichtswisser → Dummkopf
nichtswürdig → gemein
nicken → bejahen ‖ → grüßen
nie → nein
nieder: von geringer Höhe, bodennah, niedrig, flach, ebenerdig, nicht hoch, klein, fuß-, kniehoch ‖ nach unten, zu Boden, her-, hinunter, in die Tiefe, hinab, abwärts; *ugs.:* runter
niederbeugen, sich → s. bücken
niederbrennen: in Brand stecken, abbrennen lassen, einäschern, verbrennen, in Schutt und Asche legen, in Flammen aufgehen lassen ‖ ausbrennen, -glühen, zerstört werden
Niedergang: Untergang, Zer-, Verfall, Abstieg, Zerrüttung, Rückwärtsentwicklung, Zusammenbruch, Fall, Verschlechterung, -nichtung, Sinken des Niveaus
niedergehen: s. auf die Erde senken, landen, aufsetzen, (auf dem Land) ankommen, an Land setzen ‖ s. senken, fallen, zu Boden gehen ‖ auftreffen, → abstürzen ‖ → untergehen
niedergeschlagen: unglücklich, mutlos, deprimiert, depressiv, schwermütig, niedergedrückt, -geschmettert, entmutigt, resigniert, (am Boden) zerstört, verzagt, -zweifelt, gebrochen, betrübt, traurig, be-, gedrückt, trübsinnig; *ugs.:* down, geknickt, flügellahm, bedripst
Niedergeschlagenheit → Depression
niederhalten → unterdrücken
niederkämpfen → besiegen

niederknien: s. hinknien, auf die Knie fallen, knien

niederkommen → gebären

Niederkunft → Geburt

Niederlage: Misserfolg, Abfuhr, Debakel, Versagen, Enttäuschung, Misslingen, Fiasko, Zusammenbruch, Bankrott, Pech, Ruin; *ugs.:* Packung, Reinfall, Pleite, Schlappe, Panne, Blamage, kalte Dusche, Schiffbruch, Schlag ins Wasser ‖ → Filiale

niederlassen: herunter-, herab-, hinunter-, hinablassen, senken ‖ **sich n.** → s. setzen ‖ → s. ansiedeln ‖ ein Geschäft/eine Praxis eröffnen/gründen ‖ → bleiben

Niederlassung → Filiale ‖ (An)siedlung, Ort, Kolonie, Gründung, Standort

niederlegen → hinlegen ‖ → aufschreiben ‖ → kündigen ‖ **sich n.** → s. hinlegen

niedermachen → schimpfen ‖ → töten

niedermetzeln: massakrieren, hin-, abschlachten, ein Blutbad, Gemetzel anrichten ‖ → töten

niederprasseln → hageln

niederreißen: zerstören, beseitigen, ab-, einreißen, abbrechen, -tragen, entfernen, schleifen, dem Erdboden gleichmachen

niederringen → besiegen

niederschießen: ab-, erschießen, füsilieren, (mit einem Schuss) niederstrecken, abknallen, über den Haufen schießen ‖ → töten

Niederschlag: Knock-out, K.-o.-Schlag ‖ Regen, Schnee, Hagel ‖ Fallout

niederschlagen: zu Boden werfen/schlagen, niederstrecken, -stoßen, -schmettern, zusammenschlagen, verprügeln, k. o./knockout schlagen ‖ beenden, niederwerfen, unterbinden, im Keim ersticken, ein Ende

machen, vereiteln, lahmlegen, unterdrücken ‖ **sich n.:** s. ablagern/-setzen/schlagen, einen Bodensatz bilden, s. ansammeln, sedimentieren

niederschmettern → niederschlagen ‖ → erschüttern

niederschreiben → aufschreiben

Niederschrift: Aufzeichnung, Protokoll, Notiz, Vermerk ‖ Abfassung, Anfertigung, Formulierung, Manuskript, Aufsatz, Bericht

niedersetzen: (hin-, her)abstellen, niederlegen, -stellen, absetzen, hinstellen, platzieren, deponieren; *ugs.:* hintun ‖ **sich n.** → s. setzen

niederstechen: erdolchen, erstechen; *derb:* abstechen, über die Klinge springen lassen ‖ → töten

niederstoßen: umstoßen, -werfen, -reißen, zu Fall bringen; *ugs.:* umkippen ‖ → niederschlagen

niederstrecken → niederschlagen ‖ → töten

Niedertracht → Bosheit

niederträchtig: hinterhältig, hinterlistig; *ugs.:* hintenrum, auf die linke Tour, link ‖ → gemein

Niederung: Ebene, Tafel(land), Platte, Plateau, Fläche, Flachland

niederwalzen → zerstören

niederwerfen → niederschlagen ‖ → besiegen ‖ **sich n.:** auf die Knie fallen, s. auf die Knie/den Boden/die Erde/jmdm. zu Füßen werfen

niedlich: herzig, putzig, hübsch, allerliebst ‖ → reizend

niedrig: von niederer Herkunft, gewöhnlich, niedrig stehend, gering, einfach ‖ schlecht, gemein, unfein, ordinär, gewöhnlich, niveaulos, primitiv, gewöhnlich, pöbelhaft ‖ → kläglich

Niedrigkeit → Gemeinheit

niemals: keinen Augenblick, keine Sekunde, nie im Leben, zu keinem Zeitpunkt/keiner Zeit, nimmermehr ‖ → nein

niemand: keiner, kein Mensch/einziger, keine (Menschen)seele, nicht einer; *derb:* kein Schwanz/Aas/Teufel/Schwein, keine Sau

nieseln: tröpfeln, rieseln, sprühen, schwach regnen, tropfen; *ugs.:* fisseln; *reg.:* drippeln

Niete: Metallbolzen ‖ → Versager ‖ Fehllos

Nigger → Farbiger

Nilpferd: Flusspferd, Hippopotamus

Nimbus → Heiligenschein ‖ → Ansehen ‖ → Name

nimmermüde → fleißig

nimmersatt → gefräßig ‖ → gierig

nippen: einen kleinen Schluck nehmen, kosten, schlürfen, probieren, einen Tropfen versuchen

nirgends: an keinem Ort/Platz/keiner Stelle, nirgendwo, auf keinem Fleck der Erde

nisten: s. einnisten, horten, wohnen

Niveau: Höhe, Höhenlage, -stufe, Stand ‖ Bildungsgrad, -stand, (geistiger) Rang, (kulturelle) Stufe, Standard, Klasse, Horizont, Qualität, Format, Anspruch, Dignität, Gesichtskreis, Profil, Blickfeld

nivellieren: gleichmachen, einebnen, auf gleiche Höhe bringen, auf eine Ebene stellen, glätten, egalisieren, planieren, ausgleichen, glatt machen, Unterschiede beseitigen

Nixe: Meer-, Wasserjungfrau, Seejungfer, Nymphe, Najade, Undine, Meerweib ‖ Badende

nobel: edel, vornehm, fein, adlig, distinguiert, exklusiv, kultiviert, feinsinnig, -fühlend, stilvoll, mondän, manierlich, honorig, gentlemanlike ‖ → elegant ‖ → großzügig

noch: bis jetzt/zu diesem Zeitpunkt, momentan, augenblicklich, zur Zeit, derzeit ‖ weiterhin, für die nächste Zeit, nach wie vor, für kurz ‖ → außerdem ‖ **n. einmal** → nochmals ‖ **gerade n.** → kaum

nochmals: wieder, erneut, abermals, noch einmal, aufs Neue, von neuem/vorn, wiederum, neuerlich, zum zweiten Male, wiederholt, mehr-, vielfach, abermalig, wiederkehrend, nochmalig

Nomade: Wanderhirt, Umherziehender, -irrender, Ruheloser, Wanderer, Vagabund

nominell: nur dem Namen nach, nicht wirklich, vorgeblich

nominieren: ernennen, vorschlagen, namhaft machen, auf die Wahlliste setzen, berufen, ein Amt anvertrauen, eine Stellung anbieten; *gehoben:* designieren

Nominierung: Aufstellung, Ernennung, Berufung

nonchalant → zwanglos

Nonkonformist → Außenseiter ‖ → Alternativer

nonkonformistisch: individualistisch, unangepasst, eigen-, selbständig, souverän, eigenwillig ‖ → alternativ

Nonne: Ordensfrau, -schwester, Klosterfrau, -schwester, Schwester; *gehoben:* Braut Christi, Gottes-, Himmelsbraut

Nonplusultra: das Höchste/Schönste/Beste, Maximum, Optimum, Tüpfelchen auf dem i ‖ → Krönung

Nonsens: Widersinn, Unfug; *ugs.:* Blödsinn, Schmarren, dummes Zeug, Quatsch, Dada ‖ → Unsinn

Nörgelei: Mäkelei, Gestichel, Tadelsucht ‖ → Kritik

nörgeln: (be)mäkeln, tadeln, querulieren, beanstanden, mit nichts zufrieden sein, aussetzen an, bemängeln, schimpfen, seiner Unzufriedenheit Luft machen, kritisieren, monieren, missbilligen, Anstoß nehmen, s. beschweren/-klagen über, zurechtweisen, s. stoßen an, angehen gegen, nicht in Ordnung finden/anerkennen, verurteilen, angreifen; *ugs.:* herummäkeln, -nörgeln, -kritteln, -meckern, -quengeln, -mosern, motzen, kein gutes Haar an jmdm. lassen, ein Haar in der Suppe finden, auf jmdm. herumhacken, am Zeug flicken, knurren, raunzen, maulen, stänkern, zerpflücken, wettern, meckern

Nörgler: Miesmacher, Beckmesser, Mäkler, Querulant, Tadelsüchtiger; *ugs.:* Quengler, Krittler, Kritikaster, Knurrhahn, Nörgelfritze, Meckerer, Stänkerer

Norm: Richtschnur, -linie, -maß, -satz, Regel, Direktive, Maßstab, Regelung, Reglement, Satzung, Mussbestimmung, Standard, Gesetz(mäßigkeit), Prinzip, Faustregel, Grundsatz, Ordnung, Regelmäßigkeit ‖ Arbeitsnorm, Leistungssoll, Auflage, Planaufgabe, Pflicht ‖ Durchschnitt, Mittelmaß, -mäßigkeit, das Übliche/ Herkömmliche

normal: vorschriftsmäßig, regelrecht, üblich, landläufig, herkömmlich, der Norm/Regel/Gewohnheit entsprechend, gewohnt, -wöhnlich, -bräuchlich, obligat, alltäglich, eingewurzelt, gängig, regulär, verbreitet, gang und gäbe, nach Väter Sitte/Brauch, anerkannt, vertraut, bekannt, konventionell, selbstverständlich, im Rahmen, mainstream ‖ (geistig) gesund, mit gesundem Menschenverstand, zurechnungsfähig, rüstig, stabil

normalisieren: in Ordnung/ins rechte Gleis bringen, regulieren, regeln, beruhigen, normal gestalten, auf ein normales Maß zurückführen, der Norm angleichen, ins Gleichgewicht bringen, eine Lösung finden ‖ sich n. → s. beruhigen

normativ: verpflichtend, maßgebend, -geblich, ausschlaggebend, bestimmend, richtungweisend, entscheidend, autoritativ, wegweisend, verbindlich, bindend, obligatorisch, geltend, als Richtschnur dienend

normen → normieren

normieren: einheitlich festlegen, normen, regeln, typisieren, vereinheitlichen, standardisieren, eichen, regulieren, kanonisieren, (als Norm) festsetzen, auf eine Formel/einen Nenner bringen

normwidrig: abweichend, regel-, gesetzwidrig, ano(r)mal, atypisch, irregulär, unüblich, die Norm verletzend

Not: Armut, Elend, Notstand, -fall, schwere Zeit, Krise, missliche Umstände, Unglück, Drangsal, Armselig-, Ärmlich-, Mittellosig-, Bedürftigkeit, (Geld)mangel, Geldnot, Entbehrung, Verelendung, Beschränkung, Knapp-, Kargheit, Besitzlosigkeit ‖ unangenehme Lage, peinliche/ schwierige Situation, Bedrängnis, Schwierigkeit, Verlegenheit, Kalamität, Bredouille, Druck, Misere, Not-, Zwangslage, Dilemma, Übel, Crux, Engpass, Komplikation, Debakel, Desaster, Miss-, Übelstand; *ugs.:* Schwulität, Klemme, Patsche, Tinte, Zwickmühle, Schlamassel ‖ Rat-, Hilf-, Schutz-, Ausweg-, Trost-, Hoffnungslosigkeit, Sackgasse

Notbehelf: Ersatz(mittel), Hilfe, Not-, Zwischenlösung, Provisorium, Flickwerk

notdürftig: provisorisch, vorläufig, behelfsmäßig, zur Not, vorübergehend, mangelhaft, unzureichend, schlecht und recht, als Aushilfe, zeitweilig, primitiv, ungenügend, kümmerlich, unzulänglich; *ugs.:* auf die Schnelle

Note: Banknote, Papiergeld, Geldschein ‖ Bewertung, Zensur, Prädikat, Benotung ‖ → Denkschrift ‖ → Eigenart

Notfall → Not

notfalls: erforderlichen-, schlimmsten-, nötigenfalls, wenn es sein muss,

wenn es nicht anders geht; *ugs.:* im Fall der Fälle
notgedrungen: zwangsläufig, gezwungen(ermaßen), unfreiwillig, wohl oder übel, schweren Herzens, notwendiger-, zwangsweise, der Not gehorchend, unter Druck, unweigerlich, in Ermangelung eines Besseren, unwillkürlich, automatisch
Notgroschen → Ersparnis
nötig: erforderlich, notwendig, unerlässlich, -entbehrlich, -umgänglich, -ausweichlich, -vermeidlich, -ersetzlich, -verzichtbar, geboten, obligat, dringend, wesentlich, (lebens)wichtig, zwingend, unbedingt
nötigen: drängen, zwingen, Zwang/Druck ausüben, jmdm. das Messer an die Kehle setzen, bedrohen, erpressen, jmdn. unter Druck setzen, Gewalt anwenden, vergewaltigen, Zwang antun, keine (andere) Wahl lassen, nicht in Ruhe lassen, belästigen, jmdm. zusetzen, jmdn. bedrängen, gefügig machen, terrorisieren, tyrannisieren; *ugs.:* die Pistole auf die Brust setzen, Daumenschrauben ansetzen
nötigenfalls → notfalls
Nötigung: Bedrängnis, Vergewaltigung, Gewalt, Druck ‖ → Zwang
Notiz: Vermerk, Aufzeichnung, Eintrag(ung), Anmerkung ‖ **N. nehmen von** → aufpassen ‖ **keine N. nehmen** → ignorieren
Notlage: Bedrängnis, Verlegenheit, Misere, Zwangslage, Engpass ‖ → Not
Not leidend → arm
Notlösung → Notbehelf
Notlüge: Ausflucht, Vorwand, Ausrede, Unwahrheit; *ugs.:* faule Ausrede
notorisch: gewohnheitsmäßig, aus Gewohnheit, regelmäßig, süchtig
Notruf: Hilferuf, Notschrei, -signal, SOS-Ruf, Alarm, Appell

Notstand: Krisensituation ‖ → Not ‖ Ausnahmezustand, Kriegsrecht
Notwehr: Gegenwehr, Verteidigung, Defensive
notwendig → nötig
Notwendigkeit → Erfordernis
Notzucht: Vergewaltigung, Schändung, Stuprum
notzüchtigen → vergewaltigen
Novelle: Gesetzesergänzung, Nachtragsgesetz ‖ → Erzählung
Novität: Novum ‖ → Neuheit ‖ → Erfindung
Novize → Neuling
Novum → Neuheit
Nuance: Tönung, Schattierung, Abschattung, feiner Übergang, Ton, Feinheit, Abstufung ‖ Spur, Kleinigkeit, Hauch, Schimmer, Stich, Touch, Anflug, Idee, Schatten, Schuss, Quäntchen, Prise, Winzigkeit ‖ **eine N.** → etwas
nuancieren: (fein) abstufen, (ab)schattieren, (ab)tönen, differenzieren, staffeln, fächern, feine Unterschiede machen, ein wenig verändern
nüchtern: nichts gegessen/getrunken habend, mit leerem Magen, ohne zu essen/Essen/Frühstück ‖ ohne Gefühl/Emotion/Fantasie, trocken, unpersönlich, rational, realistisch, verstandesmäßig, leidenschaftslos, klar, unpoetisch, -romantisch, prosaisch, sachlich, logisch, fantasielos, amusisch ‖ reizlos, dürr, fade, schal, schmucklos, einförmig, grau, langweilig, öde, leer, spannungslos ‖ → neutral
nuckeln: *(ugs.):* schlecken, dudeln, suckeln ‖ → saugen
Nudel: Teigwaren ‖ Dickerchen, Mops ‖ → Fettwanst
Nudelholz: Teigrolle; *öster.:* Nudelwalker; *schweiz.:* Wallholz
nudeln → mästen
Nudismus: Freikörper-, Nacktkultur, FKK

null: kein, → nichts

Null: Zero, Nichts ‖ → Versager

Nullpunkt: Gefrierpunkt, null Grad, 0 °C ‖ Endpunkt, Ende, Tiefstand, Ruin, Bankrott

Nulpe: *(ugs.):* Niete, Blindgänger, Flasche, Krücke, Schlaffi ‖ → Versager

numinos → göttlich

Nummer: Zahl, Ziffer, Chiffre, Nr. ‖ → Auftritt ‖ → Spaßvogel ‖ → Geschlechtsverkehr

nummerieren: beziffern, mit Nummern/Zahlen versehen, durchnummerieren, paginieren, benummern

nun → jetzt ‖ **n. einmal** → eben ‖ **von n. an** → künftig

nur: bloß, lediglich, nichts als, ausschließlich, allein, niemand sonst, alleinig, kein anderer, einzig (und allein)

nuscheln: *(ugs.):* durch die Nase/undeutlich sprechen; *ugs.:* einen Kloß im Mund haben, näseln

Nutte: *(ugs.):* Strichmädchen, Pferdchen, Schickse ‖ → Prostituierte

nutzbar → nützlich

nutzbringend → nützlich

nutzen: (be)nützen, verwerten, ver-, anwenden, einsetzen, s. zunutze/dienstbar/nutzbar machen, gebrauchen, Gebrauch machen, in Anwendung/zum Einsatz bringen, ausbeuten, wahrnehmen, Nutzen ziehen ‖ nützlich/förderlich/von Nutzen/dienlich/zweckmäßig/hilfreich sein, zugute/-statten kommen, gute Dienste leisten/tun, Nutzen/Gewinn/Ertrag bringen, Früchte tragen, s. bezahlt machen, dienen, helfen, zum

Nutzen gereichen, fruchten, s. als nützlich erweisen, frommen, s. auszahlen, Wert haben, s. lohnen, wirken

Nutzen: Vorteil, Gewinn, Profit, Ertrag, Wert, Ausbeute, Frucht, Verdienst, Einnahme, Erlös ‖ Nützlichkeit, Hilfe, Brauchbarkeit, Zweckmäßigkeit, -dienlichkeit, Verwendbarkeit

nützen → nutzen

nützlich: hilfreich, (sach-, zweck)dienlich, brauchbar, förderlich, an-, verwendbar, geeignet, verwertbar, tauglich, leistet gute Dienste, praktisch, praktikabel, zweckmäßig, -voll, zu gebrauchen, fruchtbar, wirksam, konstruktiv, ersprießlich, heilsam, gedeihlich, gut, sinnvoll, segensreich, von Nutzen/Wert, wertvoll, behilflich, handlich, nütze ‖ vorteilhaft, lohnend, nutzbar, -bringend, einträglich, -bringlich, ertragreich, Gewinn bringend, rentabel, günstig, dankbar, lukrativ, Profit bringend, profitabel, ergiebig

nutzlos: wert-, sinnlos, überflüssig, unnütz, wirkungslos, unwirksam, fruchtlos, unbrauchbar, zwecklos, unfruchtbar, ergebnislos, unersprießlich, vergebens, -geblich, unnötig, entbehrlich, müßig, verfehlt, abkömmlich, hat keinen Sinn, ohne Erfolg/Sinn und Zweck, keinen Erfolg versprechend, erfolg-, aussichtslos, ungeeignet, -zweckmäßig, umsonst, es erübrigt sich; *ugs.:* für die Katz, nichts wert, verlorene Liebesmühe

Nymphe → Nixe

nymphoman: mannstoll, verrückt nach Männern, lüstern, liebestoll

O

Oase: Wüsten-, Grüninsel, Wasserstelle, fruchtbare Stelle, Wasserplatz ‖ Ort der Erholung, Ort der Erbauung, Ruhepunkt, Ruheplatz, Insel

ob: wegen, aufgrund, kraft, dank, durch, infolge, vermöge, zwecks, angesichts, aus, vor, halber, auf … hin, von … her, um … willen; *ugs.:* von wegen ‖ **als ob:** gleichsam, gewissermaßen, sozusagen, als sei, wie wenn

Obdach → Unterkunft

obdachlos: ohne Obdach/Bleibe/Wohnung/Unterkunft, wohnungslos; *öster.:* unterstandslos; *ugs.:* ohne Dach über dem Kopf

Obduktion: Leichenöffnung, Sektion, Autopsie, Nekropsie

obduzieren → sezieren

oben: in der Höhe, droben, auf dem Gipfel, an der Spitze, hoch, (oben)auf; *reg.:* heroben

obenauf: (oben) darauf, zuoberst, darüber; *ugs.:* obendrauf ‖ → fröhlich

obendrein → außerdem

obenhin → leichthin

Ober: Kellner, Bedienung, Garçon

Oberaufsicht → Leitung

Oberfläche: Außen-, Oberseite, das Äußere, Fassade, Hülle, Schale, Überzug

oberflächlich: flach, verflacht, seicht, (ver)äußerlich(t), ohne Tiefgang, nichts sagend, geist-, inhalts-, gehaltlos, banal, trivial, vordergründig ‖ → nachlässig ‖ → leichtsinnig ‖ äußerlich, peripher

oberhalb: über, höher als; *reg.:* überhalb; *öster.:* ober

Oberhaupt: Landesvater, -herr, → Führer

Oberschicht → High-Society ‖ → Adel

oberschlau → überklug

obgleich: obwohl, -schon, -zwar, wenngleich, -schon, wenn auch, wiewohl, trotzdem, auch/und/selbst wenn, so/wie … auch, ungeachtet, gleichwohl; *schweiz.:* einenweg

obig: weiter oben stehend, oben genannt / erwähnt, vorgenannt, -stehend, bewusst, -sagt, in Rede stehend

Objekt: Gegenstand, Körper, Ding, Sache, Gebilde, Etwas, Artikel

objektiv: sachlich, vorurteilsfrei, -los, unvoreingenommen, -befangen, nüchtern, unparteiisch, parteilos, frei von Emotionen/Vorurteilen, wertneutral, -frei, unbeeinflusst, -verblendet, gerecht, sachdienlich

obligat → nötig ‖ → normal

obligatorisch: verbindlich, -pflichtend, fest, bindend, vorgeschrieben, endgültig, definitiv, feststehend, unwiderruflich, -abänderlich, -umstößlich, bestimmt, festgelegt, ver-, angeordnet, pflichtmäßig, nicht freiwillig

Obolus: Spende, Gabe, Beitrag, Betrag, Summe, Opfer, Scherflein

Obrigkeit: Regierung, Vorstand, Behörde, obere Instanz, Verwaltung, Staat, Gewalt, Herrschaft, Macht, Oberhoheit

obschon → obgleich

Observatorium: Stern-, Wetterwarte, astronomische/meteorologische Beobachtungsstation

observieren → beobachten

obskur: dunkel, finster ‖ → unklar ‖ dubios, nebulös, zweifelhaft, zwielichtig, fragwürdig ‖ → verdächtig

obsolet → altmodisch

Obst: Früchte
obstinat → eigensinnig
Obstruktion → Widerstand
Obstwein: (Süß)most; *gärend:* Federweißer; *reg.:* Suser, Sauser, Rauscher; *öster.:* Heuriger
obszön: vulgär, verrucht ‖ → anstößig ‖ pornografisch, schamlos; *ugs.:* dreckig, schweinisch, schmutzig, säuisch
obwohl → obgleich
obzwar → obgleich
Ochse → Rind ‖ → Dummkopf
ochsen → lernen
Ochsenauge: Setz-, Spiegelei; *schweiz.:* Stierenauge ‖ Rund-, Radfenster, (Fenster)rose, Rosette
öde: unfruchtbar, -bebaut, wüst, wild, trostlos, trist, kahl, karg, steinig, felsig, brach, ungenutzt, -ergiebig, verwildert ‖ verlassen, einsam, menschenleer, ent-, unbevölkert, verödet, -einsam, abgelegen, entlegen, (wie) ausgestorben, tot, unbelebt; *ugs.:* gottverlassen ‖ → langweilig
Odel: *(reg.):* Jauche; *reg.:* Pfuhl, (Mist)gülle, Adel, Pud(d)el, Sut(t)er
Odem → Atem
oder: oder auch, (oder) vielmehr, besser gesagt, beziehungsweise, respektive, mit anderen Worten, das heißt, andernfalls, im anderen Fall, sonst, je nachdem, entweder … oder ‖ **o. auch:** alias, mit anderem Namen, anders, eigentlich, auch/außerdem/ sonst … genannt
Odeur → Duft
Odium → Hass ‖ → Schandfleck
Œuvre: Opus, (Gesamt)werk, das Schaffen, Arbeit, Lebenswerk ‖ → Kunstwerk
Ofen: Heizgerät, -körper, -ofen, -apparat, Heizung, Raumheizer, Wärmequelle; *schweiz.:* Wärmeofen
offen: nicht (zu)geschlossen, (frei) zugänglich, geöffnet, unverschlossen, aufgeschlossen, -gesperrt, offen

stehend ‖ freigegeben, erschlossen, begehbar, -tretbar, -fahrbar, erreichbar, wegsam; *ugs.:* auf ‖ → aufrichtig ‖ → aufgeschlossen ‖ frei, nicht besetzt, (noch) zu vergeben ‖ licht, hell, nicht begrenzt, weit, groß, geräumig, ausgedehnt ‖ unerledigt, -entschieden, -gelöst, -bewältigt, nicht zu Ende geführt, unfertig, -vollendet, -abgeschlossen, ausstehend, ungewiss, -geklärt, -sicher, -bestimmt, umstritten ‖ lose, einzeln, nicht verpackt, ohne Verpackung
offenbar: handgreiflich, offensichtlich, sichtbar, evident, einleuchtend, glaubhaft, bestechend, fasslich, klar, plausibel, einsichtig, erkenn-, greif-, wahrnehm-, fassbar, augenscheinlich, -fällig, manifest, erwiesen, eindeutig, keinem Zweifel unterliegend, eklatant, deutlich, flagrant, offenkundig, unmissverständlich, -verkennbar, -übersehbar, in die Augen fallend, auffallend, markant, auf der Hand liegend, mit den Händen zu greifen, anschaulich, nicht zu übersehen, (er)sichtlich; *ugs.:* klipp und klar ‖ → anscheinend
offenbaren → gestehen ‖ **sich o.** → s. äußern in ‖ → s. anvertrauen
offen halten: geöffnet halten; *ugs.:* aufhalten ‖ **sich o. h.:** s. vorbehalten, s. ausbedingen, s. etwas ausbitten, etwas zur Bedingung machen, s. eine Möglichkeit freihalten; *ugs.:* s. eine Hintertüre offen halten
Offenheit: Ehrlich-, Geradlinig-, Aufrichtig-, Offenherzig-, Lauter-, Freimütig-, Wahrhaftigkeit, Freimut, Geradheit
offenherzig → aufrichtig ‖ *ugs.:* (tief) ausgeschnitten, (stark) dekolletiert, frei(zügig)
offenkundig → offenbar
offen lassen: nicht schließen, geöffnet lassen ‖ noch nicht entscheiden, in der Schwebe lassen, s. vorbehalten,

s. nicht festlegen, dahingestellt sein lassen, unentschlossen/-schlüssig sein, schwanken, zaudern, zögern, s. nicht entschließen können, abwarten, auf s. beruhen lassen

offensichtlich → offenbar

offensiv: angreifend, kämpferisch, angriffslustig, kampfesfreudig, die Initiative ergreifend, aktiv, zum Angriff übergehend

Offensive → Angriff

offen stehen: geöffnet/nicht geschlossen sein, gähnen, (auf)klaffen ‖ unbezahlt/noch nicht beglichen sein, ausstehen ‖ → freistehen

öffentlich: vor allen Leuten, coram publico, auf offener Straße, für die Öffentlichkeit bestimmt, allen zugänglich, für alle hörbar/sichtbar, vor aller Welt, in/vor aller Öffentlichkeit, vor aller Augen, im Forum ‖ allgemein, amtlich, offiziell, behördlich, allgemein gültig

Öffentlichkeit: Allgemeinheit, Leute, (das breite) Publikum, Bevölkerung, Gesellschaft, Gesamtheit, Volk, alle Welt, Menschheit, Menge, breite Masse

offerieren → anbieten

Offerte: Angebot, -erbieten, Vorschlag, Antrag, Einladung; *öster.:* Anbot, Offert ‖ Annonce, Anzeige, Inserat, Ausschreibung

offiziell → amtlich ‖ → öffentlich ‖ → förmlich

öffnen: aufschließen, -sperren, Einlass gewähren, zugänglich machen ‖ auf-, erbrechen, aufreißen, -schneiden, -ziehen, -stoßen; *ugs.:* aufmachen, -tun, knacken, aufbekommen, -bringen, -kriegen ‖ auf-, auspacken, auswickeln ‖ **sich ö.:** aufgehen, s. auftun, s. entfalten/-rollen, aufspringen, s. erschließen ‖ → s. anvertrauen

oft: viele Male, immer wieder, öfter(s), des Öfteren, oftmals, -malig, häufig, mehrmals, -fach, ein paarmal,

vielmals, -fach, in vielen Fällen, nicht selten, wiederholt, ungezählt, etliche Mal, mehrmalig; *öster.:* mehrenteils; *ugs.:* hundertmal, Dutzend Mal(e), -fach, x-mal, -fach, zigmal, doppelt und dreifach, alle naselang, noch und noch

Oheim → Onkel

ohne: bar, frei von ‖ außer, abgesehen von, ausgenommen, abzüglich, -gerechnet, bis auf, mit Ausnahme von, exklusive, nicht in-/einbegriffen ‖ **o. weiteres** → anstandslos

ohnedies → sowieso

ohnegleichen → außergewöhnlich

ohnehin → sowieso

Ohnmacht → Bewusstlosigkeit

ohnmächtig: bewusstlos, ohne Bewusstsein/Besinnung, besinnungslos, nicht da/bei sich ‖ macht-, hilflos, gelähmt, handlungsunfähig, paralysiert, schwach, einfluss-, wehr-, schutzlos, ausgeliefert ‖ **o. werden:** bewusstlos/besinnungslos werden, das Bewusstsein/die Besinnung verlieren, in Ohnmacht fallen/sinken, zu Boden sinken, umfallen, -sinken, zusammenbrechen, jmdm. wird schwarz vor Augen/schwinden die Sinne, kollabieren; *ugs.:* umkippen, -klappen, Sterne sehen, aus den Pantinen kippen, schlappmachen, zusammen-, wegsacken, zusammenklappen, -krachen

Ohr: Hörorgan; *ugs.:* Lauscher, Löffel, Horcher, Luser; *reg.:* Ohrwaschel

ohrenbetäubend → laut

Ohrfeige: Backenstreich; *ugs.:* (Maul)schelle, Backpfeife; *reg.:* Watsche(n), Fotze, Detsche

ohrfeigen: (zu)schlagen, eine Ohrfeige geben/verabreichen; *ugs.:* eine Maulschelle/Backpfeife geben, eine herunterhauen / kleben / knallen / scheuern/verpassen/schmieren/langen/pfeffern/wienern/schallern/latschen/pflastern/wischen, eins aufbrennen, ein paar hinter die Ohren/ Löffel geben; *derb:* eine in die Schnauze/Fresse hauen

okay: o. k., in Ordnung, einverstanden, ja(wohl), gut; *ugs.:* ist geritzt, abgemacht, gecheckt, klar, in Butter, gebon(g)t, alles paletti ‖ → ordnungsgemäß

Okkasion → Chance ‖ günstiger Kauf, gutes Geschäft, Gelegenheitskauf

okkult: okkultistisch, spiritistisch, übersinnlich, übernatürlich, magisch, geheim(nisvoll), verborgen, dunkel, unergründlich, mystisch

okkupieren → besetzen

ökonomisch: wirtschaftlich, kaufmännisch, kommerziell, geschäftlich ‖ sparsam, haushälterisch, genau, knapp, eingeschränkt, vorsichtig, rationell, achtsam, sorgfältig, überlegt, kalkuliert, optimal

oktroyieren: aufzwingen, -nötigen, -erlegen, diktieren

Okzident → Abendland

Ölbaum: Olivenbaum

ölen: (ab)schmieren, einölen, -fetten ‖ einreiben, -cremen, -salben, -fetten; *ugs.:* einschmieren

ölig: fettig, fetttriefend, tranig, pomadig, schmierig, schmutzig, glatt, rutschig, schlüpfrig ‖ → salbungsvoll

Olivenbaum: Ölbaum

Ölschock: Ölkrise ‖ → Energiekrise

Olympiade: Olympische Spiele, die Spiele

Oma → Großmutter ‖ → Greisin

Omelett(e) → Pfannkuchen

Omen → Anzeichen

ominös: suspekt, nicht geheuer ‖ → verdächtig ‖ Schlimmes verheißend, unheilschwanger, Unheil bringend ‖ → unheilvoll

Omnibus: (Auto)bus; *schweiz.:* Autocar

omnipotent → allmächtig

Onanie → Selbstbefriedigung

onanieren: s. selbst befriedigen ‖ → masturbieren

Ondit → Gerücht

Onkel: *veraltet:* Oheim

Opa → Großvater ‖ → Greis

Openair-: Freilicht-, Freiluft- (Festival, Konzert)

operieren: einen (ärztlichen) Eingriff vornehmen/machen, eine Operation durchführen, sezieren (Leichnam); *ugs.:* (auf-)schneiden, unters Messer nehmen ‖ → handeln

Opfer: Opfergabe, Opferung, Kollekte, Sammlung, Beitrag, Spende(naktion), milde Gabe, Obolus, Scherflein, Almosen ‖ Verunglückter, Betroffener, Geschädigter, Leidtragender, Benachteiligter, Betrogener, Unfalltoter; *ugs.:* Pech-, Unglücksvogel ‖ Aufopferung, Hingabe, Entsagung, -behrung, Verzicht, Aufgabe, -wendungen, Unkosten

opfern: Opfer bringen, weihen, etwas geben, etwas stiften, einen Beitrag leisten, seinen Obolus entrichten, spenden, sein Scherflein beitragen, als Gabe überreichen, als Spende überreichen, darbringen ‖ **sich o.:** auf s. nehmen, s. zur Verfügung stellen, etwas übernehmen, s. einer Sache annehmen, einstehen für; *ugs.:* s. hergeben für, herhalten, auf seine Kappe nehmen, den Kopf hinhalten ‖ → s. aufopfern

Opponent → Gegner ‖ → Dissident

opponieren → aufbegehren

opportun: zweckmäßig, vernünftig, sinnvoll, nützlich, angebracht, -gemessen, gegeben, -legen, -eignet, tauglich, zweckentsprechend, -dienlich, sachdienlich, brauchbar, praktisch, angezeigt, ratsam, klug, passend, von Vorteil

Opportunismus: (bereitwillige) Anpassung, Ein-, Unterordnung, Prinzipien-, Gesinnungslosigkeit; *ugs.:* Gesinnungslumperei

opportunistisch: auf den eigenen Vorteil bedacht, karrieristisch, angepasst, mit dem Strom schwimmend, seine Gesinnung wie sein Hemd wechselnd, die Fahne nach dem Wind wechselnd/hängend, prinzipienlos

Opposition: Gegenpartei, -seite, Gegner, Kontrahenten, Opponenten, Widersacher, -part ‖ Widerstand, Gegensatz, Wider-, Einspruch, Weigerung, Protest, Auflehnung, -stand, Rebellion, Gegendruck, -wehr

oppositionell → gegensätzlich

optieren: seine Stimme geben, (ab)stimmen/votieren für, jmdn. (er)wählen, eine Wahl treffen, s. frei entscheiden für, seine Ansicht kundgeben

optimal: best-, größtmöglich, höchst, sehr gut, (aller)beste, Spitzen- ‖ → außergewöhnlich

optimieren: verbessern, -vollkommnen, perfektionieren, bestmöglich gestalten, zur Vervollkommnung bringen; *ugs.:* den letzten Schliff geben

Optimismus: Zuversicht(lichkeit), Vertrauen in die Zukunft, Fortschritts-, Zukunftsglaube, Daseins-, Lebensfreude, Hoffnung, Lebensbejahung, -vertrauen, -mut, Glaube an das Gute, Heiterkeit, Zufriedenheit, positive Lebenseinstellung

optimistisch: zuversichtlich, voller Zuversicht, lebensbejahend, guten Mutes, hoffnungsfroh, -freudig, -voll, getrost, unverzagt, -verdrossen, siegessicher, -gewiss, -bewusst, sicher, zukunftsgläubig, positiv, vertrauensvoll, ohne Furcht

Optimum → Krönung ‖ → Höchstleistung

optisch: visuell, vom äußeren Eindruck her

opulent: üppig, schwelgerisch, reichlich, -haltig, ausgiebig, feudal, fürstlich, lukullisch, luxuriös, ausgedehnt

Opus: (Kunst)werk, Schöpfung, Arbeit, Produkt, Œuvre, Erzeugnis, Meisterstück, -leistung

Orakel: Weissagung, Prophezeiung, Prophetie, Zukunftsdeutung, Voraus-, Vorhersage, Wahrsagung

orakelhaft → rätselhaft

Orange: Apfelsine

Orchester: Kapelle, Musikergruppe, Ensemble, Band

Orden: Ehrenzeichen, Auszeichnung, Medaille, Abzeichen, Ehrennadel, -plakette ‖ Ordensgemeinschaft, Bruderschaft, Kongregation

Ordensbruder → Mönch

Ordensschwester → Nonne

ordentlich: (wohl) geordnet, aufgeräumt, tadellos, untadelig, sauber, adrett, akkurat, ordnungsliebend, auf Ordnung bedacht/haltend/achtend, präzis, sorgfältig, -sam, mit Sorgfalt, penibel, gepflegt, genau, in Ordnung, korrekt, diszipliniert ‖ nach Vorschrift/der Regel, plan-, vorschriftsmäßig, regel-, ordnungsgemäß, regulär, regelrecht ‖ → anständig ‖ gehörig, ausreichend, richtig, herzhaft, kräftig, weidlich, nicht zu knapp, nach Herzenslust; *ugs.:* tüchtig, anständig, gründlich, feste, nach Strich und Faden

Order: Auftrag, Bestellung, Anforderung ‖ → Befehl

ordinär → anstößig ‖ → alltäglich

Ordinarius: Hochschullehrer, Lehrstuhlinhaber, (Universitäts)professor; *öster.:* Lehrkanzelinhaber ‖ *veraltet:* Klassenlehrer, -leiter; *reg.:* Klasslehrer

ordnen: zusammenstellen, anordnen, in die richtige Ordnung/Reihenfolge bringen, sortieren, gruppieren, s. formieren, (auf)gliedern, ein-, auf-, unterteilen, arrangieren, rubrizieren, katalogisieren, systematisieren, in ein System bringen, strukturieren, in Reih und Glied stellen, einreihen,

-gliedern, ausrichten, aufstellen ‖ auf-, wegräumen, in Ordnung bringen, Ordnung machen/schaffen, richten, zurechtrücken, geradestellen, -rücken; *ugs.:* in Schuss bringen

Ordner: (Schnell)hefter, Ablege-, Sammelmappe, Akten-, Briefordner, Aktendeckel ‖ Aufseher, Wärter, Bewacher, Ordnungs-, Saalhüter, Aufsicht(sführer), Wächter; *ugs.:* Aufpasser

Ordnung: geregelter Zustand/Gang/Tagesablauf, Zucht, Disziplin, Drill, Korrektheit, Genauigkeit, Regelung, Regel(mäßigkeit), Gleichmaß, Planmäßig-, Richtig-, Wohlanständigkeit ‖ Anordnung, Gruppierung, Reihenfolge, Gliederung, Schema, Systematik, (Ab)stufung, Arrangement, Zusammenstellung, Zuordnung, Folge ‖ Klasse, Kategorie, Gattung, Abteilung, Reihe, Rubrik ‖ **in O.** → ordnungsgemäß ‖ okay, o. k., einverstanden, ja(wohl), gut; *ugs.:* ist geritzt, (ab)gemacht, in Butter, gebon(g)t ‖ **in O. bringen** → aufräumen ‖ → bereinigen

ordnungsgemäß: der Vorschrift entsprechend, in Ordnung, geordnet, laut/nach Vorschrift, vorschriftsmäßig, -gemäß, nach der Regel, ordentlich, richtig, wie vorgeschrieben; *ugs.:* wie es sich gehört, im Lot, o. k., okay, in Schuss

ordnungsliebend → ordentlich

ordnungswidrig → gesetzwidrig

Organ: Körperteil, Körper-, Sinnesorgan ‖ Sprechorgan, Stimme ‖ Institution, Amt, Behörde, Dienststelle ‖ Zeitung, Zeitschrift, Blatt ‖ → Sinn

Organisation: Organisierung, Veranstaltung, Planung, Abhaltung, -wicklung, Ausrichtung, Durchführung, Arrangierung, Inszenierung ‖ Aufbau, Gliederung, Einteilung, Struktur, Anlage, Zusammensetzung, Gefüge, (An)ordnung, Disposition, Organismus, Komplex, Apparat ‖ Verband, Gruppe, Bund, Bündnis, Partei, Verein(igung), Zusammenschluss, Genossenschaft, Gesellschaft, Korporation, Körperschaft, Union

organisch: gewachsen, -schlossen, einheitlich, zusammenhängend, naturgemäß, natürlich, unteilbar, eine Einheit bildend, homogen, aus einem Guss ‖ belebt, lebend, beseelt ‖ anatomisch

organisieren: aus-, einrichten, ausgestalten, Gestalt geben, leiten, vorbereiten, aufbauen, abhalten, -wickeln, veranstalten, arrangieren, durchführen, inszenieren, zustande-/wege bringen, ins Werk/in Szene setzen, zur Durchführung bringen, geben, halten; *ugs.:* auf die Beine stellen, über die Bühne bringen, auf-, durchziehen, machen, managen ‖ beschaffen, -sorgen, herbei-, heranholen, bringen, verschaffen, -helfen, -mitteln, aufbringen, zuschieben, -schanzen, -spielen; *ugs.:* auftreiben ‖ → stehlen ‖ **sich o.:** s. zusammenschließen, s. vereinigen/-binden, s. sammeln, s. assoziieren, s. zusammentun, eine Partei bilden

Organismus → Körper ‖ Gefüge, Ganzheit, Ganzes, Apparat, Komplex, (Auf)bau, Gebilde, Gesamt-, Einheit, Organisation ‖ → Lebewesen

Orgasmus: sexueller Höhepunkt ‖ Samenerguss, Ejakulation

Orgie: (Trink-, Zech)gelage, Schwelgerei, Völlerei, Zecherei, Bacchanal, Ausschweifung, Exzess, Zügellosigkeit; *ugs.:* Besäufnis, feuchter Abend; *derb:* Fresserei, Sauferei, Saufgelage

Orient: Morgenland, (Naher) Osten, Nahost, Mittlerer/Ferner Osten

orientieren → informieren ‖ **sich o.:** s. zurechtfinden, die Richtung suchen,

den richtigen Weg finden, s. durchfinden, den Standort bestimmen
original: urschriftlich, → originär ‖ → originell
Original: Urfassung, -schrift, Quelle, Urbild, -text, Grundtext, erste Fassung, Grund-, Vorlage, Hand-, Erstschrift, echtes Stück, Originalausgabe ‖ Sonderling, Eigenbrötler, Kauz, Wunderling, Außenseiter, Outsider, Einzelgänger, besonderes Exemplar; *ugs.:* Unikum, Type, seltsamer Vogel, Krauter, wunderliche Haut ‖ → Spaßvogel
originär: ursprünglich, original, eigentlich, primär, von Hause aus, genuin, nicht abgeleitet
originell: schöpferisch, erfinderisch, produktiv, ingeniös, gestalterisch, einfalls-, erfindungs-, ideen-, fantasiereich, fantasiebegabt, -voll, geistreich, -voll, original, genial, kreativ, findig ‖ eigenartig, -tümlich, ungewöhnlich, spezifisch, eigen, besonders, eigen-, selbständig, urwüchsig, -sprünglich, neu, nicht alltäglich, ausgefallen, noch nicht dagewesen, einmalig, überdurchschnittlich ‖ → komisch
Orkan: (Wirbel)sturm, Unwetter, Aufruhr der Elemente, Sturmwind, Zyklon, Taifun, Tornado, Hurrikan
Ornament: Verzierung, Zier, Dekor, Schmuck, Arabeske, Rankenwerk, (Ver)schnörkel(ung), Muster(ung)
Ort: Platz, Stelle, Örtlichkeit, Stätte, Fleck, Punkt, Standort; *ugs.:* Winkel, Ecke, Kante ‖ Ortschaft, (An)siedlung, Städtchen, (Klein)stadt, Gemeinwesen, Gemeinde, Kommune, (Markt)flecken, Dorf, Niederlassung; *ugs.:* Quetsche, Nest, Kaff, Krähwinkel, Kiez
Örtchen → Toilette
orten → aufspüren

orthodox: (streng-, recht)gläubig, kirchlich, gottesfürchtig, gottergeben, -gefällig, tief religiös, heilsgewiss, glaubensstark, fromm ‖ halsstarrig, stur, unbelehrbar, -nachgiebig, -einsichtig, verbohrt, doktrinär, einseitig, obstinat, kompromisslos, unzugänglich, dogmatisch, engstirnig
örtlich: lokal, räumlich, regional, nicht überall, begrenzt, eingeschränkt
ortsfremd → fremd
Öse: Drahtschlinge, -ring, Öhr, Loch, Öffnung, Schlaufe; *reg.:* Schluppe
Osten → Orient ‖ Ostblock, sozialistische(s) Lager/Länder, Oststaaten, frühere Ostblockstaaten, Länder hinter dem Eisernen Vorhang, Warschauer-Pakt-Staaten
ostentativ → nachdrücklich
Osterglocke: (gelbe) Narzisse, Osterblume
Ostern: Oster-, Auferstehungsfest, die Ostertage, Fest der Auferstehung Christi
Otter: Viper
Outfit: Kleidung, Aufmachung, Ausstattung, Aufzug, Garderobe, Toilette, modische äußere Erscheinung; *ugs.:* Dress, Kluft, modische Klamotten, Sachen, Ausstaffierung, Montur
Ouvertüre: Vorspiel, Präludium, musikalische Einleitung/-führung, Introduktion, Intrada ‖ → Auftakt
oval: eiförmig, -rund, länglich rund, ellipsenförmig
Ovation: Standing Ovations ‖ → Beifall
oxidieren: s. mit Sauerstoff verbinden, Sauerstoff aufnehmen, zersetzen, -fallen, verwittern, rosten
Ozean: Meer, die See, Atlantik, Weltmeer, Pazifik; *ugs.:* der große Teich, das große Wasser

P

Paar → Ehepaar ‖ Liebespaar, (Liebes)pärchen ‖ zwei
paaren: verbinden, -ein(ig)en, -knüpfen, -ketten, -flechten, -koppeln, zusammenstellen ‖ → kreuzen ‖ **sich p.** → koitieren
Paarung: Begattung, Kopulation, Beischlaf, (geschlechtliche) Vereinigung, Zeugungs(akt) ‖ → Kreuzung
paarweise: zu zweit/zweien, als Paar, gepaart, zusammen
pachten: in Pacht nehmen, mieten
Pack → Paket ‖ → Pöbel
packen → einpacken ‖ → ergreifen ‖ **es p.** → bewältigen ‖ → erreichen ‖ → weggehen
Packen → Paket
packend → spannend
Packung: Schachtel, Box, Karton, Päckchen ‖ Kompresse, Wickel, Umschlag
Pädagoge → Lehrer
pädagogisch → erzieherisch
paddeln: (Paddel)boot fahren, rudern ‖ *ugs.:* schwimmen, planschen, baden; *ugs.:* p(l)atschen
paffen → rauchen
Page: Edelknabe, Knappe ‖ → Diener
Paket: Bündel, Pack(en), Ballen, Stapel, Stoß ‖ Post-, Waren-, Gütersendung, Fracht-, Postgut
Pakt: Abmachung, -sprache, Verabredung, Übereinkunft, -einkommen, Abschluss, -kommen, Vereinbarung, Arrangement, Vertrag, Kontrakt, Agreement, Bündnis, Bund, Handel, Konkordat ‖ **einen P. schließen** → s. verbünden
paktieren → s. verbünden
Palais → Palast

Palast: Palais, Schloss, Castle, Château, Palazzo, Besitz(tum), Herrschaftshaus, -sitz, Prachtbau
Palatschinken → Pfannkuchen
Palaver → Geschwätz, Gerede, Smalltalk, Diskussion, Wortstreit, endloses Verhandeln
palavern: (laut, unsachlich) streiten, endlos reden ‖ → schwatzen
Palette: Auswahl, Zusammenstellung, (As)sortiment, Kollektion, Angebot, Fülle, Vielfalt, Reihe, große Anzahl
Palmkätzchen: Weidenkätzchen
Pampelmuse: Grapefruit
Pampf: *(ugs.):* Brei, Mus, Müsli, Porridge, Junkfood, Papp
Pamphlet: Schmäh-, Streitschrift, verunglimpfende Flugschrift
pampig → frech ‖ → schlammig
Paniermehl: (Semmel)brösel, Semmelmehl
Panik: Schreck(en), Entsetzen, Erschrecken, Verwirrung, Lähmung, Angst(zustand), Kopflosigkeit, Konfusion, Aufregung, Bestürzung, Auflösung, Schock, Furcht, Horror, Grausen, Unruhe, Sorge, Befürchtung, -sorgnis; *ugs.:* Bammel, Heiden-, Höllenangst
panisch: heftig, stark, intensiv, massiv, gewaltig, maßlos, wild, stürmisch, lebhaft, leidenschaftlich, unbändig, rasend, von Panik bestimmt/ergriffen
Panne: Defekt, Schaden, Zwischen-, Störfall, technische Störung ‖ → Unglück
Panorama → Aussicht
panschen: (mit Wasser) verdünnen, -fälschen, -wässern, -längern, stre-

cken, versetzen, mischen, zusammen-schütten ‖ *ugs.:* planschen, spritzen, plätschern, aufs Wasser schlagen; *ugs.:* platschen, plempern

Panter, Panther: Leopard

Pantoffeln: Haus-, Filzschuhe; *ugs.:* Schlappen, Latschen

Pantomime: Mimiker, Verwandlungskünstler ‖ Gebärdenspiel, -sprache, Mienenspiel, -sprache, Mimik, Gestenspiel

Panzer: Kampf-, Kettenfahrzeug, Panzerwagen; *veraltet:* Tank ‖ Rüstung, Panzerung, Harnisch, Kürass, Kettenhemd ‖ Schale, Schutzhülle, -kleid

panzern, sich: s. decken, s. schützen, s. rüsten, s. wappnen, s. in Acht nehmen

Panzerschrank: Geld-, Stahl-, Bank-, Kassenschrank, Tresor, Safe

Papa, Papi → Vater

Papier: Ausweis, Pass, Führer-, Fahrzeugschein ‖ → Dokument ‖ → Schreiben ‖ → Zettel ‖ *pl.:* Ausweis

Papp → Klebstoff ‖ → Pampf

Pappe: Papp(en)deckel, (Papp)karton, Pappmaschee

pappen → kleben

Pappenstiel: Kleinigkeit, Randerscheinung(en), (unwichtige) Details

Paprika: Spanischer Pfeffer, Beißbeere

Parabel: Lehrstück, lehrhafte Erzählung, Gleichnis, (Sinn)bild, Vergleich

Parade: Aufmarsch, -zug, (Truppen)vorbeimarsch, Heerschau, Defilee ‖ Abwehr (Sport), Gegenstoß, Verteidigung

paradieren: vorbei-, aufmarschieren, (parademäßig) vorbeischreiten, -ziehen, defilieren

Paradies: (El)dorado, Schlaraffenland, Traum-, Zauber-, Märchenland, goldenes Zeitalter; *dicht.:* Arkadien; *ugs.:* Land, wo Milch und Honig fließt ‖ Garten Eden/Gottes,

Insel/Gefilde der Seligen, Elysium, Jenseits

paradiesisch → herrlich ‖ → idyllisch ‖ sorgen-, schattenlos, ungetrübt, beglückend, -seligend, himmlisch, elysäisch, elysisch

Paradigma: Muster, (sprachwissenschaftl.) Flexionsschema ‖ → Beispiel

paradox: wider-, unsinnig, absurd, unlogisch, vernunft-, folgewidrig, einander ausschließend, unvereinbar, widersprüchlich, -sprechend, abstrus; *ugs.:* verrückt

Paragraf → Paragraph

Paragraph: Abschnitt, -satz, Artikel, Passus, Passage, Bestimmung, Ziffer, Teil eines Gesetzes/einer Verordnung/-fügung

parallel: gleichzeitig, -laufend, synchron, simultan, zur selben/gleichen Zeit, zeit-, zugleich, zusammenfallend, nebeneinander (liegend/laufend), Seite an Seite, in gleicher Richtung, gleichgerichtet, -geschaltet, nebeneinander geschaltet ‖ → analog

paralysieren: lähmen, lahm legen, schwächen ‖ unwirksam machen, aufheben, ersticken, entkräften

paraphieren: mit der Paraphe versehen, unterzeichnen ‖ → unterschreiben

Parasit: Schmarotzer, Schädling, Nutznießer; *ugs.:* Nassauer, Schnorrer

parat: (griff)bereit, zur Verfügung habend/stehend, verfüg-, greifbar, präsent, fertig, gerüstet, vorbereitet, soweit, gegenwärtig, zur Hand/Disposition, disponibel, in Bereitschaft ‖ *ugs.:* abmarschbereit, angezogen, gestiefelt und gespornt, reisefertig; *ugs.:* fix und fertig

Pardon → Verzeihung

par excellence → schlechthin

Parfüm: Duft-, Riechwasser ‖ Duft, Wohlgeruch

parieren → gehorchen ‖ → abwehren
paritätisch: gleich, gleichgestellt, gleichwertig, gleichberechtigt, gleichrangig, äquivalent, ebenbürtig
Park: Park-, Grünanlage, Anlagen, (englischer) Garten, grüne Lunge, Grünfläche, Anpflanzung
parken: abstellen, halten; *schweiz.:* parkieren, garagieren
Parlament: Volksvertretung, Abgeordnetenhaus
Parlamentarier → Abgeordneter
parodieren: spöttisch nachahmen / -machen / imitieren / wiedergeben, verspotten; *ugs.:* nachäffen
Parole: Losung(swort), Kenn-, Stichwort, Erkennungs-, Geheimzeichen ‖ Motto, Wahlspruch, Devise, Slogan, Maxime, Schlagwort, Leitsatz, -gedanke, -spruch
Partei: (politische) Organisation/Vereinigung/Gruppe, Fraktion
parteiisch: parteilich, parteigebunden, befangen, subjektiv, einseitig, -gleisig, voreingenommen, -urteilsvoll, von einem Vorurteil bestimmt, tendenziös, nicht objektiv, unsachlich, gefärbt
Parterre: Erdgeschoss; *veraltet:* Rez-de-chaussée
Partie: Teil, Stück, Ab-, Ausschnitt ‖ Runde, Spiel, Match ‖ Rolle, Figur, Person ‖ Ausflug, Tour, Trip, Landpartie, Fahrt ins Grüne/Blaue, Vergnügungs-, Lustfahrt, Streifzug
partiell: teilweise, zum Teil, teils, nicht uneingeschränkt/ganz/unbedingt, halb und halb, unter Umständen, in einigen Fällen, in mancher Hinsicht
partikular: nur als Teil, einzeln, partikulär, für sich, separat, extra, isoliert, (ab)gesondert, -getrennt
Partisan: Freiheits-, Widerstands-, Untergrundkämpfer, Guerilla, Guerillero, Freischärler, Aufständischer, Rebell

partizipieren: teilhaben an, sich beteiligen, involviert sein, beitragen; *ugs.:* mitmachen ‖ → teilnehmen
Partner: Teilhaber, Sozius, Mitinhaber, Kompagnon, Gesellschafter, Beteiligter; *veraltet:* Associé ‖ Mitspieler ‖ → Ehemann
partout → durchaus
Party: Fest(ivität), Feier, Geselligkeit, Gesellschaft, Vergnügung, bunter Abend, Ball, geselliges Beisammensein; *ugs.:* Fete, Budenzauber
Parvenü: Emporkömmling, Neureicher, Arrivierter, Moneymaker, Konjunkturritter, Karrieremacher; *ugs.:* Wirtschaftswunderknabe, Raffke, Managertype, Yuppie
parzellieren: in Parzellen zerlegen, auf-, ab-, ein-, unterteilen
Pascha: Macho ‖ → Chauvi
Pass: Ausweis(karte), (Ausweis)papiere, Legitimation, Reisepass, Passeport, Identifikationskarte ‖ Joch, Berg-, Gebirgssattel, Berg-, Gebirgsübergang, Col; *öster.:* Törl ‖ Zu-, Abspiel (Sport), Abgabe, Vorlage
passabel: erträglich, leidlich, annehmbar, akzeptabel, einigermaßen zufrieden stellend/befriedigend, mittelmäßig, vertret-, brauchbar, tauglich, den Verhältnissen entsprechend
Passage: Durchgang, -lass, Gasse, Verbindungsweg ‖ Überfahrt, -querung, Flug-, See-, Schiffsreise ‖ Abschnitt, -satz, Artikel, Passus, Rubrik, Kapitel, Teil, Stück, Spalte, Stelle ‖ Tonfolge, Lauf
passager → flüchtig
Passagier: Reisender, Insasse, Mitfahrender, Fahr-, Reise-, Fluggast
Passant: Fußgänger, Vorübergehender; *öster.:* Fußgeher
passee: out ‖ → vergangen ‖ → altmodisch
passen: richtig / geeignet / abgestimmt/zugeschnitten/maßgeschneidert/nach Maß gearbeitet sein; *ugs.:*

sitzen || (zusammen)stimmen, (zusammen)treffen, zusammenpassen, entsprechen, hinkommen, ausgehen, in Betracht/Frage kommen, harmonieren, zu gebrauchen sein, s. eignen, wie geschaffen sein für, nichts ändern müssen, nichts auszusetzen haben; *ugs.:* hinhauen || recht/(an)genehm/ nicht unlieb sein, gelegen sein/kommen, wie gerufen/zupass kommen, behagen, zusagen, jmds. Vorstellung entsprechen; *veraltet:* konvenieren || ein Spiel auslassen (müssen), aufgeben, -hören, zurücktreten, kapitulieren; *ugs.:* das Handtuch werfen, aufstecken

passend: angebracht, -gezeigt, -gemessen, schicklich, geboten, zustehend, adäquat, entsprechend, recht, richtig, ideal, geeignet, wie geschaffen für, gegeben, -legen, zweckmäßig, dienlich, tauglich, akzeptabel, annehmbar, vernünftig, sinnvoll || stimmig, zusammenstimmend, harmonisch, stilgerecht || bequem, (gut) sitzend, formgerecht; *ugs.:* wie angegossen || abgezählt

Passform: Fasson, Machart, (Zu)schnitt

passieren: überschreiten, -queren, hinüberwechseln, durchreisen, -queren, vorübergehen, vorbeifahren, -gehen, -ziehen, überfliegen, durchgehen, -kommen || → geschehen || durchsieben, -seihen, -drehen, -drücken, durchs Sieb treiben, zerdrücken

Passion: Dornenweg, Leiden Christi, Leidensgeschichte, Martyrium || → Leidenschaft || → Hobby

passioniert → leidenschaftlich

passiv: untätig, tatenlos, inaktiv, ohne Beteiligung/Interesse, zurückhaltend, reserviert, teilnahmslos, gleichgültig, unbeteiligt, des-, uninteressiert, interesselos, unbewegt, apathisch, träge, widerstandslos, hinnehmend, abwartend

Passus → Passage

Paste: Pasta, Creme, Balsam; *ugs.:* Schmiere

pasteurisieren → entkeimen

Pastor → Geistlicher

pastoral: pathetisch, frömmelnd || → salbungsvoll

Pate: Taufpate, -zeuge, Firmpate, Patenonkel; *veraltet:* Gevatter(smann); *reg.:* Göd; *schweiz.:* Götti || *f.:* Patin, Taufpatin, -zeugin, Firmpatin, Patentante; *veraltet:* Gevatterin; *reg.:* Godl, Goden; *schweiz.:* Gotte

Patenonkel → Pate

patent → tüchtig

Patentante → Pate

Pater → Mönch

pathetisch: salbungsvoll || → feierlich || → ausdrucksvoll

pathologisch: krankhaft, anormal, abnorm, unnatürlich

Pathos: Inbrunst, Leidenschaft, Glut, Feuer, Ausdrucksfülle, Feierlichkeit, Gefühlserregung, Intensität, inneres Engagement, Eindringlichkeit, Kraft, Emphase, Nachdruck

Patient: Kranker, Leidender, Bettlägeriger

Patin → Pate

Patina: Grünspan, Belag, Überzug, Rost, Ablagerung || P. ansetzen: edelrosten, reifen, zur Antiquität werden, altern und an Wert gewinnen

Patriarch → Chauvi

patriarchalisch: vaterrechtlich, vom Vater/Mann beherrscht/bestimmt, absolutistisch, selbstherrlich, bevormundend, autoritär, unumschränkt, autokratisch, obrigkeitlich || (alt)ehrwürdig, altväterlich, nach alter Väter Sitte, erhaben

patriotisch: vaterlandsliebend, heimatbegeistert || → national

Patriotismus: Nationalgefühl, -stolz, -bewusstsein, Vaterlands-, Heimatliebe; *übersteigert:* Nationalismus, Chauvinismus

Patron: Schutzherr, -patron, -heiliger, Nothelfer ‖ Gönner, Förderer, Wohltäter, Mäzen, Geldgeber; *ugs.:* edler Spender
Patronage → Vetternwirtschaft
Patronat → Hoheit
Patrone: Munition, Ladung, Schuss, Kugel, Geschoss, Projektil; *ugs.:* blaue Bohne ‖ Filmhülse
patrouillieren: auf Patrouille/Streife gehen, kundschaften, erkunden, bewachen, -aufsichtigen, überwachen, aufpassen auf, beobachten, im Auge behalten, Wache halten/stehen, auf und ab gehen
Patsche → Hand ‖ → Not ‖ → Schlamm
patt: unentschieden, punktgleich, remis, zugunfähig
Patzer: Fehler, Lapsus ‖ *ugs.:* Fehltritt, Fauxpas, Zuwiderhandlung
patzig: frech, vorlaut, ungezogen, unverschämt, impertinent, beleidigend, schnippisch
pauken: *(ugs.):* büffeln ‖ → lernen
Pauker → Lehrer
pauschal:(ins)gesamt, im Ganzen, alles in Allem, zusammen, en bloc, ganz, gänzlich, total, in toto, komplett, alles umfassend/berücksichtigend/eingeschlossen ‖ → annähernd
Pause: Rast, Unterbrechung, Halt, Ruhe-, Atem-, Erholungs-, Verschnaufpause, Unterbrechung; *ugs.:* Halbzeit ‖ Ferien, Urlaub ‖ Einkehr, Mußestunde ‖ Abzug, Kopie, Durchschlag, -zeichnung
pausenlos: (an)dauernd, permanent, kontinuierlich, ohne Unterbrechung; *ugs.:* ohne Punkt und Komma ‖ → dauernd
pausieren: Atem schöpfen, eine (Atem)pause einlegen, rasten ‖ → aussetzen ‖ → s. erholen
Pazifismus: Kriegsgegnerschaft, Gewaltverzicht, -losigkeit, Kriegsablehnung, Friedensbestrebung, -liebe

Pazifist: Kriegsgegner, Friedensfreund
PC → Computer
Pech → Unglück ‖ → Fehlschlag
Pechvogel: Unglücksrabe, -mensch, -wurm, Pechmarie; *ugs.:* armes Hascherl
Pedal: Fußhebel, Tretkurbel
Pedant: Umstands-, Kleinlichkeitskrämer, Schulmeister, Bürokrat, Haarspalter, Federfuchser, Buchstabenmensch, Wortklauber, Kleingeist, kleinlicher Mensch; *reg.:* Mückenseiher; *ugs.:* Prinzipien-, Paragraphenreiter, Kümmelspalter, Krämer-, Schreiberseele, Korinthenkacker
Pedanterie: Spitzfindigkeit, Sophistik, Sophisterei, Besserwisserei; *ugs.:* Pingeligkeit, Kleinlichkeit ‖ → Haarspalterei
pedantisch → kleinlich
Pedell: Hausmeister, Schuldiener, Hauswart; *reg.:* Schulmeister
Pediküre: Fuß(nagel)pflege ‖ Fußpflegerin
peilen → anpeilen ‖ **die Lage p.** → auskundschaften ‖ **über den Daumen p.** → schätzen
Pein: Qual, Schmerz(en), Beschwerden ‖ Strapaze, Marter, Folter, Plage ‖ → Leid
peinigen → quälen ‖ → bedrücken
peinigend → qualvoll
Peiniger: Schinder, Gewaltherrscher, Tyrann, Despot, Diktator ‖ → Unterdrücker
Peinigung → Misshandlung
peinlich: unangenehm, beschämend, in Verlegenheit bringend, genierlich, genant, heikel, unerfreulich, -erquicklich, fatal, prekär, misslich, ungut, blamabel, unangebracht, fehl am Platz; *ugs.:* blöd, dumm ‖ → gewissenhaft
Peinlichkeit: Verlegenheit, Unannehmlichkeit ‖ → Sorgfalt

Peitsche: Knute, Karbatsche, Gerte, Ziemer, Rute, Geißel; *reg.:* Schwippe
peitschen: mit der Peitsche hauen/ schlagen, karbatschen, geißeln, durch-, auspeitschen, züchtigen; *ugs.:* eins überziehen/aufbrennen ‖ knallen (Schüsse), donnern, krachen ‖ klatschen (Regen), schlagen gegen, trommeln, prasseln
pekuniär: geldlich, finanziell, geldmäßig
Pelle → Schale
pellen → schälen
Pelz: Fell, Haardecke, -kleid, Balg, Behaarung
Pendant: Gegenstück, Entsprechung, Korrelat
pendeln: schwingen, schaukeln, s. wiegen, schlenkern, wackeln, schwanken, schweben, wogen; *ugs.:* baumeln, bammeln, kippeln ‖ hin und her fahren
penetrant: auf-, zudringlich, lästig, unangenehm, plump, indiskret, unverschämt, frech, taktlos; *öster.:* sekkant ‖ durchdringend, beißend, streng, scharf, stechend, stark, intensiv, unerträglich
penibel: ordentlich, sauber, ordnungsliebend, auf Ordnung haltend, eigen, kleinlich, übergenau; *ugs.:* geleckt, -schleckt ‖ → gewissenhaft
Penis: männliches Genitale, Glied, Phallus, Gemächt, Membrum Virile, Linga(m); *ugs.:* der kleine Mann, das dritte Bein, Pimmel, Hörnchen, Apparat, Flöte, Schwengel, Pinsel, Pistole, Kolben, Schwanz, Schniedelwutz, Schnippi, Riemen, Lümmel, Prügel, Rute, Zipfel; *Kinderspr.:* Piller(mann), Pillhahn, Piephahn
Penne: Schule
pennen: *(ugs.):* ratzen, pofen ‖ → schlafen
Penner → Clochard
Pension: Ruhegeld, -gehalt, Altersrente, -versorgung, Ruhestand; *öster.:* Ruhegenuss ‖ Hotel, Gasthaus, -hof, Gästehaus, Fremdenheim, Inn, Motel, Unterkunft, Herberge, Hospiz ‖ Verpflegung, Essen (und Trinken), Kost, Mahlzeiten
Pensionär → Rentner ‖ Stammgast
pensionieren: in den Ruhestand versetzen, auf Rente setzen, berenten, seiner Amtspflicht entbinden ‖ **sich p. lassen:** pensioniert werden, s. zur Ruhe setzen, in Pension gehen, s. aufs Altenteil zurückziehen/setzen, zu arbeiten aufhören
Pensum: Aufgabe, Arbeit, Lektion, Lehr-, Lernstoff, Quantum, (An)teil
Pep: Schwung, Elan, Verve, Dynamik, Power; *ugs.:* Drive
per → mittels
perfekt: vollkommen, -endet, unerreicht, -übertroffen, einwandfrei, tadellos, fehlerfrei, -los, untadelig, makellos, mustergültig, vorbildlich, virtuos, meisterhaft, lupenrein, glänzend, unfehlbar, -angreifbar, ausgereift, druckreif, aus einem Guss, routiniert, erstklassig, korrekt; *ugs.:* tipptopp ‖ abgeschlossen, -gemacht, gültig, erledigt, vollzogen ‖ → fließend
Perfektion → Meisterschaft
perfektionieren: vervollkommnen, -ständigen, zur Vollendung bringen, vollenden, abschließen, ergänzen, abrunden; *ugs.:* den letzten Schliff geben
perfide → hinterhältig ‖ → gemein
perforieren: durchlöchern, -bohren, lochen, mit Löchern versehen
Periode: Zeitraum, -abschnitt, -spanne, Phase ‖ → Menstruation
periodisch: regelmäßig auftretend/ wiederkehrend, in regelmäßiger/bestimmter Folge, in regelmäßigen/bestimmten/gleichen/gleichmäßigen Abständen/Intervallen, zyklisch
peripher: am Rande liegend/befindlich, oberflächlich, äußerlich ‖ → unbedeutend

Peripherie: Rand, Randgebiet, -bezirk, Stadtrand, Außenbezirk

Perle → Prachtstück ‖ → Hausangestellte

perlen: sprudeln, prickeln, schäumen, spritzen ‖ → tropfen

permanent → dauernd ‖ → pausenlos

Permanenz → Dauer

perplex → überrascht

per se: an/für/durch sich, von sich aus, von selbst/alleine, per definitionem

persiflieren: satirisch darstellen; *ugs.:* aufs Korn nehmen ‖ → karikieren

persistent → beharrlich

Person: Mensch, Individuum, (Lebe)wesen, Kreatur, Jemand, Kopf, Geschöpf, -stalt; *abwertend:* Subjekt, Element ‖ (Dramen)figur, Rolle, Charakter, Partie, Charge

Personal: Belegschaft, Mitarbeiterstab, Betriebsangehörige, Arbeiter-, Angestelltenschaft, Crew ‖ Dienerschaft, Dienstpersonal, -leute, -boten, Hausangestellte, Bedienstete, -dienung; *veraltet:* Dienerschar, Gesinde; *abwertend:* Domestiken

Personalien: Angaben zur Person

Personenname: Familien-, Nach-, Zu-, Vatersname

Personifikation → Inbegriff ‖ → Sinnbild

persönlich: in (eigener) Person, in persona, (höchst)selbst, eigenhändig, höchstpersönlich, leibhaftig, direkt, unmittelbar, von Mensch zu Mensch/Angesicht zu Angesicht, mündlich, Auge in Auge; *veraltet:* personaliter, höchsteigen; *ugs.:* selber ‖ privat(im), (ur)eigen, subjektiv, individuell, außerdienstlich, nicht amtlich/öffentlich, familiär, im Vertrauen ‖ an die Person gebunden, nicht übertragbar ‖ beleidigend, ausfallend, -fällig, verletzend, anzüglich,

injuriös, kränkend, gehässig, unsachlich, herabsetzend, gemein

Persönlichkeit: Charakter(figur, -gestalt), Respektsperson, Willensmensch, ganzer/abgerundeter Mensch; *ugs.:* ganzer Kerl ‖ (Eigen)art, Natur(ell), Wesen(sart), Veranlagung, Individualität, Eigenheit, -tümlichkeit, persönliche Note, Gepräge, Besonderheit ‖ Prominenter, Hochgestellter, bedeutender Mensch

Perspektive → Standpunkt ‖ (Zukunfts)aussicht, Aspekt, Erwartung, Hoffnung

Perücke: falsche Haare, Haarersatz, -aufsatz, Kunsthaare, Zweitfrisur

pervers: wider-, unnatürlich, abnorm, abartig, ano(r)mal, unnormal, anders geartet, krankhaft veranlagt

Pessimist: Schwarzseher, Negativdenker ‖ → Schwarzmaler

pessimistisch: von Pessimismus erfüllt, lebensunfroh, dem Leben gegenüber negativ, lebensverneinend, schwarzseherisch, Unheil verkündend, mutlos, defätistisch, schwermütig, trübsinnig, depressiv, niedergedrückt, verzagt, ohne Hoffnung, hoffnungslos, düster, melancholisch

Pest: Pestilenz, (Pest)seuche, der schwarze Tod, Fäulnis ‖ **wie die P.** → sehr

Petersilie: *reg.:* Peterchen, Peterle, Peterling

Petition: Bittschrift, Eingabe, Gesuch, Antrag, Bittschreiben; *öster.:* Ansuchen; *ugs.:* Bettelbrief

petzen → verraten

peu à peu → allmählich

Pfad: (Fuß)weg, Fußpfad, -steig, Feld-, Waldweg, Saumpfad, Steg

Pfaffe → Geistlicher

Pfahl → Pfosten

Pfand: Einsatz, -lage, Hinterlegung, Kaution ‖ Garantie, Sicherheit, Sicherung, Gewähr, Haftung, Bürgschaft

pfänden: einziehen, beschlagnahmen, sichern, sicherstellen, konfiszieren, ab-, wegnehmen

Pfannkuchen: Eierkuchen, -fladen, -speise, Omelett(e), Crêpe; *reg.:* Plinze, Plinse, Flinse; *öster.:* Palatschinken; *schweiz.:* Eiertätsch

Pfarrer → Geistlicher

pfeffern: würzen, schärfen ‖ *ugs.:* werfen, schleudern; *ugs.:* schmettern, schmeißen, feuern, knallen ‖ **eine p.** → ohrfeigen

pfeifen: flöten, fiepen ‖ auspfeifen, ein Pfeifkonzert anstimmen/veranstalten, seinen Unwillen durch Pfeifen kundtun, auszischen, buhen ‖ blasen (Wind), stürmen, fegen, toben, tosen, brausen ‖ **p.auf** → übertreten ‖ → verzichten

Pfeil: Bogen-, Wurfgeschoss ‖ Richtungsweiser, Orientierungszeichen ‖ (Seiten)hieb, Spitze, Stich(elei), Anspielung, -züglichkeit, boshafte/bissige/spitze/anzügliche Bemerkung, Bissigkeit

Pfeiler: Säule, Pfahl, Pilaster, Strebe, Ständer, (Stütz)pfosten, Stützwerk, Abstützung, Träger ‖ Stütze, Halt, Rückgrat, -halt, Anker, Eckstein, Basis, Fundament

Pfennigfuchser → Geizkragen

pferchen: (zusammen)drängen, -pressen, -zwängen; *ugs.:* (zusammen)quetschen, -drängeln

Pferd: Ross; *f.:* Stute; *m.:* Hengst; *kastriert:* Wallach; *jung:* Jungpferd, Fohlen, Füllen; *scherzh.:* Hafermotor, -lokomotive, Rosinante; *Kinderspr.:* Hottehü, Hotto; *abwertend:* (Acker)gaul, Klepper, Schinder, (Schind-, Schand)mähre

Pfifferling: Eier-, Gelbschwamm(erl); *volkst.:* Gelb(er)ling, Gehling, Rehgeiß; *öster.:* Re(c)hling, Recherl

pfiffig → schlau

Pfiffikus → Schlaukopf

Pfingstrose: Bauern-, Gichtrose, Pfingstblume

Pflanze: Gewächs, Kraut

pflanzen: ein-, anpflanzen, stecken, an-, bebauen, (ein)setzen ‖ → spotten

Pflanzenreich → Pflanzenwelt

Pflanzenwelt: Flora, Pflanzenreich, -wuchs, Vegetation

Pflaume: *(ugs.):* Zwetschge; *reg.:* Zwetsche; *öster.:* Zwetschke

Pflege: Fürsorge, Betreuung, Hilfe, Behandlung, Wartung, Versorgung, Fürsorglichkeit, Obsorge, Hege, Schonung, Schutz, (Aufrecht)erhaltung, Instand-, Unterhaltung, Konservierung

pflegen: betreuen, umhegen, -sorgen, hüten, Pflege/Fürsorge angedeihen lassen, s. kümmern um, nichts abgehen lassen; *ugs.:* aufpäppeln ‖ gut/sorgsam/schonend/pfleglich umgehen mit, gut behandeln, warten, erunterhalten, instand/in Ordnung halten, sauber halten, → schonen ‖ kultivieren, konservieren, fördern ‖ die Gewohnheit haben, gewohnt/üblich sein, immer/gewöhnlich/meistens/im Allgemeinen tun, gewöhnlich geschehen ‖ s. beschäftigen mit, s. widmen, s. befassen, nachgehen, s. abgeben, betreiben, s. angelegen sein lassen, s. hingeben, s. einer Sache annehmen ‖ **sich p.:** s. schonen, viel auf seine Gesundheit/sein Äußeres geben, s. jung halten, s. verschönern, s. feinmachen, s. schönmachen; *ugs.:* s. ständig herausputzen

pfleglich → schonend

Pflicht: Verpflichtung, -bindlichkeit, (Pflicht und) Schuldigkeit, → Aufgabe, Auftrag, Mission, (Arbeits)norm, Soll, Plan, Obliegenheit, Verantwortung, (sittliche) Forderung; *ugs.:* Muss, Leistungs-, Arbeitssoll ‖ Zwang, Erfordernis, Unerlässlichkeit, Gebot, Unabwendbarkeit, (zwingende) Notwendigkeit

pflichtbewusst: pflichtgetreu, -eifrig, -erfüllt, -schuldig, -gemäß, verantwortungsbewusst, -voll, -freudig, verantwortlich, zuverlässig, verlässlich, gewissenhaft, vertrauenswürdig, pünktlich, motiviert

Pflichtgefühl: Pflichtbewusstsein, -eifer, -treue, Verantwortungsgefühl, -bewusstsein, Verantwortlich-, Gewissenhaftig-, Zuverlässigkeit, Arbeitsethos

pflichtgemäß → pflichtbewusst

pflichtvergessen: unzuverlässig, ohne Pflichtgefühl, verantwortungslos, nachlässig, säumig, leichtfertig, sorglos, saumselig, pflichtwidrig; *ugs.:* windig

Pflock: Zapfen, Bolzen, Holzstift ‖ → Pfosten

pflücken: abbrechen, -reißen, -knicken, -pflücken, -zupfen, ernten, lesen, herunterholen; *reg.:* (ab)rebeln; *ugs.:* (ab-, aus)rupfen, abklauben, brocken

pflügen: umpflügen, -brechen, ackern, durchfurchen, umackern, -graben, unter den Pflug nehmen, unterpflügen

Pforte: Tür, Eingang, Durchlass

Pförtner: Portier

Pfosten: Pfahl, Pflock, Pfeiler, Balken, Mast, Träger, Rammstange; *Fachsp.:* Poller; *öster.:* Steher

Pfote → Hand ‖ → Klaue ‖ → Handschrift

Pfropf: Pfropfen, Kork(en), Stöpsel, Zapf(en), Verschluss, Spund, Stopfen; *reg.:* Proppen; *öster.:* Stoppel

pfropfen: veredeln, okulieren, impfen, pelzen, verbessern, kultivieren; *Fachsp.:* schäften; *öster.:* pfelzen ‖ zu-, verkorken, zupfropfen, zu-, ver-, abstöpseln ‖ pressen, stopfen, zwängen, quetschen, zusammendrücken

Pfuhl: Sumpf, Schmutzlache, Tümpel, Schlick, Schlamm, Pfütze, Morast

pfundig: großartig, hervorragend, toll

pfuschen: *(ugs.):* schlechte Arbeit/Fehler machen, schlecht/dilettantisch arbeiten; *ugs.:* stümpern, schludern, murksen, schlampen, huscheln, hudeln, sudeln, (hin)patzen, zusammenschustern, herumdoktern, wursteln, hinhauen, zusammenhauen, -stoppeln

Pfuscherei: Stümperei, Dilettantismus ‖ → Flickwerk

Pfütze: (Wasser)lache, Pfuhl; *reg.:* Gumpe; *öster.:* Lacke

Phallus → Penis

Phänomen: Erscheinung, (Natur)ereignis, Kuriosum, Besonderheit, Erlebnis, Seltenheit, Einmaligkeit, Kuriosität, Sehenswürdigkeit, Wunder ‖ Genie, Genius, (schöpferische) Persönlichkeit, Kapazität, Koryphäe, Größe, Könner, Meister; *ugs.:* Kanone

phänomenal: großartig, bahnbrechend, hervorragend, fantastisch ‖ → außergewöhnlich

Phantasie → Fantasie

phantasiebegabt → fantasievoll

phantasielos → fantasielos

phantasieren → fantasieren

phantasievoll → fantasievoll

Phantast → Schwärmer

phantastisch → fantastisch

Phantom → Gespenst ‖ → Einbildung

Pharisäer: Hypokrit, Scheinheiliger ‖ → Heuchler

Phase: Entwicklungsstufe, -stadium, -stand, -periode, -phase, -epoche, -etappe, -abschnitt, Zeitraum, -abschnitt, -spanne

Philister: Spießer, Biedermann, Kleinbürger ‖ → Spießbürger

philosophieren: Philosophie betreiben, s. mit philosophischen Problemen beschäftigen/auseinander setzen ‖ → denken

philosophisch → weise
Phlegma → Trägheit
phlegmatisch → träge
Phobie: krankhafte Furcht/Angst, Objekt-, Situations-, Erwartungsangst, Angstneurose, Zwangsbefürchtung
Photo → Fotografie
Photographie → Fotografie
photographieren → fotografieren
Photokopie → Fotokopie
photokopieren → fotokopieren
Photomodell → Fotomodell
Phrase: nichts sagende/hohle/schöne Worte, leere/bloße Redensart, Formel, Floskel, Gerede, Schlagwort, abgegriffene (Rede)wendung, Gemeinplatz, Geschwätz, Sprüche, Tirade, Wortgeklingel, Plattheit, Plattitüde, Gewäsch; *ugs.:* alter Zopf/Hut, leeres Stroh, Sums, Gefasel, Blech, Blabla
Phrasendrescher → Schwätzer
phrasenhaft: leer, hohl, banal, trivial, nichts sagend, inhaltslos, stereotyp, oberflächlich, abgenutzt, -geschmackt, ausdruckslos, formel-, schablonenhaft ‖ → schematisch, geist-, gehaltlos, abgegriffen, verbraucht, billig, platt, dumm; *ugs.:* abgedroschen, aus-, abgeleiert, abgeklappert
physisch: körperlich, leiblich, somatisch
Piano: Klavier, Flügel, Tasteninstrument; *ugs.:* Klimperkiste, Klapperkasten, Drahtkommode
picheln → trinken
Pichler → Alkoholiker
Pickel: Pustel, Eiterbläschen, Akne, Furunkel; *med.:* Papel, Vesikel; *reg.:* Wimmerl ‖ Spitzhacke, -haue, Picke; *öster.:* Krampen
picken → essen ‖ → kleben
pieken: *(ugs.):* stechen, beißen, kneifen, kribbeln, zwicken, zwacken, schmerzen, weh tun; *ugs.:* pieksen

piekfein: (zu) elegant, (übertrieben) gut gekleidet, overstyled, overdressed
piepen → piepsen
piepsen: piepen, ziepen, zirpen, schilpen, zwitschern, pfeifen, flöten, quieken
pieksen → pieken
piesacken → quälen ‖ → zusetzen
Pietät: Ehrfurcht, (Hoch)achtung, Respekt, Verehrung, Ehrerbietung, Rücksicht(nahme), Ehrfürchtigkeit, Scheu
pietätlos: ohne Pietät/Ehrfurcht/Scheu, gottlos, verwerflich, schändlich, ketzerisch
pietätvoll → ehrfürchtig
pikant: gut gewürzt, scharf, würzig, schmack-, herzhaft, aromatisch, feurig ‖ → anstößig
pikiert: beleidigt, verletzt, gekränkt, verstimmt, getroffen; *reg.:* muksch, grantig; *ugs.:* verschnupft, eingeschnappt, sauer, auf den Fuß/Schlips getreten
pilgern: wallfahr(t)en, in einer Prozession ziehen, eine Pilgerfahrt unternehmen, einen Bittgang machen, zu einem Wallfahrtsort gehen; *dicht.:* wallen ‖ → wandern
Pille: Tablette, Dragee, Pastille, Kapsel, Medikament, Arznei(mittel) ‖ Antibabypille, Ovulationshemmer, (Empfängnis)verhütungsmittel
Pilot: Flugzeugkapitän, -führer, Flieger
Pilz: *reg.:* Schwamm(erl), Pilzling, Pülz, Poggenstuhl
Pimmel → Penis
pingelig: pedantisch, penibel, spitzfindig, sophistisch, übergenau ‖ → kleinlich
Pingpong: Tischtennis
pinkeln → urinieren
pinseln: malen; *abwertend:* schmieren, klecksen ‖ anmalen, -streichen, -pinseln ‖ (schön)schreiben

Pinte: uriges Lokal, Kneipe ‖ → Gaststätte
Pionier: Wegbereiter, Schrittmacher, Bahnbrecher, Vorläufer, -kämpfer, -bereiter, -reiter, Protagonist, Neuerer, Avantgardist
Pipeline: (Erd)ölleitung, (Rohr)leitung
Pirat: Seeräuber, Korsar, Freibeuter
Pirsch: Jagd, Jägerei, Weidwerk, Hatz
pirschen → jagen
Pisse → Urin
pissen → urinieren
Piste: Start-, Lande-, Rollbahn ‖ Abfahrtsstrecke, -hang, Skipiste, -wiese; *scherzh.:* Idiotenhügel ‖ Rennstrecke, -bahn, Bahn
Pistole: Revolver, Colt, Browning, (Schuss-, Handfeuer)waffe, Tesching, Terzerol; *ugs.:* Kanone, Schießeisen, -prügel, Ballermann, Knarre
pittoresk: malerisch, idyllisch, → schön
placken, sich → s. plagen
Plackerei → Plage
pladdern → regnen
plädieren → eintreten für
Plafond: (Zimmer)decke
Plage: Belästigung, Qual, Quälerei, Mühsal, Geißel, Mühe, Leid, Fron, Kreuz, Kärrner-, Riesen-, Sklavenarbeit, Sklaverei, Knechtschaft, Härte, Beschwer(nis), -schwerlichkeit, Anstrengung, Übel, Bürde, Last, Belastung, Joch; *gehoben:* Ungemach; *ugs.:* Plackerei, Schinderei, Rackerei, Knochenarbeit; *öster.:* Sekkatur, Sekkiererei
plagen → quälen ‖ → bedrücken ‖ → stören ‖ **sich p.** → s. anstrengen
Plagiat → Imitation
plagiieren: entlehnen, übernehmen, s. mit fremden Federn schmücken, ein Plagiat/einen geistigen Diebstahl begehen, kopieren, nachahmen, -ma-

chen; *reg.:* abfeilen; *ugs.:* abschreiben, -kupfern
Plakat: Anschlag, Aushang, Poster, Aufruf, Bekanntmachung, Affiche
plakativ: plakathaft, -mäßig, demonstrativ, auffallend, -dringlich, stark betont, stark pointiert, stark akzentuiert, schlagwortartig
Plakatsäule: Anschlag-, Litfaßsäule
plan → eben ‖ → flach
Plan: Vorhaben, -satz, Planung, Programm, Zielsetzung, Projekt, Pilotprojekt, Vorausstudie, Absicht; *ugs.:* Fahr-, Schlachtplan ‖ Aufzeichnung, Entwurf, Skizze, Bau-, Auf-, Grundriss, Vorschlag, Konzept(ion), Konstruktion, Exposee ‖ Karte, Übersicht, -blick
Plane: Verdeck, Wagendecke, -plane
planen: Pläne machen, einen Plan/Entwurf ausarbeiten/aufstellen, etwas in Aussicht nehmen, vorbereiten, im Voraus festlegen, die Weichen stellen, projektieren, entwerfen, skizzieren, konzipieren, umreißen, erstellen, ein Konzept machen ‖ → beabsichtigen
Planet: Himmelskörper, Stern, Gestirn
plangemäß → planmäßig
planieren: (ein)ebnen, glätten, glatt machen, gleichmachen, nivellieren, abtragen, ausgleichen, walzen, begradigen
Planke: Brett, Bohle, Latte
plänkeln → streiten ‖ → flirten
planlos: ohne Plan/Überlegung/Methode/System/Sinn und Verstand, unüberlegt, -besonnen, -bedacht, ziel-, wahl-, gedankenlos, impulsiv, chaotisch, unorganisiert, -methodisch, -systematisch, improvisiert, aus dem Stegreif
planmäßig: nach Plan, planvoll, -gemäß, programmgemäß, -mäßig, systematisch, methodisch, folgerichtig, gezielt, konsequent, überlegt, durch-

dacht, geplant, zielbewusst; *abwertend:* stur

planschen: s. im Wasser tummeln, baden, spritzen, plantschen, plätschern; *ugs.:* p(l)atschen, plempern, panschen

plappern → schwatzen

plärren → weinen ‖ → schreien

Pläsier → Vergnügen ‖ → Freude

Plastik: Skulptur, Figur, plastisches Bildwerk, Statue(tte), Standbild, Relief ‖ Kunststoff, Synthetikmaterial; *ehemalige DDR:* Plast(e); *abwertend:* Billig-, Plastikmaterial

plastisch: anschaulich, deutlich, bildhaft, -lich, lebendig, leicht verständlich, farbig, sinnfällig, einprägsam, -gängig, illustrativ, klar, fassbar, sprechend, demonstrativ ‖ dreidimensional ‖ modellier-, form-, knetbar

Plateau: Hochebene, -fläche, -plateau, -land

plätschern: gluckern, rieseln, rinnen, fließen ‖ → planschen

platt → flach ‖ → überrascht ‖ → geistlos

Platte → Schallplatte

Plätteisen → Bügeleisen

plätten: *(reg.):* bügeln, glätten

Plattenspieler: Grammophon

Plattform: Aussichtsterrasse, -galerie, -kanzel, Tribüne ‖ Ebene, Basis, Fundament, Grundlage, Ausgangspunkt, Voraussetzung ‖ Schauplatz, Bühne, Forum

Plattheit → Plattitüde, → Phrase

Plattitüde: Banalität, Trivialität, Plattheit, Gemeinplatz, Binsenwahrheit, -weisheit, Albernheit, Geistlosigkeit, Abgedroschenheit, → Phrase

Platz: Markt(platz), Forum ‖ Sitz(platz, -gelegenheit), Stuhl ‖ Rang, Position, Stellung, Platzierung ‖ Spielfeld, -fläche, Sportplatz, -feld, Rasen, Feld ‖ Stelle, (Stand)ort, Örtlichkeit, Punkt, Fleck; *ugs.:* Winkel,

Ecke ‖ freie Stelle, Unterbringungsmöglichkeit ‖ Weite, Auslauf, Bewegungsfreiheit, freie Bahn, (Spiel)-raum

Platzangst: Agoraphobie, Beklemmung, Scheu/Angst vor Plätzen; *ugs.:* Klaustrophobie

platzen: in Stücke fliegen, explodieren, (zer)bersten, krachen, splittern, zerplatzen, -springen, -knallen, aufplatzen, -springen, -brechen, s. entladen, entzweigehen, auseinander reißen; *ugs.:* kaputt-, losgehen, in die Luft fliegen/gehen ‖ → scheitern ‖ vor Ärger p. → s. ärgern

platzieren: (hin)stellen, -setzen, -legen, -bringen, aufstellen, postieren, einen Platz an-/zuweisen/geben; *ugs.:* aufbauen, -pflanzen, hintun ‖ unterbringen (Kapital), investieren, an-, festlegen ‖ **sich p.** → s. setzen ‖ einen (guten) Platz/Rang erreichen/erringen/belegen

Platzregen → Regenschauer

Plauderei: Geplauder, Smalltalk, Gerede; *ugs.:* Geplätscher, Gelaber, Geschwafel ‖ → Gespräch

plaudern: s. unterhalten, miteinander reden/sprechen, eine Unterhaltung/ein Gespräch führen, Worte wechseln, Konversation machen/betreiben, s. etwas erzählen/berichten, Gedanken austauschen, parlieren, schwadronieren; *reg.:* schnacken, klönen, ratschen; *ugs.:* schwatzen, plauschen, einen Plausch/Schwatz/ ein Plauderstündchen halten, quatschen ‖ → ausplaudern

plausibel → einleuchtend

Playboy: Lebemann, Bonvivant; *ugs.:* Gesellschafts-, Partyhengst, Salonlöwe ‖ → Frauenheld

Play-off → Ausscheidung

Plazet → Einverständnis

pleite: bankrott, in Konkurs, illiquid; *ugs.:* nicht flüssig, abgebrannt ‖ → zahlungsunfähig

Pleite → Bankrott ‖ → Enttäuschung ‖ → Reinfall

Plenum: Vollversammlung

plombieren: (ver-, zu)siegeln, mit einer Plombe sichern/schließen ‖ mit einer Plombe füllen (Zähne), ausbessern, instand setzen

plötzlich: unerwartet, -vermutet, -versehens, -vermittelt, -vorhergesehen, -geahnt, -verhofft, überraschend, jäh(lings), auf einmal, mit einem Mal, schlagartig, mit einem Schlag/Ruck, abrupt, schroff, zufällig, schnell, urplötzlich, (wie ein Blitz) aus heiterem Himmel, ehe man sich's versieht, über Nacht, wie aus dem Boden gewachsen, sprunghaft, blitzschnell, -artig, von heute auf morgen, miteins, überstürzt, stürmisch, ruckartig, von einem Augenblick zum anderen, ohne Übergang, übergangslos; *ugs.:* mir nichts dir nichts, Knall auf Fall, Hals über Kopf, wie angeflogen

Plumeau: Feder-, Deck-, Ober-, Überbett, Bettdecke; *reg.:* Zudeck(e), Federdecke; *schweiz.:* Flaumdecke, Duvet; *öster.:* Tuchent

plump → klobig ‖ → ungeschickt ‖ → taktlos ‖ → fadenscheinig

Plunder: Tinnef, Secondhand ‖ → Ramsch

plündern: ausrauben, -plündern, -räumen, (be)rauben, (be)stehlen, wegnehmen, entwenden; *ugs.:* ausräubern

Plünderung → Diebstahl

plus → und ‖ → inbegriffen

Plus → Gewinn ‖ → Vorteil

Po → Gesäß

Pöbel → Gesindel

pöbelhaft → flegelhaft

pochen: klopfen, schlagen, hämmern, trommeln, pulsieren (Herz); *ugs.:* bumsen, ballern, bubbern, pumpern ‖ **p. auf** → bestehen auf

Pocken: Blattern; *med.:* Variola

Podest → Podium

Podium: Podest, Erhöhung, Tritt, Tribüne, Bühne

Poesie → Dichtung

Poet: Dichter, Lyriker ‖ Songpoet, Liedermacher ‖ → Schriftsteller

poetisch: dichterisch, schöpferisch, lyrisch, literarisch ‖ stimmungs-, ausdrucksvoll, bilderreich, ausdrucksstark

Pogrom: Ausschreitung, Terror, Hetze, Gewalttätigkeit, Jagd, Verfolgung, Kesseltreiben, Übergriff, Handgreiflichkeit

Pointe: Schlusseffekt, Höhepunkt, das Entscheidende/Wesentliche, Hauptsache, Witz (einer Sache), Clou; *ugs.:* Knalleffekt

pointieren: auf den Punkt bringen, überspitzen ‖ → betonen

Pokal: Kelch, Humpen ‖ Trophäe, Cup, (Sieges)preis

pökeln: in Salz legen, einsalzen, -pökeln, durchsalzen, konservieren, einlegen; *öster.:* emsuren

Pol: Nord-, Südpol ‖ Dreh-, Mittel-, Angel-, Knoten-, Brenn-, Schnitt-, Zentral-, Sammelpunkt, Nabel, Achse, Zentrum, Herzstück, Kern, Mitte ‖ *pl.:* Extreme, Gegensätze

polar → gegensätzlich ‖ arktisch

Polemik → Gespräch ‖ → Auseinandersetzung

polemisch: spitz, scharf, bissig, überspitzt, böse, gehässig, unsachlich, aggressiv, streitbar, -süchtig, angreifend, provokativ, feindselig, herausfordernd

polemisieren: scharf/unsachlich kritisieren, Kritik üben, jmdn. angreifen, s. streiten, s. hart auseinander setzen, die Klingen kreuzen, s. Wortgefechte liefern

polieren: blank/glänzend reiben/putzen/machen, auf Hochglanz bringen, Glanz geben; *öster.:* politieren; *ugs.:* wienern, wichsen

Politik: Staatsführung, -kunst, politisches Handeln ‖ → Taktik
Politur: Poliermittel ‖ (Hoch)glanz, Glätte, Schimmer, Lack(ierung), Lasur
Polizist: Polizeibeamter, Wachtmeister, Gesetzes-, Ordnungshüter, Schutzmann, Verkehrspolizist, Gendarm; *veraltet:* Konstabler; *scherzh.:* Auge des Gesetzes; *ugs.:* Schupo, Polente, Polyp, Bulle, Cop; *öster.:* Wachmann
polstern: federn, mit einem Polster versehen/ausstatten, aus-, bepolstern, wattieren, unterlegen, auskleiden, füttern, füllen
poltern: lärmen, krachen, rumoren, klappern, scheppern, rumpeln, donnern, rattern, rütteln, dröhnen; *ugs.:* rummeln, bumsen, Krach machen, pumpern ‖ → schimpfen
polyfon → polyphon
polyglott: mehr-, vielsprachig, mehrere Sprachen sprechend/beherrschend
Polyp: Nesseltier, Seeanemone, Tintenfisch, Krake ‖ Nasenwucherung ‖ → Polizist
polyphon: viel-, mehrstimmig
pomadig: ölig, fettig, fettglänzend, eingeschmiert ‖ → träge
Pomp: Pracht, Glanz; *ugs.:* Gedöns ‖ → Prunk
pompös: prunk-, glanzvoll, prächtig ‖ angeberisch, anmaßend, prätentiös; *ugs.:* showy
Pony: Kleinpferd ‖ (Haar)fransen
popelig → geizig ‖ → kläglich
popeln: *(ugs.):* in der Nase bohren/stochern; *reg.:* pulen, polken
Popo → Gesäß
populär: (allgemein) verständlich, (leicht) verstehbar/fassbar/fasslich, eingängig ‖ volkstümlich, -verbunden, jedermann geläufig, namhaft, (weithin) bekannt, berühmt, begehrt, im/beim Volk beliebt, geschätzt, geachtet, -feiert, en vogue, angesehen, -betet, vergöttert, viel genannt, in aller Munde ‖ willkommen (Maßnahmen), gewünscht, gern gesehen, genehm
popularisieren: verbreiten, propagieren, in Umlauf setzen, unter die Leute bringen, populär/bekannt machen ‖ → vereinfachen
Population: Tier-, Art-, Individuenbestand ‖ → Bevölkerung
pornografisch → anstößig
pornographisch → pornografisch
porös: durchlässig, -löchert, löcherig, undicht, leck
Porree: Lauch
Portal: Tor, Pforte, Eingangstor
Portemonnaie → Portmonee
Portier: Pförtner
Portion: Ration, (An)teil, Stück, Quantum, Zuteilung; *ugs.:* Brocken, Fuhre ‖ **halbe P.** → Zwerg
Portmonee: Geldbörse, -beutel, -tasche, Brieftasche, Beutel, Börse; *ugs.:* Portjuchhe
Porto: Postgebühr
portofrei: freigemacht, franko
Porträt: Abbild, Bildnis, Brustbild, Konterfei
Pose: (Körper)haltung, Stellung, Position, Positur, Attitüde
Position: (An)stellung, Stelle, Posten, Amt, Funktion, Wirkungsbereich, Betätigungsfeld ‖ (Stand)ort, Lage, Platz, Rang ‖ → Standpunkt ‖ Einzelposten, Betrag, Summe
positiv: bejahend, zustimmend, beifällig, anerkennend, affirmativ ‖ erfolgreich, -freulich, günstig, gut, vorteilhaft, aussichtsreich, Erfolg/viel versprechend, verheißungsvoll, voller Chancen/Möglichkeiten, mit Aussicht auf Erfolg, brauchbar ‖ → optimistisch
Positur → Pose
Posse: Lustspiel, Komödie, Schwank, Burleske, Farce, Possen-

spiel; *abwertend:* Klamotte ‖ *pl.:*
→ Scherz
possenhaft → spaßig
Possenreißer → Spaßvogel
possierlich: niedlich, putzig ‖ → spaßig
Post: Postamt, -stelle ‖ Postsendung,
-gut, Sendung, (Be)nachricht(igung),
Bescheid, Botschaft, Mitteilung,
Brief, (Post)karte
Postbote: Briefträger, -bote,
(Brief)zusteller; *reg.:* Zubringer
Posten → Position ‖ Warenmenge,
Stoß, Lieferung ‖ Wache, Wach(t)pos-
ten, Schildwache, Aufseher, Wächter, Torhüter; *ugs.:* Aufpasser ‖ **auf
dem P. sein** → gesund sein
Poster: Plakat, Wandfoto
postieren → aufstellen ‖ **sich p.** → s.
aufstellen
postulieren → fordern
postwendend → sofort
potent: zeugungsfähig, geschlechtsreif, fruchtbar, fortpflanzungsfähig ‖
mächtig, einflussreich, machtvoll,
wichtig, maß-, tonangebend, angesehen, Achtung gebietend ‖ vermögend, reich, finanz-, zahlungskräftig,
begütert, wohlhabend, bemittelt, gut
situiert; *ugs.:* betucht
Potentat → Herrscher
Potential → Potenzial
potentiell → potenziell
Potenz: Zeugungs-, Fortpflanzungs-
fähigkeit, Mannbarkeit, Manneskraft, Fruchtbarkeit, Geschlechtsreife ‖ → Potenzial
Potenzial: Leistung(sfähigkeit,
-svermögen), (Spann)kraft, Arbeitskraft, -vermögen, Kraftreserve, Reservoir, Potenz
potenziell → möglich
potenzieren: in die Potenz/ins Quadrat erheben (Mathematik) ‖ → steigern
Potpourri: Melodienstrauß, Medley
‖ bunte Mischung/Vielfalt, Kunter-

bunt, Allerlei, Durcheinander, Vielerlei, Gemisch, -menge, Konglomerat, Mixtur, Sammlung, Mosaik;
ugs.: Mischmasch, Sammelsurium,
Kuddelmuddel
poussieren → flirten ‖ eine feste/in-
time Freundschaft haben mit jmdm.,
befreundet sein mit; *ugs.:* gehen mit,
zusammen sein mit
Power: Schwung, Energie, Dynamik,
Kraft, Stärke, Leistung, Macht,
Durchsetzungsvermögen
powern: s. durchsetzen, durchboxen,
Macht zeigen, etw. leisten
Pracht → Prunk
Prachtexemplar → Prachtstück
prächtig: pracht-, prunk-, glanzvoll,
glänzend, fürstlich, königlich, majestätisch, herrschaftlich, brillant, illus-
ter, pomphaft, pompös, luxuriös,
prangend, prunkend, aufwendig,
bombastisch, kolossal, blendend,
strahlend, grandios, imposant, imponierend, üppig, repräsentativ, erhaben, unübertrefflich, -vergleich-
lich, stattlich, eindrucks-, wirkungsvoll, gewaltig, sondergleichen; *abwertend:* protzig, übertrieben; *ugs.:*
mit allen Schikanen, auf großem
Fuß, bombig, hinreißend, umwerfend, famos, ungeheuer ‖ → großartig ‖ → gehörig
Prachtkerl → Prachtstück
Prachtmensch → Prachtstück
Prachtstück: *(ugs.):* wertvolles/
prächtiges/sehr schönes Stück,
Glanz-, Kabinett-, Prunk-, Meister-,
Schaustück, Prachtexemplar, Glanzpunkt, -licht, Attraktion, Juwel,
Kleinod, Zier-, Schmuckstück,
Zierde ‖ liebenswerter/umgängli-
cher/anständiger Mensch, Prachtmensch, Schatz, Perle; *ugs.:* Prachtkerl, -weib; *reg.:* Pfundskerl
prachtvoll → prächtig
prädestiniert: geeignet, -schaffen,
fähig, befähigt, tauglich, qualifiziert,

berufen, -gabt, talentiert, ideal, genau richtig

Prädikat: Note, Beurteilung, -wertung, -notung, Zensur ‖ Auszeichnung, Titel, Prämierung

Präferenz: Vorrang, Vergünstigung, Vorzug

prägen: Münzen herstellen, stanzen, pressen ‖ formen, gestalten, Form/Gestalt/ein Gepräge geben/verleihen, beeinflussen, einwirken, eine Wirkung ausüben, zeichnen, den Stempel aufdrücken ‖ formulieren, in die Welt setzen, in eine Form bringen, Ausdruck verleihen, zum Ausdruck/auf den Begriff bringen

pragmatisch: sachlich, auf Tatsachen beruhend, den Erfahrungen entsprechend, anwendungs-, handlungs-, sachbezogen

prägnant: treffend, genau, (kurz und) bündig, lakonisch, lapidar, treffsicher, schlagend, klar, unmissverständlich, eindeutig, deutlich, präzis, komprimiert, in gedrängter Form; *ugs.:* klipp und klar

Prägnanz: Pointiertheit, Exaktheit, Genauigkeit, Eindringlichkeit, Einprägsamkeit ‖ → Sorgfalt

prahlen → angeben

Prahler → Angeber

Prahlerei → Angabe

prahlerisch: großsprecherisch, -spurig, hochtönend, -trabend, prahlsüchtig, angeberisch, aufschneiderisch, wichtigtuerisch, protzig, eingebildet, überheblich, von s. eingenommen, aufgeblasen, selbstgefällig; *ugs.:* aufgeplustert, großmäulig, -schnäuzig, -tuerisch, showy; *derb:* großkotzig

Prahlhans → Angeber

Praktik → Methode ‖ → Trick

praktikabel → praktisch

praktisch: auf die Wirklichkeit/Praxis bezogen, in der Wirklichkeit/Realität auftretend ‖ geschickt, begabt, anstellig, fingerfertig ‖ zweckmäßig,

-gemäß, -dienlich, -entsprechend, handlich, gut zu gebrauchen/handhaben, griffig, sinnvoll, vernünftig, verwend-, anwend-, brauchbar, nützlich, praktikabel, tauglich, geeignet ‖ so gut wie, in der Tat, in Wirklichkeit, tatsächlich, wirklich ‖ beinahe, nahezu, fast, buchstäblich, regelrecht, förmlich, nachgerade, geradezu

praktizieren: als Arzt arbeiten/tätig sein, eine (ärztliche) Praxis führen/betreiben, ordinieren, Sprechstunde halten, Patienten empfangen ‖ → handhaben

Praline: Praliné, Konfekt, Naschwerk, Süßigkeit; *öster., schweiz.:* Pralinee

prall → dick ‖ straff, stramm, eng ‖ (rand)voll; *ugs.:* proppenvoll

prallen: prallen gegen, anprallen, -schlagen, -stoßen ‖ → aufprallen ‖ → zusammenstoßen

Prämie: Versicherungsgebühr, -beitrag, -prämie ‖ Belohnung, (Sonder)vergütung, -zulage, Zuwendung, Gratifikation, Auszeichnung, Preis, Geld-, Leistungs-, Jahres-, Treueprämie, Geld(betrag)

prämi(i)eren: auszeichnen, belohnen, eine Auszeichnung/einen Orden verleihen, dekorieren, ehren, preiskrönen, würdigen

Prämisse: (Vor)bedingung, Voraussetzung

prangen → prunken

Pranke → Hand

Präparat → Medikament

präparieren: haltbar machen, konservieren (tote Körper), mumifizieren, (ein)balsamieren, ausstopfen ‖ zu Studienzwecken zerlegen/-schneiden, sezieren ‖ vorbereiten, fertig machen, (her)richten ‖ **sich p.:** s. vorbereiten, vorarbeiten, -sorgen, Vorkehrungen treffen, s. einstellen/-richten/-stimmen auf ‖ → lernen

präsent → anwesend ‖ → parat

Präsent: Geschenk, Gabe, Aufmerksamkeit, Zueignung; *ugs.:* Mitbringsel

präsentieren: (über)geben, -reichen, darreichen, dar-, anbieten, vorlegen, unterbreiten, offerieren, vorführen, -zeigen, bringen ‖ **sich p.:** s. zeigen, s. vorstellen, s. sehen lassen, s. bekannt machen, s. einführen, s. produzieren

Präservativ: Kondom, Verhütungsmittel, Gummischutz; *ugs.:* Pariser, Überzieher, Präser, Flopp; *schweiz.:* Verhüterli

Präsident: Staatsoberhaupt ‖ Vorsitzender (Versammlung), Leiter (Behörde)

präsidieren: vorsitzen, den Vorsitz haben ‖ → leiten

Präsidium: Vorsitz, Leitung, Führung, Präsident-, Führerschaft, Direktion ‖ Vorstand, leitendes Gremium

prasseln → regnen ‖ knistern (Feuer), zischen, lodern; *ugs.:* bullern

prassen: schwelgen, schlemmen, wie im Himmel/in Saus und Braus/verschwenderisch leben, aus dem Vollen schöpfen, leben wie ein Fürst; *ugs.:* im Fett schwimmen/sitzen, leben wie Gott in Frankreich ‖ → verschwenden

prätentiös → anmaßend

Pratze → Hand

Prävalenz: Überlegenheit, Superiorität, Dominanz, Prädomination, Übergewicht, -macht, Vorherrschaft, -rangstellung, -rangigkeit, Primat, führende Rolle

prävalieren → überwiegen

präventiv: vorsorgend ‖ → prophylaktisch

Praxis: (Berufs)ausübung, -erfahrung, Kenntnis, Vertrautheit, Routine, berufliche Tätigkeit ‖ Wirklichkeit, Realität, Leben, Fakten, Tatsachen ‖ → Praktik ‖ (Anwalts)büro, -kanzlei, Kontor ‖ Sprech-, Untersu-

chungszimmer, Behandlungsräume, Ordination, Sprechstunde; *öster.:* Ordinationszimmer

Präzedenzfall: Muster(fall), Schulbeispiel, -fall

präzis(e) → genau

präzisieren: verdeutlichen, konkretisieren, näher/genauer angeben/bestimmen / -zeichnen / ausdrücken, deutlich machen, erläutern, lokalisieren, eindeutiger beschreiben, eingrenzen (Sachverhalt)

Präzision → Sorgfalt

predigen: eine Predigt halten, von der Kanzel reden, das Wort Gottes verkünd(ig)en ‖ → ermahnen

Prediger → Geistlicher

Preis: Kauf-, Verkaufspreis, (Wert)betrag, (Geld-, Gegen-, Markt)wert, Preislage, Kosten(aufwand, -punkt), Summe, Kurs, Tarif ‖ (Haupt)gewinn, -treffer, das große Los, Siegespreis, Trophäe, Pokal, Cup, Prämie, Auszeichnung, Belohnung, Medaille ‖ → Lob

Preisanstieg: Preiserhöhung, -steigerung, (Ver)teuerung, Kostenexplosion, Preislawine, Lohn-, Preisspirale, (Preis)aufschlag

Preiselbeere: Kronsbeere; *volkst.:* Kran-, Riffelbeere

preisen: rühmen, ehren, feiern, hochhalten, in Ehren halten, ein Hoch ausbringen, hochleben lassen, verherrlichen, glorifizieren, → loben

Preiserhöhung → Preisanstieg

preisgeben → aufgeben ‖ → ausliefern ‖ → abfallen ‖ → ausplaudern ‖ **sich p.** → s. aussetzen

preisgekrönt → erfolgreich

Preisgericht: Jury, Juroren(komitee), Preis-, Schieds-, Punkt-, Kampfrichter, Unparteiische, Beurteilungsgremium, -ausschuss

preisgünstig → billig

Preislage → Preis

Preislied → Lobrede

Preisnachlass: Rabatt, Prozente, Nachlass, Skonto, Abrechnung, -zug, Ermäßigung, Verbilligung, -günstigung, Preisminderung, Diskont, (Preis)senkung, Herabsetzung, günstiges Angebot, Entgegenkommen; *schweiz.:* Abschlag

Preissenkung → Preisnachlass

Preissteigerung → Preisanstieg

Preisträger: (Haupt)gewinner, Sieger

Preistreiberei: Wucher, Geld-, Beutelschneiderei, Überteuerung, -vorteilung

preiswert → billig

prekär → heikel

prellen → betrügen ‖ **sich p.:** quetschen, (an)stoßen, anschlagen, s. verletzen

Prellerei → Betrug

Premiere: Erst-, Uraufführung

preschen → eilen

pressant → eilig

Presse: Frucht-, Obst-, Saftpresse, Entsafter, Entmoster; *ugs.:* Fruchtquetsche ‖ Druckmaschine, -presse ‖ Zeitung, Zeitungs-, Pressewesen; *ugs.:* Blätterwald ‖ Presseecho, Kritik, Beurteilung, -sprechung, Rezension

pressen: drücken, Druck ausüben, quetschen ‖ (zusammen)drücken, -drängen, -pferchen, (ein)zwängen, -schnüren, -klemmen ‖ → stopfen ‖ (her)ausdrücken, -pressen, ausquetschen, entsaften ‖ → zwingen ‖ **an sich p.** → umarmen

pressieren → eilen

Pression → Zwang

Pressuregroup: politische, parlamentarische Interessengemeinschaft, Initiative, Aktionsgruppe ‖ → Lobby

Prestige: Image, Ruf, Profil, Reputation, Gesicht ‖ → Ansehen

prickeln → sprudeln

prickelnd: perlend, sprudelnd, moussierend ‖ → spannend

Priester → Geistlicher

prima → großartig

Primaballerina: Solotänzerin, erste/beste Tänzerin

primär: ursprünglich, original, originär, eigentlich, von Haus aus, in erster Linie, vor allem, zuvörderst, als Wichtigstes, vorab, wesentlich, ursächlich, zuerst

Primat → Vorrang

primitiv → einfach ‖ → notdürftig ‖ → unwissend ‖ → gewöhnlich

Primus: Klassenbester, -erster

Prinzip: Grundsatz, (feste) Regel, Maxime, Richtlinie, -schnur, Maßstab, Leitlinie, Lebensregel, Motto, moralisches Gebot ‖ Grundlage, System, Arbeitsweise, Methode, Verfahren(sweise)

prinzipiell → grundlegend

Prinzipienreiter → Pedant

Priorität → Primat ‖ → Vorrecht

Prise → Gran ‖ gekapertes/aufgebrachtes Handelsschiff ‖ **eine P.** → etwas

privat: (höchst)persönlich, (ur)eigen, einem selbst zugehörig, individuell ‖ häuslich, familiär, vertraut, heimisch ‖ daheim, zu Hause, im Privatleben, außerdienstlich; *ugs.:* in seinen vier Wänden, am häuslichen Herd ‖ vertraulich, im Vertrauen, privatim, intern, unter vier Augen/dem Siegel der Verschwiegenheit, von Mann zu Mann ‖ nicht öffentlich/staatlich

Privileg → Vorrecht

privilegiert: bevorzugt, -vorrechtet, Vorrechte genießend, mit Privilegien ausgestattet, in einer Sonderstellung

pro → für ‖ → je

probat → erprobt

Probe: (Vor)übung, Versuch, Experiment, Ausprobieren; *ugs.:* Versuchsballon ‖ (Über)prüfung, Kontrolle, Test, Stichprobe, Belastungs-, Macht-, Kraftprobe; *ugs.:* Probe aufs Exempel ‖ Beweis, Erweis, Nachweis, Exempel, Bestätigung ‖ Mus-

terstück, Waren-, Kostprobe, Versuchsstück, Versuchs-, Testexemplar
proben: zur Probe aufführen, üben, einüben, -studieren, vorbereiten, lernen, durchproben, (aus-, durch)probieren, (s.) versuchen, einen Versuch machen/anstellen ‖ → prüfen
probeweise: zur/auf Probe, als Versuch, versuchsweise, vorläufig, provisorisch, unter Vorbehalt, vorübergehend
Probezeit: Bewährung(sfrist), Prüfungszeit, Anstellung auf Probe/unter Vorbehalt
probieren → proben ‖ (ver)kosten, eine Kostprobe nehmen, (ab)-schmecken, begutachten, -urteilen, sein Urteil abgeben, ausprobieren; *öster.:* gustieren ‖ testen, versuchen, (nach-, über)prüfen, untersuchen, erproben, einen Versuch starten, ein Experiment durchführen, kontrollieren, die Probe (aufs Exempel) machen; *ugs.:* herumdoktern, einen Versuchsballon steigen lassen/loslassen
Problem → Schwierigkeit
Problematik → Schwierigkeit
problematisch → heikel ‖ → schwierig ‖ → zweifelhaft
problemlos → leicht
Produkt: Erzeugnis, Ware, Fabrikat, Artikel, Ergebnis, Schöpfung, Hervorbringung, Gegenstand, Werk, Gebilde, Frucht, Resultat; *abwertend:* Ausgeburt ‖ → Ergebnis
Produktion: Herstellung, Fertigung ‖ → Fabrikation
produktiv → fruchtbar ‖ → schöpferisch ‖ → fleißig
Produzent → Fabrikant
produzieren → anfertigen ‖ **sich p.:** s. zeigen, s. präsentieren, s. sehen lassen, s. auffällig verhalten/benehmen, unangenehm in Erscheinung treten, s. herausstellen, eine Rolle spielen wollen

profan: weltlich, säkular, diesseitig, irdisch, nicht sakral, unheilig, -geweiht, nicht kirchlich ‖ → alltäglich
Profession → Beruf
professionell: berufs-, professionsmäßig, professioniert, beruflich; *ugs.:* als Profi
Profi: *(ugs.):* Berufssportler, Professional
Profil: Seitenansicht, -bild, -riss, Auf-, Um-, Schattenriss, Kontur, Silhouette ‖ Längs-, Querschnitt ‖ **P. gewinnen:** s. abzeichnen/-heben, abstechen, kontrastieren, sichtbar/erkennbar werden, s. zeigen ‖ → s. profilieren
profilieren, sich: (an) Profil/Ansehen/Kontur gewinnen, ein Gesicht bekommen, s. entwickeln, s. hervortun, Fortschritte machen, Anerkennung finden, s. einen Namen machen; *ugs.:* s. mausern, s. herausmachen
Profit → Gewinn
profitabel → rentabel
Profit bringend → einträglich
profitieren: für jmdn. einträglich/Gewinn bringend/rentabel sein/viel eintragen, etwas ausnutzen, gewinnen, verdienen, Nutznießer sein, Profit/Gewinn/Nutzen/Vorteil haben/erzielen/ziehen/schlagen aus, seinen Vorteil wahrnehmen; *ugs.:* einen Gewinn einstreichen/-heimsen, ein Geschäft/einen guten Schnitt machen, gut wegkommen, den Rahm abschöpfen, s. gesundstoßen, etwas herausholen/-schlagen/-schinden
pro forma: nicht wirklich/eigentlich, (nur) zum Schein, der Form halber/wegen, dem Namen/Schein nach
profund: gründlich, umfassend, tief, intensiv, grundlegend, eingehend, erschöpfend, detailliert, ausführlich, vollständig
Prognose: Vorher-, Voraussage, Vorausbestimmung

prognostizieren: vorhersagen, -erkennen, voraussagen, -bestimmen

Programm → Plan ‖ Manifest, Grundsatzerklärung ‖ Ablauf, (Sende-, Spiel-, Vortrags)folge, Spielplan, Repertoire, Darbietungen ‖ Tagesablauf, Einteilung ‖ Programmheft, -zettel, Theaterzettel, Übersicht, Liste, Verzeichnis ‖ Einsatzanweisung (Computer), Software

programmatisch: weg-, richtungweisend, richtunggebend, zielsetzend, vorbildlich

programmmäßig → planmäßig

Progress → Fortschritt

Progression → Zunahme

progressiv: fortschrittlich, avantgardistisch, kämpferisch, emanzipatorisch, zeitgemäß, modern, richtung-, wegweisend, zukunftsweisend, -orientiert, -gerichtet ‖ fortschreitend, s. (allmählich) steigernd, s. entwickelnd

Projekt → Plan

projektieren → planen

Projektor: Projektionsgerät, -apparat, Bildwerfer, (Film)vorführgerät

projizieren: wiedergeben, abbilden; *ugs.:* an die Wand werfen ‖ übertragen, zuschreiben, abzielen

Proletariat: Arbeiterklasse, die Arbeiter/arbeitende Klasse/Schicht, die Proletarier/Werktätigen, Arbeiterschaft, Industriearbeiter

Proletarier: Arbeiter, Lohnempfänger, -abhängiger, Werktätiger, Industriearbeiter

Prolog: Einleitung, -führung, Vorbemerkung, -rede, -spruch, -spiel, einführende/vorangestellte Worte, Introduktion

prolongieren → stunden

promenieren → spazieren gehen

prominent → berühmt

promovieren: den Doktortitel/-grad erwerben, die Doktorwürde erlangen, dissertieren, eine Dissertation/ Doktorarbeit schreiben; *ugs.:* den Doktor machen

prompt → sofort ‖ natürlich, wie zu erwarten, erwartungsgemäß, selbstverständlich

prononciert: deutlich ausgesprochen, scharf betont ‖ → nachdrücklich

Propaganda: Agitation, Indoktrination; *ugs.:* Stimmungsmache ‖ Demagogie ‖ → Werbung

propagieren → werben

proper → sauber

Propfen → Propf

Prophet: Weissager, Seher, Mahner, Deuter, Künder, Warner, Rufer, Prophezeier, Erleuchteter ‖ Wahrsager, Zeichendeuter, Hellseher

prophezeien: voraus-, vorher-, weissagen, hellsehen, wahrsagen, orakeln, Gedanken lesen/(er)raten, in die Zukunft sehen, die Zukunft deuten, etwas kommen sehen, (ab-, voraus-, vorher)sehen, (voraus)ahnen, bedeuten, ankündigen, offenbaren, verheißen, -künden ‖ **Negatives p.:** schwarzsehen, den Teufel an die Wand malen; *ugs.:* unken

Prophezeiung → Voraussage

prophylaktisch: vorbeugend, (krankheits)verhütend, -verhindernd, präventiv, schützend; *ugs.:* auf Verdacht

proportioniert: im gleichen Verhältnis, verhältnisgleich ‖ → ausgewogen

prosaisch: nüchtern, sachlich, trocken, fantasielos, ohne Fantasie, poesielos, amusisch, unpoetisch ‖ in Prosa

Prospekt: Werbeschrift, -blatt, Preisliste, -verzeichnis, Katalog, Reklameschrift, Hand-, Werbezettel

prosperieren → gedeihen

prosten: zutrinken, -prosten, einen Trinkspruch/Toast/ein Hoch ausbringen, auf jmds. Wohl trinken/anstoßen, jmdn. hochleben lassen

prostituieren, sich: seinen Körper verkaufen, s. für Geld anbieten, als Prostituierte arbeiten, käuflich sein, Prostitution betreiben; *ugs.:* auf den Strich gehen, anschaffen (gehen), eine Hure sein, huren ‖ s. hergeben für, s. verkaufen, seine Haut zu Markte tragen, seine Würde verlieren, s. erniedrigen

Prostituierte: Dirne, Hure, Straßen-, Freudenmädchen, käufliches Mädchen, Callgirl, Hostess, Masseuse; *gehoben:* Gefallene, Hetäre, Metze; *veraltet:* Kokotte, Kurtisane; *scherzh.:* Gunstgewerblerin, Liebesdienerin; *ugs.:* Strichmädchen, -biene, leichtes Mädchen, Pferdchen, (Edel)nutte, Flittchen

Protagonist → Pionier ‖ → Hauptperson

protegieren → fördern ‖ → lancieren

Protektion → Förderung ‖ → Vetternwirtschaft

Protektor: Schützer ‖ → Mäzen

Protektorat → Hoheit

Protest: Einwand, -wendung, Beschwerde, Klage, Einwurf, Veto, Reklamation, Einspruch, Widerspruch, -stand, -rede, Gegenargument, -meinung, -stimme

protestieren: Protest/Einspruch erheben/einlegen, widersprechen, s. verwahren gegen, einen Einwand geltend machen, Veto einlegen, zurückweisen ‖ → aufbegehren

Protokollant: Schrift-, Protokollführer, Sekretär; *schweiz.:* Aktuar

protokollieren: in einem Protokoll festhalten, zu Protokoll nehmen, ein Protokoll schreiben/aufnehmen, mit-, nachschreiben, notieren, Buch führen, aufzeichnen, Notizen machen

Prototyp: Inbegriff, Verkörperung, Muster(fall), Ausbund, Inkarnation, Ur-, Inbild

Protz → Angeber

protzen → angeben

Protzerei → Angabe

protzig → prahlerisch

Proviant: Wegzehrung, Reiseproviant, (Marsch)verpflegung, Mundvorrat, eiserne Ration; *ugs.:* Futter

Provinz: Land(esteil), Verwaltungsgebiet ‖ Hinterland, ländliches Gebiet ‖ **aus der P.:** vom Dorf/Land

provinziell: rückständig, kleinstädtisch, dörflich, ländlich, unterentwickelt, zurückgeblieben, spießig ‖ hinterwäldlerisch, muffig, kleinkariert; *ugs.:* hinterm Mond, von gestern ‖ → engstirnig

Provision: (prozentuale) Beteiligung, Vergütung, Gewinnbeteiligung, Prozente ‖ Vermittlungs-, Maklergebühr

provisorisch: vorläufig, behelfsmäßig, zur Not, vorübergehend, mangelhaft, unzureichend, schlecht und recht, als Aushilfe, zeitweilig, primitiv, ungenügend, kümmerlich, unzulänglich; *ugs.:* auf die Schnelle ‖ → probeweise ‖ → einstweilen

Provokation: Herausforderung, Affront, (Auf)reizung, Kampfansage, Brüskierung, Kriegserklärung

provokativ: provokatorisch, provokant, provozierend, herausfordernd, aufreizend, → aggressiv

provokatorisch → provokativ

provozieren → reizen ‖ → hervorrufen

provozierend → provokativ

Prozedur: Behandlung, Verfahren, Manöver, Operation

Prozent: vom Hundert, v. H., Hundertstel, pro centum, p. c.; *öster.:* Perzent ‖ **Prozente** → Preisnachlass

Prozess: gerichtliche Auseinandersetzung/Untersuchung, (Gerichts)verfahren, -verhandlung, Rechtsstreit, (Rechts)verfahren, Strafprozess, Gerichtstermin; *ugs.:* Rechtshandel ‖ Entwicklung, (Her-, Fort)gang, (Ab-, Ver)lauf, Vorgang

prozessieren **496**

prozessieren: einen Prozess führen/
anstrengen, jmdm. einen Prozess machen, (An)klage erheben, eine Klage
anstrengen/anhängig machen, sein
Recht suchen, den Rechtsweg beschreiten, vor Gericht bringen/stel-
len, s. an das Gericht wenden, das
Gericht anrufen, (ver-, an-, ein)kla-
gen, jmdn. zur Rechenschaft ziehen,
Klage führen, jmdn. auf die Anklagebank bringen, beschuldigen; *ugs.:*
vors Gericht/vor den Kadi gehen,
jmdm. einen Prozess anhängen/an
den Hals hängen
prüde: zimperlich, (alt)jüngferlich,
verschämt, schamhaft, genierlich, zurückhaltend, züchtig, spröde, abweisend, unzugänglich, herb, kühl, tan-
tenhaft; *reg.:* gschamig, genant
prüfen: untersuchen, testen, kontrollieren, (er)proben, einer Prüfung un-
terziehen/-werfen, über-, durch-,
nachprüfen, begutachten, inspizieren, (nach)sehen, s. überzeugen wollen, visitieren, durchgehen, -sehen,
(ab)checken, etwas einer Revision
unterziehen, erkunden, einer Sache
auf den Grund gehen, feststellen, s.
vergewissern, recherchieren, nachforschen, -gehen, mustern, besichtigen, kritisch betrachten, sondieren;
ugs.: abklopfen, unter die Lupe nehmen, auf den Zahn fühlen, auf Herz
und Nieren prüfen ‖ Wissen/Fähig-
keiten feststellen, be-, abfragen, abhören, examinieren, auf die Probe
stellen; *ugs.:* in die Zange/ins Gebet
nehmen, auf den Busch klopfen ‖
→ erwägen ‖ → versuchen
Prüfstein: Bewährungs-, Feuerprobe,
Feuertaufe
Prüfung: Examen, Befragung, Probe,
Test ‖ → Kontrolle
Prügel: (Prügel)stock, Knüppel,
Knüttel; *reg.:* Stecken ‖ *pl.:* Schläge;
ugs.: Abreibung, Keile, Dresche,
Hiebe, Haue, Wichse, eine Tracht/

Portion Prügel, Senge, Kloppe, Zunder, Bimse
Prügelei → Schlägerei
Prügelknabe: Prügeljunge, schwar-
zes/räudiges Schaf, schwarzer Peter,
der Dumme, Zielscheibe, Schuldiger,
Schuldtragender, Sünden-, Prell-
bock, Lückenbüßer, Puffer; *ugs.:*
Blitzableiter; *öster.:* Watschenmann
prügeln → schlagen ‖ sich p. → s.
schlagen
Prunk: glanzvolle Ausstattung,
Pracht(entfaltung), Pomp, (Schau)
gepränge, Glanz, Herrlichkeit,
Schönheit, Luxus, Kostbarkeit, Staat,
Aufwand, Reichtum, Fülle, Üppigkeit, Überfluss, Gala, große Aufmachung; *ugs.:* Brimborium, Tamtam,
Putz
prunken: prangen, glänzen, strahlen,
leuchten, gleißen, funkeln, glitzern,
schillern, prächtig/prunkvoll sein,
Pracht/Prunk entfalten ‖ Aufwand
treiben, Eindruck machen; *ugs.:*
Staat machen, strotzen ‖ → brillieren
‖ → angeben
prunklos → einfach
Prunkstück → Prachtstück
prunkvoll → prächtig
prusten: schnauben, schnaufen, pusten, laut atmen, Luft ausstoßen ‖
→ lachen
Pseudonym: Deck-, Tarn-, Schein-,
Künstlername, angenommener/fal-
scher Name, Nom de plume, Nom de
guerre
Psyche: Seele(nleben), Innenleben,
-welt, das Innerste, Herz, Gemüt, Inneres, Gefühlsleben
psychedelisch: bewusstseinserwei-
ternd, euphorisch, tranceartig, in einen Rauschzustand versetzend ‖ in
Hippiemanier
Psychiater: Nerven-, Seelenarzt,
Facharzt für Gemütskrankheiten;
ugs.: Irren-, Seelenarzt, Klapsdoktor,
Seelenklempner

psychisch: seelisch, emotional, gefühlsmäßig, die Seele/das Gemüt betreffend, auf die Psyche bezogen, nervlich

Psychologe: (Psycho)therapeut, -analytiker ‖ Menschenkenner

Psychopath → Irrer

psychopathisch → nervenkrank

Pubertät: Geschlechtsreife, → Reifezeit

Publicity: Publizität, (allgemeine) Bekanntheit, Berühmtheit, Öffentlichkeit ‖ → Reklame

Public Relations: Werbung, öffentliche Meinungspflege, Öffentlichkeitsarbeit, Kontaktpflege, PR

publik → bekannt ‖ **p. werden** → s. herumsprechen ‖ **p. machen** → veröffentlichen

Publikation: Veröffentlichung, Abdruck, Druck(legung), Herausgabe, Neuerscheinung ‖ Druckwerk, -erzeugnis, Werk, Buch, Schrift, Arbeit

Publikum: Zuhörer(schaft), Auditorium, Zuschauer, Besucher, Teilnehmer, (Augen)zeugen, Beobachter, -trachter, Zaungäste, Schaulustige, Umstehende, Anwesende; *ugs.:* Gaffer ‖ **das breite P.** → Öffentlichkeit

Publikumserfolg → Hit

publizieren: veröffentlichen, herausgeben, -bringen, (ab)drucken, erscheinen lassen, verlegen, edieren, in Umlauf setzen/bringen, an die Öffentlichkeit bringen, verbreiten, -treiben, auf den Markt bringen, auflegen; *ugs.:* unter die Leute bringen

Publizist: Journalist, Zeitungsschreiber, Zeitungs-, Pressemann, Berichterstatter, Reporter, Korrespondent, Schriftsteller

pudern: ein-, bepudern, Puder auflegen ‖ mit Puder bestreuen, einstäuben; *öster.:* einstauben, -stuppen

Puff → Bordell ‖ Wäschepuff, -korb, -behälter ‖ → Stoß

puffen → stoßen

pulen → popeln

Pulk: Ansammlung, Haufen, Menge, Massell ‖ → Kolonne

Pulle: *(ugs.):* Flasche; *ugs.:* Buddel, Bottel

pulsen → pulsieren

pulsieren: pulsen, s. lebhaft regen, fließen, lebhaft strömen, wogen, s. ergießen, branden, fluten ‖ pochen, klopfen, hämmern; *reg.:* bumpern

Pult: Katheder, Kanzel

Pulver: Staub, Puder, Mehl; *öster.:* Stupp ‖ Schieß-, Schwarzpulver, Munition ‖ → Geld

pulverisieren → mahlen

Pummel → Fettwanst

pummelig → dick

pumpen: aus-, leer-, hoch-, heraufpumpen, befördern, ableiten ‖ → leihen

Punkt: (runder) Fleck(en), Tupfen, Sprenkel, Tüpfel, Tüpfchen ‖ Bewertungseinheit, -punkt, Pluspunkt ‖ Stelle, (Stand)ort, Platz, Ort; *ugs.:* Winkel, Ecke ‖ Abschnitt, -satz, Artikel, Passus, Passage, Paragraph, Teil ‖ Sache, Fall, Frage, Angelegenheit, (zu behandelnder) Gegenstand, Thema(tik), Problem(atik) ‖ → pünktlich ‖ **wunder P.** → Mangel ‖ **springender P.** → Hauptsache ‖ **kritischer P.** → Schwierigkeit ‖ **zu diesem P.** → diesbezüglich ‖ **einen P. machen** → beenden

punktgleich: remis, patt, unentschieden

pünktlich: auf die Minute/Sekunde, zum festgesetzten Zeitpunkt, zur richtigen/rechten/vereinbarten Zeit, ohne Verspätung, fristgerecht, -gemäß, fahrplanmäßig, (recht)zeitig, beizeiten, mit dem Glockenschlag, nicht zu früh und nicht zu spät, zurecht, wie vereinbart; *ugs.:* pünktlich wie ein Maurer; *öster., schweiz.:* zeitgerecht ‖ **p. um:** präzise, exakt, genau, akkurat, minuziös, zur angegebenen Zeit, Punkt, Punkt beim Glockenschlag; *reg.:* Glock; *ugs.:* Schlag, haargenau

punkto → hinsichtlich

Punktrichter → Schiedsrichter

punktuell: Punkt für Punkt, punktweise, im Einzelnen, einzeln, gesondert, -trennt

punktweise → punktuell

Puppenspiel: Puppen-, Marionetten-, Kasper(le)theater

pur: rein, unvermischt, -versetzt, -verfälscht, naturrein, echt, klar, ohne fremde Bestandteile, natürlich; *ugs.:* nicht gepanscht, waschecht, in Reinkultur

Püree: (Kartoffel)brei, Mus; *reg.:* Platsch, Kasch; *ugs.:* Pamp(s), Pampf, Klitsch; *öster.:* Koch; *schweiz.:* Stock

puritanisch: sittenstreng, sittlich, nach strengen Prinzipien, mit Strenge; *abwertend:* moralinsauer ‖ → einfach

Purzelbaum: *(ugs.):* Rolle (vorwärts), Überschlag; *reg.:* Purzelbock, -bank, Borzel-, Storzelbock

purzeln: (hin)fallen, zu Fall kommen, stürzen, ausgleiten, den Halt verlieren; *ugs.:* hinfliegen, -knallen, -plumpsen, -sausen

pusseln → herumbasteln

Puste → Atem ‖ **außer P.** → atemlos

Pustel → Pickel

pusten → blasen ‖ → keuchen

Pute(r) → Truthahn

Putsch: Staatsstreich, Umsturz, Verschwörung, Konterrevolution, Aufruhr, Aufstand, Meuterei, Erhebung

putzen → sauber machen ‖ **sich p.** → s. herausputzen

Putzfrau: Reinigungskraft, Rein(e)-mache-, Aufwarte-, Scheuer-, Stundenfrau, Raumpflegerin, Aufwärterin, Aufwartung, Hilfe; *reg.:* Zugehfrau, Zugeherin; *öster.:* Bedienerin, Bedienung; *abwertend:* Putzdrachen, Putzteufel

putzig → komisch ‖ → reizend

Putzlappen: Aufnehmer, (Auf)wischlumpen, Scheuerlumpen, Putzlumpen, Putztuch, Scheuertuch; *reg.:* Feudel; *öster.:* Putzfetzen, Aufreibfetzen

Putzsucht → Gefallsucht

putzsüchtig → eitel

Pyjama: Schlafanzug, Nachtgewand, Nachtanzug

Q

Quacksalber → Kurpfuscher
quäken → jammern
Qual: Schmerz(en), Leid(en), Pein, Höllenqual, -pein, Beschwerden, Seelenschmerz ‖ Marter, Tortur, Martyrium, Leidensweg, Strapaze, Folter, Plage, Hölle, Mühsal, Beschwernis; *ugs.:* Schinderei, Quälerei, Plackerei ‖ → Leid
quälen: Schmerz zufügen, grausam sein, Qual/Pein/Schmerz bereiten, martern, peinigen, weh tun, schlecht behandeln, böse/übel mitspielen, terrorisieren, traktieren, malträtieren, massakrieren, schinden, misshandeln, schikanieren, drangsalieren, plagen, das Leben zur Hölle machen, foltern, tyrannisieren, keine Ruhe geben, nicht in Ruhe lassen; *reg.:* kuranzen; *ugs.:* bearbeiten, fertig machen, zwiebeln, schurigeln, kujonieren, triezen, treten, piesacken, herumhacken auf, jmdm. das Leben sauer/schwer/die Hölle heiß machen, einhacken auf, erledigen; *öster.:* sekkieren ‖ → bedrücken ‖ **sich q.** → s. anstrengen ‖ → leiden
quälend → qualvoll
Quälerei → Qual ‖ → Misshandlung
Quälgeist → Störenfried
Qualifikation: Eignung, Fähigkeit, Befähigung, Gabe, Begabung, Talent, Vermögen, Können, Voraussetzung, Anlage; *ugs.:* das Zeug dazu ‖ (Teilnahme)berechtigung (Sport), Qualifizierung
qualifizieren: befähigen, fähig/geeignet machen, ausbilden, schulen ‖ **sich q.:** s. als geeignet/fähig/talentiert/begabt erweisen, eine (geforderte/notwendige) Leistung vorweisen/erbringen, s. (fort-, weiter)bilden, s. mehr Bildung aneignen, s. bewähren, Erfahrung gewinnen
qualifiziert → gebildet ‖ → fachmännisch
Qualität: Beschaffenheit, Brauchbarkeit, Güte(klasse), Zustand, Wert(beständigkeit), Niveau ‖ *pl.:* (gute) Eigenschaften, Anlagen, Vorzüge, Stärken, Fähigkeiten, Talente, Begabung, -fähigung ‖ **von bester Q.** → auserlesen
quallig → schleimig
Qualm: Rauch, (Rauch)schwaden, Dampf, Dunst, Trübung, Rauchfahne, -wolken; *reg.:* Schmauch, Schmok; *ugs.:* Hecht, blauer Dunst
qualmen → rauchen
qualmig → rauchig
qualvoll: quälend, quälerisch, marternd, martervoll, peinigend, bohrend, stechend, nagend, zehrend, schmerzvoll, -haft, -lich ‖ bitter(lich), leidvoll, dornenvoll, -reich, dornig, schlimm, beklagens-, bejammernswert, voll(er) Leid/Qualen, grausam, herzzerreißend, schwer
Quantität: (An)zahl, Menge, Masse, Quantum, Vielzahl, -heit, Mehrzahl, Fülle; *ugs.:* Haufen, Schwung, Berg, Ladung, Batzen
Quark: Weißkäse; *reg.:* weißer Käse, Topfen ‖ → Unsinn
Quartal: Vierteljahr, drei Monate, Trimester
Quartier → Unterkunft ‖ → Wohnung ‖ Ortsteil, Stadtteil, -bezirk, (Stadt)viertel
quasi → gewissermaßen
Quasselkopf → Schwätzer
quasseln → schwatzen

Quasselstrippe → Schwätzer
Quaste: Troddel, Bommel, Klunker, Puschel; *ugs.:* Bummel; *reg.:* Püschel
Quatsch → Unsinn
quatschen: labern, plaudern, klönen, austauschen ‖ dummes Zeug reden ‖ ausplaudern, verraten ‖ nach Nässe klingen, klatschen
Quatschkopf → Schwätzer
quecksilbrig → lebhaft
Quelle: Quell, Brunnen; *dicht.:* Born, Bronn(en), Brunn ‖ → Ursprung ‖ Bezugsquelle, Kaufgelegenheit, Einkaufsmöglichkeit; *ugs.:* Fundgrube ‖ Informationsquelle, Informant ‖ Original, Urfassung, -schrift, Grundtext, Vorlage, Sekundärliteratur
quellen: aufquellen, -gehen, -treiben, (an-, auf)schwellen, dick/größer werden, s. verdicken/-größern, an Ausdehnung/Größe gewinnen, s. ausdehnen, s. vollsaugen ‖ herausquellen, (heraus)strömen, -fließen, s. ergießen, herausdringen, -kommen, -treten, s. verbreiten
Quellenangabe → Literaturnachweis
quengeln → nörgeln ‖ → bitten ‖ → jammern
quer: der Quere/Breite nach, schräg, schief, überquer, -eck; *reg.:* (über)zwerch ‖ **kreuz und q.:** plan-, ziel-, richtungslos, ohne (festes) Ziel, aufs Geratewohl, unsystematisch, -methodisch, hin und her, desorientiert ‖ **q. durch:** (quer)feldein, mittendurch; *ugs.:* querbeet
Querelen: Gezänk, Meinungsverschiedenheiten, Unstimmigkeiten, Differenzen; *ugs.:* Hickhack
Querkopf → Trotzkopf
querköpfig → widerspenstig
querlegen, sich → aufbegehren
querschießen: *(ugs.):* ins Gehege/in die Quere kommen, stören, sabotieren, entgegenwirken, -arbeiten, Sand ins Getriebe streuen, hemmen, (be)hindern, s. entgegenstellen, hin-

derlich sein, beeinträchtigen; *ugs.:* in die Parade fahren, verquer kommen, durchkreuzen, dazwischenfunken
Querschnitt → Überblick
quertreiben → vereiteln
Querulant: Nörgler, Mäkler, Zankteufel, Widerspruchsgeist, Kritikaster, Beckmesser; *ugs.:* Krittler, Meckerer, Mecker-, Nörgelfritze, Quengler, Streithammel, Kampf-, Streithahn, Stänker(er); *reg.:* Raunzer, Streithansl, Krakeeler
quetschen: zerdrücken, -malmen, -matschen, -quetschen, pressen, kneten, walzen, zu Brei/Mus machen ‖ (zusammen)drängen, -drücken, -pressen, -pferchen, -schieben, -ziehen, (ein)schnüren, -zwängen, beengen, drängeln; *ugs.:* platt drücken, → stopfen ‖ (ein)klemmen, prellen, einkeilen
quick → lebhaft
quicklebendig → lebhaft
quietschen: quiek(s)en ‖ → lachen
quietschfidel: gut gelaunt, positiv eingestellt, optimistisch ‖ → lustig
quietschvergnügt → lustig
Quintessenz → Wesen ‖ → Ergebnis
quirilieren → singen
quirlen: (um-, ver-, durch-, zusammen)rühren, verquirlen; *öster.:* (ver)sprudeln, abtreiben ‖ wirbeln, strudeln, kreiseln, s. wirbelnd bewegen/drehen, rotieren; *reg.:* schwirren
quirlig → lebhaft ‖ → nervös
quittieren: bescheinigen, -glaubigen, schriftlich geben, (at)testieren, bestätigen, abzeichnen, Unterschrift geben, anerkennen, Quittung erteilen, gegenzeichnen ‖ **den Dienst q.** → kündigen
Quittung: Beleg, (Empfangs)bestätigung, -bescheinigung, Empfangs-, Einzahlungsschein, etwas Schriftliches ‖ → Folge
Quiz: Denkaufgabe, -spiel, Preisfrage, -aufgabe, -ausschreiben, Rät-

selspiel, Frage-und-Antwort-Spiel, **Quote:** (An)teil, Kontingent, Ratespiel (An)zahl, Menge, Rate

R

Rabatt: Skonto ‖ → Preisnachlass
Rabatz: Radau, Krach; *ugs.:* Ramba-Zamba ‖ → Lärm
Rabauke → Raufbold
rabiat → brutal ‖ → wütend
Rache: Revanche, Aufrechnung, Ausgleichung, Begleichung, Repressalie, Vendetta ‖ → Vergeltung
rächen: heimzahlen, ahnden, Rache nehmen/üben, Vergeltung üben, s. Genugtuung verschaffen, s. revanchieren, (gleiches mit gleichem) vergelten, mit gleicher Münze zahlen, abrechnen, fühlen/die Folgen tragen lassen, zu fühlen geben, zurückgeben, auf Rache sinnen, seine Rachgier stillen; *dicht.:* gelten; *reg.:* heimgeben; *ugs.:* es jmdm. besorgen, den Spieß umdrehen, einen Denkzettel verpassen, die Quittung erteilen, beim Kanthaken nehmen, ein Hühnchen rupfen ‖ **sich r.:** (unangenehme) Folgen nach s. ziehen, Konsequenzen haben, s. als falsch herausstellen, zurückfallen auf, s. kehren gegen, ein Nachspiel haben
Rachen: Rachenhöhle, Schlund; *ugs.:* Hals, Kehle, Gurgel; *med.:* Pharynx
Rachenputzer → Schnaps
Rackerei → Mühe
rackern → s. anstrengen
Radau → Lärm
Radaubruder → Störenfried
radebrechen: (nur) ein paar Worte/Brocken sprechen/können, kauderwelschen, verballhornen, eine Sprache schlecht/ungenügend/kaum beherrschen, s. fehlerhaft ausdrücken
radeln → Rad fahren
Rädelsführer: (An)führer, Anstifter, Hauptperson, -mann, Häuptling, Bandenführer, Bandenchef, Gangleader, Kopf, Initiator, Drahtzieher; *ugs.:* Räuberhauptmann, Leithammel, Boss, Chef
Räderwerk: Getriebe, Maschine(rie), Mechanismus, Apparat(ur)
Rad fahren: mit dem Fahrrad fahren; *ugs.:* radeln, strampeln; *schweiz.:* pedalen, Velo fahren ‖ → kriechen
Radfahrer: Biker, Radler ‖ Speichellecker
radieren: aus-, weg-, abradieren, mit einem Radiergummi entfernen, durch Radieren beseitigen/tilgen
Radiergummi: Radierer, Gummi; *öster.:* Radetzky; *ugs.:* Ratzefummel
radikal: bis zum Äußersten gehend, extrem(istisch), übersteigert, maßlos, scharf, kompromisslos ‖ → brutal ‖ → grundlegend ‖ → ganz ‖ → anarchistisch
radikalisieren: aufstacheln, -hetzen, -wiegeln, -putschen, -rühren, fanatisieren ‖ die Fronten verschärfen, einem Höhepunkt zutreiben, bis zum Äußersten treiben, zuspitzen, verschärfen, eskalieren, extreme Verhältnisse schaffen
Radio: (Rund-, Hör)funk, (Radio-, Rundfunk)sender, Rundfunkanstalt; *schweiz.:* Rundspruch ‖ (Rundfunk-, Radio)empfänger, Rundfunk-, Empfangsgerät, (Radio)apparat, Transistor; *ugs.:* Kasten, Heuler; *schweiz.:* Rundspruchgerät
Radius: Halbmesser, halber Durchmesser ‖ Reichweite, Aktionsradius, Spielraum, Horizont
raffen: habgierig/raffgierig sein, etwas gierig/schnell an s. reißen/neh-

men/ziehen, s. bereichern, Besitz/ Reichtümer anhäufen, s. bemächtigen, horten, zusammentragen, -raffen, -scharren, s. aneignen, packen; *ugs.:* s. unter den Nagel reißen, den Hals nicht voll kriegen, vom Stamme Nimm sein, einkassieren, -sacken, -heimsen, ergattern ‖ in Falten legen, hoch-, aufnehmen, (auf)schürzen

Raffinesse: Raffinement, Feinheit, (höchste) Verfeinerung, Finesse, erlesene(r) Geschmack/Beschaffenheit, (Aus)erlesenheit, Ausgesucht-, Ausgewähltheit ‖ Gerissen-, Gewitzt-, Gewieft-, Schlauheit, Pfiffig-, Findigkeit, Schläue ‖ → Trick ‖ *pl.:* Extras, Zubehör, Besonderheiten, luxuriöse/besondere Ausstattung; *ugs.:* Drum und Dran

raffiniert → schlau

Rage → Wut ‖ **in R. bringen** → aufregen

ragen: hoch-, auf-, über-, hinaus-, emporragen, s. erheben, aufsteigen, s. auftürmen/-bauen, hoch sein, überstehen, hervortreten, s. hervorheben; *gehoben:* aufstreben, s. gen Himmel strecken

Rahm: Sahne; *reg.:* Flott, Schmant, Schmetten; *öster.:* Obers; *schweiz.:* Nidel, Creme ‖ **R. abschöpfen** → absahnen

rahmen → einrahmen

Rahmen: (Ein)fassung, Rand, Einrahmung, Einfassleiste, Umgrenzung, -randung, -rahmung, Begrenzung ‖ Umgebung, Schauplatz, Milieu, Lebenskreis, (Atmo)sphäre, Bereich, Umkreis, -welt, Grenzen ‖ Fahrgestell, Chassis ‖ **aus dem R. fallen** → abweichen

Rain: Ackergrenze, Feldrain; *schweiz.:* Bord

räkeln, sich: s. flegeln, s. aalen, s. strecken, s. recken; *ugs.:* s. (hin)lümmeln, s. fläzen, alle viere von s. strecken

Rallye: (Auto)rennen, Sternfahrt, Automobilwettbewerb

Rambo → Raufbold

Rammelei → Gedränge

rammeln → stoßen ‖ → s. begatten

rammelvoll: rappelvoll ‖ → überfüllt

rammen → zusammenstoßen ‖ **r. in:** einrammen, schlagen/stoßen/treiben/hauen/klopfen in; *ugs.:* einhauen

Rampe: Verlade-, Laderampe, Verlade-, Ladebühne ‖ Auf-, Zufahrt, Auf-, Zugang ‖ Bühnenrand

Rampenlicht: Scheinwerfer(licht), Lichtstrahl, -kegel, Licht ‖ **im R. stehen:** die Aufmerksamkeit/das Interesse auf s. ziehen, in der Öffentlichkeit/im Mittelpunkt/Vordergrund stehen, s. (der Kritik) aussetzen, s. exponieren, hervortreten, herausragen, bekannt sein, gesehen werden

ramponieren → beschädigen

Ramsch: Tand(werk), Firlefanz, Flitter, Kitsch, Schund, Plunder, (wertloser) Kram, Zeug, Schleuder-, Ramsch-, Schundware, Ausschuss, Trödel, Bettel, Gerümpel, Abfall, Unrat, Müll, schlechte/minderwertige Ware, Altwaren, Ladenhüter; *ugs.:* Schrott, Mist, Dreck(szeug), Krempel, Klimbim, Krimskrams, Schnickschnack, Siebensachen, Tinnef, Gesums, Klumpatsch, Zimt, Zinnober; *reg.:* Geraffel, -lump, Klumpert, Kruscht; *öster.:* Kramuri, Graffelwerk; *derb:* Scheiße, Scheißdreck

Rancher → Farmer

Rand: Be-, Umgrenzung, Saum, Grenzstreifen, Peripherie, Bord, Abschluss, Kante, Einfassung, Ecke, Um-, Einrahmung, Ufer ‖ → Mund ‖ **am Rande:** beiläufig, nebenbei, -her, en passant, leichthin, wie zufällig, übrigens ‖ **außer R. und Band** → ausgelassen

randalieren: lärmen, Lärm/Spektakel machen, laut sein, brüllen, grölen, poltern, toben, johlen, gewalttätig sein; *ugs.:* Radau/Krach/Rabatz/Krawall machen, krawallen, spektakeln, krakeelen

Randalierer → Rowdy

Randbemerkung: Anmerkung, (Rand)vermerk, Zusatz, Glosse, Fußnote, -bemerkung, Notiz, Marginalie, Kommentar, Randnote, Erläuterung, -gänzung, Nachtrag

Ranft → Kanten ‖ Brotrinde, -kruste; *reg.:* Kürste

Rang: (berufliche/gesellschaftliche) Stellung, (Rang)stufe, Grad, Stand, Amt, Niveau, Klasse, Schicht, Qualität ‖ (große) Bedeutung, Besonderheit, (hohes) Ansehen, Renommee, Reputation, Prestige, Ruf, Einfluss, Autorität, Geltung, Bedeutsamkeit, Wichtigkeit, Gewicht, Relevanz, Belang, Wert, Größe, Tragweite, Format ‖ Platzierung, Platz, Stelle, Rangfolge, Position ‖ Rangstufe, (Gewinn)klasse, Kategorie ‖ Galerie, Balkon, Empore, Tribüne; *ugs.:* Olymp, Juchhe, Heuboden

Range: *(ugs.):* vorlautes/ungezogenes Kind, Wildfang, Krabbe, Frechdachs, Göre, (Lause)bengel, Schlingel, Lümmel; *ugs.:* Fratz, Strick, Racker, Rübe, Balg, Satansbraten, Blag, Rotznase, -löffel, freches Stück

rangeln: *(ugs.):* raufen, s. balgen, miteinander kämpfen, ringen, handgreiflich/-gemein werden

Rangfolge → Rangordnung ‖ → Reihenfolge

rangieren: einen (bestimmten) Rang/Platz/eine Stelle/Position einnehmen/innehaben, s. einordnen, platziert sein

Rangordnung: Rangfolge, Anordnung, Gliederung, Hierarchie, Stufenleiter, -folge, -ordnung, Klassifikation, Klassifizierung

Rangstufe → Rang

rank → dünn

Ränke → Intrige

ranken: auf-, emporranken, klettern, s. winden, s. schlingen, s. schlängeln, s. ringeln

Ränkespiel → Intrige

ranzen → s. begatten

Ranzen: Schultasche, -ranzen, -mappe; *reg.:* Tornister; *schweiz.:* Schulsack ‖ Bündel, Pack(en), Ränzel, Rucksack; *veraltet:* Felleisen ‖ → Bauch

ranzig: verdorben, schlecht (geworden), angegangen, ungenießbar, alt, nicht frisch/mehr gut; *ugs.:* gammelig, vergammelt, hinüber, einen Stich habend

rapid(e) → schnell

Rappel → Wutausbruch

rappelvoll → überfüllt

Rapport: Bericht(erstattung), dienstliche Meldung, Schilderung, Bescheid, Mitteilung, Benachrichtigung, Unterrichtung, Bericht zur Lage, Nachricht

rar → selten

rasant → schnell ‖ schnittig, rassig, sportlich, schneidig, flott, schwungvoll, schmissig, wendig, beweglich, zackig; *reg.:* resch

Rasanz → Geschwindigkeit

rasch → schnell

rascheln: rauschen, säuseln, knistern

rasen: (mit hoher Geschwindigkeit) fahren; *ugs.:* brausen, dampfen, einen (guten) Zahn drauf haben ‖ → laufen ‖ toben, schäumen, schnauben, wüten, wütend sein, heftig werden, s. aufregen, außer s. sein, aus der Fassung sein, wild werden, explodieren, nicht mehr Herr seiner Sinne sein, s. wie wild gebärden, wettern, zetern, berserkern; *ugs.:* rotieren, (über)kochen, vor Ärger platzen, den wilden Mann spielen, ausrasten

Rasen: Rasen-, Grün-, Grasfläche, Rasenplatz, Grasstück, -platz, Grün-

streifen, Wiese(nfläche), Rasen-,
Grasdecke, Wiesenstück ‖ Spielfeld,
-fläche, -platz, Sportfeld, -platz, Feld,
Platz
rasend → heftig
Raserei → Wut
rasieren: Barthaare/-wuchs entfernen, von Haaren befreien, (den Bart)
scheren/schaben, barbieren
Räson *veraltet:* Vernunft, Einsicht ‖
zur R. bringen: zur Vernunft bringen,
zurechtweisen, zur Ordnung rufen,
zur Besinnung bringen, maßregeln,
eine Lehre/Lektion erteilen; *ugs.:* zurechtstauchen ‖ **zur R. kommen:** etwas einsehen, zur besseren Einsicht
gelangen, Vernunft/Räson annehmen, vernünftig werden; *ugs.:* keine
Geschichten mehr machen
raspeln: zerkleinern, raffeln ‖ **Süßholz r.** → schmeicheln
Rasse: Unterart, Gattung, Spezies;
ugs.: Schlag, Sorte
rasseln: klirren, scheppern, klappern
‖ **mit dem Säbel r.:** (be)drohen, Drohungen ausstoßen, einschüchtern,
unter Druck setzen; *ugs.:* die Hölle
heiß machen, die Pistole auf die Brust
setzen, einheizen
Rassentrennung: Apartheid
rassig: von edler Zucht/Art/Rasse,
vollblütig, aus einem guten Stall ‖
→ rasant ‖ → leidenschaftlich
Rast → Pause ‖ **R. machen** → rasten
rasten: pausieren, Rast halten/machen, eine (Ruhe)pause machen/einlegen/-schieben, Halt machen, ruhen, s. ausruhen, verschnaufen, s.
(nieder)setzen, Atem holen/schöpfen, innehalten, aussetzen, Station
machen, unterbrechen, still liegen, s.
Ruhe gönnen, s. (zur Ruhe) hinlegen,
lagern, s. entspannen, verweilen;
reg.: (s.) ausrasten, verschnaufen;
ugs.: (s.) verpusten
Raster: Muster, Schema, Schablone,
Vorlage

rastlos: unermüdlich, -ablässig, ohne
Rast/Ruhe, nimmermüde, emsig, eifrig, hektisch, ruhelos, (umher)getrieben, geschäftig, betriebsam; *ugs.:*
immer auf dem Sprung, ohne Sitzfleisch ‖ → unruhig
Rastlosigkeit → Unruhe
Raststätte: Rasthaus, Motel
Rat: Ratschlag, Empfehlung, Hinweis, Vorschlag, Tip, Beistand,
Hilfe(stellung), Fingerzeig, Wink ‖
Ratsversammlung, Körperschaft,
Gremium, Ausschuss, Komitee,
Kommission, Beirat, Kuratorium,
Kollegium
Rate: (An)zahl, Menge, Quote, Kontingent, (An)teil ‖ Teilzahlung, -betrag, An-, Ab(schlags)zahlung, Abschlag, Ratenzahlung
raten: einen Rat/Ratschläge geben/
erteilen, an-, be-, zuraten, nahe legen,
(an)empfehlen, zureden, einschärfen,
ermahnen, ans Herz legen, vorschlagen, einen Vorschlag machen, jmdm.
mit Rat (und Tat) beistehen, bestärken, ermuntern, befürworten ‖ erraten, herausfinden, -bekommen,
-bringen, enträtseln, (auf)lösen; *ugs.:*
dahinterkommen, herauskriegen,
knacken
Ratgeber: Berater, Mentor, Tutor,
Anleiter, Helfer, Beistand, Lehrer ‖
Wegweiser, Leitfaden, Lehr-, Handbuch, Vademekum, Führer, Guide,
Kompendium, Nachschlagewerk ‖
→ Anweisung
ratifizieren: bestätigen, -kräftigen, in
Kraft setzen, unterzeichnen, paraphieren, annehmen, anerkennen, genehmigen
Ratio → Vernunft, → Verstand
Ration: (An)teil, Portion, Stück,
Hälfte, Zuteilung, Quantum, Kontingent, Dosis, Maß, Menge
rational: vernunftmäßig, -gemäß, der
Vernunft entsprechend, mit dem Verstand ‖ denkend, vernünftig, über-

legt, sachlich, klar besonnen, analytisch

rationalisieren: dem Verstand/der Vernunft unterordnen, nur den Verstand sprechen lassen, nachträglich begründen ∥ → verdrängen ∥ vereinfachen, -einheitlichen, straffen, rationell organisieren, zweckmäßig/ökonomisch einteilen, technisieren, modernisieren, auf Maschinen umstellen, umstrukturieren, -organisieren

rationell: zweckmäßig, -gemäß, -dienlich, -entsprechend, sinnvoll, wirtschaftlich, sparsam, vernünftig, planvoll, (wohl)durchdacht, ökonomisch

rationieren: einteilen, -schränken, in Rationen zuteilen/-messen, abmessen, kontingentieren, dosieren

ratlos: hilflos, verwirrt, -zweifelt, hoffnungslos, in Nöten, ohne Ausweg, nicht weiter/nicht mehr aus noch ein/keinen Rat wissend, mit seiner Weisheit/seinem Latein am Ende; *ugs.:* aufgeschmissen, in der Klemme/Patsche/einer Sackgasse, festgefahren ∥ → unentschieden

ratsam: empfehlenswert, angezeigt, geraten, opportun, zweckmäßig, vernünftig, sinnvoll, klug, richtig, vorteilhaft

ratschen → s. unterhalten

Ratschlag → Rat

Rätsel: Geheimnis, Unerklärliches, -erforschliches, Mysterium, Dunkel ∥ (Rate)aufgabe, Denk(sport)aufgabe, Denkspiel, Quiz, Preisaufgabe, -frage, -rätsel, (Rätsel)frage, Preisausschreiben, Problem; *ugs.:* (Kopf)nuss

rätselhaft: unbegreiflich, -begreifbar, -erklärlich, -erklärbar, -verständlich, -fassbar, -erfindlich, -ergründlich, -erforschlich, ein Rätsel/Geheimnis, geheimnisvoll, abgründig, orakelhaft, pythisch, delphisch, sibyllinisch, dunkel, mysteriös, nebulös, undurchsichtig, -durchschaubar, -durchdringlich, -klar, vage, geheimnisumwittert, viel-, mehr-, zwei-, doppeldeutig, missverständlich; *ugs.:* schleierhaft

rätseln → denken

Ratte: *reg.:* Ratz

rattern: holpern, rumpeln, stoßen, lärmen, poltern, dröhnen, krachen; *reg.:* (s)tuckern

ratzen → schlafen

rau: nicht glatt, uneben, spröde, aufgesprungen, rissig, zerrissen, -klüftet, narbig, schrundig, stoppelig, borstig, schuppig, struppig, holprig, kraus; *reg.:* rubbelig ∥ scharf (Klima), ungesund, -angenehm, kalt, schneidend, beißend, streng, harsch, heftig, stürmisch, frisch ∥ raubeinig, unfreundlich, -wirsch, -gehobelt, -geschliffen, flegel-, rüpelhaft, rüpelig, rüde, ruppig, barsch, herrisch, schroff, brüsk, hart, drastisch, deftig, kernig, grob(schlächtig), ohne Gefühl/Takt; *ugs.:* (rau)borstig, raubauzig, bärbeißig, schnauzig, handfest, massiv ∥ → heiser

Raub: Diebstahl, Entwendung, widerrechtliche Aneignung, Plünderung, Erbeutung, Wegnahme, Raubzug, Einbruch, Eigentumsdelikt, -vergehen; *ugs.:* Dieberei ∥ Beute, Raub-, Diebesgut, Gestohlenes, Fang; *ugs.:* heiße Ware

rauben → stehlen

Räuber: Dieb, Ganove, Betrüger, Stehler, Einbrecher, Bandit, Plünderer, Straßenräuber, Strauchdieb, -ritter, Wegelagerer; *ugs.:* Langfinger

Raubzug: (Raub)überfall, Hand-, Gewaltstreich, Einfall, Plünderung, Beraubung, Beutezug

Rauch: Qualm, (Rauch)schwaden, Rauchwolke, -fahne; *reg.:* Schmok, Smog; *ugs.:* Hecht, blauer Dunst, dicke Luft, Schmauch

rauchen: Raucher sein, s. eine Zigarette/Zigarre/Pfeife anzünden; *ugs.:* qualmen, schmauchen, paffen, s. eine anstecken ‖ Rauch entwickeln/bilden/ausstoßen, schwelen, dampfen, räuchern, schwärzen, rußen; *reg.:* schmoken, schmöken ‖ → kiffen

räuchern: durch-, anräuchern, haltbar machen; *reg.:* selchen

Rauchfang: Schornstein, Kamin, Rauchabzug, Schlot, Esse

rauchig: verraucht, raucherfüllt, qualmig, trübe, stickig, beißend, ver-, eingenebelt; *ugs.:* verräuchert ‖ → heiser

Rauchschwaden → Rauch

Rauchwaren: Tabakwaren; *schweiz.:* Rauchzeug ‖ Pelzwaren, -werk, Pelze

Raufbold: Raufbruder, Rowdy, Grobian, Rohling, Schläger(typ), Schlagetot, Streitsüchtiger, Unruhestifter, Stänker, Hitzkopf, Hooligan, Rambo, Skin, Kampfhahn, Rabauke

raufen → s. schlagen

Raum: Zimmer, Stube, Kammer, Kabinett, Räumlichkeit, Lokalität, Wohn-, Innenraum; *gehoben:* Gemach, -lass; *ugs.:* Bude, Loch, Kabuff, Klause, Kemenate, Zelle ‖ Platz, Ort, Stelle, Unterbringungsmöglichkeit ‖ Spielraum, (Bewegungs)freiheit, Entwicklungsmöglichkeit, freie(s) Feld/Bahn, Auslauf, Weite, Unabhängigkeit; *ugs.:* Luft, Winkel, Ecke ‖ → Gebiet ‖ → All ‖ Wirkungsfeld, Wirkungskreis, (Be)reich, Sektor, Sphäre, Ressort, Sparte

räumen: um-, aus-, fort-, wegziehen, verlassen, die Wohnung wechseln/freimachen, aussiedeln, evakuieren ‖ um-, aus-, auf-, abräumen, (ent)leeren, ordnen, in Ordnung bringen, verlagern, -legen, herausnehmen; *ugs.:* leer machen, auskramen ‖ beseitigen, entfernen, weg-, forträumen, weg-, fortschaffen, weg-, fortbringen, bei-

seite/auf die Seite/aus dem Weg räumen/schaffen, abtransportieren; *ugs.:* wegpacken, -schleppen ‖ **aus dem Weg r.** → töten ‖ **das Feld r.** → weggehen

Raumfahrer: Astronaut, Kosmonaut, Weltraumfahrer; *schweiz.:* Lunaut

Raumgestaltung: Innenarchitektur, -dekoration, Raumausstattung, -kunst

Rauminhalt: Volumen, Fassungskraft, -vermögen

räumlich: örtlich, lokal, regional

Raumpflegerin → Putzfrau

Raumschiff: Raumfahrzeug, -kapsel, -sonde, Erdsatellit

raunen: flüstern, tuscheln, wispern, säuseln, fispern, hauchen, zischeln, murmeln, brummeln, gedämpft/leise reden

Rausch: (Be)trunkenheit, trunkener Zustand, Berauschtheit, Wein-, Bierseligkeit, Delirium; *öster.:* Alkoholisierung, Fetzen, Dulliäh; *ugs.:* Suff, Besoffenheit, Affe, Schwips; *reg.:* Dusel, Hieb ‖ (Begeisterungs-, Sinnes)taumel, Ekstase, Euphorie, Erregung(szustand), Verzückung, Wollust, Leidenschaft, Überschwang, Hochstimmung, Fieber, Feuer, Höhepunkt

rauschen: brausen, sausen, tosen, branden, brodeln, wispern, wispeln, rascheln

Rauschgift: Sucht-, Betäubungsmittel, Droge, Rausch-, Aufputschmittel; *ugs.:* Stuff, Stoff, Junk

räuspern, sich: hüsteln

rausschmeißen → entlassen

Razzia: Durchsuchung, Fahndung, polizeiliche Aushebung/Überrumpelungs-/Säuberungsaktion, polizeilicher Überraschungsangriff, (plötzliche) Haus-/Wohnungsdurchsuchung

reagieren: eine Reaktion/Wirkung zeigen, s. verhalten, ansprechen, eingehen, antworten, erwidern, begegnen, kontern, entgegnen, dagegenhalten, zurückgeben; *ugs.:* anspringen, zurückschlagen

Reaktion: Reagieren, Verhalten(sweise), Handlungsweise, (Gegen)wirkung, Rückwirkung, Gegenbewegung, Antwort, Beantwortung, Erwiderung, Entgegnung, Reflex, Gegenschlag, -stoß ‖ Fortschrittsfeindlichkeit, konservative Kräfte

reaktionär: fortschrittsfeindlich, den Fortschritt blockierend/behindernd, rückschrittlich, -ständig, restaurativ, rückwärts gewandt/gerichtet, vergangenheitsorientiert, postmodern, unzeitgemäß, rechts, konservativ, illiberal, schwarz, am Bestehenden/ Überlieferten festhaltend, auf dem Alten beharrend; *ugs.:* von gestern, hinterm Mond, verzopft, hinterwäldlerisch, stehen geblieben

real: gegenständlich, stofflich, dinglich, -haft, konkret, existent, sachlich, greif-, fassbar, materiell, seiend, substanziell, körperhaft, -lich, bestehend ‖ wirklich, tatsächlich, faktisch, effektiv, wahr, echt, unbestreitbar

realisierbar → durchführbar

realisieren → verwirklichen ‖ **sich r.** → eintreten

realistisch: der Wirklichkeit entsprechend, wirklichkeitsgetreu, -nah, wahrheitsgetreu, lebensnah ‖ nüchtern, sachlich, objektiv, ohne Illusion/Emotion, illusionslos, rational, verstandesmäßig, leidenschaftslos, klar, kühl, den Tatsachen ins Gesicht sehend; *ugs.:* mit beiden Beinen auf der Erde stehend

Realität: Wirklichkeit, tatsächliche Lage, Gegebenheit, Tatsache, Sachlage, -verhalt ‖ *pl.:* → Immobilien

Rebe: Weinrebe, -stock, Rebstock

Rebell: Aufrührer, Umstürzler, Empörer, Meuterer, Aufständischer, Insurgent ‖ → Dissident

rebellieren → aufbegehren

Rebellion → Aufstand

rebellisch: aufständisch, -rührerisch, -sässig, -begehrend, umstürzlerisch, subversiv, zersetzend, -störerisch, revoltierend

Rechen: Harke; *reg.:* Forke

recherchieren → nachforschen

rechnen: be-, er-, aus-, zusammenrechnen, zusammenzählen, eine Rechnung ausführen, eine Rechenaufgabe lösen, eine Zahl/ein Ergebnis ermitteln ‖ mit-, ein-, dazurechnen, (mit)zählen ‖ gehören, gerechnet werden, zugeordnet werden/sein ‖ haushalten, wirtschaften, sparsam sein/umgehen mit, sparen, bescheiden/sparsam leben, s. einschränken, maßhalten, das Geld einteilen/zusammenhalten, s. zurückhalten, auf den Pfennig sehen, Konsumverzicht leisten; *ugs.:* kurztreten ‖ **r. mit:** verlassen auf, vertrauen/setzen/ bauen auf, Vertrauen haben/entgegenbringen/schenken, sicher/überzeugt sein, nicht zweifeln, erwarten, einkalkulieren ‖ kommen sehen, ab-, voraussehen, s. einstellen auf, s. wappnen, s. gefasst machen, in seine Überlegungen/Pläne einbeziehen, s. etwas ausrechnen/an den zehn Fingern abzählen können, reflektieren/ spekulieren auf, s. vorbereiten auf, s. bereitmachen

Rechner → Computer

Rechnung: Rechen-, Zahlenaufgabe, Rechenexempel ‖ Berechnung, Kalkulation, Überschlag ‖ Kostenrechnung, -aufstellung ‖ (Geld)forderung, Belastung, Liquidation, Zeche ‖ **R. tragen** → berücksichtigen

recht: passend, geeignet, -geben, richtig, wie es sein soll/geschaffen, entsprechend, angebracht, -gemessen, ideal, in Ordnung, zutreffend, genau, stimmt, gut, billig, gerechtfertigt, ordnungsgemäß, rechtmäßig;

ugs.: goldrichtig ‖ ziemlich, ganz, sehr, relativ, verhältnismäßig, -gleichsweise, denkbar, besonders, höchst, äußerst, außerordentlich, -gewöhnlich, ausnehmend, ungemein ‖ **r. machen:** zufrieden stellen, entsprechen, Genüge tun/leisten, jmds. Erwartung/Verlangen erfüllen ‖ **r. sein:** behagen, passen, gefallen, zusagen, Geschmack abgewinnen, gelegen kommen, (an)genehm/sympathisch/lieb sein; *reg.:* schmecken

Recht: Anspruch, -recht, Berechtigung, -fugnis, Vollmacht, Ermächtigung, Autorisation, Erlaubnis, Genehmigung, Zustimmung, Freiheit, -brief ‖ Rechtsordnung, sittliche Norm, Gesetz(e), Rechtswesen, Rechtsprechung ‖ Rechtswissenschaft, -gelehrtheit, -gelehrsamkeit, Jurisprudenz, Jura, Gesetzeskunde, Rechtslehre, -kunde; *ugs.:* Juristerei; *öster.:* Jus ‖ **R. geben** → billigen ‖ **im R. sein:** Recht haben/behalten, s. nicht irren, nicht fehlgehen; *ugs.:* richtig liegen, ins Schwarze treffen, den Nagel auf den Kopf treffen

rechtfertigen: verteidigen, entschuldigen, (von einer Schuld) freisprechen/befreien, in Schutz nehmen, ein Recht verfechten, einen Verdacht entkräften/zerstreuen, s. einsetzen für, fürsprechen, den Fürsprecher machen, eine Sache verfechten, goldene Brücken bauen, etwas als berechtigt erscheinen lassen, rehabilitieren, plädieren für, die Unschuld beweisen, entlasten; *ugs.:* eine Lanze brechen für ‖ **sich r.:** Rechenschaft ablegen, Rede und Antwort stehen, s. verantworten/-teidigen, Gründe anführen, s. wehren; *ugs.:* s. seiner Haut wehren, s. reinwaschen

rechtgläubig: orthodox, strenggläubig, religiös, fromm, überzeugt, dogmatisch

Rechthaber → Besserwisser

rechthaberisch: besserwisserisch, streit-, händelsüchtig, zänkisch, → eigensinnig

rechtlich → rechtmäßig

rechtlos: entrechtet, ausgestoßen, -schlossen, schutzlos, vogelfrei, geächtet, verfemt, unfrei, unterdrückt, -jocht, versklavt, geknechtet, -knebelt, ohne Recht/Gesetz

rechtmäßig: nach Recht und Gesetz, dem Recht/Gesetz entsprechend, mit/zu Recht, juristisch, legal, legitim, gesetzlich, -mäßig, rechtlich, de jure, rechtskräftig, nicht gesetzwidrig, begründet, ordnungsgemäß, recht und billig, nach dem Gesetz/den Paragraphen, vorschriftsmäßig, von Rechts wegen, mit Fug und Recht, vorgeschrieben

rechts: an/auf der rechten Seite, zur Rechten, rechter Hand, rechtsseitig, rechterseits, steuerbord(s) (Schifffahrt); *scherzh.:* wo der Daumen links ist ‖ → reaktionär

Rechtsanwalt: Anwalt, Advokat, Sachwalter, Verteidiger, Rechtsbeistand, -berater, -vertreter; *schweiz.:* Fürsprech(er)

rechtschaffen: redlich, ehrlich, integer, brav, untadelig, solide, unbescholten, vertrauenswürdig, anständig, lauter, sauber, aufrecht, -richtig, wahrheitsliebend, ohne Falsch, tüchtig, patent, ordentlich, honorig, ehrenhaft, charakterfest, zuverlässig, verlässlich; *veraltet:* wacker ‖ → sehr

Rechtschreibung: Orthographie, richtige Schreibung/Schreibweise

Rechtsprechung: Gerichtsbarkeit, Jurisdiktion, Rechtspflege, -wesen, Judikatur, Justiz, Gerichtswesen

rechtsradikal: national, nationalistisch, neonazistisch; *ugs.:* fascho ‖ patriotisch

Rechtsspruch: Urteil, Urteils-, Richterspruch, Gerichtsentscheid(ung), Verdikt

rechtswidrig → gesetzwidrig
rechtzeitig: (früh)zeitig, früh genug, → pünktlich
recken, (sich): (s.) strecken/dehnen; *ugs.:* s. lang machen
recyclen: aufbereiten, wiederaufarbeiten, ökologisch verwerten, erneut als Rohstoff einsetzen
Rede: Ansprache, Vortrag, Referat, Rezitation; *schweiz.:* Anrede; *ugs.:* Predigt, Speech ‖ Reden/Sprechen, Sprechakt, Gespräch, Äußerungen, Worte, Unterredung, -haltung, Konversation, Dialog ‖ **die R. sein von:** s. handeln um, betreffen, anbelangen, zu tun haben mit, s. beziehen auf; *ugs.:* s. drehen um ‖ **nicht der R. wert (sein)** → unbedeutend (sein)
Redefluss: (Rede-, Wort)schwall, Tirade, Suade, Erguss; *ugs.:* Sermon
redegewandt: beredt, beredsam, zungenfertig, sprach-, wortgewandt, redegewaltig, eloquent, schlagfertig; *ugs.:* nicht auf den Mund gefallen
Redekunst: Rhetorik, Beredsamkeit, Sprechkunst, Redegabe, Rede-, Wortgewandtheit, Eloquenz, Rede-, Sprachgewalt, Sprachfähigkeit, Zungenfertigkeit, Rednergabe
reden: s. äußern, Ausdruck geben/verleihen, zum Ausdruck bringen, s. artikulieren, etwas von s. geben, verlauten/laut werden lassen; *ugs.:* daherreden, laut denken, den Mund aufmachen ‖ s. verbreiten/auslassen über, formulieren, vortragen, -bringen, seine Meinung kundtun, Stellung nehmen ‖ das Wort ergreifen, eine(n) Rede/Ansprache/Vortrag halten, etwas sagen, sprechen; *ugs.:* kein Blatt vor den Mund nehmen, wie ein Buch/ohne Punkt und Komma reden, eine Rede schwingen/vom Stapel lassen, labern ‖ → s. unterhalten ‖ → ausplaudern ‖ → s. anvertrauen ‖ **r. über** → klatschen über jmdn. ‖ **offen r.** → sprechen

Redensart → Redewendung ‖ → Phrase
Rederei → Gerede
Redeschwall → Redefluss
Redewendung: Formel, feststehender Ausdruck, feste Wendung / Formulierung / Wortfügung / -verbindung, Idiom, Redensart ‖ → Phrase
redigieren: durch-, be-, überarbeiten (Text), korrigieren, verbessern, feilen/schleifen an, sprachlich besser gestalten/in die endgültige Form bringen/abrunden, satzreif lesen; *ugs.:* den letzten Schliff geben
redlich → rechtschaffen
Redner: Vortragender, Vortrags-, Redekünstler, Referent, Sprecher ‖ Rhetoriker, Orator
redselig: redefreudig, -lustig, sehr gesprächig/mitteilsam, gerne redend/erzählend; *abwertend:* schwatzhaft, geschwätzig
reduzieren → vermindern ‖ → ermäßigen ‖ **sich r.** → s. verringern
Reduzierung → Kürzung
Reeder: Schiffsherr, -eigner
reell → ehrlich ‖ wirklich, echt, tatsächlich, real, greifbar, konkret ‖ → gediegen
Referat: Vortrag, Bericht, Rede, Kurzbesprechung
Referendum: Volksabstimmung, -entscheid, -beschluss, -befragung, -begehren, Plebiszit
Referent: Sachbearbeiter, Dezernent ‖ Redner, Vortragender, Sprecher, Berichterstatter
Referenzen: Empfehlung(sschreiben), Befähigungsnachweis, Fürsprache, gute Einführung, günstiges Zeugnis, positive/lobende Beurteilung
referieren: (zusammenfassend) berichten, ein Referat/einen Vortrag halten, etwas vortragen/darstellen/wiedergeben, schildern, Bericht erstatten/geben, eine Darstellung ge-

ben/liefern, darlegen, auseinander setzen, beschreiben

reflektieren: (wider)spiegeln, zurückwerfen, -strahlen, wiedergeben, projizieren ‖ → denken ‖ → abzielen auf

Reflex: Reflexion, Spiegelung, Rückstrahlung, Widerschein, Abglanz ‖ Reflexbewegung, Reaktion, (Rück)wirkung, Antwort, Effekt

Reform → Neuerung

reformieren → ändern

Refugium: Zuflucht(sort, -sstätte), Versteck, Schlupfwinkel, -loch, Unterschlupf, ruhiger/sicherer Hafen

Regal: Bücherregal, (Bücher)bord, (Bücher-, Waren)gestell, Wand-, Bücherbrett, Bücherwand, Stellage, Ablage, Fach; *reg.:* Etagere; *öster.:* Bücherkasten; *schweiz.:* Bücherschaft

Regatta: Bootsrennen, -wettkampf, -wettfahrt

rege → aktiv

Regel: Richtschnur, -linie, -maß, -satz, Vorschrift, Übereinkunft, Prinzip, Norm, Satzung, Statut, Regelung, Spiel-, Faustregel, Bestimmung, Reglement, Standard, Leitsatz, -linie, -schnur, Grundsatz, Maxime ‖ Gesetz, Gesetz-, Regelmäßigkeit, Regularität ‖ → Brauch ‖ → Menstruation ‖ **in der R.** → meist

regelmäßig: periodisch, immer wieder(kehrend), s. wiederholend, in bestimmter Folge, in gleichen Abständen/Intervallen, rhythmisch, zyklisch ‖ eben-, gleichmäßig, ausgewogen, (wohl)proportioniert, harmonisch, symmetrisch, wohl geformt/gestaltet/gegliedert ‖ gewöhnlich, gewohnt(ermaßen), alltäglich, üblich, normal ‖ ständig, dauernd, laufend, konstant, in steter Folge, gewohnheitsmäßig, immer zur selben Zeit, geordnet, -regelt, vorschriftsmäßig, wie vorgeschrieben, ordnungsgemäß

regeln: ordnen, in Ordnung bringen, geregelte/geordnete/klare Verhältnisse schaffen, erledigen, dirigieren ‖ (wieder) einrenken, bereinigen, beilegen, ins Lot/reine/rechte Gleis bringen, regulieren, ugs.: hinbiegen, geradebiegen, zurechtbiegen, ausbügeln, das Kind schon schaukeln, den Karren aus dem Dreck ziehen

regelrecht: ganz und gar, gänzlich, voll und ganz, vollkommen, völlig, vollständig, restlos, absolut, total, komplett, richtig, gründlich, von Grund auf, in vollem Maße, ausgesprochen, durch und durch; *ugs.:* rein ‖ buchstäblich, nachgerade, geradezu, förmlich, praktisch, direkt

regelwidrig: gegen die Regel (verstoßend), falsch, verkehrt, nicht richtig, ano(r)mal, abnorm(al), unnormal, normwidrig, unüblich, -gewöhnlich, -konventionell, abweichend, aus dem Rahmen fallend

regen: bewegen, rühren, die Lage/Stellung verändern ‖ **sich r.:** s. nicht ruhig halten, s. rühren, s. bewegen ‖ → arbeiten ‖ → aufkommen

regenerieren, (sich): (s.) erneue(r)n/verjüngen, nachwachsen, wiederbeleben, -herstellen, (s.) neu bilden ‖ s. erholen, aufleben, (wieder) zu Kräften kommen, ausspannen, Urlaub/Ferien machen, gesund werden, auf dem Wege der Besserung sein; *ugs.:* s. auf-/hochrappeln, auftanken, (wieder) auf die Beine/den Damm kommen, s. fangen

Regenschauer: Schauer, (Regen)guss, Wolkenbruch, Platz-, Sturzregen, Gewitterregen; *ugs.:* Dusche, Husche; *schweiz.:* Gutsch

Regent → Herrscher

Regentschaft → Herrschaft

Regenwurm: *ugs.:* Ringel-, Piel(e)wurm

Regie: Spielleitung, künstlerische Leitung, Inszenierung ‖ → Leitung

regieren → herrschen
Regierung: Staatsmacht, Kabinett ‖ → Herrschaft
Regiment → Herrschaft ‖ Heeres-, Truppenverband, -einheit ‖ → Leitung
Region: Gegend, Bereich, Landesteil, Umland, Vororte ‖ → Gebiet
regional: gebietsweise, örtlich, räumlich, lokal, begrenzt, strichweise ‖ mundartlich, landschaftlich
Regisseur: Spielleiter, künstlerischer Leiter, Inszenator
Register: Verzeichnis, Index; *EDV:* Datei
registrieren: erfassen, verzeichnen, -merken, festhalten, in ein Register/eine Kartei/Liste aufnehmen/eintragen, buchen, Buch führen, aufzeichnen ‖ → bemerken
Reglement → Regel
reglementieren: behördlich anordnen, durch Vorschriften regeln, bestimmen, verfügen, -ordnen, diktieren, eine Verfügung/-ordnung/ein Gesetz erlassen, eine Verfügung treffen, vorschreiben, festlegen, eine Auflage erteilen, streng organisieren, administrieren, einer Behörde unterstellen
reglos → regungslos
regnen: gießen, schauern, nieseln, tröpfeln, sprühen, der Himmel öffnet seine Schleusen, stark/in Strömen regnen; *ugs.:* schütten, pladdern, prasseln, trommeln/klatschen gegen, Bindfäden regnen, wie mit Kübeln/Eimern gießen, schiffen, duschen
regredieren → s. zurückbilden
regsam: aktiv, rührig, tätig, rege, tatkräftig, unternehmungslustig, munter, betriebsam, geschäftig, eifrig, emsig, fleißig, arbeitsam, beflissen, -weglich, unermüdlich, rastlos; *ugs.:* immer dabei
regulär: vorschriftsmäßig, -gemäß, ordnungs-, regelmäßig, nach Vorschrift/der Regel richtig, zutreffend, -lässig, üblich, normal, gebräuchlich, gewohnt, -wöhnlich, alltäglich, gängig
regulieren: begradigen, kanalisieren, einstellen, -richten ‖ → regeln
Regung: Gefühlsregung, -äußerung, -ausdruck, Empfindung, Gemütsbewegung, Anwandlung
regungslos: bewegungslos, unbewegt, -beweglich, reglos, erstarrt, starr, wie angewurzelt, wie aus/in Erz gegossen, leblos, ruhig, still, wie tot, ohne Bewegung
Reh: *f.:* (Reh)geiß, Ricke, Schmaltier; *m.:* (Reh)bock; *jung:* (Reh)kitz, Rehkalb
rehabilitieren: (ein Urteil) revidieren/korrigieren, die Ehre/den guten Ruf wiederherstellen, richtig stellen, rechtfertigen, jmdn. wieder in seine alten Rechte einsetzen, die Unschuld beweisen ‖ wieder in die Gesellschaft eingliedern
Reibekuchen → Kartoffelpuffer
reiben: scheuern, schaben, wetzen, abreiben, schrubben, fahren über, scharren; *öster.:* ribbeln; *reg.:* (ab)rubbeln ‖ zerkleinern, raspeln, hobeln; *reg.:* raffeln ‖ **sich r.** → s. streiten ‖ **blank r.:** polieren, auf Hochglanz bringen, Glanz geben, blank/glänzend putzen; *öster.:* polieren; *ugs.:* wienern, wichsen
Reibung → Streit ‖ Widerstand, Gegen-, Widerdruck
reibungslos: ohne Störung/Schwierigkeit/Hindernisse/Zwischenfall/Komplikationen, mühelos, ruhig, zügig, einwandfrei, glatt, gut, wie geölt/am Schnürchen, in Ruhe, ungehindert, -gestört; *ugs.:* wie geschmiert, ohne Pannen
reich: vermögend, wohlhabend, wohl/gut situiert, begütert, -mittelt, -sitzend, nicht arm, mit (Glücks)gütern gesegnet, finanzkräftig, -stark,

zahlungskräftig, potent; *ugs.:* stink-, steinreich, betucht; *öster.:* bestbemittelt, -situiert; *schweiz.:* behäbig, hablich, vermöglich ‖ ergiebig, -tragreich, fruchtbar, einträglich, üppig; *ugs.:* fett ‖ vielfältig, -förmig, opulent, ausgiebig, mannigfaltig, -fach, reichhaltig, reichlich, verschiedenartig, bunt, abwechslungsreich ‖ umfangreich, -fassend, groß, ansehnlich, beträchtlich, enorm, ausgedehnt, unerschöpflich, -ermesslich, universell ‖ → luxuriös ‖ **r. sein:** (viel) Geld haben/besitzen, begütert sein, gut stehen, keine Not leiden, aus dem Vollen schöpfen können; *ugs.:* mit einem silbernen Löffel im Mund geboren sein, Geld wie Heu haben, im Geld schwimmen, nach Geld stinken, das nötige Kleingeld haben, bei Geld/Kasse sein, Späne/Geld wie Mist/Dreck haben, im Fett/in der Wolle sitzen, im Geld wühlen, es (dicke) haben, ein Krösus sein

Reich: Staat(swesen), Land, Imperium ‖ → Gebiet

reichen: anbieten, hinhalten, -reichen, -strecken, entgegenstrecken, -halten ‖ → geben ‖ → auftischen ‖ → ausreichen ‖ → s. erstrecken

reichhaltig → reich

Reichhaltigkeit → Vielfalt

reichlich: in großer Menge, in reichem Maße, genügend, viel, eine Menge/Masse, in Hülle und Fülle/großer Zahl, mehr als genug, unzählig, -gezählt, -erschöpflich, nicht wenig, ein gerüttelt Maß, üppig, übergenug, -reichlich, verschwenderisch, zahllos, wie Sand am Meer, sattsam, gut (gemessen), zur Genüge, ausreichend, nicht zu knapp; *ugs.:* massenhaft, -weise, en masse, in rauhen Mengen, in Massen, haufen-, scharenweise ‖ → sehr

Reichtum: Vermögen, Besitz(tum), Wohlstand, Geld, Kapital, Güter,

Mittel, Schätze ‖ → Vielfalt ‖ → Überfluss

Reichweite: Aktionsradius, Ausbreitung, -dehnung, Umkreis ‖ Einflussgebiet, Einflusssphäre, Machtbereich ‖ **in R.** → nahe

reif: erntereif, ausgereift, saftig, genießbar ‖ erwachsen, aus-, herangewachsen, kein Kind mehr, aus den Kinderschuhen, groß-, volljährig, mündig, voll entwickelt, (im Wachstum) vollendet; *ugs.:* groß, flügge, fertig ‖ erfahren, gereift, -festigt, -formt, lebenskundig, -klug, abgeklärt, ausgeglichen ‖ durchdacht, ausgearbeitet, überlegt, hohen Ansprüchen genügend, genügend vorbereitet; *ugs.:* ausgefeilt, -getüftelt

Reif: Raureif, gefrorener Tau; *reg.:* Raufrost

reifen: reif/groß werden, heran-, ausreifen, zur vollen Entwicklung/Reife kommen/gelangen, heranwachsen ‖ s. entwickeln, s. entfalten, Gestalt annehmen, gedeihen, erwachen, erblühen, aufblühen, an Erfahrung gewinnen, den Kinderschuhen entwachsen; *ugs.:* s. mausern, s. machen

Reifen: (Rad)bereifung, Autoreifen

Reifeprüfung → Abitur

Reifezeit: Entwicklung, Entwicklungsjahre, -alter, -zeit, -periode, -phase, Wachstum, Jugend(jahre, -alter, -zeit), Pubertät, Adoleszenz, Reife-, Flegeljahre, Werden und Wachsen, Reife, Reifungsprozess

reiflich → ausführlich

Reihe: Linie, Kette, Riege, Spalier, Front ‖ Kolonne, Schlange; *ugs.:* Schwanz ‖ Serie, Zyklus, Folge ‖ → Menge ‖ **der R. nach** → nacheinander

Reihenfolge: (Ab-, Aufeinander)folge, Hinter-, Nacheinander, (Aneinander)reihung, Ablauf, Ordnung, Stufenleiter, Rangfolge, Programm, Sequenz

reihenweise → massenhaft
reihern → s. übergeben
reimen → dichten
rein → sauber ‖ unvermischt, -versetzt, -verfälscht, naturrein, pur, echt, klar, ohne fremde Bestandteile, natürlich; *ugs.:* in Reinkultur, nicht gepanscht, waschecht ‖ ohne Schuld/Sünde/Arg, frei von Schuld/Sünde, schuldlos, unschuldig, -verdorben, -berührt, -tadelig, keusch, lauter, anständig, makellos, einwandfrei ‖ geradezu, nachgerade, regelrecht, buchstäblich, förmlich, überhaupt, ganz (und gar), praktisch, schlechterdings, schlechthin, ausgesprochen ‖ vollständig, total, völlig, vollkommen, richtig, komplett, absolut, durch und durch, pur
Reinerlös → Gewinn
Reinfall → Fehlschlag ‖ → Enttäuschung
Reinheit: Sauber-, Reinlichkeit, Ordnung, Gepflegtheit ‖ Echt-, Unverfälscht-, Unverbrauchtheit, Natürlich-, Ursprünglichkeit ‖ Lauter-, Untadelig-, Vorbildlich-, Aufrichtig-, Unfehlbar-, Makellosigkeit ‖ Unschuld, Unberührt-, Unbefleckt-, Keuschheit, Jungfräulichkeit, Virginität
reinigen → sauber machen ‖ sich r.: s. waschen, s. säubern, s. abseifen, s. erfrischen, baden, duschen, s. (ab)brausen
reinlegen: täuschen, hinters Licht führen ‖ → betrügen
reinlich: adrett, ordentlich, sauber ‖ genau, gründlich, sorgfältig
Rein(e)machefrau → Putzfrau
reinstecken: sponsern, subventionieren, unterstützen ‖ → investieren
Reise: Fahrt, Trip, Tour, Ausflug, Abstecher, Exkursion, Streifzug, Weg; *ugs.:* Rutsch(er), Spritztour, -fahrt ‖ Rausch, Trip ‖ **auf der R.** → unterwegs ‖ → high

reisen: eine Reise machen, auf (der) Reise sein, auf Reisen gehen, durch-, ver-, umherreisen, s. begeben nach, ein Land bereisen, unterwegs sein, s. die Welt ansehen, von Ort zu Ort fahren/ziehen, fort-, weg-, abreisen, abfahren, aufbrechen; *ugs.:* eine Tour/einen Trip/Rutsch machen, die Tapeten wechseln, herumkommen
Reisender: Fahr-, Reisegast, Passagier, Insasse ‖ Urlauber, Tourist, Ausflügler ‖ (Handels-, Reise)vertreter, Geschäfts-, Handlungsreisender
reißen: einen Riss/Risse geben, auseinander gehen/brechen, entzweigehen, durch-, zerbrechen, zerbersten, -springen; *ugs.:* kaputtgehen, in die Brüche/aus dem Leim gehen ‖ zerren, heftig/mit Gewalt ziehen, (mit)schleppen ‖ → zerreißen ‖ → ausreißen ‖ → nehmen ‖ **sich r.** → aufreißen ‖ **sich r. um:** Wert legen auf, s. bemühen um, begehren, s. drängen nach, versessen/begierig sein auf, streben/trachten nach, zu erreichen suchen, besitzen wollen; *ugs.:* erpicht/hinterher sein, scharf/verrückt sein auf, s. die Finger lecken nach ‖ **jmdn. reißt es** → überraschen
reißend: wild, heftig, rasch, rege, ungestüm, vehement, stark, kräftig, gewaltig, rasend, rasant ‖ **r. weggehen:** *(ugs.):* begehrt sein, sehr gern gekauft werden; *ugs.:* weggehen wie warme Semmeln
Reißer: Renner, Verkaufs-, Kassenschlager, Straßenfeger ‖ → Hit
reißerisch: aufdringlich, -reizend, -fallend, schreiend, marktschreierisch, werbewirksam, reklamehaft, magnetisch, zug-, schlagkräftig, durchschlagend, verführerisch, -leitend, -lockend; *ugs.:* knallig, überzogen
Reißzwecke: Reißnagel, -(brett)stift, -brettzwecke, Zwecke; *reg.:* Wanze, Pinne

reiten: zu Pferde/im Sattel sitzen, galoppieren, traben, sprengen, Reitsport treiben

Reiz: Stimulus, Reizung, Kitzel ‖ Zauber, Charme, Anmut, Schönheit, Ausstrahlung, Flair, Air, Fluidum, persönliche Note, (Sex-)Appeal, Liebreiz, das gewisse Etwas, Attraktivität, Ausdruckskraft; *ugs.:* Pfiff ‖ Wirkung, Anreiz, Anziehung(skraft), Unwiderstehlichkeit, Magnetismus, Verlockung, -suchung, -führung, -zauberung, Betörung, Bann, Anfechtung

reizbar: leicht erregbar/zu ärgern, ungeduldig, heftig, hitzig, aufbrausend, unbeherrscht, hochgehend, cholerisch, jähzornig, hitzköpfig, explosiv, leicht die Fassung verlierend, nervös, überreizt, nervenschwach, überempfindlich, allergisch, schwierig, mimosenhaft, humorlos

reizen: (ver)ärgern, Unwillen hervorrufen, erzürnen, zornig/wütend/rasend machen, aufreizen, -bringen, in Zorn/Wut versetzen, aufziehen, necken, foppen, hänseln, sticheln, Spitzen austeilen, (heraus)fordern, provozieren, er-, aufregen, das Blut in Wallung bringen, ein rotes Tuch sein, den Kampf ansagen, den Fehdehandschuh hinwerfen; *ugs.:* zur Weißglut bringen/treiben, auf die Palme/in Rage bringen, aufstacheln, hochbringen ‖ ver-, bezaubern, (an-, ver)locken, faszinieren, interessieren, entzücken, -flammen, bestricken, -tören, blenden, umgarnen, anreizen, ködern, verführen, -suchen, in Versuchung führen, Aufmerksamkeit erregen, fesseln, beeindrucken; *ugs.:* anmachen, scharf/verrückt/den Mund wässrig machen, bezirzen, aufgeilen, packen ‖ eine(n) Wirkung/Einfluss ausüben (auf ein Organ), eine Veränderung hervorrufen, einwirken, angreifen, schädigen; *ugs.:* Gift sein

reizend: bezaubernd, reizvoll, entzückend, zauberhaft, hold, anmutig, apart, lieblich, allerliebst, niedlich, liebenswürdig, -wert, süß, goldig, herzig, warm, nett, voller Liebreiz, (s)charmant, freundlich, (wohl)gefällig, hinreißend, hübsch; *ugs.:* zum Fressen/Anbeißen, putzig ‖ → sympathisch

Reizker: Milchling

reizlos → langweilig

reizvoll → reizend ‖ → attraktiv

rekapitulieren → wiederholen

rekeln, sich: s. (behaglich) strecken/dehnen; *ugs.:* s. aalen, s. räkeln, alle viere von s. strecken

Reklamation: Beanstandung, -mängelung, Monitum, Beschwerde, Protest, Klage(n), Rüge; *reg.:* Anstand

Reklame → Werbung

reklamieren → beanstanden ‖ zurückfordern, -verlangen, für s. beanspruchen

rekonstruieren: wiederherstellen, nachbilden, -konstruieren, zurückverfolgen, genau wiedergeben, nachvollziehen, vergegenwärtigen, s. vor Augen führen

Rekonvaleszenz: Genesung, Heilung, Gesundung, Wiederherstellung, Besserung

Rekord: Höchst-, Spitzen-, Best-, Meister-, Gipfel-, Glanzleistung, Höchstwert, Spitzenklasse, Rekordzeit, -marke

rekrutieren → einziehen ‖ **sich r. aus** → s. zusammensetzen aus

rektal: anal, per rectum/anum

Rektor: Schul-, Universitätsleiter, Präsident, Magnifizenz; *ugs.:* Direx, der Alte

rekurrieren → s. berufen auf

Rekurs → Rückgang

Relation: Verhältnis, (Wechsel)beziehung, Verbindung, Bezug, Zusammenhang, Abhängigkeit, Verknüpfung, Konnex

relativ: verhältnismäßig, je nach Standpunkt, bezogen auf, vergleichsweise, im Vergleich zu, verglichen mit, gemessen an, gegenüber; *ugs.:* ziemlich ‖ bedingt, nicht absolut/unbedingt gültig, begrenzt, eingeschränkt, vorbehaltlich, mit Vorbehalt/Einschränkung

relativieren: (in seiner Gültigkeit) einschränken, abmindern, -schwächen, als bedingt ansehen, die Absolutheit absprechen

relevant: von Belang, in Frage kommend ‖ → wichtig

Relevanz → Bedeutung

Religion: Glaube(nsbekenntnis), Konfession, Bekenntnis, Ansicht, Glaubensrichtung, -lehre, religiöse Weltanschauung, Überzeugung, Frömmigkeit, Kirche

religionslos: glaubens-, gott-, konfessionslos, freidenkerisch, -geistig, atheistisch, unreligiös, -gläubig, ohne Glauben, vom Glauben abgefallen, gottesleugnerisch

religiös: fromm, gläubig, glaubensstark, gottergeben, -gefällig, gottesfürchtig, heilsgewiss, orthodox, kirchlich

Relikt: Überbleibsel, -rest, Rest, Rudiment, Spur, übrig Gebliebenes, Fragment, Bruchstück, Restbestand

Reling: Schiffsgeländer

Reminiszenz → Erinnerung

remis: unentschieden, punktgleich, patt

rempeln → stoßen

Rendezvous: Verabredung, Stelldichein, (Zusammen)treffen, Tête-à-tête, Begegnung, Meeting, Date

Rendite: Gewinn, Profit, (Zins)ertrag aus Kapitalanlage

renitent → widerspenstig

rennen → laufen ‖ **r. gegen:** s. stoßen, anrennen, -schlagen, rammen, prallen/prellen gegen, anecken ‖ **über den Haufen r.:** *(ugs.):* umwerfen, -laufen, -stoßen, zu Fall bringen; *ugs.:* um-, überrennen

Rennen: Wettkampf, -rennen, -fahrt, (Wett)lauf; *ugs.:* Jagd ‖ **das R. machen** → gewinnen

Renner → Hit

Renommee → Ansehen

renommieren → angeben

renommiert → berühmt ‖ → angesehen

renovieren: erneuern, aus-, verbessern, modernisieren, überholen, umbauen, restaurieren, wiederherstellen, instand setzen; *ugs.:* aufmöbeln, -polieren

rentabel: wirtschaftlich, ökonomisch, einträglich, lohnend, Gewinn/Profit bringend, lukrativ, s. rentierend, profitabel, ertragreich, vorteilhaft, reiche Früchte tragend, s. auszahlend; *ugs.:* fett, viel abwerfend

Rente: Pension, Ruhegehalt, -geld, Altersversorgung, -(ver)sicherung; *öster.:* Ruhegenuss

rentieren, sich → s. lohnen

Rentner: Rentenempfänger, Ruheständler, Rentier, Pensionär, Privatier, Privatmann; *veraltet:* Partikülier; *öster.:* Pensionist, Privater; *schweiz.:* Partikular

reparieren: ausbessern, einen Schaden beheben/-seitigen, eine Reparatur ausführen, (wieder) instand setzen/bringen, richten, in Ordnung bringen, wiederherstellen, -herrichten, (aus)flicken; *reg.:* richten; *ugs.:* ganz/heil machen

Repertoire: Vorrat, Bestand, Programm

repetieren → wiederholen

Replik: Nachbildung, Kunstkopie ‖ → Antwort

Reportage: (aktueller) Bericht, Report, Rapport, Aufzeichnung, Berichterstattung, Tatsachenbericht, Situations-, Lagebericht

Reporter → Journalist

Repräsentant → Bevollmächtigter ‖ → Abgeordneter

repräsentativ: repräsentabel, würdig, ansehnlich, stattlich, imposant, imponierend, wirkungs-, eindrucksvoll, etwas darstellend ‖ maßgeblich, -gebend, entscheidend, (ge)wichtig, wesentlich, relevant, bedeutsam, -stimmend, -herrschend, tonangebend, ausschlaggebend, federführend ‖ stellvertretend, in Vertretung, charakteristisch, typisch, kennzeichnend

repräsentieren: vertreten, Vertreter sein, an die Stelle treten, auftreten/ erscheinen für, verkörpern, stellvertretend tätig/anwesend sein ‖ vor-, darstellen, wert sein, einen Wert haben von, stehen für, bilden, ausmachen, ergeben, bedeuten ‖ in der Öffentlichkeit/mit Würde auftreten, Lebensart zeigen, glänzen, etwas darstellen; *ugs.:* etwas hermachen, eine gute Figur machen

Repressalie → Druckmittel ‖ → Vergeltung

repressionsfrei → antiautoritär

repressiv → autoritär

Reproduktion → Kopie

reproduzieren: eine Reproduktion herstellen, nachbilden, -schaffen, wiedergeben, abbilden; *ugs.:* abklatschen ‖ vervielfältigen, kopieren, hektographieren, abziehen, durchschlagen, nachdrucken

Reputation → Ansehen

Requiem → Totenmesse

Requisit → Zubehör ‖ → Ausrüstung

resch → knusprig

Reserve → Vorrat ‖ → Ersparnis ‖ Ersatzmannschaft, -leute, -truppe ‖ Zurückhaltung, Distanz(iertheit), Reserviertheit, Vorbehalt, Verhalten-, Verschlossenheit, Einsilbig-, Schweigsamkeit, Wortkargheit, Unnahbarkeit, Unzulänglichkeit

reservieren: zurück-, bereitlegen, aufheben, -bewahren, zurückstellen, verwahren, beiseite legen ‖ belegen, -setzen, freihalten, -lassen, offen halten/lassen, einen Platz sichern/sicherstellen, vorbestellen, -merken

reserviert: besetzt, -legt, nicht frei, vergeben, vorbestellt, -gemerkt ‖ zurückhaltend, verhalten, distanziert, verschlossen, unnahbar, -zugänglich, abweisend, zugeknöpft, kühl, unterkühlt, schweigsam, wortkarg, kontaktarm, introvertiert

Residenz: Hauptstadt, Regierungssitz, Metropole, Kapitale, Residenzstadt

residieren: hofhalten, seinen Regierungs-/Amtssitz haben ‖ → wohnen

Residuum → Rest

resignieren: s. (in sein Schicksal) fügen, den Dingen ihren Lauf lassen, seine Hoffnung begraben, die Hände sinken lassen/in den Schoß legen, verzagen, den Mut verlieren, entmutigt sein, verzichten, aufgeben, s. abfinden mit, kapitulieren, verloren geben, abschreiben, nicht mehr rechnen mit, einer Sache entsagen, zurückstecken, die Waffen strecken, passen, s. besiegen lassen, s. beugen, s. unterordnen, über s. ergehen/s. gefallen lassen; *ugs.:* die Segel streichen, schlucken, hinnehmen, das Handtuch schmeißen, die Flinte ins Korn werfen, klein beigeben, in die Knie gehen, den Kram/Laden hinschmeißen/hinhauen

resistent: widerstandsfähig, stabil, voll Widerstandskraft, zäh, immun, unempfindlich, -verwüstlich, langlebig, robust

resolut: entschlossen, -schieden, energisch, zielbewusst, -strebig, -sicher, tatkräftig, willensstark, zupackend, beherzt, unbeirrt, nachdrücklich, bestimmt, konsequent, forsch; *ugs.:* ohne viel Federlesens

Resolution: Beschluss, Entschließung, Ratschluss, (gemeinsame) Willenserklärung/-äußerung, Entschluss, Absichtserklärung

Resonanz: Mittönen, -schwingen, Nachhall, -klang, Widerhall, Echo, Rück-, Gegenhall, Rückschall ∥ → Anklang

resozialisieren: (wieder in die Gesellschaft) eingliedern, -ordnen, -fügen, -gewöhnen, -beziehen, angleichen, -passen, integrieren

Respekt → Ansehen ∥ → Autorität

respektabel → ansehnlich ∥ → angesehen

respektieren → achten ∥ → akzeptieren

respektive: beziehungsweise, oder, besser/anders gesagt, das heißt, (oder) vielmehr, mit anderen Worten

respektlos → abfällig

respektvoll → ehrfürchtig

Ressentiment: Abneigung, Antipathie, Aversion, Vorurteil, -eingenommenheit, Feindschaft, -seligkeit, Animosität, Unversöhnlichkeit, Hass, Groll

Ressort: Geschäfts-, Amts-, Arbeits-, Aufgabenbereich, Tätigkeitsfeld, Dezernat, Arbeitsgebiet ∥ → Fach

Rest: Überrest, -bleibsel, Rückstand, (Boden)satz, Neige, Spur, Relikt, Rudiment, Restbestand, -posten, -betrag, übrig Gebliebenes, Übriges, Residuum, Fragment, Bruchstück ∥ **den R. geben** → zerstören

Restaurant: Speiselokal ∥ → Gaststätte

restaurieren → renovieren ∥ **sich r.** → s. erholen

restlich: übrig bleibend, zurückbleibend, noch vorhanden, verbleibend, (übrig) geblieben, übrig (gelassen), überschüssig, -flüssig, -zählig, zuviel, unverwendet

restlos: gesamt, ohne Ausnahme, vollständig, komplett ∥ → ganz

Restriktion → Beschränkung

restriktiv: be-, einschränkend, einen-

gend, be-, eingrenzend, Schranken setzend, Grenzen ziehend/setzend

Resultat → Ergebnis

resultieren → stammen von ∥ → s. ergeben

Resümee: Zusammenfassung, -schau, Überblick, -sicht, Querschnitt, Auf-, Abriss, Kurzfassung, Inhaltsangabe, Extrakt, gekürzte Fassung/Ausgabe/Form, Auszug, Komprimierung, Quintessenz, Schlusswort ∥ → Ergebnis

resümieren → zusammenfassen

retardieren: verzögern, -langsamen, innehalten, hinaus-, aufschieben, hinziehen, auf-, hinhalten, hemmen

retirieren → s. zurückziehen

Retortenbaby: Laborbaby, Reagenzglas-, Kunstkind

retour: *(ugs.):* zurück, rückwärts, nach hinten, in umgekehrter Richtung

retrospektiv: (zu)rückblickend, -schauend, rückwärts sehend, nach rückwärts gerichtet, im Nachhinein, nachträglich, hinter-, nachher

Retrospektive → Rückblick

retten: erretten, Rettung bringen, aus einer Gefahr befreien, der Gefahr/dem Untergang entreißen, in Sicherheit bringen, vor Schaden/Verlust bewahren, erlösen, die Lösung bringen, Unheil verhindern, (heraus)helfen, bergen, Leben erhalten, Gefahr abwenden; *ugs.:* heraushauen, -holen, -reißen, aus der Patsche/Klemme/dem Dreck ziehen/helfen ∥ **sich r.:** der Gefahr entgehen, dem Tod entrinnen, am Leben bleiben, s. schützen, → fliehen; *ugs.:* durch-, davonkommen, den Kopf aus der Schlinge ziehen ∥ **sich nicht r. können vor:** überhäuft/überschüttet werden, zuviel/Überfluss haben, s. nicht zu helfen wissen; *ugs.:* in rauen Mengen haben, eingedeckt werden mit

Rettich: *reg.:* Rettig; *öster.:* Radi

Rettungswagen: Kranken-, Ambulanz-, Notarzt-, Sanitäts-, Unfall-, Rotkreuzwagen, Klinomobil, Rettungs-, Sanitäts-, Krankenauto; *veraltet:* Ambulanz; *öster.:* Rettung; *schweiz.:* Sanität

Reue: Reumütigkeit, Bedauern, Zerknirschung, -knirschtheit, Bußbereitschaft, -fertigkeit, Reuegefühl, -empfindung, Selbstanklage, -vorwurf, -verurteilung, -verdammung, schlechtes Gewissen, Gewissensbisse, Schuldgefühl, -bewusstsein, Ein-, Umkehr, Bekehrung, Besserung; *ugs.:* Gewissenswurm

reuen → bereuen

reuevoll → reumütig

reuig → reumütig

reumütig: Reue empfindend, reuevoll, reuig, seiner Schuld bewusst, schuldbewusst, beschämt, zerknirscht, bußfertig; *ugs.:* zerknittert, windelweich

Reumütigkeit → Reue

reüssieren → Erfolg haben

Revanche → Vergeltung

revanchieren, sich: erwidern, (be)lohnen, danken, eine Gegenleistung erbringen, wiedergutmachen, s. erkenntlich/dankbar zeigen/erweisen, ausgleichen; *ugs.:* wettmachen ‖ → rächen

Reverenz: (Hoch)achtung, Ehrerbietung, -furcht, Respekt, Verehrung, Wert-, Hochschätzung, Anerkennung, Bewunderung, Verbeugung ‖ **seine R. erweisen** → grüßen ‖ verbeugen

Revers: (Jacken-, Rock-, Mantel)aufschlag, Umschlag, Spiegel, Besatz ‖ Rück-, Wappenseite, Kehrseite (Münze)

revidieren → berichtigen, → widerrufen ‖ → kontrollieren

Revier: Polizeiwache, -dienststelle, -station, -revier, -büro, Wache; *öster.:* (Polizei)kommissariat, Gendarmerieposten ‖ Jagdrevier, -gebiet, Gehege ‖ → Gebiet

Revision → Kontrolle ‖ → Korrektur ‖ → Berufung

Revolte: Rebellion, Umsturz, Staatsstreich ‖ → Aufstand

revoltieren → aufbegehren ‖ an einer Revolte/Erhebung/Empörung/einem Aufruhr/Aufstand/Putsch teilnehmen

Revolution: Umsturz, -wälzung, -bruch, -schwung ‖ Bürgerkrieg, Massenerhebung, Freiheitskampf Innovation, Veränderung, Umbildung, -stellung, -wandlung, Erneuerung, Wandel, Fortschritt, Wende, Wandlung, Wechsel, Verbesserung, Neuorientierung, -ordnung, -regelung, -beginn, -belebung, Reform

revolutionär: umwälzend, einschneidend, bahnbrechend, Epoche machend, weg-, richtungweisend ‖ fortschrittlich, avantgardistisch, zukunftsweisend, -gerichtet, -orientiert, kämpferisch, progressiv

Revolver: Schuss-, Handfeuerwaffe, Pistole, Colt, Browning; *ugs.:* Kanone, Schießeisen, -prügel, Ballermann, Knarre

Revue: Bühnendarbietung, Show, Schau, Varieté; *ugs.:* Tingeltangel ‖ *veraltet:* Truppenschau ‖ **R. passieren lassen:** an sich/seinem geistigen Auge vorüberziehen lassen, s. etwas vorstellen, s. ins Bewusstsein rufen, s. vergegenwärtigen

rezensieren: (kritisch) besprechen/würdigen, eine Rezension/Besprechung/Kritik schreiben, kritisieren, beurteilen, -werten, schreiben über, s. auseinander setzen mit; *ugs.:* s. auslassen über; *abwertend:* auseinander nehmen

Rezension: kritische Nachlese, Beurteilung, Verriss ‖ → Kritik

Rezept: Arznei(mittel)verordnung, ärztliche Verordnung/Anweisung,

(Medikamenten)verschreibung ‖ Kochrezept, -anleitung, -anweisung, -vorschrift, Backrezept ‖ Möglichkeit, Methode, Trick, Mittel

Rezeption: Anmeldung, Empfang, Aufnahme, Anmelde-, Empfangsraum, -büro, -halle, -schalter

Rezession: Rückgang/Verminderung/Stagnation/Stockung (des wirtschaftlichen Wachstums), Konjunkturrückgang

rezipieren → aufnehmen

reziprok: wechselseitig, -weise, abwechselnd, im Wechsel, gegenseitig, aufeinander bezogen

rezitieren → vortragen

Rhetorik → Redekunst

rhythmisch → regelmäßig

richten: (zu-, vor)bereiten, zu-, herrichten, bereitlegen, -stellen; *ugs.:* zurechtmachen ‖ → aufräumen ‖ → anrichten ‖ → reparieren ‖ → bereinigen ‖ **r. über:** ein negatives Urteil abgeben/fällen, verurteilen, befinden über, kritisieren, negativ bewerten/ -gutachten/-urteilen ‖ **sich r.** → s. umbringen ‖ **sich r. nach** → befolgen ‖ **zugrunde r.** → ruinieren

Richterspruch → Urteil

richtig: fehlerlos, -frei, zutreffend, korrekt, wahr, vollkommen, tadellos, ohne Fehl, einwandfrei, untadelig, in Ordnung, perfekt, komplett, genau, vorschriftsmäßig, mustergültig; *ugs.:* tipptopp, astrein, okay ‖ wirklich, echt, wahrhaftig, wahrlich, fürwahr, weiß/bei Gott, in der Tat, tatsächlich ‖ geeignet, passend, gegeben, wie es sein soll/geschaffen, ideal, entsprechend, angemessen, zutreffend, günstig ‖ **r. sein** → stimmen

richtig gehend: genau, exakt, stimmend, präzise, akkurat, pünktlich

richtiggehend → geradezu

richtig stellen → berichtigen

Richtlinie → Regel

Richtschnur → Regel

Richtung: Fahrt-, Wegrichtung, Kurs, Verlauf, Route, Weg ‖ Strömung, Entwicklung, Trend, Tendenz, Schule, Lehre, Stil, Seite, Bewegung, Schattierung, Prägung

richtungweisend: richtunggebend, wegweisend, zielsetzend, programmatisch, vorbildlich ‖ maßgeblich, -gebend, entscheidend, ausschlaggebend, bestimmend, -herrschend, tonangebend ‖ → progressiv ‖ **r. sein:** neue Wege beschreiten/einschlagen, neue Akzente/Signale setzen

riechen: Geruch wahrnehmen, wittern (Tier); *ugs.:* schnüffeln, schnuppern ‖ **gut r.:** duften, einen Wohlgeruch ausströmen ‖ **übel r.** → stinken ‖ **nicht r. können** → hassen

Riecher → Spürsinn

Riege: Turnmannschaft

Riegel: Sperre, Verschluss, Schieber; *öster.:* Schuber ‖ **einen R. vorschieben** → sperren ‖ **hinter Schloss und R. bringen** → einsperren

Riemen: Gürtel, Gurt ‖ Ruder

Riese: Gigant, Hüne, Koloss, Titan, Goliath, großer Mensch; *ugs.:* langes Elend, Lulatsch, Schlaks, Kleiderschrank, Bohnenstange, (lange) Latte, Baum, Turm, Monstrum

rieseln: fließen, rinnen, laufen, plätschern ‖ nieseln, herabfallen, tröpfeln

riesengroß → gewaltig

riesenhaft → gewaltig

riesig → gewaltig ‖ → sehr

Riff: Fels(en), Klippe, Felsklippe; *öster.:* Schrof(f)en

rigoros: streng, scharf, drastisch, massiv, energisch, entschieden, hart, strikt, schroff, gebieterisch, diktatorisch, apodiktisch, unerbittlich ‖ → rücksichtslos

Rille: Vertiefung, Furche, Kerbe

Rind: *f.:* Färse, Kalbin, Sterke (vor Abkalben), Kuh, Starke (nach Abkalben); *m.:* Stier; *zuchtfähig:* Bulle,

Farren, Fasel; *kastriert:* Ochs(e); *jung:* (Kuh)kalb

Rinde: Borke, Schorf, Kruste

Rindvieh → Dummkopf

Ring: Reif(en), Fingerring ‖ → Gruppe ‖ → Klub ‖ Kampfplatz (Boxen), Ringplatz

ringeln, sich: s. ranken, s. winden, s. schlingen, s. schlängeln, s. drehen

ringen: s. raufen, s. balgen; *ugs.:* s. rangeln ‖ kämpfen, fechten, streiten, boxen, fighten, catchen ‖ **r. um:** s. einsetzen, streben nach, kämpfen für, s. bemühen um, s. stark machen für

Ringen → Kampf

rings(um): rundherum, rundum(her), ringsumher, reihum, im Kreise, in jeder Richtung, überall, an allen Seiten

Rinne: Vertiefung, Graben, Furche ‖ Abfluss, Ableitung ‖ Regenrinne, Dachrinne, (Regen-, Dach)traufe ‖ Rinnstein, Gosse

rinnen → fließen ‖ → vergehen

Rinnsal: Bächlein, Wässerchen

Rinnstein: Rinne, Gosse, Gehsteigrand

Risiko: gewagtes Unterfangen, Abenteuer, kühnes Experiment ‖ → Wagnis

riskant → mutig ‖ → gefährlich

riskieren: wagen, aufs Spiel setzen, s. (ge)trauen, ein Risiko eingehen, den Mut/die Stirn haben, es ankommen lassen auf, s. unterstehen, s. erkühnen, s. erdreisten, s. vorwagen, s. unterfangen, alles auf eine Karte setzen, va banque spielen, (sein Leben) einsetzen; *ugs.:* aufs Ganze gehen

Riss: Einriss, Spalt(e), Sprung, Loch, Ritz(e), Fuge, Schlitz, Loch ‖ Schramme, Wunde, Kratzer, Schürfung; *ugs.:* Ritzer ‖ Bruch, Spaltung, Entzweiung, Kluft, Diskrepanz, Differenz, Entfremdung; *ugs.:* Knacks, Knick

rissig: aufgesprungen, rau, spröde, schrundig

ritterlich: chevaleresk ‖ → höflich ‖ → fair

Ritual: Sitte, Gewohnheit, Usus, Gepflogenheit ‖ Etikette, Kodex ‖ → Brauch

Ritus: Konvention, Regel, Tradition, Ordnung, Form, Protokoll ‖ religiöse Handlung, Zeremonie, Kult ‖ → Brauch

Ritz(e) → Riss

ritzen: einritzen, -kerben, -gravieren, -schneiden, -zeichnen, kratzen ‖ **sich r.:** s. reißen, s. schrammen, s. aufschürfen, s. leicht verletzen

Rivale: Feind, Widersacher, Opponent, Antagonist, Konkurrent, Mitbewerber, Nebenbuhler, Gegner

rivalisieren → konkurrieren

Rivalität → Konkurrenz

robben → kriechen

Robe: elegantes Kleid, Festkleid, -gewand, Galakleid ‖ Amtskleidung, -tracht, Talar, Habit, Ornat

Roboter: Automat, menschliche Maschine, Maschinenmensch, Apparat ‖ *ugs.:* Arbeitsmaschine, -pferd, -tier

robust → kräftig

röcheln: nach Luft/Atem ringen, keuchend atmen, keuchen, hecheln, schnaufen, schnauben

Rocker: Provo, Protestler, Halbstarker, Schlägertype, → Rowdy

rodeln: Schlitten fahren

roden: urbar machen, Bäume fällen/absägen, abholzen, kahl schlagen

Rogen: Fischeier, Kaviar, Laich

roh: ungekocht, -gebraten, nicht zubereitet ‖ unbearbeitet, in natürlichem Zustand, natürlich ‖ → grob ‖ → grobschlächtig ‖ → brutal

Rohling → Grobian

Rohr: Röhre, Schlauch, Zylinder ‖ Schilfrohr, Binse ‖ Schaft, Halm ‖ (Rohr)stock, spanisches Rohr, Prügelstock ‖ Rohrdickicht, Schilf(bestand) ‖ → Röhre

Röhre: (Brat)rohr, Backröhre, -rohr,

-ofen ‖ → Fernsehgerät ‖ **in die R.
gucken** → fernsehen
röhren: brüllen (Hirsch); *Jägerspr.:*
orgeln
Rohstoff: Rohmaterial, Naturstoff,
-produkt, Werk-, Grundstoff
Rolllade(n): Jalousie, Rouleau, Rollo, Fensterschutz, Jalousette, Fens-
terladen
Rollbahn: Rollfeld, Start-, Landebahn
Rolle: Spule, Walze ‖ Purzelbaum,
Überschlag ‖ Partie, Figur, Person,
Part, Charge ‖ (Rollen)text ‖ Wäschemangel ‖ **eine R.** spielen → darstellen ‖ wichtig/entscheidend sein,
Gewicht/Bedeutung haben, ins Gewicht fallen ‖ **aus der R. fallen** → entgleisen
rollen:(s.) drehen, (s.) wälzen, laufen,
kugeln, kreiseln, zirkulieren, rotieren, wirbeln; *ugs.:* kullern, kollern,
trudeln ‖ → ausrollen ‖ fahren
(Auto), s. fortbewegen ‖ → mangeln ‖
r. in → einpacken ‖ **ins Rollen kommen** → anfangen
Rollo → Rolllade(n)
romantisch → schwärmerisch ‖
→ empfindsam ‖ → idyllisch
Romanze: (romantisches) Liebeserlebnis, -abenteuer, -geschichte, -ver-
hältnis, -beziehung, Liebschaft,
Love-Story ‖ → Affäre
röntgen: durchleuchten, eine Aufnahme machen/schießen
rösch → knusprig
Rosenkohl: Brüsseler Kohl; *öster.:*
Sprossenkohl, Kohlsprossen
rosig: rosa(farbig, -farben), pink ‖
angenehm, best(möglich), optimal,
optimistisch, golden
Rosine: Sultanine, Weinbeere; *reg.:*
Zibebe
Ross → Pferd ‖ → Dummkopf
rosten: Rost ansetzen/bilden, ein-,
verrosten, durch Rost defekt/un-
brauchbar werden; *ugs.:*kaputtgehen

rösten: dörren, backen, braten,
schmoren, bräunen
rostig → eingerostet
röten: rot färben ‖ **sich r.** → erröten
rotieren: s. (um die eigene Achse)
drehen, kreisen, zirkulieren, wirbeln,
laufen um ‖ → s. ärgern ‖ → durchdrehen
Rotkohl: Rot-, Blaukraut; *schweiz.:*
(Rot)kabis
Rotte → Herde ‖ → Gruppe
Rotz: Nasenschleim, -sekret; *reg.:*
Schnodder ‖ *med.:* Malleus (Infektionskrankheit)
rotzig → frech ‖ → schleimig
Rotzjunge → Frechdachs
Rouleau → Rolllade(n)
Route: Reiseweg, Weg-, Marsch-,
Flugstrecke ‖ → Kurs
Routine:Übung, Praxis, Technik, Erfahrung, Fertigkeit, Geschicklich-
keit, praktisches Wissen
routiniert → fachmännisch ‖ → ge-
schickt ‖ → gewandt
Rowdy:(ugs.): Radaubruder, Randa-
lierer, gewalttätiger Bursche, Rocker,
Messerheld, Raufbold, Schlä-
ger(typ), Rohling; *ugs.:* Rabauke
rubbeln → reiben
Rübe: Runkelrübe; *reg.:* Dick-
wurz(el), -rübe; *öster.:* Runkel ‖
→ Kopf ‖ **wie Kraut und Rüben**
→ durcheinander
Rubrik: Spalte, Abschnitt, Kolumne
‖ Titel, Überschrift
ruchbar werden → s. herumsprechen
ruchlos → gemein ‖ → brutal
Ruchlosigkeit → Gemeinheit
Ruck: (plötzlicher/heftiger) Stoß,
plötzliches Ziehen/Reißen, Schlag;
ugs.: Rucker, Stups, Schubs ‖
Schwenk(ung), Wendung, Wende,
Änderung ‖ **sich einen R. geben** → s.
überwinden ‖ **mit einem Ruck**
→ plötzlich
ruckartig → plötzlich
Rückblick: Rückschau, -blende, Re-

trospektive, Erinnerung, Reminiszenz, Blick in die Vergangenheit,
Flashback ‖ **R. halten** → s. erinnern

rückblickend → retrospektiv

rücken: schieben, drücken, bewegen,
verrücken, um-, verstellen, an einen
anderen Platz stellen

Rücken: *ugs.:* Kreuz, Buckel; *reg.:*
Puckel, Hucke ‖ **jmdm. den R. stärken** → eintreten für ‖ **jmdm. den R.
kehren** → s. abwenden ‖ **jmdm. in
den R. fallen** → verraten

Rückendeckung → Unterstützung

Rückerstattung → Rückzahlung

Rückfahrt: Rück-, Heimreise, Heim-,
Rückkehr, Heimfahrt, Rück-, Nachhauseweg, Rückmarsch, Retourfahrt

Rückfall: erneutes Vorkommen/Auf-
treten, Wiederholung, Rückschlag;
med.: Relaps, Rezidiv ‖ → Rückgang

Rückgang: Rückfall, -schritt, -lauf,
-schlag, Abnahme, Schwund, Nachlassen, Stagnation, Verringerung,
-minderung, Abbau ‖ Rückbildung,
rückläufige Entwicklung, Rückwärtsentwicklung, Niedergang ‖
Einbuße, Verlust ‖ Rekurs, Be-
zug(nahme), Rückgriff, Anlehnung

Rückgrat: Wirbelsäule ‖ **ohne R.**
→ charakterlos

Rückhalt: Beistand, Hilfe, Unterstützung, Rückendeckung ‖ → Stütze

rückhaltlos: ohne Vorbehalt/Ein-
schränkung/(Vor)bedingung, vorbe-
halt-, bedingungslos ‖ → aufrichtig

Rückkehr: Heim-, Wiederkehr,
Rückkunft, Zurückkommen

Rückkunft → Rückkehr

Rücklage → Vorrat ‖ → Ersparnis

rückläufig: nachlassend, zurückge-
hend, stagnierend, schwindend, sin-
kend, abflauend, regressiv

Rücklicht: Rückleuchte, -strahler,
Katzenauge

rücklings: nach/von hinten, nach/
von rückwärts

Rückprall → Rückschlag

Rückreise → Rückfahrt

Rucksack: Ranzen, Reisesack; *veraltet:* Felleisen; *ugs.:* Ränzel

Rückschau → Rückblick ‖ **R. halten:**
Revue passieren lassen ‖ → s. erinnern

Rückschlag: Rückprall, -stoß, Ge-
genprall ‖ → Rückfall ‖ → Fehlschlag

Rückschritt → Rückgang

rückschrittlich → reaktionär

Rückseite: rückwärtige Seite, Hin-
ter-, Kehr-, Gegenseite, die andere/
linke Seite, Ab-, Schattenseite

Rücksicht: Rücksichtnahme ‖ Berücksichtigung, Anrechnung, Beachtung ‖ → Nachsicht ‖ **R. nehmen auf**
→ berücksichtigen ‖ **mit R. auf**
→ hinsichtlich ‖ **ohne R.** → rücksichtslos

rücksichtslos: ohne Rücksicht/Be-
denken, keine Nachsicht zeigend,
unerbittlich, bedenken-, schonungs-,
erbarmungs-, gnaden-, mitleidslos,
unbarmherzig, rigoros, radikal, ge-
wissen-, skrupellos, rabiat, roh, grob,
hart, streng, herz-, gefühl-, hemmungslos, kaltschnäuzig, -blütig,
selbstsüchtig, egoistisch; *ugs.:* ohne
Rücksicht auf Verluste ‖ **r. sein:** über
Leichen gehen, seine Ellbogen gebrauchen, ohne Skrupel/Hemmun-
gen sein, jedes Mittel einsetzen

rücksichtsvoll → schonend

Rückstand: Rest, zurückbleibender
Stoff, Altlast, (Boden)satz ‖ Verzögerung, -zug, Ausstand, Verspätung ‖
pl.: Schuld, Geldverpflichtung, Verbindlichkeiten, Obligation

rückständig: zurückgeblieben, unterentwickelt; *ugs.:* hinterwäldlerisch ‖
→ altmodisch

Rückstoß → Rückschlag

Rücktritt: Amtsniederlegung, -auf-
gabe, -abtretung, Abdankung, De-
mission, Ausscheiden, Abschied,
Kündigung

rückvergüten: zurückzahlen, -erstatten, -geben, die Verbindlichkeiten erfüllen, Schuld ausgleichen/tilgen, entschädigen, -gelten, wiedergutmachen, ersetzen, abgelten, wettmachen

Rückvergütung → Rückzahlung

rückwärts: nach hinten, hintenüber, zurück, gegen-, rückläufig, in umgekehrter Richtung, retour

rückwärts gehen → nachlassen

Rückweg: Rückmarsch, Heim-, Nachhauseweg

ruckweise: ruckartig, stoßweise

Rückzahlung: Rückvergütung, -erstattung, Wiedererstattung

Rückzieher: Einschränkung, Zurücknahme, Distanzierung, Absage ‖ **einen R. machen** → nachgeben

Rückzug: Aufgabe, Abzug, Räumung, Zurückweichen ‖ **den R. antreten** → nachgeben

rüde → barsch ‖ → flegelhaft

Rudel → Schar ‖ → Herde

Ruder: Riemen, Paddel ‖ Steuer(ung) ‖ **am R. sein** → herrschen

rudern: Ruder-/Paddelboot fahren, paddeln, s. in die Riemen legen ‖ hin und her schwingen, pendeln, schlenkern, schlackern, schwenken

Rudiment → Rest

rudimentär: verkümmert, nicht ausgebildet, zurückgeblieben

Ruf: Schrei, Notruf, Signal ‖ innere Stimme, inneres Gebot, Gewissen ‖ Berufung, Auftrag, -forderung, Angebot, Amt, Stelle, Ernennung ‖ → Ansehen

rufen → schreien ‖ an-, auf-, zu-, herbeirufen, um Hilfe rufen, alarmieren, Alarm/Lärm schlagen ‖ nennen, heißen, anreden, -sprechen ‖ **r. nach:** verlangen nach, zu kommen bitten, begehren, -ordern, kommen lassen ‖ **ins Leben r.** → eröffnen ‖ **ins Gedächtnis r.** → erinnern ‖ **zur Ordnung r.** ‖ → ermahnen

Rüffel → Tadel

Rufmord → Verleumdung

Rufname: Vorname

Rufnummer: Telefon-, Fernsprechnummer

Rufweite: Nähe, Hör-, Sicht-, Reichweite

Rüge: Abmahnung; *ugs.:* Rüffel ‖ → Tadel

rügen → schimpfen ‖ → tadeln

Ruhe: Stillstand ‖ Entspannung, Sichausruhen, Muße, Erholung, (Ruhe-, Atem)pause, Ferien, Urlaub, Zurückgezogenheit ‖ Stille, Lautlosigkeit, Schweigen, Stillschweigen, Ungestörtsein, Nichtgestörtwerden, Friede(n) ‖ Schlaf, Nachtruhe ‖ Ausgeglichenheit, Beschaulichkeit, Gelassen-, Besonnenheit, Gleichgewicht, -maß, -mut, Fassung, Gefasstheit, Beherrschung, Haltung, Seelen-, Gemütsruhe, Kontenance, Stoizismus, Unerschütterlichkeit ‖ Präsenz, Geistesgegenwart, Kaltblütigkeit ‖ Sesshaftigkeit, Sitzfleisch, Phlegma, Lässigkeit, Lax-, Trägheit, Passivität, Lethargie, Gleichgültigkeit, Apathie, Untätigkeit, Inaktivität, Teilnahmslosigkeit

Ruhegehalt: Ruhegeld, Altersversorgung, Rente, Pension; *öster.:* Ruhegenuss

ruhelos → unruhig

Ruhelosigkeit: Rastlosigkeit, Nervosität ‖ → Unruhe

ruhen → schlafen ‖ → s. ausruhen ‖ stillstehen, stagnieren, nicht in Gang/Bewegung/Tätigkeit sein, nicht arbeiten/aktiv sein, stocken, aussetzen, brachliegen, lahm liegen ‖ begraben/-erdigt/-stattet/beigesetzt sein ‖ **r. auf:** fußen/fest stehen auf, getragen werden von, s. stützen auf

Ruhepause → Pause

Ruhestand → Lebensabend

Ruhestätte: Ruhestatt, Grab(stätte, -platz), Begräbnisstätte, (Toten)gruft

Ruhestörer → Störenfried

Ruhestörung → Lärm
ruhig → leise ‖ → gelassen ‖ → besonnen ‖ → kaltblütig ‖ → schweigsam ‖ **r. werden** → s. beruhigen ‖ **r. bleiben** → s. beherrschen
Ruhm: hohes Ansehen, große Ehre, Lob und Preis, Weltruf, -geltung, -ruhm, Glorie, Glanz ‖ → Ansehen
rühmen → loben ‖ **sich r.** → angeben
rühmlich: rühmens-, anerkennens-, lobens-, dankenswert, löblich, beifallswürdig, verdienstvoll, -dienstlich, achtenswert, beachtlich, achtbar, hoch anzurechnen ‖ ruhm-, glanz-, ehrenvoll, ruhmreich, glorios, glorreich, glänzend, triumphal, herrlich
ruhmreich → rühmlich
rühren: bewegen, regen ‖ um-, ver-, an-, durchrühren, (ver)quirlen, (ver)mischen, (ver)mengen, unterarbeiten ‖ berühren, im Innersten bewegen, nahegehen, ergreifen, -schüttern, zu Herzen gehen, erregen, betroffen machen, innere Erregung/Anteilnahme bewirken, unter die Haut gehen; *ugs.:* durch und durch gehen, umwerfen ‖ **r. von** → stammen von ‖ **sich r.:** s. regen, s. bewegen, s. nicht ruhig halten ‖ → arbeiten
rührend: ergreifend, -schütternd, zu Herzen gehend, herzbewegend ‖ → liebevoll
rührig → aktiv
rührselig → sentimental
Rührseligkeit: Sentimentalität, Gefühlsseligkeit, -überschwang, Larmoyanz, Tränenseligkeit; *ugs.:* Gefühlsduselei; *abwertend:* Schmalz
Rührung → Ergriffenheit
Ruin → Unglück ‖ → Verderben ‖ → Bankrott
Ruine: Trümmer, (Über)reste, Überbleibsel, Wrack, Torso
ruinieren: zerstören, -rütten, zugrunde richten, vernichten, -derben, ins Unglück stürzen/bringen, zu-

nichte/zuschanden machen, bankrott richten, eine Niederlage bereiten, das Rückgrat brechen, in den Abgrund stürzen, an den Bettelstab bringen, die Schlinge um den Hals legen, das Wasser abgraben, ans Messer liefern, den Todesstoß versetzen; *ugs.:* fertig machen, den Rest geben, auf den Hund bringen, jmdn. liefern, abschießen, verheizen, erledigen ‖ → kaputtmachen ‖ → zerstören
ruiniert → erledigt ‖ → zahlungsunfähig
rülpsen: laut aufstoßen; *Kinderspr.:* Bäuerchen machen
Rummel → Betrieb ‖ → Jahrmarkt
rumoren: (in den Gedärmen) kollern, rumpeln; *reg.:* rummeln ‖ → lärmen ‖ → kriseln
Rumpelkammer: Abstell-, Nebenraum, Besen-, Abstell-, Vorratskammer, Speicher
rumpeln: polternd/rüttelnd fahren, holpern, rattern ‖ → lärmen ‖ → rumoren
Run: Andrang, (An)sturm, Zulauf, -strom, Gedränge, Getriebe, Wettlauf
rund: kreis-, ring-, mondförmig, kreis-, kugelrund, kugelig, ringartig, in der Form eines Kreises; *med.:* orbikular; *ugs.:* rundlich, ringelig ‖ → dick ‖ → annähernd
Rundblick: Panorama ‖ → Aussicht
Runde → Gruppe ‖ → Forum ‖ Lage (Getränke) ‖ Kontroll-, Rundgang (Wächter), Kontrolle, Inspektion, Inspizierung, Über-, Nachprüfung ‖ Durchgang, -lauf (Sport)
runden, sich: s. wölben, (an)schwellen, hervortreten, s. heben, zunehmen, dick werden, aufquellen, -blähen ‖ s. vervollkommnen, s. abrunden, s. vollenden, zum Abschluss/Ende kommen, perfekter werden, gedeihen, wachsen
Rundfrage → Umfrage
Rundfunk: Radio, (Hör)funk, (Ra-

dio-, Rundfunk)sender, Rundfunkanstalt; *schweiz.:* Rundspruch
rundheraus: direkt, geradlinig, ohne Umschweife, rundweg, freimütig; *ugs.:* ungeschminkt, ohne Blatt vorm Mund, → aufrichtig
rundherum → ringsum
rundlich → dick
Rundschreiben: Rundbrief, Umlauf, Bekanntgabe, -machung, Ankündigung, Mitteilung, Meldung; *veraltet:* Zirkular; *ugs.:* Info
Rundung: runde Form, Bogen, Wölbung, Aus-, Einbuchtung, Schwellung, Bauch
rundweg → aufrichtig ‖ → durchweg
runz(e)lig: zerfurcht, -klüftet, -knittert, faltig, knitt(e)rig, nicht glatt, kraus, schlaff, welk, schrump(e)lig, hutz(e)lig, zerschründet, schrundig
runzeln: in Falten legen/ziehen, krausen, furchen, zusammenziehen
Rüpel → Flegel
rüpelhaft → flegelhaft
rupfen: ausreißen, (aus)ziehen, entfernen, auszupfen, -rupfen, -raufen, herauszerren ‖ → pflücken ‖ → ausbeuten
ruppig → barsch ‖ → flegelhaft

rußen: Ruß bilden/absondern/entwickeln; *reg.:* qualmen, blaken
rüsten: bewaffnen, aufrüsten, armieren, mobilisieren, mobil machen, Kriegsvorbereitungen treffen, s. verteidigungsfähig/kampfbereit machen, s. militärisch stärken ‖ **sich r.** → s. anschicken
rüstig: beweglich, leistungsfähig, gut zuwege, strapazierbar, fit, → kräftig
rustikal: ländlich, bäuerlich
Rüstung: Aufrüstung, Bewaffnung, Mobilmachung, Mobilisierung ‖ Harnisch, Panzer(kleid), Eisenrüstung
Rüstzeug: Ausstattung, -rüstung, Hilfsmittel, Werkzeug, Handwerkszeug
Rute: Gerte, Peitsche ‖ → Penis
Rutsch → Abstecher
rutschen: nicht fest stehen/sitzen/haften, gleiten, ausrutschen, schlittern, den Halt verlieren, hinfallen; *ugs.:* schliddern, ausglitschen
rutschig: (spiegel-, eis)glatt, schlüpfrig, glitschig
rütteln: schütteln, ruckartig/kräftig/schnell hin und her bewegen ‖ stoßen, poltern, rattern, donnern; *ugs.:* rummeln, pumpern

S

Saal: Raum, Halle, Lokalität
Saat: Samen, Saatgut, Aussaat
sabbern: *(ugs.):* speicheln, geifern; *ugs.:* sabbeln ‖ → schwatzen
sabotieren: planmäßig stören, be-, verhindern, hintertreiben, Sabotage treiben, entgegenarbeiten, -wirken, hemmen, blockieren, Pläne durchkreuzen, Sand ins Getriebe streuen, lahm legen, zu Fall bringen, vereiteln, zunichte/unmöglich/einen Strich durch die Rechnung machen; *ugs.:* querschießen
sachdienlich: zuträglich, förderlich, gute Dienste leistend, konstruktiv, → nützlich
Sache: Ding, Gegenstand, Objekt, Etwas, Körper, Artikel, Gebilde, Materie, Stoff, Gestalt, Substanz, Element, Geschöpf, Sein; *ugs.:* Dings(da), Dingsbums ‖ Angelegenheit, (Vor)fall, Sachverhalt, Punkt, Frage, Affäre, Geschehen, Begebenheit, Her-, Vorgang, Thema, Sujet, Kasus, Ereignis, Vorkommnis; *ugs.:* Geschichte, Schose ‖ *pl.:* → Besitz ‖ → Kleidung
Sachgebiet: Sparte, Branche, (Fach)richtung, Metier, Ressort, Domäne ‖ → Fach
sachgemäß: fachmännisch, -mäßig, -gerecht, werk-, kunst-, sachgerecht, richtig, angemessen, sachkundig, -verständig, gekonnt, zutreffend
Sachkenner: Spezialist, Sachverständiger, Experte, Kapazität; *ugs.:* Größe, Kanone, Freak ‖ → Fachmann
Sachkenntnis: Kennerschaft, Wissen, Erfahrung, Überblick, Bildung, Praxis

sachkundig: sachverständig, fachkundig, erfahren, qualifiziert, versiert, geschult, ausgebildet, bewährt, vom Fach, gelernt, routiniert, bewandert, gut unterrichtet, beschlagen, wissend
Sachkundiger → Fachmann
Sachlage: Sachverhalt, Tatbestand, Lage, Situation, Umstand, der Stand der Dinge, Gegebenheit, der aktuelle Stand, Zustand, Bewandtnis(se), Stadium, Umstände, Zusammenhänge, Konstellation, Fall, Status, Faktum, Verhältnisse; *ugs.:* Drum und Dran
sachlich: nüchtern, objektiv, frei von Emotionen, leidenschaftslos, trocken, verstandesbetont, -mäßig, rational, real, logisch, klar, unpersönlich, emotionslos, unparteiisch, -voreingenommen, vorurteilslos, -frei
sacht(e): behutsam, sanft, vorsichtig, schonend, schonungsvoll, achtsam, rücksichtsvoll, sorgsam, fürsorglich, liebevoll, zart, mit Bedacht, weich, gelinde, lind, mild, zahm ‖ leise, unmerklich, still, leicht, unhörbar, ruhig, bedächtig, lau
Sachverhalt → Sachlage
sachverständig → sachkundig
Sachverständiger → Fachmann
Sachwalter → Bevollmächtigter
Sack: Beutel; *reg.:* Säckel
Sackgasse: Ausweg-, Rat-, Hoffnungslosigkeit; *ugs.:* verrannte Lage ‖ → Not
sadistisch: quälend, quälerisch, peinigend
säen: aussäen, (aus)streuen, pflanzen, anbauen, legen, bestellen, stecken ‖ stiften, erzeugen, den Keim le-

gen zu, schaffen, hervorrufen, verursachen, bewirken, entfachen, herbeiführen, anrichten, auslösen, entfesseln, mit s. bringen, in Gang setzen,
evozieren

Safe: Sicherheits-, Schließ-, Bankfach, Geld-, Panzerschrank, Tresor

saftig: saftvoll, reich an Saft, voller
Saft ‖ → derb

saftlos → geistlos ‖ ohne Saft,
→ trocken

Saftpresse: Entsafter, Frucht-, Obstpresse, (Ent)moster, Presse; *ugs.:*
Obstquetsche

Sage → Gerücht

sagen → äußern ‖ → informieren ‖
→ behaupten ‖ bedeuten, heißen,
meinen, be-, aussagen, beinhalten,
wichtig/wert sein, Gewicht haben,
repräsentieren, zählen, zum Inhalt
haben, vorstellen, von Belang sein,
verkörpern

sägen: spalten, zerschneiden, -legen,
-teilen, -kleinern ‖ *ugs.:* schnarchen

sagenhaft: legendär, sagenumwoben,
mythisch ‖ unvorstellbar, -glaublich,
-erhört, -geheuer, -beschreiblich, beispiellos, skandalös, hanebüchen,
haarsträubend, himmelschreiend ‖
märchen-, zauber-, traumhaft, wunderbar ‖ → außergewöhnlich

Sahne: Rahm; *reg.:* Schmant,
Schmetten, Flott; *öster.:* Obers;
schweiz.: Nidel, Creme ‖ Schlagsahne, -rahm; *öster.:* Schlag(obers)

Saison: Hauptbetriebs-, Hauptge-
schäfts-, Hauptreisezeit ‖ Theater-
spielzeit

Sakko: Jacke, Jackett

sakral → heilig

säkularisieren: verweltlichen, in
weltlichen Besitz überführen

Salär → Einkommen

salbadern → schwatzen

Salbe: Creme, Vaseline, Paste

salbungsvoll: priesterlich, pastoral,
feierlich, (betont) würdevoll, hoch-

trabend, gewichtig, pathetisch, mit
(falschem) Pathos, hochgestochen,
ölig, schwülstig

Saldo: Differenz, Unterschiedsbe-
trag

Salm: Lachs, Edel-, Wanderfisch

Salon: Empfangs-, Besuchszimmer,
Repräsentationsraum

salonfähig: gesellschaftsfähig, (welt)-
gewandt, geschliffen, (welt)erfahren
‖ anständig, wohlerzogen, manierlich, gesittet

salopp → zwanglos

Salto: Überschlag

salutieren: militärisch grüßen, eine
Ehrenbezeigung machen/erweisen

salzlos → ungewürzt

Same(n): Samenkorn, Keim ‖
Sperma, Keimzelle, Samenfaden ‖
Saat(gut), Sämerei, Aussaat

Samenerguss: Ejakulation, Samen-
entleerung, Pollution

sämig: zäh-, dick-, schwerflüssig,
breiig, viskös, seimig

Sammelbecken: Sammelstelle, Auf-
fangbecken, Schmelztiegel, Tummelplatz, (El)dorado

sammeln: zusammentragen, -schar-
ren, anhäufen, -sammeln, an s. bringen, horten, stapeln, lagern, aufbewahren, -heben ‖ vereinigen, -sam-
meln, um s. scharen ‖ einsammeln,
-treiben ‖ zusammenziehen, -fassen,
zentralisieren, konzentrieren ‖ **sich
s.:** s. treffen, zusammenkommen,
-treffen, -strömen, s. versammeln ‖ s.
konzentrieren, s. fassen, seine Aufmerksamkeit anspannen, seine Gedanken richten auf, s. versenken/-tie-
fen

Sammelpunkt: Sammelstelle, -ort,
-becken, Treffpunkt, Zentrale ‖
→ Mittelpunkt

Sammelsurium → Unordnung ‖
→ Mischung

Sammlung → Aufmerksamkeit ‖
Auf-, Anhäufung, Ansammlung,

Schatz, Vorrat, Menge, Fülle, Arsenal, Haufen, Stapel, Stoß, Masse, große Zahl, An-, Vielzahl, Reihe, Serie; *ugs.:* Berg, Ladung, Unmenge ‖ Registrierung, Erfassung, Kodifizierung, Aufnahme, Zählung ‖ Zusammenstellung, Anthologie, Sammelwerk, Almanach, Album, Auswahl, -lese ‖ → Mischung

Samstag: Sonnabend

samt: ein-, inbegriffen, mit, einschließlich, nebst, zusätzlich, und, inklusive, im Verein, eingeschlossen, -gerechnet, plus, zuzüglich, alles in Allem, mitsammen, -samt, zusammen mit ‖ **s. und sonders** → alle ‖ → durchweg

samtig → weich

sämtlich → alle ‖ → ganz

Sanatorium: Heilstätte, Genesungs-, Pflege-, Erholungs-, Kurheim, Krankenhaus, Klinik

Sandpapier: Glas-, Schmirgelpapier

Sandwich: belegtes Brötchen/Brot, Schnitte; *sächs.:* Bemme; *reg.:* Stulle

sanft → sachte ‖ → gütig

sanftmütig → gütig

sanguinisch → lebhaft

sanieren → heilen ‖ in Ordnung bringen, aufbessern, erneuern, modernisieren, überholen, renovieren, neu gestalten, wiederherstellen ‖ **sich s.:** wirtschaftlich gesunden, s. bereichern, Profit/Gewinn ziehen aus, ein gutes Geschäft machen; *ugs.:* s. gesundstoßen, einen guten Schnitt machen

Sanitäter: Krankenpfleger, -wärter

Sanktion: Bestätigung, Billigung, Anerkennung, Erteilung, Genehmigung, Plazet, Zustimmung, Einwilligung ‖ *pl.:* Zwangs-, Vergeltungs-, Gegenmaßnahmen, Repressalien, Pressionen, Boykott, Druckmittel

sanktionieren → billigen

Sarg: Totenschrein, -lade; *schweiz.:* Totenbaum; *ugs.:* Totenkiste

Sarkasmus → Spott

sarkastisch: beißend ironisch, zynisch ‖ → spöttisch

Sarkophag: Steinsarg

Satan → Teufel ‖ → Scheusal

satanisch: teuflisch, diabolisch, dämonisch, luziferisch, mephistophelisch

Satellit: Trabant, Sputnik, Himmelskörper, (künstlicher) Raumkörper ‖ → Anhänger

Satire: Persiflage, Parodie, Travestie, Karikatur, Spottgedicht, Verhöhnung, Stichelei, heiterer Spott, Gewitzel, Übertreibung, Kritik, Entlarvung, Verspottung

Satisfaktion: Genugtuung, Wiedergutmachung, Zufriedenstellung, Befriedigung

satt: gesättigt, zufrieden, nicht mehr hungrig; *ugs.:* (bis oben hin) voll, pappsatt, genudelt, gemästet; *derb:* vollgefressen ‖ leuchtend, lebhaft, tief, kräftig, intensiv, grell, saftig, voll; *ugs.:* knallig, schreiend ‖ **s. sein:** genug haben, gestärkt sein, nichts mehr mögen; *ugs.:* nicht mehr können/papp sagen können ‖ **es s. haben** → genug haben

sattelfest → bewandert

sättigen: satt machen, füttern, den Hunger stillen, nähren, zu essen geben, ernähren; *ugs.:* (voll) stopfen, abfüttern

sattsam: zur Genüge, genügend, hin-, zu-, ausreichend, befriedigend, hinlänglich, genug, reichlich

saturiert: selbstzufrieden, satt, etabliert

Satz: Satzgefüge, -verbindung ‖ Behauptung, These, Lehrsatz, Theorem ‖ Serie, Reihe, Zyklus, Garnitur, Gruppe, Zusammenstellung, Set ‖ Bodensatz, Rückstand, Rest, Neige, Sediment, Ablagerung ‖ Sentenz, Ausspruch, Wort ‖ Sprung, Hüpfer; *ugs.:* Hops(er), Hupfer

Satzung: Statut, Vorschrift, Bestimmung, Weisung, Regel, Richtlinie, Direktive, Reglement, Anordnung

Sau → Schwein ‖ → Schmutzfink

sauber: rein(lich), proper, blitzsauber, -blank, frisch (gewaschen), säuberlich, schmutzfrei, makellos, gereinigt, fleckenlos, unbeschmutzt, -benutzt, schmuck, adrett, hygienisch; *ugs.:* wie geleckt, picobello, pieksauber, wie aus dem Ei gepellt, tipptopp ‖ ordentlich, sorgfältig, akkurat, gewissenhaft, penibel ‖ aufgeräumt, wohl geordnet, in Ordnung, tadellos, einwandfrei ‖ → anständig ‖ → fair

säuberlich → sauber ‖ → genau

sauber machen: säubern, den Schmutz entfernen, reinigen, reinmachen, (ab)putzen, (auf)waschen, (ab)scheuern, abreiben, -wischen, -seifen, -spülen, -bürsten, -kehren, -stauben, Staub saugen, (auf-, aus-)wischen, Staub wischen, weg-, aufräumen, in Ordnung bringen, Hausputz halten; *ugs.:* in Schuss bringen, gründlich machen, reinemachen, wienern, schrubben; *reg.:* feudeln; *öster.:* reiben

säubern → sauber machen ‖ → töten

sauer: säuerlich, durch-, gesäuert, essigsauer, unreif, herb ‖ stichig (Milch), ranzig, einen Stich habend, räss, ver-, gegoren ‖ → ärgerlich ‖ → mühsam

Sauerei → Gemeinheit ‖ → Schmutz ‖ → Zote

Sauerkraut: Sauerkohl, Kraut

sauertöpfisch → mürrisch

Säufer → Alkoholiker

saugen: (ein)ziehen, einsaugen ‖ lutschen, lecken; *ugs.:* nuckeln, schlecken, suckeln

säugen: nähren, stillen, die Brust/zu trinken geben, an die Brust nehmen

Säugling: Neugeborenes, Klein(st)-, Brust-, Wiegen-, Wickelkind, Baby, Kindchen, Kindlein, Nachwuchs

Säule: Pfeiler, (Trag)stütze, Pilaster ‖ → Stütze

Saum: Rand, Einfassung ‖ Bord, Umgrenzung, Kante

säumen: um-, einfassen, einen Saum nähen; *reg.:* endeln; *öster.:* schlingen ‖ begrenzen, umgeben, -zäunen, rahmen ‖ warten, zögern, s. Zeit lassen, Zeit vergeuden, schwanken, unschlüssig sein, zagen, trödeln; *ugs.:* bummeln, zotteln, trendeln

säumig: unpünktlich, langsam, nachlässig, saumselig, nicht zur rechten/vereinbarten Zeit, im Verzug, mit Verspätung, im Rückstand, zu spät; *ugs.:* hinterher

Sauna: Schwitz-, Dampf-, Heißluftbad

säuseln: leicht wehen, leise rauschen, fächeln, rascheln ‖ flüstern, leise sprechen, wispern, tuscheln ‖ flöten, Süßholz raspeln, schön-, süßreden

sausen: brausen, rauschen, toben, sausen, stürmen, wüten, fegen, fauchen, pfeifen, wehen, stieben ‖ laufen, rasen, hasten, eilen, rennen, preschen, schnell fahren, sprinten, jagen, flitzen; *ugs.:* dampfen, karriolen, wetzen, spritzen, stürzen, fegen, pesen, die Beine unter den Arm nehmen, schießen, fliegen

Savanne: Buschsteppe

scannen: (mit dem Scanner) abtasten, absuchen, ablesen

Scene: Milieu, (Gesellschafts)kreis

schaben: schuppen, abreiben, kratzen, scharren, entfernen, scheuern; *ugs.:* rubbeln, schrappen ‖ zerkleinern, raspeln, raffeln, hobeln

Schabernack → Scherz ‖ → Streich

schäbig → abgenutzt ‖ → kläglich ‖ → gemein ‖ → geizig

Schablone: Vorlage, Muster(stück), Schnitt, Vorbild, Schema, Form, Leitbild

schablonenhaft → schematisch ‖ → phrasenhaft

schachern: feilschen, (herunter)handeln, abdingen, handeln um, markten, den Preis drücken
schachmatt → erschöpft ‖ knock out, k. o., besiegt, am Boden, außer Gefecht, bezwungen, kampfunfähig
Schachtel: Karton, Box, Packung, Kassette, Päckchen ‖ → Frau
Schachzug: Trick, List, Winkelzug, Manöver, Schlauheit, kluge Maßnahme, Vorgehen, Schritt, Aktion, Handlungsweise
schade: ein Jammer, jammerschade, unerfreulich, beklagenswert, bedauerlich ‖ zu meinem Bedauern/Leidwesen, unglücklicherweise; *ugs.:* dummerweise ‖ leider (Gottes), es tut mir Leid, Gott sei's geklagt
Schädel → Kopf
schaden: Verluste/Schaden/Böses/Nachteile zufügen, schädigen, einen schlechten Dienst/keinen guten Dienst/einen Bärendienst erweisen, Unheil anrichten/stiften, benachteiligen, übelwollen, jmdm. etwas anhaben, Abbruch tun, jmdm. etwas antun/zuleide tun/in Mitleidenschaft ziehen, verderben (Augen), ruinieren, beeinträchtigen; *ugs.:* jmdm. eins auswischen, das Wasser abgraben, herunterbringen ‖ Nachteile bringen, s. ungünstig auswirken, von Schaden sein, zum Schaden gereichen; *ugs.:* Gift sein ‖ sich s.:s. sein eigenes Grab schaufeln, s. schädigen, s. Schaden zufügen, zu Schaden kommen, s. unbeliebt machen, in Ungnade fallen; *ugs.:*s. ins eigene Fleisch/in den Finger schneiden, s. die Finger/die Pfoten/den Mund verbrennen, s. in ein Wespennest setzen, s. hineinreiten, s. in die Nesseln setzen, ins Fettnäpfchen treten, s. selbst im Weg stehen
Schaden: Wertminderung, (Be)schädigung, Zerstörung, Beeinträchtigung, Abwertung ‖ Nachteil, Ungunst, Manko, Misserfolg, Einbuße,

Ausfall, Verlust(geschäft), Reinfall, Defizit, Benachteiligung ‖ Defekt, Schadhaftigkeit, Schwäche, Fehler, Minus, Bruch, Störung; *ugs.:* Panne ‖ Makel, Verletzung, Gebrechen, Deformierung, Entstellung, Verstümmelung, -unstaltung; *ugs.:* Knacks, Knick in der Optik, Dachschaden, Knall, Fimmel, Macke, Tick
Schadenersatz: Rückerstattung, Ausgleich, Gegenleistung, Schmerzensgeld, Abfindung, Wiedergutmachung, Abgeltung, Erkenntlichkeit, Rückzahlung, Äquivalent, Sühneleistung; *ugs.:* Trostpflaster
schadenersatzpflichtig: haftbar, -pflichtig, verantwortlich, ersatzpflichtig
schadenfroh: hämisch, gehässig, rachsüchtig, höhnisch, boshaft, maliziös, übelwollend, gemein ‖ **s. sein:** s. weiden an, s. die Hände reiben, verhöhnen, auslachen, einen Sieg davontragen, triumphieren, auftrumpfen, frohlocken; *ugs.:* s. ins Fäustchen lachen
schadhaft → defekt
schädigen → schaden
schädlich: ungünstig, nachteilig, -träglich, verderblich, Verderben/Nachteile bringend, hinderlich, abträglich, negativ, schlimm, schlecht, hemmend, unvorteilhaft, verlustreich, misslich, unheilvoll, Unheil bringend, ruinös ‖ unzuträglich, -gesund, -bekömmlich, schadhaft, gesundheitsschädlich, -schädigend, gefährlich
Schaf: *f.:* Zibbe, Muttertier; *m.:* Schafbock, Widder; *ugs.:* Ramm(el); *kastriert:* Hammel, Schöps, Kastraun; *jung:* Lamm ‖ → Dummkopf ‖ **schwarzes S.** → Prügelknabe
Schäfer: Hirt(e), Hütejunge
schaffen: hervorbringen, erschaffen, bilden, machen, (schöpferisch) gestalten, formen, Form geben, erwe-

cken, entwickeln, ins Leben rufen, in die Welt setzen, produzieren, erzeugen, kreieren, anfertigen, herstellen ‖ → bewältigen ‖ → arbeiten ‖ → erreichen ‖ befördern, transportieren, (fort)bringen, wegschaffen, verfrachten, (ab)liefern, expedieren

Schaffensfreude → Fleiß

Schaffner: Zugbegleiter; *öster., schweiz.:* Kondukteur; *schweiz.:* Trämler

Schaffung: (Be)gründung, Grundlegung, Stiftung ‖ Errichtung, Bau, Erschaffung, Produktion, Hervorbringung, Erzeugung, Herstellung ‖ Kreation, Schöpfung

Schafott: Blutgerüst, Guillotine

Schafskopf → Dummkopf

Schaft → Griff

schäkern → flirten ‖ → necken

schal: ohne Geschmack/Würze/Aroma, schlecht gewürzt, würzlos, abgestanden, wässrig, dünn, fad(e), geschmacklos, lau, ungewürzt; *ugs.:* lasch, flau, mau, labbrig ‖ → langweilig ‖ → geistlos

Schale: Hülse, Haut, Pelle, Hülle, Schote; *reg.:* Schlaube ‖ Platte, Becken, Schüssel

schälen: die Schale entfernen, abschälen, -ziehen, enthäuten; *ugs.:* (ab)pellen ‖ **sich s.:** die Haut verlieren, s. häuten, s. schuppen, (ab)schilfern, s. ablösen, seine Haut abstoßen

Schalk → Schelm

schalkhaft → schelmisch

Schall: Ton, Hall, Echo, Klang, Laut

schallen: tönen, hallen, dröhnen, (nach)klingen, gellen, lärmen, krachen, erschallen, schmettern

schallend → laut

Schallplatte: (Langspiel)platte, LP, Single, Titel; *veraltet:* Grammophonplatte; *ugs.:* (heiße) Scheibe ‖ CD

schalten: ein-, anschalten; *öster.:* aufdrehen; *ugs.:* anknipsen, -ma-

chen, -drehen ‖ den Gang einlegen ‖ → herrschen ‖ → verstehen ‖ **s. und walten lassen** → gewähren lassen

Scham: Schamhaftigkeit, -gefühl, Beschämung, Schüchternheit, Scheu, Befangenheit, Unsicherheit ‖ → Vulva

schämen, sich: Scham empfinden, vor Scham vergehen, (scham)rot werden, (vor Scham) erröten, s. in Grund und Boden schämen, im Erdboden versinken, s. genieren, die Augen niederschlagen, verlegen sein, s. scheuen; *ugs.:* s. anstellen, s. am liebsten (in ein Mauseloch) verkriechen wollen, s. haben

schamhaft: genant, voll Scham, verschämt, schüchtern, zurückhaltend; *ugs.:* genierlich; *reg.:* gschamig

schamlos: obszön, vulgär, pornografisch, unmoralisch, anstößig ‖ → frech

schandbar → schändlich

Schande: Unehre, Schmach, Entehrung, Bloßstellung, Kompromittierung, Desavouierung, Kränkung, Demütigung, Schimpf, Blamage, Skandal, Verruf, Erniedrigung, Beschämung; *ugs.:* Affenschande

schänden: entehren, -weihen, -würdigen, -heiligen, beschmutzen, -flecken, die Ehre rauben/nehmen ‖ → vergewaltigen

Schandfleck: Schandmal, Fleck, Makel, dunkler Punkt, Odium, Verunzierung

schändlich: schandbar, gemein, niederträchtig, verwerflich, -ächtlich, abscheulich, nichtswürdig, würdelos, schmählich, ehrlos, schlecht, schandlos, skandalös, schimpflich, elend, verabscheuenswert, -würdig, Abscheu erregend, schauderhaft, Ekel erregend, ekelhaft, widerlich, -wärtig, verbrecherisch, verdammenswert, -würdig, verfluchenswert, fluchwürdig, scheußlich, grässlich, gräulich, niedrig, ehrenrührig, ruchlos, böse, charakterlos, übel; *ugs.:* schuftig, schofel, dreckig, lumpig

Schandtat: Übel-, Misse-, Untat, Schurkerei, Bosheit, Bubenstück, Büberei, Vergehen, Straftat, Übertretung, Delikt

Schänke → Gaststätte

Schankstube, Schänkstube: Schenkstube, Schenke, Schankwirtschaft, Gaststätte

Schanktisch, Schänktisch: Theke, Schenktisch, Tresen, Ausschank, Büfett; *reg.:* Tonbank, Zapf

Schanze → Festung ‖ Sprungschanze, Backen

Schar: (An)zahl, Vielzahl, (Menschen)menge, Reihe, Masse; *ugs.:* Haufen ‖ Gruppe, Kreis, Runde, Gesellschaft, Gemeinschaft ‖ Schwarm, Heer, Legion, Herde, Rudel, Zug, Trupp, Pulk; *ugs.:* Kolonne, Horde ‖ Einheit, Abteilung, Verband, Kommando, Truppe, Kolonne

scharen, sich: s. (ver)sammeln, zusammenströmen, -kommen, s. zusammenfinden, s. vereinigen

scharenweise → massenhaft

scharf: (gut) geschliffen, schneidend, spitz, gewetzt, scharfkantig, geschärft rau (Wind), harsch, stark, kalt, grimmig ‖ beißend, stark gewürzt, kratzig, pikant, brennend, gepfeffert; *reg.:* rass; *schweiz.:* räss ‖ ätzend (Säure), zerstörend ‖ stechend (Geruch), durchdringend, intensiv, penetrant, herb ‖ hitzig (Gefecht), heftig, gewaltig, kraftvoll, impulsiv, vehement, ungestüm, wild ‖ hart (Kritik), schonungslos, streng, rigoros, unerbittlich, strikt, unnachsichtig, gnadenlos, massiv, rücksichtslos, bissig ‖ klar (Verstand), wach; *ugs.:* hell ‖ deutlich, erkennbar, genau, präzise, augenfällig, fest umrissen, prägnant, sichtbar, plastisch, merklich ‖ fühlbar, nachhaltig, gravierend, spürbar,

einschneidend, gewichtig, empfindlich, merklich ‖ → begierig

Scharfblick: Weitblick, Scharfsichtigkeit, -sinn(igkeit), Beobachtungsgabe, Geist(esgegenwart), Gewecktheit, Auffassungsgabe

Schärfe: Härte, Heftigkeit, Gewalt, Hitzigkeit ‖ Strenge, Gnadenlosig-, Unerbittlichkeit, Rigorosität, Unnachsichtig-, Kompromisslosig-, Schonungslosig-, Rücksichtslosigkeit, Ungerührtheit, Hartherzigkeit, Schroffheit, Striktheit, Massivität ‖ Deutlichkeit, Klarheit, Genauigkeit, Prägnanz ‖ → Nachdruck

schärfen: schleifen, scharf machen, wetzen, abziehen, (zu)feilen, spitzen ‖ ausbilden, verbessern, -feinern, -vollkommnen, ausformen, entwickeln, -falten, ausgestalten

scharfmachen: aufreizen; *ugs.:* antörnen ‖ → aufhetzen

Scharfrichter: Henker(sknecht)

Scharfsinn → Scharfblick ‖ Verstand, Denkkraft, Geist, Intellekt, Klugheit, Intelligenz, Schlauheit; *ugs.:* Köpfchen, Grips

scharfsinnig: gescheit, klug, geweckt, intelligent, sinnreich, hellsichtig, scharfblickend, -sichtig, klar blickend/denkend, wach; *ugs.:* hell, clever, nicht auf den Kopf gefallen

Scharlatan: Schwindler, Betrüger, Gangster, Gauner, Lügner; *ugs.:* Bluffer ‖ → Kurpfuscher

scharmant → reizend ‖ → attraktiv ‖ charmant

Scharme → Reiz ‖ Charme

Scharmützel → Gefecht

Scharnier: Drehgelenk

scharren: reiben, kratzen, graben, schaben, buddeln

Scharte: Kerbe, (Ein)schnitt, Riss, Ritz

scharwenzeln: *(ugs.):* liebedienern, den Hof machen, kriechen, nachlaufen, schöntun, s. einschmeicheln,

umschmeicheln, nach dem Munde
reden; *ugs.:* schwänzeln, Honig um
den Bart schmieren, Rad fahren, einen Buckel machen, katzbuckeln,
schweifwedeln, (um)schleimen

schassen → entlassen ‖ → hinauswerfen

Schatten: Kern-, Schlagschatten ‖
Schattenlicht, Dämmerung, (Halb)-
dunkel, Dunkelheit ‖ Ringe (Augen)

Schattenbild → Schattenriss

schattenhaft: undeutlich, verschwommen, unklar, vage, unscharf,
diffus, ungenau, nebelhaft, unbestimmt, schemenhaft, dunkel, andeutungsweise

Schattenriss: Schattenbild, Silhouette, Scherenschnitt ‖ Kontur, Umriss, Profil

Schattenseite: Nachtseite, Dunkel ‖
Kehrseite (der Medaille) ‖ → Nachteil

schattieren: abtönen, -schatten, -stu-
fen, nuancieren

Schattierung: Abtönung, -schattung,
-stufung, Nuancierung, Tönung,
Färbung ‖ Richtung, Strömung, Bewegung, Schule, Prägung

schattig: be-, umschattet, schattenreich, kühl, sonnenlos

Schatulle: (Schmuck)kästchen, Geldkasten, Etui, Kassette

Schatz: Reichtümer, Kostbarkeiten,
Besitz, Gut, Pretiosen, Wertgegen-
stände, Vermögen ‖ → Geliebte ‖
→ Geliebter ‖ → Liebling

schätzen: über-, veranschlagen, taxieren, beziffern, rechnen, ein-, abschätzen, ansetzen, halten für, erwägen, hochrechnen, erachten; *ugs.:*
über den Daumen peilen ‖ eine hohe
Meinung haben von, achten, großen
Wert legen auf, (ver)ehren, lieben,
hoch halten, mögen, gern haben, zu
würdigen wissen, hoch-, wertachten,
wertschätzen, anerkennen, Tribut
zollen, viel geben auf; *ugs.:* große

Stücke halten auf ‖ für wahrschein-
lich/möglich halten, annehmen,
meinen, vermuten, glauben, mutmaßen, eine Vermutung haben/hegen,
wähnen, kalkulieren; *ugs.:* tippen

schätzungsweise → annähernd

Schau: Auf-, Vorführung, Darbietung, Vorstellung, Veranstaltung,
Auftritt, Spiel, Nummer, Revue, Va-
rietee, Show ‖ Ausstellung, Messe,
Exposition ‖ → Standpunkt ‖ **zur S.
tragen** → zeigen ‖ **zur S. stellen**
→ ausstellen ‖ **eine S. abziehen** → angeben

Schauder: Grausen, Abscheu, Ekel,
Grauen, Gräuel, Horror, Entsetzen,
Bestürzung; *ugs.:* Gänsehaut, Zähneklappern, Gruseln ‖ Zittern, Beben, Frösteln

schauderhaft → furchtbar ‖ → sehr

schaudern: Schauder empfinden,
grausen, die Haare zu Berge stehen,
es läuft jmdm. eiskalt/heiß über den
Rücken herunter, erschauern, s. ängstigen; *ugs.:* gruseln, Blut schwitzen;
gehoben: erschaudern ‖ zittern, frösteln, frieren, schütteln, schauern,
schlottern, mit den Zähnen klappern;
ugs.: bibbern, Gänsehaut bekommen

schaudervoll → entsetzlich

schauen: blicken, sehen, beobachten,
spähen, gucken; *ugs.:* kucken, linsen
‖ wahrnehmen, erblicken, ansichtig
werden, erkennen, gewahr werden,
sichten ‖ **s. nach** → s. kümmern um

Schauer → Schauder ‖ Regenguss,
Wolkenbruch, Sturz-, Platz-, Gewitterregen; *ugs.:* Dusche

Schauergeschichte: Gespenster-,
Spuk-, Grusel-, Geistergeschichte,
Schauerroman; *ugs.:* Schauermär-
chen

schauerlich: schaurig, schauervoll,
gruselig, gräulich, gespenstig, unheimlich, makaber, nicht geheuer,
Furcht/Entsetzen/Grauen erregend,
gespenstisch, spukhaft, zum Fürch-

ten, geister-, gespensterhaft, beklemmend, dämonisch, beängstigend ‖ → furchtbar ‖ → sehr
schauern → schaudern
Schaufel: Schippe, Spaten
schaufeln: graben, ausheben, schippen, ausschachten, aushöhlen; *ugs.:* buddeln ‖ **sich sein eigenes Grab s.** → s. schaden
Schaufenster: Vitrine, Auslage
schaukeln: hin und her schwingen, wippen, wogen, (s.) wiegen; *reg.:* schunkeln; *öster.:* hutschen; *schweiz.:* gigampfen ‖ pendeln, bammeln ‖ → bewältigen
schaulustig: neugierig, sensationslüstern, -geil, wissbegierig, indiskret
Schaum: Gischt, Schaumkrone ‖ Schnee ‖ **S. schlagen** → angeben
schäumen: Schaum bilden, wallen, perlen, gären, sprudeln, moussieren, gischten, branden ‖ → rasen
Schaumschläger: Schneebesen; *öster.:* Schneerute ‖ → Angeber
Schaumwein: Champagner, Sekt, Perlwein; *ugs.:* Schampus
Schauplatz: Ort des Geschehens, Arena, Szene, Tatort, Forum, Bühne, Szenerie
schaurig → schauerlich
Schauspiel: Theater-, Bühnenstück, (Bühnen)spiel, Werk, Drama ‖ Anblick, Vorgang, Ereignis, Aufführung, Vorstellung, Spektakel, Darbietung, Vorfall
Schauspieler: Darsteller, Mime, Film-, Bühnenkünstler, Akteur, Leinwandgröße, Star
schauspielern: vormachen, so tun als ob, simulieren, eine Rolle spielen → heucheln
Scheck: Überweisungsträger, -mittel, Zahlungsanweisung
scheckig: fleckig, gefleckt, (bunt) gescheckt, mehrfarbig
scheel: schielend, schlecht sehend ‖ → neidisch

scheffeln → anhäufen
Scheibe: Fenster, Glas ‖ Schnitte, Brotscheibe, Stück; *reg.:* Stulle, Bemme ‖ → Schallplatte
Scheide → Grenze ‖ → Vagina
scheiden: trennen, (ab)sondern, separieren, aussortieren ‖ unterscheiden, differenzieren, auseinander halten, abheben, einen Unterschied machen, gegeneinander abgrenzen ‖ Abschied nehmen, fortgehen, s. empfehlen, s. verabschieden, s. beurlauben, das Amt aufgeben ‖ → sterben ‖ **sich s. lassen:** s. trennen, die Ehe auflösen, auseinander gehen, s. lösen
Scheideweg → Kreuzung
Schein: Licht, Helligkeit, Schimmer, Strahlenkegel, Glanz, Helle, Strahl ‖ Anschein, Aussehen, Eindruck ‖ → Bescheinigung ‖ Banknote, Papiergeld, Geld(schein) ‖ **zum S.:** nur der Form halber, nicht wirklich/eigentlich, pro forma, dem Schein nach, nach außen hin, äußerlich
scheinbar: nicht wirklich/eigentlich, dem Schein nach ‖ → anscheinend ‖ fiktiv, imaginär, illusorisch, hypothetisch, gedacht, eingebildet ‖ täuschend, falsch, trügerisch, irreführend
scheinen: leuchten, (Licht) ausstrahlen, Helligkeit von s. geben ‖ den Eindruck machen, den Anschein erwecken/haben, vorkommen, anmuten, erscheinen, aussehen nach, dünken, wirken, s. geben, so tun als ob, s. darstellen
scheinheilig: heuchlerisch, hinterhältig, frömmelnd, scheinfromm, hinterlistig, unaufrichtig, falsch, doppelzüngig, verstellt
Scheinwerferlicht: Rampen-, Flut-, Schlaglicht
Scheiße → Kot ‖ → Ramsch ‖ → Unsinn ‖ → Fehlschlag ‖ → verflucht
scheißen → Stuhlgang haben
Scheißhaus → Abort

Scheitel: Kamm, Kuppe, Gipfel, Oberkante

scheitern: misslingen, ohne Erfolg bleiben, fehlschlagen, Schiffbruch erleiden, stranden, straucheln, zerbrechen an, zugrunde gehen, missglücken, -raten, s. zerschlagen, schlecht ausgehen/ablaufen/ausfallen, zum Schlechten ausschlagen, keine Wirkung tun, nicht ankommen/wirken, ins Wasser fallen, zusammenbrechen, Misserfolg haben, das Ziel verfehlen, nicht zustande bringen; *ugs.:* baden gehen, auffliegen, platzen, daneben-, schiefgehen, in den Eimer gehen, eine Panne/Pleite/Schlappe erleiden, hochgehen, nicht durchkommen, schieflaufen, in die Brüche/zu Bruch gehen, verunglücken, quergehen

Schelle: *(reg.):* Glocke, Klingel, Bimmel

schellen → klingeln

Schelm: Schalk, Spaßvogel, Witzbold, Clown, Original, Münchhausen; *ugs.:* Nummer, Unikum, Schäker, Marke, lustiges Huhn/Haus, lustiger Kauz ‖ Schlingel, Kerlchen, Lausbub, Frechdachs, (Lause)bengel, Strolch, Lausejunge, Spitzbube; *ugs.:* Strick, freches Stück, Luder, Rotzlöffel, -nase, -bub, Lümmel, Früchtchen, Schlitzohr, Schlawiner, Striezel, Bösewicht, Lump

Schelmenstreich → Streich

schelmisch: schalkhaft, spitzbübisch, neckisch, drollig, scherzhaft, putzig, ulkig, spaßhaft

schelten → schimpfen

Schema: (Zeichen)darstellung, Abbildung, Skizze ‖ Muster, Vorlage, -bild, Schablone, Entwurf, Plan, Schnitt, Paradigma, Pattern ‖ Ordnung, Gesetz-, Planmäßigkeit, System(atik), Methode, Verfahren

schematisch: vereinfacht, anschaulich, übersichtlich, bildlich, einpräg-

sam, -gängig, verständlich, plastisch ‖ ein-, gleichförmig, automatisch, schablonenhaft, stereotyp, schemenhaft, nach Schema F, uniform, stets auf dieselbe Art, regelmäßig, eintönig, monoton, formelhaft, s. wiederholend, immer wiederkehrend, gewohnheitsmäßig, gängig, eingefahren, klischeehaft, (fest)stehend, unveränderlich, erstarrt, immer wieder gleich, → phrasenhaft

schematisieren → vereinfachen

Schemel: Hocker, Sitz; *öster.:* Stockerl ‖ Fußbank, -bänkchen

schemenhaft: schattenhaft, undeutlich, verschwommen, vage, unscharf, diffus, ungenau, nebelhaft, unbestimmt, dunkel, andeutungsweise

Schenk: (Gast)wirt, Schankwirt, Schenkwirt; *reg.:* Krüger; *ugs.:* Kneipier

Schenke → Gaststätte

schenken: her-, weg-, ver-, beschenken, verteilen, bescheren, ein/zum Geschenk/Präsent machen, her-, weg-, hin-, fortgeben, spenden, spendieren, stiften, abtreten, opfern, zukommen lassen, zur Verfügung stellen, übergeben, -lassen, -tragen, bedenken/-glücken mit, als Gabe überreichen, darbringen, verehren; *öster.:* beteilen; *schweiz.:* vergaben; *ugs.:* vermachen, s. in Unkosten stürzen ‖ **sich s.:** *(ugs.):* unterlassen, s. ersparen, absehen/Abstand nehmen von, beiseite lassen, nicht tun/machen; *ugs.:* sein lassen

schenkfreudig: großzügig, die Spendierhosen anhabend, in Spendierlaune ‖ → freigebig

Schenktisch → Schanktisch

Schenkung: Zuwendung, Stiftung, Gabe, Dotierung, Geschenk, Spende, Dedikation, Zueignung

scheppern: klappern, klappen, krachen, lärmen, rasseln, knallen, rumpeln; *ugs.:* bullern, bumpern

Scherbe: Splitter, Glas-, Bruchstück; *reg.:* Scherbel

scheren: ab-, be-, wegschneiden, kurz schneiden, stutzen, rasieren, kürzen, kürzer machen, trimmen, abscheren, kupieren; *ugs.:* abschnipseln, -schnippeln ‖ **sich s.** → weggehen ‖ **sich s. um** → s. kümmern um

Schererei → Ärger

Scherflein: Beitrag, Spende, Zahlung, Leistung, Obolus, Summe, Abgabe

Scherge: Henkersknecht, Bütte, Verfolger; *dicht.:* Häscher

Scherz: Schabernack, Spaß, Ulk, Witz(elei), Jux, Possen(spiel), Neckerei, Streich, Jokus, Spiel(erei), Ausgelassenheit, Clownerie, Harlekinade, Eulenspiegelei, Narretei, Unsinn, Humor, Unfug, Schelmerei, Hanswursterei, Komik, witzige Bemerkung; *ugs.:* Fez, Gaudi, Klamauk, Faxen; *öster.:* Spaßetteln, Spompanadeln

scherzen: einen Scherz/Scherze/Spaß/Ulk/Unsinn/Witze/Dummheiten machen, (herum)albern, spaßen, kaspern, witzeln, Possen treiben/reißen, tollen, ulken, schäkern, necken, narren, nicht ernst meinen, Schabernack treiben; *ugs.:* blödeln, flachsen, dalbern, herumdummen, juxen, Jux/Schmäh/Flachs machen, schmarren, frotzeln

scherzhaft: nicht ernst, im Spaß/Scherz, neckend, frotzelnd, scherzend, spaßig, lustig, humorvoll, witzig

Scherzname → Spitzname

scheu: gehemmt, schüchtern, voller Scheu, nicht zutraulich, befangen, ängstlich, unsicher, zaghaft, verschüchtert, -schämt, schamhaft, genierlich, zurückhaltend; *reg.:* gschamig

Scheu: Zurückhaltung, Hemmung, Ängstlichkeit, Schüchternheit, Zaghaftigkeit, Befangen-, Verklemmt-, Unsicherheit, Scham

scheuchen: aufscheuchen, ver-, weg-, fort-, davonjagen, schrecken, ver-, forttreiben, in die Flucht schlagen/treiben

scheuen: Scheu/Hemmung/Angst haben vor, fliehen, fürchten, umgehen, meiden, zurückschrecken, s. entziehen, s. fernhalten, aus dem Wege gehen, ausweichen; *ugs.:* s. drücken vor, einen Bogen machen um, kneifen ‖ **scheu/wild werden**

Scheuer → Scheune

scheuern: sauber machen, (ab)reiben, schrubben, reinigen, abkratzen, -bürsten, wischen, waschen, putzen, Schmutz entfernen; *öster.:* ausreiben, rubbeln ‖ wetzen, schaben, auf-, wundreiben, aufschürfen

Scheuertuch → Putzlappen

Scheune: Scheuer, Heuboden, -speicher, Silo; *reg.:* Stadel, Schauer, Schober; *schweiz.:* Heubühne

Scheusal: Bestie, Teufel, Unmensch, Schurke, Unhold, Satan, Ungeheuer, Übeltäter, Verbrecher, Ekel, Lump, Rohling, Barbar, Grobian, Wüterich, Menschen-, Leuteschinder, Berserker, Widerling, Aas, Ungetüm, Monstrum, Wandale, Bluthund, Kannibale; *ugs.:* (Un)tier, Biest, Mist-, Ekelstück, mieser Typ, fieser Kerl, Fiesling, Lumpenkerl; *derb:* Schweine-, Dreckskerl, Schweinehund, Dreckstück, Vieh

scheußlich → schändlich ‖ → hässlich ‖ → gemein

Schi → Ski

Schicht: Lage; *öster.:* Schichte ‖ Decke, Belag, Überzug, Film, Ablagerung ‖ Arbeit(szeit), Turnus ‖ Gesellschaftsschicht, Gruppe, Klasse, Stand; *abwertend:* Kaste

schichten: (in Schichten) übereinander legen/stellen, aufschichten, -häufen, -stellen, -setzen, türmen, stapeln;

öster.: aufschlichten, -richten, schöbern

schick → elegant

Schick: Eleganz, Feinheit, Pfiff, Geschmack, Kultur

schicken: (über)senden, zu-, ver-, abschicken, zukommen/-gehen lassen, übermitteln, zuleiten, -stellen, überweisen, (ab)liefern, ins Haus schaffen, bringen, transportieren, befördern, einwerfen, zur Post bringen, in den Briefkasten stecken ‖ entsenden, delegieren, beauftragen, (ver)weisen, bescheiden, kommandieren zu, beordern ‖ **sich s.:** s. gehören, s. ziemen, angebracht/-gemessen sein, s. gebühren, anstehen, passen ‖ **sich s. in:** s. abfinden mit, s. zufrieden geben, akzeptieren, ertragen, s. fügen, s. ergeben in, s. begnügen, in Kauf nehmen, hinnehmen, resignieren, s. dem Schicksal überlassen; *ugs.:* in den sauren Apfel beißen ‖ **sich s.:** *(ugs.):* s. beeilen

Schickeria, Schickimicki → HighSociety

schicklich: angemessen, -gebracht, gebührend, -bührlich, -hörig, -ziemend, -eignet, -mäß, entsprechend, wie es s. gehört, gebührendermaßen, -weise, richtig, ordentlich, passend, angezeigt, adäquat, anständig

Schicksal: Bestimmung, Kismet, Los, Schickung, Fatum, Geschick, Vorsehung, Fügung, höhere Gewalt, Prädestination, die Gestirne, Gegebenheit

schicksalhaft: vom Schicksal bestimmt, unabwendbar, vorbestimmt, unabweislich, beschlossen, gewollt, unvermeidlich, schicksalsmäßig, -schwer, unentrinnbar, verfügt, notwendig ‖ → katastrophal

Schicksalsschlag → Unglück

schieben: drücken, rücken, stoßen, bewegen, rollen, drängen ‖ *ugs.:* schmuggeln, hehlen, unsaubere Geschäfte machen; *ugs.:* schachern ‖ **s. auf** → aufbürden ‖ → beschuldigen ‖ **sich s.** → geschehen

Schieber → Betrüger

Schiebung → Betrug

Schiedsrichter: Unparteiischer, Kampf-, Ring-, Punktrichter, Referee; *ugs.:* Schiri, Schwarzkittel, Pfeifenmann

schief: geneigt, schräg, nicht gerade, krumm, windschief, abfallend, -schüssig, s. senkend ‖ → falsch

schief gehen → scheitern

schief gewickelt: *(ugs.):* auf dem falschen Dampfer, daneben liegend, auf dem Holzweg, nicht auf die Rolle gekriegt ‖ → s. irren

schieflachen, sich: s. einen ablachen ‖ → lachen

schief laufen → scheitern

schieffliegen → s. irren

schielen: *(ugs.):* quer/schräg gucken, einen Silberblick/einen Knick im Auge/in der Optik haben ‖ verstohlen schauen, spähen, s. umsehen, lugen ‖ **s. nach** → neiden

Schiene: Gleis, Geleise ‖ Stütze

schier: rein, pur, lauter, bloß, nur, genuin ‖ → fast

Schießeisen → Gewehr ‖ → Pistole

schießen: los-, abdrücken, (ab)feuern, ab-, be-, losschießen, abziehen, einen Schuss abgeben lassen/auslösen, unter Beschuss nehmen, Feuer geben, böllern; *ugs.:* (los)ballern, (los)knallen, pulvern, bullern, paffen ‖ erlegen (Wild), töten, zur Strecke bringen, treffen; *ugs.:* abknallen ‖ → sausen ‖ erzielen (Tor), werfen, stoßen; *ugs.:* schmettern, pfeffern ‖ wuchern, üppig werden, schnell wachsen, emporschießen, in die Höhe/ins Kraut/wie Pilze aus dem Boden schießen

Schießerei: Gefecht, Schuss-, Feuer-, Kugelwechsel, Schießen; *ugs.:* Ballerei, Knallerei, Geschieße

Schiff: Wasserfahrzeug, Dampfer
Schiffbruch → Fehlschlag ‖ **S. erleiden** → scheitern
schiffen → urinieren ‖ → regnen
Schiffer: See-, Schiffsmann, Seefahrer
Schifffahrt: Wasserverkehr, Seefahrt
schikanieren: drangsalieren, tyrannisieren, piesacken, herumhacken auf ‖ → quälen
Schild: Etikett, Aufklebezettel, -schildchen, Preis-, Aushängeschild, Plättchen; *ugs.:* Aufkleber ‖ Wegweiser, Richtungsanzeiger ‖ Verkehrszeichen, Beschilderung
Schildbürger → Spießbürger
schildern: beschreiben, erzählen, berichten, wiedergeben, darstellen, ausmalen, -führen, nachzeichnen, veranschaulichen, darlegen, lebendig machen, illustrieren, zum Besten geben, mit Worten ausmalen, ein Bild entwerfen, vortragen, charakterisieren, Bericht erstatten
Schilderung → Darstellung
Schilf: Schilf-, Teichrohr, Ried, Schilfgras, Röhricht, das Rohr
schillern: irisieren, changieren, → leuchten
schillernd: zwiespältig, undurchsichtig, mehrdeutig, unbestimmt, wechselhaft, wechselnd, wandelbar, ambivalent, nebulös, schleierhaft ‖ glänzend, leuchtend, irisierend, changierend, funkelnd, glitzernd, schimmernd
Schimäre: Fantasie-, Fabelwesen ‖ → Einbildung
Schimmel: Pilze, Pilzüberzug, Schwamm, Moder, Fäulnis ‖ weißes Pferd
schimmeln: Schimmel ansetzen, faulen, verderben, -wesen, -schimmeln, schlecht werden; *ugs.:* vergammeln
Schimmer: Glanz, Schein, Gefunkel, Flimmer, Leuchten; *dicht.:* Glast ‖ → Nuance

schimmern: irisieren, changieren, → leuchten
Schimpf → Schande
schimpfen: (aus)schelten, aus-, beschimpfen, jmdm. Vorwürfe machen/etwas vorwerfen, zurechtweisen, tadeln, maßregeln, anfahren, die Meinung sagen, rügen, einen Verweis/Rüffel/eine Lektion/Rüge erteilen, attackieren, herabsetzen, angreifen, zanken, zetern, fluchen, eine Szene machen, anherrschen, -schreien, -brüllen, toben, eine Abfuhr/Lehre erteilen; *ugs.:* wettern, herunterputzen, -machen, abkanzeln, zur Schnecke/Minna machen, es jmdm. geben/zeigen, den Kopf waschen, den Marsch blasen, jmdn. zurechtstutzen, eine Strafpredigt/Standpauke halten, die Leviten lesen, zusammenstauchen, einen Anschiss erteilen, poltern, donnern, anfauchen, -fegen, -zischen, -knurren, -schnauben, niedermachen, fertig machen, eine Abreibung erteilen, s. Luft machen, schimpfen wie ein Rohrspatz, kläffen, keifen, bellen, loslegen, gewittern, ein Donnerwetter loslassen, anschnauzen, -motzen, -pfeifen, lästern, geifern, ins Gebet nehmen, vom Leder ziehen, Gift und Galle spucken, jmdm. den Kopf zurecht rücken/seinen Standpunkt klarmachen/etwas flüstern/aufs Dach steigen, mit jmdm. ein Hühnchen rupfen/Klartext sprechen, abkapiteln, eins auf den Deckel geben, s. jmdn. vornehmen/-knöpfen, anschnauzen, -husten, -blaffen, Bescheid sagen, Theater machen; *derb:* an-, zusammenscheißen, zur Sau machen ‖ → benennen
schimpflich → schändlich
schinden → schikanieren ‖ → drillen ‖ **sich s.** → s. anstrengen
Schinderei → Misshandlung ‖ → Qual ‖ → Mühe

Schindmähre → Pferd
Schippe: Schaufel, Spaten
schippen → schaufeln
Schirm: Regenschirm; *scherzh.:* Parapluie, Regendach ‖ Hutrand, Krempe
Schirmherr: Schutzherr, -patron, Protektor, Beschützer, Sponsor, Patron
Schirmherrschaft → Hoheit
Schiss → Angst
Schizophrenie: Bewusstseinsspaltung, Spaltungsirresein, Geisteskrankheit
schlabberig → schwabbelig
schlabbern: *(ugs.):* schlürfen; *ugs.:* schlappern, labbern ‖ kleckern, umschütten, vergießen ‖ → schwatzen
Schlacht → Kampf
schlachten: abschlachten, -stechen, töten; *reg.:* metzgen, metzen, abtun
Schlachtenbummler: *auch abwertend:* Krawallmacher, Hooligan, Radaubruder ‖ → Zuschauer
Schlachter → Metzger
Schlachtfeld → Kampfplatz
schlackern → schlottern
Schlaf: Nachtruhe
Schlafanzug: Nachtanzug, -gewand, Pyjama
schlafen: im Schlaf liegen, ein Schläfchen machen, ruhen, in Morpheus Armen liegen, den Schlaf des Gerechten schlafen, im tiefsten/in tiefem Schlaf liegen; *ugs.:* pennen, knacken, s. von innen begucken, filzen, pofen, ratzen, duseln, wie ein Toter/Sack/Murmeltier schlafen ‖ unaufmerksam/nicht bei der Sache/versunken/geistesabwesend/in Gedanken verloren/vertieft/ganz in Gedanken sein, seine Gedanken woanders haben, träumen; *ugs.:* mit offenen Augen schlafen, nicht da sein, seine fünf Sinne woanders haben, geistig weggetreten sein ‖ → übernachten ‖ **s. gehen:** s. zur Ruhe bege-

ben, ins/zu Bett gehen, s. zu Bett legen, s. zurückziehen, s. hin-/niederlegen, s. schlafen legen; *ugs.:* s. aufs Ohr legen, in die Falle/Federn/Klappe/ins Nest gehen; *scherzh.:* zum Federball gehen; *Kinderspr.:* in die Heia gehen
schlaff → erschöpft ‖ → schwach ‖ locker, lose, nicht gespannt/straff, lasch, schlaksig, schlotterig, schlapp; *reg.:* bommelig
Schlaffi: Weichling ‖ → Versager
Schlafgelegenheit → Unterkunft
Schlafmütze: Schlafhaube ‖ *ugs.:* Träumer, Phlegmatiker; *ugs.:* langweiliger Peter, lahme Ente, Langweiler, Döskopf, Transuse, -tüte, -funzel, Schnecke, Hansguckindieluft, Tränentier
schläfrig → müde
Schlafstelle → Unterkunft
schlaftrunken → müde
schlafwandeln: nachtwandeln, umgehen; *ugs.:* herumgeistern
Schlafwandler: Nacht-, Traumwandler, Somnambuler, Mondsüchtiger
Schlafzimmer: Schlafraum, -stube, -kammer, -gemach
Schlag: Hieb, Stoß, Klaps, Puff, (Kinn)haken, Schwinger, Knock-out, Niederschlag, Ruck; *ugs.:* Schubs, Stups, Stumper, Knuff, Patsch, Klatsch; *öster.:* Schupfer, Stupfer; *schweiz.:* Putsch ‖ Beleidigung, Kränkung, Verletzung, Stich, Brüskierung ‖ → Unglück ‖ → Schlaganfall ‖ → Art ‖ Schlagsahne, -rahm; *öster.:* Schlagobers ‖ Schneise, Lichtung, Waldschlag; *Fachsp.:* Schwende ‖ **mit einem S.** → plötzlich
Schlagader: Aorta, Arterie, Ader
Schlaganfall: (Ge)hirnschlag; *med.:* Insult, Apoplexie; *ugs.:* Schlag
schlagartig → plötzlich
Schlagbaum: Schranke, Barriere, Absperrung; *reg.:* Fallbaum
Schläge → Prügel

Schlägel: Hammer

schlagen: (ver)prügeln, Prügel/ Schläge austeilen, einschlagen/ -hauen/-prügeln auf, einen Schlag/ Schläge versetzen, Prügel verabreichen, weh tun, tätlich werden, zu Leibe gehen, ohrfeigen, züchtigen, zu-, losschlagen, zu-, verhauen, handgreiflich/-gemein werden, durchprügeln, jmdm. eine Ohrfeige geben; *ugs.:* (ver)dreschen, verklopfen, -möbeln, -bläuen, -sohlen, -trimmen, -wichsen, knüppeln, eins versetzen/ -passen, jmdm. rutscht die Hand aus, eins/ein paar überziehen, eins draufgeben/-hauen, eine knallen/langen/ schmieren/schallern/überbraten, es jmdm. (ordentlich/feste) geben, das Fell gerben, überlegen, die Hosen strammziehen, übers Knie legen, eine herunterhauen, durchhauen, zusammenschlagen, ein paar hinter die Ohren/die Löffel/eine Maulschelle geben; *derb:* die Fresse/Eier polieren, jmdn. zu Brei schlagen/zu Hackfleisch machen, jmdm. den Hosenboden/Hintern versohlen/einen vor den Latz knallen/eine in die Schnauze/Fresse knallen/den Frack vollschlagen, verwamsen, -bimsen, -keilen, durchbläuen, -walken, jmdm. eine scheuern/wienern/verpassen, eins aufbrennen, jmdm. Saures geben; *reg.:* watschen, dachteln, reiben ‖ → besiegen ‖ pulsieren, hämmern, pochen, klopfen, s. hin und her bewegen; *ugs.:* pumpern, bubbern ‖ trommeln (Türe), schmettern; *ugs.:* bumsen, ballern ‖ fallen, stürzen, hin-, aufschlagen; *ugs.:* hinknallen, -plumpsen ‖ → singen ‖ ansagen (Uhr), tönen, anzeigen ‖ fällen, abholzen, -sägen, um-, abhauen, ab-, umschlagen ‖ → übertreffen ‖ prägen (Münzen), herstellen, machen, erzeugen, hervorbringen, produzieren, bilden ‖ → branden ‖ um-, überlegen,

einwickeln, ein-, verpacken, wickeln in, einschlagen ‖ **s. in:** einschlagen, -rammen, klopfen/hauen/hämmern in, hineintreiben ‖ **s. nach** → ähneln ‖ **sich s.:** s. prügeln, s. raufen, s. hauen, s. balgen, miteinander ringen; *ugs.:* s. keilen, s. kloppen, s. herumschlagen ‖ → kämpfen

schlagend: zwingend, bestechend, überzeugend, stichhaltig, unwiderlegbar, triftig, treffend, einleuchtend, plausibel, evident, beweis-, schlagkräftig, glaubwürdig, drastisch, frappant, hieb- und stichfest, schlüssig, erdrückend, durchschlagend

Schlager: Knüller, Kassen-, Verkaufsschlager, Hit, Kassenmagnet, Zugstück, -nummer, Glanzstück, -nummer, Reißer, Publikumserfolg, Bestseller, Evergreen, Gassenhauer, Renner, Spitzenreiter, Tabellenführer, Treffer; *abwertend:* Schnulze, Schmachtfetzen

Schläger: Stock (Hockey) ‖ → Raufbold

Schlägerei: Rauferei, Prügelei, Handgemenge, Faustkampf, Tätlichkeiten, Balgerei; *ugs.:* Keilerei, Geraufe, Holzerei

schlagfertig: mund-, zungenfertig, redegewandt, sprühend, spritzig, geistesgegenwärtig, nicht auf den Mund gefallen

schlagkräftig → schlagend ‖ gut ausgerüstet, ausgebildet, vorbereitet, kampffähig, einsatzbereit

Schlagsahne: Schlagrahm; *öster.:* Schlag(obers)

Schlagstock: Gummiknüppel

Schlagwort: Devise, Motto, Leitwort, Losung, stehender Ausdruck, Parole, Slogan, Wahlspruch, Redensart ‖ → Phrase

Schlagzeile: (Balken-, Haupt)überschrift, Titel, Headline ‖ **Schlagzeilen machen** → auffallen ‖ → s. herumsprechen

schlaksig → schlaff ǁ hoch aufge-schossen/gewachsen, lang; *ugs.:* eine Bohnenstange
Schlamassel → Not
Schlamm: Morast, Schlick, aufge-weichter Boden, Sumpf; *ugs.:* Matsch, Patsche, Brei, Soße, Brühe, Suppe, Mansch, Pampe; *reg.:* Mod-der, Mud; *schweiz.:* Plotsch
Schlampe: *(ugs.):* liederliches Frau-enzimmer; *ugs.:* Schlumpe, Schmutz-liese, Ruschel; *derb:* Vettel
schlampen → pfuschen
Schlamperei → Unordnung
schlampig → unordentlich
Schlange: Reihe; *ugs.:* Schwanz ǁ Verkehrsstauung, Stau, Auto-schlange ǁ S. stehen → anstehen
schlängeln, sich: s. wie eine Schlange bewegen, s. winden, kurven, s. rin-geln, s. krümmen
schlank → dünn
Schlankheitskur: Diät, Abmage-rungs-, Entfettungs-, Hunger-, Fas-tenkur
schlankweg → aufrichtig ǁ → kurzer-hand
schlapp → erschöpft ǁ → schwach ǁ → schlaff
Schlappe → Fehlschlag
schlappen → schlürfen ǁ → schlot-tern
schlappmachen → erschöpfen ǁ → aufgeben
Schlappschwanz → Feigling
Schlaraffenland → Paradies
schlau: gewiegt, -witzt, -schickt, fin-ten-, trickreich, pfiffig, durchtrieben, wendig, taktisch klug, findig, listig, verschmitzt, smart, geschäfts-, le-benstüchtig, alert, raffiniert, wach, diplomatisch, clever, abgefeimt, scharfsinnig, intelligent, aufgeweckt, abgebrüht; *ugs.:* helle, nicht auf den Kopf gefallen, gerissen, -wieft, -rie-ben, verschlagen, (aus)gefuchst, mit allen Wassern gewaschen, bauern-

schlau, ausgekocht, -gepicht, ver-trickst, tricksi, nicht von gestern; *reg.:* anschlägig, gnitz, vigilant; *öster.:* ge-finkelt
Schlauberger → Schlaukopf
schlauchen → anstrengen
Schlaufe: Schlinge; *reg.:* Schluppe; *öster.:* Masche
Schlaukopf: schlauer Fuchs, Schlauer, Filou; *ugs.:* Schlauberger, -meier, Pfiffikus, Schlitzohr, Cle-verle; *derb:* Luder, Aas; *schweiz.:* Schläuling
Schlawiner → Schelm ǁ → Tauge-nichts
schlecht: nicht gut, fürchterlich, elend, erbärmlich, misslungen, -ra-ten, -glückt, miserabel, mangelhaft, kläglich, armselig, kümmerlich, kärg-lich, schäbig, stümperhaft, dilettan-tisch, → minderwertig; *ugs.:* beschis-sen, mies ǁ → faul ǁ → elend ǁ unle-serlich, -sauber, -ordentlich, -deut-lich ǁ unratsam, -zweckmäßig, -zu-träglich, Verlust bringend, von Übel, → schädlich ǁ → unangenehm ǁ un-wohl, (spei)übel; *ugs.:* kodderig, lau-sig, blümerant ǁ → gemein ǁ s. erge-hen: s. in Schwierigkeiten befinden, miserabel gehen; *ugs.:* mies dran sein, mies/bescheiden/dreckig ge-hen; *derb:* beschissen/schweinemä-ßig gehen, im Dreck stecken, das Wasser steht bis an die Gurgel ǁ nicht s. → gut ǁ s. werden → faulen ǁ s. und recht → mittelmäßig ǁ s. gelaunt → missmutig
schlechterdings → ganz ǁ → gerade-zu
schlechthin → geradezu ǁ an sich, in reinster Ausprägung, überhaupt, im eigentlichen Sinn, im wahrsten Sinne des Wortes, ganz allgemein, par ex-cellence; *ugs.:* in Reinkultur
Schlechtigkeit → Gemeinheit
schlechtmachen → verleumden
schlechtweg → ganz ǁ → geradezu

schlecken → lecken ‖ naschen; *reg.:* leckern

Schleckerei → Leckerbissen ‖ *pl.:* → Süßigkeiten

Schleckermaul → Leckermaul

Schlegel: Schenkel

schleichen: auf Zehen(spitzen)/Fußspitzen gehen, leise/vorsichtig/behutsam/heimlich/unbemerkt gehen ‖ **sich s.** → weggehen

Schleichhandel → Schwarzhandel

Schleichhändler → Schmuggler

schleierhaft → rätselhaft

Schleife: Schlinge, Schlaufe; *reg.:* Schluppe; *öster.:* Masche ‖ → Biegung

schleifen → drillen ‖ → schärfen ‖ schleppen, ziehen, zerren, bugsieren ‖ → niederreißen ‖ → glätten

Schleim: Brei ‖ → Auswurf

schleimig: feucht, glitschig, schmierig, schlüpfrig, quallig; *ugs.:* glibberig; *derb:* rotzig ‖ → unterwürfig ‖ → ekelhaft

Schleimscheißer → Speichellecker

schlemmen: es s. schmecken lassen, schwelgen, prassen, genießen, s. gütlich tun an, frönen, zu leben wissen, sich's wohl sein lassen, in Saus und Braus/luxuriös leben, aus dem Vollen schöpfen; *ugs.:* essen/leben wie Gott in Frankreich

Schlemmer → Feinschmecker

schlendern: gemächlich gehen, umherschlendern, flanieren, spazieren (gehen), (lust)wandeln, bummeln, promenieren; *ugs.:* trudeln; *reg.:* schlenzen

Schlendrian: Trott, Hudelei, Schlamperei, Nachlässigkeit, (Lotter)wirtschaft; *ugs.:* Lotterei, Schluderei

schlenkern: hin und her bewegen/schwingen, schlackern, pendeln, rudern, schwenken

schleppen: ins Schlepptau nehmen, hinter s. herziehen, schleifen, bugsieren, ziehen, dirigieren, lotsen, manövrieren ‖ tragen, transportieren, befördern

schleppend → langsam

Schlepper: Schleppschiff, -dampfer ‖ Traktor, Trecker, Bulldozer, Zugmaschine ‖ Kuppler, Zubringer

Schleuder: Katapult ‖ Wäscheschleuder, Zentrifuge

schleudern: (hin)werfen, weg-, hinschleudern, schmeißen, katapultieren; *ugs.:* (hin)pfeffern, (hin)feuern, ballern, schmettern ‖ ins Schwimmen kommen, schlingern, ins Schleudern geraten, aus der Kurve getragen werden, schwanken, schaukeln; *ugs.:* schwimmen

Schleuderware: Ausschuss(ware), Schund, Ladenhüter, Altware, Ramsch, schlechte Ware, Plunder, Tand; *ugs.:* Schrott, Tinnef, Kram, Mist, Schofel; *derb:* der letzte Dreck

schleunig(st) → sofort ‖ → schnell

Schlich → List ‖ *pl.:* → Intrige

schlicht → einfach

schlichten → bereinigen

Schlick → Schlamm

Schließe: Schnalle, Koppelschloss, Verschluss

schließen: zumachen, ab-, zusperren, ab-, zu-, verschließen, ein-, zuklinken, die Tür ins Schloss fallen lassen, zuklappen, -schlagen, -werfen, -stoßen, -schmettern, den Riegel vorschieben, ab-, zuriegeln; *ugs.:* zuballern, -schmeißen, dichtmachen ‖ zuknöpfen, -korken, -schnallen, -schrauben, -haken, -kleben, -binden, verstopfen ‖ den Betrieb einstellen, den Laden schließen, Feierabend machen, die Geschäftszeit beenden; *ugs.:* Schluss machen ‖ → aufgeben ‖ verwahren, sichern, sicherstellen, in Verwahrung/Gewahrsam nehmen, unter Verschluss halten, beiseite legen/bringen, ein-, wegschließen, versperren ‖ → befestigen ‖ → beenden

‖ → enden ‖ anfügen, folgen (lassen), s. anschließen, anreihen, -gliedern ‖ (aus)füllen, einfügen, zuschütten, -gießen, -stopfen ‖ abschließen (Vertrag), festlegen, vereinbaren, aus-, fest-, abmachen, übereinkommen, eine Abmachung/Vereinbarung treffen, einen Vertrag eingehen ‖ → folgern ‖ **sich s.:** ins Schloss fallen/schnappen, einschnappen, zugehen; *ugs.:* zufliegen ‖ zuwachsen (Wunde), zusammengehen ‖ **Freundschaft s.** → s. befreunden ‖ **Ehe s.** → heiraten

Schließfach: Box, Tresor, Safe, Aufbewahrungsort

schließlich: am Ende/Schluss, zu guter Letzt, nach längerer Zeit/längerem Warten, letztens, letztendlich, zuletzt, schließlich und endlich, letztlich, eigentlich ‖ letzten Endes, im Grunde genommen, genau/streng genommen, an und für sich, von Rechts wegen; *ugs.:* im Endeffekt

Schliff: Politur, Glätte ‖ Ausformung, Haltung, Lebensart, Kinderstube, Zucht, Disziplin, Manieren, Umgangsformen, Weltläufigkeit

schlimm: arg, grob, gravierend, schwer wiegend, ernsthaft, tief greifend, grundsätzlich, entscheidend, bedeutend, stark, existenziell, gewichtig, folgenreich, wesentlich ‖ → katastrophal ‖ → gefährlich ‖ → unangenehm ‖ → böse

schlimmstenfalls → notfalls

Schlinge: Schlaufe, Schleife; *reg.:* Schluppe; *öster.:* Masche

Schlingel → Schelm

schlingen: winden, binden, umwickeln ‖ ineinander binden, zusammenbinden (Haare), verknoten ‖ → essen ‖ → schlucken ‖ **sich s.:** ranken/winden/schlängeln/legen/wickeln/ringeln um

schlingern: hin und her schwanken, schaukeln, schütteln, schleudern, rudern, wackeln

Schlingpflanze: Kletterpflanze, Ranken-, Schlinggewächs

Schlips: Krawatte, (Hals)binde, (Selbst)binder, Plastron

Schlitten: *öster.:* Rodel ‖ → Auto ‖ **S. fahren:** rodeln

schlittern: gleiten, rutschen; *reg.:* schleifen, schliddern, schleißen, glennen, schliffern, glitschen, schusseln

Schlittschuhlauf: Eis(kunst)lauf, Eistanz, -schnelllauf

Schlitz: Spalt, (schmale) Öffnung, Ritze, Loch, Einschnitt, Klinse, Fuge, Zwischenraum, Lücke

Schlitzohr → Schelm ‖ → Schlaukopf

Schloss: Palast, Herrschaftsgebäude, Palais, Burg, Chateau ‖ Verschluss

Schlot → Schornstein

Schlotfeger → Schornsteinfeger

schlottern: zu weit sein/locker sitzen, schlappen, schlackern, am Leibe hängen, flattern; *ugs.:* baumeln, bammeln ‖ zittern, frieren, beben, vibrieren, frösteln, mit den Zähnen klappern, schauern; *ugs.:* bibbern, Gänsehaut bekommen, schnattern

Schlucht: Tiefe, Kluft, Tal, Klamm, Spalte, Schrunde, Schlund, Abgrund, Canon, Klause; *schweiz.:* Klus, Krachen

schluchzen → weinen

Schluck: Mundvoll, Zug

Schluckauf: *med.:* Singulation, Singultus; *ugs.:* das Hicksen (haben); *reg.:* Schluckser, Schlucken, Häcker; *öster.:* Schnaggler, Schnackerl

schlucken: hinunterschlucken, einnehmen, zu s. nehmen, essen; *ugs.:* (hinunter)schlingen, futtern, (hinunter)würgen ‖ → trinken ‖ → hinnehmen

schludern → pfuschen

schludrig → nachlässig

Schlummer: Halbschlaf, leichter Schlaf, Dämmerschlaf, -zustand, Schläfchen, Nickerchen

schlummern: ein Schläfchen machen, im Halbschlaf liegen, Siesta halten; *ugs.:* ein Nickerchen halten, dösen, dämmern, duseln, einnicken
schlummernd → latent
Schlund → Schlucht ‖ → Rachen
schlüpfen: gleiten, s. durchschlängeln, kriechen ‖ ausschlüpfen, herauskriechen, -kommen ‖ → anziehen ‖ → entkommen
Schlupfloch → Zuflucht
schlüpfrig: glitschig, (spiegel-, eis)glatt, rutschig, feucht ‖ → anstößig
Schlupfwinkel → Zuflucht
schlürfen: schlappen, schlurfen, schleichen, schleifen, s. schleppen; *ugs.:* schlurren ‖ → trinken
Schluss → Ende ‖ → Folgerung ‖ → genug
Schlüssel → Lösung
Schlüsselblume: Primel, Himmelschlüssel
Schlüsselfigur → Hauptperson
Schlussfolgerung → Folgerung
schlüssig: überzeugend, zwingend, folgerichtig, stichhaltig, stringent, beweiskräftig, triftig, logisch, systematisch
Schlusslicht: Rücklicht, -strahler, Katzenauge ‖ Letzter, Nachhut
Schlussmann → Torwart
Schlusspunkt → Ende
Schmach → Schande
schmachten → darben ‖ → lechzen
schmächtig → dünn
schmachvoll: erniedrigend, demütigend, entehrend, -würdigend, verletzend ‖ → gemein
schmackhaft: köstlich, wohl schmeckend, lecker, würzig, geschmackvoll, pikant, appetitlich, delikat, deliziös, süperb, exquisit, fein, gut, vorzüglich, gut zubereitet/gewürzt, aromatisch ‖ verlockend, reizvoll, einladend, verführerisch
schmähen → demütigen

schmählich → schändlich ‖ → kläglich
Schmähung → Diskriminierung ‖ → Beleidigung
schmal → dünn ‖ → eng ‖ → kläglich
schmälern → vermindern
Schmälerung: Verminderung, Abnahme, Einschränkung, → Kürzung
schmalspurig → engstirnig
Schmalz → Fett ‖ → Rührseligkeit
schmalzig → fett ‖ → sentimental
Schmankerl → Leckerbissen
schmarotzen: s. durchessen/-betteln, auf Kosten anderer leben, ausnutzen; *ugs.:* ausnehmen, nassauern, schnorren; *derb:* melken, s. durchfressen
Schmarotzer: Parasit, Schädling, Nutznießer; *ugs.:* Nassauer, Schnorrer
schmarren → scherzen
Schmarren: Blödsinn, Quatsch, dummes Zeug, → Unsinn
Schmatz → Kuss
schmauchen → rauchen
Schmaus: Essen, Festmahl, Gelage; *derb:* Fressorgie, Fressfest
schmausen → essen
schmecken: zusagen, munden, eine Gaumenfreude sein, dem Gaumen schmeicheln, nach jmds. Geschmack sein, den Gaumen kitzeln, etwas für den verwöhnten Gaumen sein ‖ → gefallen ‖ → kosten
schmeichelhaft → ehrenvoll
schmeicheln: lobhudeln, jmds. Vorzüge hervorheben, umschmeicheln, hofieren, den Hof/Komplimente machen, schöntun, huldigen, umwerben, Süßholz raspeln, s. anbiedern, beweihräuchern, flattieren, schönreden, nach dem Munde/zu Gefallen reden, schöne Worte machen, schweifwedeln, vor Liebenswürdigkeit überfließen, Sand in die Augen streuen; *ugs.:* scharwenzeln, einseifen, Brei/Honig um den Mund schmieren, schwänzeln, um den Bart

gehen, s. einschleimen ‖ → kriechen ‖ jmds. Selbstbewusstsein heben, angenehm berühren, → gefallen ‖ passen, kleiden, stehen
Schmeichler → Heuchler ‖ → Speichellecker
schmeißen → werfen ‖ **den Laden s.** → bewältigen
Schmelz: Glasur, Emaille, Glanz, Lasur, Guss, Überzug
schmelzen: flüssig werden, zerfließen, -gehen, -schmelzen, -rinnen, -laufen, auftauen, s. auflösen, wegschmelzen ‖ flüssig machen, zum Tauen/Schmelzen bringen, zer-, auslassen, verflüssigen
Schmelztiegel → Sammelbecken
Schmerz → Qual ‖ → Leid
schmerzen: Schmerzen bereiten/verursachen, weh tun, brennen, bohren, stechen, ziehen, durch Mark und Bein gehen, Schmerzen haben ‖ → kränken ‖ → bedrücken
schmerzhaft: schmerzvoll, schmerzend, schmerzlich, quälend, peinigend, qualvoll, nagend, stechend, brennend, bohrend
schmerzlich: bitterlich, betrüblich, quälend, peinigend, traurig, grausam, herzzerreißend, gram-, marter-, kummervoll ‖ → schmerzhaft
Schmetterling: Falter, Schuppenflügler, Motte; *dicht.:* Sommervogel
schmettern: (hin)schleudern, (hin)werfen, schlagen; *ugs.:* schmeißen, (hin)pfeffern, (hin)feuern ‖ → schallen ‖ → singen
schmieden → anfertigen ‖ **Pläne s.** → planen ‖ **Ränke s.** → intrigieren
schmiegen, sich → s. anschmiegen
schmiegsam: weich, biegsam, s. anpassend, geschmeidig, anpassungsfähig, elastisch, nachgiebig, dehnbar, flexibel
schmieren: (auf-, be)streichen, beschmieren; *ugs.:* raufschmieren ‖ einölen, -fetten, ölen, einreiben;

Fachsp.: abschmieren ‖ → kritzeln ‖ → bestechen ‖ **eine s.** → ohrfeigen
schmierig: klebrig, schmutzig, ölig, fett, speckig, fleckig, schmuddelig, verschmutzt ‖ → ekelhaft
Schminke: Make-up, Rouge, Schönheitsmittel; *ugs.:* Farbe, Kriegsbemalung ‖ **S. auflegen** → schminken
schminken (sich): Schminke auftragen/auflegen, (s.) anmalen, Farbe/Rouge/Make-up auflegen, (s.) schön machen, (s.) verschönern, (s.) zurechtmachen, (s.) herausputzen, (s.) pudern, die Lippen nachziehen, s. die Augen tuschen; *ugs.:* s. anschmieren, (s.) färben, (s.) bemalen, (s.) anpinseln/-streichen
schmirgeln → glätten
Schmirgelpapier: Sand-, Glaspapier
Schmiss: Schramme, Schmarre, Narbe, Wundmal, Kratzer, Ritz, Schrunde ‖ Power, Elan, Drive ‖ → Schwung
schmissig → rasant
Schmöker → Buch ‖ Trivial-, Schundliteratur, Unterhaltungsroman, Groschenheft, -roman
schmökern → lesen
schmollen: einen Schmollmund/ein Gesicht machen/ziehen, beleidigt/böse/trotzig sein, den Beleidigten/die Beleidigte spielen, s. in den Schmollwinkel zurückziehen, nicht wollen, die Lippen hängen lassen/aufwerfen, murren, bocken, trotzen, zürnen, grollen; *ugs.:* eine Schnute/Schippe machen/ziehen, die beleidigte Leberwurst spielen, das Maul hängen lassen, eine Flunsch/Flappe ziehen, maulen
schmoren → braten ‖ → bräunen
Schmu → Betrug ‖ **S. machen** → betrügen
schmuck → elegant ‖ → sauber
Schmuck: Schmuckstück(e), -sachen, Juwelen, Gold-, Silber-, Juwelierwaren, Geschmeide, Zierrat, Preziosen,

Bijouterie, Kostbarkeiten, Kleinod, Wertstück, Accessoires; *ugs.:* Behang ‖ → Verzierung

schmücken: (ver)zieren, ausstatten, dekorieren, verschöne(r)n, behängen, ausgestalten, -putzen, garnieren, schön machen, stylen; *öster.:* staffieren ‖ **sich s.** → s. herausputzen

schmucklos → einfach

schmuddelig → schmutzig

Schmuggel → Schwarzhandel

schmuggeln: Schwarzhandel/ Schmuggel/Schleichhandel treiben; *ugs.:* schieben

Schmuggler: Schleich-, Schwarzhändler; *ugs.:* Pascher

schmunzeln: (vor s. hin)lächeln, (lautlos) lachen, grinsen; *ugs.:* grienen

schmusen: knuddeln, zärtlich sein ‖ → liebkosen

Schmutz: Dreck, Unrat, Sudelei, Unflat, Kot, Staub, Matsch ‖ Unordnung, Verunreinigung, Unsauberkeit, Verschmutzung, Unreinlichkeit, Flecken, Mist, Abfall, Müll; *ugs.:* Schweinerei, Heidendreck; *derb:* Sauerei

Schmutzfink: Schmierfink; *ugs.:* Ferkel, Dreckspatz, -fink, Mistfink, Schwein(igel); *derb:* Dreckschwein, -sau, -stück, -tier, -kerl, (Pott)sau

schmutzig: dreckig, unrein, -sauber, -gewaschen, be-, verschmutzt, ver-, befleckt, mit Flecken übersät, fleckig, speckig, schmuddelig, kotig, klebrig, malproper, verunreinigt, schmierig, verstaubt, staubig, trübe, ölig, fett(ig), in unbeschreiblichem Zustand, unansehnlich, voller Schmutz; *ugs.:* verdreckt, schwarz, sudelig, mit Dreck und Speck, angeschmuddelt; *derb:* versaut, mistig, säuisch, sau-, schweinemäßig ‖ → gemein ‖ → anstößig ‖ **s. machen** → beschmutzen

Schnabel → Mund

schnäbeln → küssen

schnabulieren → essen

Schnake: (Stech)mücke, Moskito; *öster.:* Gelse

Schnalle: Schließe, Verschluss, Koppelschloss ‖ → Klinke

schnalzen: knallen, schnallen, schmatzen, schnippen, schnipsen

schnappen → ergreifen ‖ → beißen ‖ → nehmen

Schnappschuss: Momentaufnahme ‖ → Fotografie

Schnaps: Branntwein; *ugs.:* Feuerwasser, der Klare, Rachenputzer, Stoff, Fusel

schnarchen: *ugs.:* sägen

schnarren → knarren ‖ → krächzen

schnattern → frieren ‖ → schwatzen

schnauben: fauchen, blasen, prusten, schnoben, atmen, keuchen ‖ → rasen ‖ **sich s.** → s. schnäuzen

schnaufen → atmen

Schnauze → Mund

schnauzen → brüllen

schnäuzen, sich: s. schnauben, s. die Nase putzen, s. ausschnäuzen; *ugs.:* trompeten; *derb:* rotzen, einen Charlottenburger machen

Schnee: Firn; *gehoben:* das Weiß ‖ Schaum ‖ → Kokain

Schneebesen: Schaumschläger; *öster.:* Schneerute

Schneid → Mut

schneiden: zerteilen, -kleinern, -legen, -stückeln, zerschneiden, auseinander schneiden, in Stücke schneiden ‖ ab-, weg-, beschneiden, kürzen, kürzer machen, kappen, (zurecht)stutzen, kupieren, (ab)scheren, trimmen, abtrennen, -zwicken; *ugs.:* (ab)schnipseln, (ab)schnippeln ‖ mähen, (ab)sicheln, sensen ‖ → operieren ‖ → ignorieren ‖ schnitzen, schnitzeln ‖ scharf/geschärft sein ‖ **sich s.** → s. verletzen ‖ s. kreuzen, s. überschneiden, -lappen, zusammenlaufen, -treffen, kollidieren, s. begegnen

schneidend: bissig, sarkastisch, zynisch ‖ → scharf

schneidern: nähen, anfertigen; *ugs.:* machen

schneidig → mutig ‖ → forsch ‖ → rasant

Schneise → Lichtung

schnell: schleunig(st), geschwind, hurtig, blitzartig, -schnell, kometenhaft, rapid(e), wie ein Blitz/der Wind/ein Pfeil, rasch, in Windeseile, im Flug/Nu, flink, eilig, flott, zügig, behänd, schnellstens, eilends, wieselflink, flink wie ein Hirsch, leichtfüßig, fix, flugs, rasant, in größter/höchster Eile, mit fliegender Hast, auf Windesflügeln, mit Siebenmeilenstiefeln, unter Zeitdruck, auf dem schnellsten Wege, mit hoher Geschwindigkeit, pfeilschnell; *ugs.:* wie ein Lauffeuer/Wiesel/die Feuerwehr/der Teufel, im Handumdrehen, in Null Komma nichts, mit einem Affenzahn/-tempo, mit Karacho, ruckzuck, wie ein geölter Blitz/eine Rakete, mit affenartiger Geschwindigkeit, in einem Saus, wie von der Tarantel gestochen, im Handumdrehen, mit Dampf ‖ in kurzer Zeit/Kürze/Bälde, binnen kurzem, (als)bald, dringend, gleich, sofort, so schnell wie möglich, kurzerhand, auf der Stelle, unverweilt, unverzüglich, ungesäumt, eilfertig ‖ *ugs.:* Tempo, dalli dalli, ein bisschen plötzlich, ein bisschen zügig ‖ → kurz ‖ **schnell machen** → s. beeilen ‖ **zu schnell** → kopflos

schnellen: schießen, springen, federn; *ugs.:* schippen, schnipsen, knipsen

Schnellschrift: Kurz-, Eilschrift, Stenografie

schnellstens → schnell

schnetzeln → zerkleinern

Schnickschnack → Unsinn ‖ → Firlefanz

schniegeln, sich → s. herausputzen

schnieke: piekfein, overdressed ‖ → elegant

Schnippel → Fetzen

schnippen → schnalzen

schnippisch: frech, spitz, kurz angebunden, kess, dreist, bissig, spöttisch, scharf, lausbübisch, forsch; *ugs.:* schnodderig, nassforsch, patzig

Schnipsel → Fetzen

Schnitt → Einschnitt ‖ → Durchschnitt ‖ Schnittmuster, Vorlage ‖ Ernte ‖ Form, Fasson, Zuschnitt, (Mach)art, Design, Styling, Stil ‖ **einen guten S. machen** → profitieren

Schnitte: (Brot)scheibe, Stück; *reg.:* Stulle, Bemme

schnittig: sportlich, attraktiv, rasant, rassig, elegant, flott, schmissig, schwungvoll, schneidig

Schnittpunkt → Mittelpunkt

Schnitzel → Fetzen

schnitzeln → zerkleinern

schnitzen: schneiden, formen, kerben

Schnitzer: *schweiz.:* Schnitzler ‖ → Fehler

schnodd(e)rig → schnippisch

schnöde → gemein

Schnörkel → Verzierung

schnorren → betteln

Schnorrer → Bettler

Schnösel → Flegel

schnuckelig → zierlich

schnüffeln: schnuppern, riechen, wittern; *Jägerspr.:* winden; *reg.:* schnobern; *öster.:* schnofeln ‖ → auskundschaften

Schnüffler → Spion

Schnuller: (Gummi)sauger; *ugs.:* Nuckel, Lutscher; *reg.:* Nuddel, Nuppel, Luller, Schlotzer, Zuzel; *öster.:* Fopper; *schweiz.:* Nuggi

Schnulze → Schlager

Schnupfen: Katarr(h), Nasenschleimhautentzündung, Rhinitis, Erkältung

schnuppern → schnüffeln

Schnur: Bindfaden, Bändel, Band, Strick, Kordel; *ugs.:* Strippe; *reg.:* Spagat, Strupfe; *öster.:* Schnürl

schnüren: zu-, verschnüren, zusammenknüpfen, -binden, -knoten, -ziehen, zu-, festbinden

Schnurrbart: Schnauz-, Oberlippen-, Knebelbart, Fliege, Schnauzer; *ugs.:* Bürste

schnurren: surren, brummen, schnarren

Schnürsenkel: Schuh-, Schnürband, Senkel, Schuhriemen

schnurstracks: direkt, ohne Umweg/Umschweife, geradlinig, geradewegs, zielgerichtet, umweglos ‖ → sofort

Schnute → Mund

Schober: Heu-, Strohhaufen, Feim(en), Hocke, Dieme; *reg.:* (Heu)triste; *schweiz.:* Stock, Schochen

Schock: Nervenerschütterung, -zusammenbruch, -krise, Kreislaufversagen, Kollaps ‖ → Schreck ‖ 60 Stück

schockieren: bei jmdm. Anstoß erregen, Bestürzung hervorrufen/auslösen, jmdn. vor den Kopf stoßen, schocken, in Entrüstung versetzen, Entrüstung verursachen, empören, erregen, erschüttern, einen Schock versetzen, im Innersten treffen/aufregen; *ugs.:* aus dem Häuschen bringen ‖ durch Mark und Bein gehen, niederschmettern, entrüsten

schofel → gemein ‖ → geizig

Schöffe: Laienrichter, Geschworener, Beisitzer

schon: bereits, früher als gedacht, lange, längst, seit längerer/langer Zeit, seit langem/längerem ‖ allein, nur, bloß, einzig, lediglich sowieso, ohnehin, -dem, -dies; *reg.:* eh ‖ → gewiss

schön: formvollendet, wunder-, bildschön, wunderbar, -voll, wohl gestaltet/geformt, ästhetisch, klassisch,

makellos ‖ → attraktiv ‖ malerisch, pittoresk, malenswert, idyllisch ‖ angenehm, herrlich, ungetrübt, wie gemalt, strahlend, glanzvoll, bezaubernd, wonnevoll, traumhaft, wonniglich, göttlich, paradiesisch, vollkommen, sagenhaft, erfreulich, wohl tuend, unvergleichlich, berückend, → großartig ‖ → heiter ‖ → geschmackvoll ‖ → ansehnlich ‖ → sehr

schonen: pflegen, sorgfältig/vorsichtig/behutsam/gut behandeln, hegen, sorgsam umgehen mit, nicht strapazieren/abnützen, Rücksicht nehmen auf/üben mit, warten; *ugs.:* wie ein rohes Ei behandeln/anfassen, mit Glacéhandschuhen anfassen ‖ Milde walten lassen, Nachsicht üben, weg-, nachsehen, verschonen, nachsichtig sein, durchgehen/geschehen lassen; *ugs.:* ein Auge zudrücken ‖ **sich s.:** viel auf seine Gesundheit geben, s. pflegen, auf seine Gesundheit achten, Anstrengungen vermeiden

schonend: vorsichtig, sacht, schonungsvoll, behut-, achtsam, sorgfältig, sorgsam, rücksichtsvoll, fürsorglich, zart, liebevoll, mit Sorgfalt/Bedacht, gelinde, lind, gewissenhaft, bedacht(sam), pfleglich, umsichtig, verantwortungs-, pflichtbewusst, aufmerksam ‖ nachsichtig, mild, zahm, gemäßigt, duldsam, tolerant, frei-, großzügig, weitherzig, verständnisvoll, geduldig, mit Fingerspitzengefühl

Schoner: Überzug, (Schutz)hülle, Bedeckung ‖ Segelschiff

schönfärben → idealisieren

Schönheit: Pracht, Erlesenheit, Herrlichkeit, Anmut, Reiz, Ebenmaß, Kostbarkeit, Wohlgestalt, Harmonie, Formvollendung, Liebreiz, Grazie, Glanz, Erhabenheit ‖ Beauty, schöne Helena, Venus; *ugs.:* Klassefrau

Schönheitspflege: Kosmetik, Haut-, Teint-, Körperpflege

Schonkost: Diät, Kranken-, Heilkost
Schönling → Adonis
schön machen, sich → s. herausputzen ‖ → s. schminken
schönreden → schmeicheln
schöntun → schmeicheln ‖ → flirten
Schonung: Gehege, Zuchtbetrieb, Schule ‖ Schon-, Hegewald ‖ Milde, Rück-, Nachsicht, Sanftmut, Weichheit, Zartheit, Toleranz, Verständnis, Geduld, Behutsamkeit, Großzügigkeit, Gnade ‖ Sorgfalt, Pflege, Fürsorge, Rücksichtnahme
schonungslos → hart
schonungsvoll → schonend
schöpfen → erschaffen
Schöpfer: → Gott ‖ → Initiator ‖ → Autor ‖ Schöpfkelle, -löffel
schöpferisch: kreativ, fantasievoll, ideen-, einfallsreich, produktiv, erfinderisch, künstlerisch, konstruktiv, ingeniös, fruchtbar, gestalterisch, originell
Schöpflöffel → Schöpfer
Schöpfung → Schaffung ‖ (Kunst)werk, Opus, Œuvre, Artefakt, Erzeugnis, Meisterstück, -leistung, Arbeit, Produkt ‖ **Krone der S.** → Mensch
Schorf: Kruste, Grind, Wundschorf, Rinde; *reg.:* Borke, Räude
Schornstein: Schlot, Rauchabzug, Esse, Kamin; *öster.:* Rauchfang
Schornsteinfeger: Schlotfeger, Kaminkehrer; *reg.:* Essenkehrer, -feger; *öster.:* Rauchfangkehrer; *Kinderspr.:* der schwarze Mann
Schössling: Spross, Ableger, Trieb, Schoss, Keim(ling), Reis, Pflänzling, Senker, Setzling, Steckling, (Ab)senker
Schote: Hülse, Schale, Kapsel, Hülle; *reg.:* Schlaube
Schotter: Splitt ‖ → Geld
schräg: geneigt, abfallend, -steigend, (wind)schief, nicht gerade, abschüssig, s. senkend ‖ diagonal, kursiv; *ugs.:* überquer, zwerch

Schramme: Kratzer, Riss, Ritz(e), Schürf-, Kratzwunde, Schrunde, Hautverletzung, -abschürfung, Scharte; *ugs.:* Ritzer, Schmiss
Schranke: Barriere, Absperrung, Sperre, Schlagbaum; *reg.:* Fallbaum ‖ → Grenze ‖ → Hindernis ‖ → Kluft
schrankenlos: unbegrenzt, ohne Einschränkung, absolut, uneingeschränkt, -beschränkt, total, vollkommen ‖ → maßlos
Schreck(en): Erschrecken, Entsetzen, Schock, (Todes)angst, Panik, Bestürzung, Furcht, Bangen, Horror, Beklemmung, Grau(s)en; *ugs.:* Bammel, Schiss, Herzkasperl, Heidenangst, Höllenangst, Zähneklappern
Schreckensherrschaft → Gewaltherrschaft
Schreckgespenst: Schreckgestalt, Phantom, Schimäre, Alptraum, Kobold, Kinderschreck, der schwarze Mann, Scheuche, Popanz, Dämon; *ugs.:* Buhmann
schreckhaft → ängstlich
schrecklich → furchtbar ‖ → sehr
Schrei: Aufschrei, (Not)ruf
schreiben: auf-, niederschreiben, zu Papier bringen, schriftlich festhalten, ver-, aufzeichnen, niederlegen, notieren, vermerken, eine Notiz machen, ab-, verfassen, anfertigen, formulieren ‖ zur Feder greifen; *ugs.:* malen, pinseln, kritzeln, krakeln, schmieren, klieren, hinhauen, sudeln; *öster.:* fuzeln ‖ kopieren, abschreiben, eine Rein-/Zweitschrift anfertigen, ins Reine schreiben ‖ anschreiben, s. (schriftlich) wenden/herantreten an, schicken, senden, übermitteln ‖ ver-, abfassen, formulieren, anfertigen, arbeiten an, darstellen, -legen, behandeln ‖ → dichten ‖ → mitteilen ‖ **sich s.** → korrespondieren
Schreiben: Mitteilung, Schriftstück, Nachricht, Brief, Zuschrift, Zeilen,

Benachrichtigung, Skript(um), Antwort, Papier, Dokument, Unterlage, Urkunde, Akt(e); *ugs.:* Schrieb, Post, Botschaft; *abwertend:* Wisch; *scherzh.:* Epistel

Schreiber(ling) → Schriftsteller

Schreibkraft: (Maschinen)schreiberin, Stenotypistin, Schreibdame, Bürokraft; *ugs.:* Tippmamsell, Tippfräulein, Tippse

Schreibtisch: Sekretär

schreien: Schreie ausstoßen, kreischen, brüllen, lärmen, rufen, johlen, grölen, ein Geschrei erheben, s. die Seele aus dem Leib schreien, laut sprechen, gellen; *ugs.:* plärren, blöken, röhren, donnern, quäken, krakeelen, schnauzen, schmettern, s. die Lunge aus dem Hals schreien, Zeter und Mordio schreien

schreiend: grell(farben), knallig, scheckig, kunterbunt, blendend ‖ → laut ‖ → auffallend

Schreihals: Radau-, Krawallmacher, Schreier, Unruhestifter; *ugs.:* Radaubruder, Brüllaffe

Schrein: Sarg, Totenlade; *schweiz.:* Totenbaum; *ugs.:* Totenkiste ‖ Spind, Schränkchen ‖ Truhe, Lade, Kasten

Schreiner: Tischler; *ugs.:* Möbelmacher

schreiten: langsamen/gemessenen/feierlichen Schrittes gehen, stolzieren, einen Fuß vor den anderen setzen ‖ **s. zu** → anfangen

Schrift: Handschrift, Schreibart, -weise, Duktus; *ugs.:* Klaue, Pfote, Gekrakel, -kritzel, -schmiere ‖ Arbeit, Abhandlung, Druckwerk, Studie, Aufsatz, Beitrag, Untersuchung, Buch, Broschüre, Veröffentlichung, Band, Publikation ‖ → Denkschrift

Schriftführer: Protokollant, Protokollführer, Sekretär; *schweiz.:* Aktuar

schriftlich: in geschriebener Form, brieflich, handschriftlich, schwarz auf weiß, niedergeschrieben

Schriftsprache: Hoch-, Literatur-, Bühnensprache

Schriftsteller: Dichter, Schreiber, Literat, Mann der Feder, Verfasser, Autor; *scherzh.:* Musensohn; *abwertend:* Schreiberling ‖ Lyriker, Poet, Verse-, Reimschmied, Versemacher; *dicht.:* Sänger; *abwertend:* Dichter-, Reimling ‖ Prosaist, Erzähler, Essayist, Romancier, Feuilletonist, Publizist, Prosa-, Romanschreiber/-schriftsteller ‖ Bühnenautor, Dramatiker, Stückeschreiber, Drehbuchautor

Schriftstück → Schreiben ‖ → Dokument

Schrifttum → Literatur

Schriftwechsel: Briefwechsel, -verkehr, -austausch, Korrespondenz

schrill: hell, scharf, → laut

Schritt: Tritt, Gang(art), Lauf ‖ → Maßnahme

Schrittmacher: Trendsetter, Idol ‖ → Pionier

schrittweise → allmählich

schroff → brüsk ‖ → steil ‖ → plötzlich

schröpfen: Blut abnehmen/-zapfen/-saugen, zur Ader lassen ‖ → ausbeuten

schroten: zermahlen, -malmen, -stoßen, -reiben, -kleinern, -stückeln, -schneiden

Schrott: Alteisen, -material, -waren, -metall, -stoff, Abfall ‖ → Ramsch

schrubben → scheuern

Schrulle → Marotte ‖ → Frau

schrullig: kauzig, verschroben, sonderbar, grillen-, schrullenhaft, verstiegen, abwegig, seltsam, verrückt, (ver)wunderlich, eigen(tümlich), merkwürdig, eigenartig, absonderlich, komisch, bizarr, skurril, spleenig, kurios, befremdlich, schnurrig, grillig, närrisch

Schrumpel → Falte

schrumpelig → faltig

schrumpfen: zusammen-, einschrumpfen, s. zusammenziehen, zusammenfallen, -laufen, kleiner/leichter werden, s. verkleinern, eintrocknen, verdorren, -kümmern, einfallen; *ugs.:* verhutzeln, (ein)schrumpeln, einschnurren ‖ → s. verringern

Schrunde → Schramme ‖ → Schlucht

Schub → Stoß ‖ → Gruppe ‖ → Menge

Schublade: (Schieb)lade, Schubkasten, -fach, Tischkasten

Schubs → Stoß

schubsen → stoßen

schüchtern: scheu, zurückhaltend, befangen, voller Scheu, gehemmt, nicht zutraulich, ängstlich, unsicher, zaghaft, verschüchtert, -schämt, schamhaft; *ugs.:* genierlich; *reg.:* gschamig ‖ vorsichtig (Versuch), achtsam, ängstlich, zart, behutsam

Schuft → Schurke

schuften → s. anstrengen

schuftig → gemein

Schuhband: Schnürsenkel, -band, Senkel, Schuhriemen, Bändel

Schuhe: Schuhwerk; *ugs.:* (Quadrat)latschen, Treter, Hatscher

Schuhmacher: Schuster; *abwertend:* Flickschuster; *scherzh.:* Meister Pfriem

Schulanfänger: Abc-Schütze; *reg., schweiz.:* Erstklässler; *öster.:* Taferlklassler

Schuld: Verantwortung, Haftung ‖ Versagen, -schulden, Fehler, Fehltritt, Verstoß, Entgleisung ‖ *pl.:* → Verbindlichkeiten

schuldbewusst: bußfertig, reuig, beschämt, seiner Schuld bewusst, reumütig, reuevoll, Reue empfindend, zerknirscht; *ugs.:* zerknittert, windelweich

schulden: schuldig/verschuldet/in Rückstand sein, zu zahlen haben, Schulden/Rückstände haben, das Wasser steht jmdm. bis zum Hals;

ugs.: bis über die Ohren in Schulden stecken, den Buckel voll Schulden haben, in der Kreide stehen ‖ verpflichtet sein, zu danken haben, verdanken, Dank schulden, s. zu Dank verpflichtet fühlen

Schuldgefühl → Gewissensbisse ‖ → Reue

schuldig: schuldbeladen, -voll, -haft, in Schuld verstrickt, sündig, fehlerhaft, verantwortlich, haftbar ‖ → angemessen ‖ s. sein: die Schuld tragen, etwas verschuldet haben, schuld haben, verantwortlich/haftbar sein, zu verantworten haben; *ugs.:* es gewesen sein/getan haben ‖ → schulden ‖ s. sprechen → verurteilen

Schuldigkeit → Pflicht

schuldlos → unschuldig

Schuldspruch → Verurteilung

Schule: Lehr-, Bildungs-, Unterrichtsanstalt, (Aus)bildungsstätte, Erziehungsstätte; *ugs.:* Penne ‖ Schulgebäude, Schulhaus ‖ → Unterricht ‖ → Richtung

schulen → ausbilden

Schüler: Schulkind, Eleve, Schuljunge; *reg.:* Schulbub; *f.:* Schulmädchen, Elevin; *veraltet:* Zögling ‖ → Anhänger

schulmeisterlich → lehrhaft

Schulung: Fort-, Weiterbildung ‖ → Ausbildung

schummeln → betrügen

schummrig → dunkel

Schund → Ramsch

schunkeln → schaukeln

schuppen: Schuppen entfernen, (ab)schaben, (ab)kratzen, säubern ‖ sich s.: s. (ab)schälen, s. häuten, s. ablösen, abgehen, -fallen, -schilfern, -schelfern

Schuppen: Unterstell, Remise; *reg.:* Schauer ‖ → Haus

schüren → anheizen

schürfen: graben, schaufeln, suchen, ausheben; *reg.:* schippen; *ugs.:* buddeln ‖ s. verletzen, s. aufkratzen/-ritzen/-reißen, s. schrammen; *ugs.:* s. aufscheuern

schurigeln → quälen

Schurke: Schuft, Gauner, Lump, Bösewicht, Ganove, Tunichtgut, Misse-, Übeltäter, Bandit, Gangster, Verbrecher, Unmensch, Gewalttäter, (Erz)halunke, Krimineller, Kanaille; *ugs.:* (Spitz)bube, Strolch; *derb:* Dreckskerl, Schweinehund, -kerl, Aas, Hundsfott

Schurkerei: Bubenstück, -streich, Büberei, Schurkenstreich, -tat, Lumperei, → Gemeinheit

schurkisch → gemein

schürzen: hoch-, anheben, raffen, lüften

Schürzenjäger: Westentaschen-Casanova ‖ → Frauenheld

schusslig → nervös

Schusswechsel: Feuer-, Kugelwechsel, Schießerei, Schießen, Feuergefecht; *ugs.:* Knallerei, Ballerei, Geschieße

Schuster → Schuhmacher

Schutt: Geröll, Ruine, Trümmer ‖ Kehricht, Abfall, (Bau)rückstand

Schuttabladeplatz: Müllhalde, -abladeplatz, -grube, -kippe, -haufen, -deponie, Schuttplatz, -haufen, -halde, Abfallgrube, Schrottplatz

schütteln: rütteln, hin und her bewegen, durchschütteln, -mischen; *ugs.:* beuteln ‖ **sich s.** → s. ekeln

schütten: fließen/strömen lassen, eingießen, einfüllen, -schenken ‖ *ugs.:* stark/in Strömen regnen, gießen; *ugs.:* pladdern, prasseln, duschen

schütter: dünn (bewachsen), spärlich (vorhanden), licht, dürftig, gelichtet; *ugs.:* dünn gesät

Schutthaufen → Schuttabladeplatz

Schutz: Sicherheit, Sicherung, (Ob)hut, Beistand, Bewachung, Abschirmung, (Be)deckung, Beschützung, Schutz und Schirm, Hilfe, Ägide ‖ Geleit, Begleitung, Gefolge, Eskorte ‖ (Be)wahrung, Verteidigung, Erhaltung ‖ → Zuflucht

schützen: verteidigen, (ab)sichern, ab-, beschirmen, abwehren, Böses fernhalten, bewahren, Schutz gewähren, garantieren, verteidigen, abhalten, aufpassen auf, beschützen, -wachen, -hüten, seine Hand über jmdm. halten, jmdm. den Rücken decken, jmdn. in Schutz/unter seine Fittiche nehmen, (ab)decken ‖ wahren, in Sicherheit bringen, in Deckung nehmen, erhalten, schonen, retten; *ugs.:* unter Dach bringen ‖ **sich s.:** in Deckung gehen, s. feien, s. unterstellen, s. einigeln, s. verschanzen ‖ s. impfen lassen, vorbeugen, -bauen

Schutzengel: Schutzpatron, -heiliger

Schutzherr: Schirmherr, Schutzpatron, Protektor, Beschützer, Sponsor, Gönner

schutzimpfen: eine (Schutz)impfung vornehmen, impfen, immunisieren, immun machen, vorbeugen

Schützling: Favorit, Protegé, Günstling, Liebling ‖ Schutz-, Pflegebefohlener, Mündel

schutzlos: ohne Schutz, ungeschützt, -behütet, -beschützt, hilflos, ohnmächtig, wehr-, machtlos, ausgeliefert, preisgegeben, schwach, ungeborgen, -beschirmt; *ugs.:* verraten und verkauft ‖ → rechtlos

Schutzmann → Polizist

Schutzpatron: Schutzengel, -heiliger ‖ → Schutzherr

schwabbelig: *(ugs.):* weich, wackelnd, schwammig, wabbelig, quabbelig, teigig; *ugs.:* schlabberig, labberig

schwach: schlaff, schlapp, ohne Kraft, kraftlos, schwächlich, flau, widerstandslos, nicht widerstandsfähig, müde, matt, entkräftet, energielos, ermattet, geschwächt, marklos, anfällig, gebrechlich, zart, kränklich, hinfällig; *ugs.:* (flügel)lahm, klapprig ‖ dünn, zerbrechlich, fein, dürftig ‖ → erschöpft ‖ gering, mäßig, begrenzt, wenig, minimal, karg, spärlich, kümmerlich, schmal, dürftig, kärglich ‖ hilflos, ohnmächtig, wehr-, schutz-, macht-, einflusslos ‖ minder(wertig), gehaltlos, schlecht, oberflächlich, niveaulos, langweilig, zweitklassig, schäbig, kläglich, erbärmlich ‖ → nachgiebig ‖ haltlos, charakterschwach, -los, labil, ohne Rückgrat/jeden Halt, verführbar, entschluss-, energielos, willensschwach, willenlos, gefährdet

Schwäche: Schlapp-, Schlaff-, Schwach-, Flau-, Matt-, Abgespanntheit, Ermattung, Schwäche-, Erschöpfungszustand, Er-, Übermüdung, Mattigkeit, Entkräftung, Kraftlosigkeit, Unwohlsein, Kräfteverfall, Abspannung, Zerschlagenheit, Schwunglosigkeit, Schwächlichkeit ‖ Macht-, Autoritäts-, Einfluss-, Hilflosigkeit, Ohnmacht, Impotenz ‖ → Mangel ‖ Weichheit, Willenlosigkeit, Unentschlossenheit, Verführbarkeit, Nachgiebigkeit, Unentschiedenheit, Willensschwäche, Haltlosigkeit ‖ → Unfähigkeit ‖ → Neigung

schwächen → erschöpfen

Schwachkopf → Dummkopf

schwachköpfig → dumm

schwächlich → schwach

Schwächling: Weichling, Zärtling, Pantoffelheld, Muttersöhnchen; *ugs.:* Waschlappen, Schlappschwanz, Niete, Flasche, Nulpe, Schwachmatikus ‖ → Feigling

schwachsinnig: schwachköpfig, dämlich, mall, unterbelichtet ‖ → geistesgestört

Schwachsinniger → Irrer

schwafeln: *(ugs.):* dummes Zeug/unüberlegt reden, einher-, daherreden, schwatzen, schwadronieren; *ugs.:* faseln, quasseln, plappern, palavern, daherschwätzen, pappeln, quatschen, drauflosreden, babbeln ‖ labern, Phrasen dreschen, leeres Stroh/Käse reden, einen Stuss zusammenreden, seihern

Schwall → Menge

Schwamm → Pilz ‖ → Schimmel

schwammig → aufgedunsen ‖ → schwabbelig

schwanen: es läuten hören ‖ → ahnen

schwanger: *med.:* gravid; *derb:* dick, trächtig ‖ *s.* **sein:** in anderen Umständen/in Hoffnung sein, ein Kind/Kleines/Baby/Zuwachs bekommen/erwarten, Mutter werden, ein Kind unter dem Herzen tragen, Mutterfreuden entgegensehen, schwanger gehen, es ist etwas unterwegs; *gehoben:* schweren/gesegneten Leibes sein; *ugs.:* ein Kind kriegen; *derb:* dick sein

schwängern → zeugen

Schwangerschaftsabbruch: Schwangerschaftsunterbrechung, Abtreibung; *med.:* Interruptio (graviditatis); *ugs.:* Eingriff

Schwank → Komödie

schwanken: s. hin und her bewegen, wanken, torkeln, taumeln, wackeln, schaukeln, schwingen, zittern, schlenkern, schlingern ‖ wechseln, s. verändern, s. wandeln, fluktuieren, nicht fest/stabil sein ‖ → zögern

schwankend: zögernd, zaghaft, wankelmütig, entschlusslos, unschlüssig, unstet, unausgeglichen, labil, unentschlossen, mit s. uneins, zerrissen, unentschieden, schwach ‖ wacklig, lose, wankend, torkelnd ‖ → unbeständig

Schwanz: Schweif, Wedel (Wild), Sterz (Vögel), Blume (Hase), Fahne, Standarte (Fuchs), Rute (Wolf), Bürzel (Ente); *reg.:* Zagel ‖ → Reihe ‖ → Penis

schwänzeln: mit dem Schwanz wedeln/wackeln ‖ → schmeicheln

schwänzen → fehlen ‖ → faulenzen

Schwarm → Menge ‖ → Liebling ‖ → Gruppe

schwärmen: s. begeistern für, träumen von, verehren, fantasieren, preisen, in den höchsten Tönen sprechen von, des Lobes voll sein über, loben, glorifizieren, rühmen, hingerissen/berauscht/außer s./begeistert/ganz erfüllt/entflammt/Feuer und Flamme/angetan sein, anhimmeln, hoch schätzen, bewundern, anbeten, in den Himmel heben ‖ ausschwärmen, -fliegen, s. ausbreiten

Schwärmer: Idealist, Romantiker, Träumer, Traumtänzer, Eiferer, Schwarmgeist, Fantast, Illusionist, Fanatiker, Utopist, Himmelsstürmer, Mystiker, Enthusiast, Weltverbesserer ‖ Feuerwerkskörper, Frosch, Rakete, Heuler

Schwärmerei: Träumerei, Fantasterei, Romantik, Begeisterung, (Gefühls)überschwang, Glut, Feuer, Leidenschaft, Passion, Enthusiasmus, Inbrunst, Eifer, Ekstase, Rausch, Verzückung, Faszination

schwärmerisch: verträumt, träumerisch, unrealistisch, romantisch, fantasievoll, weltfremd, idealistisch, hochfliegend, wirklichkeitsfern, lebensfremd, weltverloren, -entrückt, fantastisch ‖ → begeistert

Schwarte: Haut ‖ → Buch

schwarz: pech-, (kohl)raben-, tief-, nachtschwarz, schwarz wie die Nacht, schwärzlich, nacht-, rußfarben ‖ → dunkel ‖ → heimlich ‖ → reaktionär ‖ → schmutzig ‖ **s. auf weiß:** (hand)schriftlich, in geschriebener Form, niedergeschrieben

Schwarzer → Farbiger

Schwarzhandel: Schleichhandel, Schmuggel, Schwarzmarkt, schwarzer Markt ‖ **S. treiben** → schmuggeln

Schwarzhändler: Schmuggler, Schleichhändler; *ugs.:* Pascher

schwarzmalen → schwarzsehen

Schwarzmaler: Schwarzseher, -färber, Nihilist, Pessimist, Defätist, Unheilsprophet, Fatalist; *ugs.:* Miesmacher, Miesepeter, Unke, Griesgram

schwarzsehen: den Teufel an die Wand malen, pessimistisch/defätistisch/ohne Hoffnung/von Pessimismus erfüllt/lebensverneinend/schwermütig/niedergedrückt/melancholisch sein; *ugs.:* schwarzmalen, unken, miesmachen, schwarz ausmalen, durch die schwarze Brille sehen

schwarzseherisch → pessimistisch

schwatzen: viel sprechen/reden/erzählen, schwadronieren, plappern, parlieren, plaudern, salbadern; *ugs.:* palavern, kakeln, sabbern, schlabbern, quasseln, quatschen, schnattern, (daher)schwätzen, klönen, ratschen, plauschen, klatschen, wie ein Buch/Wasserfall reden, labern, babbeln, faseln, pappeln, quakeln, tratschen

schwätzen → schwatzen

Schwätzer: Salbader, Schwadroneur; *ugs.:* Quatschkopf, Plapperhans, Plapperer, Schnatter-, Plappermaul, Phrasendrescher, Schwafler, Plaudertasche, Faselhans, Quasselkopf, -strippe, Quackelfritze

Schwätzerin: Klatschbase; *ugs.:* Klatschtante, Waschfrau, Plapperliese, -tasche, Schwatzbase, Schnattertasche, -liesel, -maul, -ente, Klatsche; *derb:* Waschweib, Klatschmaul, -weib, Quatschliese, Schnattergans, Quakelsuse

schwatzhaft: klatschhaft, -süchtig, geschwätzig, redselig; *ugs.:* tratschsüchtig, salbaderisch

schweben → fliegen ‖ hängen, pendeln; *ugs.:* baumeln, bammeln ‖ schwebend/noch unentschieden/ungewiss / in der Schwebe / offen / un-geklärt / fraglich / anhängig / ungelöst sein

schwebend → schweben

Schweif → Schwanz

schweifen → wandern

schweigen: nichts sagen / reden / er-zählen / entgegnen / erwidern, keine Antwort geben, s. in Schweigen hül-len, den Mund halten, kein Ster-benswort sagen, geheim halten, still-schweigen, still / stumm / ruhig sein, den Mund nicht auftun, verstummen, keinen Ton von s. geben / verlauten lassen, verschweigen, -heimlichen, -hehlen, -bergen, nicht sprechen, stumm bleiben, s. ausschweigen, es auf s. beruhen lassen, Schweigen be-wahren, für s. behalten, s. nicht in die Karten gucken lassen, kein Wort ver-lieren, totschweigen, keine Silbe ver-raten, die Zunge hüten / im Zaume halten, verschwiegen wie ein Grab sein, eine Antwort schuldig bleiben; *ugs.:* den Schnabel / die Klappe hal-ten, nicht piep sagen, keinen Pieps von s. geben, kein Sterbenswörtchen sagen, dichthalten, Sendepause ha-ben; *derb:* das Maul / die Schnauze / Fresse halten

Schweigen → Stille

schweigend: schweigsam, stumm, wort-, ton-, sprachlos, stumm wie ein Fisch, still

Schweigepflicht: Amts-, Dienstge-heimnis, Geheimhaltung, Amtsver-schwiegenheit ‖ Schweigegelöbnis

schweigsam: wortkarg, nicht gesprä-chig, redescheu, verschwiegen, zu-rückhaltend, verschlossen, einsilbig, nicht mitteilsam, ruhig, still, stumm, lakonisch; *ugs.:* mundfaul

Schwein: *f.:* Bache, Sau; *reg.:* Mocke, Docke, Kosel, Mor, Laus, Dausch; *öster.:* Fadl-, Faklsau; *m.:* Eber, Kei-ler, Hauer; *reg.:* Bär, Kämpe, Watz, Hacksch, Kunz(e), Hegel, Bark,

Borch, Beier; *jung:* Ferkel, Frisch-ling; *reg.:* Farken, Kunschel

Schweinekerl → Schurke

Schweinerei → Schmutz ‖ → Ge-meinheit ‖ → Zote

schweinisch: anrüchig, obszön, por-nografisch, unanständig, verdorben, unzüchtig ‖ → anstößig

Schweiß: Schweißabsonderung, Hautausdünstung, -sekretion, Tran-spiration; *ugs.:* Wasser ‖ → Mühe

schweißen: verschmelzen, -binden, ver-, an-, zusammenlöten

Schweizer: Eidgenosse; *ugs.:* Schwy-zer

schwelen: glimmen, schwach glü-hen / brennen; *reg.:* glosen; *schweiz.:* glosten ‖ → kriseln

schwelgen → genießen ‖ → schlem-men

schwelgerisch → üppig ‖ → genieße-risch

schwellen: s. ausdehnen / -weiten, größer / stärker / dick werden, (auf)-quellen, s. verdicken, auf-, anschwel-len, s. blähen, auftreiben, zunehmen, s. vergrößern, aufgehen, anwachsen, -steigen, s. wölben

Schwellung: Anschwellung, ge-schwollene Stelle, Beule; *ugs.:* Horn, Delle

Schwemme → Gaststätte

schwemmen → spülen

schwenken: wedeln, schwingen, schlenkern, hin und her bewegen, schlackern ‖ die Richtung ändern, abbiegen, -zweigen, drehen, wenden, umlenken ‖ → spülen

schwer: massig, lastend, nicht leicht, bleiern, gewichtig, drückend, blei-schwer, schwer wie Blei, wie ein Klotz, wuchtig, viel Gewicht habend, kaum zu heben / tragen / bewegen ‖ → schwierig ‖ → anstrengend ‖ → streng ‖ → ernst ‖ beklemmend, schlimm, belastend, quälend, traurig, marternd, bedrückend, peinigend, grausam, sehr schlecht, schrecklich, ungut, beängstigend, unangenehm ‖ → schwerfällig ‖ → sehr

schwer beschädigt: körperbehindert, versehrt, -krüppelt, invalid

Schwerbeschädigter → Körperbehinderter

Schwerenöter → Frauenheld

schwer fallen: große Mühe/Schwierigkeiten machen, s. schwer tun; *ugs.:* schwer/sauer ankommen

schwerfällig: unbeholfen, umständlich, langsam, plump, ungeschickt, tölpelhaft, ungelenk ‖ → träge ‖ → beschränkt

Schwerkraft: Anziehungs-, Zugkraft, Gravitation, Adhäsion(skraft), Schwere, Erdanziehung

schwer krank → krank

schwerlich: kaum, wohl/wahrscheinlich/vermutlich nicht

Schwermut → Trauer

schwermütig: freudlos, trist, traurig, melancholisch, niedergeschlagen, wehmütig, elegisch, unfroh, gedrückt, deprimiert, (am Boden) zerstört, niedergeschmettert, verzweifelt, gebrochen, hypochondrisch, → depressiv; *ugs.:* down, geknickt sein, den Blues haben

Schwerpunkt → Hauptsache ‖ → Mittelpunkt

schwer wiegend: ins Gewicht fallend, durchgreifend, tief greifend, gravierend, gewaltig, entscheidend, bedeutend, fühl-, spürbar, s. stark auswirkend, ernst(lich), existenziell, beachtlich, relevant, gewichtig, von Belang/Bedeutung/Gewicht, bedeutsam, folgenschwer, -reich, wesentlich, einschneidend, weit tragend/reichend, ausschlaggebend, bestimmend, essenziell, zentral, kolossal, inhaltsschwer

Schwester: *ugs.:* Schwesterherz ‖ → Nonne

Schwiele: Hornhaut, Hautschwiele

schwierig: schwer, nicht einfach/leicht, mühsam, kompliziert, diffizil, problematisch, mit Schwierigkeiten verbunden, schwer zu fassen/verständlich/zugänglich, komplex, verwickelt, unübersichtlich, langwierig, verflochten, steinig, dornig, subtil; *ugs.:* verzwickt, -trackt, heavy ‖ → heikel

Schwierigkeit: Problem(atik), schwierige Frage, kritischer/strittiger Punkt, Streit-, Haupt-, Zentral-, Kernfrage, Streitgegenstand, ungelöste Aufgabe, Kompliziertheit, Komplexität, Verwicklung; *ugs.:* Haken, Klippe, harte Nuss, Crux, Pferdefuß ‖ → Not

schwimmen: baden, planschen; *ugs.:* paddeln ‖ unsicher sein, auf schwachen Beinen stehen ‖ treiben, driften

Schwindel: Gleichgewichtsstörung, Taumel, Schwindelgefühl, -anfall, Benommenheit; *ugs.:* Dusel, Torkel ‖ → Lüge ‖ → Betrug

schwindeln: von Schwindel befallen werden, taumeln, schwindlig sein, schwanken ‖ → lügen

schwinden → abflauen ‖ weggehen, unsichtbar werden, (von der Bildfläche) verschwinden, entweichen

Schwindler → Betrüger ‖ → Lügner

schwindlig: taumelig, schwummerig, benommen, nebelig; *ugs.:* schwarz vor den Augen, duselig

Schwindsucht: Tuberkulose, Tb(c), Auszehrung; *med.:* Phthise

schwindsüchtig: tuberkulös, lungenkrank, tuberkulosekrank, mit Tuberkeln behaftet

Schwinge: Flügel, Fittiche

schwingen: hin und her schwenken/bewegen, wedeln ‖ pendeln, wippen, schlenkern, wackeln, schaukeln, ausschlagen, s. wiegen, wogen; *ugs.:* baumeln, bammeln, kippeln, schuckeln ‖ federn, vibrieren, schnellen ‖ **sich s.:** s. aufschwingen, s. in die

Höhe/nach oben schwingen, s. hoch-/empor-/hinaufschwingen ‖ → weggehen

Schwips → Rausch

schwirren → fliegen ‖ → eilen

schwitzen: Schweiß absondern, in Schweiß geraten, transpirieren, · in Schweiß gebadet sein, erhitzt/nass (geschwitzt) / schweißgebadet / nass von Schweiß sein; *ugs.:* dampfen; *derb:* schwitzen wie ein Schwein ‖ anlaufen, beschlagen, s. beziehen, feucht werden, s. bedecken

schwören: einen Eid/Schwur leisten/ablegen, beschwören, durch Eid versichern/bekräftigen, versprechen, geloben, sein (Ehren)wort geben, verheißen, beeiden, garantieren, an Eides statt erklären, die Hand darauf geben, zusichern; *ugs.:* hoch und heilig versprechen, Stein und Bein schwören

schwul → homosexuell

schwül: feuchtwarm, drückend heiß, gewitterschwer, gewittrig, stickig, föhnig, tropisch, stechend; *reg.:* brütig

Schwuler → Homosexueller

Schwulität → Not

Schwulst: Schwülstigkeit, Bombast, Überladenheit

schwülstig: übertrieben, -laden, geschwollen, bombastisch, verschnörkelt, geschraubt, hochtönend, -trabend, blumig, gekünstelt, barock, pathetisch, theatralisch, pompös, hochgestochen

schwummerig → schwindlig

Schwund: (Ver)minderung, Nachlassen, Verringerung, Rückgang, Reduzierung, Reduktion, Abnahme, Schmälerung, Regression, Schrumpfung ‖ → Verlust

Schwung: Schnelligkeit, Elan, Verve, Dynamik, Power, Temperament, Begeisterung, Vitalität, Feuer, Spannkraft, Pep, Fitness, Lebendigkeit, Aktivität, Initiative, Vehemenz, Energie, Impetus, Leidenschaft, Lebhaftigkeit; *ugs.:* Schmiss, Zug, Drive, Speed ‖ → Menge

schwunglos → träge

schwungvoll → lebhaft ‖ rasant, flott, schneidig, schmissig, wendig, beweglich, zackig ‖ → energisch

Schwur: Eid, Gelöbnis, eidesstattliche Versicherung, Versprechen an Eides statt, (Ehren)wort, Gelübde

sedieren → beruhigen

Sediment: Rückstand, Bodensatz, Ablagerung, Niederschlag ‖ Schicht-, Absatzgestein

See: Meer, Ozean; *ugs.:* großer Teich, großes Wasser ‖ Teich, Weiher, Gewässer; *abwertend:* Tümpel, Pfuhl

Seegang: Wellengang, -schlag, Wellen, Dünung, Gewoge

Seele: Gemüt, (seelische) Empfindung, Herz, Innerlichkeit, Innenleben, -welt, das Innerste, Inneres, Seelenleben, Psyche, innere Verfassung, Brust ‖ → Bürger ‖ → Mensch

Seelenhirte → Geistlicher

Seelenleben → Seele

seelenlos → gefühllos

Seelenmesse → Totenmesse

seelisch → psychisch

Seelsorger → Geistlicher

Seemann: Seefahrer, Matrose, Mariner, Fahrensmann; *ugs.:* Blaujacke, Seebär

Seeräuber: Pirat, Freibeuter, Korsar

Seerose: Wasserrose, Seeanemone

segeln: mit einem Segelboot fahren ‖ → fliegen

Segen: Benediktion, Gnade, Gunst, Hilfe ‖ → Glück

segensreich → nützlich

Segment: (Kreis-, Kugel)abschnitt, Glied, Teilstück, Ausschnitt

segnen: den Segen spenden/erteilen/geben/sprechen, benedeien, weihen ‖ begaben, -schenken, -glücken, -gnaden, auszeichnen

sehen: wahrnehmen, erfassen, sichten, erblicken, bemerken, ansichtig werden, zu Gesicht bekommen, erspähen, gewahren, beobachten, ausmachen, erkennen, unterscheiden, entdecken, finden ‖ → anschauen ‖ registrieren, gewahr werden, erleben, -fahren ‖ → beurteilen ‖ → blicken ‖ einsehen, begreifen, zur Einsicht kommen, ein Einsehen haben, verstehen, bewusst werden, merken, feststellen ‖ → prüfen ‖ → erkennen ‖ s. nach → s. kümmern um ‖ **kommen s.** → absehen ‖ → prophezeien
sehenswert → informativ
Seher → Prophet
sehnen, sich: starkes Verlangen haben / schmachten / dürsten / verlangen / lechzen / hungern / fiebern / gieren nach, Sehnsucht haben, von Sehnsucht erfüllt sein, vor Sehnsucht vergehen, begehren, jmdn. vermissen, versessen sein, vergehen vor, s. verzehren, s. wünschen; *ugs.:* s. alle zehn Finger lecken, hinterher/scharf/erpicht sein, darauf brennen, s. zerreißen
sehnig: drahtig, schlank, rank, → kräftig
Sehnsucht: starkes Verlangen, Sehnen, Drang, Fern-, Heimweh, Begierde, Lust, Gelüste, Gier, Bedürfnis, Durst, Wunsch(traum)
sehr: in großem/hohem Maße, besonders, vielmals, über alle Maßen, reichlich, un-, übermäßig, hochgradig, beträchtlich, erheblich, höchst, recht, äußerst, denkbar, arg, beachtlich, erstaunlich, überaus, bedeutend, unendlich, -ermesslich, -geheuer, -heimlich, -sterblich, -aussprechlich, -gemein, -sagbar, -säglich, -glaublich, -beschreiblich, -gewöhnlich, -bändig, ausnehmend, stark, immens, sonderlich, betont, groß, außerordentlich, -gewöhnlich, hervorragend, gewaltig, kräftig,

grenzenlos, weit, riesig, zutiefst, in hohem/höchstem Grade, bemerkenswert, haushoch, ziemlich, merklich, nicht wenig, tüchtig, viel, mächtig, abgöttisch, heftig, maßlos, fürchterlich, aus tiefster Seele, enorm, diebisch, fühlbar, närrisch, ohne Grenzen, herzlich, schauderhaft, schauerlich, erbärmlich, schrecklich, jämmerlich, abscheulich, bitter(lich), furchtbar, horrend, wie die Pest, heillos, abgründig, verzweifelt, umwerfend, entsetzlich, nach Strich und Faden/allen Regeln der Kunst, rechtschaffen; *ugs.:* so, mordsmäßig, schwer, schön, namenlos, kolossal, höllisch, mörderisch, sakrisch, rasend, verdammt, -teufelt, -flixt, -flucht, sündhaft, aasig, schändlich, wahn-, irr-, unsinnig, irr(e), eklig, sauber, faustdick, klotzig, lausig, happig, auf Teufel komm raus, was das Zeug hält, unwahrscheinlich
seicht: niedrig, flach, untief, nicht tief, von geringer Höhe, klein, fußhoch; *reg.:* nieder ‖ → banal
Seifenblase → Einbildung
seihen: filtern, durchseihen, -sieben, klären, durch den Filter laufen lassen, filtrieren, durchgießen
Seil: Tau, Strick, Leine, Strang, Trosse, Kabel, Schnur; *Fachsp.:* Reep
Seilbahn: Drahtseil-, Schwebe-, Gondelbahn, Sessellift, -bahn
sein: s. befinden, s. aufhalten, existieren, weilen, sitzen, stehen, liegen, leben, ver-, zubringen, wohnen, hausen, zugegen/zu finden sein ‖ ergehen, s. fühlen, zumute sein ‖ da sein, vorhanden / Wirklichkeit / wirklich / real sein, vorkommen, geben, herrschen, bestehen, auf der Welt sein ‖ → leben ‖ → geschehen ‖ darstellen, abgeben, bilden, s. erweisen/zeigen/herausstellen/entpuppen als, bedeuten, heißen, besagen, vorstellen, gelten, repräsentieren ‖ auftreten/fun-

gieren / agieren / erscheinen / figurieren als, verkörpern, die Rolle spielen, den Platz einnehmen

Sein → Dasein

seinerzeit → damals

seinetwegen: jmdm. zuliebe, um jmds. willen, seinethalben, um seinetwillen

seit: von da an, seit damals/dem Zeitpunkt/dieser Zeit, seitdem, -her, von dem Zeitpunkt/Augenblick an ‖ → danach

seitdem → seit ‖ → danach

Seite: Grenzfläche, -linie, Begrenzung, Seitenteil, Flanke, Flügel ‖ Bogen, Blatt; *veraltet:* Pagina ‖ → Eigenschaft ‖ → Richtung ‖ Veranlagung, Begabung, Gabe, Talent, Fähigkeit, Wesenszug, -merkmal ‖ → Standpunkt ‖ **S. an S.** → gemeinsam ‖ **zur S. stehen** → helfen ‖ **auf die S. legen** → sparen

Seitenhieb → Spitze

Seitensprung: Ehebruch, Abenteuer, Eskapade, Untreue, Treulosigkeit, Amouren, Affäre; *ugs.:* Techtelmechtel

Seitenstraße: Nebenstraße

seitenverkehrt: spiegelbildlich, verkehrt(herum), verdreht, umgedreht, -gekehrt; *ugs.:* verkehrtrum

seither → seit ‖ bisher, -lang, bis jetzt/heute/dato/zum heutigen Tage/zur jetzigen Stunde

seitlich: an/auf der Seite, seitwärts, zur Seite hin, nach der Seite ‖ von der Seite ‖ neben, bei, zu Seiten, nächst, daneben

sekkieren → quälen

Sekret: Aus-, Abscheidung, Absonderung, Sekretion, Exkret(ion), Ausfluss, -wurf, -dünstung

Sekretär: Protokollant, Schrift-, Protokollführer; *schweiz.:* Aktuar ‖ Schreibtisch

Sekretariat: Vorzimmer, Anmeldung, Anmelderaum

Sekt: Schaum-, Perlwein, Champagner; *ugs.:* Schampus; *scherzh.:* Playboyselters

Sekte: Splittergruppe, Fraktion, Sektiererbund, Konventikel, Gesinnungsgemeinschaft

Sektierer → Abtrünniger

sektiererisch → abtrünnig

Sektion: Abteilung, Gruppe, Bereich, Sparte, Ressort, Teilbereich, Fachgebiet, Team, Lager, Block, Flügel, Abschnitt ‖ → Obduktion

Sektor → Fach ‖ Aus-, Abschnitt, Bruchstück, -teil, Segment, Passage, Auszug, Teil ‖ → Gebiet

sekundär: zweitrangig, nebensächlich, unbedeutend, -wichtig

selber → persönlich ‖ **von s.** → mechanisch ‖ → freiwillig

selbst → persönlich ‖ sogar, schon, auch ‖ **von s.** → freiwillig ‖ → mechanisch

selbständig: eigenständig, -verantwortlich, für s. alleine, selbstverantwortlich, souverän, ohne Hilfe/Anleitung, autonom, unbeaufsichtigt ‖ → frei ‖ **sich s. machen** → s. lösen

Selbstbedienungsladen: Kaufhaus, Super-, Großmarkt

Selbstbefriedigung: Onanie, Masturbation, Ipsation

Selbstbeherrschung: Selbstdisziplin, -kontrolle, -überwindung, -erziehung, Beherrschtheit, Haltung, Gefasstheit, Charakterstärke

Selbstbesinnung: Einkehr, Selbstreflexion, innere Sammlung

Selbstbestimmungsrecht: Souveränität, Autonomie, Selbstbestimmung, Unabhängigkeit, Selbstverwaltung

selbstbewusst: (selbst)sicher, ichbewusst, stolz, erhobenen Hauptes, von s. überzeugt, sieges-, erfolgssicher ‖ → arrogant

Selbstbewusstsein: Selbstsicherheit, -vertrauen, -(wert)gefühl, -achtung, Sicherheit, Stolz

selbstbezogen → ichbezogen
Selbsterhaltungstrieb: (Über)lebenswille, Lebensdrang, -lust, Selbstschutz
selbstgefällig → arrogant ‖ → eitel
selbstgerecht → arrogant
Selbstgespräch: Monolog
selbstherrlich → arrogant ‖ → herrisch
Selbstliebe → Selbstsucht
selbstlos: uneigennützig, entsagungsvoll, opferbereit, altruistisch, aufopfernd, edelmütig, hoch-, großherzig, selbstverleugnend, hingebend, hilfsbereit, sozial, karitativ, mild-, wohltätig, gemeinnützig, unegoistisch, barmherzig
Selbstmord: Selbsttötung, Selbstentleibung, Selbstvernichtung, Suizid, Freitod, Harakiri ‖ **S. begehen** → s. umbringen
selbstsicher → selbstbewusst
selbstständig → selbständig
Selbstsucht: Egoismus, Eigen-, Selbstliebe, Eigennutz, -nützigkeit, Ich-, Eigensucht, Egozentrik, Rücksichtslosigkeit, Ichbezogenheit, Selbstischkeit, -besessenheit, -verliebtheit, Narzissmus
selbstsüchtig → egoistisch
selbsttätig → mechanisch
selbstvergessen → geistesabwesend
selbstverständlich → natürlich
Selbstverständlichkeit → Gemeinplatz
Selbstverständnis: Selbstinterpretation, -einschätzung, -bewusstsein, -darstellung
Selbstvertrauen → Selbstbewusstsein
Selbstverwaltung → Selbstbestimmungsrecht
selchen → räuchern
selektieren → auswählen
Selektion → Auswahl
selig → glücklich ‖ → heilig ‖ → tot
Sellerie: Eppich; *öster.:* Zeller

selten: fast nie, rar, spärlich, dünn gesät, knapp, beschränkt, manchmal, vereinzelt, -streut, sporadisch, nicht oft, singulär, hin und wieder, gelegentlich; *ugs.:* alle Jubeljahre ‖ nicht alltäglich, ausgefallen, außer-, ungewöhnlich, kostbar, wertvoll, gesucht, -schätzt, einmalig, erlesen
Selterswasser → Mineralwasser
seltsam → schrullig ‖ → merkwürdig
Seminar: Hochschulinstitut, (Aus)-bildungsstätte, Studienanstalt, Forschungsinstitut ‖ (wissenschaftlicher) Übungskurs, Kolloquium
Semmel → Brötchen
Semmelbrösel: Panier-, Semmelmehl, Brösel
senden: aussenden, -strahlen, durch Rundfunk/Fernsehen verbreiten, übertragen; *ugs.:* bringen ‖ → schicken
Sender: Funk-, Sende-, Rundfunkstation, Sendeanlage
Sendung: Berufung, Auftrag, Bestimmung, Amt, Begnadung ‖ Rundfunksendung, Übertragung, Ausstrahlung, Aufzeichnung, -nahme ‖ Waren-, Postsendung, Postgut, (Zu)lieferung, Zustellung, Ladung, Fracht, Fuhre, Schub
Senf: Mostrich, Mustard; *reg.:* Mostert, Möstrich
sengen: anbrennen ‖ absengen, -brennen
senil → alt
Senior: der Ältere, Vater ‖ Nestor, Altmeister ‖ Vorsitzender, Alterspräsident
Seniorenheim → Altersheim
Senkblei: (Grund-, Senk)lot, Grundblei
Senke → Mulde
senken: neigen, sinken lassen, abwärts bewegen, beugen, nach unten biegen ‖ hinabgleiten lassen, hinab-, herunterlassen, versenken, in die Tiefe senken, niederlassen ‖ herun-

ter-, herabsetzen, ermäßigen, niedriger machen, heruntergehen mit, ab-, nachlassen, verbilligen, -ringern, billiger verkaufen/abgeben, den Preis drücken ‖ **sich s.**: s. beugen, s. krümmen, niedriger werden, s. setzen, ab-, ein-, zusammensinken; *ugs.:* ab-, zusammensacken, durchhängen

Senker → Schössling

Senkgrube: Sicker-, Mist-, Jauche(n)grube, Kloake; *reg.:* Pfuhl(loch)

senkrecht: vertikal, lotrecht

Senkung: Verringerung, -minderung, Schmälerung, Abnahme ‖ → Preisnachlass ‖ → Gefälle

Senner: Senn(e), Alm-, Alpenhirt; *öster.:* Schwaiger, Almer

Sennerin: Sennin, Almhirtin

Sensation: Aufsehen, Ereignis, Überraschung, Aufregung, Spektakel, Tages-, Stadtgespräch, Aufheben(s), Eklat, Skandal, Begebenheit, Schauspiel, Geschichte, Begebnis, Erlebnis, Geschehen, Vorfall, Affäre, Beachtung, Phänomen, Besonderheit, Abenteuer; *ugs.:* Lärm, Hallo ‖ → Attraktion

sensationell → außergewöhnlich

Sense: Sichel

sensibel → empfindsam

sensitiv → empfindsam

Sentenz: Aus-, Sinnspruch, Satz, Diktum, Aphorismus, Äußerung, Denkspruch, Redensart, Phrase

sentimental: gefühlvoll, gefühls-, rührselig, gefühlsduselig, tränenselig, schmalzig, gemütsreich, innerlich

Sentimentalität → Rührseligkeit

separat: (ab)gesondert, einzeln, (ab)getrennt, für sich, extra, apart, isoliert, vereinzelt

separieren → isolieren ‖ **sich s.** → s. abkapseln

Sequenz → Folge

Serenade: Ständchen, Abend-, Nachtmusik

Serie: Garnitur, Satz, Gruppe, Zusammenstellung, Set, → Reihe

seriös → ernst

Sermon → Gerede ‖ → Redefluss

Serpentine: Zickzackweg, Schlangenlinie, Kehrschleife, → Kehre

Serum: Impfstoff ‖ Blutserum, -plasma, -wasser

Service: Kundendienst, Bedienung, Dienst am Kunden, Behandlung, Abfertigung, Versorgung, Bewirtung, Aufwartung, Betreuung ‖ Tafel-, Essgeschirr, Gedeck

servieren → auftischen

Serviererin: Kellnerin, Bedienung, Fräulein, Serviermädchen; *schweiz.:* Saaltochter

Serviette: Mundtuch

servil → unterwürfig

servus → Wiedersehen

Sessel: Fauteuil, Lehn-, Arm-, Polstersessel ‖ *öster.:* Stuhl

Sessellift → Seilbahn

sesshaft → ansässig ‖ **s. werden** → s. ansiedeln

Set → Garnitur ‖ Tisch-, Platzdeckchen, Gedeckunterlage

setzen: (an-, ein)pflanzen, an-, bebauen, einsetzen, stecken ‖ legen, platzieren, (hin)stellen, postieren, hinsetzen, einen Platz geben; *ugs.:* hintun ‖ → aufziehen ‖ eine Wette abschließen, wetten, tippen ‖ **s. über** → springen ‖ **sich s.:** s. hinsetzen, Platz nehmen, s. niedersetzen/-lassen, es s. bequem machen, seinen Sitz einnehmen; *ugs.:* s. hinhocken, s. auf seine vier Buchstaben/seinen Allerwertesten setzen, s. platzieren, s. (hin)pflanzen ‖ zu Boden sinken, s. absetzen, s. niederschlagen, s. ablagern, sedimentieren, einen Bodensatz bilden ‖ → s. senken ‖ → abflauen ‖ **in Brand s.** → anzünden ‖ **aufs Spiel s.** → wagen ‖ **in Umlauf s.** → verbreiten ‖ **außer Gefecht s.** → besiegen ‖ **instand s.** → reparieren ‖ **sich zur Wehr**

s. → s. wehren ‖ **sich zur Ruhe s.**
→ abdanken ‖ **sich in den Kopf s.**
→ wollen
Setzling → Schössling
Seuche: Epidemie, Infektionskrankheit, Siechtum, Verseuchung, Erkrankung, ansteckende Krankheit
seufzen: aufstöhnen, einen Seufzer
ausstoßen, aufseufzen, ächzen, tief/
schwer ausatmen
Sex: Sexus, Geschlecht ‖ Geschlecht-
lichkeit, Sexualität, Sexual-, Trieb-,
Geschlechtsleben, das Erotische ‖
→ Sexappeal
Sexappeal: erotische Anziehungs-
kraft/Ausstrahlung, Charme, das
gewisse Etwas, Zauber, Attraktivität,
Magnetismus, Reiz, Wirkung, Fluidum; *ugs.:* Sex
Sexualität → Sex
sexuell: geschlechtlich, erotisch, libidinös, triebhaft
sexy: erotisch anziehend, mit Sexappeal, → attraktiv
sezieren: obduzieren, eine Obduktion vornehmen, zerlegen (Leiche),
öffnen, anatomisch untersuchen
Shampoo(n): Haarwaschmittel; *ugs.:*
Kopfwaschmittel
Shit → Haschisch ‖ → verflucht
shocking → anstößig
Show → Schau
Showgeschäft: Showbusiness, Un-
terhaltungs-, Vergnügungsindustrie
sibyllinisch → geheimnisvoll
Sichel: Sense
sicher: gefahrlos, ungefährdet, gesichert, -feit, -schützt, -borgen, in Sicherheit, außer Gefahr, risikolos, un-
bedroht, -gefährdet, gut unterge-
bracht, behütet, -schirmt, keiner Gefahr ausgesetzt, gerettet ‖ zuverlässig,
verbürgt, gesichert, fest, gut, untrüglich, echt, garantiert, authentisch, unfehlbar, verlässlich ‖ richtig, (zu)tref-
fend, stichhaltig, begründet, prägnant, fehlerfrei, fundiert, unan-

greifbar, -widerlegbar, -bezweifelbar,
-bestreitbar, -bestritten, -umstritten,
-leugbar, -zweifelhaft, -anfechtbar,
-widerleglich, -widersprechlich, -um-
stößlich, be-, erwiesen, wahr, gewiss,
zweifelsfrei, hieb- und stichfest, be-
urkundet, hundertprozentig, doku-
mentiert, beglaubigt, -siegelt, -legt,
-stätigt, offiziell, amtlich, niet- und
nagelfest; *ugs.:* tod-, bombensicher ‖
→ natürlich   ‖   → selbstbewusst   ‖
→ fließend ‖ **s. sein** → feststehen
sichergehen → s. vergewissern
Sicherheit: Schutz, Geborgenheit,
-sein, Sekurität, Sicherung, Obhut,
Behütetsein, Abschirmung, Gesi-
chertheit ‖ Gewissheit, sichere
Kenntnis, Klarheit, Überzeugung,
Zuverlässig-, Stichhaltigkeit, Fehler-
freiheit, Richtigkeit, Prägnanz, Fes-
tig-, Unangreifbar-, Unwiderlegbar-
keit ‖ Deckung, Bürgschaft, Garantie, Haftung, Gewähr, Kaution,
Faustpfand ‖ → Selbstbewusstsein ‖
in S. bringen → retten ‖ **in S.** → sicher
sicherheitshalber: zur Sicherheit, um
sicher zu sein/gehen, → vorsichtshalber
sicherlich → gewiss
sichern → schützen ‖ sicherstellen, in
Verwahrung/Gewahrsam bringen, in
Sicherheit bringen ‖ Sicherheitsvor-
kehrungen /-maßnahmen / Vorsorge
treffen, absichern ‖ → festigen ‖
→ beschlagnahmen
sicherstellen → sichern ‖ → aufbewahren ‖ → beschlagnahmen
Sicht: Sichtverhältnisse ‖ → Aussicht
‖ → Standpunkt
sichtbar: wahrnehm-, erkenn-, auf-
nehm-, sehbar, erkenntlich, zu sehen,
in Sicht ‖ → offenbar ‖ spür-, fühlbar,
sichtlich, merklich, bemerkbar, deutlich, zusehends, auffallend, beträchtlich, erheblich, beachtlich, einschneidend, nachhaltig
sichten → sehen ‖ → durchsehen

sichtlich → sichtbar ‖ → offenbar
sickern → fließen
sieben: durch das Sieb schütten, durchsieben, (durch)seihen, passieren ‖ → aussondern
siebengescheit → überklug
Siebenschläfer: Bilch
siech → krank
Siechtum → Krankheit
siedeln → s. ansiedeln
sieden → kochen
Siedlung: Ansiedlung, Ort, Kolonie, Gründung, Standort, Gemeinde, Niederlassung
Sieg: Erfolg, Triumph, Gewinn, Errungenschaft
Siegel: Stempel
siegen → gewinnen ‖ → besiegen
Sieger: Gewinner, Bezwinger, Triumphator, Matador, Überwinder, Meister, Champion
siegreich → erfolgreich
Siesta: Mittagspause, -ruhe
siezen: mit „Sie" anreden
Signal: Zeichen, Hinweis, Wink ‖ → Alarm
signalisieren: anzeigen, -kündigen, zu verstehen geben, ein Signal/Zeichen geben, s. bemerkbar machen, hindeuten, Anzeichen/Vorbote sein für, bedeuten, winken, blinken
Signatur → Unterschrift
signieren → unterschreiben
signifikant → charakteristisch ‖ → wesentlich
silbrig: silbern, silberfarben, -farbig
Silhouette: Schattenriss, -bild ‖ Kontur, Umriss, Profil, Linie, Skyline (Stadt)
Silo: Speicher(anlage), Lager(haus), Depot, Getreideboden, -kammer
Silvester: Jahres(w)ende, -ausklang, -wechsel, 31. Dezember; *reg.:* Altjahrestag
simpel → leicht
Simpel → Dummkopf
simplifizieren → vereinfachen

simulieren → heucheln
simultan: gleichzeitig, -laufend, zur selben/gleichen Zeit, im selben Augenblick, gemeinsam, synchron, zugleich
singen: trällern, summen, ein Lied vortragen/anstimmen, zu Gehör bringen, ertönen/hören lassen, schmettern, trillern, jodeln; *abwertend:* grölen, plärren, knödeln; *ugs.:* dudeln ‖ zwitschern (Vögel), schlagen, tirilieren, flöten, quirilieren, pfeifen, schilpen, zirpen, piep(s)en, quinkelieren, ziepen, rufen ‖ → ausplaudern
single → ledig
Single → Schallplatte ‖ Einzel(spiel) (Tennis), Partie, Match ‖ Alleinstehende(r), Junggesellin, -geselle, Unverheiratete(r)
Singsang → Gesang
singulär → selten ‖ → vereinzelt
sinken: ver-, ab-, hinab-, hinunter-, nieder-, untersinken, in die Tiefe/zu Boden/nach unten sinken, unter-, niedergehen, s. abwärts bewegen, in den Wellen/Fluten verschwinden, weg-, ab-, versacken; *derb:* absaufen ‖ → fallen ‖ → abflauen ‖ an Wert verlieren, geringer/billiger werden, weniger kosten, im Preis sinken
Sinn → Bedeutung ‖ Gefühl, Neigung, Organ, Verständnis, Zugang, Affinität, Einsehen, Empfänglichkeit, Empfindung, Gespür, Spürsinn; *ugs.:* Ader, Antenne, Draht, Riecher ‖ **dem S. nach** → sinngemäß ‖ **im S. haben** → beabsichtigen ‖ **in den S. kommen** → einfallen
Sinnbild: Symbol, (Wahr)zeichen, Personifikation, Personifizierung ‖ bildhafter Ausdruck, Metapher, Parabel, Gleichnis, Vergleich, Allegorie, Bild, Emblem, Tropus
sinnbildlich → bildlich
sinnen → denken ‖ → beabsichtigen
Sinnesart → Denkweise

Sinnestäuschung → Einbildung

sinnfällig → anschaulich

Sinngehalt → Bedeutung

sinngemäß: dem Sinn(e) nach/entsprechend, analog, sinnhaft, nicht wörtlich

sinngleich → synonym

sinnhaft → sinngemäß

sinnieren → denken

sinnig → sinnvoll

sinnlich: mit den Sinnen erfahrbar, wahrnehm-, spür-, fühl-, sicht-, hörbar ‖ geschlechtlich, triebhaft, fleischlich, erotisch, sexuell, wollüstig, genussfreudig, -fähig, sinnenhaft, -freudig, kreatürlich, körperlich ‖ → lüstern

Sinnlichkeit → Wollust

sinnlos: wider-, unsinnig, absurd, ohne Sinn und Verstand, unverständlich, lächerlich, töricht, ungereimt, vernunftwidrig, unlogisch, paradox; *ugs.:* verrückt, blödsinnig, hirnverbrannt, -rissig, stussig, witzlos ‖ → nutzlos

sinnreich → scharfsinnig ‖ → sinnvoll

Sinnspruch → Sentenz

sinnverwandt → synonym

sinnvoll: sinnig, sinnreich, vernünftig, zweckvoll, mit Verstand, wohl überlegt, → zweckmäßig

sinnwidrig → widersinnig

Sippe → Familie

Sippschaft → Familie ‖ → Gesindel ‖ → Gruppe

Sit-in → Demonstration

Sitte → Brauch ‖ → Moral ‖ → Anstand ‖ *ugs.:* Sittenpolizei

sittenlos → anstößig

sittlich: tugendhaft, -sam, -reich, -rein, züchtig, sittenrein, -fest, -streng, puritanisch, moralisch, ethisch, wohlerzogen, korrekt, untadelig → anständig

sittsam → sittlich

Situation → Sachlage

Sitz: Sitzplatz, -gelegenheit, Stuhl, Platz ‖ (Stand)ort, Stätte, Punkt, Residenz, Stelle, Aufenthaltsort ‖ Schemel, Hocker; *öster.:* Stockerl ‖ Mandat, Abgeordnetensitz, -amt ‖ Passform

sitzen: (da)hocken, kauern, thronen, dasitzen, seinen Platz haben ‖ → passen ‖ s. befinden, angebracht/befestigt/angesteckt/-genäht sein ‖ → s. aufhalten ‖ → einsitzen

sitzen bleiben → durchfallen ‖ *ugs.:* ledig bleiben, keine Frau/keinen Mann finden, nicht geheiratet werden, ein Junggeselle bleiben, eine alte Jungfer werden; *ugs.:* den Anschluss verpassen

sitzen lassen → verlassen ‖ *ugs.:* versetzen, im Stich/vergeblich warten lassen, die Verabredung nicht einhalten ‖ → brechen mit

Sitzplatz → Sitz

Sitzung: Beratung, Konferenz, Besprechung, Unterredung, Symposium, Tagung, Treffen, Versammlung, Gespräch, Konvent

Skala: Maßeinteilung ‖ Reihe, Stufenleiter

Skandal → Schande ‖ → Sensation ‖ → Lärm

skandalös → unerhört

Skelett: Gerippe, Knochengerüst, -bau, Gebeine, Knochen

Skepsis: Misstrauen, Argwohn, Zweifel, Bedenken, Ungläubigkeit, Zurückhaltung, Reserve, Vorbehalt

skeptisch: zweifelnd, ungläubig, misstrauisch, argwöhnisch, kleingläubig, vorsichtig, kritisch, zweiflerisch

Ski: Schneeschuh; *pl.:* Bretter; *ugs.:* Brettel

Skifahrer: Skiläufer; *derb:* Pistensau; für Skihaserl

Skiläufer → Skifahrer

Skizze: Rohzeichnung ‖ → Entwurf ‖ Studie, Aufzeichnung, Notizen

skizzieren: umreißen, eine Skizze anfertigen, in großen Zügen darstellen, anzeichnen ‖ → entwerfen

Sklave: Leibeigener, Abhängiger, Untergebener, Knecht, Arbeitskraft, Ausgebeuteter

sklavisch → unterwürfig

Skonto → Preisnachlass

Skript(um) → Schriftstück

Skrupel → Gewissensbisse ‖ **ohne S.** → gewissenlos

skrupellos → gewissenlos

Skulptur → Plastik

skurril → komisch ‖ → merkwürdig

Slang: Argot, Umgangssprache, Jargon

Slip: Höschen, Schlüpfer, Tanga ‖ → Unterhose

Slogan: Schlagwort, Werbespruch, -text, -spot ‖ → Motto

Slums: Elends-, Armenviertel

Smalltalk: Konversation, Seichtgeplauder, Plauderei, Gerede, Banalitätenaustausch; *ugs.:* Geschwafel, Geplätscher, Gelaber, Blabla

smart → elegant ‖ → schlau

Smog → Dunstglocke

Snackbar: Imbissstube, Schnellgaststätte, -büfett

Snob → Geck

snobistisch → eingebildet

so: wirklich, ernsthaft, tatsächlich, echt ‖ in dieser (Art und) Weise, in einer Art, derart(ig), dergestalt, in der Weise, dahingehend, auf folgende Weise, folgender-, solcher-, dermaßen, dementsprechend, -gemäß, solcherart, -weise, -gestalt, wie folgt; *öster.:* dieserart; *schweiz.:* derweise; *ugs.:* solch ‖ in solchem Grade/Ausmaß/Umfang/Maße ‖ → sehr ‖ → annähernd ‖ nun, also, jetzt ‖ → ebenso ‖ → deshalb ‖ → kostenlos ‖ **s. oder s.** → unbedingt ‖ gleichgültig wie, auf die eine oder andere Weise, irgendwie, nach Belieben/Gutdünken/Wahl, wunschgemäß, beliebig

sobald: sofort/direkt/sogleich wenn, kaum dass, sowie

Socke: Strumpf, Söckchen; *reg.:* Socken

Sockel → Fundament

sodann → danach

Sodawasser → Mineralwasser

soeben: eben, gerade jetzt/eben/vorhin/noch, vor einem/in diesem Augenblick, gerade, just

Sofa: Couch, Diwan, Ottomane, Kanapee

sofern: wenn, falls, für den Fall, gesetzt den Fall, im Falle, angenommen, wofern, vorausgesetzt, gegebenenfalls

sofort: (so)gleich, auf der Stelle, prompt, postwendend, unverzüglich, augenblicklich, im Nu, schleunig(st), alsbald, direkt, flugs, unmittelbar, ohne Verzug/Aufschub/Verzögerung, kurzerhand, unvermittelt, fristlos, unverweilt, (schnur)stracks, umgehend, schnellstens, flink, auf Anhieb, so schnell wie möglich, auf dem schnellsten Wege, stante pede, vom Fleck weg, wie aus der Pistole geschossen, geradewegs; *ugs.:* auf Knall und Fall, frischweg, brühwarm, gesagt, getan ‖ → schnell

Sog: Strömung, Drift, Strom, Trift, Strudel, Wirbel ‖ Einfluss-, Wirkungsbereich, Einwirkung

sogar → auch

sogenannt: allgemein so bezeichnet/-nannt, geheißen, -nannt

sogleich → sofort

Sohn: Stammhalter, männlicher Nachwuchs/-komme, Junge, Kind, Junior, Filius, Sprössling, Bube, Knabe, Jüngling, mein Kleiner, mein eigen Fleisch und Blut

Soiree: Abendgesellschaft, -veranstaltung, Fest(abend)

solange: während, für die Dauer, in der Zeit, im Verlauf von, währenddessen, bis

solch: diese, jene, der-, solcherlei, von dieser Art, so geartet, dementsprechend, dergleichen, ebensolch ‖ → so

solchermaßen → so

Sold: Soldatenlohn, Wehrsold, Löhnung, Entlohnung, Bezahlung ‖ Handgeld, → Lohn

Soldat: Wehr-, Militärpflichtiger, Waffenträger, Uniformierter, Streiter, Kämpfer, Wehrdienst-, Militärdienstleistender, Bürger in Uniform, Uniformträger, Krieger, Armeeangehöriger; *ugs.*: Kommisskopf ‖ S. sein: den Wehr-/Heeres-/Militärdienst (ab)leisten, dem Vaterland dienen, unter der Fahne stehen, bei der Armee sein; *ugs.*: Soldat spielen, bei den Soldaten/beim Militär/Kommiss/Barras sein ‖ S. werden → einrücken

solenn → feierlich

solid → fest ‖ → gediegen ‖ → rechtschaffen

solidarisch: gemeinsam, eng, verbunden, übereinstimmend, füreinander einstehend, zusammenhaltend, geschlossen, vereint, zuverlässig, vertrauensvoll, verbündet; *ugs.*: an einem Strang ziehend

solidarisieren, sich: s. solidarisch erklären, Solidarität üben, s. mit jmdm. verbünden /-binden /-brüdern / zusammentun /-schließen, paktieren, zu jmdm. stehen, mit jmdm. arbeiten, s. anschließen, fraternisieren; *ugs.*: gemeinsame Sache machen, am gleichen Strang ziehen

Solidarität: Zusammengehörigkeit(sgefühl), Kameradschaftsgeist, Übereinstimmung, Verbundenheit, Zusammenhalt, Gemeinsamkeit, Gemeinschaftsgeist, -sinn, Gemeinsinn

Soll: Debet, Passiva ‖ → Pflicht

sollen: beauftragt/gezwungen/verpflichtet / gehalten / verantwortlich /

genötigt sein, die Pflicht/Verpflichtung haben, → müssen ‖ → dürfen

solo → allein

somit → also

Sommerfrischler → Urlauber

sommerlich: wie im Sommer, heiß, hochsommerlich, schön, südlich, tropisch, sonnig, warm, mediterran, heiter; *ugs.*: mollig

sonach → also ‖ → danach

sonderbar → schrullig ‖ → merkwürdig

Sonderfall → Ausnahme

sondergleichen → außergewöhnlich

sonderlich → sehr ‖ → merkwürdig

Sonderling: Eigenbrötler, Einzelgänger, Außenseiter, Individualist, Nonkonformist, Original, Wunderling, besonderes Exemplar; *ugs.*: Unikum, Type, seltsamer Vogel, Krauter, Kauz, Blüte, wunderliche Haut, Knopf, Gurke, Wunderhaufen

sondern: vielmehr, aber, dement-, hin-, dagegen, (je)doch, allerdings, demgegenüber, im Gegensatz dazu ‖ → isolieren ‖ → unterscheiden

sondieren → auskundschaften

Sonnabend: Samstag

Sonne: Helios ‖ → Sonnenschein

sonnen, sich: ein Sonnenbad nehmen, s. in die Sonne legen, sonnenbaden, in der Sonne liegen, s. (in der Sonne) bräunen; *ugs.*: s. (in der Sonne) aalen, s. die Sonne auf den Bauch/Pelz brennen lassen, in der Sonne braten ‖ → auskosten

Sonnenschein: Sonnenstrahlen, -licht, Sonne; *dicht.*: Sonnenglast, -glanz ‖ → Glück

sonnig: sonnendurchflutet, -hell, durchsonnt, → heiter

Sonntagskind → Glückskind

sonst: andernfalls, im anderen Falle, ansonsten, oder, beziehungsweise, gegebenenfalls ‖ → außerdem ‖ → früher ‖ anderes, anderweitig, anderswo

sooft: immer/jedesmal wenn, wann auch immer

Sophist → Wortklauber

Sophistik → Haarspalterei

sophistisch → spitzfindig

Sorge: Furcht, Angst, Besorgnis, Kummer, Befürchtung, Kümmernis, Bedenken, Unruhe, Beunruhigung; *ugs.:* Bammel, Schiss ‖ Pflege, Betreuung, Fürsorge, Hilfe, Versorgung

sorgen → s. kümmern um ‖ → ernähren ‖ **sich s.:** s. ängstigen um, s. (ab)grämen, s. Sorgen/Gedanken machen, (be)fürchten, in Sorge sein, bekümmert/besorgt sein um, s. bekümmern, s. (ab)härmen, s. verzehren, schwer nehmen, bangen um, in Ängsten schweben, s. beunruhigen, schlaflose Nächte/Kummer haben, um den Schlaf gebracht sein; *ugs.:* Gespenster sehen, s. Kopfschmerzen machen

sorgenfrei → sorgenlos

sorgenlos: sorgenfrei, frei von/ohne Sorgen, sorglos, leicht, unbesorgt, arglos, ruhig, unbeschwert, -bekümmert, -kompliziert, -getrübt, freudig, glücklich, leichtlebig, → heiter

sorgenvoll: von Sorgen erfüllt, bedrückt, sorgenschwer, -beladen, kummervoll, verhärmt, -grämt, gramvoll, -erfüllt, -gebeugt, zentnerschwer, besorgt, -kümmert, bangend, angsterfüllt, ängstlich, bedenklich, unruhig

Sorgfalt: Genauig-, Behutsam-, Gewissenhaftig-, Sorgsam-, Sorgfältig-, Peinlich-, Ausführlich-, Gründlichkeit, Akribie, Akkuratesse, Präzision, Schärfe, Exakt-, Bestimmt-, Genauheit, Prägnanz, Pflicht-, Verantwortungsbewusstsein, Pflichtgefühl, Zuverlässigkeit ‖ Pflege, Schonung, Fürsorge, Vor-, Umsicht, Fürsorglich-, Achtsamkeit, Obacht

sorgfältig → schonend ‖ → gewissenhaft

sorglos → sorgenlos ‖ unachtsam, ohne Sorgfalt, leichtfertig, -sinnig, acht-, gedankenlos, unbedacht, nach-, fahrlässig, lieblos, unvorsichtig, -überlegt, -bedenklich, bedenkenlos, unsorgfältig, gleichgültig

sorgsam → schonend ‖ → gewissenhaft

Sorte: Art, Gattung, Typ, Spezies, Genre, Schlag, Zweig, Kategorie, Qualität, (Güte)klasse, Exemplar, Rasse, Couleur; *ugs.:* Kaliber

sortieren → ordnen

Sortiment: (Waren)angebot, (Waren)auswahl, (Muster)kollektion, Zusammenstellung, Palette ‖ Buchhandel

soso → mittelmäßig

Soße: Tunke; *reg.:* Stippe ‖ → Schlamm

soufflieren → vorsagen

Souffragette → Feministin

Sound → Klang

Souper → Abendessen

Souvenir → Andenken

souverän: überlegen, über den Dingen stehend, erhaben über, unabhängig, der Sache gewachsen, autark, autonom, selbst-, eigenständig; *ugs.:* mit Durch-/Überblick

Souverän → Alleinherrscher

soviel: in welchem Maß/Umfang/wieviel auch immer ‖ in demselben Maße, nicht weniger, gleich/ebensoviel ‖ **s. wie:** dasselbe, gleich-, ebensoviel; *ugs.:* das Gleiche ‖ → gewissermaßen

soweit → fertig ‖ insoweit, bis jetzt/dahin, im Allgemeinen/Grunde, im Großen und Ganzen, allgemein, generell, mehr oder weniger, in summa, alles in Allem, gemeinhin

sowie → sobald ‖ → auch

sowieso: ohnehin, -dies, -dem, auf alle Fälle/jeden Fall, überhaupt; *reg.:* eh

soziabel → gesellig

sozial: gemeinnützig, wohltätig, mitmenschlich, hilfsbereit, uneigennützig, → menschlich ‖ → gesellschaftlich

Sozialarbeiter: Streetworker, Psychagoge

Sozialhilfe: (Sozial)fürsorge, Diakonie, Streetwork

Sozialstation: Einordnungs-, Integrations-, Eingliederungs-, Bildungs-, Anpassungsprozess

sozialisieren → kollektivieren

sozialistisch → links

Sozius: Teilhaber, Kompagnon, Partner, Mitinhaber, Gesellschafter, Associé ‖ (Motorrad)beifahrer, Mitfahrer

sozusagen → gewissermaßen

spachteln → essen

spähen: ausschauen, äugen, Ausschau halten, (aus)blicken, lugen, luchsen, starren, sehen, im Auge behalten; *reg.:* illern, peilen, glotzen, stieren, ausgucken nach

Spalt(e): (schmale) Öffnung, Zwischenraum, Schlitz, Ritz(e), Einschnitt, Loch, Klinse, Fuge, Lücke ‖ Riss, Sprung, Bruch ‖ → Rubrik

spalten: zerteilen, entzwei-, durch-, zerhacken, entzwei-, zerhauen, durch-, zer-, aufspalten; *reg.:* klieben, klüften, spleißen ‖ **sich s.** → s. trennen

Span: Splitter, Spleiß; *reg.:* Schiefer

Spange: Klammer, Klemme ‖ → Brosche

Spann: Rist, Fußrücken; *reg.:* Reihen

Spanne: Zeitraum, -abschnitt, Phase, Zeit, Periode, Weile, Dauer ‖ Abstand, Unterschied, Differenz

spannen: einspannen, befestigen, anbringen, -machen ‖ → anspannen ‖ → dehnen ‖ → bemerken ‖ sehr eng sein, eng anliegen; *ugs.:* knapp sitzen ‖ **sich s.** → s. erstrecken

spannend: fesselnd, interessant, mitreißend, er-, aufregend, prickelnd, packend, atemberaubend, faszinie-

rend, aufwühlend, -peitschend, spannungsreich, dramatisch, bewegend, ergreifend, aufrüttelnd; *ugs.:* nervenzerreißend

Spannkraft → Energie

Spannung: gespannte Erwartung, Ungeduld, Dramatik, Nervosität, Gespanntheit, Anspannung, Hochspannung, Vorfreude, Neugier, Unruhe ‖ Überreiztheit, Nervenschwäche, Verstimmung, Auf-, Erregung, Aufgeregtheit, Hektik, Ruhelosigkeit, Erregtheit ‖ Missstimmung, Feindselig-, Unstimmigkeit, Miss-, Unbehagen

spannungsgeladen: gereizt, erregt, (hoch)explosiv, gespannt, verhärtet, feindselig, dramatisch, kritisch

spannungslos → langweilig

Sparbüchse: Sparschwein, -kasse, -topf

sparen: ein-, auf-, ersparen, auf die Seite/beiseite legen, Geld zurücklegen, (auf)bewahren, Ersparnisse machen, (sein Geld) auf die hohe Kante legen, s. ein-/beschränken, maß-, haushalten, s. bescheiden, sparsam/bescheiden leben, Konsumverzicht betreiben, s. mäßigen, s. zügeln, s. zurückhalten, das Geld zusammenhalten, geizen, kargen, Rücklagen machen, aufheben, weglegen, s. absparen, wirtschaften, rationieren, einteilen, s. nicht viel leisten, sparsam sein/ umgehen, Abstriche machen, s. Entbehrungen auferlegen, (mit jedem Pfennig) rechnen; *ugs.:* kürzer treten, kurztreten, leisetreten, den Gürtel/ Riemen enger schnallen, keine großen Sprünge machen, wegtun, in den Strumpf stecken, knausern, knapsen, knickern, geizen, abzweigen, s. abzwacken/-knappen, filzen, den Daumen draufhalten, s. nach der Decke strecken ‖ → anhäufen ‖ → unterlassen

Spargroschen → Ersparnis

spärlich → kläglich ‖ dünn (bewachsen), licht, gelichtet

sparsam: haushälterisch, ökonomisch, wirtschaftlich, genau, häuslich, rationell, knapp, vorsichtig, achtsam, sorgfältig, überlegt, kalkuliert, eingeschränkt ‖ → kläglich ‖ → geizig ‖ s. sein → sparen

Sparsamkeit: Wirtschaftlichkeit, Einteilung, genaues Rechnen ‖ → Geiz

spartanisch: hart, streng, genügsam, eisern, strikt, diszipliniert, unerbittlich ‖ → einfach

Sparte → Fach

Spaß → Scherz ‖ → Freude

spaßen → scherzen

spaßeshalber: rein aus Vergnügen, nur zum Spaß; *öster.:* hetzhalber

spaßig: witzig, ulkig, spaß-, scherz-, schalk-, possenhaft, possierlich, drollig, herzig, putzig, geistreich, neckisch, → lustig ‖ → merkwürdig

Spaßmacher → Spaßvogel

Spaßvogel: Spaßmacher, Possenreißer, dummer August, Clown, Harlekin, Bajazzo, Komiker, Schalk, Humorist, Hanswurst, Kasper(l), Geck, Schelm, Nummer, Original, Eulenspiegel, Witzbold, (Hof)narr, Skaramuz; *ugs.:* Faxenmacher, Marke, Unikum, lustiger Vogel

spät: zu vorgerückter Stunde ‖ zu spät, spätabends, nachts, in der Nacht, zu später Stunde, zur Nachtzeit ‖ verspätet, höchste Zeit, keine Zeit zu verlieren, endlich, in letzter Minute, im letzten Augenblick, schließlich, zuletzt, am Ende, zu guter Letzt, zur rechten Zeit; *ugs.:* fünf vor zwölf, höchste Eisenbahn ‖ → unpünktlich

später: (zu)künftig, kommend, folgend, in spe, angehend, weiter, nächst, darauffolgend ‖ in Zukunft, eines Tages, einst, in Bälde, früher oder später, späterhin, demnächst,

über kurz oder lang, einmal, dereinst, irgendwann, in weiter Ferne ‖ weiter-, fernerhin, des Weiteren, nach wie vor, forthin, -an, hinfort, für-der(hin) ‖ → danach

Spatz: Sperling, Passer; *norddt.:* Lüning, Lünk; *rheinisch:* Mösch ‖ → Kind

spazieren gehen: umhergehen, -schlendern, flanieren, spazieren, (lust)wandeln, bummeln, promenieren, einen Spaziergang/Bummel machen, s. ergehen, s. die Beine/Füße vertreten, einen Schritt vors Haus tun, frische Luft schnappen/schöpfen gehen, s. bewegen; *schweiz.:* lädelen

Spaziergang: Bummel, Streifzug, Tour, Promenade, Gang ‖ Wanderung, (Land)partie

Speck: Fett, Schmalz, Fettpolster, -gewebe, -masse, Schmer

speckig → schmutzig ‖ → dick

Spedition: Fuhr-, Transport-, Rollunternehmen, Speditionsbetrieb, -geschäft, Transportfirma, Fuhrgeschäft; *schweiz.:* Camionnage

Speech → Rede

Speed → Rauschgift ‖ → Geschwindigkeit ‖ → Schwung

Speichel: Spucke, Wasser, Geifer; *ugs.:* Spucke; *derb:* Sabber

Speichellecker: Schmeichler, Liebediener, Heuchler, Pharisäer, Lakai, Kriecher, Duckmäuser; *ugs.:* Radfahrer, Krummbuckel, Süßholzraspler; *derb:* Arschkriecher, -lecker, Schleimscheißer, Steigbügelhalter

speichelleckerisch → unterwürfig

Speicher: Silo, Speicheranlage, Lager(haus), Depot, Getreideboden, -kammer ‖ Dachboden; *reg.:* Estrich, Bühne, Boden

speichern: (ein)lagern, magazinieren, deponieren, ablegen, unter Verschluss halten, an s. nehmen, zurückbehalten, → anhäufen

speien: (aus)spucken, ausspeien; *derb:* sabbern, rotzen ‖ → übergeben

Speise: Gericht, Essen, Mahl, Schmaus, Imbiss, Kost, Snack; *derb:* Fraß, Futter

Speisekammer: Vorratskammer; *reg.:* Speis(kammer)

speisen → essen

Spektakel → Lärm ‖ → Sensation ‖ → Schauspiel

spektakulär → außergewöhnlich

Spektrum: Bandbreite, Streuweite, Vielfalt, Palette, Reichtum

Spekulation → Annahme ‖ → Einbildung ‖ → Kalkül ‖ Transaktion, Geschäft, Unternehmung

spekulativ: gedanklich, vorgestellt, nach Vermutungen ‖ → theoretisch

spekulieren: (Börsen-, Aktien)spekulation betreiben, agiotieren, Wertpapiere ein- und verkaufen, Handel treiben, Geschäfte machen ‖ → abzielen auf ‖ → rechnen mit

Spelunke → Gaststätte

spendabel → freigebig

Spende → Gabe ‖ → Unterstützung

spenden: stiften, (über)geben, schenken, opfern, spendieren, zukommen lassen, zur Verfügung stellen, überlassen, bedenken mit, darbringen, als Gabe/Spende überreichen, verehren, zeichnen, dotieren, sein Scherflein beitragen, seinen Obolus entrichten, zuwenden, verteilen ‖ **Lob s.** → loben ‖ **Trost s.** → trösten ‖ **Freude s.** → erfreuen ‖ **Beifall s.** → klatschen

spendieren → freihalten

Sperenzchen: *(ugs.):* Sperenzien, Ausflüchte, Schwierigkeiten, Getue, Theater, Zirkus, Faxen, Mätzchen; *ugs.:* Trara

Sperling: Spatz, Passer; *ugs.:* Lüning, Lünk

Sperma: Samenzellen, -flüssigkeit, Ejakulat, Keimzellen, Samen, Spermium

Sperre: Absperrung, Schranke, Wegsperre, Schlagbaum, Barriere, Blockade, Hindernis, Blockierung, Hürde, Riegel, Hemmnis, Gitter ‖ Verbot, Einschränkung, Untersagung ‖ Sperrfrist, -zeit ‖ → Mattscheibe

sperren: den Zugang verbieten/-hindern, unzugänglich machen, ab-, versperren, abriegeln, -schließen, blockieren, verbauen, -rammeln, zumachen, den Riegel vorschieben, das Schloss vorlegen, den Durchgang unmöglich machen, abschneiden ‖ unterbinden, ausschalten, lahm legen, stoppen, außer Betrieb setzen, abstellen, aus-, abdrehen, unterbrechen ‖ → einsperren ‖ untersagen, verbieten, nicht gestatten, verwehren, die Lizenz/Erlaubnis entziehen, aus der Hand nehmen, verweigern ‖ klemmen ‖ **sich s.:** s. verschließen, nicht an s. heranlassen, unzugänglich sein, s. widersetzen, s. entgegenstellen, s. sträuben, s. stemmen gegen; *ugs.:* dicht-, zumachen, zu sein

Spesen: Dienstausgaben, Unkosten, Auslagen, Aufwendungen, Diäten, Tagegeld, Reisespesen, Zahlungen

Spezi → Freund

Spezialgebiet → Fach ‖ → Hobby

spezialisieren, sich: s. festlegen, s. verlegen auf, s. beschränken

Spezialist → Fachmann

Spezialität → Fach ‖ → Hobby ‖ → Eigenart ‖ → Leckerbissen

speziell → besonders ‖ → einzeln

Spezies → Art

Spezifikum → Eigenart

spezifisch → charakteristisch

Sphäre: Himmelskugel, -gewölbe ‖ Gesichts-, Gesellschafts-, Wirkungskreis, Macht-, Einflussbereich, Reichweite ‖ → Gebiet

spicken → abschauen ‖ **s. mit:** versehen/ausstatten mit, schmücken

Spiegelbild: Gegen-, Abbild, Verdoppelung, Spiegelung

spiegelbildlich: seitenverkehrt, verkehrt(herum), umgedreht, -gekehrt; *ugs.:* verkehrtrum

spiegelblank → glänzend

Spiegelei: Ochsenauge; *reg.:* Setzei; *schweiz.:* Stierenauge

Spiegelfechterei → Täuschung

spiegelglatt: eisglatt, glitschig, rutschig

spiegeln → leuchten ‖ → ausdrücken ‖ **sich s.:** widerscheinen, s. widerspiegeln, reflektieren, zurückwerfen, -strahlen, Abbild zeigen, wiedergeben

Spiegelung: Widerschein, Abglanz, (Licht)reflex, Reflexion, Rückstrahlung; *dicht.:* Abschein

Spiel: Partie, Runde, Match ‖ → Wettkampf ‖ → Glücksspiel ‖ → Schauspiel ‖ → Aufführung ‖ → Kleinigkeit ‖ → Scherz ‖ → Flirt

Spielart: Ab-, Eigen-, Sonderart, Ausnahme, Abweichung, Variante, Erscheinungsform

Spielbank: (Spiel)kasino, Spielhölle

spielen: s. die Zeit mit Spielen vertreiben, ein Spiel machen, s. mit Spielen beschäftigen ‖ s. dem Glücksspiel hingeben, hasardieren, in die Spielbank/ins Kasino gehen, setzen, tippen; *ugs.:* zocken ‖ daddeln (Spielautomat) ‖ einen Wettkampf austragen/durchführen ‖ → musizieren ‖ mimen, verkörpern, wiedergeben, dar-, vorstellen, agieren/figurieren/erscheinen/auftreten als, nachahmen, imitieren, abbilden, s. in Szene setzen, s. produzieren, kopieren ‖ → aufführen

spielend → leicht

Spieler: Glücksspieler, Glücksritter; *ugs.:* Zocker

Spielerei → Kleinigkeit ‖ → Scherz

spielerisch: leicht, einfach, unkompliziert, -beschwert, -belastet, -verkrampft, locker, frei, entspannt ‖ → fantasievoll

Spielfeld: Spielfläche, -platz, Rasen, (Sport)platz, Feld

Spielplan → Programm

Spielplatz → Spielfeld

Spielraum → Raum ‖ Zwischenraum, Spanne, Abstand

Spielzeit: (Spiel-, Theater)saison

Spielzeug: Spielsachen, -waren

Spießbürger: Philister, Spießer, kleinbürgerliche Seele, Krämer-, Beamtenseele, Klein-, Schildbürger, Banause, Biedermann, -meier, Krämer; *öster.:* Sumper

spießbürgerlich → kleinbürgerlich

Spießer → Spießbürger

Spießgeselle → Komplize

spießig → kleinbürgerlich

spindeldürr → dünn

spinnen → verrückt sein

spintisieren → denken ‖ → fantasieren

Spion: Agent, Spitzel, Schnüffler, Horcher, Späher, Lauscher, (Aus)kundschafter, Verräter, Zuträger, Saboteur; *öster.:* Schnoferl ‖ Guckloch ‖ Abhörgerät, Wanze

Spionage: Agententätigkeit, -dienst, Staats-, Landesverrat

spionieren: Spionage betreiben, als Agent/Spion arbeiten, Spitzeldienste leisten ‖ → bespitzeln ‖ → auskundschaften

Spirale: Schraubenlinie, Schnecke, Windungen

Spiritismus: Geisterglaube, -beschwörung, Okkultismus

spiritistisch → okkult

spirituell → übersinnlich

Spirituosen: alkoholische Getränke, Alkoholika

Spiritus: Alkohol, Weingeist, Äthanol; *ugs.:* Sprit

Spital → Krankenhaus

spitz: nadelspitz, spitzig, zugespitzt, mit einer Spitze, stechend, scharfkantig, geschliffen ‖ → lüstern ‖ → begierig sein ‖ → bissig ‖ → dünn

Spitzbube → Betrüger ‖ → Schelm
spitzbübisch: verschmitzt, pfiffig, schelmisch, schalkhaft; *ugs.:* schlitzohrig
Spitze: Dorn, Stachel; *derb:* Piker ‖ Führung, erste Stelle, Kopf, Leitung, Vorsitz, Direktion, Führerschaft ‖ Anspielung, (Seiten)hieb, Stich(elei), bissige/spitze Bemerkung, Zweideutigkeit, Bissigkeit, Anzüglichkeit, Pfeil, Gestichel ‖ → Krönung ‖ → Höchstleistung ‖ → großartig
Spitzel → Spion
spitzen: spitz machen, an-, zuspitzen, schärfen, wetzen, schleifen ‖ → begierig sein ‖ **die Ohren s.** → aufpassen ‖ → lauschen
Spitzenleistung → Höchstleistung
Spitzenreiter → Hit
Spitzensportler: Leistungssportler, Crack, Meister, Favorit, Champion; *ugs.:* Kanone, Ass
spitzfindig: kleinlich, wortklauberisch, haarspalterisch, kasuistisch, sophistisch, rabulistisch, überspitzt, ausgeklügelt, pedantisch, übergenau, kleinkrämerisch; *ugs.:* pingelig
Spitzfindigkeit → Haarspalterei
Spitzhacke: Picke(l), Spitzhaue; *öster.:* Krampen
Spitzname: Scherz-, Spott-, Neck-, Schimpf-, Über-, Beiname; *reg.:* Ekel-, Uzname
spitzzüngig → bissig
Spleen → Marotte
splittern → zerbrechen
sponsern: beisteuern, unterstützen, subventionieren, zuschießen, Geld zuwenden, finanziell helfen; *ugs.:* unter die Arme greifen
Sponsor: Mäzen, Gönner, Förderer, Geldgeber, Protektor
spontan: von innen heraus/selbst, impulsiv, unbesonnen, -überlegt, → direkt, → freiwillig
sporadisch: ab und an, hin und wieder ‖ → selten

Sport: Körper-, Leibeserziehung, Körperertüchtigung, -kultur, Leibesübungen, Turnen ‖ → Hobby
Sportler: Athlet, Aktiver, Sporttreibender, Wettkämpfer, Sportsmann
sportlich: muskulös, athletisch, behände, sportiv, schlank, drahtig, sehnig, stark, kräftig, frisch, gut gebaut/-wachsen ‖ nicht elegant, zweckmäßig, jugendlich, flott, schneidig, rasant
Sportplatz: Spiel-, Sportfeld, (Übungs)platz, Wettkampfstätte, -platz, Stadion, Kampfbahn, Rasen
Spot: Werbetext, -slogan, -spruch, -sendung, -einblendung, Werbung
Spott: Verhöhnung, -spottung, Gespött, Spöttelei, Hohn(gelächter), Sarkasmus, Stichelei, Anzüglichkeit, Ironie, Zynismus, Gewitzel, Neckerei, Bosheit
Spottbild → Karikatur
spotten: s. mokieren über, (be)spötteln, s. lustig machen, verspotten, aus-, verlachen, verhöhnen, mit Spott/Hohn überschütten, sein Gespött treiben, s. abfällig äußern, witzeln, lächerlich/Witze machen, necken, hänseln, foppen, seinen Spaß machen/treiben, aufziehen, ins Lächerliche ziehen, der Lächerlichkeit preisgeben; *öster.:* pflanzen; *ugs.:* hochnehmen, verulken, -hohnepipeln, durch den Kakao ziehen, frotzeln, uzen, auf den Arm nehmen
spöttisch: höhnisch, ironisch, anzüglich, sarkastisch, zynisch, bissig, beißend, mokant, voller Verachtung/Hohn, hämisch, boshaft, spitz, scharf, gallig, ätzend, verletzend, schadenfroh, verächtlich
Spottname → Spitzname
Sprache: Sprachvermögen, Sprechfähigkeit ‖ → Ausdrucksweise
sprachlos: stumm, wort-, tonlos, still, schweigend ‖ → überrascht
sprayen → sprühen

sprechen → reden ‖ → s. unterhalten ‖ → ausplaudern ‖ → erörtern ‖ **offen s.:** seine Meinung sagen, offen reden/sagen, keinen Hehl machen aus, seinem Herzen Luft machen; *ugs.:* nicht hinter dem Berg halten mit, kein Blatt vor den Mund nehmen, frei/frisch von der Leber weg reden, aus seinem Herzen keine Mördergrube machen, reden wie einem der Schnabel gewachsen ist

Sprecher: Ansager, Redner, Conférencier, Wortführer, Vortragender, Vertreter

spreizen: auseinander strecken, wegstrecken, grätschen ‖ **sich s.** → s. zieren ‖ → angeben

sprengen: zerstören, destruieren, zertrümmern; *ugs.:* in die Luft jagen ‖ auseinander reißen, gewaltsam öffnen, aufbrechen, -sprengen; *ugs.:* (auf)knacken ‖ auflösen (Versammlung), zerstreuen, auseinander jagen/treiben ‖ über etwas hinausgehen, den Rahmen sprengen, überschreiten, das Maß nicht einhalten, über das Ziel schießen ‖ begießen, -feuchten, -spritzen, -netzen, -sprühen, -rieseln, -wässern, mit Wasser versorgen, nass machen, anfeuchten, be-, einsprengen, (ein)spritzen, wässern

Sprengstoff → Zündstoff

Sprichwort → Spruch

sprichwörtlich → gängig

sprießen → keimen

Springbrunnen: Fontäne; *schweiz.:* Spritzbrunnen

springen: setzen über, hechten, einen Sprung machen, hüpfen, hoppeln, hopsen, einen Satz machen ‖ hervorsprühen (Funken), heraussprühen, -kommen ‖ zerspringen, Risse bekommen, reißen, platzen, zerbrechen, -bersten, -splittern, in die Brüche/in Scherben gehen, entzweigehen, -brechen ‖ **s. lassen** → freihalten ‖ **springender Punkt** → Hauptsache

Sprint: Kurzstreckenlauf, Wettrennen

sprinten → laufen

Sprit → Spiritus ‖ *ugs.:* Benzin, Kraft-, Treibstoff

spritzen → sprengen ‖ hervorschießen, herausströmen, -sprühen, -kommen ‖ → laufen ‖ eine Spritze/Injektion geben, einspritzen, injizieren

Spritzer → Fleck ‖ Tropfen, Schuss

spritzig: sportlich, schnell, rasant, flott, schneidig, beweglich, schwungvoll, wendig, lebendig, aufgeweckt ‖ → geistreich

Spritztour: Ausflug, Abstecher, Tour, Trip, (Spritz)fahrt; *ugs.:* Rutsch(er)

spröd(e): brüchig, zerbrechlich, splitterig, strohig, rissig, unelastisch, bröckelig, mürbe, ausgetrocknet, rau, trocken, rubbelig ‖ → prüde

Spross → Nachkomme ‖ → Schössling

Sprosse: Stufe, Tritt

Sprössling → Kind

Spruch: Ausspruch, Satz, Sentenz, geflügeltes Wort, Aphorismus, Lebensregel, -weisheit, Grundwahrheit, Maxime, Sprichwort, Leitsatz

Spruchband: Transparent, Banderole

Sprüch(e)macher → Besserwisser ‖ → Angeber

spruchreif → aktuell

Sprudel → Mineralwasser

sprudeln: (hervor)quellen, überschäumen, herausströmen, -schießen, -rinnen, wallen, s. ergießen, fließen ‖ perlen, prickeln, moussieren, spritzen, brodeln, bitzeln, schäumen

sprühen: stieben, spritzen, ausströmen, herausschießen, davonfliegen ‖ zerstäuben, besprühen, versprühen, sprayen, versprengen, beträufeln, bespritzen, befeuchten

sprühend → geistreich

Sprung: Satz, Hüpfer; *ugs.:* Hops(er), Hupfer ‖ *ugs.:* kurze Entfernung/Wegstrecke, nicht weit, ganz nah, in nächster Nähe, in Reichweite, nebenan, um die Ecke, leicht erreichbar, ein Katzensprung ‖ → Riss

sprunghaft → plötzlich ‖ → unbeständig

Spucke → Speichel

spucken: Speichel von s. geben, (aus)speien; *derb:* sabbern, rotzen ‖ → s. übergeben ‖ **große Töne s.** → angeben

Spuk → Gespenst

spuken: (herum)geistern, sein Unwesen treiben, gespenstern, nicht geheuer sein/mit rechten Dingen zugehen, umgehen, irrlichtern, rumoren, als Gespenst erscheinen

spukhaft → schauerlich

Spule: Rolle, Walze

spulen: (auf)wickeln, aufrollen, -haspeln

spülen: reinigen, durch-, klar-, ausspülen, (aus)waschen, säubern, putzen, sauber machen; *reg.:* schwenken ‖ an Land/ans Ufer spülen, antreiben, (an)schwemmen, absetzen, -lagern

Spund → Stöpsel ‖ → Bursche

Spur: Fuß(s)tapfen, -spur, -abdruck, Fährte, Tritt ‖ Zeichen, Beweis, Anhaltspunkt, Beleg, Überreste ‖ → Nuance ‖ (Fahr)bahn ‖ **eine S.** → etwas

spürbar → merklich

spuren → gehorchen

spüren → fühlen ‖ → bemerken

Spürsinn: Instinkt, Gespür, Spürnase, Scharfsinn, Gefühl, Organ, Witterung, Empfindung; *ugs.:* Riecher, sechster Sinn, Ader, Nase

Spurt → Finale

spurten: einen Spurt einlegen, das Tempo/die Geschwindigkeit steigern, sprinten, forcieren

sputen, sich → s. beeilen

Staat: Land, Reich, Staatswesen ‖ Regierung, Obrigkeit, Staatsmacht, -gewalt ‖ → Prunk

staatlich: national, gemeineigen, gesellschaftlich, volkseigen

Staatsangehöriger → Bürger

Staatsanwalt: (öffentlicher) (An)kläger, Anklagevertreter

Staatsbürger → Bürger

Staatsmann: Politiker, Staatsoberhaupt, Präsident, Herrscher, Regent, Landesherr, Staatschef

Staatsoberhaupt → Staatsmann

Staatsstreich: Putsch, Umsturz

Stab: Stock, Stange, Stecken ‖ die Mitarbeiter, Team, Arbeitsgruppe ‖ → Führung

stabil → fest ‖ → kräftig

stabilisieren → festigen

Stabilität → Festigkeit

Stachel: Spitze, Dorn, Sporn; *derb:* Piker ‖ → Antrieb

Stachelbeere: Heckenbeere; *reg.:* Stick(el)-, Kraus-, Kräuselbeere, Agrasel

stach(e)lig: voller Stacheln, kratzend, stechend, dornig, borstig, ruppig, kratzig, stoppelig ‖ → widerspenstig

Stadel → Scheune

Stadion → Sportplatz

Stadium: (Entwicklungs)stand, -stufe, Zustand, Phase, Abschnitt, Etappe, Periode, Zeitraum, -spanne

Städtchen: Klein-, Provinz-, Kreisstadt, Ortschaft, Siedlung, Winkel; *ugs.:* Nest, (Kuh)dorf, Kaff

Städter: Stadtmensch, -bewohner, Kind der Stadt

Stadtgespräch → Gerede ‖ → Sensation

Stadtmitte: Stadtkern, -zentrum, Innenstadt, das Stadtinnere, Zentrum, Geschäftsviertel, City; *schweiz.:* Innerstadt

Stadtrand: Vorort, -stadt, Trabanten-, Satellitenstadt, Außenbezirk, Einzugsgebiet

Stadtstreicher → Clochard

Stadtviertel: Stadtteil, -bezirk, Ortsteil, Gegend; *veraltet:* Quartier

Staffage: Beiwerk, Ausstattung, Nebensächliches, -sache, Dekoration, Ausschmückung, Putz, schmückende Ergänzung

staffeln: (auf)fächern, nach Stufen festsetzen, (auf)gliedern, differenzieren, unter-, einteilen, graduell unterscheiden, abtreppen, klassifizieren, einstufen, -ordnen

staffieren → schmücken

Stagnation → Stillstand

stagnieren → stocken

stählen: abhärten, widerstandsfähig/ resistent/immun machen, immunisieren, festigen, kräftigen, stärken

stählern → eisern

Stamm: Volksstamm, Geschlecht, Völkerschaft, Geblüt, Sippe ‖ Kern(gruppe), Führungsstamm, fester Bestand, Kader ‖ → Herkunft

Stammbaum: Ahnen-, Abstammungs-, Stammtafel, Geschlechtsregister ‖ → Herkunft

stammeln: stottern, stockend sprechen, radebrechen, nur in Brocken/ abgehackt reden

stammen: kommen aus, geboren/zu Hause sein in ‖ **s. von:** ab-, entstammen, s. her-/ableiten/herstammen/ (her)kommen von, zurückgehen/fußen/basieren/beruhen auf, entspringen, -stehen, seinen Ursprung/seine Quelle/Wurzel/Anfänge haben in, seinen Ausgang nehmen in, hervorgehen, (her)rühren von, wurzeln in, s. stützen/gründen auf, zurückzuführen sein auf, s. herausbilden, zugrunde liegen, s. ergeben aus, resultieren ‖ datieren von

Stammhalter → Sohn

stämmig → kräftig ‖ → untersetzt

stampfen: heftig treten, trampeln, stapfen; *reg.:* → trapsen ‖ → zerdrücken

Stand → Lage ‖ Schicht, Gruppe, Klasse; *abwertend:* Kaste ‖ Verkaufs-, Markt-, Warenstand, Bude, Kiosk, Verkaufshäuschen; *reg.:* Standel ‖ → Standort ‖ → Rang

Standard: Richt-, Eichmaß, Norm, Regel, Prinzip, Maßstab, Qualität, Skala, Durchschnittsbeschaffenheit, Normalmaß, Richtschnur ‖ → Niveau

standardisieren → normieren

Standarte → Fahne

Standbild → Statue

Ständer: Gestell, Stativ, Untersatz ‖ → Erektion

standhaft: fest bleibend, unbeugsam, eisern, beharrlich, eisenfest, nicht nachgebend, steinern, wie ein Fels, (felsen)fest, unerschütterlich, charakterfest, (willens)stark, konsequent, stetig, persistent, zäh, hart(näckig), durchhaltend, unnachgiebig, -beirrt, -beirrbar, rigoros, aufrecht ‖ → mutig ‖ → planmäßig

Standhaftigkeit → Beständigkeit

standhalten → aushalten ‖ → festbleiben

ständig → dauernd

Standort: Stand, Lage, (Stand)punkt, Position, Ort, Platz, Stellung, Sitz, Umgebung ‖ → Ansicht

Standpauke → Lektion

Standpunkt: Betrachtungsweise, Blick-, Gesichtswinkel, Gesichts-, Blickpunkt, Schau, Perspektive, (Hin)sicht, Aspekt, Seite, Stellung, Warte, Blickrichtung, Position, Ort ‖ Vorstellung, Meinung, Ansicht, Grundsatz, Maxime, Anschauung, Haltung, Auffassung, Überzeugung, Denkweise, Sinnesart, Gesinnung, Glaube, Einstellung ‖ → Standort

Stange: Stock, Stab, Stecken

Stängel: Stiel, Stamm, Halm, Rohr

stänkern → nörgeln

Stanniolpapier: Silber-, Zinnfolie; *ugs.:* Aluminium-, Alufolie

Stapel → Menge
stapeln → schichten || → anhäufen
stapfen: stampfen, staken, trappen, stiefeln, mit schweren Schritten gehen
Star: Größe, Berühmtheit, Stern, Topstar, Held, Diva, Starlet, Sternchen || *ugs.:* Sprehe (Vogel)
stark → kräftig || → mächtig || → sehr || → dick || → intensiv
Stärke: Energie, Dynamik, Leistung, Macht, Vermögen, Kraft, Power || → Fähigkeit || → Ausmaß || Stärkemittel
stärken → festigen || → aufrichten || steifen, steif machen, härten || sich s. → essen
Stärkung → Festigung || → Imbiss
Starlet → Star
starr → regungslos || steif, ungelenkig || stier, gläsern, glasig, verglast; *ugs.:* glotzig || → fassungslos || → dogmatisch
starren: starr blicken/schauen/gucken, spähen; *ugs.:* stieren, glotzen, gaffen, Stielaugen machen, glupschen
Starrkopf → Trotzkopf
starrköpfig → dickköpfig
Starrköpfigkeit → Trotz
Starrsinn → Trotz
starrsinnig → dickköpfig
Start → Beginn || Aufbruch, Abfahrt, -marsch, -flug, Weggang, Flugbeginn, Take-off, Departure || Startplatz, -bahn
startbereit → fertig
starten → anfangen || → anlassen || s. in Bewegung setzen, zu fahren/laufen beginnen, losstürzen, -eilen; *ugs.:* loslaufen, -flitzen, -sausen, -rasen, -rennen, -spurten, -preschen, los-, davonschießen || ab-, weg-, davon-, fortfliegen, weg-, abfahren, ab-, wegziehen || → eröffnen
Statement → Feststellung || → Bekanntmachung

Station: Haltestelle, -punkt, Bahnhof || Fahrtunterbrechung, Aufenthalt, Stop, Pause, Halt || → Stadium
stationär: ortsfest, -gebunden, standörtlich, stillstehend, bleibend, unveränderlich || im Krankenhaus, mit Krankenhausaufenthalt, klinisch
stationieren: an einen Standort stellen, jmdm. einen Standort zuweisen, Truppen verlegen, an einen Platz/Ort aufstellen
statisch: stillstehend, ruhig, unbewegt, ruhend, unbeweglich, träge, starr
Statist: stumme Person, Komparse, Figurant, Nebenfigur, Kleindarsteller
statt: anstatt, anstelle, dafür, in Vertretung, als Ersatz für, stellvertretend, gegen, im Austausch, und nicht
Stätte → Ort
stattfinden → geschehen
stattgeben → erlauben
statthaft: zulässig, gestattet, erlaubt, genehmigt, bewilligt, rechtmäßig, Rechtens
stattlich → ansehnlich || von kräftiger Statur, hoch gewachsen/aufgeschossen, groß, von hohem Wuchs, hünenhaft, stämmig, voluminös
Statue: Standbild, Plastik, Figur, Skulptur, Statuette
Statur → Gestalt
Status → Lage
Statut → Regel || → Satzung
Stau → Stauung || → Stop-and-go-Verkehr
Staub: Fusseln, Staubflocken, -flusen, Schmutz; *reg.:* Dust, Wollmäuse; *öster.:* Fuzeln, Gfrast || Pulver, Puder || **S. aufwirbeln** → auffallen || **sich aus dem S. machen** → fliehen || → weggehen
staubig: voll Staub, mit Staub bedeckt, ver-, angestaubt, schmutzig
Staudamm: Staumauer, -werk, -anlage, Wehr, Talsperre; *schweiz.:* Stau

Staude: Busch, Strauch
stauen: absperren, ein-, abdämmen, hemmen, aufhalten, ab-, anstauen ‖ **sich s.** → s. anhäufen
staunen: erstaunen, s. (ver)wundern, überrascht / erstaunt / verwundert / sprachlos/verblüfft sein, große Augen machen, seinen Augen/Ohren nicht trauen, in Staunen geraten, keine Worte finden, nicht fassen können; *ugs.:* aus allen Wolken fallen, Bauklötzer staunen, mit den Ohren schlackern, aus den Latschen/ Pantinen kippen, Mund und Augen aufsperren, Kopf stehen, ganz baff/ platt/von den Socken/perplex sein, dumm aus der Wäsche gucken, jmdm. die Sprache verschlagen, etwas wirft/haut jmdn. um, jmdm. bleibt die Spucke weg, jmdn. laust der Affe
staunenswert → erstaunlich
Stauung: Ansammlung, Stockung, Stau, Verkehrschaos, -störung, (Auto)schlange, Stop-and-go-Verkehr ‖ → Stillstand
stechen: stoßen, stanzen; *ugs.:* piek(s)en ‖ → schmerzen ‖ → verletzen
stechend → schmerzhaft ‖ → scharf
Stechmücke: Schnake, Mücke, Moskito; *öster.:* Gelse
Stechuhr → Stempeluhr
Steckdose: (Anschluss)dose, -buchse, Steckkontakt
stecken: heften, hineinstoßen, -schieben, stopfen, drücken ‖ → pflanzen ‖ festsitzen, haften, s. befinden, sein, kleben, festhängen ‖ → ausplaudern ‖ → andeuten ‖ **s. in** → vergraben ‖ **in Brand s.** → anzünden ‖ **Geld in etwas s.** → investieren
Stecken: Stock, Stab, Stange, Knoten-, Spazier-, Wanderstock
stecken bleiben: festsitzen, festliegen, festhängen, festgefahren sein, auf der Strecke bleiben, haften, nicht loskommen, nicht weiterkommen, stehen bleiben ‖ → stocken
Steckenpferd → Hobby
Steckling → Schössling
Steg: Anlegebrücke, -stelle, Landungsbrücke, Landesteg ‖ schmale Brücke, Übergang, -führung, -weg
stehen: aufgerichtet sein, s. in aufrechter Haltung befinden ‖ → sein ‖ **zu** jmdm. passen, jmdn. kleiden, jmdm. schmeicheln ‖ → steif sein ‖ **s. auf** → begierig sein auf ‖ **s. zu** → eintreten für ‖ → halten zu
stehen bleiben → halten ‖ → aussetzen ‖ → stocken
stehen lassen → verlassen
stehlen: weg-, bestehlen, weg-, ab-, mitnehmen, entreißen, -winden, -wenden, -führen, aus-, berauben, ausräubern, (aus)plündern, einen Diebstahl begehen/verüben, ausräumen, beiseite bringen/schaffen, s. an fremdem Eigentum vergreifen/ -gehen, einbrechen, einen Einbruch verüben, erbeuten, s. aneignen, wegtragen, s. bemächtigen, einstecken, an s. bringen, unterschlagen, veruntreuen, einsacken, betrügen; *scherzh.:* erleichtern; *ugs.:* abstauben, klauen, filzen, mausen, mitgehen/verschwinden lassen, Mein und Dein verwechseln, krallen, wegschleppen, lange Finger machen, organisieren, mopsen, stibitzen, besorgen, rapschen, grapschen, klemmen, böhmisch einkaufen, wegschnappen
Stehvermögen → Beständigkeit
steif: ungelenkig, hart, fest, starr, unbiegsam; *ugs.:* stock-, bocksteif, eingerostet ‖ verkrampft, -spannt, hölzern, eckig, ungelenk, wie ein Stück Holz, ungraziös, gezwungen, knöchern, gehemmt, ungeschickt ‖ eisig, vereist, gefroren, erstarrt ‖ → förmlich ‖ **s. werden:** erstarren, unbeweglich/starr werden ‖ erigieren, s. versteifen, aufrichten, anschwellen ‖ **s.**

sein: stehen, fest geworden sein || eine Erektion haben; *derb:* einen Ständer/ Steifen/Festen haben

steifen: stärken, härten, steif machen

Steig → Weg

Steige: Horde, Hürde, Obststeige, -gestell, -kiste, Stiege

steigen: (hinauf-, empor)klettern, auf-, er-, hinaufsteigen, erklimmen, bergauf gehen; *ugs.:* kraxeln, krabbeln, hochsteigen || → anschwellen || → zunehmen

steigern: verstärken, -schärfen, -größern, -mehren, erhöhen, in die Höhe treiben, potenzieren, aufbessern, -werten, vervielfachen, -hundertfachen, anheben, heraufsetzen, intensivieren, eskalieren; *ugs.:* zulegen || → verteuern || verbessern, -tiefen, aktivieren, ausbauen, vorantreiben, ankurbeln; *ugs.:* Druck/Dampf dahintersetzen, anheizen || **sich s.** → zunehmen || → s. verteuern

Steigerung → Zunahme

Steigung: Höhenunterschied, Ansteigen, -stieg || ansteigendes Gelände, Schräge, schiefe Ebene, Steile

steil: stark ansteigend, fast senkrecht, aufragend || abfallend, -schüssig, schroff, jäh, schräg, absteigend; *schweiz.:* stotzig

Stein: (Obst)kern || → Edelstein || Felstrümmer, (Fels)gestein || Spielfigur

steinalt → alt

steinern → hart

steinhart → hart

steinig: felsig, voller Steine || → schwierig

steinigen → töten

Steinpilz: Herren-, Edel-, Eichpilz

steinreich → reich

Stellage → Regal

Stelldichein → Rendezvous

Stelle → Ort || → Rang || → Arbeit || Textstelle, Ab-, Ausschnitt, Absatz, Passage, Passus, Teil

stellen → platzieren || ab-, niederstellen, absetzen, zu Boden setzen || → fassen || **sich s.** → heucheln || s. ergeben, s. melden, s. bezichtigen, s. in jmds. Gewalt begeben, s. ausliefern/ -setzen

stellenlos → arbeitslos

stellenweise: an manchen Stellen, gebiets-, strich-, streckenweise, gelegentlich, verstreut, hier und da, mancherorts, regional, vereinzelt

Stellenwert → Bedeutung

Stellung: Haltung, Pose, Positur, Attitüde, Lage || → Arbeit || → Rang

Stellungnahme → Äußerung || → Erklärung || → Ansicht

stellungslos → arbeitslos

stellvertretend → anstatt

Stellvertreter → Ersatzmann

stemmen: stoßen, drücken, reißen, (hoch)heben; *ugs.:* wuchten || **einen s.** → trinken || **sich s. gegen** → aufbegehren

Stempel: Siegel; *öster.:* Stampiglie || Prägung, Gepräge, Zeichen, Aufdruck, Signum

stempeln: mit einem Stempel versehen, für gültig erklären, amtlich bestätigen, beurkunden, abstempeln, siegeln, ein Siegel aufdrücken || **jmdn. s. zu** → erklären für || **s. gehen** → arbeitslos

Stempeluhr: Stech-, Kontrolluhr || (Fahrschein)entwerter

Stenografie: Kurz-, Eil-, Schnellschrift

Stenographie → Stenografie

Stenotypistin: Schreibdame, -kraft, Bürokraft, Maschinenschreiberin, Sekretärin, Schreiberin; *ugs.:* Tippse, Tippmamsell, -fräulein

Stenz → Zuhälter || → Geck

Steppe: (Ein)öde, Savanne, Ödland, Wüste(nei), Wildnis, Grasland, Prärie

sterben: ableben, ent-, einschlafen, ein-, ent-, hinüberschlummern, heimgehen, gehen von, ab-, versterben, verscheiden, vom Tode ereilt werden, aus dem Leben gehen/scheiden, der Tod holt jmdn. heim, die Augen für immer schließen/zumachen, (da)hinscheiden, sein Leben/Dasein beenden, das Zeitliche segnen, sein Leben/die Seele/den letzten Atem/Seufzer aushauchen, den Geist aufgeben/aushauchen, zu Staub werden, ins Grab sinken, aus dem Leben/unserer Mitte gerissen werden, jmds. Uhr ist abgelaufen/letztes Stündlein hat geschlagen/letzte Stunde ist gekommen, dahin-, hinüber-, davongehen, erlöst/abberufen/dahingerafft werden, von der Bühne/dem Schauplatz abtreten, seinen letzten Gang/seine letzte Reise antreten, in den ewigen Frieden/zur ewigen Ruhe/in die Ewigkeit eingehen, seine sterbliche Hülle ablegen, enden, endigen, den Tod erleiden, im Sterben liegen, aus dieser Welt gehen, tot hinsinken, wieder zu Erde werden, den Weg allen Fleisches gehen, in die Grube/zu Grabe fahren, sein Leben lassen/verlieren, zugrunde/von jmdm. gehen, (v)erlöschen, jmdn. (zu früh) verlassen, von hinnen scheiden, ausatmen, in den letzten Zügen liegen, nicht mehr aufstehen, mit dem Tode ringen, mit jmdm. geht es zu Ende, erblassen, die Welt verlassen, den letzten Hauch von s. geben, zu seinen Vätern versammelt werden, s. in die Erde legen, seine Tage beschließen; *ugs.:* in die ewigen Jagdgründe eingehen, dran glauben müssen, mit jmdm. ist es aus, in den letzten Zügen liegen, s. davonmachen; *derb:* abkratzen, krepieren, ins Gras beißen, abfahren, -schnappen, -gehen, -schieben, -nibbeln, drauf-, hopsgehen, flöten gehen, zum Teufel/vor die Hunde gehen, zur Hölle fahren, den Löffel wegschmeißen, verrecken, den Arsch zukneifen, ausröcheln; *öster.:* die Patschen aufstellen ‖ tödlich verunglücken, jmdm. stößt etwas zu/passiert etwas, seinen Verletzungen erliegen, ums Leben/zu Tode kommen, umkommen, den Tod finden, verbluten, s. den Hals/das Genick brechen, überfahren werden; *ugs.:* kaputtgehen ‖ verhungern, Hungers/an Hunger sterben, den Hungertod erleiden, verdursten, -schmachten, ersticken ‖ im Wasser sterben, → ertrinken ‖ im Krieg sterben, → fallen ‖ verbrennen, durch Feuer sterben, in den Flammen umkommen, den Flammentod sterben ‖ verenden (Tier), eingehen, verrecken, krepieren

Sterbender: Todgeweihter, Todeskandidat, Moribundus; *gehoben:* Anwärter des Todes

sterbenskrank → krank

sterblich: vergänglich, endlich, zeitlich, zeitgebunden, von kurzer Dauer, kurzlebig, begrenzt, irdisch

stereotyp → phrasenhaft ‖ → schematisch

steril: keimfrei, anti-, aseptisch, sterilisiert ‖ → unfruchtbar

sterilisieren: steril/keimfrei machen, entkeimen, desinfizieren, abkochen, Krankheitserreger abtöten ‖ unfruchtbar/zeugungsunfähig machen, entmannen, kastrieren, verschneiden, die Manneskraft nehmen

Stern: Gestirn, Himmelskörper, Planet(oid), Asteroid, Sonne ‖ → Glück ‖ → Star

Sternchen → Star

Sternenhimmel → Firmament

Sternschnuppe: Meteor, Feuerkugel

Sternstunde: Schicksals-, Glücksstunde, → Krönung

Sternwarte: Planetarium, Observatorium

stet → beharrlich ‖ → dauernd

Stethoskop: Abhörgerät, Hörrohr

stetig → beharrlich ‖ → dauernd
Stetigkeit → Beständigkeit
stets → dauernd
Steuer: Steuer-, Lenkrad, Volant, Steuerung ‖ Schiffsteuer, Steuerruder ‖ Steuerknüppel, -hebel (Flugzeug) Ver-, Besteuerung, Veranlagung, Steuerauflage ‖ Pflichtabführung, Beitrag, Abgabe, -züge ‖ Staatseinnahmen
steuern → führen ‖ → beeinflussen
Steward: Flug-, Reisebetreuer, Bedienung
Stewardess: Flug-, Reisebetreuerin, Bedienung
stibitzen → stehlen
Stich: Einstich, Verletzung, -wundung, Stoß ‖ Schmerz ‖ → Nuance ‖ → Spitze ‖ Gravüre ‖ **im S. lassen** → verlassen
Stichelei → Spitze ‖ → Spott
sticheln: nähen, sticken ‖ Spitzen austeilen, Anspielungen/bissige Bemerkungen machen, Giftpfeile abschießen, spötteln, reizen, hänseln, provozieren, fordern
stichhaltig: beweiskräftig, zwingend, triftig, schlagend, hieb- und stichfest, überzeugend, bestechend, einleuchtend, -sichtig, bündig, unangreifbar, -widerlegbar, glaubwürdig, logisch, schlüssig, stringent, plausibel; *öster.:* stichhältig
Stichprobe → Kontrolle
Stichtag: Termin, Fälligkeitsdatum, Zeit(punkt), Frist
Stichwort: Lemma, Schlag-, Leitwort ‖ Merkwort, Gedächtnisstütze ‖ → Losung
sticken: nähen, sticheln, handarbeiten
stickig: dumpf, schlecht, beißend, rauchig, verräuchert, dunstig, ungelüftet, drückend
stieben → sprühen ‖ → eilen
Stiefbruder: Halbbruder
stiefeln → stapfen

Stiefmütterchen: *volkst.:* Samtblume
stiefmütterlich → lieblos
Stiefschwester: Halbschwester
stiefväterlich → lieblos
Stiege: Treppe, Stufe
Stiel: Griff, Stange, Stecken, Schaft ‖ → Stängel
stier: unbeweglich, starr, glasig, gläsern, verglast; *ugs.:* glotzig
Stier → Bulle
stieren → starren ‖ → brünstig sein
Stierkämpfer: Torero, Matador, Toreador, Espada
Stiesel → Dummkopf
Stift: Schreib-, Blei-, Farbstift ‖ Nagel ‖ → Lehrling ‖ Kloster, Abtei, Konvent
stiften → schenken ‖ → spenden ‖ → freihalten ‖ → gründen
stiften gehen → fliehen
Stil → Ausdrucksweise ‖ Kunstrichtung, Gepräge ‖ → Art ‖ → Methode
stilgerecht → stilvoll
still: lautlos, toten-, (mucks)mäuschenstill, unhörbar, tonlos, nicht vernehmbar, → leise ‖ → schweigsam ‖ → idyllisch
Stille: (Still)schweigen, Friede, Geräusch-, Lautlosigkeit, Stummheit, Toten-, Grabesstille
stilllegen: den Betrieb einstellen, außer Betrieb setzen, schließen, zum Erliegen bringen, lahm legen, stoppen, abschaffen; *öster.:* auflassen
stillen: säugen, nähren, die Brust/zu trinken geben, an die Brust nehmen ‖ → befriedigen ‖ **den Hunger s.** → essen ‖ **den Schmerz s.** → lindern
stillos → geschmacklos
stillschweigend: ohne darüber zu reden/etwas zu sagen, wortlos, → heimlich
Stillstand: Stagnation, Stockung, Stauung, Rückgang, -schlag, Pause, Unterbrechung, toter Punkt, Nachlassen, Abfall, (Ein)halt, Stopp, Nullpunkt, Flaute

stillstehen: stagnieren, stehen bleiben, auf der Stelle treten ‖ → aussetzen

stilvoll: stilgerecht, geschmackvoll, harmonisch, abgestimmt, stilgemäß, formvollendet, passend, einwandfrei, schön, auserlesen, kultiviert

stimmberechtigt: abstimmungs-, wahlberechtigt; *schweiz.:* stimmfähig

Stimmbruch: Stimmwechsel; *med.:* Mutation

Stimme → Laut ‖ → Urteil ‖ **innere S.** → Gewissen ‖ ‖ → Ahnung

stimmen: richtig/wahr/zutreffend/der Fall/in Ordnung sein, s. bestätigen, s. bewahrheiten, zutreffen; *ugs.:* hinkommen, aufgehen ‖ einstellen (Instrument), regulieren, einstimmen ‖ → passen ‖ → wählen

stimmig → harmonisch

Stimmrecht: Wahlrecht

Stimmung: Gemütszustand, -lage, -verfassung, Zustand, Laune, Seelenlage, Gestimmtheit, (Grund)gefühl ‖ Atmosphäre, Klima

stimmungslos → langweilig

stimmungsvoll → fröhlich ‖ → feierlich

Stimmwechsel: Stimmbruch; *med.:* Mutation

Stimulans: Anregungs-, Aufputsch-, Reiz-, Dopingmittel, Elixier, Exitans; *med.:* Analeptikum; *ugs.:* Schnell-, Fitmacher, Upper

stimulieren → anregen

stinken: von üblem Geruch sein, übel/schlecht riechen, die Luft verpesten; *ugs.:* muffeln, drei Meilen gegen den Wind stinken; *scherzh.:* duften ‖ **jmdm. stinkt etwas** → genug haben ‖ → s. ärgern

stinkfaul → faul

stinklangweilig → langweilig

Stinkwut → Wut

Stipendium: Studienförderung, -zuschuss, -beihilfe, finanzielle Unterstützung

Stippe: Dip, Tunke ‖ → Soße

stöbern: (herum)wühlen, (durch)kämmen, kramen, ab-, durch-, herumsuchen; *ugs.:* graben, das Haus auf den Kopf stellen

stochern: bohren, einstechen; *reg.:* pulen, polken

Stock: Stab, Stecken, Prügel(stock), Rohr(stock), Knüppel, Knüttel, spanisches Rohr ‖ → Fundament ‖ Krücke, Stütze ‖ → Vorrat ‖ → Stockwerk

stockbesoffen → betrunken

stockdumm → dumm

stockdunkel → dunkel

Stöckel: Absatz, Hacken

stocken: (still)stehen, stagnieren, nicht vorangehen, auf der Stelle treten, stecken/stehen bleiben, nicht vorwärts kommen / weiterkommen, auf der Strecke bleiben, erlahmen, ins Stocken geraten, stoppen, aufhören, inne-, anhalten, versanden, -siegen, ruhen, nachlassen, abbrechen, aussetzen, -fallen, versagen, s. nicht weiterentwickeln; *ugs.:* bocken ‖ stottern, stammeln, den Faden verlieren, nicht weiterwissen; *ugs.:* hängen bleiben, drucksen, schwimmen ‖ → gerinnen

stockend → stotterig

stocksteif → steif

Stockung → Stillstand ‖ → Stauung

Stockwerk: Etage, Stock, Geschoss

Stoff → Material ‖ → Gegenstand ‖ Gewebe, Tuch ‖ → Rauschgift, → Haschisch, → Marihuana

Stoffel → Flegel ‖ → Griesgram

Stoffgebiet → Fach

stöhnen: aufstöhnen, -seufzen, ächzen, einen Seufzer ausstoßen, krächzen ‖ → klagen

stoisch → gelassen

Stoizismus → Ruhe

stolpern: straucheln, holpern, taumeln, umknicken; *ugs.:* hängen bleiben

stolz: mit erhobenem Haupt, selbstbewusst, -sicher, erhobenen Hauptes, von s. überzeugt, mit viel Ehrgefühl, majestätisch, unbeugsam, herrisch, von seinem Wert überzeugt, seines Wertes sicher, hoheitsvoll, aufrecht; *ugs.:* hoch zu Ross ‖ → eingebildet

Stolz: Würde, Ehr-, Selbst(wert)gefühl, Selbstachtung, -vertrauen, -bewusstsein, -sicherheit, Adel, Erhabenheit, Vornehmheit, Noblesse, Größe, Unbeugsamkeit ‖ → Einbildung

stolzieren: stelzen, schreiten, erhobenen Hauptes gehen

Stop-and-go: zäh fließender Verkehr, Stau, Autoschlange, Verkehrschaos, -störung

stopfen: (hinein)pressen, füllen, pfropfen, voll packen/stecken/machen, drücken, (hinein)quetschen, (ein)zwängen; *ugs.:* hineintun ‖ → ausbessern ‖ → essen ‖ → mästen ‖ Verstopfung bewirken, obstipieren

stopp → halt

stoppelig: von Stoppeln bedeckt, stoppelbärtig, unrasiert, borstig, rau, stachelig, kratzend, kratzig, stechend, struppig, strubbelig

stoppen → halten ‖ → aufhören

Stöpsel: Pfropf(en), Spund, Stopfen, Kork(en), Zapfen; *reg.:* Proppen; *öster.:* Stoppel ‖ → Zwerg

Storch: Weißstorch; *volkst.:* (Meister) Adebar, Segensbringer; *ugs.:* Knäpper; *Kinderspr.:* Klapperstorch

stören: nicht in Ruhe lassen, zur Last fallen, plagen, belästigen, -helligen, -hindern, -einträchtigen, -drängen, hindern an, hinderlich/lästig sein, auf-, abhalten, unterbrechen, ablenken, in die Quere/ins Gehege/ungelegen/zu unpassender Zeit kommen, blockieren, lähmen, bremsen, im Weg stehen, genieren; *veraltet:* inkommodieren; *ugs.:* auf die Nerven gehen, nerven, auf den Wecker fallen; *reg.:* belämmern; *öster.:* sekkieren ‖ → sabotieren ‖ ins Wort fallen, s. einmischen, dazwischentreten, -reden, -rufen, nicht ausreden lassen, das Wort abschneiden, über den Mund fahren; *ugs.:* dazwischenfunken, dreinreden ‖ → missfallen ‖ → unerträglich sein

störend → hinderlich ‖ → lästig

Störenfried: Unruhestifter, Eindringling, Plagegeist, Quälgeist, Provokateur, Streitsüchtiger, Ruhestörer, Randalierer, Landplage; *ugs.:* Nervensäge, Quengler, Radaumacher, Krachmacher, Krawallmacher, Krakeeler, Radaubruder, Krawallbruder, Schreier, Schreihals, Nervtöter ‖ Friedensstörer, Aggressor, Säbelrassler, Kriegstreiber, Kriegshetzer, Angreifer

stornieren: ungültig/rückgängig machen, (per Gegenbuchung) ausgleichen, löschen, tilgen, außer Kraft setzen, berichtigen, für ungültig erklären, zurücknehmen, zurücktreten von

störrisch → unzugänglich ‖ → widerspenstig ‖ **s. sein** → bocken

Störung: Unterbrechung, Behinderung, Ablenkung, Belästigung, -einträchtigung, -helligung, Einschnitt, Stockung ‖ Panne, Schaden

Story → Geschichte

Stoß → Menge ‖ Ruck, Schlag, Schub, Hieb, Rippenstoß, Tritt; *ugs.:* Rucker, Schubs, Stups(er), Puff, Knuff ‖ Erschütterung, Gerüttel, Vibration

stoßen: einen Stoß/Puff versetzen/geben, anstoßen, rempeln, rammeln, puffen, einen Hieb/Schlag geben; *ugs.:* knuffen, schubsen, stupsen, kicken, eins in die Rippen/einen Schubs geben; *reg.:* stupfen ‖ stechen, stanzen, stecken ‖ → stemmen ‖ → koitieren ‖ → prallen ‖ **vor den Kopf s.** → kränken ‖ **sich s.:** s. verletzen, s. anstoßen/-hauen, s. weh tun,

anecken ‖ **sich s. an** → beanstanden ‖
s. auf → finden
Stoßkraft → Wirksamkeit
stoßweise: ruckweise, -artig, in Stö-
ßen/Schüben ‖ → massenhaft
Stoßzeit: Hauptverkehrszeit, Rushhour
stotterig: stockend, abgehackt, unzusammenhängend, zusammenhang-
los, stammelnd, holp(e)rig, stotternd,
stück-, stoßweise; *ugs.:* brocken-,
kleckerweise
stottern: stockend sprechen, nur in
Brocken/abgehackt reden, stammeln, radebrechen, s. verhaspeln;
reg.: stammern
stotternd → stotterig
stracks → direkt ‖ → sofort
Strafanstalt → Gefängnis
strafbar → gesetzwidrig ‖ **sich s. machen** → s. vergehen
Strafe: Vergeltung, Sühne, Buße, Bestrafung, Strafaktion, Abrechnung,
Heimzahlung, Denkzettel, Lehre
strafen → bestrafen
Straferlass: Begnadigung, Straffreiheit, -nachlass, Amnestie, Amnestie-
rung, Gnade, Absolution, Vergebung, -zeihung, Pardon
straff: gespannt, stramm, straff gezo-
gen ‖ prall (Haut), gestrafft, faltenlos
‖ streng, soldatisch, (gut) durchorga-
nisiert, rigoros, militärisch, eisern,
strikt ‖ aufrecht, -gerichtet, gerade
straffen: (an)spannen, stramm/straff
ziehen, anziehen ‖ **sich s.:** straff/glatt
werden, s. glätten ‖ s. strecken, s.
recken, s. dehnen; *ugs.:* s. lang machen
Straffreiheit → Straferlass
Strafgefangener → Häftling
sträflich → gesetzwidrig ‖ → unverzeihlich
Sträfling → Häftling
Strafpredigt → Lektion
Strafprozess → Prozess
Straftat → Vergehen ‖ → Verbrechen

Strafzettel: (gebührenpflichtige)
Verwarnung, Strafmandat; *reg.:*
Knollen, Knüllchen; *öster.:* Organ-
mandat; *schweiz.:* Bußenzettel
Strahl → Schein ‖ Wasserstrahl ‖ *pl.:*
→ Sonnenschein
strahlen → leuchten ‖ → s. freuen
strahlend: sonnig, sonnendurchflutet, -hell, durchsonnt, → heiter ‖
→ glänzend
Strähne: Strang, Haarbüschel
stramm → kräftig ‖ → straff ‖ → eng ‖
→ angespannt
strampeln → zappeln ‖ → Rad fahren
Strand: Küste, (Meeres-, See)ufer,
Badestrand; *dicht.:* Gestade;
schweiz.: Bord
stranden → scheitern ‖ auflaufen,
auffahren, auf Grund kommen, aufsitzen, festsitzen; *ugs.:* aufbrummen
Strang → Seil
strangulieren → erdrosseln
Strapaze → Anstrengung
strapazieren → anstrengen ‖ **sich s.**
→ s. anstrengen
strapazierfähig → fest
strapaziös → anstrengend
Straps → Strumpfhalter
Straße: Fahrweg, -bahn, -spur,
-damm, Chaussee ‖ Gasse, Allee,
Weg, Promenade, Avenue, Achse,
Ring, Boulevard
Straßenbahn: Trambahn, Elektrische, Bahn; *ugs.:* Tram; *öster.:*
Tramway
Straßenmädchen → Prostituierte
Strategie: Kriegskunst, Kampfpla-
nung, Taktik, Politik, Berechnung,
Kalkül
sträuben, sich: s. aufrichten/-stellen;
ugs.: zu Berge stehen, hochstehen ‖
→ aufbegehren
Strauch: Staude, Busch
Strauchdieb → Räuber
straucheln → stolpern ‖ → scheitern
Strauchwerk → Buschwerk
Strauß → Blumenstrauß

streben → abzielen auf
Streben: Trachten, (Wett)eifer, Ehrgeiz, Bestreben, Absicht, Wille, Strebsamkeit, Ambition, Sinnen, Wunsch, Intention, Vorhaben, Plan, Ziel, Zweck, Verlangen
Streber: Ehrgeizling, Karrierist, Karrieremacher, Opportunist
strebsam: auf-, hochstrebend, leistungswillig, betriebsam, → fleißig
Strecke: Entfernung, Distanz, Abstand, Wegstrecke, -länge, Etappe, Spanne, Weite, Stück ‖ **auf der S. bleiben** → stecken bleiben ‖ → verlieren
strecken → dehnen ‖ → verdünnen ‖ **sich s.** → s. dehnen ‖ *Sport:* , *ugs.:* s. stretchen, Stretching betreiben, machen
streckenweise → stellenweise
Streich: Schelmenstreich, -stück, Schelmerei, Eulenspiegelei, Ulk, Scherz, Spaß, Schabernack, Buben-, Jungen-, Dummejungen-, Spitzbubenstreich, Dummheit, Hanswursterei, Lausbüberei, Jux; *ugs.:* Klamauk ‖ **einen S. spielen** → aufziehen
streicheln: liebkosen, tätscheln, kraulen, streichen, herzen, schmusen, zärtlich sein
streichen → anstreichen ‖ bestreichen, -schmieren, auftragen ‖ streicheln, streifen, (hin)fahren über, wischen über ‖ durch-, ausstreichen, ausixen, durchkreuzen ‖ herausnehmen, tilgen, aus-, weg-, fortlassen, beseitigen, entfernen, kürzen, ausklammern, aussparen, -schließen, beiseite lassen; *ugs.:* unter den Tisch fallen lassen ‖ → vermindern ‖ **die Segel s.** → aufgeben
Streichholz → Zündholz
Streichung → Kürzung
streifen → streichen ‖ anklingen lassen, fallen lassen, nebenbei behandeln, berühren, anschneiden, -reißen, kurz zu sprechen kommen auf, zur

Sprache bringen, ansprechen ‖ durchstreifen, wandern, ziehen
Streifen: Striemen ‖ Linie, Band, Bahn ‖ → Film
Streifzug: Bummel, (Spazier)gang, Tour, Promenade
Streik: Arbeitsniederlegung, -einstellung, -verweigerung, -kampf, Ausstand, Kampfmaßnahme
streiken: einen Streik durchführen, die Arbeit niederlegen/einstellen, in den Ausstand/Streik treten, im Ausstand stehen, bestreiken, nicht mehr mitmachen
Streit: Zank, Zerwürfnis, Zusammenstoß, -prall, Kollision, Hader, Händel, Gezänk, Querelen, Reibung, Streitigkeit, Scharmützel, Widerstreit, Unfriede, Hakelei, Unzuträglichkeit, Entzweiung, Differenzen, Szene, Krawall, Gegensätzlichkeit, Disharmonie, Missklang, -helligkeit, -verständnis, → Auseinandersetzung; *ugs.:* Knatsch, Knies, Mord und Totschlag, Stunk, Stänkerei
streitbar → kämpferisch ‖ → zänkisch
streiten (sich): (s.) zanken, plänkeln, aneinander geraten, in Streit geraten/liegen, zusammenstoßen, -prallen, kollidieren, einen Auftritt haben mit, rechten, eine Szene haben, s. anlegen mit, Meinungsverschiedenheiten austragen, disputieren, debattieren, s. auseinander setzen, polemisieren, s. befehden, s. entzweien, s. häkeln, s. überwerfen, s. verfeinden, hadern, s. bekriegen, schimpfen, s. anbinden mit, s. zerstreiten, s. verzanken; *ugs.:* zusammenrumpeln, -krachen, s. (ver)krachen, s. kabbeln, s. in den Haaren liegen, s. in die Wolle kriegen, s. reiben, Stunk machen, s. herumzanken, Krach haben, einen Tanz aufführen, s. herumbeißen ‖ nicht übereinstimmen/-einkommen, voneinander abweichen, divergieren,

verschiedener Meinung sein, s. nicht einigen können, differieren, eine Sache verschieden sehen, s. widersprechen

Streitfrage → Schwierigkeit

Streitgespräch → Gespräch

Streithammel → Streitsüchtiger

Streitigkeit → Auseinandersetzung ‖ → Streit

Streitkräfte → Militär

Streitobjekt → Zankapfel

streitsüchtig → zänkisch

Streitsüchtiger: Zankteufel, Zänker, Geiferer, Geiferling, Widerspruchsgeist, Streitmacher; *ugs.:* Streit-, Kampfhahn, Streithammel, Stänker(er); *reg.:* Streithansl, Krakeeler

streng: scharf, schwer, strikt, ernst, straff, rigoros, soldatisch, hart, disziplinarisch, drastisch, eisern, drakonisch, rücksichtslos, unbarmherzig, -erbittlich, -nachsichtig, spartanisch, massiv, fest, entschieden, bestimmt, konsequent, bündig, unwidersprechlich, mit erhobenem Zeigefinger, gebieterisch, herrisch, apodiktisch, diktatorisch, barsch, schroff

Strenge → Schärfe

streng genommen → eigentlich

strenggläubig → orthodox

Stress → Anstrengung

stressen → anstrengen

stressig → anstrengend

streuen: aus-, umher-, verstreuen, verteilen, zerwehen, säen

streunen s. → herumtreiben

Strich: Linie, Streifen, (Feder)zug, Zeile ‖ → Gegend ‖ **nach S. und Faden** → gehörig ‖ **auf den S. gehen** → s. prostituieren

Strichjunge: männl. Prostituierte; *ugs.:* Stricher

Strichmädchen → Prostituierte

strichweise → stellenweise

Strick → Seil ‖ → Frechdachs ‖ **fauler S.** → Faulenzer

strikt → streng

stringent → stichhaltig

Strippe → Schnur ‖ → Fernsprecher

Striptease: Nackttanz, Entkleidungsvorführung, -tanz, -nummer, Peepshow; *ugs.:* Strip

strittig → umstritten

Strizzi → Zuhälter ‖ → Schelm

Stroh → Gerede

Strohfeuer → Begeisterung

strohig → spröde

Strohmann → Marionette ‖ → Vogelscheuche ‖ → Beauftragter

Strolch → Schelm ‖ → Lump

strolchen s. → herumtreiben

Strom → Fluss ‖ Elektrizität, Elektroenergie ‖ → Menge

strömen → fließen

Stromer → Landstreicher

Stromschnelle → Katarakt

Stromspeicher → Akkumulator

Strömung: Tendenz, Richtung, Schule, Mode, Einschlag, Neigung, Schattierung, Bewegung, Entwicklung, Trend, Welle, Stil ‖ Drift, Sog, Brandung, Trift, Zug, Strom

strotzen: starren vor, überlaufen, platzen, prangen, blühen, angefüllt sein mit, voll sein von

strubbelig → struppig

Strudel: Wirbel, Sog, Drift

strudeln → perlen

Struktur → Aufbau ‖ → Gliederung

strukturieren → anordnen

strukturlos → formlos

Strumpf: Nylons ‖ Socke; *reg.:* Socken

Strumpfhalter: Hüfthalter, Strumpfgürtel, -band; *ugs.:* Straps

Strunk: Stamm, Stängel, Stumpf, Stummel, Stubben

struppig: zerzaust, strubbelig, unordentlich, zottig, strähnig, unfrisiert, -gekämmt, strobelig

Stube → Zimmer

stubenrein: sauber, rein(lich), erzogen, abgerichtet, trocken ‖ → anständig

Stück: (Bruch)teil, Bruchstück ‖ → Schnitte ‖ → Bissen ‖ → Strecke ‖ → Fetzen ‖ → Brocken ‖ → Exemplar ‖ → Theaterstück ‖ **freches S.** → Frechdachs ‖ **S. für S.** → allmählich

stückeln: Stücke einsetzen, aus Stücken zusammensetzen, → ausbessern

stückweise: nach und nach, in einzelnen Stücken/Etappen/Brocken, brockenweise

Stückwerk → Flickwerk

Student: Hochschüler, Studierender, Kommilitone, Hörer, Studiosus; *ugs.:* Studiker

Studie → Untersuchung

Studienkollege: Kommilitone, Mitstudent, Studiengenosse, -freund

studieren: eine Hochschule besuchen, die Universität besuchen, Student/Studierender/auf der Hochschule/immatrikuliert sein, Vorlesungen hören, hören bei; *ugs.:* auf der Uni sein ‖ → lernen ‖ → forschen ‖ → lesen

studiert → gelehrt

Studio: Sende-, Aufnahmeraum, (Film)atelier ‖ Werkstatt, -raum, -halle, -stätte

Stufe: Treppe(nstufe), Stiege, Tritt ‖ Leiterstufe, Sprosse; *öster.:* Sprießel ‖ → Rang ‖ → Stadium

Stufenleiter → Rangordnung

stufenweise → allmählich

Stuff → Marihuana ‖ → Rauschgift

Stuhl → Sitz ‖ → Kot

Stuhlgang: Darmentleerung, -ausscheidung, → Kot ‖ **S. haben:** Kot ausscheiden, s. entleeren, defäkieren, seine Notdurft verrichten, s. erleichtern, sein Geschäft erledigen, abführen; *ugs.:* groß machen, auf der Toilette sitzen; *derb:* kacken, scheißen, einen Berg hinsetzen, ein Ei legen, abprotzen; *Kinderspr.:* Aa machen

Stulle → Schnitte

Stulpe → Aufschlag

stumm: wort-, ton-, sprachlos, schweigend, schweigsam, still, stumm (wie ein Fisch)

Stummel: Zigarettenstummel, -rest; *ugs.:* Kippe; *öster.:* Tschik

Stümper: Nichtskönner, -wisser, (Kur)pfuscher, Dilettant, (blutiger) Laie, Nichtfachmann, Halbgebildeter, Hudler, Sudler, Quacksalber, Banause, Pfuscher

Stümperei → Flickwerk

stümperhaft → schlecht ‖ → minderwertig

stümpern → pfuschen

stumpf: nicht scharf/spitz, unscharf, -geschärft, -gespitzt, -geschliffen, abge-, verbraucht ‖ matt, glanzlos, dumpf, fahl, beschlagen, blind ‖ → gefühllos ‖ → phlegmatisch

Stumpf → Strunk

stumpfsinnig → beschränkt ‖ → geistlos ‖ → träge ‖ → langweilig

stunden: Aufschub gewähren, Zeit/anstehen lassen, verlängern, prolongieren, auf-, ver-, hinausschieben, vertagen, hinaus-, verzögern, hinausziehen, ausdehnen, auf die lange Bank schieben, verlegen, in die Länge ziehen; *öster.:* (eine Frist) erstrecken

stundenlang → lang

Stunk → Streit ‖ → Auseinandersetzung

Stuntman → Double

stupend → außergewöhnlich

stupid(e) → dumm ‖ → beschränkt ‖ → langweilig ‖ → geistlos

Stups → Stoß

stupsen → stoßen

stur → dogmatisch ‖ → eigensinnig ‖ → planmäßig

Sturheit → Trotz

Sturm: heftiger/starker Wind, Wirbelsturm, Orkan, Sturmwind, Blizzard, Unwetter, Hurrikan, Tornado, Bö ‖ → Angriff ‖ → Leidenschaft ‖ → Andrang

stürmen: heftig wehen, toben, tosen, brausen, wüten, pfeifen, fauchen, rauschen, sausen, dröhnen, blasen, heulen, winden, johlen ‖ → angreifen ‖ → erobern ‖ → eilen ‖ vorstürmen, als Stürmer spielen, auf das Tor spielen

stürmisch: (vom Sturm) bewegt, windig, böig ‖ → heftig ‖ → leidenschaftlich

Sturz: Fall, Absturz, Ausgleiten ‖ Amtsenthebung, (Dienst)entlassung, Entfernung, -thronung, -machtung, Absetzung, Kaltstellung, Suspendierung; *ugs.:* Abschiebung, Rausschmiss; *schweiz.:* Entsetzung

stürzen → fallen ‖ → eilen ‖ entmachten, -thronen, jmdm. seinen Einfluss nehmen, jmdn. seiner Macht berauben, verdrängen, ausschalten, ins Abseits/in den Hintergrund drängen, → entlassen

Sturzregen → Regenschauer

Stuss → Unsinn

Stute → Pferd

Stütze: Rückhalt, Hilfe, Beistand, Halt, Hoffnung, Fundament, (Eck)pfeiler, Rückgrat, Säule, Basis, Anker ‖ Lehne, Halter, Rücken ‖ Träger, Pfahl, Pilaster, Strebe, (Stütz)pfosten, Abstützung, Pflock, Mast, Ständer, Stützwerk, (Trag)balken ‖ → Hilfe ‖ → Hausangestellte ‖ → Diener

stutzen → abschneiden ‖ stutzig/aufmerksam werden, ein-, innehalten

stützen: abstützen, festigen, Halt geben/bieten, verstreben, unterstützen, -bauen, -stellen, pfählen, stabilisieren, sichern, ab-, versteifen, abfangen; *öster.:* pölzen ‖ helfen, den Arm reichen, beispringen, -stehen ‖ untermauern (Behauptung), erhärten, fundieren, beweisen, -legen ‖ **sich s.:** s. an-/gegenlehnen, s. abstützen ‖ **sich s. auf:** s. halten an, s. richten nach, s. anlehnen an, s. beziehen/-ru-

fen/verlassen auf, s. zum Vorbild nehmen, folgen ‖ → stammen von

Stützpunkt: Ausgangspunkt, Standort, Basis

stylen, sich: s. herausputzen, s. aufmachen, s. aufdonnern, s. auftakeln, s. aufmotzen

Suade → Redefluss

subaltern: untergeordnet, -tan, -stehend, -stellt, -geben, unselbständig, abhängig ‖ → unterwürfig

Subjekt: Satzgegenstand ‖ das denkende Ich, → Mensch

subjektiv: persönlich, auf die Person bezogen, von der Person abhängig, individuell, privat, eigen ‖ unsachlich, einseitig, tendenziös, verzerrt, parteiisch, voreingenommen, nicht vorurteilslos

Subkultur: Gruppenkultur, Underground, Alternativszene, Gegen-, Nebenkultur, Protestbewegung, zweite Kultur

sublim: verfeinert, erhaben, hehr, erlaucht, kultiviert, raffiniert, differenziert, fein, subtil, kostbar, edel, sensibel, ausgeklügelt

sublimieren: verfeinern, ins Erhabene steigern, vergeistigen, erhöhen, veredeln, ins Geistige erheben, entmaterialisieren, spiritualisieren; *ugs.:* hochstilisieren

substantiell → substanziell

Substanz: Wesen aller Dinge, Urgrund alles Seins ‖ → Wesen ‖ → Materie ‖ → Kapital

substanziell: stofflich, materiell, körperlich, dinghaft, leibhaftig, gegeben, faktisch ‖ → wesentlich

substanzlos → gehaltlos ‖ unkörperlich, körperlos, immateriell

substituieren → ersetzen

Substrat → Grundlage

subsumieren → unterordnen

subtil → schwierig ‖ → sublim

subtrahieren → abziehen

Subvention → Unterstützung

subventionieren: fördern, sponsern, Geldmittel zuschießen, finanzielle Hilfe leisten ‖ → unterstützen
subversiv → anarchistisch
Suche: Fahndung, (Nach)forschung, Ermittlung
suchen: auf der Suche sein/die Suche gehen, Ausschau halten, fahnden, nach-, durch-, absuchen, zu finden/ entdecken trachten, s. umsehen/ -schauen/-tun nach, (durch)stöbern, wühlen, forschen, durchkämmen, nachgehen, abklopfen auf; *ugs.:* s. die Schuhsohlen/Absätze/Hacken/ Beine ablaufen nach, filzen, durchschnüffeln, das Haus auf den Kopf stellen, graben, s. umgucken nach, wie nach einer Stecknadel suchen ‖ s. bemühen um, zu bekommen suchen, s. interessieren für, nachjagen; *ugs.:* hinterher sein
Sucht: Abhängigkeit, Manie, Verfallenheit, Gewöhnung, Süchtigkeit ‖ Drang, Verlangen, Begierde, Durst, Hunger, Besessenheit, Fieber, Gier, Hang, Schwäche, Lust, Gelüst
süchtig: verfallen, abhängig, angewiesen auf
Sudelei → Schmutz ‖ → Flickwerk
sudeln → kritzeln ‖ → pfuschen
südlich → sommerlich
Suff → Rausch
süffeln → trinken
süffisant → überheblich
Suffragette → Frauenrechtlerin
suggerieren → einreden
suhlen: s. (im Schlamm) wälzen, s. rollen, s. herumdrehen/-werfen; *ugs.:* s. sielen
Sühne → Buße
sühnen → büßen
Suite: Zimmerflucht ‖ → Gefolge
Suizid → Selbstmord
Sujet → Gegenstand
sukzessiv(e) → allmählich
summarisch → kurz
Summe → Ergebnis ‖ → Betrag

summen → singen ‖ surren, brummen
summieren → zusammenzählen ‖ sich s. → anwachsen
Sumpf: Moor, Pfuhl, Schlamm, Morast, Bruch, Fenn, Moor-, Sumpfland, Ried
Sund: Meerenge, Meeresstraße, Durchfahrt
Sünde → Verstoß ‖ → Verbrechen
Sündenbock → Prügelknabe
sündhaft → lasterhaft ‖ → lästerlich ‖ → sehr
sündigen: (ein Gebot) übertreten, eine Sünde begehen, → s. vergehen, freveln, s. versündigen, einen Fehltritt tun, fehlen, s. zuschulden kommen lassen, Schuld auf s. laden, zuwiderhandeln, etwas verbrechen, das Gesetz verletzen/brechen, schuldig werden, gegen ein Gebot verstoßen, ungehorsam sein, Böses tun; *schweiz.:* delinquieren
super → ausgezeichnet
süperb → auserlesen
Superlativ: Höchst-, Meiststufe
Supermacht: Groß-, Weltmacht
Supermarkt: Selbstbedienungs-, Discountladen, → Geschäft
superschlau → überklug
Suppe → Brühe ‖ → Schlamm ‖ → Nebel
Suppengemüse: Suppengrün, -kraut, Wurzelwerk; *reg.:* Grünzeug, Grünes
supplementär: ergänzend
surreal: traumhaft, unwirklich, übernatürlich, fantastisch, wundersam, imaginär
surren: summen, brummen, sirren, schnarren, schnurren, schwirren
Surrogat → Ersatz
suspekt → verdächtig
suspendieren → beurlauben ‖ → entlassen
süß: gezuckert, -süßt, zuck(e)rig, süßlich, honig-, zuckersüß ‖ → reizend
süßen → zuckern

Süßigkeiten: Konfekt, Süßwaren, Nasch-, Zuckerwerk, Schleckereien, Näschereien, Leckereien

Swimmingpool → Bassin

Symbol → Sinnbild

symbolisch → bildlich

Symmetrie: Spiegelungs-, Spiegelgleichheit, Spiegelbildlichkeit ‖ → Gleichmaß

symmetrisch: spiegelungsgleich, spiegelbildlich, -gleich ‖ → ebenmäßig

Sympathie: (Zu)neigung, Vorliebe, Wohlgefallen, -wollen, Hang, Faible, Gefühl, Interesse, Schwäche

Sympathisant → Anhänger ‖ Mitläufer, → Komplize

sympathisch: einnehmend, ansprechend, gefällig, angenehm, gewinnend, liebenswürdig, liebenswert, lieb, freundlich, nett, (s)charmant, reizend

sympathisieren → mögen ‖ → billigen

Symposium → Tagung

Symptom → Zeichen

symptomatisch → charakteristisch

synchron → gleichzeitig

Synode: Kirchenversammlung, → Konvent

synonym: sinngleich, -ähnlich, -verwandt, bedeutungsähnlich, -gleich, -verwandt, gleichbedeutend

Synthese → Verbindung ‖ → Einheit

synthetisch → künstlich

System → Methode ‖ → Einheit ‖ Regierungs-, Staatsform, Regime ‖ Lehr-, Gedankengebäude, Lehrweise, Lehre, Weltanschauung ‖ (An)ordnung, Prinzip, Plan, Organisation, Zusammenhang, Einteilung ‖ Verfahren

systematisch: nach einem System/ Plan, → planmäßig

systematisieren → ordnen

Szene → Schauplatz ‖ → Auftritt ‖ → Streit, → Auseinandersetzung ‖ **sich in S. setzen** → angeben

Szenerie → Bühnenbild ‖ → Schauplatz ‖ → Landschaft

T

Tabak: *ugs.:* Kraut, Knaster
Tabakwaren: Rauchwaren; *schweiz.:* Rauchzeug
Tabelle: Übersicht, Zahlentafel, Liste, Verzeichnis, Aufstellung
Tabellenführer → Hit
Tablett: Servier-, Auftrage-, Speisenbrett; *öster.:* (Servier)tasse
Tablette: Pille, Dragee, Pastille, Kapsel, Medikament, (Arznei)mittel
tabu: unantastbar, heilig, verboten, unverletzlich, -aussprechlich, -berührbar
tabuisieren: mit einem Tabu belegen, für tabu erklären, tabuieren
Tachometer: Geschwindigkeitsmesser; *ugs.:* Tacho
Tadel: Rüge, Verweis, Zurechtweisung, Maßregelung, Vor-, Anwurf, Kritik, Missbilligung, Beanstandung, Vorhaltung, ein kräftiges Wort, Strafpredigt, Ermahnung, Lektion; *ugs.:* Rüffel, Anschiss, -pfiff, -schnauzer, -ranzer, Staucher
tadellos → ordentlich ‖ → fehlerlos
tadeln: einen Tadel erteilen, verweisen, schmähen, jmdn. einen Dummkopf nennen/heißen, schulmeistern, rügen, jmdm. etwas vorwerfen/-halten, jmdm. Vorhaltungen/-würfe machen, jmdm. ins Gewissen reden, jmdn. in die Schranken weisen, maßregeln, Anstoß nehmen an, korrigieren, beanstanden, -mängeln, missbilligen, aussetzen, auszusetzen haben, einwenden, verurteilen, brandmarken, reklamieren, monieren, kritisieren, angehen gegen, nicht in Ordnung finden/anerkennen, → zurechtweisen, → schimpfen; *ugs.:* kein gutes Haar lassen an, jmdm. am Zeug

flicken, (be)kritteln, meckern, (be)mäkeln, auf jmdm. herumhacken; *derb:* einen Rüffel verpassen, anscheißen
Tafel → Festessen ‖ (Tisch)platte, Brett ‖ → Ebene
tafeln → essen
Täfelung: Vertäfelung, Getäfel, Holzverkleidung; *schweiz.:* Täfer(ung)
Tag: Datum, vierundzwanzig Stunden, Kalendertag ‖ **T. für T.** → dauernd, → täglich ‖ **eines Tages** → irgendwann ‖ **die Tage** → Menstruation
Tagebuch: Diarium, Journal, Memorial
Tagedieb → Faulenzer
Tagegeld → Spesen
Tagelöhner → Hilfskraft
tagen → konferieren ‖ der Tag bricht an, Tag/hell werden, (auf)dämmern, grauen
Tagesanbruch: Morgendämmerung, -grauen, -frühe, Dämmer-, Zwielicht, Tagesbeginn, -anfang, -grauen, Frühe; *dicht.:* der junge/frühe Tag
Tagesgespräch → Sensation
Tagesordnung: Geschäftsordnung, Tagungs-, Sitzungsprogramm
Tageszeitung → Zeitung
täglich: tagaus tagein, Tag für/um Tag, alltäglich, jeden Tag, von Tag zu Tag, → dauernd
tagsüber: (mitten) am Tage, während des Tages, am hellichten Tag; *reg.:* untertags
Tagung: Sitzung, Konferenz, Symposium, Kongress, Zusammenkunft, (Gipfel)treffen, Marathon, Versammlung, Plenum, Parteitag, Mee-

ting, Besprechung, Unterredung, Beratung, Kolloquium, Konvent, Konzil

Taille: Gürtellinie, Körpermitte

Take-off → Abflug

Takt: Rhythmus, Vers-, Gleichmaß, Metrum ‖ → Zartgefühl

Taktgefühl → Zartgefühl

taktieren → lavieren

Taktik → Strategie ‖ Politik, planmäßiges Vorgehen, berechnendes Verhalten, Berechnung, Gerissenheit, Spekulation, Kalkül

taktisch → schlau

taktlos: verletzend, unsensibel, -höflich, -gehörig, -angemessen, -galant, -schicklich, -passend, -angebracht, indiskret, -dezent, zu-, aufdringlich, verfehlt, deplatziert, ohne Takt-/Fein-/Zartgefühl, grob, geschmacklos, plump, unverschämt, -gebührlich, -geschliffen; *ugs.:* unmöglich

Tal: Talkessel, -grund, Bergeinschnitt, Becken, Mulde, Senke

Talent: großer Geist, fähiger/heller Kopf, Begabung, Wunderkind, Genie, Koryphäe ‖ → Fähigkeit

talentiert → fähig

Talisman: Glücksbringer, Amulett, Maskottchen

Talmi → Flitter

Talsperre → Staudamm

Tamtam → Lärm ‖ → Zirkus ‖ → Aufwand

Tand → Ramsch

Tändelei → Flirt

tändeln → flirten

Tanga: Höschen, (Mini)slip ‖ → Unterhose

tangieren → nahe gehen

Tank → Panzer ‖ Behälter, -hältnis

tanken: Treibstoff einfüllen/aufnehmen, auftanken, voll schütten, mit Treibstoff versehen/-sorgen, auf-, nachfüllen ‖ → trinken

Tanksäule: Zapfsäule, Benzin-, Tankpumpe, -stelle

Tankstelle: Zapfstelle, → Tanksäule

Tann(icht) → Wald

Tante: Base, Muhme

Tantieme: Gewinnanteil, Dividende

tänzeln: trippeln, gleiten, stöckeln; *ugs.:* tippeln, tappeln

tanzen: das Tanzbein schwingen, s. im Tanze drehen, ein Tänzchen machen/wagen; *ugs.:* schwofen, eine kesse Sohle aufs Parkett legen, scherbeln, einen Tanz hinlegen

Taperecorder: Kassettenrekorder, Tonbandgerät ‖ Walkman

tapfer → mutig

Tapferkeit → Mut

tappen: tapsen ‖ → tasten

tappig → ungeschickt

täppisch → ungeschickt

tapsen: tappen

tapsig → ungeschickt

Tarif: Besoldungsgruppe, Gehaltsstufe ‖ Preisverzeichnis, Gehalts-, Gebührenliste

Tarifpartner: Sozialpartner, Arbeitgeber/-nehmer

tarnen → verbergen

Tarnname → Deckname

Tarnung: Tarnanstrich, Maskierung, Verkleidung, -hüllung, -schleierung, -heimlichung, -bergung, -mummung, Täuschung; *veraltet:* Camouflage

Tasche: Mappe, Beutel

Taschenspieler → Zauberer

Taschentuch: Schnupftuch; *reg.:* Schnäuz-, Sack-, Nastuch; *derb:* Rotz-, Popelfahne, Rotzlappen

tasten: befühlen, -tasten, -rühren, -fingern, abgreifen, anfassen, fühlen nach; *ugs.:* befummeln, tappen, tapsen

Tat: Leistung, (Meister)werk, Arbeit, Verdienst, Tun, Handlung, Aktion, Akt, Groß-, Mannestat, Unternehmung, Maßnahme, Tätigkeit, Unternehmen, Operation, Coup ‖ **in der T.** → tatsächlich

Tatbestand → Sachlage

Tatendrang → Energie ‖ → Fleiß
Täter → Übeltäter ‖ → Verbrecher
tätig → aktiv ‖ → fleißig ‖ berufs-, werktätig ‖ **t. sein** → arbeiten
Tätigkeit → Arbeit
Tätigkeitsbereich → Arbeitsgebiet
Tatkraft → Energie
tatkräftig → energisch
Tätlichkeiten → Schlägerei
Tatsache: Fakt(um), Faktizität, Realität, Wirklichkeit, Gegebenheit, Grundwahrheit, Gewissheit, Tatbestand, vollendete Tatsache, Fait accompli, Sosein, Sachlage, -verhalt, Tatsächlichkeit, Umstand
tatsächlich: in der Tat, den Tatsachen entsprechend/gemäß, wirklich, de facto, in Wirklichkeit/praxi, praktisch, faktisch, konkret, effektiv, realiter ‖ → fürwahr ‖ → eigentlich ‖ → real
tätscheln → streicheln
Tattergreis → Greis
tatt(e)rig → gebrechlich
Tatze → Hand ‖ → Klaue
Tatzeuge → Zeuge
Tau → Seil
taub: gehörlos, schwerhörig; *ugs.:* stocktaub ‖ → unempfindlich ‖ → blutleer
tauchen: unter Wasser schwimmen/gehen, untertauchen, in die Tiefe gehen ‖ **t. in:** einsenken, -tunken, -tauchen; *ugs.:* einstippen, -titschen
tauen → auftauen
taufen: die Taufe spenden/vollziehen, in die christliche Gemeinschaft aufnehmen ‖ → einweihen ‖ → nennen ‖ → verdünnen
Taufkapelle: Baptisterium, Taufkirche
Taufname: (Vor-, Ruf)name
Taufzeuge → Pate
taugen: brauchbar/wert/nützlich/dienlich/verwendbar/befähigt/geeignet sein, s. eignen, in Betracht/Frage kommen, s. verwenden lassen,

Erwartungen erfüllen ‖ **t. zu** → fähig sein
Taugenichts: Nichtsnutz, Versager, Herumtreiber, Galgenstrick, Tunichtgut, Strolch, verkrachte Existenz, Enttäuschung; *ugs.:* Früchtchen, Stromer, Herumlungerer, Null, Niete, Flasche; *reg.:* Haderlump; *öster.:* Schlawiner, Sandler ‖ → Faulenzer
tauglich → nützlich ‖ → fähig
Taumel → Schwindel ‖ → Rausch
taumelig → schwindlig
taumeln → schwanken
Tausch → Handel
tauschen: einen Tausch/Handel/Tauschgeschäfte machen, aus-, umtauschen, eiseln ‖ jmds. Platz einnehmen/Rolle spielen, an die Stelle treten von
täuschen: trügen, irreführen, -leiten, nasführen, hereinlegen, vom rechten Weg abbringen, auf die falsche Fährte locken, narren, blenden, betrügen, -lügen, düpieren, Sand in die Augen streuen, etwas vorspiegeln/-machen/-täuschen/-gaukeln/-geben/-schützen, bluffen, beschwindeln, mogeln, ein falsches Spiel treiben, an der Nase herumführen, jmdn. hinters Licht/aufs Glatteis führen, jmdm. Sand in die Augen streuen, zum Besten/Narren halten, für dumm verkaufen, hintergehen, s. verstellen, ein X für ein U vormachen; *ugs.:* anschmieren, tricksen, türken, linken, reinlegen, verschaukeln, einseifen, anführen, foppen, aufziehen, verkohlen, -arschen, -hohnepipeln, -gackeiern, -äppeln, auf den Arm nehmen, ein Schnippchen schlagen, einen Bären aufbinden, ein Märchen auftischen ‖ **sich t.** → s. irren
Täuschung: Trug, Irreführung, Spiegelfechterei, Kulisse, Tünche, Fassade, Attrappe, Schein, Farce, Finte, Trick, Bluff, Betrug, Hintergehung,

Schwindel, List, Täuschungsmanö-
ver, Lüge; *ugs.:* Flunkerei, krumme
Sache ‖ → Einbildung ‖ → Irrtum
Tausendsassa: Alleskönner, Teufels-
kerl, toller Hecht ‖ → Draufgänger
Tauziehen → Kampf
Taxe → Taxi ‖ → Gebühr
Taxi: Mietauto, -wagen, Taxe
taxieren → schätzen
Teach-in → Zusammenkunft
Team: Arbeitsgruppe, Produktions-,
Arbeitsgemeinschaft, Aktiv, Mitar-
beiter, → Mannschaft
Teamwork → Zusammenarbeit
Technik: Fertigkeit, Handhabung,
Stil ‖ High-Tech, Technologie ‖
→ Methode
Teenager → Mädchen ‖ → Jüngling
Teich: Weiher, Tümpel, Pfuhl, See
Teil: (Teil-, Bruch)stück, Partie, Bereich, Ab-, Ausschnitt, Passage, Absatz, Segment ‖ Bestandteil, Einzelheit, Komponente, Detail, Element,
Glied, Arm, Zweig ‖ Fragment, Rest,
Torso ‖ → Anteil
teilen: in Teile zerlegen, dividieren,
zerteilen, -gliedern, -legen ‖ in Stücke
schneiden, aufteilen, zerstückeln,
-schneiden, auseinander nehmen,
parzellieren, tranchieren, sezieren,
spalten, trennen, halbieren, halb und
halb/halbpart machen, dritteln, vier-
teilen, durchschneiden; *ugs.:* fifty-
fifty machen ‖ abgeben, -treten,
→ geben ‖ sich t. → s. gabeln
teilhaben: Anteil haben, partizipieren, beteiligt sein ‖ → teilnehmen
Teilhaber: Kompagnon, Mitinhaber,
Partner, Gesellschafter, Sozius; *veraltet:* Associé
Teilnahme → Interesse ‖ → Mitleid ‖
Mitwirkung, Engagement, Beteiligung, Einsatz, Anstellung, Verpflichtung, Aktivität, Unterstützung
teilnahmslos → apathisch
teilnehmen: s. beteiligen, mitwirken,
-machen, -tun, -arbeiten, beiwohnen,

dabei sein, dazugehören, teilhaben,
partizipieren, beteiligt/anwesend
sein, zuhören, miterleben; *ugs.:* mit
von der Partie sein, die Hand im Spiel
haben, mitmischen, -spielen, -ziehen,
-halten ‖ → mitfühlen ‖ → s. interessieren für
Teilnehmer: Besucher, Anwesender,
Mitwirkender, Aktiver, Beteiligter,
Beiwohner, Zuschauer, -hörer, Publikum, Mitspieler, (Zu)hörerschaft
Teilstrecke: Etappe, Teilstück, Abschnitt, Weglänge
Teilstück → Teilstrecke ‖ → Teil
Teilung: Spaltung, Trennung, Zer-,
Auf-, Zweiteilung, Loslösung ‖ Divi-
sion
teilweise: zum Teil, in einigen Fällen,
partiell, teils, nicht ganz, in mancher
Hinsicht, halb und halb, nicht unter
allen Umständen/uneingeschränkt
Teilzahlung: Raten-, Abschlags-, Abzahlung, (Schulden)tilgung
Telefax: Fax, Fernkopierer
Telefon: Fernsprecher, -sprechappa-
rat; *ugs.:* Strippe
Telefonat → Telefongespräch
Telefonbuch: Fernsprechbuch, Teilnehmerverzeichnis
Telefongespräch: Gespräch, Anruf,
Telefonat
telefonieren: fernsprechen, ein (Telefon)gespräch / Telefonat führen,
→ anrufen
Telefonnummer: Ruf-, Fernsprechnummer
Telefonzelle: Fernsprechzelle, Tele-
fonhäuschen, öffentlicher Fernsprecher, Kabine
telegrafieren: ein Telegramm schicken, kabeln, drahten, depeschieren,
telegrafisch übermitteln
Telegramm: Funkspruch, Kabel,
Depesche, Fernschreiben, Nachricht
per Draht/Funk
Telepathie: Gedankenübertragung
Telephon → Telefon

Television → Fernsehgerät

Temperament → Schwung

temperamentlos → langweilig

temperamentvoll → lebhaft

Temperatur: Wärmegrad, -zustand, Luftwärme ‖ Fieber

Tempo → Geschwindigkeit ‖ → Eile ‖ → schnell

temporär → vorübergehend

Tendenz → Strömung

tendenziös → parteiisch

tendieren → neigen

Termin → Zeitpunkt

Terminologie: Fachausdrücke, Nomenklatur, Begrifflichkeit, Fachwortschatz

Terminus → Fachausdruck

Terrain: Grund(stück), Anwesen ‖ → Gebiet

Terrasse: (Gelände)stufe, Absatz, Treppe ‖ Veranda

Territorium → Gebiet

Terror → Gewaltherrschaft ‖ → Ausschreitung ‖ Furcht und Schrecken, Horror, Entsetzen, Gewalt, Einschüchterung

terrorisieren: in Schrecken/Furcht versetzen, einschüchtern, bedrohen, -drängen, -drücken, drangsalieren, knebeln, Gewalt antun, tyrannisieren, Terror ausüben, Schrecken verbreiten; *ugs.:* die Pistole an die Brust setzen

Terrorismus → Gewaltherrschaft ‖ Extremismus, Radikalismus, Anarchismus, Untergrundkampf; *ugs.:* Anarchoszene

Terrorist: Anarchist, Extremist, Radikaler, Stadtguerilla, Untergrundkämpfer, Aktivist, Aufrührer, Umstürzler; *ugs.:* Bombenleger, Revoluzzer, Radikalinski

terroristisch → anarchistisch

Test: Erprobung, Experiment, Versuch, Probe ‖ (Eignungs)prüfung, Untersuchung, Kontrolle, Stichprobe

Testament: letztwillige Verfügung, Letzter Wille

Testat → Bescheinigung

testen → prüfen

testieren → bescheinigen

Tete-a-tete: trautes Beisammensein, Liebesstündchen, Schäferstündchen, → Rendezvous

teuer: nicht billig, aufwendig, kostspielig, unbezahlbar, -erschwinglich, sündhaft teuer, nicht zu bezahlen, im Preis sehr hoch, überteuert; *ugs.:* gesalzen, -pfeffert ‖ → lieb ‖ → kostbar ‖ t. sein: viel kosten, ein stolzer Preis sein; *ugs.:* ins Geld gehen/laufen, eine schöne Stange Geld/viel Geld schlucken, teuer kommen, ein Heidengeld/Vermögen kosten

Teufel: Satan, Leibhaftiger, Luzifer, Diabolus, Höllenfürst, Fürst der Finsternis, Bösewicht, Mephisto(pheles), Beelzebub, Pferdefuß, Gottseibeiuns, Antichrist, Verderber, -führer, -sucher, Erb-, Erzfeind, Widersacher, das Böse, Urian; *ugs.:* Teifel, Deiwel ‖ → Scheusal

Teufelsbrut → Abschaum

Teufelskerl → Draufgänger

Teufelskreis: Circulus vitiosus, Sackgasse, Ausweg-, Aussichts-, Hoffnungslosigkeit, Unmöglich-, Unlösbarkeit

teuflisch: diabolisch, satanisch, infernalisch, dämonisch, mephistophelisch, luziferisch ‖ → böse

Text: Inhalt, Wortlaut, Textmaterial, Manuskript, Geschriebenes, Formulierung, Abfassung

Textilien: Gewebe, Spinn-, Textil-, Web-, Wirkwaren, Gewirke, Bekleidung, Trikotagen

Theater: Schauspielhaus, Bühne, Theatergebäude ‖ *ugs.:* Bretter, die die Welt bedeuten; *abwertend:* Schmiere ‖ Vorstellung, Darbietung, Theaterabend, Vorführung, Darstellung, Inszenierung ‖ → Zirkus

Theaterstück: Bühnenwerk, -dichtung, -spiel, -stück, Schauspiel, Drama, Stück

theatralisch: affektiert, pathetisch, voller Pathos, unnatürlich, gespreizt, -künstelt, schwülstig, unecht, maneriert, gemacht

Theke: Schank-, Schenktisch, Tresen, Ausschank, Büfett; *reg.:* Zapf ‖ Laden-, Verkaufstisch

Thema → Gegenstand

Theologe → Geistlicher

theologisch → geistlich

Theorie → Lehre ‖ → Einbildung

theoretisch: gedanklich, -dacht, abstrakt, begrifflich, vorgestellt, spekulativ ‖ praxisfern, nicht praktisch ‖ wissenschaftlich, hypothetisch

Therapie: (Heil)behandlung, Betreuung, (Heil)methode

Thermometer: Temperatur-, Wärmemesser

These → Hypothese ‖ → Lehre

Thron: Herrscher-, Königssessel, Kaiserstuhl

Tick → Marotte

Ticket: Flugschein, Fahrkarte, -schein, Billett, Eintrittskarte

tief: abgründig, boden-, grundlos, abgrund-, klaftertief ‖ tief liegend, in der Tiefe, auf dem Boden, ganz unten ‖ → groß ‖ → tiefsinnig

Tief: Tiefdruckzone, -gebiet, Schlechtwetter(front) ‖ *ugs.:* Depression, Niedergeschlagenheit, schlechte Laune, Schwermut, Gedrücktheit, Mut-, Freudlosigkeit, Verzagtheit

Tiefe → Schlucht ‖ → Bedeutung ‖ → Ausmaß

Tiefgang → Tiefsinn

tief gehend → tiefsinnig

tief greifend → einschneidend

tiefgründig → tiefsinnig

tiefkühlen: ein(ge)frieren, -frosten, gefrieren, konservieren

Tiefpunkt: Krise, Tief, Störung, Talsohle

Tiefschlag: Fausthieb, -schlag, Schwinger, Boxer, Boxhieb

tiefschürfend → gründlich ‖ → tiefsinnig

Tiefsinn: Gedankenfülle, -tiefe, -reichtum, Tiefgründigkeit, -sinnigkeit, Gehalt, Essenz, Substanz

tiefsinnig: gehaltvoll, tief, viel sagend, tief gehend, tiefgründig, -schürfend, überlegt, durchdacht, gedankenvoll, -reich, feinsinnig, bedeutsam, gewichtig, bedeutungsvoll, -schwer

Tiefstand → Flaute

Tier: Bestie; *ugs.:* Vieh, Biest ‖ → Scheusal

Tierarzt: Veterinär, Tiermediziner; *ugs.:* Viehdoktor, -arzt

Tierbändiger: Dompteur, Bändiger, Dresseur, Abrichter

Tiergarten: zoologischer Garten, Zoo, Tierpark, Menagerie

tierisch: animalisch, tier-, triebhaft, libidinös ‖ → brutal

Tierleiche: Aas, Kadaver; *Jägerspr.:* Luder

Tierpark → Tiergarten

Tierreich: Tierwelt, Fauna

tilgen: (aus)löschen, beseitigen, aus der Welt schaffen, ausmerzen, -rotten, zum Verschwinden bringen, liquidieren, vernichten, entfernen, eliminieren, ausradieren, -wischen, abwaschen, streichen ‖ abzahlen, -tragen, -gelten, -decken, zurück-, abbezahlen, amortisieren, aus-, begleichen, eine Schuld aufheben/bereinigen, entrichten, zurückerstatten, erledigen

Timbre → Klang

timen: den Zeitpunkt/Einsatz festlegen/bestimmen, den richtigen Zeitpunkt wählen, die Zeit festsetzen für ‖ zeitlich (aufeinander) abstimmen, nach Plan einrichten, in zeitlichen Einklang bringen mit, zeitlich regeln ‖ mit der Stoppuhr messen

Timing: Zeitabstimmung, -planung, -einteilung, zeitliche Koordinierung, Temporegulierung

Tinktur → Extrakt

Tinnef → Unsinn ‖ → Ramsch

Tinte → Not

Tintenfisch: Kalmar

Tipp → Hinweis

Tippelbruder → Clochard

tippeln → tänzeln ‖ → wandern

tippen → berühren ‖ *ugs.:* Maschine schreiben, Schreibmaschine schreiben ‖ → vermuten ‖ → wetten

Tippse → Schreibkraft

tipptopp: korrekt, einwandfrei, fehlerlos ‖ adrett, modisch, elegant

Tirade → Redefluß

tirilieren → singen

Tisch: Tafel

Tischdecke: Tisch-, Tafeltuch, Decke

tischfertig: zubereitet, angerichtet, gar, gekocht, (küchen)fertig

Tischler: Schreiner; *ugs.:* Möbelmacher

Tischtennis: Pingpong

Tischtuch → Tischdecke

titanisch: titanenhaft, prometheisch, übermenschlich, → gewaltig

Titel: Auf-, Überschrift, Kopf, Lemma, Name ‖ Anrede, Titulierung, Betitelung, Prädikat, Rang, (Amts-, Dienst)bezeichnung ‖ Schlagzeile, Headline, Haupt-, Balkenüberschrift ‖ → Buch ‖ → Schallplatte

titulieren → benennen

Toast: (geröstete) Weißbrotscheibe, -schnitte ‖ Trinkspruch

toasten: rösten, bräunen ‖ einen Trinkspruch/Toast ausbringen, s. zu-/anprosten, s. zutrinken

toben → stürmen ‖ → rasen ‖ s. tummeln, umherlaufen, s. austoben, (herum)tollen, umher-, herumspringen, s. austollen, über die Stränge schlagen, übermütig sein, s. ausleben, die Grenzen überschreiten; *ugs.:* herumrennen, rumtoben, die Bude auf den Kopf stellen

tobsüchtig → wütend

Tochter → Kind

Tod: (Lebens)ende, Ableben, Hin-, Heimgang, (Ab)sterben, Hin-, Verscheiden, Erlösung, Abberufung, Todesschlaf, der ewige Schlaf, Erblassen, Entschlafen, Abschied; *med.:* Exitus; *schweiz.:* Abgang, Hinschied, Sterbet ‖ Gevatter/Schnitter Tod, Knochen-, Sensenmann, Freund Hein

todernst → ernst

Todesangst → Angst

Todesfall: Trauer-, Sterbefall, Verlust

Todeskampf: die letzte Stunde, Todespein, -not, Agonie

todesmutig → mutig

Todfeind → Feind

Todgeweihter: Sterbender, Todeskandidat, Moribundus; *gehoben:* Anwärter des Todes

todkrank → krank ‖ **t. sein:** mit einem Fuß/Bein im Grabe stehen, nicht mehr lange zu leben haben, am Rande des Grabes stehen, bald sterben müssen

tödlich: lebensgefährlich, todbringend, unheilbar, verderblich

todmüde → müde

todschick → elegant

todsicher → sicher

todunglücklich → traurig

Tohuwabohu → Unordnung

Toilette: Abort, Klosett, WC, 00, Pissoir (Männer); *ugs.:* Klo, gewisses Örtchen, Häusl, Lokus, Thron; *derb:* Scheißhaus, Pinkelbude ‖ Frisier-, Spiegel-, Kosmetik-, Ankleidetisch ‖ festliche Kleidung, Garderobe, Outfit, Ornat ‖ **T. machen** → s. herausputzen

tolerant: duldsam, ein-, nachsichtig, verständnisvoll, offen-, weitherzig, entgegenkommend, frei-, großzügig,

aufgeschlossen, versöhnlich, großmütig, offen, aufgeklärt, liberal, vorurteilslos, -frei, human, freiheitlich
Toleranz → Nachsicht
tolerieren → dulden
toll → außergewöhnlich
tolldreist → kühn
tollen → toben
tollkühn → kühn
Tollpatsch → Tölpel
tollpatschig → ungeschickt
Tölpel: Tollpatsch, Stoffel; *abwertend:* Bauer; *ugs.:* Trampel(tier) ‖
→ Dummkopf
tölpelhaft → ungeschickt ‖ → einfältig
Tomate: *veraltet:* Paradies-, Liebes-
apfel; *öster.:* Paradeiser
Tombola: Verlosung, Warenlotterie,
Glückshafen
Ton → Klang ‖ → Farbe ‖ Betonung,
Akzent, Gewicht, Hervorhebung,
Unterstreichung ‖ Tonerde, Kaolin
tonangebend → führend
Tondichter: Tonkünstler, -setzer,
-schöpfer, Komponist
tönen: schallen, hallen, klingen,
schwingen, dröhnen ‖ schattieren,
Farbe geben, aufhellen, nachdunkeln
Tonfolge → Melodie
Tonkunst: Musik
tonlos → schweigend
Tonne: Fass ‖ → Fettwanst ‖ 1000 kg
Tönung → Farbe
Topf: Kessel, Kasserolle; *reg.:* Pott,
Hafen ‖ → Nachttopf
Topfen → Quark
Töpferware: Keramik, Tonware
Tor: Torweg, Durchlass, Ein-, Aus-
fahrt, Portal, Pforte, Zu-, Eingang ‖
Fußballtor, Gehäuse, Kasten ‖ Tref-
fer; *öster.:* Goal ‖ → Dummkopf
Torero → Stierkämpfer
Torheit: Unvernunft, Narrheit, Un-
verstand, Vernunftlosigkeit, Einfalt,
-fältigkeit, Dummheit, Gedankenlo-
sigkeit, Fehler, Leichtsinn

Torhüter → Torwart
töricht: einfältig, dumm, albern, unklug, -vernünftig, -geschickt, lächerlich, ohne Verstand, leichtgläubig,
kindisch, blöd(sinnig), dümmlich;
ugs.: dämlich, doof, bescheuert, idiotisch
torkeln → schwanken
Tornister: Ranzen
torpedieren: mit Torpedos versen-
ken/beschießen ‖ → vereiteln
Torso → Bruchstück
Tortur → Qual
Torwart: Torhüter, -steher, -mann,
-wächter, Schlussmann; *öster.:*
(Goal)keeper; *ugs.:* Nummer eins,
Mann zwischen den Pfosten
tosen → stürmen
tot: ge-, verstorben, abge-, hinge-,
verschieden, leblos, unbelebt, verblichen, heimgegangen, entseelt, hingestreckt, erloschen, selig; *ugs.:*
hin(über), mausetot, dahin, hops;
derb: krepiert ‖ öde, verlassen, menschenleer, ent-, unbevölkert, verödet,
unbelebt, geisterhaft, einsam, unbeseelt, -bewohnt
total → ganz
totalitär: diktatorisch, autoritär, allein herrschend, unum-, unbe-, uneingeschränkt, allgewaltig, abso-
lut(istisch), repressiv, tyrannisch,
despotisch
Totalität → Ganzheit
töten: umbringen, aus der Welt schaffen, ums Leben bringen, aus dem
Weg räumen, jmdn. beseitigen, säubern, liquidieren, (er)morden, einen
Mord begehen/verüben, unter die
Erde bringen, lynchen, abtöten, niedermachen, -metzeln, massakrieren,
er-, totschlagen, ausrotten, ein Blut-
bad/Gemetzel anrichten, abtöten,
ausmerzen, vernichten, nieder-, erstechen, hinschlachten, jmdn. stumm
machen, ersticken, -drosseln, -wür-
gen, die Kehle/Gurgel zudrücken/

abschnüren, strangulieren, enthaupten, köpfen, den Kopf abschlagen, guillotinieren, (durch das Beil) hinrichten, erdolchen, meucheln, an die Wand stellen, (er-, auf)hängen, die Todesstrafe vollziehen/-strecken, exekutieren, vergasen, steinigen, vergiften, ertränken, nieder-, tot-, erschießen, den Genickschuss geben, füsilieren, niederstrecken, verbrennen, auf den Scheiterhaufen bringen, kreuzigen, ans Kreuz schlagen; *ugs.:* hin-, kaltmachen, fertig machen, erledigen, ins Jenseits befördern, den Garaus machen, den Rest geben, aufknüpfen, das Lebenslicht ausblasen/-pusten, abmurksen, aus dem Weg räumen, um die Ecke bringen, beiseite schaffen, einen Kopf kürzer machen, über die Klinge springen lassen, umlegen, killen, zusammenschießen, abknallen, über den Haufen schießen, abwürgen ‖ erlegen (Tiere), totmachen, zur Strecke bringen, schächten, (ab)schlachten, den Gnaden-/Todesstoß versetzen, den (Genick)fang/Fangschuss geben, abstechen, -nicken, -fangen, (ab)schießen, ersäufen ‖ **sich t.** → s. umbringen

totenblass → blass
Totenlade → Sarg
Totenmesse: Seelenamt, -messe, Totenamt, -gedenkmesse, Requiem, Trauer-, Leichenfeier, Exequien
Totenreich → Unterwelt
Totenschrein → Sarg
totenstill → still
Toter → Leichnam
totlachen, sich → lachen
totschießen → töten
Totschlag → Mord ‖ **Mord und T.** → Streit
totschlagen → töten ‖ **die Zeit t.** → faulenzen
totschweigen → verschweigen
Tötung → Mord
Touch → Nuance

Toupet: Haarersatz, -teil, Teilperücke, falsche Haare
Tour → Ausflug ‖ → Art ‖ (Um)drehung, Umlauf, Rotation ‖ **in einer T.** → dauernd
Tourismus: Fremdenverkehrs-, Reiseverkehrswesen, Fremdenverkehr
Tourist → Urlauber
Tournee: Gastspiel-, Rundreise
toxisch → giftig
Trabant → Satellit ‖ → Anhänger
Trabantenstadt → Vorort
traben → reiten ‖ → laufen
Tracht → Kleidung ‖ **eine T. Prügel** → Prügel
trachten → abzielen auf
trächtig: tragend; *Jägerspr.:* beschlagen ‖ → fruchtbar
tradieren → überliefern
Tradition: Überlieferung, Erbe, Geschichte, Herkommen, Historie, → Brauch ‖ Tradierung, Weitergabe, -führung
traditionell → herkömmlich
tragbar: transportabel, beweglich, mobil, beförder-, fahrbar ‖ leicht, nicht schwer ‖ → erträglich
Trage: (Trag)bahre
träge: langsam, faul, temperament-, schwung-, energielos, bequem, behäbig, schwerfällig, phlegmatisch, stumpf(sinnig), viskös, tranig, indolent, lethargisch, apathisch, leidenschafts-, teilnahmslos, langweilig, passiv, untätig, -beweglich, müßig, inaktiv, saumselig; *ugs.:* pomadig, schlafmützig, schläfrig, transusig, verschlafen, lahm, trödelig ‖ denkfaul, gedankenträge, einfallslos, begriffsstutzig; *ugs.:* schwer von Begriff/Kapee
tragen: schleppen, mit s. führen, befördern, transportieren ‖ huckepack tragen/nehmen, auf den Rücken nehmen; *ugs.:* buckeln, hucken ‖ bekleidet sein, auf-, anhaben, auf dem Leibe/dem Kopf tragen, s. bewegen

in ‖ → ertragen ‖ → eintragen ‖ **sicht.
mit** → s. befassen
Träger → Stütze ‖ Lasten-, Gepäck-
träger, Dienstmann
Trägheit → Faulheit ‖ Passivität,
Phlegma, Bequemlich-, Schläfrig-,
Teilnahmslosigkeit, Apathie, Stumpf-
heit, Lethargie
Tragik → Unglück
tragisch → trostlos ‖ → katastrophal
Tragödie: Trauerspiel, Drama ‖
→ Unglück
Tragweite → Folge ‖ → Bedeutung
Trainer: Ausbilder, Sportlehrer,
Coach
trainieren: etwas einüben, auf einen
Wettkampf vorbereiten, ausbilden,
schulen, drillen ‖ üben, durchexer-
zieren, s. trimmen, im Training sein,
in Übung/Form bleiben, s. fit halten
Trakt: Seitentrakt, -bau, Flügel,
Zimmer-, Gebäudeflucht ‖ (Ge-
bäude)komplex, Häuserblock ‖ Zug,
Strang, (Gesamt)länge, Strecke
Traktat → Aufsatz
traktieren → bewirten ‖ → quälen
Traktor: Trecker, Schlepper, Bulldog, Zugmaschine, Bulldozer,
Schleppfahrzeug
trällern → singen
Trambahn → Straßenbahn
Tramp → Landstreicher
Trampel → Tölpel
trampeln: stampfen, heftig treten,
stapfen
trampen: s. mitnehmen lassen, Autos
anhalten, per Autostop/Anhalter
fahren, hitchhiken, den Daumen
raushalten
Trance: Dämmerzustand, Entrü-
ckung, Abwesenheit
tranchieren → transchieren
Träne: (Augen)wasser; *dicht.:* Zähre
tränenselig → sentimental
Tränenseligkeit → Rührseligkeit
tranig → fett ‖ → träge
Trank → Getränk

tränken: zu trinken geben, trinken
lassen, einflößen ‖ durchfeuchten,
durchdringen/vollsaugen lassen,
durchweichen
Tranquilizer → Beruhigungsmittel
Transaktion: (Geld-, Bank-, Transit)geschäft, Geschäftsabschluss,
Handel
transchieren → zerlegen
Transfer: Weitertransport, Überführung, Beförderung ‖ Zahlung, Trans-
ferierung ‖ Wechsel, Austausch
transformieren → ändern
Transfusion: Blutübertragung
Transit: Durchgang, -fuhr, -fahrt
transparent → durchsichtig ‖ → klar
Transparent: Spruchband, Banderole
Transpiration → Schweiß
transpirieren → schwitzen
Transplantation: (Gewebs-, Organ)verpflanzung, Übertragung,
-pflanzung
transplantieren: ver-, ein-, über-
pflanzen, übertragen, implantieren,
eine Transplantation/Implantation
vornehmen
Transport: Beförderung, Überführung, Expedierung, Versendung,
-schickung, -frachtung, -ladung,
-sand, Abtransport, Zuleitung, -stel-
lung, Lieferung ‖ → Fracht
transportabel → tragbar
transportieren → befördern
Transportunternehmen → Spedition
Transuse → Schlafmütze
transzendent → übersinnlich
transzendieren: (hin)übergehen,
übersteigen, -schreiten
trapsen → stampfen
Trara → Lärm
Tratsch: Klatsch, Geläster ‖ → Gerede
tratschen → klatschen ‖ → ausplaudern
Traube: Weintraube, -beere
Traubenlese → Weinlese

Traubensaft → Wein

trauen: ehelich verbinden, vermählen, -heiraten, zur Ehe zusammengeben, einsegnen ‖ → vertrauen ‖ **sich t.** → riskieren ‖ **sich t. lassen** → heiraten

Trauer: Melancholie, Schwermut, Verdüsterung, Trübsinn, (Welt)-schmerz, Leid, Wehmut, -mütigkeit, Traurigkeit, Niedergeschlagenheit, Kummer, Gram, Betrübtheit, Verzweiflung, Betrübnis, Düsterkeit

Trauerfeier → Totenmesse

trauern: traurig/untröstlich sein, Schmerz/Leid empfinden, klagen über/um, beweinen, s. grämen, s. bekümmern, weinen/jammern um

Trauerspiel: Tragödie, Drama

träufeln: tröpfeln, tropfen lassen

traulich → gemütlich

Traum → Wunsch

Trauma: seelische Erschütterung, Schock ‖ → Verletzung

träumen: einen Traum haben ‖ seine Gedanken schweifen lassen, in den Wolken schweben, Gedanken nachhängen, (geistes)abwesend/unaufmerksam/nicht bei der Sache/ganz in Gedanken/mit den Gedanken weit weg sein, in Gedanken versunken/verloren sein; ugs.: mit offenen Augen schlafen, seine Gedanken woanders/nicht beisammen haben, geistig weggetreten sein ‖ → hoffen

Träumer → Schwärmer ‖ → Schlafmütze

träumerisch → schwärmerisch ‖ → geistesabwesend

Traumfabrik: Scheinwelt, Luftschloss, Illusionsproduktion, Wunschgebilde, Fiktion ‖ → Kino

traumhaft: wie im Traum, unbewusst, blind, mechanisch, automatisch ‖ → irreal ‖ → großartig

traumverloren → geistesabwesend

Traumwandler → Schlafwandler

traurig: von Trauer erfüllt, bekümmert, -trübt, -drückt, untröstlich, schmerzerfüllt, trübselig, weh(mütig), trist, (tod)unglücklich, trüb(e), kummervoll, elegisch, leidend, melancholisch, trübsinnig, verzweifelt, betroffen, schwermütig, freudlos, gedrückt, unfroh, deprimiert, am Boden zerstört, niedergeschlagen, gebrochen; ugs.: down, geknickt ‖ → trostlos ‖ **t. sein:** Weltschmerz haben, mit dem Schicksal hadern, mit der Welt zerfallen sein, → trauern; ugs.: Trübsal blasen, alles schwarz sehen, den Blues haben

traut → gemütlich

Trauung → Hochzeit

Trecker → Traktor

treffen: das Ziel erreichen, ins Schwarze treffen, nicht danebenschießen ‖ das Richtige treffen, erfassen, (heraus)finden; ugs.: richtig liegen, den Nagel auf den Kopf treffen ‖ → nahe gehen ‖ s. als wahr/richtig/zutreffend erweisen/herausstellen, passen, stimmen, entsprechen; ugs.: hinhauen ‖ antreffen, erreichen, vorfinden, stoßen auf; ugs.: Glück haben ‖ **sich t.:** zusammentreffen, -kommen, -stoßen, -treten, -prallen, aufeinander treffen, s. begegnen, s. (wieder)sehen, aufeinander stoßen, den Weg kreuzen, s. zusammensetzen/-finden, s. versammeln, s. ein Stelldichein geben; ugs.: s. in die Arme/über den Weg laufen

Treffen → Zusammenkunft

treffend: genau richtig, der Sache entsprechend, adäquat, passend, prägnant, akkurat, präzise, exakt, haarscharf, -genau, zutreffend, wohl gezielt, lakonisch

Treffer: Tor; öster.: Goal ‖ (Haupt)gewinn, großes Los, Glückslos, Volltreffer, erster Preis, Glücksgriff ‖ → Hit

trefflich → ausgezeichnet

Treffpunkt: Versammlungsort, Ort der Begegnung, Sammelstelle, -punkt

treiben → jagen ‖ driften, schwimmen ‖ laufen lassen, in Gang halten, bewegen, antreiben ‖ → aufhetzen ‖ → drängen ‖ s. beschäftigen mit, praktizieren, verrichten, (voll)führen, machen, ausüben, nachgehen ‖ → keimen ‖ hoch-, aufgehen, wachsen, quellen, aufblähen, (an)schwellen

Treiben → Betrieb

Treibhaus: Gewächs-, Glashaus

Treibjagd → Jagd

Treibstoff: Kraftstoff, Benzin; *ugs.:* Sprit

Trend → Strömung

Trendsetter: Vorreiter, Pionier, Pacemaker, Vorbild ‖ → Idol

trennen: entzweien, (auf)spalten, auf-, zerteilen, auf-, ab-, zer-, durchtrennen, zer-, durchschneiden, auseinander schneiden, aufschneiden, zerlegen, -gliedern, durchhacken, -hauen ‖ → isolieren ‖ → entzweien ‖ → unterscheiden ‖ **sich t.:** weggehen, auseinander gehen, s. (los)lösen, brechen mit, scheiden, s. scheiden lassen, die Ehe auflösen, s. lossagen, Schluss machen, s. den Rücken kehren, s. abwenden von, → verlassen, Abschied nehmen, s. losreißen, s. verabschieden, die Verbindung lösen ‖ s. (ab)spalten, abfallen, austreten, s. absplittern; *ugs.:* abspringen, aussteigen

Trennung: (Auf-, Ab)spaltung, Zer-, Auf-, Unter-, Zweiteilung, Abtrennung, Zerlegung ‖ Scheiden, Weggang, Abschied, Auseinandergehen, Lebewohl ‖ (Ab)sonderung, Scheidung, Separation, Loslösung, Abwendung, Distanzierung, Isolierung, Entfernung, Eliminierung, Vereinzelung, Ausschluss ‖ Entzweiung, Bruch, (Auf)lösung, Abbruch, Ehescheidung, Lockerung

Treppe: Stufe, Stiege, Tritt, Aufgang ‖ Geländestufe, Absatz, Terrasse

Tresen → Theke

Tresor: Stahl-, Panzer-, Geldschrank, Sicherheits-, Schließ-, Bankfach, Safe

treten: den Fuß setzen, einen Schritt/ Tritt machen, vor s. herstoßen, vor-, zurück-, herantreten ‖ → stampfen ‖ → quälen ‖ **t. in** → betreten

Tretmühle → Langeweile

treu: treu gesinnt, ergeben, anhänglich, zuverlässig, getreu(lich), loyal, fest, beständig, treu und brav

Treuhänder: Vermögens-, Treuhandverwalter, Kurator, Trustee

treuherzig → arglos

treulos → untreu

Tribunal: Gericht, Gerichtshof, -behörde

Tribut → Gebühr ‖ → Hochachtung

Trick: Kunstgriff, Kniff, Praktik, Winkel-, Schachzug, (Raf)finesse, List, Manöver, Manipulation, Handgriff; *ugs.:* Schliche, Dreh, Masche; *öster.:* Schmäh

trickreich: voller Tricks, → schlau

Trieb: Instinkt, Impuls, natürliche Regung; *gehoben:* Stimme der Natur ‖ → Drang ‖ → Schössling

Triebfeder → Antrieb

triebhaft: tierisch, animalisch, libidinös ‖ → sinnlich

Triebkraft → Antrieb

Triebwerk: (Antriebs)maschine, Motor, Antrieb, Kraftquelle

triefen: tropfen, perlen, fließen, rieseln

triezen → quälen

triftig → stichhaltig ‖ → wichtig

trillern → singen

trimmen → scheren ‖ **sich t.:** s. fit halten ‖ → trainieren

Trinität → Dreieinigkeit

trinken: den Durst stillen/löschen, Flüssigkeit/eine Erfrischung zu s. nehmen, ein Glas leeren, s. erfrischen, einen Schluck nehmen, nippen, schlürfen, hinunterstürzen,

-trinken; *ugs.:* hinuntergießen, -spülen, -schütten, die Kehle anfeuchten; *derb:* saufen ‖ zechen; *ugs.:* s. einen zu Gemüte führen, bechern, kneipen, s. einen genehmigen/hinter die Binde gießen, einen stemmen/heben/zwitschern/zur Brust nehmen/zischen/kippen/durch die Kehle jagen, picheln, s. die Kehle nass machen/ölen/schmieren, schlucken, süffeln, in die Kanne steigen, kümmeln, einheizen, tanken, schnapsen, pietschen, die Pfropfen knallen lassen, kübeln, ein Glas kippen, die Gurgel spülen, einen auf die Lampe gießen/unter das Jackett brausen; *derb:* einen saufen/abbeißen/schmettern; *reg.:* dudeln, schnapseln ‖ → s. betrinken

Trinker → Alkoholiker

Trinkgelage → Orgie

Trinkspruch: Toast

Trip → Ausflug ‖ Rausch, Reise ‖ **auf dem T.** → high

trippeln → tänzeln

trist → traurig ‖ → trostlos ‖ → öde

Tritt → Schritt ‖ → Stufe ‖ → Stoß

Triumph → Erfolg ‖ → Freude

triumphal → großartig

triumphieren → jubeln ‖ → gewinnen ‖ → schadenfroh sein

trivial → geistlos

Trivialität → Gemeinplatz

trocken: nicht nass/feucht ‖ ver-, ausgetrocknet, entwässert, ausgedörrt, verdorrt, dürr, saftlos, verwelkt, welk, abgestorben, trocken/hart geworden, knochentrocken; *ugs.:* furztrocken; *reg.:* rappeltrocken ‖ alt(backen), nicht mehr frisch; *ugs.:* vergammelt, gammelig, steinhart (Brot) ‖ regen-, wasserarm, wüstenhaft, versteppt ‖ → nüchtern ‖ → langweilig ‖ → herb ‖ → stubenrein ‖ → komisch

Trockenheit: Dürre, Wasserarmut, -not, -mangel; *schweiz.:* Tröckne

trocken legen: die Windel wechseln, wickeln ‖ entwässern, -sumpfen, trocknen; *Fachsp.:* dränieren

trocken reiben → trocknen

trocknen: trocken werden lassen/machen, abtrocknen, -wischen, -reiben, trocken reiben, (ab)frottieren, föhnen (Haare); *ugs.:* abrubbeln ‖ (aus)dörren, austrocknen, darren; *reg.:* selchen ‖ trocken werden, durch-, ein-, vertrocknen, versiegen, -welken, -dorren, eingehen ‖ → trocken legen

Troddel → Quaste

Trödel → Ramsch

trödeln → bummeln

Trödler → Altwarenhändler

Trommel: Schlagzeug, Percussion

trommeln: die Trommel schlagen/rühren ‖ → klopfen ‖ → regnen

trompeten: die Trompete blasen/spielen ‖ → s. schnäuzen

Tropf → Dummkopf

tröpfeln → nieseln ‖ träufeln, fließen lassen ‖ → tropfen

tropfen: in Tropfen fallen, tröpfeln, triefen, sickern, rieseln, heraustropfen, perlen ‖ → nieseln

tropfnass → nass

tropisch → heiß

Trosse: Tau, Strang ‖ → Seil

Trost: Hoffnung(sschimmer), Lichtblick, Stärkung, Aufrichtung, -heiterung, Ermunterung, Zuspruch, Erleichterung, Linderung, Herzens-, Seelentrost, Milderung, Besänftigung, Labsal, Tröstung, Zusprache, Beruhigung, Wohltat, Balsam

trösten: Trost spenden/zusprechen, Mut zusprechen/geben, aufrichten, -heitern, -muntern, ermutigen, stärken, beruhigen, -schwichtigen, den Schmerz stillen, wieder hoffen/Mut schöpfen lassen ‖ **sich t.** → verschmerzen

trostlos: bemitleidens-, beklagens-, bedauerns-, bejammernswert, herzbewegend, -ergreifend, -brechend, bedauerlich, Mitleid erregend, erbarmungswürdig, unglücklich, -froh, kläg-, erbärm-, jämmer-, betrüblich, jammervoll, un(glück)selig, erschreckend, freudlos, qual-, leidvoll, erschütternd, tragisch, ergreifend, leiderfüllt, traurig, hart, freudenarm, -leer, düster, trist, hoffnungslos, unerfreulich, entmutigend, desolat, elend ‖ → öde

Trott → Langeweile ‖ → Schlendrian ‖ Gang(art)

Trottel → Dummkopf

trotten → gehen

Trottoir: Fuß(gänger)weg, Bürgersteig, Gehweg, -steig

trotz: ungeachtet, entgegen, obschon, -gleich, -wohl, wenngleich, wenn auch

Trotz: Eigensinn(igkeit), Starr-, Hart-, Dickköpfigkeit, Sturheit, Starrsinn(igkeit), Eigenwille, -willigkeit, Widerspenstigkeit, -borstigkeit, Halsstarrigkeit, Steifnackigkeit, Rechthaberei, Verbohrtheit, Hartgesottenheit, Unbelehrbarkeit, Widerspruchsgeist, Aufsässigkeit, Protesthaltung, Kratzbürstigkeit, Renitenz, Hartnäckigkeit, Uneinsichtigkeit; *ugs.:* Bockigkeit, Bockbeinigkeit, Dickschädeligkeit

trotzdem: dennoch, des(sen)ungeachtet, nichtsdestoweniger, doch, trotz allem, nun gerade/erst recht, jedenfalls, gleichwohl ‖ → obgleich

trotzen → aufbegehren

trotzig → widerspenstig

Trotzkopf: Dick-, Starr-, Querkopf, Rechthaber; *ugs.:* Dick-, Quadratschädel; *derb:* sturer Bock; *öster.:* Kaprizenschädel

trotzköpfig → widerspenstig

trüb(e): grau, dunkel, düster, lichtlos, schumm(e)rig, bewölkt, dunstig, verhangen, diesig, wolkig, bedeckt, -zogen, regnerisch, getrübt, unfreund-

lich, nebelig ‖ unklar, schmutzig, unsauber, verschmutzt ‖ → traurig

Trubel → Betrieb

trüben: verschmutzen, verunreinigen, schmutzig/dreckig machen ‖ überschatten, verfinstern, -dunkeln, dämpfen, abschwächen, beeinträchtigen, reduzieren, schmälern, stören, (ein)dämmen ‖ **sich t.** → s. eintrüben

Trübsal → Leid

trübselig → traurig

Trübsinn → Trauer

trübsinnig → traurig

trudeln: wirbeln, rotieren, s. um die Achse drehen, kullern, kreiseln

Trug → Täuschung

Trugbild → Einbildung

trügen → täuschen

trügerisch: unecht, -wirklich, täuschend, irreführend, → illusorisch

Trugschluss → Irrtum

Truhe: Kasten, Schrein, Kommode, Lade, Kiste

Trümmer: (Über)rest(e), Bruchstücke, Schutt, Ruine, Wrack, Torso, Überbleibsel, Scherben, Trümmerhaufen

Trumpf: gute Karte/Waffe, Faustpfand, Vorteil, Möglichkeit

Trunk → Getränk

trunken → betrunken ‖ → begeistert

Trunkenbold → Alkoholiker

Trunksucht → Alkoholismus

trunksüchtig: *derb:* versoffen, saufgierig ‖ **t. sein:** dem Alkohol verfallen/Alkoholiker sein, trinken, dem Alkohol frönen; *derb:* dem Suff ergeben/versoffen sein, saufen (wie ein Loch)

Trupp → Schar

Truppe → Ensemble ‖ → Kompanie

Truthuhn: *f.:* Truthenne, Pute; *ugs.:* Kurrhenne; *schweiz.:* Trute; *öster.:* Indian; *m.:* Truthahn, Puter; *ugs.:* Kurrhahn

tschüs → Wiedersehen

tuberkulös → schwindsüchtig

Tuberkulose: Schwindsucht, Tb(c), Auszehrung; *med.:* Phthise
Tuch: Stoff, Gewebe ‖ Kopfbedeckung
Tuchfühlung → Kontakt
tüchtig: geschickt, fähig, patent, begabt, befähigt, erfahren, gewandt, qualifiziert ‖ → gehörig ‖ → fleißig ‖ **t. sein:** s. bewähren/-haupten, seinen Mann stehen, sein Handwerk verstehen, den Anforderungen gewachsen sein, etwas leisten, s. sehen lassen können
Tücke → Arglist ‖ → List
tückisch → heimtückisch
tüfteln → denken ‖ → basteln
tugendhaft → sittlich ‖ → anständig
tummeln, sich → toben ‖ → s. beeilen
Tumor → Geschwulst
Tümpel: Teich, Weiher, Pfuhl
Tumult → Betrieb ‖ → Ausschreitung
tun → handeln ‖ → arbeiten ‖ → antun ‖ **t. als ob** → heucheln ‖ **wichtig t.** → s. aufspielen
Tünche → Täuschung
tünchen → weißen
Tunichtgut → Taugenichts
Tunke: Soße; *reg.:* Stippe
tunken: eintauchen, -tunken; *ugs.:* einstippen, -titschen
tunlichst: so weit wie möglich, möglichst, nach Möglichkeit, wenn möglich, liebenswürdigerweise, freundlicherweise, freundlichst, gütigst, gefälligst
Tunnel: Unterführung, unterirdischer Gang/Weg
Tunte → Homosexueller
Tupfen: Punkt, Sprenkel, Tüpfel
Tür: Ein-, Ausgang, Tor, Pforte, Portal, Öffnung, Einstieg, (Wagen)schlag, Zugang
turbulent: tumultuarisch, heftig, hektisch, wild, gereizt, unruhig, er-, aufgeregt, hitzig, lebhaft, stürmisch, impulsiv, wirbelnd
Türklinke → Klinke
türmen → schichten ‖ → fliehen
turnen: körperliche Übungen ausführen/machen, Sport treiben, s. sportlich betätigen, s. ertüchtigen, Gymnastik machen, trainieren
Turnier → Wettkampf
Turnus: regelmäßiger Ablauf/Wechsel, (Reihen)folge, Ordnung, Zyklus, Reihung, Sequenz
Türrahmen: Türstock, -pfosten, -einfassung
turteln: Zärtlichkeiten austauschen, liebkosen, herzen, zärteln; *ugs.:* schmusen
Türvorleger: Fußabstreifer, -matte, -abtreter, -streicher
tuscheln → flüstern
tuten: blasen, trompeten, dudeln ‖ hupen, ein (Warn)signal geben
Typ → Modell ‖ → Mann ‖ Wunschbild, Traum, Geschmack; *ugs.:* Fall ‖ → Art
Type → Modell ‖ Schriftzeichen, Letter, Druckbuchstabe ‖ → Sonderling
typisch → charakteristisch
typisieren: nach Typen einteilen, → normieren
Tyrann: Gewalt-, Alleinherrscher, Despot, Diktator, Unterdrücker
Tyrannei → Gewaltherrschaft
tyrannisch → herrisch
tyrannisieren → quälen ‖ → knechten

U

übel → katastrophal ‖ schlecht, elend, unwohl, speiübel; *ugs.:* kodderig, lausig, blümerant ‖ → unangenehm

Übel: Miss-, Übelstand, Unheil, Plage, Schaden, Unsegen, Verhängnis, Misere, Leid, Not, Verderb, Unglück, Katastrophe; *ugs.:* Kreuz ‖ → Krankheit

übel gelaunt → mürrisch

übel gesinnt → boshaft

Übelkeit: Unwohlsein, Übelbefinden, Brechreiz

übel nehmen: verargen, -übeln, -denken, nachtragen, anlasten, nicht verzeihen/-gessen können, zürnen, übel vermerken, zur Last legen; *ugs.:* ankreiden, krumm nehmen, in den falschen Hals/die falsche Kehle bekommen

Übeltat: Schurkerei, Bubenstück, Büberei, Bosheit ‖ → Verbrechen

Übeltäter → Schurke ‖ → Verbrecher

übel wollend → boshaft

üben: einüben, -studieren, (durch)proben, vorbereiten, (er)lernen, s. einprägen, s. beibringen, s. zu Eigen machen, wiederholen, trainieren, durchexerzieren; *ugs.:* einpauken, s. einhämmern/-bläuen

über: oberhalb, höher als, darüber; *reg.:* überhalb; *öster.:* ober

überall: allerorten, -orts, -seits, -enden, allenthalben, allgemein, an allen Orten/Ecken und Enden, weit und breit, im ganzen Land, auf Schritt und Tritt, nah und fern, wo man hintritt/-kommt/-sieht/geht und steht, da und dort, vielen-, vielerorts, passim, ringsum, so weit das Auge reicht, auf der ganzen Welt, kreuz und quer, wo auch immer, an allen Seiten; *schweiz.:* meistenorts

Überangebot: Übermaß ‖ → Überfluss

überanstrengen → anstrengen ‖ **sich ü.** → s. anstrengen

überanstrengt → erschöpft

überantworten: jmdm. die Verantwortung übertragen/-lassen; *öster.:* einantworten ‖ → ausliefern

überarbeiten: be-, durcharbeiten, verbessern, schleifen/feilen an, vervollkommnen, korrigieren, ändern, ausfeilen, vervollständigen, redigieren; *ugs.:* den letzten Schliff geben, durchackern, letzte Hand anlegen ‖ **sich ü.** → s. anstrengen

überarbeitet → erschöpft

überaus → sehr

überbekommen: überdrüssig/-sättigt werden, nicht mehr sehen können; *ugs.:* genug/satt haben, überkriegen

überbewerten: überbetonen, -schätzen, zu hoch einschätzen/bewerten, eine zu hohe Meinung/einen zu hohen Begriff haben von, falsch einschätzen/sehen, beschönigen, glorifizieren, idealisieren, verzerren, zu viel Wichtigkeit beilegen; *ugs.:* in den Himmel heben

überbieten: mehr bieten als, höher gehen, übersteigern ‖ → übertreffen

überbleiben → übrig bleiben

Überbleibsel → Rest

Überblick: Zusammenfassung, -schau, Auf-, Abriss, Kurzfassung, Resümee, Querschnitt, Übersicht, -schau, Auszug ‖ → Aussicht ‖ Kontrolle, Ein-, Umsicht, Verständnis, Souveränität, Verstand, Bedacht, Ruhe, → Erfahrung

überblicken: einen Überblick/unter Kontrolle haben, übersehen, -schauen, klarsehen, Bescheid wissen, erkennen, im Bilde sein, erfassen, beherrschen, -greifen, durchschauen, s. zurechtfinden, zurechtkommen; *ugs.:* im Griff haben, wissen wie der Hase läuft

überbringen → übergeben

Überbringer → Bote

überbrücken: hinweg-, hinüberhelfen, ausfüllen, überwinden, hinwegkommen ‖ eine Brücke bauen/schlagen, einen Übergang schaffen

überdachen: ein Dach bauen, bedachen, schützen, mit einem Dach versehen

Überdachung → Dach

überdauern: von Bestand/Dauer sein, bleiben ‖ → überleben

überdecken: überlagern, unsichtbar machen, dem Blick entziehen, übertünchen ‖ → verdecken

überdenken → denken ‖ → revidieren

überdies → außerdem ‖ ohnehin, ohnedies, ohnedem, sowieso; *reg.:* eh

überdimensional: (über)mächtig, riesig, immens, titanisch ‖ → gewaltig

überdrehen → durchdrehen

Überdruss: Widerwille, Abneigung, Unlust, Übersättigung, -sättigt sein, Ekel, Abscheu

überdrüssig: Abscheu, Ekel empfindend ‖ → genug haben

überdurchschnittlich: hervor-, überragend, exzellent ‖ → ausgezeichnet

übereifrig → beflissen

übereilen → überstürzen

übereilt → überstürzt

übereinander: aufeinander, etwas auf etwas, eines über dem anderen

übereinkommen → s. einigen ‖ → abmachen

Übereinkunft → Einigung

übereinstimmen: einer Meinung/eines Sinnes/eins/s. einig sein, einig gehen, die Auffassung teilen, konform gehen, korrespondieren; *ugs.:* gleichliegen, in die gleiche Kerbe schlagen, in dasselbe Horn blasen ‖ in Einklang stehen, harmonieren, s. decken, zusammenfallen, -stimmen, -passen, stimmen, s. gleichen, s. treffen, s. entsprechen, kongruieren

übereinstimmend → einhellig ‖ → identisch

Übereinstimmung → Einigkeit ‖ → Identität

überempfindlich → empfindsam ‖ → empfindlich

überfahren: umfahren, überrollen; *ugs.:* zusammenfahren; *derb:* über den Haufen fahren

Überfall: Anschlag, Gewalt-, Handstreich, Raubzug, Attentat ‖ → Angriff

überfallen: einfallen/-dringen/-brechen/-marschieren in, → angreifen ‖ herfallen über, überrumpeln, bestürmen, -drängen, -helligen; *ugs.:* auf die Pelle/den Leib/die Bude rücken, bohren, die Hölle heiß machen, löchern, jmdn. in die Mangel nehmen ‖ überkommen, -mannen, -wältigen, -fluten, beschleichen, be-, anfallen, s. bemächtigen, heimsuchen, ankommen, -wandeln, ergreifen, -fassen, treffen; *gehoben:* anfliegen, -kriechen, -packen, -wehen ‖ → überraschen

überfällig → unpünktlich

überfliegen: flüchtig lesen, durch-, anblättern, über-, anlesen, quer/diagonal lesen, in etwas blättern, durchschauen, -sehen, -fliegen; *ugs.:* hineinschauen ‖ überqueren, passieren, durchziehen, -queren

überfließen: überlaufen, -gehen, -quellen, -schwappen, -strömen, -fluten, -sprudeln, -schäumen, -borden, -schwemmen, über den Rand/die Ufer treten; *reg.:* schwabbern

überflügeln → übertreffen

Überfluss: Reichtum, (Über)fülle, Üppigkeit, Überschuss, -angebot, -produktion, -maß, -reichlichkeit, Menge, Masse, Anhäufung, -sammlung, Opulenz, Redundanz, Zuviel, Unmaß, Überschwang, Luxus, Reizüberflutung

Überflussgesellschaft: Wohlstands-, Konsum-, Wegwerfgesellschaft

überflüssig: überzählig, -schüssig, zuviel, übrig ‖ → nutzlos

überfluten: überspülen, -schwemmen, -strömen, unter Wasser setzen, → überfließen ‖ → überfallen

überfordern → anstrengen ‖ **sich ü.** → s. anstrengen

überführen → befördern ‖ ertappen, -wischen, stellen; *ugs.:* schnappen

Überführung: Brücke, Überbrückung, -gang ‖ → Transport

Überfülle → Überfluss

überfüllt: (über)besetzt, -voll, zum Brechen / Platzen / Überlaufen / Bersten voll, brechend voll, dicht besetzt, belegt, dicht gedrängt; *ugs.:* gerammelt /-stopft /-pfropft /-steckt /-rappelt voll, voll gestopft/gepfropft, rappel-, rammel-, proppenvoll

Übergabe: Überbringung, -antwortung, -reichung, -eignung, -tragung, -lassung, Aushändigung, Abgabe, -lieferung, -tretung ‖ Auslieferung, -setzung, Preisgabe ‖ → Lieferung

Übergang: Überschreiten, -queren, -fahrt, Durchquerung, Passieren ‖ (Verbindungs)weg, → Überführung ‖ Überleitung, Wechsel, Wandel, Umstellung ‖ Übergangs-, Überbrückungs-, Karenzzeit; *ugs.:* Durststrecke

übergeben: überbringen, -mitteln, -reichen, -antworten, ausrichten, -händigen, abgeben, -liefern, zukommen lassen, bringen, be-, zustellen, in die Hände / Hand geben, verabfolgen, zugänglich machen, weitergeben, -leiten, -reichen, einhändigen ‖ übertragen, -lassen, -machen, -schreiben, vererben, -machen, hinterlassen, zum Erben einsetzen, zuweisen, anvertrauen, in jmds. Schutz stellen, in Verwahr geben, abtreten ‖ → ausliefern ‖ **sich ü.:** s. erbrechen, speien, Nahrung von s. geben, brechen; *med.:* vomieren; *ugs.:* reihern; *öster.:* speiben; *derb:* kotzen

übergehen: überwechseln, -leiten, -springen, s. mit etwas anderem befassen, s. anderem zuwenden ‖ umschlagen, wechseln, s. (ver)wandeln, s. transformieren ‖ → auslassen ‖ → ignorieren

übergenau: pedantisch, penibel, spitzfindig, haarspalterisch ‖ → kleinlich

übergenug → reichlich

übergescheit → überklug

Übergewicht → Körperfülle ‖ → Übermacht

überglücklich: selig, glückstrahlend ‖ → glücklich

übergreifen → s. ausdehnen

Übergriff → Angriff ‖ Eingriff, -greifen, -mischung, -mengung, Intervention

übergroß: riesenhaft, riesengroß, überdimensional ‖ → gewaltig

überhaben → genug haben

überhand nehmen: zu viel werden, s. häufen, über den Kopf wachsen, s. ausweiten/-dehnen, anwachsen, -steigen, s. vermehren/-stärken, an Boden gewinnen, Verbreitung finden, um s. greifen, ins Kraut schießen, s. einschleichen/-bürgern, grassieren, ausarten, überborden, (über)wuchern, zu einer Landplage werden, wüten, zunehmen, wimmeln von, Kreise ziehen

überhängen: über die Schultern legen, überstreifen, -werfen, -legen, umhängen, -legen; *ugs.:* umtun ‖ über-, vor-, herausstehen, vorspringen, (her)vor-, herausragen

überhasten → überstürzen
überhastet → überstürzt
überhäufen: überschütten, -füllen, -laden, -borden, des Guten zuviel tun; *ugs.:* voll stopfen
überhaupt → sowieso ‖ → eigentlich ‖ → ganz
überheblich: herablassend, hochmütig, -näsig, arrogant, süffisant, dünkelhaft, selbstgefällig, -herrlich, -gerecht, -bewusst, snobistisch, von oben herab, elitär, hoffärtig, gnädig, blasiert, eingebildet, stolz, anmaßend, hybrid; *ugs.:* aufgeplustert, -geblasen, geschwollen
Überheblichkeit → Dünkel
überholen: einholen, hinter s. lassen, jmdn. zurücklassen, an jmdm. vorbeifahren/-laufen, überrunden; *ugs.:* abhängen ‖ → erneuern, → ausbessern ‖ → übertreffen
überholt: out, passee ‖ → altmodisch
überhören → ignorieren ‖ entgehen, nicht hören/verstehen/bemerken, verpassen, -fehlen
überirdisch: jenseitig, himmlisch, übernatürlich, engelgleich, -haft; *dicht.:* wundersam ‖ → übersinnlich
überkandidelt → überspannt
überkleben → verdecken
überklug: übergescheit; *ugs.:* oberschlau, neunmalgescheit, -klug, superklug, -gescheit, -schlau, hyperklug, -schlau, siebengescheit
überkochen: überlaufen, -wallen, -gehen, -schäumen ‖ → rasen
überkommen → überfallen ‖ → herkömmlich
überkreuzen, sich → s. überschneiden
überkriegen → überbekommen
überladen: überfüllen, -lasten, -häufen; *ugs.:* voll stopfen ‖ (über)voll, pompös, verschnörkelt, zuviel, üppig, erdrückend, bombastisch, barock, kitschig, aufgebläht, schwülstig ‖ → anstrengen

überlagern → verdecken ‖ **sich ü.** → s. überschneiden
überlassen → übergeben ‖ → anvertrauen ‖ → verkaufen ‖ anheim/frei stellen, anheim geben, in jmds. Ermessen stellen, freie Hand/jmdn. selbst entscheiden lassen, jmdm. etwas vorbehalten, einräumen ‖ → leihen
überlasten → überladen ‖ → anstrengen
überlastet → erschöpft ‖ → ausgelastet ‖ **ü. sein:** alle Hände voll zu tun haben, in Arbeit ersticken; *ugs.:* zuviel am Hals haben, bis über die Ohren in Arbeit stecken
überlaufen → überfließen ‖ → desertieren ‖ → ausgebucht
Überläufer: Deserteur, Fahnenflüchtiger
überleben: s. (er)halten, durch-, standhalten, überstehen, -dauern, von Bestand/Dauer sein, bleiben
überlebt → altmodisch
überlegen → überhängen ‖ → schlagen ‖ → denken ‖ besser, dominant, dominierend, vor-, beherrschend, prävalent, souverän, erhaben, überragend, leistungsfähiger, führend, tonangebend, bestimmend
Überlegenheit → Übermacht
überlegt → besonnen ‖ → durchdacht
Überlegung: Er-, Abwägung, Reflexion, Nachdenken, Besinnung, Sinnen, Grübeln, Überlegen, Berechnung, Plan, Kalkül, Kopfzerbrechen, Umsicht, Besonnenheit, Sammlung, Bedacht ‖ Gedankengang, -kette, -folge, -arbeit, -reihe, Ideengang, -kette, Denkvorgang, -arbeit, -akt, Untersuchung
überleiten: einen Übergang herstellen, hinüberführen, den Anschluss schaffen, verbinden, eine Brücke schlagen, übergehen, transferieren
überlesen → überfliegen ‖ → übersehen

überliefern: tradieren, weitergeben, -reichen, -leiten, -führen, übergeben, -kommen, vererben, -machen

überliefert → herkömmlich

Überlieferung: Tradition, Erbe, Geschichte, Herkommen, → Brauch ‖ Tradierung, Weitergabe, -führung

überlisten → betrügen

Übermacht: Übergewicht, -legenheit, -zahl, Vorrangstellung, -herrschaft, Mehrheit, -zahl, Majorität, Dominanz, die meisten, führende Rolle, Superiorität, Primat, Prävalenz

übermalen: übertünchen, zudecken ‖ → verdecken

übermannen → überfallen

Übermaß → Überfluss

übermäßig: zu stark/groß, enorm, ungeheuer, immens, außerordentlich, gewaltig, massiv, äußerst ‖ allzu sehr, zuviel, maßlos, übertrieben, hemmungslos, ungezügelt, -verhältnismäßig, -mäßig, extrem, exzessiv, über Gebühr, ohne Maß (und Ziel), ungebührlich, -kontrolliert, -beherrscht

übermenschlich: gewaltig, titanenhaft, prometheisch, übernatürlich, gigantisch, titanisch, ungeheuer

übermitteln → informieren ‖ → schicken ‖ → ausrichten

Übermittlung → Meldung ‖ → Lieferung

übermüdet → müde

Übermüdung: Erschöpfung, Distress, → Schwäche

Übermut: Ausgelassenheit, Mutwille, Tollheit, Leichtsinn, Überschwänglichkeit

übermütig → ausgelassen

übernachten: nächtigen, schlafen, die Nacht verbringen, s. für die Nacht einrichten, Quartier nehmen, sein Lager aufschlagen, absteigen, logieren, sein Lager/seine Zelte aufschlagen; *ugs.:* campieren, bleiben, s. einnisten

übernächtigt → müde

übernatürlich: supranatural(istisch) ‖ → überirdisch ‖ → übersinnlich ‖ → übermenschlich

übernehmen: in Besitz nehmen, bekommen, erhalten, empfangen, in Empfang nehmen, entgegen-, abnehmen, an s. nehmen, s. schenken/geben lassen ‖ → kaufen ‖ → plagiieren ‖ **sich ü.** → s. anstrengen

überprüfen → prüfen ‖ → erwägen

Überprüfung → Kontrolle

überquellen → überfließen

überqueren → passieren

überragen → übertreffen ‖ hinaus-, herausragen, größer/höher sein als, herausstehen, s. hervortun, s. deutlich abheben, hervorstechen

überragend → außergewöhnlich, → ausgezeichnet

überraschen: in Erstaunen versetzen, frappieren, verblüffen, eine Überraschung bereiten, aus der Fassung bringen, verwirren, -wundern, stutzig machen, erstaunen, verdutzen; *ugs.:* umhauen, -werfen, vom Stuhl kippen, aus den Socken heben, jmdn. reißt es ‖ unerwartet kommen, unangemeldet erscheinen; *ugs.:* überfallen, -rumpeln, ins Haus fallen/ schneien, hereinplatzen, -schneien, auftauchen ‖ ertappen, -wischen, überführen, abfangen, -fassen; *ugs.:* schnappen

überraschend → plötzlich

überrascht: perplex, sprach-, fassungs-, bewegungs-, reglos, verwirrt, -blüfft, -wundert, -stört, -steinert, -dutzt, entgeistert, erstaunt, konsterniert, wie vor den Kopf gestoßen, betreten; *ugs.:* verdattert, durcheinander, baff, platt, wie von den Socken, wie vom Donner gerührt, aus den Latschen gekippt ‖ **ü. sein** → staunen

überreden: bereden, -arbeiten, umstimmen, erweichen, einnehmen für, gewinnen, überzeugen, bekehren, weismachen, veranlassen, -führen, beeinflussen, werben/s. stark machen für, zu bewegen suchen, aufdrängen, -nötigen, einwirken auf, ermuntern, -mutigen, bestärken, einreden auf, anstiften, zureden, -raten; *ugs.:* breitschlagen, weich machen, (he)rumbekommen, -kriegen, beschwatzen, -quatschen, -latschern, andrehen, aufhängen, -schwatzen, einwickeln, um den Finger wickeln

überreichen → geben

überreizt: rast-, ruhelos, überanstrengt, gestresst, → nervös

überrennen → besiegen ‖ zu Fall bringen, umlaufen; *ugs.:* umrennen, über den Haufen rennen

Überrest → Rest ‖ → Trümmer

überrollen: bezwingen, überwältigen, niederwerfen, überrennen ‖ → besiegen

überrumpeln → überraschen ‖ → überfallen

überrunden → übertreffen ‖ → überholen

übersät: voll von, dicht bedeckt, gespickt

überschatten: beschatten, verfinstern, -dunkeln, dämpfen, abschwächen, beeinträchtigen, reduzieren, schmälern, stören, (ein)dämmen

überschätzen → überbewerten ‖ **sich ü.:** an Selbstüberschätzung leiden, s. für unwiderstehlich/etwas Besonderes halten, s. etwas einbilden, s. erheben über, s. etwas Besseres dünken, s. potent fühlen, eingebildet/größenwahnsinnig sein; *ugs.:* großtun, s. für weiß Gott wen halten

Überschau → Überblick

überschaubar: versteh-, erfass-, berechen-, kalkulier-, erkenn-, entzifferbar, zugänglich, klar, über-, ersichtlich, übersehbar ‖ → absehbar

überschauen → überblicken

überschäumen → überfließen ‖ bersten, zerspringen, (zer)platzen

überschlafen → erwägen

Überschlag: (Be)rechnung, Überlegung, Kalkulation, Voranschlag, Schätzung, Kostenaufstellung ‖ Flickflack, Salto, Purzelbaum, Rolle

überschlagen → auslassen ‖ → schätzen ‖ **sich ü.:** einen Salto machen/ schlagen, kopfüber stürzen ‖ → s. überstürzen

überschnappen → durchdrehen

überschneiden, sich: s. überkreuzen/-lagern/-lappen, s. schneiden, s. kreuzen, zusammenlaufen, -treffen, -fallen, kollidieren, s. begegnen/ -rühren, konvergieren

überschreiben: als Überschrift geben, betiteln, mit einer Headline versehen ‖ → übergeben

überschreiten → passieren ‖ → übertreten ‖ → übertreffen

Überschrift: Titel(zeile), Aufschrift, Kopf ‖ Schlagzeile, Headline, Haupt-, Balkenüberschrift

Überschuss → Überfluss ‖ → Gewinn

überschüssig: überzählig, -flüssig, zuviel, übrig, restlich, unerwünscht

überschütten → überhäufen

Überschwang: Ausgelassenheit, Überschwänglichkeit, -schwall, → Begeisterung

überschwänglich: übertrieben, -steigert, -stiegen, -spitzt, -spannt, -sprudelnd, -schäumend, -mäßig, verstiegen, fantastisch, schwärmerisch, über Gebühr, extrem, maßlos, exaltiert, exzessiv, ausgelassen

überschwappen → überfließen

überschwemmen → überfluten

Überschwemmung: Überflutung, Sintflut, Hochwasser

übersehbar → überschaubar ‖ → absehbar

übersehen: nicht bemerken, überlesen, etwas entgeht jmdm. ‖ → ignorieren ‖ → auslassen ‖ → überblicken

überselig → glücklich

übersenden: zukommen lassen ‖ → schicken

übersetzen: ans andere Ufer fahren, hinüberfahren, durchschiffen, -fahren ‖ übertragen, dolmetschen, als Dolmetscher tätig sein; *ugs.:* den Dolmetscher spielen/machen, verdeutschen

Übersicht → Überblick ‖ → Liste

übersichtlich → überschaubar

übersiedeln → umziehen

Übersiedelung → Umzug

übersinnlich: spiritual, geistig, metaphysisch, transzendent, spiritistisch, übernatürlich, -irdisch, immateriell, jenseitig

überspannt: übersteigert, -spitzt, -trieben, -zogen, exzentrisch, verstiegen, fantastisch, extravagant, ausgefallen, ungewöhnlich, extrem, exaltiert; *ugs.:* überkandidelt, verdreht, -rückt, flippig

überspielen: kaschieren, verschleiern, vertuschen ‖ → verbergen

überspitzt → überspannt ‖ → übertrieben

überspringen → s. ausdehnen ‖ → übergehen ‖ → auslassen

übersprudeln → überfließen

überstehen: hinter s. bringen, überwinden, -leben, hinwegkommen über, verkraften, -schmerzen, -arbeiten, -winden, ertragen, durchstehen, -kommen, aushalten, auffangen, fertig werden mit; *ugs.:* verdauen, s. über Wasser halten, mit heiler Haut davonkommen, wegkommen über

übersteigen → übertreffen

übersteigern → übertreiben

überstimmen: an Zahl übertreffen, besiegen, mehr Stimmen erhalten, überrunden, -tönen, zum Schweigen bringen, mundtot machen, s. als überlegen erweisen, die Mehrheit/in den Schatten stellen; *ugs.:* abhängen, in die Tasche stecken

überstreifen → überhängen

überströmen → überfluten ‖ → überfließen

überstülpen: aufsetzen, -stülpen, anlegen/-tun

überstürzen: übereilen, -hasten, übers Knie brechen, unüberlegt/vorschnell/unbedacht handeln ‖ **sich ü.:** s. überschlagen, rasch aufeinander folgen, s. jagen, s. ablösen, Schlag auf Schlag folgen

überstürzt: übereilt, -hastet, hastig, eilfertig, Hals über Kopf, kopflos, unüberlegt, blind, vorschnell, -eilig, in wilder Hast/großer Eile, unbedacht, zu schnell, leichtfertig, ohne Überlegung

übertölpeln: überlisten, übervorteilen ‖ → betrügen

übertragbar → brauchbar ‖ ansteckend, infektiös, virulent

übertragen → übersetzen ‖ → anwenden ‖ → senden ‖ anstecken, infizieren, verseuchen ‖ → übergeben ‖ → delegieren ‖ → bildlich

übertreffen: überbieten, -flügeln, -trumpfen, -ragen, -runden, -holen, distanzieren, über den Kopf wachsen, in den Schatten stellen, den Rang ablaufen, schlagen, ausstechen, hinauswachsen über, Besseres leisten, bezwingen, -siegen, hinter s. lassen, jmdm. überlegen sein, ab-, verdrängen, in den Hintergrund drängen, aus dem Feld schlagen, den Vogel abschießen, etwas besser können, größer sein; *ugs.:* in die Tasche/den Sack stecken, abhängen, niedermachen, jmdm. die Schau stehlen, alle Rekorde schlagen ‖ überschreiten, -steigen, die Vorstellung/den Rahmen sprengen, über das Ziel schießen, hinausgehen über, über dem Erwarteten liegen

übertreiben: hochspielen, übersteigern, -spannen, -spitzen, -ziehen, auf die Spitze treiben, aufbauschen, dramatisieren, ausweiten, zu weit ge-

hen, Aufheben(s) machen von, ausschmücken, s. hineinsteigern; *ugs.:* aus einer Mücke einen Elefanten machen, (faust)dick auftragen, viel Sums/Trara machen, eine Staatsaktion machen von
übertreten: überschreiten, s. hinwegsetzen über, s. nicht halten an, missachten, nicht befolgen/einhalten/beachten, verstoßen gegen, zuwider-, entgegenhandeln, s. nicht kümmern um, eigenmächtig/widerrechtlich handeln, Unrecht tun, s. etwas zuschulden kommen lassen, ein Gesetz brechen/verletzen, s. vergehen an, abweichen; *ugs.:* s. nicht scheren um, husten/pfeifen auf ‖ → konvertieren
übertrieben → überspannt ‖ überspitzt, -mäßig, exzessiv, zu stark/hoch, allzu, über Gebühr, unverhältnismäßig, massiv, immens, maßlos, horrend
übertrumpfen → übertreffen
übervölkert: dicht besiedelt/bevölkert, überbevölkert, volkreich, dicht bewohnt
übervorteilen: übertölpeln, überlisten ‖ → betrügen
überwachen → kontrollieren ‖ → bespitzeln
Überwachung → Kontrolle
überwältigen → besiegen ‖ → überfallen
überwältigend: unvergesslich, ergreifend, mitreißend, packend, unauslöschlich, bewegend, dramatisch, → außergewöhnlich
überwechseln → desertieren ‖ → konvertieren
überweisen: auf jmds. Konto einzahlen ‖ → schicken
überwerfen → überhängen ‖ **sich ü.** → s. entzweien
überwiegen: das Übergewicht haben, die Mehrheit bilden, vorherrschen, -walten, (prä)dominieren, (das Bild) bestimmen, stärker/zahlreicher/

überlegen sein, herrschen, regieren, die Oberhand haben, den Ton angeben, das Wort führen, das Feld beherrschen, prävalieren; *ugs.:* die erste Geige spielen, die Hosen anhaben, Oberwasser haben
überwiegend → meist ‖ die Mehrheit, -zahl, hauptsächlich, in erster Linie, besonders, vornehmlich, -herrschend, mehr als die Hälfte, in der Hauptsache, vor allem, insbesondere, zum größten Teil
überwinden → besiegen ‖ → überstehen ‖ hinweg-, hinüberhelfen, überbrücken, ausfüllen mit ‖ **sich ü.:** s. bezwingen/-siegen, s. zwingen zu, s. ein Herz fassen, seinem Herzen/s. einen Stoß geben, es übers Herz bringen, über seinen eigenen Schatten springen, s. entschließen, s. aufraffen/-schwingen, s. durchringen, s. Mühe geben, s. anstrengen, s. zusammennehmen/-raffen, s. ermannen, es über s. bringen; *ugs.:* s. einen Ruck geben, s. aufrappeln, s. zusammenreißen, s. am Riemen reißen
überwuchern: überwachsen ‖ → überhand nehmen
Überzahl → Mehrheit
überzählig → überschüssig
überzeugen → überreden ‖ **sich ü.** → s. vergewissern
überzeugend → einleuchtend
überzeugt → eingefleischt
Überzeugung → Ansicht ‖ Gewissheit, Sicherheit, Glaube, Dogma
überziehen → übertreiben ‖ mit einem Überzug versehen, überkleiden, den Bezug wechseln, die Bettwäsche erneuern ‖ zu viel vom Konto abheben, Schulden machen, s. verschulden, Minus auf dem Konto haben, in die roten Zahlen kommen; *ugs.:* Miese haben ‖ **sich ü.** → anziehen ‖ **ein paar ü.** → schlagen
Überzug → Hülle ‖ Film, Schicht, Belag, Guss, Bedeckung

üblich: gewöhnlich, Usus sein, gemeinhin ‖ → normal

übrig → restlich

übrig behalten → übrig lassen

übrig bleiben: zurück-, überbleiben, liegen bleiben, übrig/überflüssig/-schüssig/-zählig/zu viel sein, als Rest bleiben, abfallen

übrigens: nebenbei bemerkt/gesagt, apropos, notabene, im Übrigen, was ich noch sagen wollte, nicht zu vergessen, am Rande

übrig lassen: als/einen Rest lassen, übrig behalten, zurücklassen, nicht aufessen, aufheben, sicherstellen, beiseite bringen

Übung: Training, Schulung, Wiederholung, Schliff, Probe ‖ Fertigkeit, Erfahrung, Gewandtheit, Routine, Praxis ‖ → Unterricht ‖ → Manöver

Ufer: Strand, Küste; *dicht.:* Gestade; *schweiz.:* Bord

uferlos: unkontrolliert, unüberschaubar ‖ → endlos

Uhr: Zeitmessgerät, -messer, Chronometer; *ugs.:* Zwiebel, Wecker

Uhu: *reg.:* Auf; *ugs.:* Schuhu

Ulk → Scherz

ulken → scherzen

ulkig → spaßig, → lustig ‖ → komisch

ultimativ: in Form eines Ultimatums, → nachdrücklich

Ultimatum: Aufforderung, -ruf

um → annähernd ‖ → aus

umändern → ändern

umarbeiten → ändern

umarmen: die Arme schlingen/legen um, umschlingen, -halsen, -fangen, -fassen, -schließen, -klammern, in die Arme nehmen/schließen, (ans Herz) drücken, um den Hals fallen, an s. ziehen/pressen

umbauen → renovieren

umbiegen → falten

umbilden → ändern

umbinden: umschlingen, -wickeln, anlegen, -ziehen

umblättern: umschlagen, die nächste Seite aufschlagen, die Seite wenden, umwenden

umblicken, sich → s. umsehen

umbringen → töten ‖ **sich u.:** s. das Leben nehmen, seinem Leben ein Ende setzen, s. töten, s. entleiben, Selbstmord/Suizid verüben/begehen, Hand an s. legen, s. richten, s. etwas antun, den Freitod wählen, freiwillig aus dem Leben/der Welt scheiden/gehen, s. ertränken, ins Wasser gehen, s. vergiften, Gift/Schlaftabletten/eine Überdosis nehmen, s. vergasen, den Gashahn aufdrehen, s. eine Kugel durch den Kopf jagen, s. erschießen/-dolchen, s. auf-, erhängen, s. verbrennen, s. die Pulsadern aufschneiden, aus dem Fenster/von der Brücke springen; *ugs.:* Schluss/Ende machen

Umbruch: Revolte, Rebellion, Reform ‖ → Revolution

umbuchen → verlegen

umdenken → umlernen

umdirigieren → umleiten

umdisponieren → verlegen

umdrehen: auf die andere Seite drehen, umschlagen, -legen, -krempeln, -stülpen, -klappen, -wenden ‖ wenden, umkehren, -schwenken, -biegen, kehrtmachen, zurückgehen, -fahren, den Weg zurückgehen ‖ **sich u.** → s. abwenden ‖ → s. umsehen

umfallen: umstürzen, -schlagen, -sinken, -kippen, zu Boden stürzen/gehen, den Halt verlieren, niedergehen, fallen; *ugs.:* umfliegen ‖ → ohnmächtig werden ‖ → umschwenken

Umfang → Ausmaß

umfangen → umarmen

umfangreich: umfassend, eingehend, ausgedehnt, weitläufig, umfänglich, gründlich, intensiv, gewissenhaft, erschöpfend, ausführlich ‖ → dick ‖ → groß

umfassen → umarmen ‖ → enthalten

umfassend → umfangreich

umformen → ändern

Umfrage: Befragung, Meinungsumfrage, -forschung, Rundfrage, Interviews, demoskopische Untersuchung, (Repräsentativ)erhebung, Exploration, Feldforschung, Enquete

umfrieden → einzäunen

umfunktionieren: eine andere Funktion geben, → ändern

Umgang: gesellschaftlicher Verkehr, Gesellschaft, Verbindung, Kontakt, Einfluss; *ugs.:* Connection

umgänglich → gesellig ‖ → höflich

Umgangsformen: Manieren ‖ → Benehmen

Umgangssprache: Alltags-, Gemein-, Gebrauchssprache

umgarnen → bezaubern

umgeben: ein-, umfassen, einsäumen, ein-, umgrenzen, ein-, umzäunen, umrahmen, -schließen ‖ einschließen, -kesseln, umzingeln, -stellen, -ringen, ein-, umkreisen, belagern ‖ die Umgebung bilden, um etwas herum sein

Umgebung: Umland, Gegend, Umkreis, Landschaft, Nachbarschaft, Nähe ‖ → Umwelt

umgehen s. → ausdehnen ‖ in Umlauf sein, umlaufen, kursieren, die Runde machen, kreisen, zirkulieren, s. → herumsprechen ‖ → spuken ‖ → meiden ‖ **u. mit** → s. beschäftigen mit ‖ → handhaben

umgehend → sofort

umgekehrt → gegensätzlich ‖ umgedreht, (seiten)verkehrt, spiegelbildlich, verkehrtherum ‖ im Gegenteil, anders

umgestalten → ändern

Umgestaltung: Neu-, Umprofilierung ‖ → Neuerung

umgraben → pflügen

umgreifen → enthalten

umgrenzen → einzäunen

umgruppieren: anders gruppieren/ (an)ordnen / aufbauen / -stellen / zusammensetzen / einteilen / strukturieren/gliedern, verlagern, umschichten, -strukturieren

umgucken, sich → umsehen ‖ **sich u. nach** → suchen

umhalsen → umarmen

Umhang: Pelerine, Cape, Poncho, Plaid, Mantille

umhängen → überhängen

umhauen: zu Boden schlagen, umschlagen, abhauen, -holzen, -sägen, fällen ‖ → überraschen

umhegen → pflegen

umher: herum, rings(um), nach allen Seiten, bald hier(hin), bald dort(hin), rundum

umherirren: herumirren, s. → herumtreiben

umherlaufen s. → herumtreiben

umherschwirren s. → herumtreiben

umherstreunen s. → herumtreiben

umherstrolchen s. → herumtreiben

umherziehen s. → herumtreiben

umhören, sich → fragen

umhüllen: eine Hülle legen um, einhüllen, -wickeln, -packen, ver-, einmummen, be-, zudecken ‖ → verbergen

Umkehr: Rück-, Abzug, Zurückweichen, Aufgabe, Räumung ‖ Besserung, Wandlung, Neubeginn, Bekehrung, Läuterung

umkehren → umdrehen

umkippen → umfallen ‖ kentern, untergehen, sinken, Übergewicht bekommen, umschlagen, kippen ‖ → ohnmächtig werden ‖ → umwerfen

umklammern: s. klammern an, festhalten, umfassen, s. anklammern/ -halten ‖ → einschließen

umkleiden, sich → umziehen

Umkleideraum: Ankleideraum, Umkleidekabine, Garderobe

umknicken → falten ‖ s. den Fuß vertreten; *ugs.:* umschnackeln

umkommen → sterben ‖ → faulen

Umkreis: (Reich)weite, Blick-, Gesichtsfeld, Gesichtskreis, Horizont ‖ → Umgebung

umkreisen: s. drehen/in einer Bahn bewegen um, umlaufen, umrunden ‖ einkreisen ‖ → umgeben

umkrempeln → ändern ‖ → umdrehen

umlagern: s. drängen/scharen um, herumstehen um, belagern, umringen, -zingeln, einkreisen ‖ anders lagern, in ein anderes Lager bringen, umstellen

Umland → Umgebung

Umlauf: (Um)drehung, das Kreisen, Rotation ‖ → Rundschreiben ‖ **in U. setzen** → verbreiten ‖ → publizieren ‖ **in U. sein** → kursieren, → s. herumsprechen

umlaufen → umkreisen ‖ überrennen, zu Fall bringen; *ugs.:* umrennen, über den Haufen rennen ‖ → kursieren

umlegen → überhängen ‖ an einen anderen Ort bringen/Platz stellen ‖ → verteilen ‖ → verlegen ‖ → töten

umleiten: umdirigieren, verlegen, wegführen

umlernen: seine Auffassungen revidieren/Ansichten ändern, umdenken, s. in einen Lernprozess begeben, s. verändern, s. offen zeigen für, s. umgewöhnen, anders werden, s. entwickeln ‖ einen anderen Beruf erlernen, umschulen, -bilden, (s.) beruflich umstellen

umliegend → benachbart

umnachtet → geistesgestört

umnebelt → benommen

umpflanzen: umtopfen, -setzen, aus-, verpflanzen

umpflügen → pflügen

umrahmen → umgeben ‖ begleiten, untermalen, abrunden

umranden: (um-, ein)rändern, anzeichnen, -streichen, kennzeichnen; *ugs.:* umringeln

umreißen: skizzieren, eine Skizze anfertigen, in großen Zügen/knapp darstellen, konturieren, einen kurzen Überblick geben ‖ → entwerfen ‖ → umwerfen

umrennen → umlaufen

umringen → umlagern

Umriss: Silhouette, Schattenriss, Kontur, Linie

umrühren → rühren

umsatteln: den Beruf wechseln, einen anderen Beruf ergreifen, s. verändern; *ugs.:* umsteigen

Umsatz: Verkauf, Absatz, Geschäft, (Waren)umschlag ‖ Verkaufserlös, Bruttoeinnahmen

umschauen, sich → s. umsehen ‖ **sich u. nach** → suchen

umschichtig → abwechselnd

Umschlag: Wickel, Kompresse, Packung, Verband ‖ Hülle, Einband ‖ → Umsatz ‖ (Brief)kuvert, Briefhülle ‖ → Aufschlag

umschlagen → umhauen ‖ → umblättern ‖ umstülpen, hochschlagen, -klappen, aufschlagen, um-, aufkrempeln ‖ → umkippen ‖ → s. ändern

umschließen → umgeben ‖ → enthalten

umschlingen → umarmen ‖ s. schlingen/s. winden/s. schlängeln/s. legen/s. wickeln/s. ringeln um, umranken

umschmeicheln → schmeicheln

umschmeißen → umwerfen

umschreiben → ändern ‖ andeuten, einen Überblick geben, umreißen, knapp darstellen/-legen, skizzieren, illustrieren, lebendig machen, beschreiben, schildern, nachzeichnen, wiedergeben, vermitteln

umschulen: auf eine andere Schule schicken ‖ → umlernen

umschütten: aus-, verschütten, vergießen ‖ → umwerfen

umschwärmen: hofieren, den Hof machen, umwerben, → anbeten

umschwärmt → beliebt

umschwenken: seine Meinung/Absicht/den Sinn ändern, anderen Sinnes werden, seine Gesinnung wechseln, seinen Standpunkt aufgeben, s. anders besinnen, zum anderen Lager übergehen, mit wehenden Fahnen zum Gegner überlaufen, einen Gesinnungswandel durchmachen; *ugs.:* umkippen, -fallen

Umschwung → Revolution

umsehen, sich: s. umwenden/-drehen/-blicken/-schauen, hinter s. sehen, zurückblicken, -schauen, -sehen, hinterhersehen, -blicken, -schauen, mit Blicken verfolgen ‖ **sich u. nach** → suchen

umseitig: auf der Rückseite, rückseitig, auf der nächsten/anderen Seite

umsetzen → verkaufen ‖ → umpflanzen ‖ → verwirklichen

Umsicht → Überblick ‖ → Sorgfalt

umsichtig: mit Umsicht/Überlegung/Vorsicht/Besonnenheit, weitblickend, besonnen ‖ → schonend

umsiedeln: aussiedeln, evakuieren, verlagern, -legen, -pflanzen ‖ → umziehen

umsinken → umfallen ‖ → ohnmächtig werden

umsonst → nutzlos ‖ kostenlos, -frei, gratis, (gebühren)frei, ohne Geld, geschenkt, unentgeltlich; *ugs.:* für nichts, so

umsorgen → pflegen

umspringen → handhaben

Umstand: Begleiterscheinung, Faktor, Moment, Besonderheit, Einzelheit, Kraft, Element ‖ → Tatsache ‖ → Sachlage ‖ *pl.:* Aufwand, -hebens, Schwierigkeiten, Mühe, Vorbereitungen; *ugs.:* Scherereien, → Zirkus ‖ **unter Umständen** → möglicherweise

‖ **unter allen Umständen** → unbedingt ‖ **in anderen Umständen sein** → schwanger sein

umständlich → ungeschickt ‖ zu ausführlich, langatmig, zeitraubend, weitschweifig, -läufig

umsteigen: den Zug/Bus wechseln, seine Fahrt fortsetzen mit, ein anderes Verkehrsmittel nehmen ‖ → umsatteln

umstellen: an einen anderen Ort/Platz stellen, verrücken ‖ → umgeben ‖ **sich u.** → umlernen

umstimmen → überreden

umstoßen → umwerfen

umstritten: strittig, bestreitbar, problematisch, zweifelhaft, fraglich, -würdig, bedenklich, ungewiss, -durchschaubar, -sicher, ungeklärt, offen

umstülpen → umschlagen ‖ → umdrehen

Umsturz → Revolution

umstürzen → umfallen ‖ → ändern

umstürzlerisch: anarchistisch ‖ → rebellisch

Umtausch: Rückgabe, Tausch

umtauschen → tauschen

umtopfen → umpflanzen

Umtriebe → Aktion ‖ → Machenschaften ‖ → Ausschreitung

umtun → überhängen ‖ **sich u. nach** → suchen

umwälzen → ändern

umwälzend → bahnbrechend

umwandeln → ändern

Umwandlung → Wandel

umwechseln → tauschen

Umweg: Abschweifung, -stecher; *ugs.:* Schlenker ‖ **auf Umwegen** → indirekt

Umwelt: Lebenskreis, -bereich, -raum, -bedingungen, -umstände, (Atmo)sphäre, Mitwelt, Wirkungskreis, Umgebung, Milieu

umweltfreundlich: biologisch, natürlich, alternativ, naturverträglich,

schadstoffreduziert, gift-, rückstand-
frei, wiederverwendbar, recycelfä-
hig; *ugs.:* ohne Chemie, aus Müll
(hergestellt)
Umweltverschmutzung: Umweltzer-
störung, -vergiftung, -belastung,
-verpestung, Naturzerstörung
umwenden → umblättern ‖ **sich u.**
→ s. abwenden
umwerben → werben um
umwerfen: umkippen, -stoßen,
-schütten, zu Fall bringen, niederstoßen, umreißen, -stürzen; *ugs.:* umschmeißen ‖ (ver)ändern, modifizieren, wandeln, über den Haufen werfen, eine neue Situation schaffen,
umstellen ‖ → überraschen ‖ → erschüttern
umwerfend → außergewöhnlich
umwickeln: umschlingen, ein-, ver-,
umbinden, einen Verband anlegen,
bandagieren
umwölken, sich → s. eintrüben
umzäunen → einzäunen
umziehen: weg-, ver-, fort-, ausziehen, seine Wohnung aufgeben, seinen Wohnsitz verlegen/Haushalt
auflösen, über-, umsiedeln, an einen
anderen Ort ziehen, einen Wohnungswechsel vornehmen, s. verändern ‖ **sich u.:** s. umkleiden, die Kleidung wechseln, andere Kleider anziehen
umzingeln → umgeben
Umzug: Wohnungswechsel, Über-
siedlung, Auszug, Wohnortverlegung
‖ (Auf)zug, Prozession, Festzug ‖
→ Demonstration
unabänderlich → endgültig
unabdingbar: unaufgebbar, -ent-
behrlich, -verzichtbar, -umgänglich,
-veräußerlich, -ausweichlich, -erläss-
lich, -vermeidlich, -abweisbar, zwingend, notwendig, nötig, erforderlich,
wichtig, wesentlich
unabgeschlossen: offen, fraglich,
Openend ‖ → unvollständig

unabhängig: eigenständig, -verant-
wortlich, independent, → frei ‖ **u.**
von: abgesehen von, gleichgültig
unabkömmlich: unentbehrlich, -er-
setzbar, -erlässlich, ausschlaggebend,
(lebens)wichtig, vonnöten, entscheidend, wesentlich, erforderlich
unablässig → dauernd
unabsehbar → endlos ‖ → unberechenbar
unabsichtlich: nicht absichtlich/wil-
lentlich/extra, nicht vorsätzlich, unbeabsichtigt, -bewusst, -gewollt, -ge-
plant, -willkürlich, aus Versehen, irrtümlich, ohne Absicht, versehentlich,
absichtslos, ohne es zu wollen
unabweisbar → unabdingbar
unabwendbar: unvermeidbar, -aus-
weichlich, -umgänglich, -aufhaltsam,
-ausbleiblich, -abänderlich, -ent-
rinnbar, -vermeidlich, -weigerlich,
zwangsläufig, schicksalhaft, vorbestimmt, beschlossen, mit Sicherheit
eintretend, zwingend, sicher
unachtsam: gedanken-, sorg-, achtlos, nachlässig, leichtsinnig, -fertig,
unsorgfältig, lieblos, ohne Sorgfalt,
unvorsichtig ‖ → unaufmerksam
unähnlich → verschieden
unanfechtbar → sicher
unangebracht: unpassend, -gehörig,
-qualifiziert, -willkommen, -ange-
messen, -schicklich, -geziemend, -ge-
bührlich, -geeignet, deplatziert, fehl
am Platz/Ort, störend, nicht gern gesehen, peinlich, inadäquat, verfehlt,
takt-, geschmacklos, ohne Feingefühl; *ugs.:* unmöglich
unangemessen → unangebracht
unangenehm: unerfreulich, -will-
kommen, -erquicklich, -gut, -liebsam,
-erwünscht, -günstig, -gelegen, -be-
quem, -befriedigend, schlecht,
schlimm, widrig, prekär, misslich,
peinlich, ärgerlich, fatal, böse,
dumm, verdrießlich, leidig, beschwerlich, -trüblich, lästig, störend,

übel, traurig, bedauerlich, arg, skandalös, schrecklich; *derb:* (sau)blöd, beschissen, -lämmert ‖ → heikel ‖ → ekelhaft ‖ ungemütlich, -behaglich, -wirtlich, -freundlich, -schön, kühl, kalt

unangreifbar: unwiderlegbar, hieb- und stichfest, unantastbar ‖ → sicher

unannehmbar: indiskutabel, unakzeptabel, -vertretbar, -brauchbar, -tauglich, -möglich, -einlösbar, übertrieben

Unannehmlichkeit → Ärger

unansehnlich → häßlich

unanständig → anstößig

unantastbar → tabu

unappetitlich → ekelhaft

Unart: schlechtes Angewohnheit, Unsitte, schlechtes Benehmen, Ungezogenheit, Fehler, Untugend, Laster, Schwäche

unartig → frech ‖ → ungehorsam

unästhetisch → hässlich

unaufdringlich → dezent

unauffällig → dezent ‖ → heimlich ‖ → einfach

unauffindbar → verschwunden

unaufgefordert → freiwillig

unaufgeräumt → unordentlich

unaufgeschlossen → unzugänglich ‖ → intolerant

unaufhaltsam → unabwendbar ‖ → dauernd

unaufhörlich → dauernd

unaufmerksam: nicht bei der Sache, unkonzentriert, -achtsam, (geistes)abwesend, zerstreut, desinteressiert, abgelenkt, verträumt, -spielt, zerfahren, unbeteiligt, fahrig, achtlos

unaufrichtig → falsch ‖ **u. sein** → lügen

unausbleiblich → unabwendbar

unausführbar → undurchführbar

unausgeglichen: mit s. selber uneins, zerrissen, labil, unbeständig, wechsel-, flatterhaft, wankelmütig, launisch, nicht im Gleichgewicht, rast-

los, mit s. nicht im Frieden/Reinen, un-, disharmonisch, gespalten, unstet, schwankend

unausgegoren: unreif, -ausgewogen, -fertig, -ausgereift, -durchdacht, -entwickelt, -genügend

unausgeschlafen → müde

unausgesetzt → dauernd

unausgesprochen → indirekt

unauslöschlich → unvergesslich

unaussprechlich → unglaublich ‖ → sehr

unausstehlich → unerträglich

unausweichlich → unabwendbar

unbändig: unbezähmbar, wild ‖ → maßlos ‖ → sehr

unbarmherzig: mitleidlos, kaltblütig, entmenscht ‖ → hart ‖ → brutal

unbeabsichtigt → unabsichtlich

unbeachtet → heimlich

unbeantwortet → unerwidert

unbeaufsichtigt → unbewacht

unbebaut: unbearbeitet, -bestellt, brach(liegend), unerschlossen

unbedacht → unüberlegt

unbedarft: naiv, unerfahren, -reif, -wissend, -bewandert, -kundig, -kritisch, einfältig, einfach, gutgläubig

unbedenklich: ohne Bedenken/weiteres / zu zögern / Zögern / Scheu, leichten Herzens, bedenken-, anstandslos, einfach, glattweg; *ugs.:* glatt

unbedeutend: unwichtig, unwesentlich, unerheblich, unmaßgeblich, -scheinbar, nichts sagend, wert-, belang-, wesen-, farb-, einfluss-, folgen-, bedeutungslos, unter-, nachgeordnet, nebensächlich, zweitrangig, uninteressant, nicht von Interesse/ der Rede wert, peripher, irrelevant, ohne Relevanz/Belang/Einfluss, akzidentiell, gleichgültig, nichtig, egal, nicht erwähnenswert ‖ gering(fügig), unbeträchtlich, leicht, nicht nennenswert/ins Gewicht fallend, verschwindend, minimal, lächerlich, (sehr) klein/wenig, von geringem Ausmaß, kaum sichtbar/spürbar ‖ → unbekannt

unbedingt: auf jeden Fall/alle Fälle, jedenfalls, um jeden Preis, so oder so, wie auch immer, unter allen Umständen, auf Biegen und Brechen, absolut, mit aller Gewalt, wie auch immer, unabhängig von, koste es, was es wolle; *ugs.:* partout, auf Teufel komm raus ‖ uneingeschränkt, -verbrüchlich, -abdingbar, -fehlbar, vorbehaltlos, vollkommen ‖ ausgerechnet, gerade

unbeeinflusst: sachlich, neutral, souverän, unabhängig, erhaben ‖ → objektiv

unbeendet → unvollständig

unbefangen: unbelastet, -beschwert, -bekümmert, -gehemmt, -verkrampft, -geniert, gelassen, ohne Scheu, nicht vorbelastet, leicht, sorglos, frei, arglos ‖ → objektiv

unbefleckt → unschuldig

unbefriedigend → mangelhaft

unbefriedigt → unzufrieden

unbefugt → eigenmächtig

unbegabt: untalentiert, -fähig, -geschickt, talentlos, nicht geschaffen/-eignet für, minderbegabt, schwach, ohne Geschick für

unbegreiflich: unfass-, unbegreif-, unerklär-, undurchschaubar, unerklär-, unerfind-, unverständ-, unergründ-, unfasslich, nicht zu begreifen/fassen, ein Rätsel/Geheimnis, geheimnisvoll, dunkel, mysteriös, nebulös, undurchsichtig, -durchdringlich, -erforschlich, -klar, geheimnisumwittert; *ugs.:* schleierhaft ‖ → unglaublich

unbegrenzt: uneingeschränkt, -beschränkt, ohne Einschränkung, beliebig, schrankenlos, absolut, total, vollkommen ‖ → unendlich

unbegründet → grundlos ‖ → abwegig

Unbehagen: unangenehmes Gefühl, Widerwillen, Beklommenheit, -klemmung, Missfallen, Lustlosigkeit, → Missstimmung

unbehaglich: unwohnlich, -gemütlich, -bequem, -wirtlich, -freundlich, kühl ‖ → unwohl

unbehelligt → unbehindert

unbeherrscht → aufbrausend ‖ → hemmungslos

unbehindert: unbehelligt, -gehindert, -geschoren, -gestört, -beschränkt, -kontrolliert, -belästigt, frei, in Ruhe, ohne Hindernis(se)/Schwierigkeiten/Zwischenfälle/Störung, leicht, reibungslos, ruhig, glatt

unbeholfen → ungeschickt

unbehütet → schutzlos

unbeirrbar → standhaft ‖ → beharrlich

unbeirrt → standhaft ‖ → beharrlich

unbekannt: unbedeutend, -beachtet, -entdeckt, nicht berühmt/populär, namen-, ruhmlos, ohne Namen, anonym, vernachlässigt; *ugs.:* ein unbeschriebenes Blatt, dahergelaufen ‖ fremd, ungeläufig, nicht vertraut/gegenwärtig/zugänglich

Unbekannter → Fremder

unbekehrbar → dogmatisch

unbekleidet → nackt

unbekömmlich: unverdaulich, schwer verdaulich, ungenießbar, (gesundheits)schädlich, ungesund, gefährlich, unverträglich, schlecht

unbekümmert → sorgenlos

unbelastet → unbefangen

unbelebt → einsam

unbelehrbar → dogmatisch

unbeliebt: nicht gern gesehen, unerwünscht, -populär, -sympathisch, -ausstehlich, verhasst, antipathisch, missliebig; *ugs.:* nicht gut/schlecht angeschrieben sein, unten durch ‖ **u. sein:** es s. verdorben/s. jmds. Unwillen zugezogen/bei jmdm. verspielt/s. jmds. Gunst verscherzt haben, in Ungnade gefallen/jmdm. zuwider/nicht gern gesehen/jmdm. ein Dorn im Auge/Persona ingrata/bei jmdm. schlecht angesehen/in Misskredit geraten sein, jmdm. nicht liegen; *derb:* es verschissen haben

unbemerkt → heimlich

unbemittelt → arm

unbenutzt → neu

unbeobachtet → heimlich

unbequem → ungemütlich ‖ → lästig

unberechenbar: unkalkulier-, unabseh-, unüberschau-, unvorherseh-, unwäg-, unbestimm-, unmessbar, nicht voraussagbar/einzuschätzen/prognostizierbar/zu planen, imponderabel ‖ → unbeständig ‖ → unzuverlässig

unberechtigt → eigenmächtig ‖ → grundlos ‖ → abwegig

unberührt → unschuldig ‖ → neu

unbeschädigt → heil

unbeschäftigt → arbeitslos

unbescheiden → anspruchsvoll ‖ → anmaßend

unbescholten → anständig

unbeschränkt → unbegrenzt ‖ → unendlich ‖ → frei

unbeschreiblich → sehr ‖ → unglaublich

unbeschützt → schutzlos

unbeschwert → sorgenlos

unbesehen → anstandslos

unbesetzt: leer, offen, vakant, frei, verfügbar, zur Verfügung, zu haben, disponibel

unbesiegbar: unschlag-, unbezwing-, uneinnehm-, unüberwindbar, unüberwind-, unbezwing-, unübertrefflich

unbesonnen → unüberlegt

unbesorgt: guten Gewissens, leichten Herzens, beruhigt, ruhig, → sorgenlos

unbeständig: schwankend, sprunghaft, veränderlich, flatterhaft, flatterig, unstet, wechselhaft, wechselnd, launenhaft, launisch, wetterwendisch, unausgeglichen, wankelmütig, voller Launen, wandelbar, unzuverlässig, inkonsequent

Unbeständigkeit → Wankelmut

unbestechlich: redlich, ehrenhaft, rechtlich, unbeeinflussbar, charakterfest, rechtschaffen, unkorrumpierbar, ordentlich, anständig, ehrlich, vertrauenswürdig, unerschütterlich, integer, korrekt, solide

unbestimmt → ungewiss ‖ → unklar

unbestreitbar → sicher

unbestritten → sicher

unbeteiligt: phlegmatisch, träge, in sich gekehrt ‖ → apathisch

unbeträchtlich → klein

unbeugsam → standhaft

unbewacht: unkontrolliert, -beaufsichtigt, -behütet, -gesichert, herrenlos, ohne Aufsicht, aufsichtslos

unbewältigt: unverarbeitet, -gelöst, verdrängt, offen

unbewandert → unwissend

unbeweglich → regungslos ‖ unflexibel, eng(stirnig), schwerfällig, dogmatisch, festgefahren, einseitig, uneinsichtig, träge

unbewegt → regungslos

unbewiesen → zweifelhaft

unbewohnt leer (stehend), unbesetzt ‖ → einsam

unbewölkt → wolkenlos

unbewusst → instinktiv ‖ → unabsichtlich ‖ selbstverborgen, unterbewusst, im Unterbewusstsein, ohne Bewusstheit, nicht bewusst, unterschwellig

unbezahlbar → teuer

unbezähmbar: unbändig, wild ‖ → maßlos

unbezweifelbar → sicher

unbezwingbar → unbesiegbar

Unbill: Unrecht, Härte, Kränkung

unbrauchbar: untauglich, -geeignet, -praktisch, -zweckmäßig, nichts wert, zu nichts zu gebrauchen, → nutzlos

und: plus, sowie, wie, auch, zugleich, gleichzeitig ‖ → außerdem ‖ aber, (je)doch, wo-, hingegen, indes(sen)

undankbar: ohne Dankbarkeit, schnöde, ungerecht, nicht dankbar

undefinierbar → unklar

undenkbar: unvorstellbar, -möglich, ausgeschlossen, nicht zu glauben/ denken, kaum denkbar

Underground → Subkultur

Understatement → Untertreibung

undeutlich → unklar

undicht: leck, durchlässig, löcherig, porös ‖ defekt, schadhaft, lädiert

undifferenziert: zu grob/allgemein/ ungenau/-bestimmt, nicht nuanciert/detailliert genug

Unding → Unsinn

undiplomatisch → unklug

undiszipliniert → hemmungslos

unduldsam → intolerant

undurchdringlich: impermeabel, unwegsam, -durchlässig, dicht, verwachsen ‖ → unzugänglich ‖ → geheimnisvoll

undurchführbar: unausführ-, undenk-, unrealisier-, unerreichbar, utopisch, unmöglich, impraktikabel, indiskutabel, aussichts-, hoffnungslos, nicht zu machen/möglich, ausgeschlossen

undurchlässig: (luft-, wasser)dicht, fest, geschlossen, water-proof

undurchschaubar → zweifelhaft

undurchsichtig: dunkel, trübe, opak, milchig ‖ undurchschaubar, obskur, zwielichtig, suspekt, halbseiden, zweifelhaft, unheimlich, ominös, nebulös ‖ → unklar

uneben: hügelig, wellig, bergig; *ugs.:* bucklig ‖ holperig, rumpelig, höckerig, ungleichmäßig, nicht glatt

unecht: gefälscht, falsch, nachgemacht, -geahmt, -gebildet, kopiert, imitiert ‖ → künstlich

unehelich: vor-, nicht-, außerehelich, illegitim, ledig

unehrenhaft → ehrlos

unehrlich → falsch

uneigennützig → selbstlos

uneingeschränkt → unbegrenzt ‖ bedingungs-, vorbehaltlos, unbedingt, vollständig, ohne Vorbehalt, völlig

uneinig: verschiedener Meinung/ Ansicht, uneins, gespalten, zerstritten, -fallen

uneinnehmbar → unbesiegbar

uneins → uneinig

uneinsichtig: verblendet, lernunfähig, unzugänglich, -verbesserlich, schwerfällig, unflexibel, -beweglich, -belehrbar, verständnislos

unempfänglich → unzugänglich

unempfindlich: empfindungs-, gefühllos, ohne Gefühl, ungerührt, taub, stumpf, abgestumpft, gleichgültig; *ugs.:* dickfellig, wurstig, abgebrüht ‖ → immun

unendlich: endlos, unabsehbar groß, weit, ohne Grenze/Ende, grenzenlos, unermesslich, -begrenzt, -versiegbar, -messbar, -übersehbar, -beschränkt, -zählbar, -erschöpflich, zahllos ‖ → ewig ‖ → sehr

unentbehrlich → nötig ‖ unersetz-, unbezahlbar, unersetzlich, einzig, einmalig

unentgeltlich → umsonst ‖ unbezahlt, ehrenamtlich, -halber, ohne Bezahlung, freiwillig

unentrinnbar → unabwendbar

unentschieden: punktgleich, remis, patt ‖ → ungewiss ‖ entschlusslos, unentschlossen, -schlüssig, zuwartend, zögernd, zaudernd, vorsichtig, zaghaft, zweifelnd, schwankend, unsicher, ratlos

unentschlossen → unentschieden

Unentschlossenheit → Wankelmut

unentschuldbar → unverzeihlich

unentwegt → dauernd ‖ → beharrlich

unerbittlich → hart

unerfahren → kindlich ‖ ungeübt, neu ‖ → unwissend

unerfindlich → unbegreiflich
unerforscht: unbekannt, neu, unbetreten, jungfräulich, fremd
unerfreulich → unangenehm
unergiebig → unfruchtbar
unergründlich → unbegreiflich
unerheblich → unbedeutend ‖ → geringfügig
unerhört: unglaublich, -geheuerlich, -fassbar, -möglich, -beschreiblich, haarsträubend, himmelschreiend, hanebüchen, beispiel-, bodenlos, skandalös, empörend, allerhand, noch nie dagewesen, eine Frechheit/ Zumutung; *ugs.:* toll, doll, ein dicker Hund/starkes Stück, das schreit/ stinkt zum Himmel, da hört s. alles auf, das geht auf keine Kuhhaut, nicht mehr feierlich, der Gipfel/die Höhe/das Letzte, das schlägt dem Fass den Boden aus
unerklärlich → unbegreiflich
unerlässlich → nötig
unerlaubt: ohne Erlaubnis, verboten ‖ → gesetzwidrig ‖ → eigenmächtig
unerledigt: unabgeschlossen, -ausgeführt, -fertig, anstehend, -hängig, liegen geblieben
unermesslich → unendlich ‖ → sehr
unermüdlich → beharrlich ‖ → fleißig
unerquicklich → unangenehm
unerreichbar → undurchführbar ‖ → geistesabwesend
unerreicht → unübertroffen ‖ → perfekt
unersättlich → gierig ‖ → maßlos ‖ → gefräßig
unerschöpflich → unendlich, → reichlich
unerschrocken → mutig
unerschütterlich → standhaft ‖ → beharrlich
unerschwinglich → teuer
unersetzlich: Gold wert, nicht mit Gold aufwiegbar/bezahlbar, → unentbehrlich

unersprießlich → unfruchtbar
unerträglich: unausstehlich, -sympathisch, -genießbar, widerwärtig, unleidlich, -lieb, intolerabel, zuwider, unerwünscht, abstoßend, unbeliebt, -liebsam, ein Dorn im Auge; *ugs.:* ein rotes Tuch ‖ **u. sein:** nicht auszuhalten/zu ertragen, etwas stört; *ugs.:* zum Davonlaufen/die Wände hochgehen, zum Kotzen/Heulen
unerwartet → plötzlich
unerwidert: ohne Reaktion/Antwort/Stellungnahme/Echo, unbeantwortet, -beachtet, ignoriert, außer Acht gelassen, unvergolten ‖ einseitig (Liebe), nicht erhört, unerfüllt, -glücklich
unerwünscht: nicht geduldet/gern gesehen ‖ → unangenehm
unerzogen → frech
unfähig: nicht imstande/in der Lage, unvermögend, -geeignet, -qualifiziert, -tüchtig, -begabt, -tauglich, impotent, nicht geeignet für, außerstande, inkompetent ‖ **u. sein** → versagen
Unfähigkeit: Schwäche, Unvermögen, -tüchtigkeit, -tauglichkeit, -genügen, -zulänglichkeit, Impotenz, Versagen, Ohnmacht, Insuffizienz, Kraftlosigkeit
unfair: nicht ehrlich/anständig/den Regeln entsprechend, regelwidrig, gegen die Regel, unkameradschaftlich, -kollegial, -sportlich, -lauter, -redlich, -sauber, -schön
Unfall → Zusammenstoß ‖ → Unglück
Unfallwagen → Rettungswagen
unfassbar → unbegreiflich ‖ → unglaublich
unfehlbar → sicher
unfein: gewöhnlich, ordinär, nieder, vulgär, niveaulos, → grobschlächtig ‖ → ungebührlich
unfertig → unvollständig ‖ → unausgegoren

Unflat → Schmutz
unflätig → anstößig
unfolgsam → ungehorsam
unförmig: ungestalt, ungeschlacht, ungefüge, ungeformt, formlos, plump, gestaltlos, amorph
unfrei: unselbständig, gebunden, abhängig, untertan, -geordnet, -worfen, -drückt, -jocht, geknebelt, -knechtet, versklavt, entmachtet, -rechtet, rechtlos, unter der Knute ‖ → gehemmt
Unfreiheit → Knechtschaft
unfreiwillig: widerwillig, -strebend, wider Willen, gezwungen(ermaßen), zwangsweise, → notgedrungen
unfreundlich: abweisend, unhöflich, -zugänglich, -wirsch, -sympathisch, -gnädig, -leidlich, -gefällig, -gesellig, -gastlich, -nahbar, -liebenswürdig, rüde, barsch, kühl, distanziert, bärbeißig, mürrisch, schroff, brüsk, kurz angebunden ‖ → trüb
Unfriede → Streit
unfrisiert → struppig
unfroh → freudlos
unfruchtbar: dürftig, kümmerlich, armselig, karg, erbärmlich, mager, inhaltsleer, unbefriedigend, oberflächlich, nichts sagend, ohne Tiefe/Gehalt, flach, wert-, sinn-, nutz-, zweck-, ergebnis-, fruchtlos, ineffektiv, -effizient, unnötig, -ersprießlich, -originell, -produktiv, -schöpferisch, -erfreulich, ohne Einfälle, überflüssig ‖ ertragsarm, unergiebig, dürr, trocken, karg, mager, wüstenhaft, arid, ausgelaugt, erschöpft, öde, unrentabel ‖ zeugungsunfähig, infertil, steril, impotent
Unfug → Unsinn
ungalant → unhöflich
ungeachtet → trotz
ungebärdig: wild, ungestüm, -gezügelt, -gebändigt, ausgelassen
ungebeten: ungeladen, -erwünscht, -willkommen, -aufgefordert, -gefragt, -gelegen

ungebildet → unwissend
ungeborgen: entwurzelt, heimatlos, ungeschützt, ohne Heimat/Wärme, nicht zu Hause, fremd, unbehaglich, -wohl
ungebräuchlich: unüblich, -gewohnt, -gewöhnlich, -konventionell, -geläufig, nicht üblich/alltäglich, ausgefallen, außergewöhnlich, eine Ausnahme, selten, rar
ungebraucht → neu
ungebührlich: unfein, -ziemlich, -schicklich, -möglich, -gebührend, -geziemend, -gehörig, -zumutbar, ohne den nötigen Respekt, respektlos, despektierlich, → taktlos
ungebunden → frei
Ungeduld: Rast-, Ruhelosigkeit, Getriebensein, Unrast, (An)spannung, Erwartung, Nervosität
ungeduldig: erwartungsvoll, angespannt, von Ungeduld erfüllt, → aufgeregt
ungeeignet: unbrauchbar, → nutzlos
ungefähr → annähernd ‖ **von u.:** zufällig, durch/per Zufall, wahllos, beliebig, beiläufig, nebenbei, -her
ungefährlich: harmlos, unschädlich, -verfänglich, gutartig, nicht ansteckend, heilbar ‖ → sicher
ungefällig → unfreundlich
ungeformt → unförmig
ungefragt → freiwillig
ungehalten → ärgerlich
ungeheißen → freiwillig
ungehemmt   → hemmungslos   ‖
→ unbefangen
ungeheuer → sehr ‖ → groß ‖ → gewaltig
Ungeheuer → Scheusal ‖ → Monstrum
ungeheuerlich → unerhört
ungehindert → unbehindert
ungehobelt   → grobschlächtig   ‖
→ frech
ungehörig → ungebührlich, → taktlos

ungehorsam: unartig, -folgsam, -gezogen, -botmäßig, aufsässig, widersetzlich, -spenstig, unfügsam, nicht brav, verzogen

ungekämmt → struppig

ungeklärt → ungewiss

ungekocht → roh

ungekürzt: vollständig, vollzählig, in vollem Umfang, komplett, lückenlos

ungeladen → ungebeten

ungeläufig → ungebräuchlich

ungelegen: zur Unzeit, zu einem ungünstigen Zeitpunkt, unpassend, -zeitig, außer der Zeit, unangenehm, -erwünscht, -willkommen, -günstig, im falschen Augenblick

ungelenk → ungeschickt

ungelenkig → steif

ungelogen → fürwahr

ungelöst: ungeklärt, -erledigt ‖ → offen

Ungemach → Unglück

ungemein → sehr

ungemütlich → unbehaglich

ungenannt → anonym

ungenau → nachlässig ‖ → unklar

ungeniert → zwanglos

ungenießbar → unerträglich ‖ nicht genießbar/essbar/trinkbar, unverdaulich, -verträglich, -bekömmlich, vergällt, denaturiert, schädlich, giftig, → faul

ungenügend → mangelhaft

ungeordnet → durcheinander

ungepflegt → unordentlich

ungeraten → missraten

ungerecht: unbillig, -dankbar, -sachlich, -recht, stiefmütterlich, gemein, unobjektiv, diskriminierend, rechtswidrig, einseitig, parteiisch

ungereimt: zusammenhanglos, unzusammenhängend, → sinnlos

ungern → widerwillig

ungerührt → gleichgültig ‖ → hart

ungesalzen → ungewürzt

Ungeschick → Fehler

ungeschickt: unbeholfen, -gewandt, -gelenk, -beweglich, -praktisch, umständlich, schwerfällig, plump, linkisch, tolpatschig, tölpelhaft, eckig, steif, hilflos, hölzern; *ugs.:* tappig, täppisch, tapsig, wie ein Elefant im Porzellanladen, mit zwei linken Händen ‖ → unklug

ungeschlacht → klobig ‖ → grobschlächtig

ungeschliffen → grobschlächtig

ungeschminkt: nicht geschminkt, natürlich, ohne Schminke/Make-up ‖ → aufrichtig ‖ → klar

ungeschoren → unbehindert

ungeschützt → schutzlos

ungesehen → heimlich

ungesellig → unfreundlich ‖ → unzugänglich

ungesetzlich → gesetzwidrig

ungesittet → anstößig

ungestört → unbehindert

ungestüm → heftig ‖ → leidenschaftlich

ungesund → schädlich ‖ → krank

Ungetier → Monstrum

ungetrübt → klar ‖ durch nichts getrübt/beeinträchtigt/vergiftet/belastet, rein, glücklich, sorgen-, dornen-, schattenlos, unbeschwert, sorgenfrei, → fröhlich

Ungetüm → Scheusal ‖ → Monstrum

ungewandt → ungeschickt

ungewaschen → schmutzig

ungewiss: unbestimmt, -geklärt, -entschieden, -bestätigt, -gesichert, -sicher, -verbürgt, noch nicht entschieden, nicht erwiesen, offen, fraglich, nicht festgelegt/sicher/geklärt, zweifelhaft, problematisch, unstritten ‖ → unklar

ungewöhnlich → außergewöhnlich ‖ atypisch, irregulär, absonderlich, unregelmäßig, anomal, abnorm ‖ → ungebräuchlich

ungewohnt → ungebräuchlich

ungewollt → unabsichtlich

ungewürzt: ohne Geschmack/ Aroma, schlecht gewürzt, würzlos, schal, fad(e), geschmacklos, ungepfeffert, -gesalzen, salzlos, nach nichts schmeckend; *ugs.:* lasch

ungezähmt → wild

ungezählt → zahllos ‖ → oft

ungeziemend → ungebührlich

ungezogen → ungehorsam ‖ → frech

ungezügelt → hemmungslos ‖ → maßlos

ungezwungen → zwanglos

unglaubhaft → unglaubwürdig

ungläubig: gott-, religions-, glaubenslos, unreligiös, freidenkerisch, -geistig, atheistisch ‖ argwöhnisch, skeptisch, misstrauisch, zweifelnd, kritisch

unglaublich: unbegreiflich, -erhört, -fassbar, -beschreiblich, -ermesslich, -geheuerlich, -vorstellbar, -aussprechlich, -säglich, -sagbar, boden-, beispiel-, namen-, maß-, grenzenlos, himmelschreiend, empörend ‖ → sehr

unglaubwürdig: unglaubhaft, -wahrscheinlich, -vorstellbar, kaum zu glauben, fantastisch, unwirklich, nicht zuverlässig/vertrauenswürdig, fragwürdig, falsch, verlogen

ungleich → verschieden ‖ sehr viel, bei weitem, weitaus

ungleichmäßig: unregelmäßig, un-, asymmetrisch ‖ → verschieden

Unglück: Miss-, Ungeschick, Malheur, Katastrophe, GAU, Störfall, Ungemach, Schicksalsschlag, (harter) Schlag, Verhängnis, Tragödie, Tragik, Pech, Unheil, Ruin, Desaster, Heimsuchung, Unglücks-, Unfall, Fiasko, Niederlage, Misserfolg, Abgrund, Verderb(en), Unstern, Debakel, Zusammenbruch, Schrecknis, Elend, Leid, Not(lage), Hiobsbotschaft, Martyrium; *ugs.:* Bescherung, Drama, Panne; *derb:* Scheiße, Scheißdreck

unglücklich → traurig ‖ → trostlos ‖ → katastrophal

unglücklicherweise → leider

unglückselig → katastrophal ‖ → trostlos

Unglücksfall → Unglück

Unglücksrabe: Pechvogel, Unglücksmensch, -wurm, Pechmarie; *ugs.:* armes Hascherl

Unglückstag: schwarzer Tag, Freitag der Dreizehnte

ungnädig → unfreundlich

ungültig: verfallen, unwirksam, wertlos, hinfällig, (null und) nichtig, unbrauchbar, nichts wert, entwertet ‖ **u. werden:** verfallen, -jähren, außer Kraft treten, die Gültigkeit verlieren, ab-, auslaufen ‖ **u. machen** → aufheben

ungünstig → nachteilig ‖ → unangenehm

ungut → böse

unhaltbar: unerträglich, -zumutbar, -genießbar, -möglich, schlimm, katastrophal, verheerend, horrend, fürchterlich, grauenhaft, entsetzlich ‖ nicht zu verteidigen/halten, einnehm-, eroberbar ‖ → falsch

unhandlich: unpraktisch, -beweglich, umständlich, sperrig, unzweckmäßig, -bequem, -geeignet, schwer handhabbar/benutzbar

unharmonisch → unausgeglichen ‖ unverträglich, gestört, chaotisch, schwierig, problematisch, kompliziert

Unheil → Unglück

unheilbar: verloren, nicht heilbar/zu heilen/zu retten, tödlich, hoffnungslos, unrettbar, bösartig

unheilvoll: voller Gefahr/Unheil, unheildrohend, -schwanger, Unheil bringend, Schlimmes verheißend, ominös, von schlimmer Vorbedeutung, ungesund, → gefährlich, → katastrophal

unheimlich → schauerlich ‖ → sehr

unhöflich: unritterlich, -galant, -kultiviert, → taktlos, → unfreundlich ‖ → flegelhaft

Unhold → Scheusal

unhörbar: laut-, ton-, geräuschlos, still, unmerklich, nicht vernehmbar

uni: einfarbig, monochrom, nicht bunt

Uni → Universität

uniformiert: in Uniform ‖ → angepasst

Unikum → Sonderling ‖ → Spaßvogel

uninteressant → unbedeutend ‖ → langweilig

Union → Bund

universal → allgemein ‖ → vielseitig

Universität: (Fach)hochschule, Alma Mater, Akademie, College, Lehr-, Forschungsanstalt; *ugs.:* Uni

Universum → All

unkameradschaftlich → unsolidarisch

unken → schwarzsehen

Unkenntnis: Unwissenheit, Nichtwissen, Mangel an Wissen, Bildungslücke, Wissensmangel, Ignoranz, Ignorantentum, Unverständnis, Verständnislosigkeit, Desinformiertheit, Ahnungslosigkeit, Unbelesenheit, Dummheit, Unerfahrenheit

unkeusch → anstößig

unklar → trüb(e) ‖ verschwommen, undeutlich, -scharf, -verständlich, -bestimmt, -definierbar, -artikuliert, -genau, -sicher, -durchschaubar, -entschieden, -präzis, nicht zu definieren/eindeutig/verständlich/deutlich, vage, andeutungsweise, verworren, wirr, abstrus, unübersichtlich, ein Buch mit sieben Siegeln, zweifelhaft, fraglich, in Dunkel gehüllt, nebulös, schlecht zu verstehen/zu entziffern, zusammenhanglos, unausgegoren, missverständlich ‖ undurchsichtig, -gewiss, -geklärt, -bestimmbar, -zugänglich, -vorhersehbar, frag-

lich ‖ diffus, dunkel, schatten-, schemen-, nebelhaft, verwaschen, nur in Umrissen/flüchtig, obskur

unklug: undiplomatisch, -geschickt, -vorsichtig, -vernünftig, -überlegt, -besonnen, töricht, nicht schlau/taktisch, dumm, gedankenlos, ohne Verstand

unkompliziert → leicht ‖ → eingängig

unkontrolliert → hemmungslos ‖ → unbewacht

unkonventionell → ungebräuchlich

unkonzentriert → unaufmerksam

unkorrekt → nachlässig ‖ → falsch

Unkosten: Auslagen, -gaben, Aufwand, -wendungen, Kosten, Belastungen, Spesen, Zahlungen

unkritisch → kritiklos

unkultiviert: ohne Stil, ungehobelt, barbarisch ‖ → grobschlächtig

unkundig → unwissend

unlängst → kürzlich

unlauter: unehrlich, -redlich, -fair, -solide, -aufrichtig, -korrekt, -reell, -zulässig, betrügerisch, illoyal, gaunerhaft

unlebendig → langweilig

unleidlich → unfreundlich ‖ **u. sein** → muffeln

unleserlich: unlesbar, nicht zu entziffern

unleugbar → sicher

unliebsam → unangenehm

unlogisch → falsch ‖ → widersinnig

unlösbar: nicht zu bewältigen/lösen/enträtseln/meistern; *ugs.:* nicht zu knacken

Unlust: Lustlosigkeit, Unwilligkeit, Widerwillen, Abneigung, Ekelgefühl, (Ab)scheu; *ugs.:* Unbock, null Bock ‖ → Missstimmung

unmanierlich → grobschlächtig

unmäßig → maßlos ‖ → sehr

Unmenge → Menge

Unmensch → Scheusal

unmenschlich → brutal

unmerklich: nicht vernehm-, hörbar, unsichtbar, -auffällig, sacht, leise, still, latent ‖ → allmählich

unmissverständlich → klar ‖ → nachdrücklich ‖ → aufrichtig

unmittelbar → direkt ‖ → natürlich ‖ → sofort

unmodern → altmodisch

unmöglich → undurchführbar ‖ → ungebührlich ‖ → keineswegs ‖ u. machen → verhindern

unmoralisch → anstößig

unmotiviert → grundlos

unmündig → minderjährig

Unmut → Missstimmung

unmutig → mürrisch

unnachahmlich → außergewöhnlich

unnachgiebig → hart ‖ → eigensinnig

unnachsichtig → streng

unnahbar: kühl, distanziert, unzugänglich, abweisend, spröde, verhalten, -schlossen, herb, zurückhaltend, zugeknöpft, stolz

unnatürlich → geziert ‖ → künstlich ‖ → anomal

unnormal → anomal

unnötig → nutzlos

unnütz → nutzlos

unordentlich: schlampig, schludrig, lotterig, unsorgsam, -sorgfältig, nachlässig, liederlich, sorglos ‖ ungeordnet, -aufgeräumt, durcheinander, chaotisch, wild, wüst, ungepflegt, verwahrlost, kunterbunt

Unordnung: Durcheinander, Chaos, Konfusion, Miss-, Lotterwirtschaft, Schlamperei, liederliche Wirtschaft, Tohuwabohu, Liederlichkeit, Schlendrian, Wirrsal, Gewirr, Wirrnis, Gestrüpp, Wirrwarr, Wust, Pelemele, Knäuel, Nachlässigkeit, Vernachlässigung, Hexenkessel, Labyrinth; *ugs.:* Mischmasch, Verhau, Sammelsurium, Kuddelmuddel, Lotterei, Schluderei, Lumpenwirtschaft; *derb:* Sau-, Schweinewirtschaft, Saustall; *reg.:* Menkenke ‖ → Anarchie

unparteiisch → neutral

Unparteiischer → Schiedsrichter

unpassend → unangebracht ‖ → ungelegen

unpässlich → krank

unpersönlich → förmlich ‖ → nüchtern

unpopulär → unbeliebt

unpraktisch → ungeschickt ‖ → unhandlich

unpräzis → unklar

unproblematisch → mühelos

unproduktiv → unfruchtbar

unpünktlich: (zu) spät, verspätet, säumig, im Verzug, nicht (fahr)planmäßig, saumselig, mit Verspätung, nicht zur rechten/vereinbarten Zeit, überfällig, längst fällig, noch nicht eingetroffen ‖ u. sein → s. verspäten

unqualifiziert → unfähig ‖ → unangebracht

Unrast → Unruhe

Unrat → Schmutz, → Müll

unratsam → nachteilig

unrealisierbar → undurchführbar

unrealistisch → weltfremd

unrecht → falsch ‖ → böse

Unrecht → Vergehen

unrechtmäßig → gesetzwidrig

unredlich → unlauter

unreell → unlauter

unregelmäßig: ungleichmäßig, keiner festen Regel folgend, ungleich, un-, asymmetrisch

Unregelmäßigkeit → Betrug

unreif → unausgegoren ‖ → kindlich

unrein → schmutzig ‖ ungenau, -präzise, -sauber, dissonant, falsch, misstönend

unreligiös → ungläubig

unrentabel: unwirtschaftlich, -rationell, nicht lohnend, → unfruchtbar

unrichtig → falsch

unromantisch → nüchtern

Unruhe: Unrast, Ruhe-, Rastlosigkeit, innere Erregung, Nervosität, Ungeduld, Getriebensein, Erregtheit,

Beunruhigung, (An)spannung, Aufgeregtheit ‖ → Lärm

Unruhen → Ausschreitung

Unruhestifter → Störenfried

unruhig: rast-, ruhelos, besorgt, ungeduldig, nervös, aufgewühlt, angespannt, aufgeregt, flatterig, fahrig, hektisch, friedlos; *ugs.:* zapplig, kribbelig, quirlig, fipsig, fickrig ‖ → lebhaft ‖ → sorgenvoll

unrühmlich → kläglich

unsachlich: sachfremd, nicht zur Sache gehörend ‖ → parteiisch

unsagbar → sehr ‖ → unglaublich

unsäglich → sehr ‖ → unglaublich

unsanft → hart

unsauber → schmutzig ‖ → unrein

unschädlich → ungefährlich

unscharf: verwackelt, -zittert, -schwommen, undeutlich, verwischt, → unklar

unschätzbar → kostbar

unscheinbar: unauffällig, farb-, ausdruckslos, nichts sagend, schlicht, einfach, blass, grau

unschicklich → ungebührlich ‖ → anstößig

unschlagbar → unbesiegbar

unschlüssig → unentschieden

unschön → hässlich ‖ → unfair

unschöpferisch: unkünstlerisch, amusisch, nicht kreativ, fantasielos, eklektisch, → unfruchtbar

Unschuld → Reinheit

unschuldig: schuldlos, -frei, ohne eigenes Verschulden, frei von Schuld, nicht schuldig, von aller Schuld rein, unverschuldet, -angreifbar, -tadelig, tadel-, makellos, einwandfrei ‖ (engels)rein, lauter, frei von Sünde, anständig, ahnungslos, unerfahren, naiv, unberührt, -befleckt, -verdorben, keusch

unschwer → mühelos

unselbständig: angestellt, im Angestelltenverhältnis abhängig, angewiesen, hilflos, unsicher, ohne

Selbstvertrauen, hilfs-, anlehnungsbedürftig, gebunden

unselig → katastrophal ‖ → trostlos

unsicher: gefährlich, -fährdet, bedroht, riskant, → schutzlos ‖ → ungewiss ‖ → unentschieden ‖ schwankend, schwach, wankend, wack(e)lig ‖ → gehemmt

unsichtbar: verborgen, -steckt, -deckt, dem Auge entzogen

Unsinn: Unfug, Nonsens, Aber-, Wahnwitz, Unding, Irr-, Wider-, Wahnsinn, Idiotie, Torheit; *ugs.:* Käse, Blödsinn, Schmarren, Humbug, wirres / sinnloses / dummes Zeug, Stuss, Quatsch, Quark, Mumpitz, Krampf, Kohl, Tinnef, Koks, Blech, Kokolores; *derb:* Bockmist, Scheiße ‖ Dummheiten, Verrückt-, Narr-, Albernheit, Kinderei(en), törichte Einfälle, Torheiten, Späße, Possen; *ugs.:* Fez, Flausen, Firlefanz, Heckmeck, Kinkerlitzchen, Larifari, Hokuspokus, Zinnober, Faxen, Schnickschnack, Heckmeck ‖ → Gerede

unsinnig → sinnlos ‖ → sehr

unsolidarisch: unkameradschaftlich, -kollegial, -fair, -zuverlässig, -kooperativ

unsolide → leichtlebig

unsorgfältig → unachtsam ‖ → unordentlich

unsozial → asozial ‖ → brutal

unsportlich → unfair ‖ steif, unbeweglich, -gelenk, hölzern, eckig, schwerfällig, träge, wie ein Stück Holz, keinen Sport ausübend, ohne Bewegung; *ugs.:* eingerostet

unstatthaft → gesetzwidrig

unsterblich → ewig ‖ → sehr

unstet → unbeständig

unstillbar: unersättlich, maßlos, sehr groß, immens, gewaltig, stark

unstimmig → gegensätzlich

Unstimmigkeit → Fehler ‖ → Auseinandersetzung

unstreitig → gewiss
unstrukturiert → formlos
Unsumme: sehr viel Geld, einen hohen Betrag, Menge; *ugs.:* Haufen, Unmenge, -masse, Batzen
unsymmetrisch → ungleichmäßig
Unsympath: *(ugs.):* Ekel, Widerling; *ugs.:* mieser Typ, fieser Kerl, Fiesling
unsympathisch → unerträglich
unsystematisch → planlos
untadelig → fehlerlos ‖ → ordentlich
untalentiert → unbegabt
Untat → Verbrechen
untauglich → unfähig ‖ → unbrauchbar
unten: tief gelegen, in der Tiefe, unterhalb; *ugs.:* drunten; *reg.:* herunten
unter: unterhalb, weiter unten, tiefer, abwärts, darunter ‖ → mittels ‖ → zwischen ‖ **u. anderem** → außerdem
Unterbau → Fundament
unterbewerten: herabsetzen, gering machen, bagatellisieren, verharmlosen, gering schätzen, → verkennen
unterbewusst → unbewusst
unterbieten: den Preis herunterdrücken, billiger abgeben/verkaufen
unterbinden → verhindern
unterbleiben: weg-, fort-, entfallen, aufhören, ein Ende nehmen, → ausfallen
unterbrechen: vorübergehend einstellen/aufhören/abbrechen, → rasten ‖ → stören
Unterbrechung → Störung ‖ → Pause
unterbreiten: vorlegen, zur Einsichtnahme geben, präsentieren, überreichen ‖ → informieren ‖ **einen Vorschlag u.** → vorschlagen
unterbringen: Platz finden für, eine Unterkunft beschaffen, beherbergen, einquartieren ‖ einen Posten verschaffen, zu einer Arbeitsstelle verhelfen; *ugs.:* anbringen ‖ verstauen, ein-, wegpacken; *ugs.:* unterkriegen, verfrachten

Unterbringung → Unterkunft
unterbuttern → benachteiligen ‖ → betrügen
unter der Hand: ohne großes Aufheben, unbemerkt, still und leise, nebenbei, -her, beiläufig
unterdessen → inzwischen
unterdrücken: ver-, zurückdrängen, nicht aufkommen lassen, s. zusammennehmen, dämpfen, hindern, zum Stillstand/Erliegen bringen, s. beherrschen, zurück-, niederhalten, abwehren, (im Keim) ersticken, verbergen, unterlassen, betäuben, supprimieren, abtöten, s. nichts anmerken lassen, s. etwas verbeißen, auslöschen, besiegen, -zwingen, nicht zeigen, das Gesicht wahren, erdrosseln; *ugs.:* hinunterschlucken, abwürgen, s. etwas verkneifen, die Zähne zusammenbeißen ‖ → knechten ‖ → niederschlagen
Unterdrücker: Gewaltherrscher, Tyrann, Despot, Diktator, Peiniger, Schinder
unterdrückt → unfrei
Unterdrückung → Knechtschaft
untereinander → miteinander
unterentwickelt → rückständig ‖ → zurückgeblieben
unterernährt: unterversorgt, ausgehungert, abgezehrt, untergewichtig, knochig, eingefallen; *ugs.:* nur noch Haut und Knochen
unterfangen, sich → riskieren
Unterfangen → Wagnis ‖ → Unternehmen
unterfassen → unterhaken
Unterführung: Tunnel, unterirdischer Gang/Weg
Untergang → Niedergang ‖ → Verderben
untergehen → sinken ‖ nicht zur Geltung kommen/gehört werden, keine Wirkung tun, nicht wirken/ankommen, übertönt werden, keinen Erfolg haben ‖ hinter dem Horizont ver-

schwinden, niedergehen, versinken ‖ aus-, absterben, ver-, zerfallen, dahinschwinden, zugrunde gehen, s. auflösen, zusammenbrechen, zu existieren aufhören, verloren gehen, in Verfall geraten, dem Untergang entgegengehen, verrotten, allmählich zerstört werden, auseinander fallen/ brechen, in Auflösung begriffen sein, zu Ende gehen mit

untergeordnet → unbedeutend ‖ → subaltern

untergliedern → einteilen

untergraben: erschüttern, schwächen, ins Wanken bringen, beeinträchtigen, durchlöchern, schädigen, schmälern, in Mitleidenschaft ziehen, ruinieren ‖ zersetzen, -rütten, unterhöhlen, -minieren, aufweichen, vereiteln, zunichte machen, hintertreiben, zu Fall bringen, demoralisieren, aushöhlen

Untergrund → Grundlage ‖ Illegalität, Anonymität

Untergrundkämpfer → Partisan ‖ → Terrorist

unterhaken: unter den Arm fassen, Arm in Arm gehen, unterfassen, jmds. Arm nehmen, s. einhängen/ -haken

unterhalb: am Fuß des/von, unter(wärts), tiefer, weiter unten

Unterhalt → Lebensunterhalt

unterhalten → ernähren ‖ → pflegen ‖ haben, führen, betreiben, leiten, s. abgeben/beschäftigen mit ‖ → erheitern ‖ **sich u.** → s. vergnügen ‖ miteinander reden/sprechen, eine Unterhaltung/ein Gespräch führen, Worte wechseln, Gedanken austauschen, Konversation machen/betreiben, diskutieren, debattieren, plaudern, parlieren, kommunizieren, Zwiesprache/ein Plauderstündchen halten; *reg.:* babbeln, klönen, schnacken, (t)ratschen; *ugs.:* einen Schwatz/Plausch/ein Schwätzchen halten, schwätzen, schwatzen, klatschen, quatschen, quasseln, palavern, plappern, schnattern

Unterhalter: Entertainer, Conférencier; *ugs.:* Stimmungskanone

unterhaltsam → kurzweilig ‖ → anregend

Unterhaltszahlung → Alimente

Unterhaltung → Gespräch ‖ → Kurzweil ‖ Pflege, Versorgung, Instand-, Erhaltung, Wartung

unterhandeln → s. besprechen

Unterhändler: Parlamentär, → Abgesandter

unterhöhlen → untergraben

Unterholz → Buschwerk

Unterhose: Schlüpfer, Slip, Höschen, Tanga; *scherzh.:* Liebestöter

unterjochen → unterwerfen ‖ → knechten

unterjubeln → aufbürden

unterkommen: Unterkunft/Herberge/Quartier/Unterschlupf finden, aufgenommen/untergebracht/ beherbergt werden, unterschlüpfen; *ugs.:* unterkriechen ‖ *ugs.:* begegnen, vorkommen, über den Weg laufen, zustoßen, widerfahren, passieren, geschehen ‖ eine Anstellung finden, angenommen werden

unterkriegen → besiegen

unterkühlt → frostig

Unterkunft: Unterbringung, Wohnung, Haus, Behausung, schützendes Dach ‖ Herberge, Obdach, Asyl, Logis, Zuflucht, (Nacht)quartier, Übernachtungsmöglichkeit, Schlafplatz, -stelle, -gelegenheit, -stätte, Lager(statt), Schlaf-, Nachtlager, Unterschlupf, Absteige(quartier), Zimmer, Hotel, Pension, Bett; *ugs.:* etwas zum Schlafen, Bleibe, Penne, Dach über dem Kopf; *öster.:* Unterstand

Unterlage → Grundlage ‖ → Dokument

unterlassen: Abstand nehmen/absehen von, vermeiden, s. (er)sparen,

verzichten, (bleiben) lassen, beiseite lassen, s. enthalten, unterdrücken, s. verbeißen, nicht tun; *ugs.:* s. verkneifen, sein lassen ‖ → vernachlässigen
unterlaufen: versehentlich vorkommen, unbemerkt geschehen, passieren, zustoßen, widerfahren, s. einschleichen; *ugs.:* einen Bock schießen
unterlegen: darunterlegen, mit einer Unterlage versehen, unterschieben ‖ schwächer, unebenbürtig, -begabter, -geschickter ‖ **u. sein:** nicht heranreichen an, jmdm. das Wasser nicht reichen können, jmds. Leistung nicht erreichen, s. nicht messen können mit, nicht ebenbürtig/gleichwertig sein; *ugs.:* ein Waisenknabe sein
unterliegen: besiegt/-zwungen werden, verlieren, den Vergleich nicht bestehen, nicht ankommen gegen, den Kürzeren ziehen, eine Niederlage einstecken müssen/erleiden, schwächer sein, weichen müssen, verspielen, Schiffbruch erleiden; *ugs.:* eine Schlappe erleiden ‖ unterworfen / ausgesetzt / preisgegeben / abhängig sein
untermalen: begleiten, umrahmen, abrunden
untermauern: erhärten, fundieren, stützen, begründen, -legen, -weisen
untermengen → mischen
unterminieren → untergraben
unternehmen → veranstalten
Unternehmen: Betrieb, Werk, Anlage, Konzern, Fabrik, Handelsgesellschaft, Geschäft ‖ Tat, Vorhaben, Unternehmung, -fangen, Aktion, Operation, Coup, Leistung, Handlung, Bravour-, Kunst-, Heldenstück, Akt
Unternehmer → Fabrikant
Unternehmung → Unternehmen
Unternehmungsgeist → Energie
Unternehmungslust → Energie
unternehmungslustig → aktiv

unterordnen: subsumieren, unterstellen, -werfen ‖ zurück-, hintanstellen ‖ **sich u.** → s. fügen
Unterpfand: Zeichen, Beweis, Gewähr, Garantie, Zeugnis, Ausdruck, Bestätigung
unterprivilegiert: benachteiligt, vernachlässigt, unterdrückt, diskriminiert, entrechtet, rechtlos, unfrei
Unterredung → Gespräch ‖ → Sitzung
Unterricht: Schulung, Schule, Unterrichtsstunde, Kurs(us), Lehrgang, Übung, Lektion ‖ → Ausbildung
unterrichten: Unterricht erteilen, Stunden geben, Kenntnisse vermitteln, Schule halten, unterweisen, zeigen, instruieren, vertraut machen mit, (be)lehren, beibringen, ausbilden, anleiten, dozieren, Vorlesungen halten; *ugs.:* einpauken, -trichtern ‖ → informieren ‖ **sich u.** → s. informieren
Unterrichtung → Information
untersagen → verbieten
unterschätzen: unterbewerten, nicht ernst/auf die leichte Schulter nehmen, nicht für voll ansehen, verharmlosen, herabsetzen, → verkennen
unterscheiden: einen Unterschied machen zwischen, differenzieren, auseinander halten, trennen, sondern, gegeneinander abgrenzen, die Verschiedenheit erkennen, eine Einteilung vornehmen, nuancieren, voneinander abheben ‖ **sich u.** → kontrastieren
unterschieben → unterlegen ‖ → verdächtigen
Unterschied: Verschiedenheit, Differenz, Divergenz, Kontrast, Abweichung, Ungleichheit, -ähnlichkeit, Abstand, Diskrepanz, Gefälle, Kluft, Gegensatz, -sätzlichkeit, Unstimmigkeit, Missverhältnis
unterschiedlich → verschieden
unterschiedslos → gleich

unterschlagen → verschweigen ‖ veruntreuen, in die eigene Tasche stecken, hinterziehen, unrechtmäßig ausgeben/behalten, betrügen

Unterschlupf → Zuflucht ‖ → Unterkunft

unterschreiben: signieren, (unter)zeichnen, seine Unterschrift geben, seinen Namen setzen unter, paraphieren, ratifizieren, ab-, gegenzeichnen; *veraltet:* unterfertigen; *ugs.:* seinen Kaiser Wilhelm, ein Kreuz machen ‖ → bestätigen

Unterschrift: Namenszug, -zeichen, Signatur, Signum, Autogramm, Paraphe; *ugs.:* Servus

unterschwellig → unbewusst ‖ → latent

untersetzt: stämmig, gedrungen, bullig, pyknisch, kompakt, kräftig, massiv, dick, breit

Unterstand → Bunker ‖ → Unterkunft

unterstehen: untergeordnet/-stellt/ -geben sein, unter Aufsicht/Kontrolle stehen von, jmdn. zum Vorgesetzten haben, unter jmdm. arbeiten ‖ **sich u.** → s. anmaßen

unterstellen: abstellen, unterbringen ‖ → annehmen ‖ → verdächtigen ‖ **sich u.:** s. flüchten in/unter, Zuflucht/Schutz suchen

unterstreichen → betonen

unterstützen: Beistand/Hilfe gewähren, eintreten für, Rückhalt geben, behilflich sein, beistehen, zur Seite stehen, stehen hinter, halten zu, Hilfestellung geben; *ugs.:* die Stange halten ‖ zuschießen, subventionieren, zu-, beisteuern, Geld zuwenden, finanziell helfen; *ugs.:* unter die Arme greifen ‖ → fördern

Unterstützung: Rückendeckung, -stärkung, Rückhalt, Stütze, Beistand, Hilfe ‖ Beihilfe, Zuschuss, Subvention, Förderung, Zuwendung, Spende

untersuchen: eine Untersuchung vornehmen, abtasten, -hören, -horchen ‖ → nachforschen ‖ → kontrollieren

Untersuchung: Studie, Betrachtung, wissenschaftliche Arbeit, Nachforschung, Analyse, Beobachtung, Erforschung, Projekt-, Voraussstudie, Studie, Pilotprojekt, Recherche, Ermittlung, Umfrage ‖ → Kontrolle

untertags → tagsüber

untertan → subaltern

untertänig → unterwürfig

untertauchen: sinken, unter Wasser drücken, → tauchen ‖ → verschwinden

unterteilen → einteilen

Unterton: Bei-, Nebenklang, Nuance, → Zwischenton

untertreiben: maßvoll ausdrücken, bescheiden sein, → herunterspielen

Untertreibung: Understatement, Zurücknahme, Bescheidenheit, Abschwächung, Unterbewertung, Herabminderung

unterwandern: infiltrieren, durchsetzen, einschleusen

Unterwäsche: Leibwäsche, Trikotagen, Dessous

unterwegs: auf/während der Reise, auf dem Weg/den Beinen; *ugs.:* auf (der) Achse/Tour ‖ → fort

unterweisen → anleiten

Unterweisung → Anweisung

Unterwelt: Hades, Toten-, Schattenreich, Geister-, Schattenwelt, Orkus, Ort der Finsternis, Hölle ‖ Verbrechertum, -welt, Gangstertum, Syndikat, Maf(f)ia

unterwerfen: unterjochen, ins Joch spannen, bezwingen, -siegen, unterordnen, s. untertan machen, beugen, in die Knie zwingen, unterdrücken ‖ **sich u.** → s. ergeben

unterwürfig: subaltern, untertänig, devot, ergeben, servil, schmeichlerisch, duckmäuserisch, buhlerisch, hörig, kriecherisch, knie-, fußfällig, demütig, ehrerbietig, knechtisch, sklavisch, hündisch, liebedienerisch, speichelleckerisch, submiss, ohne Stolz; *ugs.:* ohne Rückgrat

unterzeichnen → unterschreiben

unterziehen, sich: s. unterwerfen, auf s. nehmen || **einer Prüfung u.** → prüfen || **einem Verhör u.** → verhören

untief → flach

Untier → Monstrum || → Scheusal

untragbar: unzumut-, unannehm-, unhaltbar, intolerabel, unerträglich, widerwärtig, unerhört, -möglich

untrennbar → unzertrennlich

untreu: treulos, illoyal, treu-, wortbrüchig, abtrünnig, verräterisch, unsolidarisch, -zuverlässig, -stet, ehebrecherisch

untröstlich → traurig

untrüglich → sicher

untüchtig → unfähig

Untugend → Unart

unüberbrückbar: unüberwindbar, -überwindlich, -versöhnlich, -vereinbar, -lösbar

unüberlegt: unbedacht, -besonnen, -vorsichtig, kopflos, ohne Überlegung/Bedacht, blind(lings), impulsiv, unvernünftig, leichtfertig, -sinnig, ohne Sinn und Verstand, plan-, ziel-, wahl-, gedankenlos, fahr-, nachlässig, übereilt

unübersehbar → offenbar || → unendlich

unübersichtlich: ungeordnet, konfus, labyrinthisch, chaotisch, unzusammenhängend, planlos, kraus, durcheinander, → unklar

unübertrefflich → ausgezeichnet

unübertroffen: unerreicht, -geschlagen, -besiegt || → ausgezeichnet

unüberwindbar → unbesiegbar || → unüberbrückbar

unüblich → ungebräuchlich

unumgänglich → unabwendbar || → nötig

unumschränkt → absolut

unumstößlich → endgültig

unumstritten → anerkannt || → sicher

unumwunden → aufrichtig

ununterbrochen → dauernd

unveränderlich → dauerhaft

unverantwortlich → leichtsinnig

unveräußerlich: unersetzlich, -aufgebbar, -entbehrlich, -abdingbar, -verzichtbar, unbedingt notwendig/nötig || unverkäuflich, nicht mit Geld/Gold bezahlbar, nicht zum Verkauf bestimmt, privat (Bilder)

unverbesserlich: unbelehrbar, -einsichtig, -beweglich, -bekehrbar, starr, radikal, eigensinnig, reuelos, unbußfertig, verstockt, störrisch, eingefleischt; *ugs.:* hoffnungslos, nicht zu retten

unverbildet → natürlich

unverbindlich: ohne Verpflichtung/Gewähr/Verbindlichkeit, freibleibend, nicht bindend/fest, zwanglos, zu nichts verpflichtend

unverblümt → aufrichtig

unverbraucht → frisch

unverbrüchlich → beharrlich

unverbürgt → ungewiss

unverdaulich → unbekömmlich

unverdient: unberechtigt, ohne eigenes Verdienst, glücklich (Sieg), nicht verdient

unverdorben → unschuldig

unverdrossen → beharrlich

unvereinbar → gegensätzlich, → verschieden

unverfälscht → natürlich

unverfänglich → harmlos

unverfroren → frech

unvergänglich → ewig

unvergesslich: in der Erinnerung lebendig, unauslöschlich, unvergessen, denkwürdig, bleibend, anhaltend

unvergleichlich: unvergleichbar, inkomparabel, inkommensurabel, unverhältnismäßig || → außergewöhnlich

unverhältnismäßig → übermäßig

unverheiratet → ledig

unverhofft → plötzlich

unverhohlen → aufrichtig

unverhüllt → aufrichtig ‖ → nackt

unverkäuflich → unveräußerlich

unverkennbar → charakteristisch

unverkrampft → unbefangen ‖ → zwanglos

unverletzlich: integer ‖ → tabu

unverletzt → heil

unvermählt → ledig

unvermeidlich → unabwendbar ‖ → nötig

unvermindert: gleichbleibend, unverändert, konstant, anhaltend, andauernd, weiterhin

unvermittelt → plötzlich

Unvermögen → Unfähigkeit

unvermögend → unfähig

unvermutet → plötzlich

Unvernunft → Torheit

unvernünftig → töricht ‖ → unüberlegt

unverrichteter Dinge → erfolglos

unverschämt → frech

unverschlossen: offen stehend, geöffnet ‖ → offen

unverschuldet → unschuldig

unversehens → plötzlich

unversehrt → heil

unversöhnlich → unüberbrückbar ‖ todfeind, nicht zur Versöhnung bereit, wie Feuer und Wasser, unverträglich, feindselig, hasserfüllt

Unverstand → Torheit

unverständig → dumm

unverständlich → unbegreiflich ‖ → unklar

unverträglich → unbekömmlich ‖ → zänkisch ‖ → gegensätzlich

unvertretbar → leichtsinnig

unverwandt → dauernd

unverwechselbar → außergewöhnlich

unverwüstlich → haltbar

unverzagt → mutig

unverzeihlich: unentschuldbar, -vertretbar, -verantwortlich, verantwortungslos, sträflich

unverzichtbar → unabdingbar

unverzüglich → sofort

unvollendet → unvollständig

unvollkommen → unvollständig ‖ → mangelhaft

unvollständig: unbeendet, -fertig, -vollendet, -vollkommen, -abgeschlossen, nicht ganz fertig, lücken-, torso-, bruchstückhaft, halbfertig, fragmentarisch, abgebrochen, halb, nichts Halbes und nichts Ganzes, minderwertig, mangelhaft, ungenügend, nicht ordentlich/richtig

unvorbereitet → improvisiert

unvoreingenommen → objektiv

unvorhergesehen → plötzlich

unvorsichtig → unüberlegt ‖ → leichtsinnig

unvorstellbar: nicht auszudenken, → unglaublich

unvorteilhaft → nachteilig

unwahr → falsch

unwahrscheinlich: zweifelhaft, kaum möglich, nicht anzunehmen, unsicher, fraglich ‖ → unglaubwürdig

unwandelbar → ewig

unwegsam: unpassierbar, -begehbar, -befahrbar, -zugänglich, -durchdringlich, -gangbar, -erschlossen, -betretbar, wild, pfad-, weglos, zugewachsen, dicht

unweigerlich → unabwendbar ‖ → bestimmt

unweit → nahe

unwesentlich → unbedeutend

Unwetter: Gewitter, Blitz und Donner, Sturm und Regen, Wetter, Aufruhr der Elemente, → Sturm; *ugs.*: Hundewetter; *derb*: Dreck-, Mist-, Sau-, Scheißwetter

unwichtig → unbedeutend

unwiderlegbar → sicher

unwiderruflich → endgültig

unwiderstehlich → attraktiv

unwiederbringlich → endgültig
Unwille → Missstimmung
unwillig → ärgerlich
unwillkommen: nicht gern gesehen,
→ unangenehm
unwillkürlich → unabsichtlich ‖
→ automatisch
unwirklich → fantastisch
unwirksam → nutzlos ‖ → ungültig
unwirsch → mürrisch ‖ → unfreundlich
unwirtlich → einsam
unwissend: unbewandert, -kundig,
nicht unterrichtet, unerfahren, -ge-
bildet, -informiert, -aufgeklärt, -ge-
schult, -belesen, -gelehrt, -einge-
weiht, ahnungslos, ohne Kenntnisse/
Wissen/Erfahrung, unvertraut mit,
nichts wissend; *abwertend:* primitiv;
ugs.: keinen Dunst/blassen Schimmer habend, grün (hinter den Ohren)
unwohl: schwach, schwindlig,
schlecht, übel, elend, unpässlich,
krank, unbehaglich, -gesund, angegriffen; *ugs.:* mulmig, lausig, blümerant
unwohnlich → unbehaglich
unwürdig → ehrlos
Unzahl → Menge
Unzählige → viele
unzeitgemäß → altmodisch
unzerbrechlich → fest
unzeremoniell → zwanglos
unzerstörbar → ewig
unzertrennlich: untrennbar, fest,
sehr eng, eng miteinander verbunden, immer zusammen, verschworen,
aneinander hängend, ein Herz und
eine Seele
unziemlich → ungebührlich
unzivilisiert: unkultiviert, ohne Stil ‖
→ wild ‖ → grobschlächtig
unzüchtig → anstößig
unzufrieden: unbefriedigt, enttäuscht, frustriert, unglücklich, -aus-
gefüllt; *ugs.:* sauer ‖ → mürrisch ‖ **u.
sein** → hadern

unzugänglich → unwegsam ‖ unempfänglich, -nahbar, -aufgeschlossen,
-durchschaubar, -durchdringlich, distanziert, ungesellig, menschen-, kontaktscheu, introvertiert, zurückhaltend, abweisend, schweigsam, verstockt, -schlossen, -halten, -ständnis-
los, kühl, spröde, herb; *ugs.:* zugeknöpft
unzulänglich → mangelhaft
unzulässig → gesetzwidrig
unzurechnungsfähig → geistesgestört
unzureichend → mangelhaft
unzusammenhängend → konfus
unzutreffend → falsch
unzuverlässig: pflichtvergessen, vergesslich, unsicher, -beständig,
-pünktlich, -genau, ein unsicherer
Kandidat
unzweckmäßig → unhandlich ‖
→ nutzlos
unzweideutig → klar
unzweifelhaft → sicher
üppig: schwelgerisch, verschwenderisch, ausladend, luxuriös, prunkend,
pompös, aufwendig, teuer, feudal,
sehr komfortabel, maßlos; *ugs.:* protzig ‖ opulent, überreichlich, lukullisch, kulinarisch ‖ → dick ‖
wuchernd, strotzend, fruchtbar
up to date: in, en vogue, gefragt ‖
→ modern
uralt → alt
Uraufführung: Erstaufführung,
Premiere
urbar: anbaufähig, frucht-, nutzbar ‖
u. machen → kultivieren
Urbild → Inbegriff
Ureinwohner: Eingeborener, Urbe-
wohner, Einheimischer, -gesessener,
Angestammter
Urfassung → Original
Urheber → Autor ‖ → Initiator
Urheberrecht: Copyright
Urgeschichte: Früh-, Vorgeschichte,
Prähistorie

Urin: Harn, Wasser; *Kinderspr.:* Pipi; *derb:* Pisse, Seiche

urinieren: auf die Toilette gehen, die Toilette aufsuchen, austreten, harnen, Wasser/Urin/Harn lassen, das Wasser abschlagen, seine Notdurft/ sein Bedürfnis verrichten, s. ent-/ausleeren, s. erleichtern, ein kleines Geschäft verrichten/machen; *Kinderspr.:* ein Bächlein/Pipi machen, pillern; *reg.:* lullern, strulle(r)n; *ugs.:* einen Bach/klein machen, pulle(r)n, pischen, puschen, das Kartoffelwasser abgießen/-schütten, auf den Topf/aufs Klo gehen, laufen/verschwinden/mal müssen; *derb:* pissen, schiffen, seichen, brunzen, pinkeln

Urkunde → Dokument

urkundlich → amtlich

Urlaub: Ferien, (Arbeits)pause, Erholung, Regeneration, Sommerfrische

Urlauber: Tourist, (Urlaubs)reisender, Ausflügler, Wanderer, Bergsteiger, Sommerfrischler, Feriengast, Vergnügungsreisender, Erholungsuchender, Kurgast, Fremder; *ugs.:* Ferienmachender, Touri

Urne: Aschenkrug

Ursache: Wurzel, das Warum, (Hinter)grund, Anlass, -stoß, -trieb, Motiv, Bedingung, Voraussetzung, Veranlassung, des Pudels Kern, Aufhänger, Triebfeder, Verursachung, Motor, Ausschlag, (Nähr)boden

ursächlich: kausal, begründend, -wirkend

Ursprung: Beginn, Anfang, Ausgangspunkt, Wurzel, Grundlage, Wiege, Ab-, Herkunft, Quelle, Herd, Provenienz, Schoß, Keim, Plattform, Fundament, Basis

ursprünglich → natürlich ‖ → eigentlich

Urteil: Urteils-, Rechts-, Richterspruch, Entscheidung, Verdikt, Gerichtsentscheid ‖ Stimme, Votum, Erkenntnis ‖ Urteilsvermögen, -kraft, Überblick, Kritik, Klarsicht ‖ → Ansicht

urteilen: s. ein Urteil bilden, richten, befinden, entscheiden, erkennen auf, Recht sprechen, bemessen, zu Gericht sitzen ‖ → beurteilen

Urteilskraft → Urteil

Urwald: Busch, Dschungel, Wildnis

urwüchsig → natürlich ‖ naturverbunden, erdhaft, derb, drastisch, grob(schlächtig), ungeschliffen, robust, drall, kernig, stämmig, deftig

Usus → Brauch

Utensilien → Zubehör

Utopie: Zukunftstraum, Wunschbild, Traum(welt), Idealbild, → Einbildung

utopisch → undurchführbar

uzen → necken

V

Vabanquespiel: Zockerei ‖ → Wagnis

Vagabund → Landstreicher

vagabundieren → s. herumtreiben

vage → unklar

Vagina: Scheide; *ugs.:* Feige, Pflaume, Pussi, Büchse, Dose; *derb:* Loch, Fotze, Fut

vakant: frei, verfügbar, zur Verfügung, disponibel, unbesetzt, zu haben, leer, offen

Vakuum: luftleerer Raum, Hohlraum, absolute Leere, Nichts

Valuta: (ausländische) Währung, Geldsorte ‖ Wert

Vamp: Verführerin, Femme fatale, Circe, Sirene

Vampir: Blutsauger

variabel → veränderlich

Variable: veränderliche Größe, Variante

Variante → Variable ‖ Ab-, Spiel-, Sonderart, abweichende Form ‖ abweichende Lesart

Variation: Abweichung, -wandlung, Veränderung, Modifikation, Modulation

variieren → abwandeln ‖ → abweichen

Vasall → Lehnsmann ‖ → Anhänger

Vater: Erzeuger, Familienoberhaupt; *ugs.:* Papa, Papi, Paps, alter Herr, Alter, Daddy

Vaterland: Heimat-, Geburts-, Herkunfts-, Ursprungsland, Heimat

vegetarisch: fleischlos, pflanzlich

Vegetation: Pflanzenwelt, -reich, -wuchs, Flora

vegetieren → entbehren ‖ → dahinleben

vehement → heftig

Vehemenz: Wucht, Stärke, Kraft, Gewalt, Heftigkeit, Schwung, Druck

Vehikel → Fahrzeug ‖ → Mittel

Veilchen: *reg., öster.:* Veigerl ‖ *ugs.:* blaues Auge

Ventilator: (Durch-, Ent)lüfter

ventilieren → überlegen ‖ → lüften

verabfolgen → verabreichen

verabreden → abmachen

verabredet → ausgemacht

Verabredung → Vereinbarung ‖ → Rendezvous

verabreichen: verabfolgen, aus-, ver-, zuteilen, → geben; *ugs.:* verpassen

verabscheuen: Abscheu/Ekel/Widerwillen empfinden, von Abscheu ergriffen sein, verabscheuenswert/-würdig/abscheulich finden, zuwider/unerträglich sein, missbilligen, zurückweisen, von s. weisen, nicht leiden können, verachten, hassen; *ugs.:* nicht sehen/riechen/ausstehen können

verabschieden → entlassen ‖ annehmen (Gesetz), für gültig erklären, in Kraft setzen ‖ **sich v.:** auf Wiedersehen/Lebewohl sagen, Abschied nehmen, s. empfehlen, scheiden, jmdn. verlassen, weggehen, s. trennen

verabsolutieren: absolut setzen, als absolut gültig hinstellen, verallgemeinern, generalisieren

verachten: gering achten/schätzen, nicht achten, missachten, verschmähen, verabscheuen, herabsehen/-blicken/-schauen auf, scheel/von oben herab ansehen, respektlos/schlecht behandeln, nichts halten von, nicht ernst/für voll nehmen, verpönen, die Nase rümpfen über, gering denken über, für wertlos halten

verächtlich → abfällig

Verachtung → Missachtung

veralbern → narren ‖ → aufziehen

verallgemeinern: generalisieren, verabsolutieren, abstrahieren, objektivieren; *abwertend:* schablonisieren

veralten: außer Gebrauch/aus der Mode kommen, unmodern/altmodisch/unüblich werden, s. überleben; *ugs.:* verstauben

veraltet → altmodisch ‖ → vergangen

veränderlich: veränder-, wandelbar, variabel, mutabel, wechselhaft, -voll, unbeständig, schwankend

verändern → ändern ‖ **sich v.** → s. ändern ‖ → kündigen

Veränderung → Wandel

verängstigen → ängstigen

verankern: befestigen, festmachen, sichern ‖ → festigen

veranlagt: beschaffen, geartet, geprägt, disponiert; *ugs.:* gebaut

Veranlagung: Anlage, Art(ung), Beschaffenheit, Disposition, Gepräge, Wesen(sart), Natur(ell), Charakter ‖ → Fähigkeit

veranlassen: anregen, den Anstoß/Impuls/Ansporn geben zu, initiieren, bestimmen, -wegen, antreiben, ins Rollen bringen, ins Werk/in Gang setzen, bewerkstelligen, einfädeln, anzetteln, entfesseln, verursachen, herbeiführen, auslösen, dafür sorgen, dazu bringen, anstiften, ins Leben rufen; *ugs.:* anleiern, -kurbeln ‖ → anordnen

Veranlassung → Anlass

veranschaulichen: anschaulich / deutlich / verständlich / begreifbar / lebendig/plastisch machen, vergegenständlichen, -(sinn)bildlichen, -lebendigen, -deutlichen, illustrieren, demonstrieren, konkretisieren, genauer bestimmen, eindeutiger beschreiben, ausführen, präzisieren,

vor Augen führen, erläutern, -klären, bildlich/lebendig darstellen, beleuchten, zeigen, dokumentieren

veranschlagen → schätzen

veranstalten: arrangieren, durchführen, organisieren, inszenieren, ins Werk/in Szene setzen, unternehmen, (ab)halten, stattfinden lassen, ausrichten, zur Durchführung bringen, geben; *ugs.:* machen, aufziehen, auf die Beine stellen, über die Bühne gehen lassen

Veranstaltung → Feier ‖ → Aufführung ‖ → Organisation

verantworten: die Verantwortung tragen/übernehmen, verantwortlich sein, ein-/geradestehen/haften für; *ugs.:* auf seine Kappe nehmen ‖ **sich v.:** Rechenschaft ablegen, Rede und Antwort stehen, s. rechtfertigen, Gründe anführen

verantwortlich: haftbar, -pflichtig, zuständig ‖ verantwortungsvoll, -reich, leitend (Stelle), führend, ernst, schwer, mit Verantwortung verbunden, ehrenvoll ‖ → pflichtbewusst ‖ **v. sein** → verantworten ‖ **v. machen** → belangen ‖ → beschuldigen

Verantwortung: Haftung, Verantwortlichkeit ‖ Pflicht-, Verantwortungsbewusstsein, Pflicht-, Verantwortungsgefühl, Gewissenhaftig-, Zuverlässigkeit

verantwortungsbewusst → pflichtbewusst

Verantwortungsgefühl → Pflichtgefühl

verantwortungslos → leichtsinnig

verantwortungsvoll → verantwortlich

veräppeln → narren

verarbeiten: verwenden, -werten, benutzen, weiterverarbeiten, verwandeln ‖ (geistig) bewältigen, verkraften, durchdenken, s. zu Eigen machen, aufarbeiten ‖ verdauen, aufnehmen, vertragen, aushalten

verargen → übel nehmen

verärgern → verstimmen

verärgert → ärgerlich

verarmen: in Armut geraten, arm werden, verelenden, an den Bettelstab kommen

verarschen → narren

verarzten: *(ugs.):* ärztlich behandeln/ betreuen/versorgen, untersuchen, Erste Hilfe leisten

verästeln, sich: s. verzweigen, s. gabeln ‖ s. gliedern, s. unterteilen, zerfallen in

verausgaben: ausgeben, verbrauchen, aufwenden, bezahlen, aufzehren; *ugs.:* verbraten, springen lassen ‖ **sich v.** → s. erschöpfen

veräußern → verkaufen

verbalisieren → ausdrücken

verballhornen: verschandeln, -hunzen, -schlimmbessern, → entstellen

Verband: Bandage, Binde, Wickel ‖ → Bund ‖ → Gruppe

verbannen → ausweisen ‖ → ächten ‖ → verdrängen

Verbannung → Exil

verbarrikadieren: versperren, -bauen, -rammeln, -schanzen, -mauern, zubauen, -mauern, verstellen, unzugänglich machen, den Zugang behindern, besetzen, blockieren ‖ **sich v.:** s. schützen/in Sicherheit bringen, s. einschließen, s. absperren

verbauen → verbarrikadieren

verbeißen → unterdrücken ‖ → verzichten ‖ **sich v.:** hartnäckig festhalten, nicht ablassen/abgehen von, s. festbeißen, in eine Sackgasse geraten, s. versteifen/-bohren/-rennen; *ugs.:* s. verbiestern

verbergen: verstecken, um-, verhüllen, ver-, zudecken, verborgen halten, vergraben, (heimlich) wegstecken/ -tun, verschließen ‖ kaschieren, überspielen (Fehler), verschleiern, -wischen, -nebeln, -dunkeln, tarnen, unkenntlich machen, maskieren ‖ verschweigen, -heimlichen, -hehlen, geheimhalten, für s. behalten, vorenthalten, vertuschen, nicht mehr sprechen/Gras wachsen lassen über, mit dem Schleier des Vergessens zudecken ‖ **sich v.:** s. verstecken/-kriechen/-schanzen, s. abschließen, s. im Dunkeln halten

verbessern → berichtigen ‖ → steigern ‖ vervollkommnen, -edeln, -feinern, -schönern, kultivieren, (weiter)entwickeln ‖ → ändern ‖ **sich v.** → s. bessern

Verbesserung → Korrektur ‖ → Zunahme ‖ → Fortschritt ‖ Vervollkommnung, -edelung, -feinerung, -schönerung, Kultivierung

verbeugen, sich: eine Verbeugung/ -neigung/einen Diener machen, s. verneigen, seine Reverenz erweisen, dienern, grüßen; *ugs.:* einen Bückling/Kratzfuß machen

verbeulen: einbeulen, -drücken; *ugs.:* eindellen ‖ ausweiten, -dehnen; *ugs.:* ausleiern

verbiegen: krumm biegen, krümmen, verformen, unbrauchbar machen

verbiestern, sich → s. verbeißen ‖ → s. irren

verbieten: ver-, untersagen, verwehren, s. verbitten, Einhalt gebieten, einen Riegel vorschieben, verweigern, nicht billigen/erlauben/gestatten/ zulassen/genehmigen/-währen ‖ **den Mund v.:** das Wort entziehen/verbieten, zum Schweigen bringen, mundtot machen, den Mund stopfen

verbilligen → ermäßigen

Verbilligung → Preisnachlass

verbinden: bandagieren, einen Verband anlegen, umwickeln, einbinden; *öster.:* fa(t)schen ‖ zusammenbringen, -fügen, -bauen, montieren, aneinander fügen, in Kontakt bringen, vereinigen, -knüpfen, -ketten, -flechten, -knoten, -schlingen, -quicken, -zahnen, -schmelzen, -schweißen, (ver)koppeln, kombinieren, zusammensetzen, anschließen, -fügen, -hängen; *ugs.:* anmachen, zusammenstückeln, -flicken, -schustern ‖ anknüpfen/-schließen an, s. beziehen auf, Bezug nehmen, in Zusammenhang bringen, eine Verbindung herstellen ‖ gleichzeitig/zugleich erledigen/tun ‖ verschränken ‖ → vereinigen ‖ sich v. → s. vereinigen ‖ → s. solidarisieren ‖ → heiraten ‖ eine Verbindung eingehen (Chemie) ‖ → s. anschließen ‖ → koitieren

verbindlich: bindend, verpflichtend, obligat(orisch), fest(stehend), endgültig, unwiderruflich, definitiv, gültig, geltend ‖ → entgegenkommend

Verbindlichkeiten: Rückstände, Schulden, Passiva

Verbindung: Verkettung, -knüpfung, -flechtung, -zahnung, -schmelzung, Koppelung, Kombination, Zusammenfügung, Synthese ‖ → Bund ‖ → Kontakt ‖ → Gemeinsamkeit ‖ → Ehe ‖ → Korps ‖ *pl.:* Beziehungen, Protektion; *ugs.:* das richtige Parteibuch, Vitamin B

Verbindungsmann → Vermittler

verbissen → beharrlich

verbitten, sich → verbieten

verbittern → ärgern ‖ → kränken ‖ **das Leben v.:** das Leben versauern, zusetzen, plagen, quälen, drangsalieren, trostlos/bitter machen

verbittert → mürrisch ‖ → vergrämt

Verbitterung → Groll

verblassen: blass werden, (aus-, ver)bleichen, Farbe verlieren, verschießen, s. ver-/entfärben, vergilben; *ugs.:* ausgehen; *reg., öster.:* schießen

verblasst → verschossen

verbleiben: zurückbleiben, übrig bleiben, (als Rest) erhalten bleiben ‖ → ausharren

verbleichen → verblassen ‖ → abflauen

verblenden: verkleiden, -schalen

verblendet → kurzsichtig ‖ → uneinsichtig ‖ **v. sein** → s. irren

verblichen → tot

verblöden → verdummen

verblödet: meschugge, bescheuert, nicht ganz klar im Kopf, leicht weggetreten ‖ → geistesgestört

verblüffen → erstaunen

verblüffend → erstaunlich

verblüfft → überrascht

verblühen → welken

verbluten → sterben

verbocken → verderben ‖ → ausfressen

verbogen: krumm, verkrümmt, schief, nicht gerade

verbohren, sich → s. verbeißen

verbohrt → fanatisch ‖ → eigensinnig ‖ → beschränkt

verborgen → leihen ‖ → latent ‖ → heimlich ‖ **v. halten** → verbergen

Verbot: Untersagung, Tabu, Sperre, Veto, Machtspruch, Machtwort, Einspruch, Nein, Befehl, Vorschrift, Interdikt, Prohibition

verboten → gesetzwidrig ‖ → tabu

verbrämen → verzieren ‖ → beschönigen

verbraten: unter Wert verkaufen, verheizen ‖ → ausgeben ‖ → verbrauchen

Verbrauch: Konsum(ierung), Konsumtion, Verzehr ‖ Verschleiß, Abnutzung, -nützung

verbrauchen: aufbrauchen, verzehren, konsumieren, verwirtschaften; *ugs.:* kleinkriegen, verbraten, -buttern, -konsumieren ‖ → ausgeben ‖ → abnutzen ‖ → erschöpfen ‖ → beanspruchen

Verbraucher: Konsument, Abnehmer, Kunde, Käufer, Bedarfsträger, Klientel

verbraucht: auf dem Abstellgleis; *derb:* abgefuckt ‖ → phrasenhaft ‖ → erschöpft ‖ → alt ‖ → abgenutzt

verbrechen → anrichten ‖ → s. vergehen

Verbrechen: Übel-, Misse-, Schand-, Straf-, Untat, (schweres) Vergehen, Delikt, Kapitalverbrechen, Gewalttat, Frevel(tat), Greuel(tat), Fehltritt, (Tod)sünde, Sakrileg, verwerfliche Tat/Handlung, Rechtsbruch ‖ → Vergehen

Verbrecher: Rechts-, Gesetzesbrecher, (Straf)täter, Straffälliger, Krimineller, Schuldiger, Sünder, Übel-, Missetäter, Schwer-, Gewaltverbrecher, Frevler, Unhold, Bösewicht, Unmensch, Delinquent, Einbrecher, Dieb, Räuber, Bandit, Gauner, Gangster, Spitzbube, Halunke, Schuft, Ganove, Mörder

verbrecherisch: kriminell, frevlerisch, frevelhaft, sträflich, asozial ‖ → schändlich

verbreiten: in Umlauf/in die Welt setzen, ausstreuen, -breiten, -sprengen, -senden, -strahlen, weiterverbreiten, -leiten, unter die Leute bringen, bekannt machen/geben, verkünden, kundtun, erzählen, in aller Munde bringen; *ugs.:* herumtragen, -erzählen, ausposaunen, -trompeten, breittreten, an die große Glocke hängen ‖ → publizieren ‖ popularisieren, propagieren, populär/bekannt machen ‖ **sich v.:** s. ausbreiten/-dehnen, übergreifen, s. zerstreuen, an Boden gewinnen, um s. greifen, grassieren, überhand nehmen ‖ Verbreitung finden, Kreise ziehen, s. durchsetzen, üblich werden, durchdringen, s. einbürgern, zum Durchbruch kommen, s. Geltung verschaffen; *ugs.:* einreißen ‖ → s. herumsprechen

verbreitern: (aus)dehnen, -bauen, -weiten, erweitern, vergrößern, breiter machen

verbreitet → gängig

verbrennen: durch Feuer sterben, in den Flammen umkommen, den Flammentod sterben ‖ → sterben ‖ den Flammen/dem Feuer übergeben, ab-, niederbrennen, einäschern, in Asche legen, in Flammen/Rauch aufgehen lassen, verlodern, -kohlen, zu Asche werden, in Schutt und Asche sinken ‖ → brennen ‖ **sich v.:** s. brennen, s. verbrühen, s. durch Feuer/Hitze verletzen

Verbrennung → Einäscherung

verbriefen, sich → bürgen

verbringen → s. aufhalten

verbrüdern, sich: Brüderschaft/Freundschaft schließen, fraternisieren, s. verschwistern, → s. solidarisieren

verbrühen, sich: s. (ver)brennen, s. durch Feuer/Hitze verletzen

verbuchen → buchen

verbummeln: *(ugs.):* nutzlos/ohne Ergebnis/Erfolg verbringen (Zeit) ‖ → vergessen ‖ → versäumen

verbünden, sich: s. zusammenschließen/-scharen/-tun/-rotten, ein Bündnis eingehen, einen Pakt schließen, paktieren, konföderieren, s. alliieren, eine Koalition eingehen, koalieren, s. solidarisieren, s. verbinden, s. verbrüdern, s. vereinigen, s. anschließen; *ugs.:* gemeinsame Sache machen

Verbundenheit → Solidarität ‖ → Einheit ‖ Dankbarkeit(sgefühl)

Verbündeter → Genosse

verbürgen: versichern, -sprechen, garantieren ‖ **sich v.** → bürgen

verbürgerlichen: s. etablieren, s. anpassen, bürgerlich werden

verbürgt: glaubwürdig, aus erster Hand/Quelle, authentisch, echt, gesichert, sicher, zuverlässig, verlässlich, unfehlbar, -trüglich, garantiert

verbüßen: (ab)büßen, (ab)sühnen, geradestehen für, Buße tun ‖ **eine Strafe v.** → einsitzen

Verdacht: Argwohn, Misstrauen, Zweifel, Vermutung, Bedenken,

-fürchtung, Unterstellung, Mutmaßung ‖ **V.** hegen → argwöhnen
verdächtig: suspekt, ominös, obskur,
nicht geheuer/Vertrauen erweckend,
unheimlich, bedenklich, fragwürdig,
dubios, verfänglich, dunkel, finster,
zweifelhaft, undurchsichtig, zwielichtig, halbseiden; *ugs.*: nicht ganz
astrein, faul
verdächtigen: (den) Verdacht wer-
fen/lenken/richten auf, be-, anschuldigen, bezichtigen, zeihen,
jmdm. die Schuld geben, zur Last legen, unterstellen, -schieben, anschwärzen, -hängen, verantwortlich
machen für, nachsagen, andichten,
denunzieren, diffamieren, diskreditieren, verleumden, böswillig behaupten, mit Schmutz bewerfen;
ugs.: die Schuld in die Schuhe schieben, jmdm. etwas unterjubeln/am
Zeug flicken
verdammen → verurteilen, → brandmarken, → ächten ‖ → verfluchen ‖ **v.**
zu → verurteilen
verdammt → verflucht ‖ → sehr
Verdammung → Bann
verdampfen: verdunsten, -fliegen, s.
verflüchtigen, s. auflösen, gasförmig
werden, schwinden ‖ verkochen, ein-,
verdicken, eindampfen, -dicken,
kondensieren; *Fachsp.*: evaporieren ‖
→ weggehen
verdanken → danken
verdattert → durcheinander ‖ → bestürzt
verdauen: verarbeiten, -kraften, aufnehmen, vertragen, aushalten ‖ *ugs.*:
(geistig) bewältigen, durchdenken, s.
zu Eigen machen, aufarbeiten ‖ → ertragen
verdaulich → bekömmlich
Verdeck: oberstes Deck (Schiff) ‖
Autodach, Hardtop, Plane, Wagendecke, -plane
verdecken: verbergen, -stecken, -hül-
len, -hängen, überlagern, die Sicht

nehmen, unsichtbar machen, ab-, be-,
über-, zudecken ‖ be-, über-, zukle-
ben, übermalen, -pinseln, -tünchen,
beseitigen, zum Verschwinden bringen, dem Blick entziehen
verderben: ins Verderben bringen/
führen/reißen/stürzen, schlechten
Einfluss ausüben, negativ beeinflussen, auf die schiefe Bahn bringen, zugrunde richten, hinab-, herab-, hin-
unterziehen, zerstören ‖ verschimmeln, ranzig/schimmelig werden,
→ faulen ‖ → schaden ‖ die Freuden/
den Spaß verderben, die Lust nehmen, zunichte machen, verleiden,
-gällen, -ekeln, -pfuschen, -patzen;
ugs.: vermasseln, -hageln, -korksen,
-murksen, -bocken, -sieben, -wurs-
teln, -hunzen, -miesen, -salzen,
-sauen, miesmachen, madig machen,
Wasser in den Wein gießen, die Karre
in den Dreck fahren, den Wind aus
den Segeln nehmen, die Suppe versalzen ‖ verpesten, -giften, -seuchen
Verderben: Verderb, Unglück, Untergang, Ruin, Unheil, Verhängnis,
Ende, Sturz, Abgrund, Katastrophe
verderblich → schädlich ‖ lebensgefährlich, todbringend, tödlich, unheildrohend ‖ verweslich, leicht ungenießbar werdend
verderbt → lasterhaft
verdeutlichen → veranschaulichen
verdichten: komprimieren, konzentrieren, dichter werden ‖ **sich v.**
→ zunehmen
verdicken: dicker/zähflüssiger machen, → verdampfen ‖ **sich v.** → anschwellen
verdienen → einnehmen ‖ gebühren,
angemessen sein, zustehen, -kom-
men, wert sein
Verdienst → Einkommen ‖ → Leistung
verdienstvoll → lobenswert
Verdikt: Urteil(sspruch), Richter-,
Rechtsspruch, Entscheidung

verdonnern → verurteilen

verdoppeln: doppeln, doppelt machen, duplizieren, duplieren, dublieren, verzweifachen ‖ → intensivieren

verdorben: ranzig, schimmelig, → faul ‖ → lasterhaft

verdorren: trocken/dürr werden, → welken

verdorrt → trocken

verdrängen: wegschieben, weg-, ab-, zurückdrängen, in den Hintergrund drängen, beiseite schieben/drängen/stoßen, zur Seite schieben, ausstechen, -booten, vertreiben, aus dem Sattel heben, an die Wand drücken, aus dem Feld schlagen; *ugs.:* kaltstellen ‖ aus dem Bewusstsein ausscheiden, in das Unbewusste verlagern/-bannen, Unlust vermeiden, unterdrücken, abwehren, ersticken, abtöten, niederhalten, nicht wahrhaben wollen, rationalisieren; *ugs.:* wegrationalisieren

verdrecken → beschmutzen

verdreckt → schmutzig

verdrehen: verrenken ‖ → entstellen ‖ **jmdm. den Kopf v.** → irremachen ‖ → verliebt machen

verdreht: (seiten)verkehrt, umgedreht, -gekehrt, verkehrt herum, spiegelbildlich ‖ → überspannt ‖ → verrückt

verdreschen → schlagen

verdrießen → ärgern ‖ → missfallen

verdrießlich → ärgerlich ‖ → mürrisch

verdrossen → ärgerlich ‖ → mürrisch

Verdrossenheit → Ärger

verdrücken → essen ‖ **sich v.** → weggehen ‖ → s. wegschleichen

Verdruss → Ärger ‖ **V. bereiten** → ärgern

verduften: *(ugs.):* schleichen, abziehen, s. verziehen, einen Abgang machen, → s. verflüchtigen ‖ → weggehen ‖ → s. wegschleichen ‖ → fliehen

verdummen: dumm/geistig an-

spruchslos machen, vernebeln ‖ dumm werden, geistig abstumpfen/nachlassen/erlahmen/verarmen/abbauen/einrosten/stillstehen; *ugs.:* verblöden, -trotteln

verdunkeln: abdunkeln, dunkel/finster machen, das Tageslicht/die Sonne abschirmen, verfinstern, -düstern, abblenden ‖ → verbergen ‖ **sich v.** → s. eintrüben

verdünnen: verwässern, -fälschen, -setzen; *ugs.:* strecken, taufen, verlängern, pan(t)schen ‖ **sich v.** → s. verjüngen

verdünnisieren, sich → weggehen ‖ → s. wegschleichen ‖ → fliehen

verdunsten → verdampfen

verdursten → verschmachten ‖ → sterben

verdüstern → verdunkeln ‖ **sich v.** → s. eintrüben

verdutzen → erstaunen

verdutzt → überrascht

verebben → abflauen

veredeln → verbessern ‖ → verfeinern ‖ → pfropfen

verehelichen, sich → heiraten

Verehelichung → Hochzeit

verehren: aufschauen/-sehen/-blicken zu, (hoch)schätzen, (hoch)achten, anbeten, -schwärmen, huldigen, vergöttern, zu Füßen liegen, bewundern, lieben, in Ehren halten, die Ehre/Achtung erweisen, in den Himmel heben; *ugs.:* anhimmeln ‖ → schenken ‖ → widmen

Verehrer: Anbeter, Bewunderer ‖ → Geliebter

verehrt: wert, teuer, geehrt, (hoch)geschätzt, hoch verehrt, gnädig, lieb

Verehrung: Anbetung, Bewunderung, Vergötterung, Kult; *ugs.:* Anhimmelei ‖ → Ehrfurcht

vereidigen: unter Eid nehmen, durch Eid verpflichten; *öster.:* angeloben; *schweiz.:* in Pflicht nehmen

Verein → Bund ‖ → Gruppe

vereinbaren → abmachen
vereinbart → ausgemacht
Vereinbarung: Verabredung, Abmachung, -sprache, -rede, Be-, Abschluss, Entscheidung, -schluss, Einigung, Verständigung, Übereinkommen, -kunft, Arrangement, Agreement, Vertrag, Kontrakt, Pakt
vereinfachen: Verständnis erleichtern, s. gemeinverständlich/genauer ausdrücken, volkstümlich/breit zugänglich/allgemein verständlich machen, popularisieren ‖ präzisieren, vereinheitlichen, klären, glätten, schematisieren, stilisieren, formalisieren, uniformieren ‖ simplifizieren, schablonisieren, verharmlosen, -flachen, -wässern, -gröbern, banalisieren
vereinen → vereinigen ‖ **sich v.** → s. vereinigen
vereinheitlichen → normieren
vereinigen: (ver)einen, zu einer Einheit/Gesamtheit zusammenfassen, -schließen, integrieren, sammeln, unieren ‖ → verbinden ‖ → harmonisieren ‖ **sich v.:** s. vereinen/-binden, verschmelzen, s. zusammenschließen/-tun, s. assoziieren, s. organisieren, s. sammeln, eine Partei bilden, → s. verbünden ‖ → koitieren
Vereinigung → Bund
vereinnahmen → kassieren
vereinsamen: einsam werden, verlassen/allein/isoliert/vereinsamt sein, ohne Freunde/Gesellschaft/Kontakt sein, alleingelassen/verlassen werden ‖ → veröden
vereinsamt → einsam
Vereinsamung → Einsamkeit
vereint → gemeinsam
vereinzelt: singulär, passim, mancherorts ‖ → manchmal ‖ → selten ‖ → einsam
vereiteln: hintertreiben, zunichte/-schanden machen, durchkreuzen, torpedieren, zu Fall bringen, unter-

graben, → verhindern; *ugs.:* das Spiel verderben, einen Strich durch die Rechnung machen, die Suppe versalzen, jmdm. die Tour vermasseln, quertreiben
verekeln → verderben
verelenden: verarmen, arm werden, in Armut geraten, an den Bettelstab kommen
verenden: eingehen, verrecken, krepieren, → sterben
verengen, sich → s. verjüngen
vererben: hinter-, zurück-, nachlassen, über-, vermachen, überschreiben, -lassen, -liefern, weiterreichen, -geben
vererbt → angeboren
verewigen, sich: s. unsterblich machen, in die Geschichte/Unsterblichkeit eingehen, s. ein Denkmal setzen, s. ein bleibendes Andenken erwerben ‖ → einkerben
verfahren: verbrauchen (Geld), ausgeben ‖ eine bestimmte Methode anwenden, einen bestimmten Weg einschlagen, → handeln ‖ → aussichtslos ‖ **sich v.** → s. verirren ‖ **v. mit** → handhaben
Verfahren → Methode ‖ → Prozess
Verfall: Zersetzung, Auflösung, Fäulnis, Verwesung ‖ → Niedergang
verfallen: zusammenfallen, -brechen, -stürzen, verwittern, einstürzen, in Trümmer fallen, baufällig werden ‖ → untergehen ‖ → abmagern ‖ → ablaufen ‖ → verjähren ‖ → ungültig werden ‖ → hörig ‖ → dünn ‖ **v. sein** → frönen ‖ süchtig/abhängig sein ‖ **v. lassen** → vernachlässigen
verfälschen → verdünnen ‖ → entstellen ‖ → fälschen
verfangen → wirken ‖ **sich v.:** s. verstricken / -zetteln / -wickeln / -heddern, ungewollt hineingeraten, hängen bleiben, s. hineinmanövrieren, s. in eine unangenehme Lage/Situation bringen; *ugs.:* s. verfilzen

verfänglich: prekär || → heikel

verfärben, sich → verblassen || → erblassen || → erröten

verfassen: abfassen, (auf-, nieder)schreiben, ver-, anfertigen, formulieren, niederlegen, zu Papier bringen, festhalten, aufzeichnen, arbeiten an, ausarbeiten

Verfasser → Autor || → Schriftsteller || Urheber, Schöpfer

Verfassung: Staatsordnung, -verfassung, Regierungsform, Grundgesetz, Konstitution || → Zustand || → Stimmung

verfassungswidrig → gesetzwidrig

verfaulen → faulen

verfault → faul

verfechten → eintreten für

Verfechter → Kämpfer

verfehlen: vorbei-, daneben-, fehlschießen, nicht treffen, fehlen || verpassen (Zug), versäumen, nicht (mehr) erreichen || **den Weg v.** → s. verirren || **den Ton v.** → entgleisen

verfehlt: fehlgeschlagen, missraten, -lungen; *schweiz.:* gefehlt || → falsch || → unangebracht

verfeinden, sich → s. entzweien

verfeindet → entzweit

verfeinern: veredeln, erhöhen, sublimieren, vergeistigen, ins Geistige erheben, ins Erhabene steigern, läutern || → verbessern

Verfeinerung → Verbesserung || Sublimation, Sublimierung, Erhöhung, Läuterung, Vergeistigung

verfertigen → anfertigen

verfilmen: filmisch gestalten/darstellen/umsetzen, einen Film drehen, auf die Leinwand bringen

verfilzen → verwirren || **sich v.** → s. verfangen

verfinstern → verdunkeln || **sich v.** → s. eintrüben

verflachen → vereinfachen || seicht/oberflächlich werden || verwässern, gleichmachen, -schalten, nivellieren

verflacht → oberflächlich

verflechten → verbinden

Verflechtung → Verbindung

verfliegen → verdampfen || → vergehen

verfließen → vergehen

verflixt → verflucht || → sehr

verflossen → früher

Verflossener: *(ugs.):* ehemaliger/früherer Freund/Bräutigam, geschiedener Ehemann; *ugs.:* Exfreund, Exverlobter, Exbräutigam

verfluchen: verdammen, -wünschen, -teufeln, vermaledeien, den Zorn Gottes herabwünschen, einen Fluch nachschicken; *ugs.:* zum Teufel/ Kuckuck/zur Hölle wünschen, auf den Mond schießen

verflucht: verhext, -wunschen, -zaubert || *ugs.:* verdammt (und zugenäht), verflixt, -teufelt, zum Donnerwetter / Henker / Kuckuck / Teufel / Sakrament, sapperlot, -ment, sapristi; *öster.:* Kruzitürken, Sakra; *derb:* Himmel, Arsch und Zwirn, verdammte Scheiße, Scheißdreck, Gott verdamm mich, Mist, Dreck, Shit || → sehr

verflüchtigen, sich → verdampfen

verflüssigen → schmelzen

verfolgen: nach-, hinterherjagen, nachlaufen, -rennen, -stellen, -setzen, zu fangen suchen, treiben, s. an jmds. Sohlen heften, jmdm. auf den Fersen bleiben, hinter jmdm. her sein, fahnden nach, hetzen, jagen || → bedrängen || → beobachten || → folgen || → anstreben

Verfolger: *dicht.:* Häscher, Scherge

Verfolgung: (Treib-, Hetz-, Verfolgungs)jagd, Hetze, Hatz, Suche, Fahndung, Kesseltreiben, Nachstellung, Pogrom

verformen: deformieren, aus der Form geraten, die Form verlieren

verfrachten: verladen || → befördern

verfressen → gefräßig

verfrüht: vorzeitig, zu früh, vor der Zeit

verfügbar → parat ‖ unbesetzt (Stelle), vakant, offen, frei, zu haben ‖ **v. sein** → dasein

verfügen → entscheiden ‖ → anordnen ‖ **v. über** → besitzen

Verfügung: Verfügungsgewalt, Disposition ‖ → Befehl ‖ **zur V. haben** → besitzen ‖ **zur V. stehen** → dasein ‖ **zur V. stellen** → leihen ‖ **sich zur V. stellen** → aushelfen

verführen: verleiten, -locken, -suchen, in Versuchung führen/bringen, (an)reizen, vom rechten Weg abbringen, auf Abwege bringen, irreführen, abbringen von; *ugs.:* den Kopf verdrehen ‖ → anstiften ‖ → überreden ‖ → bezaubern

Verführer → Frauenheld

Verführerin → Vamp

verführerisch → attraktiv ‖ → einladend ‖ → appetitlich

Verführung → Reiz

Vergabe: Ver-, Zuteilung, Übertragung, -gabe, -antwortung, Distribution ‖ Austeilung, -gabe, -händigung

vergaffen, sich → s. verlieben

vergällen: denaturieren, ungenießbar machen ‖ → verderben

vergaloppieren, sich → s. irren

vergammelt: *(ugs.):* ranzig, schimmelig, → faul ‖ → altbacken ‖ → verwahrlost

vergangen: gewesen, versunken, -gessen, verjährt, -weht, -schollen, entschwunden, tot, erledigt, abgetan, -gelebt, veraltet, gestrig, passee, dahin, vorbei, -über, lange her; *gehoben:* dahin(gegangen); *ugs.:* hinüber, um ‖ → früher ‖ → altmodisch

Vergangenheit: vergangene/frühere/gewesene/verflossene Zeit(en)/Tage, das Gestern, Vorzeit, -welt, Geschichte, Historie, Ferne Vorleben, Biographie, Lebenslauf, -führung, Vita, Werdegang ‖ Imperfekt

vergänglich: endlich, zeitlich, zeitgebunden, nicht ewig, irdisch, sterblich, flüchtig, veränderlich, vorübergehend, kurzlebig, von kurzer Dauer, begrenzt

vergasen → töten ‖ **sich v.:** den Gashahn aufdrehen, → s. umbringen

vergeben → verzeihen ‖ → zuteilen ‖ → freisprechen

vergebens → nutzlos

vergeblich → nutzlos

Vergebung → Verzeihung ‖ → Straferlass

vergegenständlichen → veranschaulichen

vergegenwärtigen, sich → s. vorstellen

vergehen: ent-, verschwinden, ver-, zerrinnen, verfliegen, -fließen, -streichen, vorbei-, vorüber-, dahingehen, -eilen, verrauchen, -rauschen, -löschen, ins Land gehen/ziehen; *dicht.:* rinnen, verwehen, -blühen, welken; *gehoben:* (da)hinschwinden, enteilen, -fliehen; *scherzh.:* entfleuchen; *abwertend:* (dahin)schleichen ‖ → abflauen ‖ **sich v.:** widerrechtlich handeln, mit dem Gesetz in Konflikt kommen, eine strafbare Handlung begehen, s. strafbar machen, straffällig werden, Befugnisse überschreiten, (ein Gesetz) übertreten/verletzen/brechen, s. etwas zuschulden kommen lassen, seine Pflicht verletzen, Unrecht tun, → sündigen, etwas verbrechen, ein Verbrechen begehen ‖ **sich v. an** → vergewaltigen

Vergehen: Straftat, Verstoß, Unrecht, Zuwiderhandlung, Übertretung, Verfehlung, Fehler, Entgleisung, (Pflicht)verletzung, Unterlassung, Ausschreitung, → Verbrechen

vergeistigen → sublimieren

vergelten → rächen ‖ → belohnen

Vergeltung: Vergeltungsschlag, -maßnahme, Sanktionen, Gegenstoß, -maßnahme, -schlag, -angriff, Rache,

Revanche, Abrechnung, Heimzahlung, Bestrafung, Sühne, Repressalie, Ahndung, Reaktion ‖ Dank, Erkenntlichkeit, Anerkennung, Lohn, Belohnung

vergesellschaften → kollektivieren

vergessen: aus dem Gedächtnis/den Augen verlieren, nicht (im Kopf/Gedächtnis) behalten, nicht denken an, entfallen, -schwinden, -schlüpfen, s. nicht entsinnen/erinnern, keine Erinnerung (mehr) haben an, nicht mehr wissen, vergesslich sein, übersehen, versäumen, -lernen; *ugs.:* ein Gedächtnis wie ein Sieb haben, verbummeln, -sieben, -dusseln, -schusseln, -schwitzen, einen Filmriss haben ‖ → vergangen ‖ **sich v.** → aufbrausen ‖ **v. werden:** in Vergessenheit geraten, der Vergessenheit anheim fallen; *ugs.:* in der Versenkung verschwinden ‖ **v. wollen:** verdrängen, begraben, Gras wachsen lassen über, einen (dicken) Strich machen unter

vergesslich: gedächtnisschwach, zerstreut, unzuverlässig, nachlässig, kopf-, gedankenlos; *ugs.:* schuss(e)lig

Vergesslichkeit → Gedächtnisschwäche

vergeuden → verschwenden

vergewaltigen → zwingen ‖ entstellen (Sprache), verfälschen, -zerren, -drehen, -kehren, -unstalten, -unzieren, -stümmeln; *ugs.:* verballhornen, -schandeln ‖ notzüchtigen, Notzucht verüben, s. (sexuell) vergehen/-greifen an, (sexuell) missbrauchen/-handeln, schänden, stuprieren; *dicht.:* entehren

vergewissern, sich: s. überzeugen, s. erkundigen, sichergehen, s. versichern, s. Gewissheit verschaffen, → kontrollieren; *ugs.:* auf Nummer Sicher gehen

vergießen: aus-, um-, verschütten; *ugs.:* verplempern

vergiften: giftig machen, mit Gift vermischen/-setzen ‖ Gift geben, → töten ‖ verderben, -pesten, -seuchen ‖ **sich v.:** Gift/Schlaftabletten nehmen, den Gashahn aufdrehen, → s. umbringen

vergiftet: verschmutzt, -seucht, -pestet

vergilben: gelb werden, gilben, → verblassen ‖ → welken

Vergleich: Nebeneinander-, Gegenüberstellung, Konfrontation, -tierung, Abwägung, Entsprechung, Parallele, Analogie ‖ → Kompromiss

vergleichbar → analog ‖ → ähnlich

vergleichen: Vergleiche/Parallelen ziehen, einen Vergleich anstellen, zum Vergleich heranziehen, vergleichsweise beurteilen, zusammen-, gegenüberstellen, nebeneinander stellen/halten, konfrontieren, zusammenhalten, aneinander halten, den gleichen Maßstab anlegen, messen/prüfen an, gegeneinander abwägen ‖ **sich v.:** s. messen mit, wettstreiten, einen Wettkampf miteinander austragen, kämpfen ‖ → s. einigen

vergleichsweise: im Vergleich zu, verglichen mit, gegenüber, diesbezüglich, gemessen an, relativ, verhältnismäßig, ziemlich, zum Beispiel, beispielsweise

verglimmen → verglühen

verglühen: verglimmen, -kohlen, aus-, ver-, erlöschen, ausgehen, zu brennen/leuchten aufhören, schwinden

vergnügen → belustigen ‖ **sich v.:** s. zerstreuen, s. auf andere Gedanken bringen, s. aufmuntern/-heitern, s. ablenken, s. die Zeit vertreiben, s. unterhalten, s. amüsieren, s. belustigen, s. verlustieren, guter Dinge sein, das Leben genießen, → s. freuen; *ugs.:* lumpen

Vergnügen: Unterhaltung, Pläsier, Amüsement, Erheiterung, Belusti-

gung, Gaudium; *reg.:* Gaudi ‖
→ Feier ‖ → Freude
vergnüglich → lustig
vergnügt → lustig
Vergnügung → Feier
Vergnügungsindustrie: Showbusiness, -geschäft, Unterhaltungsindustrie
vergolden: mit Gold überziehen ‖
→ idealisieren
vergöttern → anbeten ‖ → verherrlichen
Vergötterung: Anbetung, Verehrung, Bewunderung, Kult; *ugs.:* Anhimmelei
vergraben: eingraben, versenken, stecken in, ver-, einscharren; *ugs.:* ein-, verbuddeln ‖ verbergen, -stecken, -hüllen, ver-, zudecken, verborgen halten ‖ **sich v.** → s. abkapseln ‖ **sich v. in** → s. beschäftigen mit
vergrämen → verstimmen ‖ → vertreiben
vergrämt: verhärmt, gramvoll, -erfüllt, bedrückt, sorgenvoll, -beladen, verbittert, -härtet, unzufrieden, -glücklich, (seelisch) leidend
vergraulen → vertreiben
vergreifen, sich → entgleisen ‖ **sich v. an** → s. bemächtigen ‖ → vergewaltigen
vergreisen → altern
vergriffen: (aus)verkauft, nicht lieferbar/auf Lager
vergröbern → vereinfachen
vergrößern → ausdehnen ‖ → steigern ‖ **sich v.** → s. ausdehnen ‖ → zunehmen
Vergrößerungsglas: Lupe
vergucken, sich → s. verlieben
Vergünstigung → Vorrecht ‖ → Preisnachlass
vergüten → bezahlen ‖ → entschädigen
Vergütung: Kosten(rück)erstattung, Aufwandsentschädigung, Abfindung ‖ → Lohn ‖ → Provision

verhaften → festnehmen
Verhaftung: Inhaftierung, Fest-, Inhaft-, Gefangennahme, Arretierung, Ergreifung
verhallen: ver-, aus-, abklingen, aushallen, -tönen, absterben, kaum noch zu hören sein, ausschwingen, verstummen, aufhören; *gehoben:* ersterben, verwehen, schwinden
verhalten → leise ‖ → reserviert ‖ **sich v.:** s. benehmen, s. gebärden/-baren, s. geben, s. betragen, s. anstellen, s. bewegen, s. halten, auftreten, reagieren, handeln, verfahren, vorgehen; *ugs.:* s. aufführen ‖ die Bewandtnis haben, bestellt sein, stehen mit
Verhalten → Benehmen ‖ → Reaktion
Verhältnis → Relation ‖ intime Beziehung, Liebesbeziehung, -bündnis, Liaison, → Affäre ‖ *pl.:* → Lage
verhältnismäßig → vergleichsweise
verhandeln → s. besprechen ‖ zu Gericht sitzen, in einem Gerichtsprozess behandeln, Gericht halten
verhangen → trüb(e)
verhängen → verdecken ‖ **eine Strafe v.** → verurteilen
Verhängnis → Unglück ‖ → Verderben
verhängnisvoll → katastrophal
verharmlosen → bagatellisieren
verhärmt → vergrämt
verharren → bleiben
verhärten: gefühllos/kalt/hart(herzig)/abgestumpft machen ‖ **sich v.:** s. abweisend/hartherzig zeigen, s. verschließen, hart/unempfindlich/-zugänglich werden ‖ hart/starr/unflexibel werden (Fronten), s. verschärfen, erstarren, versteinern
verhärtet → gefühllos
verhaspeln, sich: s. versprechen/-heddern/-reden, stottern, stammeln, stocken
verhasst → unbeliebt ‖ → ekelhaft
verhätscheln → verwöhnen

Verhau → Unordnung

verhauen → schlagen ‖ **sich v.** → irren

verheddern, sich → s. verhaspeln ‖ → s. verfangen

verheeren → zerstören

verheerend → entsetzlich ‖ gewaltig, stark, wild, vehement, heftig

verhehlen → verschweigen

verheilen: (ab-, zu)heilen, vernarben, -schorfen, heil werden, zu-, verwachsen

verheimlichen → verschweigen

verheiraten: zur Ehe/Frau geben; *veraltet:* antrauen; *ugs.:* unter die Haube/an den Mann bringen; *abwertend:* verkuppeln ‖ **sich v.** → heiraten

verheißen → prophezeien ‖ → versprechen

verheißungsvoll → Erfolg versprechend

verheizen: ver-, aufbrauchen (Heizmaterial) ‖ → ruinieren ‖ → verraten

verhelfen zu → beschaffen ‖ → ermöglichen

verherrlichen: glorifizieren, verklären, idealisieren, vergöttern, besingen, feiern, rühmen, lobpreisen, ehren, erhöhen; *ugs.:* in den Himmel heben; *abwertend:* beweihräuchern, Kult treiben mit

verhetzen → aufhetzen

verhexen: verzaubern, -wünschen ‖ → bezaubern

verhindern: hindern an, ab-, verwehren, abwenden, -stellen, verhüten, → vereiteln, unterbinden, hintertreiben, einen Punkt/ein Ende machen, Einhalt gebieten, jmdm. in den Rücken fallen, verunmöglichen, etwas unmöglich machen, boykottieren, sabotieren, lahm legen; *ugs.:* einen Riegel vorschieben, abbiegen

Verhinderung → Verhütung

verhöhnen → spotten

verhohnepipeln → spotten

verhökern → verkaufen

Verhör: Vernehmung, Untersuchung, Kreuzverhör, Befragung, Inquisition, Ermittlung; *öster., schweiz.:* Einvernahme

verhören: polizeilich/gerichtlich vernehmen, ins Verhör nehmen, einem Verhör unterziehen; *öster., schweiz.:* einvernehmen ‖ **sich v.** → missverstehen

verhüllen → verbergen

verhungern: Hungers/an Hunger sterben, den Hungertod erleiden ‖ → sterben

verhunzen → entstellen ‖ → verderben

verhüten → verhindern

Verhütung: Verhinderung, Abwehr, Vorbeugung, Prophylaxe, Schutz, Prävention ‖ Safer Sex

verhutzelt → hutz(e)lig

verifizieren: als richtig bestätigen/nachweisen/beglaubigen, auf die Richtigkeit hin überprüfen, die Richtigkeit beweisen

verinnerlichen: internalisieren, in s. aufnehmen, s. zu Eigen machen, introjizieren

verirren, sich: vom Weg abkommen/-irren, den Weg verfehlen, die Richtung/Orientierung verlieren, in die Irre gehen, irre-, fehlgehen, s. verfahren/-laufen, einen falschen Weg einschlagen; *ugs.:* s. verfranzen ‖ auf Abwege geraten, s. verlieren/-steigen/-rennen

verjagen → vertreiben

verjähren: verfallen, gerichtlich nicht mehr zu belangen sein, s. der Gerichtsbarkeit/Strafverfolgung entziehen, außer Kraft treten, die Gültigkeit verlieren, ungültig werden, ab-, auslaufen

verjubeln → verschwenden

verjüngen, sich: eine Verjüngungskur machen, ein jüngeres Aussehen erhalten, s. liften lassen, jünger werden ‖ s. verdünnen/-engen, spitz zulaufen/-gehen/auslaufen, s. zuspitzen,

(nach oben hin) schmaler/dünner/ enger werden
verkalkt → alt
verkalkulieren, sich: s. verrechnen/ -schätzen, falsch rechnen, einen Rechenfehler machen ‖ → s. irren
Verkauf: Vertrieb, -äußerung, Handel, Abgabe, -satz, (Waren)umschlag, Geschäft, Auslieferung, Umsatz
verkaufen: handeln/hausieren mit, zum Verkauf bringen, Geschäfte/zu Geld machen, absetzen, -geben, -stoßen, feilhalten, -bieten, auf den Markt bringen/werfen, umsetzen, veräußern, -treiben, anbringen, zur Verfügung stellen, ab-, überlassen; *ugs.:* an den Mann/unter die Leute bringen, losschlagen, -werden, verhökern, -schachern, -setzen, -scheuern, -scherbeln, -silbern, -klopfen, -kümmeln, -schleudern, -ramschen, -ticken ‖ **sich v.** → s. prostituieren
verkäuflich → feil
Verkaufsschlager → Hit
Verkaufsstelle → Geschäft
Verkehr → Betrieb ‖ → Beziehung ‖ → Geschlechtsverkehr
verkehren: (regelmäßig) fahren (Zug), eingesetzt sein ‖ → entstellen ‖ **v. mit:** Umgang/Kontakt pflegen/ haben mit, zusammenkommen/s. (regelmäßig) treffen mit, ein- und ausgehen/regelmäßig besuchen/zu Gast sein bei ‖ **brieflich v. mit** → korrespondieren
verkehrsreich → belebt
verkehrt: umgedreht, -gekehrt, seitenverkehrt, spiegelbildlich, verdreht, verkehrt herum ‖ → falsch
verkennen: falsch beurteilen/verstehen/deuten/auffassen/auslegen/interpretieren, missdeuten, -verstehen, nicht richtig erkennen/-fassen/einschätzen, unterschätzen, -bewerten, s. täuschen, s. irren
verketten → verbinden
verklagen → anklagen

verklären: schön/strahlend/glücklich machen, erhellen, er-, aufheitern, leuchten lassen ‖ → idealisieren
verklausulieren: unklar/-verständlich/-deutlich machen, verschlüsseln, umständlich/schwierig/schwer verstehbar darstellen, s. nicht klar ausdrücken
verkleiden → verschalen ‖ **sich v.** → s. maskieren
verkleinern: kleiner/kürzer machen, (ver)kürzen, be-, ab-, wegschneiden, abscheren, -trennen, -zwicken, -hacken, -schlagen, kupieren, stutzen ‖ → vermindern ‖ **sich v.** → s. verringern ‖ → schrumpfen
verklemmt → gehemmt
verklingen → verhallen
verklopfen → schlagen ‖ → verkaufen
verknacken → verurteilen
verknacksen, sich → s. verstauchen
verknallen, sich → s. verlieben
verkneifen, sich → verzichten ‖ → unterdrücken
verknöchern → altern
verknöchert → alt
verknüpfen → verbinden
Verknüpfung → Verbindung
verkohlen → narren
verkommen → verwahrlosen ‖ ranzig/schimmelig werden, verschimmeln, → faulen ‖ → lasterhaft
verkorksen → verderben
verkörpern: personifizieren ‖ → spielen
Verkörperung → Inbegriff
verköstigen → verpflegen
verkrachen, sich → s. streiten
verkraften → ertragen
verkrampfen, sich: s. verspannen, s. zusammenziehen ‖ unfrei/gehemmt werden
verkrampft → gehemmt ‖ → steif
verkriechen, sich: s. verstecken/-bergen/-schanzen, s. abschließen ‖ → s. abkapseln

verkrümeln, sich → weggehen
verkrümmt → krumm
verkrüppelt → missgestaltet
Verkrüppelter → Körperbehinderter
verkühlen, sich: s. erkälten, s. eine Erkältung zuziehen, Schnupfen/Husten/Grippe bekommen
verkümmern: (allmählich) eingehen, absterben, dahinsiechen, schrumpfen, s. zurückbilden, zurückgehen ‖ → welken ‖ (in der Entwicklung) stehen bleiben, nicht entfaltet/-wickelt werden, (geistig) stagnieren
verkünd(ig)en → veröffentlichen
verkuppeln: *abwertend:* verheiraten, eine Heirat vermitteln/Ehe anstiften; *ugs.:* unter die Haube/an den Mann bringen, s. einen Kuppelplatz verdienen
verkürzen → kürzen
verkürzt → kurz
verlachen → spotten
verladen: um-, ein-, ausladen, verfrachten
verlagern: auslagern, verlegen, räumen, um-, aussiedeln, -quartieren, evakuieren
verlangen: sprechen wollen, zu sprechen wünschen ‖ → fordern ‖ → erfordern ‖ **v. nach** → s. sehnen
Verlangen → Sehnsucht ‖ Forderung, (nachdrückliche) Bitte, Anspruch
verlängern: länger machen, ansetzen, -stückeln; *ugs.:* herauslassen ‖ → stunden ‖ → verdünnen
verlassen: allein/im Stich lassen, nicht beistehen/helfen, jmdn. s. selbst/seinem Schicksal überlassen, jmdn. zurücklassen, → s. trennen; *ugs.:* sitzen/stehen lassen ‖ → weggehen ‖ → einsam ‖ **sich v. auf** → vertrauen
Verlassenheit → Einsamkeit
verlässlich → zuverlässig
Verlauf: (Ab)lauf, Hergang, Entwicklung, (Vor)gang, Prozess, Abfolge
verlaufen: seinen Verlauf nehmen, ablaufen, vor sich/vonstatten gehen, s. abwickeln/-spielen, geschehen, erfolgen, s. ereignen, s. vollziehen, passieren, stattfinden, s. begeben, zu-, ausgehen; *ugs.:* abrollen, über die Bühne gehen ‖ → s. erstrecken ‖ **sich v.** → s. verirren ‖ → s. auflösen
verlautbaren → veröffentlichen
verleben → s. aufhalten ‖ durch-, erleben, erfahren
verlebendigen → veranschaulichen
verlebt: verbraucht, -schlissen, abgelebt, -gezehrt, mitgenommen, ausgelaugt, abgewirtschaftet; *ugs.:* geschafft, angeschlagen, ausgepowert, abgeschlafft, ausgebufft; *derb:* verhurt
verlegen: verschieben, umbuchen, -disponieren, -legen, -stoßen, auf einen anderen Zeitpunkt legen ‖ verstellen, an den falschen Platz legen, nicht mehr finden; *ugs.:* verkramen, -schusseln, -sieben, -schmeißen, -wursteln ‖ → verlagern ‖ → publizieren ‖ peinlich berührt, verwirrt, befangen, -treten, -troffen, kleinlaut, be-, verschämt, in Verwirrung/Verlegenheit gebracht; *ugs.:* bedeppert, -dripst, wie ein begossener Pudel ‖ **sich v. auf** → s. beschäftigen mit
Verlegenheit: Unsicherheit, -schlüssigkeit, -entschiedenheit, Ratlosigkeit, Verlegensein ‖ → Not
verleiden → verderben
verleihen: überreichen, -geben (Preis), auszeichnen, preiskrönen, würdigen, ehren, prämieren ‖ → leihen ‖ *gehoben:* geben, verschaffen ‖ **Ausdruck v.** → mitteilen
verleimen: zu-, verkleben, mit Leim zusammenfügen/verbinden
verleiten → anstiften ‖ → verführen ‖ → bezaubern
verlernen: wieder vergessen, aus der Übung kommen, nicht mehr können/wissen/im Gedächtnis haben/beherrschen

verlesen → aussondern ‖ s. beim Lesen irren, falsch lesen ‖ → vortragen

verletzen: verwunden, lädieren, stechen; *gehoben:* jmdm. eine Wunde/Verletzung beibringen, Wunden schlagen; *veraltet:* blessieren; *ugs.:* zurichten ‖ → kränken ‖ nicht wahren/achten/respektieren ‖ **ein Gesetz v.** → übertreten ‖ **sich v.:** Schaden nehmen, zu Schaden kommen, s. verwunden, s. lädieren, s. eine Wunde/Verletzung zuziehen, s. schneiden, s. verstauchen/-renken, s. quetschen, s. prellen, verzerren, s. den Fuß vertreten, umknicken, s. verbrennen, s. anstoßen; *ugs.:* s. anhauen

verletzlich → empfindsam

Verletzung: Wunde, Verwundung, -sehrung, Läsion, Trauma, Körperbeschädigung ‖ Stich, Schnitt, Riss, Biss, Schramme, Kratzer, Abschürfung, Quetschung, Zerrung, Verrenkung, -stauchung, -brennung, Bruch, Fraktur ‖ → Beleidigung ‖ → Missachtung, → Vergehen

verleugnen → abstreiten ‖ **sich v.:** gegen seine eigentlichen Vorstellungen/sein wahres Wesen/seine eigene Überzeugung handeln ‖ **sich v. lassen:** seine Anwesenheit verheimlichen, Besuch nicht empfangen/abfertigen lassen

verleumden: diffamieren, in einen schlechten Ruf bringen, schlechtmachen, schlecht/abfällig reden von, jmdm. etwas nachreden/-sagen, ins Gerede bringen, in ein schlechtes Licht rücken/stellen/setzen, in Misskredit/Verruf bringen, verunglimpfen, diskreditieren, anschwärzen, verketzern, -lästern, die Ehre abschneiden, verschreien, -teufeln, Übles nachreden, mit Schmutz bewerfen, in den Schmutz ziehen, verdächtigen, unterstellen, -schieben, denunzieren, schmähen, böswillig behaupten, herabsetzen, abqualifizieren, herab-, entwürdigen, jmdm. etwas andichten/-hängen, über jmdn. herfallen, verächtlich machen, mit dem Finger auf jmdn. zeigen; *ugs.:* in den Dreck ziehen/treten, mit Dreck besudeln, kein gutes Haar/keinen guten Faden lassen an, madig machen, herunter-, miesmachen, durch den Kakao ziehen; *reg.:* ausrichten, -machen; *schweiz.:* schnöden, vernütigen

Verleumdung: Diffamierung, Diskreditierung, üble Nachrede, Hetze, Rufmord, Ehrverletzung, Denunziation, Verdächtigung, Unterstellung, Beleidigung, Verunglimpfung

verlieben, sich: sein Herz verlieren/-schenken/hängen an, entflammen für, (Zu)neigung fassen zu, in Liebe erglühen/entbrennen, jmdm. zu tief ins Auge/in die Augen sehen, s. stark interessieren / begeistern / erwärmen für; *ugs.:* s. vergucken/-knallen/-gaffen/-schießen/-narren in, Feuer fangen, ein Auge werfen/fliegen auf

verliebt: entbrannt, -flammt, -zückt, leidenschaftlich ergriffen, zugetan, begeistert, -sessen, -tört, liebestoll; *ugs.:* vernarrt, -knallt, -schossen, hingerissen, von Amors Pfeil getroffen ‖ **v. machen:** betören, ins Netz locken, Herzen brechen; *ugs.:* jmdn. verrückt machen, jmdm. den Kopf verdrehen ‖ **v. sein:** es jmdm. angetan haben, im siebenten Himmel schweben

verlieren: nicht mehr haben/finden, verlegen, verlustig gehen, verloren gehen, abhanden kommen; *ugs.:* verschustern, -bummeln, -schlampen, -bumfideln, -saubeuteln ‖ einbüßen, verwirken, -scherzen, das Nachsehen haben, Verlust/Nachteile/Einbuße erleiden, abgenommen bekommen, kommen um, Schaden leiden/nehmen, zusetzen, -legen, -zahlen, ins Hintertreffen geraten, mit Verlust arbeiten; *ugs.:* draufzahlen, zubuttern, Haare lassen, loswerden, in den Kamin schreiben ‖ verspielen, besiegt werden, unterliegen, nicht gewinnen/siegen, erfolglos sein, eine Niederlage erleiden/einstecken müssen, auf der Strecke bleiben; *ugs.:* eine Schlappe erleiden ‖ **sich v.:** verschwinden (Weg), aus den Augen kommen ‖ s. verzetteln, → abschweifen; *ugs.:* s. verplempern/-kleckern

Verlies → Gefängnis

verloben, sich: s. die Ehe/Heirat versprechen, zu heiraten beabsichtigen; *veraltet:* s. versprechen

Verlobte: Braut, Zukünftige; *ugs.:* Gespons

Verlobter: Bräutigam, Zukünftiger; *veraltet:* Freier; *ugs.:* Gespons

verlocken → verführen ‖ → anstiften ‖ → bezaubern

verlockend → appetitlich ‖ → einladend

Verlockung → Reiz

verlogen: unaufrichtig, -ehrlich, -wahr, -lauter, -redlich, falsch, verstellt, hinterlistig, heuchlerisch, scheinheilig, tückisch; *ugs.:* hinterfotzig

verloren: weg, abhanden, -gängig, (spurlos) verschwunden, fort, von dannen/hinnen, nicht zu finden/ mehr vorhanden; *ugs.:* futsch(ikato), (da)hin, flöten gegangen, perdu, zum Teufel/Kuckuck ‖ vertan, -geben, -spielt, unwiederbringlich, nicht zurückholbar, zerronnen ‖ → erledigt

verloren gehen: nicht mehr vorhanden sein, verschwinden, abhanden kommen, wegkommen, verlustig gehen; *ugs.:* s. selbständig machen, verschüttgehen, flöten gehen, Beine bekommen, in die Binsen/zum Kuckuck/Teufel gehen, hops gehen, fortkommen

verlöschen → erlöschen ‖ → vergehen

verlosen: durch Los bestimmen, das Los entscheiden lassen, auslosen

verlottern → verwahrlosen

Verlust: Einbuße, Ausfall, -bleiben, Wegfall, Defizit, Verlustgeschäft, Aderlass, Fehlbetrag, Minus, Schaden, Nachteil, Schwund, Lücke

verlustieren, sich → s. vergnügen

vermachen → schenken ‖ → vererben

Vermächtnis → Erbe ‖ Letzter Wille/ Wunsch

vermählen, sich → heiraten

Vermählung → Hochzeit

vermasseln → verderben

vermehren → steigern ‖ **sich v.** → s. ausdehnen ‖ → zunehmen ‖ s. fortpflanzen, Nachkommen hervorbringen, die Art erhalten

vermeiden: meiden, zu um-/entgehen suchen, s. entziehen, ausweichen, aus dem Weg gehen, unterlassen

vermeintlich: irrtümlich so angesehen/betrachtet, scheinbar, angeblich, vermutlich

vermengen → mischen

Vermerk: Notiz, Anmerkung, Eintrag(ung)

vermerken → aufschreiben ‖ → registrieren ‖ zur Kenntnis nehmen, wahrnehmen, beachten, -merken

vermessen → anmaßend ‖ → mutig ‖ → messen ‖ **sich v.** → s. anmaßen

vermiefen → verpesten

vermiesen → verderben

vermieten: untervermieten, verpachten, in Pacht geben, gegen Bezahlung überlassen/abgeben

vermindern: verringern, -kleinern, schmälern, senken, niedriger machen, (ver)kürzen, dezimieren, reduzieren, drosseln, herabsetzen, ab-, ein-, begrenzen, heruntergehen, -schrauben, -drücken, verlangsamen, abstreichen, -ziehen, -bauen, be-, einschränken, den Etat beschneiden, Abstriche machen, streichen ‖ **sich v.** → s. verringern ‖ → abflauen

Verminderung → Kürzung
vermischen → mischen
vermissen → entbehren ‖ → s. sehnen
vermisst: verschollen, unauffindbar; *öster.:* abgängig; *ugs.:* verschütt gegangen
vermitteln: eine Einigung erzielen, als Schiedsrichter tätig sein, → bereinigen ‖ → intervenieren ‖ → beschaffen ‖ → ausdrücken
Vermittler: Mittelsmann, -person, Mittler, Verbindungs-, Kontaktmann, Bindeglied, Makler, Agent
vermöge → mittels
vermögen → können
Vermögen → Reichtum ‖ → Fähigkeit
vermögend → reich ‖ → mächtig
vermuten: die Vermutung haben, Vermutungen an-/aufstellen/hegen, für möglich/wahrscheinlich halten, annehmen, glauben, wähnen, schätzen, meinen, denken, so vorkommen / erscheinen / anmuten / wirken wie, spekulieren, unterstellen, s. einbilden, s. zusammenreimen, präsumieren; *ugs.:* tippen auf ‖ → ahnen
vermutlich → wahrscheinlich
Vermutung → Annahme ‖ → Verdacht ‖ → Ahnung
vernachlässigen: s. nicht genügend kümmern um, außer Acht/unberücksichtigt/-beachtet/beiseite lassen, nicht berücksichtigen, hint(en)anstellen, -setzen, herunter-/verkommen/-fallen/-wahrlosen/-lottern lassen, seine Pflicht versäumen, unterlassen, missachten, auf s. beruhen lassen; *ugs.:* hängen lassen, auf die lange Bank schieben, verschlampen/-ludern lassen ‖ benachteiligen, → ignorieren
vernagelt → beschränkt ‖ → engstirnig
vernarben: (ab-, zu-, ver)heilen, verschorfen, heil werden
vernarren, sich → s. verlieben

vernaschen → koitieren
vernascht → naschhaft
vernebeln → verbergen
vernehmen → hören ‖ → verhören
vernehmlich → hörbar
Vernehmung → Verhör
verneigen, sich → s. verbeugen
verneinen: mit Nein beantworten, Nein sagen ‖ → abstreiten ‖ → ablehnen
vernichten → ruinieren ‖ → zerstören ‖ → töten
Vernichtungslager → Konzentrationslager
verniedlichen: verharmlosen, -kleinern, bagatellisieren, verlieblichen, beschönigen
Vernunft: Einsicht, Besinnung, Verstand, Ratio, Verständigkeit, geistige Reife, Verständnis, gesunder Menschenverstand, Wirklichkeitssinn, Klarsicht ‖ → Verstand
vernünftig → einsichtig ‖ → klug ‖ → sinnvoll ‖ → rational
vernunftmäßig: rational, vernunftgemäß, der Vernunft entsprechend, mit dem Verstand
vernunftwidrig → widersinnig
veröden: entfernen (Krampfadern), beseitigen ‖ unfruchtbar werden, verkarsten, zugrunde gehen ‖ menschenleer/öde/einsam werden, s. entleeren, vereinsamen, s. entvölkern
veröffentlichen → publizieren ‖ bekannt geben/machen, kundtun, -machen, -geben, publik machen, verkünd(ig)en, verlautbaren, verlauten lassen
Veröffentlichung → Publikation
verordnen: verschreiben, ärztlich anweisen, rezeptieren, ein Rezept ausstellen; *ugs.:* aufschreiben ‖ → anordnen
verpachten → vermieten
verpacken → einpacken
verpassen → versäumen ‖ **eine v.** → ohrfeigen

verpatzen → verderben
verpesten: Gestank verbreiten; *gehoben:* mit üblem Geruch erfüllen; *ugs.:* vermiefen, -räuchern, ver-, vollstänkern, ver-, vollstinken ‖ vergiften, -seuchen, -derben, -schmutzen
verpestet: verschmutzt, -giftet, -seucht
verpetzen → verraten
verpfänden: als/zum Pfand geben, ins Pfand-/Leihhaus bringen, versetzen
verpfeifen → verraten
verpflanzen: aus-, umpflanzen, -topfen, -setzen ‖ → transplantieren
verpflegen: in Kost nehmen, bewirten, zu essen geben, ernähren, be-, verköstigen, versorgen, abspeisen; *ugs.:* bekochen, heraus-, abfüttern
Verpflegung → Ernährung
verpflichten: vertraglich binden, → einstellen ‖ bindend festlegen, als Pflicht auferlegen, als Verpflichtung auferlegen ‖ → beauftragen ‖ sich v.: fest versprechen, ganz fest zusagen, verbindlich zusagen, s. festlegen, s. binden, eine Bindung eingehen, eine Verpflichtung auf s. nehmen, sein Wort geben
verpflichtend: verbindlich, bindend, fest, obligatorisch, nicht freiwillig, definitiv, endgültig, unwiderruflich, feststehend
Verpflichtung → Pflicht
verpfuschen → verderben
verplappern → verreden ‖ sich v. → ausplaudern
verplaudern → verreden
verplempern → vergießen ‖ → verschwenden ‖ sich v. → s. verlieren
verplombt: versiegelt, ver-, abgeschlossen
verpönt: tabu, verboten, unstatthaft, -erlaubt, -zulässig
verprassen → verschwenden
verprügeln → schlagen
verpulvern → verschwenden

verpumpen → leihen
verpusten → ausruhen
verputzen: mit Putz versehen/bedecken, bewerfen ‖ → essen
verquicken → verbinden
verquirlen → mischen
verquollen → aufgedunsen
verrammeln → verbarrikadieren
verramschen → verkaufen
Verrat: Wort-, Vertrauens-, Treu(e)bruch, Untreue, Abfall, Treulosigkeit, Im-Stich-Lassen, Preisgabe (von Geheimnissen), Wortbrüchig-, Abtrünnigkeit ‖ Staats-, Landes-, Hochverrat, Spionage
verraten: preisgeben, anzeigen, denunzieren, anschwärzen, ausliefern; *öster.:* vernadern; *ugs.:* (ver)petzen, verpfeifen, -zinken, -klatschen, singen, hochgehen lassen ‖ → ausplaudern ‖ Verrat üben/begehen, ein Vertrauensverhältnis zerstören, abtrünnig werden, abfallen von, (die Treue) brechen, im Stich lassen, s. abwenden/-kehren, anderen Sinnes werden, die Hand abziehen von, jmdm. in den Rücken fallen; *ugs.:* verheizen, abspringen, umfallen ‖ → ausdrücken
Verräter: Zu-, Zwischenträger, Verleumder, Denunziant; *ugs.:* Petzer, Judas ‖ Abtrünniger, Wortbrecher, Treuloser ‖ Überläufer, Kollaborateur
verräterisch → abtrünnig
verräuchern → verpesten
verräuchert → rauchig
verrechnen: auf-, anrechnen, miteinander ausgleichen ‖ sich v.: einen Rechenfehler machen, falsch rechnen, s. verzählen ‖ → s. irren
verrecken → sterben
verreden: mit Reden zu-/verbringen, verplaudern; *ugs.:* verquatschen, -schwätzen, -plappern, -plauschen ‖ sich v. → s. verhaspeln
verreisen → reisen ‖ → abreisen

verreißen → kritisieren ‖ → zerpflücken
verrenken, sich → s. verstauchen
verrennen, sich → s. verbeißen
verrichten → ausführen
verriegeln: ab-, zuriegeln, den Rie-
gel/das Schloss vorlegen, ab-, zusperren, ab-, zu-, verschließen, zumachen
verringern → vermindern ‖ sich v.: s.
vermindern/-kleinern/-kürzen, s. dezimieren, s. reduzieren, schwächer/
weniger/geringer werden, abnehmen, schrumpfen, schwinden, s. ein-/
begrenzen, s. ein-/beschränken ‖
→ abflauen
Verringerung → Kürzung
verrinnen → vergehen
verrohen → verwahrlosen
verrosten: Rost ansetzen/bilden,
(ein)rosten, durch Rost unbrauchbar
werden; *ugs.:* kaputtgehen
verrostet → eingerostet
verrotten → faulen ‖ → untergehen ‖
→ verwahrlosen
verrucht → gemein ‖ → anstößig
verrücken: verschieben, -setzen, umstellen, an eine andere Stelle rücken
verrückt: dumm, blöde, irr, wirr, rap-
pelig, toll, närrisch, hirnverbrannt,
nicht ganz richtig (im Kopf/bei
Trost), von allen guten Geistern verlassen, nicht ganz/recht gescheit,
ver-, durchgedreht; *ugs.:* meschugge,
behämmert, nicht von hier, zu heiß
gebadet, plemplem, bescheuert; *reg.:*
damisch, mall, jeck; *öster.:* dalkert ‖
→ überspannt ‖ → geistesgestört ‖
→ ausgefallen ‖ → widersinnig ‖ v.
sein: spinnen, nicht bei Sinnen sein,
seine fünf Sinne nicht beisammen
haben; *ugs.:* einen Vogel/Knacks/
Knall/Stich/Rappel/Tick/Hasch-
mich/Dachschaden/Pieps/Web-
fehler/eine Meise/Macke haben,
nicht alle Tassen im Schrank/nicht
alle beisammen/einen kleinen Mann

im Ohr haben, von allen guten Geistern verlassen sein, bei jmdm. ist
eine Schraube locker ‖ v. werden
→ durchdrehen
Verrückter → Irrer
verrufen → anrüchig
verrühren → mischen
Vers: Strophenzeile; *fälschlich:* Stro-
phe ‖ *pl.:* Gedicht, Poem
versacken → sinken ‖ → verwahrlosen ‖ → hängen bleiben
versagen → verbieten ‖ nicht (mehr)
funktionieren/gehen/laufen, nicht
(mehr) ordnungsgemäß/richtig/rei-
bungslos ablaufen, → stocken ‖ ein
Versager/unfähig/-tauglich/-geeig-
net sein, ausfallen, enttäuschen, s.
nicht bewähren, unterliegen, auf der
Strecke bleiben, nicht bewältigen/
meistern/schaffen/erreichen/be-
zwingen, zurückfallen, -bleiben,
nicht weiterkönnen/zurechtkom-
men/zustande bringen/in den Griff
bekommen/fertig werden mit; *ugs.:*
schlappmachen ‖ → durchfallen ‖
→ vorenthalten ‖ sich v. → verzichten
‖ s. nicht hingeben, s. verweigern, s.
nicht verführen lassen
Versager: Schwächling, Nichtsnutz,
Taugenichts; *ugs.:* Blindgänger,
Niete, Nulpe, Null, Niemand,
Krücke, Flasche, Schlappschwanz,
Waschlappen, Schwachmatikus,
Pfeife, Hampelmann, taube Nuss
versalzen → verderben ‖ → vereiteln
versammeln → zusammenrufen ‖
sich v.: s. sammeln, zusammenkommen, -treffen, -treten, -strömen, -lau-
fen, s. treffen, s. zusammenfinden, s.
scharen
Versammlung → Zusammenkunft
Versand → Lieferung
versanden → abflauen
versauen → beschmutzen ‖ → verderben
versauern: *(ugs.):* eingehen, zugrunde gehen, abbauen, -stumpfen,

abgeschnitten sein, keine Anregungen erhalten

versaufen → ertrinken ‖ → vertrinken

versäumen: verpassen, -fehlen, zu spät kommen, s. entgehen/durch die Finger gehen lassen, ungenutzt vorübergehen/verstreichen lassen, nicht nutzen, verschlafen, vergessen; *ugs.:* verbummeln, vertrödeln, versieben ‖ **seine Pflicht v.** → vernachlässigen

Versäumnis: Unterlassung, Vernachlässigung, -schulden ‖ versäumte Gelegenheit/Chance

verschachern → verkaufen

verschaffen → beschaffen

verschalen: verkleiden, -blenden, auslegen, -kleiden, -schlagen, bedecken, -spannen, -ziehen, täfeln

verschämt: schamhaft, voll Scham, schüchtern, genant, zurückhaltend; *ugs.:* genierlich; *reg.:* gschamig ‖ → verlegen

verschandeln → entstellen

verschanzen, sich: s. verbarrikadieren, s. ver-/einmauern, s. einschanzen/-graben ‖ s. verstecken/-kriechen/-bergen

Verschanzung → Bollwerk

verschärfen: verschlimmern, -schlechtern; *ugs.:* bergab/in den Keller gehen ‖ → steigern ‖ **sich v.:** s. zuspitzen, schlimmer/schlechter/gefährlicher/unerträglicher/ärger/ernst werden, auf einen Höhepunkt zulaufen, s. radikalisieren, eskalieren, einer Katastrophe entgegengehen, s. verschlimmern, s. verschlechtern ‖ → zunehmen

verscharren → vergraben

verschätzen, sich: falsch/zu hoch/zu niedrig schätzen, s. verkalkulieren/-rechnen

verschaukeln → betrügen

verscheiden → sterben

verschenken → schenken

verscherbeln → verkaufen

verscherzen: durch Leichtsinn/Gedankenlosigkeit verlieren/einbüßen, verwirken

verscheuchen → vertreiben

verscheuern → verkaufen

verschicken → abschicken ‖ → ausweisen

verschieben: verrücken, -setzen, umstellen, an eine andere Stelle schieben ‖ → aufschieben

verschieden: verschieden-, andersartig, unterschiedlich, ungleich(mäßig, -artig), unähnlich, abweichend, different, divergent, heterogen, anders, von anderer Art/Weise, grundverschieden, zweierlei, wie Tag und Nacht, unähnlich, -vereinbar, wesensfremd, geteilt, → gegensätzlich ‖ → mannigfaltig

verschiedenartig → verschieden ‖ → mannigfaltig

Verschiedenartigkeit → Divergenz ‖ → Vielfalt

Verschiedene → manche

verschiedenerlei → allerlei

Verschiedenheit → Unterschied ‖ → Vielfalt ‖ → Divergenz

verschiedentlich → manchmal

verschimmeln → schimmeln

verschlafen → versäumen ‖ → müde

Verschlag → Hütte ‖ Abstell-, Wagenverschlag; *veraltet:* Remise

verschlagen: versperrt, -nagelt; *ugs.:* zu ‖ → hinterhältig ‖ → schlau

verschlampen → verwahrlosen

verschlechtern: verschlimmern, -schärfen; *ugs.:* bergab/in den Keller gehen ‖ **sich v.** → s. verschärfen ‖ → zunehmen

verschleiern → verbergen

Verschleiß: Abnutzung, -nützung, Verbrauch

verschleißen → abnutzen ‖ → erschöpfen

verschleppen → entführen ‖ → aufschieben ‖ nicht rechtzeitig behandeln lassen, chronisch werden lassen, nicht ausheilen/-kurieren

verschleudern → verkaufen ‖ → verschwenden

verschließen: weg-, ab-, zuschließen, ab-, ver-, zusperren, ab-, zu-, verriegeln, zumachen, den Riegel/das Schloss vorlegen, sichern ‖ **in sich v.:** für sich behalten, nicht offenbaren/zeigen, nicht erkennen lassen/enthüllen, nicht kundgeben, s. nicht öffnen/anvertrauen ‖ **sich v.** → s. abkapseln ‖ **sich v. vor** → ablehnen

verschlimmern → verschlechtern ‖ **sich v.** → s. verschärfen ‖ → zunehmen

verschlingen → aufessen ‖ → verschlucken ‖ → kosten ‖ → lesen ‖ **mit den Augen v.** ‖ → anstarren

verschlissen → abgenutzt

verschlossen → geschlossen ‖ → unzugänglich ‖ → einsilbig

verschlucken: hinunterschlucken, verschlingen ‖ → kosten ‖ **sich v.:** *ugs.:* in die falsche Kehle bekommen/kriegen

Verschluss: Riegel, Schloss, Plombe, Deckel, Klappe, Stöpsel, Stopfen, Korken, P(f)ropfen, Zapfen, Pflock, Kappe

Verschlusssache: Geheimdokument, Verschlussakte

verschlüsseln: in Geheimschrift abfassen, chiffrieren, kodieren

verschmachten: verdursten, vor Durst vergehen

verschmähen → ablehnen

verschmelzen → verbinden ‖ → s. vereinigen ‖ → koitieren ‖ **v. mit** → aufgehen in

verschmerzen: s. abfinden mit, s. trösten, ertragen, vergessen, hinnehmen, → überstehen

verschmieren: (aus-, auf)füllen (Loch), verstreichen, zumachen, keine Lücke lassen ‖ → auftragen ‖ → beschmutzen

verschmitzt → listig

verschmutzen → beschmutzen

verschmutzt → schmutzig ‖ verseucht, -giftet, -pestet

verschnaufen → ausruhen

verschneit: zu-, eingeschneit, mit Schnee bedeckt, unter Schnee begraben, weiß, winterlich

verschnörkeln → verzieren

verschnupft → gekränkt

verschollen: für verloren gehalten, vermisst, für tot erklärt; *ugs.:* verschütt gegangen; *öster.:* abgängig ‖ → verschwunden ‖ → vergangen

verschonen: nichts zuleide tun/antun, nicht belästigen, behüten/bewahren vor, kein Haar krümmen ‖ → schonen

verschöne(r)n → schmücken ‖ → erheitern

verschossen: verblichen, -blasst, -färbt, -gilbt ‖ → verliebt

verschreckt → ängstlich

verschreiben → verordnen ‖ verbrauchen, abnutzen, -nützen ‖ **sich v.:** einen Fehler machen, falsch hinschreiben ‖ → aufgehen in ‖ → s. verschwören

verschrien → anrüchig

verschroben → schrullig

verschrotten: zu Schrott machen, als Schrott verwerten; *ugs.:* zum alten Eisen werfen

verschrumpelt → faltig

verschüchtern → einschüchtern

verschüchtert → schüchtern

verschulden: in schuldhafter Weise verursachen/bewirken, Schuld tragen/haben, schuld sein, schuldig/verantwortlich/haftbar sein, zu verantworten haben ‖ → anrichten

Verschulden → Schuld

verschusseln → vergessen ‖ → verlegen

verschütten: aus-, umschütten, vergießen; *ugs.:* verplempern ‖ völlig be-/zudecken, begraben

verschweigen: verheimlichen, -bergen, -hehlen, -tuschen, geheim halten, für s. behalten, vorenthalten, unterschlagen, totschweigen, (mit Schweigen) zudecken, bewusst nicht erzählen, in s. verschließen/bewahren ‖ → schweigen

verschweißen → löten

verschwenden: verschwenderisch umgehen mit, verschleudern, -geuden, -tun, -wirtschaften, mit vollen Händen ausgeben, (sein Geld) zum Fenster hinauswerfen, (ver)prassen, auf großem Fuß/über seine Verhältnisse leben; *ugs.:* verjubeln, -juxen, -pulvern, -plempern, -läppern, -buttern, -lumpen, -ludern, auf den Kopf hauen, durchbringen, aasen mit ‖ Zeit verstreichen lassen, nicht ausnützen/sinnvoll gestalten

verschwenderisch → üppig ‖ allzu großzügig/freigebig/schenkfreudig/generös/splendid

verschwiegen → schweigsam ‖ vertrauenswürdig, verlässlich, zuverlässig

verschwimmen: undeutlich werden, unscharf werden, sich verwischen, entgleiten, -rücken

verschwinden → verloren gehen ‖ untertauchen, entschwinden, -weichen, s. entziehen ‖ → weggehen ‖ → aussterben ‖ **v. lassen** → stehlen

verschwitzen → vergessen

verschwommen → unklar

verschwören, sich: eine Verschwörung beginnen, s. heimlich verbünden, ein Komplott schmieden, gemeinsame Sache machen, in ein Komplott verwickelt sein; *ugs.:* unter einer Decke stecken ‖ s. verschreiben, s. hingeben, huldigen, s. engagieren, s. einsetzen für

verschwörerisch → konspirativ

Verschwörung → Komplott

verschwunden: fort, weg, unauffindbar, nicht zu finden, verschollen, wie vom Erdboden verschluckt, abhanden gekommen, entflohen, flüchtig,

entwichen, wie weggeblasen, vom Winde verweht; *ugs.:* futsch(ikato), hin, auf und davon, über alle Berge, verschütt (gegangen), ex-und-hopp

versehen → ausüben ‖ **v. mit:** ausstatten, -rüsten, -staffieren, versorgen mit, mitgeben ‖ **sich v.** → s. irren

Versehen → Irrtum

versehentlich → unabsichtlich

Versehrter → Körperbehinderter

versenden → abschicken

versengen: leicht an-/verbrennen, ankohlen, abflämmen

versenken: untergehen lassen, den Fluten übergeben, hinab-, hinunterlassen, untersenken, eintauchen ‖ zum Sinken bringen, in den Grund bohren, rammen ‖ **sich v.** → s. beschäftigen mit

Versenkung: Versunkenheit, -tiefung, Meditation, Kontemplation, Nachdenken, -sinnen, Beschaulichkeit, -sinnlichkeit, -trachtung

versessen → gierig ‖ **v. sein auf** → begierig sein auf

versetzen: umsetzen, -stellen, verrücken, -schieben, an eine andere Stelle setzen, verpflanzen, -legen ‖ einen anderen Posten geben, die Stelle/den Ort wechseln ‖ → antworten ‖ → verpfänden ‖ → sitzen lassen ‖ → verkaufen ‖ **v. mit** → mischen ‖ **versetzt werden:** das Klassenziel erreichen, aufrücken, in die nächste Klasse kommen; *ugs.:* nicht sitzen bleiben/durchfallen ‖ **sich v. in** → nachvollziehen

verseuchen: verpesten, -giften, -schmutzen, -derben, -strahlen ‖ anstecken, übertragen, infizieren

versichern: beteuern, -kräftigen, -schwören, die Versicherung abgeben, Brief und Siegel geben, verbürgen ‖ → behaupten ‖ → versprechen ‖ **sich v.:** eine Versicherung abschließen, in eine Versicherung eintreten ‖ → s. vergewissern

Versicherung → Versprechen
versickern: einsickern, versiegen, -rinnen, aus-, ein-, vertrocknen, s. verlaufen, zu fließen aufhören, versanden, -landen
versieben → vergessen ‖ → verlegen
versiegeln: plombieren, mit einer Plombe sichern/schließen
versiegelt: verplombt, ver-, abgeschlossen
versiegen → versickern ‖ → enden
versiert → erfahren
versinken → untergehen ‖ → sinken
versinnbildlichen: in Bildern/ Gleichnissen sprechen, durch ein Sinnbild darstellen, Metaphern verwenden/gebrauchen, allegorisieren, Zeichen sein für etwas ‖ → veranschaulichen
Version: Lesart, Deutung, Erklärung, Darstellung, (Auf)fassung, Interpretation, Variante
versippt → verwandt
versklaven → knechten
versklavt → unfrei
versnobt → eingebildet
versohlen → schlagen
versöhnen → aussöhnen ‖ **sich v.** → s. aussöhnen
versöhnlich → friedlich ‖ → tolerant
Versöhnung: Einigung, Schlichtung, Beilegung, Aussöhnung, Verständigung
versonnen → nachdenklich
versorgen → verpflegen ‖ → s. kümmern um ‖ **v. mit** → geben ‖ **sich v.** → s. eindecken
verspannt → steif
verspäten, sich: zu spät/später als geplant kommen/eintreffen, unpünktlich sein, die Zeit überschreiten, aufgehalten werden, s. verzögern, (die Zeit) verschlafen
verspätet → spät ‖ → unpünktlich
verspeisen → aufessen
versperren → verschließen ‖ → verbarrikadieren

verspielen → verlieren ‖ **sich v.:** falsch spielen, einen Schnitzer machen; *ugs.:* danebengreifen, patzen
verspielt → unaufmerksam
verspotten → spotten ‖ → karikieren ‖ → parodieren
Verspottung → Spott
versprechen: ein Versprechen geben/ablegen, Versprechungen/eine Zusage machen, sein (Ehren)wort geben, versichern, geloben, beteuern, -schwören, beeidigen, an Eides statt erklären, auf seinen Eid nehmen, einen Eid leisten, s. verpflichten, s. verbürgen, in Aussicht stellen, zusichern, -sagen, garantieren, (eine Belohnung) verheißen ‖ erwarten/-hoffen lassen ‖ **sich v.** → s. verhaspeln ‖ versehentlich sagen/ausplaudern/ verraten; *ugs.:* s. verplappern/-plaudern/-quatschen ‖ **sich v. von:** erhoffen, bauen/setzen/vertrauen auf, rechnen mit
Versprechen: Gelöbnis, -lübde, Zu-, Versicherung, Zusage, (Ehren)wort, Beteuerung, Eid, Schwur
Versprecher → Lapsus
versprengen → zerstreuen
versprühen: verspritzen, sprühen, sprayen, zerstäuben
verspüren → fühlen
verstaatlichen → kollektivieren
Verstand: Vernunft, Ratio, Denk-, Begriffsvermögen, Denk-, Urteilsfähigkeit, -kraft, Auffassungsgabe, Erkenntnisvermögen ‖ Geist, Intellekt, Intelligenz, Klugheit, Scharfsinn, -blick, -sichtigkeit, Geistesgaben, Beobachtungsgabe, Gescheitheit, Weitblick, Esprit, Witz; *ugs.:* Durchblick, Köpfchen, Hirn, Grips, Grütze ‖ → Vernunft
verständig → einsichtig ‖ → klug
verständigen → informieren ‖ **sich v.:** s. verständlich machen, s. ins Einvernehmen setzen mit, Brücken schlagen ‖ → s. einigen

verständlich: verstehbar, gut zu verstehen/hören, deutlich vernehmbar ‖ → anschaulich ‖ → einsichtig ‖ → eingängig ‖ **v. machen** → erklären
verständlicherweise: aus verständlichen/einsichtigen Gründen, begreiflicher-, logischerweise, natürlich
Verständnis → Einfühlungsvermögen ‖ → Sinn
verständnislos: ohne jedes Verständnis, unaufgeschlossen, -zugänglich, -empfänglich, intolerant, stumpf, engstirnig, borniert
verständnisvoll → einsichtig ‖ → tolerant
verstänkern → verpesten
verstärken: deutlicher/stärker machen, hervorheben ‖ → steigern ‖ **sich v.** → zunehmen
verstauben: staubig werden, einstauben ‖ → veralten
verstaubt → staubig ‖ → altmodisch
verstauchen, sich: s. den Fuß vertreten, s. eine Verzerrung zuziehen, s. verrenken, s. verletzen; *ugs.:* s. verknacksen
verstauen: unterbringen, ein-, wegpacken; *ugs.:* unterkriegen, verfrachten
Versteck: Zuflucht(sort, -sstätte), Unterschlupf, Schlupfloch, -winkel; *ugs.:* Nest ‖ Hinterhalt, Falle
verstecken → verbergen ‖ **sich v.** → s. verbergen
verstehen: (deutlich) hören, (klar) vernehmen, akustisch vernehmen ‖ erfassen, begreifen, folgen können, erkennen, richtig beurteilen/einschätzen können, deutlich/bewusst/klar/verständlich werden, zu Bewusstsein kommen, jmdm. gehen die Augen auf, s. erschließen, herausfinden, nachvollziehen, -empfinden, ergründen, klug werden aus, klarsehen, durchblicken, -schauen, geistig aufnehmen; *ugs.:* mitbekommen, -kriegen, durchsteigen, kapieren, che-

cken, schnallen, raffen, intus kriegen, schalten, löffeln, auf den Trichter kommen, dämmern, dahinterkommen, jmdm. geht ein Licht auf, aufgehen, funken, eingehen; *derb:* es fressen ‖ → beherrschen ‖ einsehen, s. gesagt sein lassen, eine Lehre ziehen aus, s. zu Herzen nehmen, beherzigen ‖ **falsch v.** → missverstehen ‖ **zu v. geben** → nahe legen ‖ → andeuten ‖ **sich v.** → harmonieren
versteifen → stützen ‖ **sich v.** → steif werden ‖ **sich v. auf** → bestehen auf
versteigen, sich → s. verirren ‖ **sich v. zu:** in kühner Weise/übertriebenem Ausmaß tun, → s. anmaßen
versteigern: meistbietend verkaufen, auktionieren; *ugs.:* unter den Hammer bringen
versteinert: fossil, urzeitlich, -weltlich
verstellen → verbarrikadieren ‖ → verlegen ‖ **sich v.** → heucheln ‖ → täuschen
versterben → sterben
verstiegen → überspannt
verstimmen: ärgerlich/wütend machen, ärgern, Ärger/Verdruss bereiten, in Missmut versetzen, erzürnen, aufbringen, verdrießen, -ärgern, -grämen, -bittern, -letzen, kränken, vor den Kopf stoßen, weh tun, einen Stich versetzen, beleidigen, brüskieren; *ugs.:* einen Hieb versetzen
Verstimmung → Ärger ‖ → Auseinandersetzung
verstinken → verpesten
verstockt → widerspenstig ‖ → beschränkt ‖ → unzugänglich
verstohlen → heimlich
verstopfen: (ab)dichten, schließen, ausfüllen, zustopfen, verfugen, isolieren, abdämmen
Verstopfung: Stuhl-, Darmverstopfung, Verdauungsstörung, Darmträgheit, -verschluss, Konstipation; *med.:* Obstipation

verstorben → tot
Verstorbener → Leichnam
verstört → bestürzt ‖ → konfus
Verstoß: Fehler, Fehltritt, Fauxpas, Entgleisung, Verfehlung, Vergehen, Übel-, Misse-, Schand-, Straf-, Untat, Delikt, Zuwiderhandlung, Übertretung, (Pflicht)verletzung, Unrecht, Sünde, Sakrileg
verstoßen → ächten ‖ → ausschließen ‖ → ausweisen ‖ v. gegen → zuwiderhandeln
verstreben → stützen
verstreichen → vergehen ‖ → verschmieren ‖ gleichmäßig verteilen, aufstreichen, -tragen, (be)schmieren
verstreuen → ausbreiten ‖ → zerstreuen ‖ sich v. → s. zerstreuen
verstricken, sich → s. verfangen
verstümmeln → entstellen
verstummen → schweigen ‖ → verhallen
Versuch: Experiment, Test, Probe ‖ Unternehmen, -fangen, Bemühung, Anstrengung, Vorstoß
versuchen: einen Versuch anstellen/ machen, s. versuchen an, (aus-, durch)probieren, (durch)prüfen, testen, experimentieren, untersuchen, erproben; ugs.: einen Versuchsballon steigen lassen ‖ → anfangen ‖ → kosten ‖ → verführen
versuchsweise → probeweise
Versuchung → Reiz
versumpfen → verwahrlosen ‖ → hängen bleiben
versündigen, sich → sündigen
versunken → andächtig ‖ → nachdenklich ‖ → vergangen
vertagen → aufschieben
vertauschen → austauschen ‖ → verwechseln
verteidigen → schützen ‖ → rechtfertigen ‖ → eintreten für ‖ sich v.: Widerstand leisten, bis zum letzten Atemzug kämpfen, fest/stark bleiben, s. entgegenstellen, nicht nach-

geben/wanken, s. nicht zu Fall bringen lassen, → s. wehren
Verteidiger → Anwalt
Verteidigung: Abwehr, Gegenwehr, Defensive, Rechtfertigung, Apologetik
verteilen: austeilen, ab-, über-, ausgeben, ausschütten, umlegen auf ‖ → schenken ‖ → zuteilen ‖ sich v. → s. zerstreuen
verteuern: anheben, heraufsetzen, hochtreiben, -schrauben, -jagen, in die Höhe treiben, erhöhen, aufschlagen, steigern ‖ sich v.: ansteigen, -ziehen, in die Höhe klettern, s. erhöhen, hochklettern, -gehen, teurer werden, s. steigern, zunehmen
Verteuerung → Preisanstieg
verteufeln → verleumden ‖ → verfluchen
verteufelt → verflucht ‖ → sehr
vertiefen: verstärken, -größern, -bessern, intensivieren, aktivieren, ausbauen, steigern, vorantreiben ‖ → festigen ‖ sich v. → s. beschäftigen mit ‖ → meditieren
vertikal: lot-, senkrecht
vertilgen → ausrotten ‖ → aufessen
vertrackt → schwierig
Vertrag: (schriftliche) Abmachung/ Vereinbarung, (Handels)abkommen, Kontrakt, Übereinkunft, -kommen, Pakt, Absprache, Konvention, Agreement, Abschluss
vertragen → aushalten ‖ sich v.: s. nicht streiten/zanken, → s. aussöhnen ‖ → harmonieren
verträglich → friedlich ‖ → bekömmlich
vertrauen: zu jmdm. Vertrauen haben, jmdm. Vertrauen schenken/entgegenbringen/erweisen, s. anvertrauen, seine Hoffnung setzen auf, glauben an, trauen, s. verlassen/stützen auf, rechnen mit, zählen/bauen/ hoffen auf
Vertrauen: Zuversicht, -trauen,

Glaube(n), Hoffnung, Sicherheit, Gewissheit

vertrauensselig → arglos

vertrauenswürdig → aufrichtig ‖ → rechtschaffen

vertraulich → geheim ‖ → familiär

verträumt → geistesabwesend ‖ → schwärmerisch ‖ → idyllisch

vertraut → familiär ‖ → bekannt

vertreiben: fort-, davon-, wegtreiben, ver-, weg-, davon-, fortjagen, ver-, weg-, fortscheuchen, vergrämen, hinausekeln, in die Flucht treiben/ schlagen; *ugs.:* zum Teufel jagen, Beine machen, schassen, hinausfeuern, -befördern, -schmeißen, vergraulen ‖ → ausweisen ‖ → verkaufen

vertretbar → annehmbar

vertreten: aushelfen, einspringen/ -treten für, die Vertretung übernehmen, in die Bresche springen, jmdn. ersetzen, für einen anderen arbeiten ‖ jmds. Interessen wahrnehmen, sprechen für, verteidigen ‖ → eintreten für ‖ → repräsentieren

Vertreter → Ersatzmann ‖ → Bevollmächtigter ‖ → Anwalt ‖ → Handelsvertreter

Vertrieb → Verkauf

Vertriebener → Flüchtling

vertrinken: verzechen, -schwenden; *ugs.:* durch die Gurgel jagen; *derb:* versaufen

vertrocknen: ein-, austrocknen, aus-, verdorren, ausdörren, trocknen/dürr werden ‖ → welken ‖ versiegen, → versickern, versanden, verlanden

vertrocknet → trocken

vertrödeln → versäumen

vertrösten: warten lassen, Zeit gewinnen wollen, hinhalten, etwas hinziehen; *ugs.:* zappeln lassen, abspeisen, Katz und Maus spielen

vertrotteln → verdummen

vertun: ungenutzt lassen, → verschwenden ‖ **sich v.** → s. irren

vertuschen → verbergen

verübeln → übel nehmen

verüben → begehen

verulken → necken

verunglimpfen → verleumden ‖ → demütigen

Verunglimpfung → Diskriminierung ‖ → Nachrede

verunglücken: einen Unfall haben/ erleiden, bei einem Unfall verletzt/ getötet/überfahren werden, umkommen, zugrunde gehen, zu Schaden kommen, s. den Hals/das Genick brechen; *ugs.:* einen Unfall bauen; *schweiz.:* verunfallen ‖ → scheitern

verunmöglichen → verhindern

verunreinigen → beschmutzen

verunsichern → irremachen

verunstalten → entstellen

veruntreuen: unterschlagen, hinterziehen, in die eigene Tasche stecken, unrechtmäßig ausgeben/behalten, betrügen

verursachen → bewirken ‖ → anrichten

verurteilen: aburteilen, die Schuld geben, mit Strafe belegen, eine Strafe auferlegen/verhängen, verdammen zu, schuldig sprechen, für schuldig erklären, das Urteil sprechen, bestrafen; *ugs.:* verdonnern, verknacken ‖ → brandmarken ‖ → ablehnen

Verve → Schwung

vervielfachen: multiplizieren, malnehmen ‖ → steigern ‖ **sich v.** → zunehmen

vervielfältigen → kopieren

vervollkommnen → ergänzen ‖ → verbessern ‖ **sich v.** → s. bilden ‖ → s. runden

vervollständigen → ergänzen

verwachsen → verheilen ‖ zusammenwachsen, zu einer Einheit werden, verschmelzen, eine Symbiose bilden ‖ → missgestaltet ‖ überwuchert, undurchdringlich, -zugänglich, -wegsam, -durchlässig, dicht

verwahren → aufbewahren ‖ **sich v.**

→ protestieren ‖ **sich v. gegen** → abstreiten

verwahrlosen: ver-, herunterkommen, verderben, -rotten, -wildern, -lottern, -schlampen, -rohen, abrutschen, -gleiten, untergehen, zugrunde gehen, auf Abwege/die schiefe Bahn/die schiefe Ebene/unter die Räder geraten/kommen, in der Gosse enden/landen/umkommen, vom rechten Weg abkommen, abwirtschaften; *ugs.:* versumpfen, -sacken, -ludern, -lumpen, auf den Hund kommen, vor die Hunde gehen ‖ ver-, einfallen, veröden ‖ **v. lassen** → vernachlässigen

verwahrlost: verkommen, -dorben, -lottert, -wildert, -schlampt, abgewirtschaftet, verlebt, ruiniert; *ugs.:* heruntergekommen, auf den Hund gekommen, zerlumpt, abgerissen, vergammelt ‖ ungepflegt, -ordentlich, in Unordnung, vernachlässigt, chaotisch, wüst, liegt im Argen

verwaisen: Waise werden, die Eltern verlieren

verwaist → einsam

verwalten: betreuen, -sorgen, -wirtschaften ‖ → führen

Verwalter: Administrator, Sach(ver)walter, Prokurator (Kloster), Kurator (Stiftung), Bevollmächtigter, Vertreter, Manager ‖ Inspektor, Wirtschafter

Verwaltung → Führung ‖ → Amt

verwandeln → ändern ‖ **sich v.** → s. ändern

verwandt: stamm-, blutsverwandt, versippt, zur Familie gehörig, von gleicher Abstammung, verschwägert, -schwistert, angeheiratet ‖ → ähnlich ‖ → geistesverwandt ‖ **v. sein** → ähneln

Verwandtschaft → Familie ‖ Ähnlichkeit, Übereinstimmung, Analogie, Gleichartigkeit, Wahlverwandtschaft

verwarnen → ermahnen

verwaschen → unklar

verwässern → verdünnen ‖ → vereinfachen

verwechseln: vertauschen, durcheinander bringen/werfen, s. irren, s. täuschen, Fehler machen; *ugs.:* s. vertun/-hauen

verwegen → mutig

verwehen → vergehen ‖ → verhallen

verwehren → verbieten ‖ → verhindern ‖ → vorenthalten

verweht → vergangen

verweichlichen → verwöhnen

verweigern → ablehnen ‖ → verbieten ‖ → vorenthalten ‖ **sich v.** → verzichten ‖ s. nicht hingeben, s. versagen, s. nicht verführen lassen ‖ → aussteigen

verweilen → s. aufhalten ‖ → zögern

Verweis → Tadel ‖ Hinweis

verweisen → tadeln ‖ **v. an:** weisen/schicken/beordern zu, empfehlen an ‖ **v. auf** → hinweisen ‖ **des Landes v.** → ausweisen

verwelken → welken

verwelkt → welk

verwendbar → brauchbar

verwenden → gebrauchen ‖ **sich v. für:** Fürsprache/-bitte einlegen für, bitten für, ein gutes Wort einlegen, → eintreten für

verwerfen → ablehnen

verwerflich → schändlich

verwerten → gebrauchen

verwesen → faulen

Verwesung → Fäulnis

verwichsen → schlagen

verwickeln: hineinziehen, absorbieren, verstricken ‖ → verwirren ‖ **sich v.** → s. verfangen

verwickelt → schwierig ‖ → wirr

verwildern → verwahrlosen

verwinden → überstehen

verwirken: s. um das Recht bringen, (zur Strafe) einbüßen, verlieren, -scherzen, -spielen

verwirklichen: realisieren, in die Tat umsetzen, Ernst/wahr/wirklich machen, aus-, durchführen, zur Durchführung bringen, (s.) erfüllen, Wirklichkeit/Realität werden lassen, ins Werk/in Szene setzen, vollstrecken, -bringen, -ziehen, zustande/-wege bringen, bewerkstelligen, in die Wege leiten, über die Bühne bringen, abwickeln, leisten, schaffen, meistern; *ugs.:* schmeißen, hinkriegen, durchziehen ‖ **sich v.** → eintreten

verwirren: verwickeln, -filzen, -stricken, -heddern, -haspeln, -schlingen, -flechten, -knäueln; *ugs.:* verfitzen ‖ → irremachen

verwirrt → konfus ‖ → verlegen ‖ → bestürzt

Verwirrung: Konfusion, Rat-, Hilflosigkeit, Bestürzung, -troffenheit, Entgeisterung, Fassungslosigkeit, Verblüffung, Sprachlosigkeit, Erschütterung, Kopflosigkeit, Desorientierung

verwischen: unkenntlich/-deutlich machen, verschleiern, -nebeln, -dunkeln, (Spuren) beseitigen, tilgen ‖ **sich v.:** verschwimmen, undeutlich/-scharf werden, entgleiten, -rücken

verwittern → zerfallen

verwöhnen: auf Händen tragen, auf Rosen betten, jeden Wunsch erfüllen/von den Augen ablesen, reich beschenken, überschütten/-schwemmen mit ‖ verziehen, -weichlichen, -zärteln, -hätscheln, -bilden, -derben; *ugs.:* verpimpeln, -päppeln, -korksen

verwöhnt → wählerisch ‖ → verzogen

verworfen → lasterhaft

verworren → unklar ‖ → konfus

verwunden → verletzen ‖ → kränken

verwunderlich → merkwürdig

verwundern → erstaunen

verwundert → überrascht

verwünschen → verfluchen

verwüsten → zerstören

verzagen: die Zuversicht/Hoffnung aufgeben, den Mut verlieren/sinken lassen, mutlos werden, alle Hoffnung fahren lassen, → verzweifeln; *ugs.:* die Flinte ins Korn werfen

verzagt → mutlos ‖ → pessimistisch

verzählen, sich: falsch zählen/rechnen, einen Rechenfehler machen, s. verrechnen

verzahnen → verbinden

verzanken, sich → s. entzweien

verzaubern: verhexen, -wünschen ‖ → bezaubern

Verzehr: Zeche; *schweiz.:* Konsumation ‖ → Verbrauch

verzehren → essen ‖ → erschöpfen ‖ **sich v.** → s. erschöpfen ‖ → s. sorgen

verzeichnen → entstellen ‖ → aufschreiben

Verzeichnis → Liste

verzeihen: vergeben, nachsehen, Nachsicht zeigen, entschuldigen, Verzeihung gewähren, von einer Schuld befreien/freisprechen, exkulpieren, nicht nachtragen/übel nehmen; *ugs.:* ein Auge zudrücken, durch die Finger sehen

verzeihlich: verzeih-, entschuldbar, zu rechtfertigen, verständlich

Verzeihung: Vergebung, Entschuldigung, Nachsicht, Verständnis, Milde, Erbarmen, Schonung, Barmherzigkeit ‖ → Straferlass ‖ verzeihen/entschuldigen Sie (bitte)!, Pardon!, Entschuldigung!, es tut mir Leid!

verzerren → entstellen ‖ → karikieren ‖ → s. verletzen

verzetteln, sich: s. verfangen/-wickeln/-stricken/-lieren in, hängen bleiben; *ugs.:* s. verfilzen/-kleckern/-plempern

verzichten: Verzicht leisten, ab-, entsagen, s. versagen, s. enthalten, Abstand nehmen von, ablassen/zurücktreten von, ab-, her-, aufgeben, s. befreien/frei machen/trennen von, zurückstehen, s. etwas verweigern/nicht gönnen/(er)sparen, unterlassen, nicht tun, (bleiben) lassen; *ugs.:* s. verkneifen, pfeifen/husten/spucken auf, schießen lassen, s. verbeißen

verziehen → verwöhnen ‖ → umziehen ‖ **sich v.:** s. wellen, s. (auf)werfen ‖ → weggehen

verzieren: verschnörkeln, -brämen, ornamentieren, → schmücken

Verzierung: Schmuck, Dekor(ation), Ausschmückung, Schnörkel, Verschnörkelung, Rankenwerk, Zierrat, Zier, Putz, Zierde, Ornament, Muster

verzogen: verwöhnt, -weichlicht, -zärtelt, -hätschelt, -dorben; *ugs.:* verkorkst ‖ → ungehorsam

verzögern → aufschieben ‖ **sich v.** → s. verspäten

Verzögerung: Verschiebung, -schleppung, -langsamung, -tagung, Saumseligkeit ‖ → Verzug ‖ → Galgenfrist

verzückt → begeistert

Verzug: Verspätung, Rückstand, Aufschub, Ausstand, Frist ‖ → Verzögerung

verzweifeln: in Verzweiflung geraten/fallen, keinen Ausweg mehr sehen, die Fassung verlieren, hoffnungslos sein, schwarz sehen, nicht mehr weiter wissen, s. verloren geben, jede Hoffnung aufgeben, → verzagen

verzweifelt → deprimiert ‖ → aussichtslos ‖ → sehr

verzweigen, sich → s. gabeln

verzwickt → schwierig

Vesper: Zwischenmahlzeit, Imbiss, Nachmittagskaffee; *öster.:* Jause ‖ Gottesdienst (gegen Abend)

Vestibül: Vor-, Treppenhalle, Foyer

Veto → Einwand

Vettel → Schlampe

Vetter: Cousin

Vetternwirtschaft: Cliquen-, Partei-, Günstlingswirtschaft, Begünstigung, -vorzugung, Protektion, Patronage,

Nepotismus; *reg.:* Vetterleswirtschaft; *schweiz.:* Vetterliwirtschaft; *ugs.:* Klüngel

vibrieren → zittern

Vieh: *(ugs.):* Tier, Bestie; *ugs.:* Biest ‖ → Scheusal

viehisch → brutal

viel → reichlich ‖ → sehr

vieldeutig → mehrdeutig

viele: Zahllose, -reiche, Unzählige, -gezählte, -zählbare, unendliche, endlose, Dutzende, Hunderte, Tausende, Millionen, nicht wenige, eine große Zahl von, eine ganze Reihe, Heerscharen, Legionen, eine Menge/Anzahl/Unzahl/Vielzahl/Masse, eine breite Palette von, massenhaft, haufen-, scharenweise; *ugs.:* massig, ein Berg / Haufen / Rattenschwanz von

vielerlei → allerlei

vielfach → wiederholt

Vielfalt: Mannigfaltigkeit, Vielförmigkeit, -gestaltigkeit, Reichtum, -haltigkeit, Abwechslung, Buntheit, Farbigkeit, Fülle, großes Angebot, große Auswahl, Palette, Variationsbreite, Gemisch, Verschiedenartigkeit, Skala; *ugs.:* Menge, Masse

vielfältig → mannigfaltig

vielförmig → mannigfaltig

vielgestaltig → mannigfaltig

vielleicht → möglicherweise ‖ → annähernd

vielmals → wiederholt ‖ → sehr

vielmehr → eher ‖ → oder ‖ → sondern

vielsagend → informativ ‖ → inhaltsreich, → mehrdeutig

vielseitig → mannigfaltig ‖ universal, universell, allseitig, an vielem interessiert, für vieles zugänglich/aufgeschlossen, in vielen Gebieten bewandert/-schlagen/-gabt/routiniert

vielsprachig: mehrsprachig, mehrere Sprachen sprechend/beherrschend, polyglott

viel versprechend → Erfolg versprechend

Vielzahl → Menge

vierschrötig → klobig

Viertel: Stadtbezirk, -teil, Gegend; *öster.:* Quartier, Gretzl

vif → lebhaft

vigilant: aufmerksam, wach, → schlau

Viola: Bratsche

Violine: Geige; *ugs.:* Fiedel

Viper: Otter, Giftschlange

viril: männlich, maskulin

virtuos: (technisch) vollkommen, meisterhaft, → großartig

virulent: hochansteckend, krankheitserregend, infektiös, giftig, toxisch

Visage → Gesicht

vis-a-vis → gegenüber

visieren → zielen

Vision → Einbildung

Visite: (Kranken)besuch, Arztvisite; *ugs.:* Stippvisite (kurz)

Vita → Biografie

vital: lebenswichtig, für die Existenz entscheidend / ausschlaggebend / grundlegend / bestimmend, fundamental ‖ lebenskräftig, -voll, voller Lebenskraft, → lebhaft

Vitalität: Lebenskraft, -wille, -fähigkeit ‖ → Schwung

Vitrine: Glasschrank, Schaukasten

Vogel: *Kinderspr.:* Piepmatz ‖ **lustiger V.** → Spaßvogel ‖ **lockerer V.** → Leichtfuß ‖ **seltsamer V.** → Sonderling

vogelfrei → geächtet

Vogelscheuche: Strohmann, -puppe, Scheuche, Getreidepuppe ‖ *abwertend:* hässliche Frau; *ugs.:* Schreckschraube, Krauthexe

Vokabular → Wortschatz

Volant: Lenkrad, Steuer ‖ → Besatz

Volk: Völkerschaft, Volksgemeinschaft, Nation ‖ → Bevölkerung ‖ → Menge ‖ **das gemeine V.** → Pöbel

Volksbefragung → Meinungsforschung

Volksentscheid: Volksabstimmung, -befragung, -begehren, Referendum, Plebiszit

Volksfest → Jahrmarkt

Volksherrschaft → Demokratie

volkstümlich → populär

Volksvertretung: Parlament, Abgeordnetenhaus

voll: (an)gefüllt, randvoll, zum Überlaufen, ein gerüttelt Maß ‖ → belegt ‖ → ganz ‖ → betrunken ‖ → satt ‖ → dick ‖ → high ‖ **brechend v.** → überfüllt

voll laden → laden

vollauf → ganz

vollblütig: reinrassig, aus edler Zucht stammend ‖ → lebhaft

vollbringen → bewältigen

vollleibig → dick

vollenden → fertig machen

vollendet → vollkommen ‖ → fertig

vollends → ganz

Vollendung → Meisterschaft

Völlerei → Gelage

vollführen → ausführen

völlig → ganz

volljährig: mündig, erwachsen, großjährig; *veraltet:* majorenn

vollkommen → ganz ‖ vollendet, fehlerlos, -frei, perfekt, tadel-, makellos, untadelig, vorbildlich, mustergültig, -haft, unübertroffen, -erreicht, -vergleichbar, ideal, vollwertig, beispiellos, abgerundet, einwandfrei

Vollkommenheit → Meisterschaft

Vollmacht → Recht

vollschlank → dick

vollständig → komplett ‖ → ganz

vollstrecken → ausführen

Volltreffer: Hauptgewinn, Großes Los, Glückslos, erster Preis

volltrunken → betrunken

vollwertig → vollkommen ‖ → gleich

vollzählig → komplett ‖ → alle

vollziehen → ausführen ‖ **sich v.**

→ geschehen
Volumen: Rauminhalt, Fassungskraft, -vermögen, Füllmenge, räuml. Ausmaße ‖ → Fülle
voluminös → dick
von: vonseiten, seitens, durch, aus
voneinander: einer vom andern, auseinander, gegenseitig
vor: hervor, -aus ‖ nach vorn, voran ‖ aus, bewirkt durch, wegen, aufgrund ‖ gegen
vorab → zuerst
voran → vorwärts
vorangehen: vorne/an der Spitze gehen, anführen ‖ vorwärts gehen, von der Hand gehen, vorwärts kommen, vorankommen, s. gut entwickeln, Fortschritte machen; ugs.: flutschen, vom Fleck kommen ‖ führen, bahnbrechen, vorstoßen, die Richtung angeben, den Weg weisen/zeigen, wegweisen, Neuland betreten, vorzeichnen
vorankommen: vorwärts kommen, vorrücken, s. vorwärts bewegen, einen Weg/eine Strecke zurücklegen ‖ → fortschreiten ‖ → vorangehen
voranstellen: an den Anfang stellen, vorwegnehmen, -sagen, vorausbemerken, einleitend sagen
vorantreiben → beschleunigen
voraus: vor, vorher, -an, vorne(weg), an der Spitze ‖ → zuerst
vorausahnen → ahnen
vorausbemerken → voranstellen
voraushaben: überlegen/im Vorteil sein, mehr wissen/kennen, größere Erfahrung haben, geschulter sein
voraussagbar → absehbar
Voraussage: Vorhersage, Prophezeiung, Prognose, Vorausbestimmung, Weissagung, Orakel
voraussagen → prophezeien
vorausschicken → voranstellen
voraussehbar → absehbar
voraussehen → absehen ‖ → prophezeien ‖ → ahnen

voraussetzen: als vorhanden/selbstverständlich/gegeben annehmen, zur Voraussetzung / Grundlage / Basis / Bedingung machen, zugrunde legen, ausgehen von, unterstellen, den Fall setzen ‖ → erfordern
Voraussetzung: (Vor)bedingung, Annahme, Prämisse ‖ Grundlage, Ausgangspunkt, Basis, Fundament
voraussichtlich → wahrscheinlich
vorauszahlen → vorstrecken
vorauszusehen → absehbar
vorbauen → vorsorgen
Vorbedingung → Voraussetzung
Vorbehalt → Einschränkung ‖ → Skepsis
vorbehalten, sich → offenlassen
vorbehaltlich → bedingt
vorbehaltlos → bedingungslos
vorbei → vergangen
vorbeibenehmen, sich → entgleisen
vorbeigehen → vergehen ‖ → vorüber-, entlanggehen, passieren ‖ → besuchen
vorbeikommen → besuchen
vorbeimarschieren → paradieren
vorbeischießen → verfehlen
Vorbemerkung → Einleitung
vorbereiten: bereitlegen, -stellen, -halten, zurechtlegen, -machen, fertig machen, (her)richten ‖ → anbahnen ‖ → planen ‖ **sich v.** → s. einstellen auf
Vorbereiter → Pionier
vorbestimmt → schicksalhaft
vorbeugen → vorsorgen ‖ zu verhüten/-hindern suchen, s. immunisieren/schützen gegen ‖ **sich v.:** s. nach vorn beugen, s. vorlegen
vorbeugend → prophylaktisch
Vorbild → Ideal ‖ → Idol ‖ → Muster
vorbildlich → musterhaft
Vorbote → Anzeichen
vorbringen: zur Sprache bringen, ins Feld/Treffen führen, in die Diskussion werfen, vortragen, → äußern; ugs.: aufs Tapet bringen, anbringen
vordem → früher

vordergründig → oberflächlich ‖ → durchsichtig

vorderhand → einstweilen

Vorderseite → Fassade

vordrängen, sich: s. drängeln, s. nach vorne schieben, nicht warten können, s. nicht anstellen/einreihen, s. um jeden Preis einen Weg/Platz verschaffen ‖ s. auffällig benehmen, s. selbst besonders hervorheben, s. aufdrängen, s. aufspielen, unangenehm auffallen

vordringen: (gewaltsam) vorwärts dringen, vorstoßen, -prellen, -rücken, -stürmen, -preschen

Vordruck: Formular, Formblatt

voreilig → überstürzt

voreingenommen → parteiisch

vorenthalten → verschweigen ‖ verweigern, -sagen, -wehren, nicht geben/gewähren/übereignen/-lassen/ verabfolgen, nicht zuteil werden/zukommen lassen

vorerst → zuerst

Vorfahr → Ahn(e)

Vorfall → Ereignis

vorfallen → geschehen

vorfinden → antreffen ‖ → finden

Vorfreude → Spannung

vorfühlen: seine Fühler ausstrecken, s. vortasten, (die Lage) sondieren, vorsichtig erkunden/-forschen/in Erfahrung bringen/aufspüren, s. umsehen

vorführen → aufführen ‖ → zeigen

Vorführung → Aufführung

Vorgang → Ablauf

vorgaukeln → vortäuschen ‖ → täuschen ‖ → heucheln ‖ sich v. → s. einbilden

vorgeben → vortäuschen ‖ → täuschen ‖ → heucheln

Vorgefühl → Ahnung

vorgehen: voran-, vorausgehen ‖ → geschehen ‖ bestimmte Maßnahmen ergreifen, etwas unternehmen, → handeln ‖ wichtiger/dringender

sein, Vorrang haben, mehr bedeuten ‖ eine zu frühe Zeit anzeigen (Uhr) ‖ **v. gegen** → ankämpfen ‖ → angreifen

Vorgehen: Procedere ‖ → Aktion

Vorgeschichte: Früh-, Urgeschichte, Prähistorie ‖ Vorleben, Lebens-, Entwicklungsgeschichte, Werdegang, Biografie

Vorgesetzter → Chef

vorgreifen → antizipieren

vorhaben → beabsichtigen

Vorhaben → Absicht ‖ → Unternehmung

vorhalten: vorwerfen, Vorwürfe/ -haltungen machen, tadeln, → beschuldigen; *ugs.:* unter die Nase reiben, aufs (Butter)brot schmieren

Vorhaltung → Vorwurf

vorhanden → lieferbar

Vorhang: Gardine, Store, Portiere (Tür)

vorher → früher

vorherrschen → überwiegen

Vorhersage → Voraussage

vorhersagen → prophezeien

vorhersehbar → absehbar

vorhersehen → absehen ‖ → prophezeien ‖ → ahnen

vorhin: gerade, eben, vor wenigen Augenblicken, kürzlich, vor kurzer/ nicht langer Zeit, vor kurzem

Vorhut: Stoß-, Vortrupp

vorig: vergangen, letzt; *ugs.:* verflossen

Vorkämpfer → Pionier

vorknöpfen, sich → zurechtweisen

vorkommen → geschehen ‖ → auftreten ‖ → scheinen

Vorkommnis → Ereignis

vorladen → laden

Vorlage → Muster ‖ → Antrag

Vorläufer → Pionier

vorläufig → einstweilen ‖ → notdürftig

vorlaut: altklug, vorwitzig, naseweis, frech, keck, kess, dreist; *ugs.:* neunmalklug

vorlegen: unterbreiten, zur Einsichtnahme geben/hinlegen, präsentieren, offerieren, übergeben, über-, einreichen ‖ → vorstrecken ‖ → auftischen

vorlesen → vortragen

Vorlesung: Kolleg (Hochschule)

Vorliebe: Faible, spezielle Neigung, besonderes Interesse, Sympathie, Schwäche, Hang, Zug, Manie; *ugs.:* Tick

vorlieb nehmen → s. begnügen

vorliegen: s. in jmds. Händen befinden (Schriftstück), zur Verfügung stehen, vorhanden/im Besitz sein ‖ bestehen, existieren, s. finden, anfallen

vormachen → zeigen ‖ → vortäuschen ‖ → täuschen ‖ → heucheln ‖ s. etwas v. → s. einbilden

vormals → früher

vormerken → reservieren ‖ auf die Warteliste setzen, aufschreiben, notieren

vorn: davor, voraus, voran, an der Spitze/ersten Stelle, vor den andern, vorneweg ‖ im Vordergrund

vornehm: fein(sinnig, -fühlend), edel, nobel, distinguiert, kultiviert, manierlich, honorig, gentlemanlike, würdevoll, adlig, (hoch-)herrschaftlich ‖ → elegant

vornehmen, sich → beabsichtigen ‖ sich jmdn. v.: jmdn. zur Rede stellen, zur Verantwortung ziehen, zurechtweisen, maßregeln, eine Lektion/Lehre erteilen, die Meinung sagen, in die Schranken weisen; *ugs.:* s. jmdn. kaufen/vorknöpfen/greifen, jmdm. aufs Dach steigen, den Kopf waschen, die Leviten lesen, eins auf den Deckel geben, jmdn. ins Gebet nehmen

vornehmlich → besonders

Vorort: Vorstadt(siedlung), Trabanten-, Satellitenstadt, Stadtrand, Vorstadt, Außenbezirk

Vorrang: Priorität, Primat, Vormachtstellung, bevorzugte Stellung, Vor-, Erstrangigkeit, Dominanz, Überlegenheit ‖ → Vorrecht

Vorrat: Reserve, Rücklage, Reservoir, Bestand, Stock, Lager, Potenzial, → Bestand; *ugs.:* Fettpolster, Hamsterkiste, Topf

vorrätig → lieferbar

Vorrecht: Privileg(ium), Erst-, Vorzugs-, Sonderrecht, Priorität, Vorrang, -tritt, -zug, Vergünstigung, Bevorzugung

Vorreiter → Pionier

vorrücken: vormarschieren, -preschen, zum Angriff übergehen ‖ → vorankommen

vorsagen: einsagen, ein-, zuflüstern, vorreden, -sprechen; *ugs.:* einhelfen

Vorsatz → Absicht

vorsätzlich → absichtlich

Vorschau: Vorankündigung, (Programm)überblick

vorschieben → s. herausreden

vorschießen → vorstrecken

Vorschlag: Empfehlung, Anregung, Rat(schlag), Tipp, → Angebot

vorschlagen: einen Vorschlag machen/unterbreiten, anregen, eine Anregung geben, (an-, zu)raten, einen Rat geben/erteilen, (an)empfehlen, nahe legen, zu bedenken/erwägen geben, zur Diskussion stellen/Sprache bringen, antragen, -bieten, ein Angebot machen

vorschnell → überstürzt

vorschreiben → befehlen

Vorschrift → Anweisung ‖ → Befehl

vorschriftsmäßig → ordnungsgemäß

Vorschuss: Voraus-, Abschlagszahlung

vorschützen → vortäuschen ‖ → täuschen ‖ → heucheln

vorschweben: s. vorstellen, s. ausdenken, im Sinn haben, s. ersinnen, träumen von

vorschwindeln → lügen

vorsehen: in Aussicht nehmen, ausersehen, bestimmen ‖ → einplanen ‖ **sich v.** → aufpassen

vorsetzen → auftischen

vorsichtig: mit Vorsicht, wachsam, ängstlich, misstrauisch, argwöhnisch, skeptisch, zweifelnd, unsicher, voller Argwohn, auf der Hut ‖ → schonend

vorsichtshalber: zur Vorsicht, sicherheitshalber, für alle Fälle, vorsorglich; *ugs.:* lieber

Vorsitz → Leitung

vorsorgen: Vorsorge/-kehrungen treffen, vorbeugen, -bauen, im Voraus sorgen für/s. kümmern um, rechtzeitig etwas unternehmen, zuvorkommen ‖ s. mit allem versehen/-sorgen, einlagern, (auf)speichern, einkellern, sammeln, horten, zurück-, weglegen, sparen

vorsorglich: weit blickend, umsichtig, überlegt, bedacht, vorausschauend, wohl erwogen, verantwortungsbewusst ‖ → vorsichtshalber

Vorspeise: Vorgericht, Horsd'œuvre, Entree, Appetizer

vorspiegeln → vortäuschen ‖ → täuschen ‖ → heucheln ‖ **sich v.** → s. einbilden

Vorspiegelung → Täuschung ‖ → Blendwerk ‖ → Einbildung

Vorspiel → Prolog ‖ Ouvertüre

vorsprechen → vorsagen ‖ → vortragen ‖ → besuchen ‖ **v. bei** → herantreten an

vorspringen: über-, vor-, herausstehen, (her)vor-, herausragen, überhängen, -ragen

Vorsprung → Vorteil ‖ Ausläufer, Spitze, Zipfel, Zunge

Vorstand → Leitung

vorstehen → leiten

Vorsteher → Leiter

vorstellbar → möglich

vorstellen: bekannt machen, jmdn. einführen, die Bekanntschaft herbeiführen, zusammenführen, -bringen ‖ → darstellen ‖ → repräsentieren ‖ **sich v.:** einen ersten Besuch machen (Bewerbung), s. bekannt machen ‖ s. ein Bild/eine Vorstellung/einen Begriff machen, s. ausmalen, s. denken, s. vor Augen führen, s. vergegenwärtigen, s. ins Bewusstsein rufen, s. bewusst machen

Vorstellung → Ansicht ‖ → Gedanke ‖ → Aufführung ‖ Einführung, Bekanntmachung ‖ → Einbildung

Vorstoß → Angriff

vorstoßen → vordringen

vorstrecken: (aus)leihen, borgen, vor-, auslegen, verauslagen, vorauszahlen, bevorschussen, vorläufig bezahlen; *ugs.:* vorschießen

vortasten, sich → vorfühlen

vortäuschen: vorspiegeln, -gaukeln, -geben, -schützen, -machen, ein falsches Bild geben, fälschlich behaupten, einen falschen Eindruck erwecken ‖ → täuschen ‖ → heucheln

Vorteil: Vorsprung, Überlegenheit, Oberhand, Plus, Trumpf; *ugs.:* Oberwasser ‖ → Nutzen

vorteilhaft → günstig ‖ → einträglich

Vortrag → Rede ‖ → Darbietung

vortragen: vorsprechen, -singen, vor-, verlesen, rezitieren, deklamieren, referieren, einen Vortrag/eine Ansprache/Rede/ein Referat halten, das Wort ergreifen, etwas zum Besten geben, zu Gehör bringen, → aufsagen; *ugs.:* tönen ‖ → äußern

vortrefflich → ausgezeichnet

Vortrupp: Vorhut, Stoßtrupp

vorüber → vergangen

vorübergehen → vergehen ‖ → passieren

vorübergehend: zeitweilig, -weise, momentan, eine Zeitlang, nicht dauernd, temporär, für einen Augenblick, kurzfristig, für den Übergang, episodisch, periodisch, sporadisch, von Zeit zu Zeit, stellen-, stoßweise ‖ → vergänglich ‖ → notdürftig

Vorurteil: Voreingenommenheit, Parteilichkeit, Befangenheit, Einseitigkeit, Engstirnigkeit, Unduldsamkeit, Intoleranz, Verblendung
vorurteilslos → sachlich
Vorwand → Ausflucht
vorwärts: nach vorn, voran ‖ weiter, marsch, fort, avanti, los; *ugs.:* (hopp) hopp ‖ aufwärts, bergauf, nach oben, hinauf, empor
vorwärts gehen → vorangehen
vorwärts kommen → vorankommen ‖ → fortschreiten ‖ → aufsteigen
vorwärts treiben → beschleunigen
vorweg → zuerst
vorwegnehmen → antizipieren
vorweisen → zeigen
Vorwelt → Vergangenheit
vorwerfen → vorhalten
vorwiegend → meist ‖ → besonders
vorwitzig → vorlaut
Vorwort → Einleitung
Vorwurf: Vorhaltung, An-, Beschuldigung, (An)klage, → Tadel

Vorzeichen → Anzeichen
vorzeigen → zeigen
Vorzeit → Vergangenheit
vorzeitig: zu früh, früher als erwartet, verfrüht, vor der Zeit
vorziehen → begünstigen
Vorzimmer: Sekretariat, Anmelderaum, Anmeldung, Empfang(sraum), Rezeption
Vorzug → Vorrecht ‖ Qualität, gute Eigenschaft, schöner Zug, Vorteil
vorzüglich → ausgezeichnet
vorzugsweise → besonders
votieren → wählen
Votum: Gelübde, Gelöbnis ‖ Meinungsäußerung, Stimme, Urteil
vulgär → anstößig
Vulva: Scham, weibliches Genitale, Schoß; *ugs.:* Rose, Lotosblüte, Jadetor, Pforte, Mitte der Welt, Feige, Pflaume, Muschel, Muschi, Mimi, Katze, Schote, Brötchen, Dose, Schlitz, Ritze, Möse; *derb:* Büchse, Loch, Fotze

W

waag(e)recht: horizontal
wabbelig → schwabbelig
wach: munter, ausgeschlafen, hellwach; *ugs.:* auf, senkrecht im Bett ‖ → klug ‖ **w. sein** → wachen
Wache: (Wach)posten, Wachthabender, Wachmann(schaft), Bewachung, → Aufseher; *dicht.:* Wacht ‖ Posten, Wachdienst, Aufsicht ‖ → Revier ‖ **W. stehen** → wachen
wachen: munter/wach sein, nicht schlafen, wach liegen, aufbleiben, -sitzen, keinen Schlaf finden; *ugs.:* auf sein, kein Auge zutun können ‖ Wache/(auf) Posten stehen, Wache/die Wacht halten, aufpassen, beobachten; *ugs.:* Wache/Posten schieben, Schmiere stehen
Wacholder: Machandel; *reg.:* Kranwitt, Krammet, Quackelbusch
wachrütteln → aufwecken ‖ → aufrütteln
wachsam → aufmerksam ‖ → vorsichtig
wachsen: mit Wachs bestreichen/einreiben, einwachsen, -bohnern; *öster.:* einlassen, wachseln ‖ → anwachsen ‖ → aufblühen ‖ → heranwachsen ‖ → gedeihen
Wachstum → Zunahme ‖ → Entwicklung ‖ → Reifezeit
Wächter: (Wach)posten, Wachmann, → Aufseher
Wachtmeister → Polizist
wack(e)lig: schwankend, kippelig, nicht fest stehend, wankend, labil ‖ locker, lose, gelockert ‖ → gebrechlich ‖ → unsicher
wackeln: locker/lose/nicht fest sein ‖ schlackern, kippeln, zuckeln ‖ → schwanken ‖ → zappeln

wacker → rechtschaffen ‖ → gehörig ‖ → mutig
Waffe: Kampfgerät, Kriegswerkzeug, → Pistole, → Gewehr ‖ → Mittel
waffenlos: unbewaffnet, -geschützt, entwaffnet, abgerüstet, wehr-, schutz-, machtlos, nicht armiert
Wagemut → Mut
wagemutig → kühn
wagen → riskieren ‖ → s. anmaßen
Wagen: Gefährt, Fahrzeug, Fuhrwerk, Gespann, Karren; *ugs.:* Vehikel ‖ → Auto
Waggon: Eisenbahn-, Straßenbahnwagen
waghalsig → mutig
Wagnis: gewagtes Unternehmen/-fangen, Risiko, Abenteuer, Wagestück, Vabanquespiel, gefährliches Vorhaben/Spiel, kühner Versuch, Experiment, Mutprobe
Wagon → Waggon
Wahl: Wahl-, Urnengang, Abstimmung, Stimmabgabe, Votum, Option ‖ Auswahl, -lese, Entscheidung, -schluss ‖ Alternative, Wahlmöglichkeit, Entweder-Oder ‖ Wunsch, Ermessen, Belieben, Gutdünken, Wollen ‖ Ernennung, Bestimmung
wahlberechtigt: abstimmungs-, stimmberechtigt; *schweiz.:* stimmfähig
wählen: (ab)stimmen, seine Stimme abgeben, seine Wahl treffen, durch Wahl bestimmen, votieren, s. entscheiden/plädieren für, optieren, beschließen ‖ → auswählen ‖ → entscheiden ‖ → ernennen
wählerisch: anspruchsvoll, schwer zu befriedigen, kritisch, eigen, extra, dif-

ferenziert, verfeinert; *ugs.:* mäklig, schleckig

wahllos: willkürlich, beliebig, nach Belieben/Gutdünken ‖ → kritiklos ‖ → planlos

Wahlspruch → Losung

wahlweise → abwechselnd

Wahn → Einbildung

wähnen → vermuten

Wahnsinn: Geisteskrankheit, -störung, -gestörtheit, (geistige) Umnachtung, Gemütskrankheit, Blödsinn, Irresein, Irrsinn, Seelenstörung, Schwachsinn, Idiotie, Verblödung, Debilität, Imbezillität, Demenz; *med.:* Phrenesie; *ugs.:* Verrücktheit ‖ → Unsinn

wahnsinnig → geistesgestört ‖ → sehr

Wahnsinniger → Irrer

wahr: wirklich, tatsächlich, real, echt, nicht erfunden, der Wahrheit entsprechend, wahrheitsgetreu, nicht zu bezweifeln, richtig, zutreffend, ungelogen, unwiderleglich, belegt, -glaubigt, glaubhaft, -würdig, gewiss, sicher ‖ → aufrichtig ‖ **w. sein** → stimmen ‖ **w. machen** → verwirklichen ‖ **w. werden** → eintreten

wahren → aufrechterhalten ‖ → schützen ‖ **das Gesicht w.** → s. beherrschen

währen → dauern

während: als, da, solange, derweil, indem, indes, im Verlauf/Fortgang/Fortlauf von, in(mitten), bei, unterdessen, inzwischen, einstweilen, währenddessen, in der Zwischenzeit, zwischenzeitlich

wahrhaftig → aufrichtig ‖ → fürwahr

Wahrheit: Wirklichkeit, Tatsache, Tatsächlichkeit, Realität, Richtigkeit, Gewissheit

wahrlich → fürwahr

wahrnehmbar: sicht-, erkenn-, aufnehm-, sehbar, zu sehen

wahrnehmen → bemerken ‖ → nutzen ‖ → berücksichtigen

Wahrnehmung: (Sinnes)eindruck, Perzeption, Erfassen, Aufnehmen ‖ Entdeckung, Beobachtung, Empfinden

wahrsagen → hellsehen

Wahrsager: Prophet, (Hell)seher, Zeichen-, Sterndeuter, Weissager, Haruspex, Augur, Künder, Gedankenleser

wahrscheinlich: aller Wahrscheinlichkeit/Voraussicht nach, höchstwahrscheinlich, voraussichtlich, vermutlich, mutmaßlich, angeblich, sicherlich, es ist möglich/denkbar, wenn nicht alle Zeichen trügen, anscheinend, möglicherweise, vielleicht, wohl ‖ → möglich

Währung: Valuta, Geld ‖ **fremde W.:** Devisen, ausländische Zahlungsmittel

Wahrzeichen: Symbol, Zeichen, Sinnbild

Waidmann → Weidmann

Wald: Forst, Gehölz, Holz, Hain; *dicht.:* Tann(icht)

walken → kneten

Walkman: Pocketrecorder, Kassettenrekorder mit Ohrstöpsel

Wall → Mauer ‖ → Damm

wallen → sprudeln ‖ → pilgern ‖ wandeln, gemächlich/gemessen gehen

wallfahrten → pilgern

walten → herrschen ‖ **schalten und w. lassen** → gewähren lassen

Walze: Rolle, Zylinder, Trommel, Welle ‖ Platte, Tour, Leier ‖ **auf der W.** → unterwegs ‖ **auf die W. gehen** → wandern

wälzen → rollen ‖ → durchsehen ‖ **sich w.:** s. herumwerfen, s. rollen

Wampe: *(ugs.):* Dunlopreifen, Rettungsringe, Schwimmgürtel ‖ → Bauch

Wand: Mauer ‖ → Kluft

Wandel: (allmähliche) Veränderung, Wechsel, (Um)wandlung, (Um)ände-

rung, Wende, Übergang, Umstellung, -gestaltung, -bruch, -schwung, -kehr, -wälzung, Revolution, Erneuerung, Neuorientierung, -ordnung, -regelung, -beginn, -belebung, Reform
wandelbar → veränderlich
wandeln → gehen ‖ → ändern ‖ **sich w.** → s. ändern ‖ → schwanken
Wanderer: Pilger, Wandersmann, Wanderbursche, -geselle, -vogel, Ausflügler, Spaziergänger, Tourist
wandern: eine(n) Wanderung/Ausflug/Marsch/Spaziergang/Trekking machen, (zu Fuß) gehen, marschieren, s. (fort)bewegen, pilgern, s. begeben nach, (herum)ziehen, (herum-, umher)streifen, spazieren (gehen), ins Grüne gehen, schreiten, stiefeln, stromern, auf die Wanderschaft/ Walze gehen, walzen; *gehoben:* schweifen; *ugs.:* tippeln, zotteln, zuckeln, zockeln, hatschen, latschen
Wanderung → Ausflug
Wandlung → Wandel
Wange: Backe; *reg.:* Backen
Wankelmut: schwankende Gesinnung / Stimmung / Haltung, Unbeständigkeit, -entschlossenheit, -entschiedenheit, -schlüssigkeit, Zaghaftigkeit, Wankelmütigkeit, Unsicherheit, -zuverlässigkeit, -stetigkeit, Flatterhaftigkeit
wankelmütig → flatterhaft ‖ → schwankend
wanken → schwanken
wann: zu welchem Zeitpunkt, um welche Zeit
Wanze: Abhörgerät, Spion
wappnen, sich → s. einstellen auf
Ware: Handelsobjekt, -gut, -gegenstand, Artikel, Erzeugnis, Produkt, Konsum-, Gebrauchsgut, Fabrikat ‖ **heiße W.** → Raub
Warenhaus → Geschäft
Warenzeichen: (Schutz-, Handels-, Fabrik-, Hersteller)marke, Güte-, Handelszeichen

warm: mild, lau, lind, sommerlich, nicht kalt ‖ geheizt, durchwärmt, überschlagen, mollig, behaglich ‖ → herzlich ‖ → homosexuell ‖ vor Kälte schützend, die Kälte abhaltend ‖ **sehr w.** → heiß
Wärme → Hitze ‖ → Güte
wärmen: warm machen, aufwärmen, erwärmen, erhitzen ‖ → heizen ‖ **sich w.:** ins Warme gehen, s. warm laufen
warm halten: *(ugs.):* hinhalten, geneigt /-wogen / wohl gesinnt / wohlwollend erhalten, dauerhaft für s. gewinnen/einnehmen/interessieren; *ugs.:* bei der Stange halten
warnen → alarmieren ‖ auf eine Gefahr/Schwierigkeit hinweisen/aufmerksam machen, einen Wink/ein Zeichen geben, abraten, drohen ‖ → ermahnen
Warnruf → Alarm
Warnzeichen → Alarm
Warte: Aussichtsturm, Beobachtungsstand, Ausblick, -lug, -guck ‖ → Standpunkt
warten: ab-, zuwarten, die Dinge auf s. zukommen lassen, (s.) Zeit lassen, (aus)harren, s. gedulden, Geduld haben, geduldig sein, die Hoffnung nicht aufgeben, ausschauen ‖ aufbleiben, wachen, nicht schlafen gehen ‖ anstehen, s. anstellen, Schlange stehen ‖ → pflegen ‖ **w. auf** → erwarten
Wärter → Aufseher
Wartung → Pflege
warum: aus welchem Grunde, weshalb, wieso, wozu, weswegen, inwiefern, wofür
waschecht: kochfest ‖ *ugs.:* ganz und gar, durch und durch, mit Haut und Haaren, → echt; *reg.:* g(e)standen
waschen: Wäsche/Waschtag haben/halten, durch-, auswaschen, durchziehen ‖ → sauber machen ‖ **sich w.:** baden, duschen, s. säubern, s. reinigen, s. ein-/abseifen, s. (ab)brausen,

s. abduschen, s. erfrischen ‖ den Kopf
w. → zurechtweisen
Waschweib → Schwätzerin
Wasser: Flüssig-, Feuchtigkeit, Nass,
das feuchte/nasse Element; *scherzh.:*
Gänsewein ‖ → Gewässer ‖
→ Schweiß ‖ → Träne ‖ → Urin ‖
→ Mineralwasser
Wasserfall: Kaskade, Katarakt, Was-
sersturz
wässern: ins Wasser legen, einwäs-
sern ‖ → sprengen
wässrig: dünn(flüssig), wasserhaltig ‖
fade, schal, geschmacklos, lau, gehaltlos, langweilig; *ugs.:* lau, flau,
mau, labberig
waten: trotten, stapfen, schlürfen;
ugs.: staken, tigern, zockeln, zuckeln,
watscheln
Watsche → Ohrfeige
watscheln → waten
wattieren → polstern
Wechsel: Turnus, regelmäßige(r) Ab-
lauf/Reihenfolge ‖ → Wandel ‖ Austausch, Ablösung ‖ → Vielfalt
Wechselbeziehung: Korrelation,
Aufeinanderbezogensein, Wechsel,
Gegenseitigkeit, Verbindung, Wech-
selverhältnis, -wirkung
wechselhaft → unbeständig
Wechseljahre: Klimakterium, kritische Jahre, kritisches Alter; *med.:*
Klimax
wechseln: um-, einwechseln, (um)-
tauschen, eintauschen, klein machen,
konvertieren ‖ auswechseln, ver-,
austauschen, ersetzen, -neuern ‖ ablösen, s. jmdm. anders zuwenden,
umbesetzen, -stellen, alternieren ‖
→ (s.) ändern
wechselseitig: wechselweise, abwechselnd, im Wechsel mit, umschichtig, gegenseitig, korrelat(iv),
mutual, mutuell, alternativ, alternierend, reziprok, interaktiv
Wechselwirkung → Wechselbeziehung

wecken: evozieren, provozieren, hervorlocken, → aufwecken ‖ → hervorrufen
Wedel → Schwanz ‖ → Fächer
wedeln: fächeln, wehen ‖ schwänzeln, mit dem Schwanz wackeln,
schweifwedeln ‖ schwenken,
schwingen, schlenkern, schlackern,
hin und her bewegen
Weekend: Wochenende
weg → fort ‖ → verschwunden ‖
→ verloren ‖ → ausverkauft
Weg: Geh-, Fahr-, Fußweg, Pfad,
Steg, Steig, → Straße ‖
(Marsch)route, Richtung, Kurs, Lauf
‖ Gang, Besorgung, Verrichtung, Erledigung ‖ → Reise ‖ Möglichkeit,
Mittel und Wege ‖ **im W. stehen**
→ stören ‖ **sich auf den W. machen**
→ weggehen ‖ **seinen W. machen**
→ avancieren ‖ **aus dem W. gehen**
→ meiden
Wegbereiter → Pionier
wegbringen → wegräumen
Wegelagerer → Räuber
wegen: aufgrund, infolge, aus (Anlass), angesichts, dank, kraft, um …
zu/willen, von … her, zwecks, ob,
hinsichtlich, anlässlich, weil
wegfahren → abreisen
wegfallen: aus-, fort-, entfallen, s. erübrigen, unterbleiben; *ugs.:* unter
den Tisch fallen, flachfallen
Weggefährte: Partner ‖ → Begleiter ‖
→ Ehemann
weggehen: (fort-, los)gehen, s. auf
den Weg machen/begeben, s. entfernen, s. aufmachen, aufbrechen, das
Feld räumen, s. in Bewegung/
Marsch setzen, (das Haus) verlassen,
s. fortmachen, s. absetzen, verschwinden, davongehen, von dan-
nen/hinnen/seiner Wege gehen,
wegrennen, -laufen, los-, abmarschieren, abrücken, enteilen, den
Rücken kehren, s. abwenden/-keh-
ren, wegtreten, kehrtmachen, s. um-

drehen, (zurück)weichen, s. weg-/
fortbegeben, s. absentieren, das
Weite suchen; *ugs.:* s. davonmachen,
s. trollen, s. auf die Socken/aus dem
Staub machen, los-, abziehen, s. verziehen, s. scheren, s. schleichen, s.
verdrücken/-krümeln, s. schwingen,
s. verdünnisieren, verduften, abstie-
ben, -schwirren, -brausen, -rauschen,
-zittern, -zwitschern, -zischen, -se-
geln, -hauen, s. abseilen, ver-, abdampfen, s. verzupfen, Leine ziehen,
ab-, losschieben, abtanzen, es packen, s. verrollen, lostigern, abrücken, die Kurve kratzen ‖ → ausgehen ‖ → kündigen ‖ → auswandern ‖
→ ausziehen
wegkommen → verloren gehen ‖
über etwas w. → überstehen
weglassen: fortlassen, gehen lassen ‖
→ auslassen ‖ → streichen
weglaufen → fliehen
weglegen: fort-, ablegen, beiseite/ad
acta/zu den Akten legen, als erledigt
betrachten, s. nicht mehr kümmern
um, fallen lassen, aus der Hand legen, wegstellen; *ugs.:* links liegen lassen ‖ → sparen
wegnehmen → nehmen ‖ → stehlen
wegpacken → wegräumen
wegrationalisieren → verdrängen ‖
→ entlassen
wegräumen: forträumen, -bringen,
-schaffen, -nehmen, wegschaffen,
-bringen, -nehmen, -tragen, beseitigen, entfernen, beiseite/auf die
Seite/aus den Augen schaffen, bei-
seite/aus dem Weg räumen, wegstellen, abtransportieren; *ugs.:* wegpacken, -schleppen, -tun ‖ → aufräumen ‖ → abraumen
wegschaffen → wegräumen
wegschicken → fortschicken ‖ → abschicken
wegschieben: abschieben, ab-, wegrücken, zur Seite/beiseite schieben ‖
→ verdrängen

wegschleichen, sich: s. (heimlich)
wegbegeben, s. fort-/weg-/davon-
stehlen, s. fortstehlen/-schleichen,
→ fliehen; *ugs.:* s. seitwärts in die Bü-
sche schlagen, verdampfen, verduften, s. verziehen, s. dünn(e) machen,
s. verdrücken, s. verdünnisieren
wegschmeißen → wegwerfen
wegschnappen → nehmen ‖ → stehlen
wegstehlen → stehlen ‖ **sich w.**
→ wegschleichen
wegstellen → wegräumen
wegtreiben → vertreiben ‖ → abtreiben
wegtreten → weggehen
wegtun → wegräumen ‖ → wegwerfen ‖ → verbergen ‖ → sparen
wegweisend → richtungweisend ‖
→ progressiv
Wegweiser: Richtungsanzeiger,
Hinweistafel, Schild ‖ → Ratgeber ‖
→ Anweisung
wegwerfen: aussondern, -rangieren,
-scheiden, -stoßen, -mustern, -sieben,
-sortieren, entfernen, eliminieren, beseitigen, fortwerfen, wegschaffen;
ugs.: wegtun, weg-, fortschmeißen,
weghauen, -schleudern, zum alten
Eisen werfen
wegwerfend → abfällig
wegziehen → fortziehen
weh → traurig ‖ **w. tun** → schmerzen ‖
→ kränken ‖ → quälen
Weh → Leid
wehen: s. im Wind bewegen, flattern,
fliegen, wedeln, baumeln ‖ → blasen
wehklagen → jammern
wehleidig: (über)empfindlich, zimperlich, weichlich, jammernd, kla-
gend, lamentierend, unleidlich ‖ **w.
sein:** nichts aushalten/(v)ertragen,
ewig klagen; *ugs.:* nichts abkönnen,
ewig rumheulen
wehmütig → traurig
Wehr → Bollwerk ‖ **sich zur W. setzen**
→ s. wehren

Wehrdienst → Kriegsdienst
wehren → bekämpfen ‖ **sich w.:** s. zur Wehr setzen, s. widersetzen, s. sträuben, s. nichts gefallen lassen, seine Unschuld beweisen, → aufbegehren, s. rechtfertigen, s. reinwaschen wollen, → s. verteidigen; *ugs.:* s. auf die Hinterbeine stellen
wehrlos unbewaffnet, waffenlos, ohne Waffen ‖ → schutzlos
Weib → Frau ‖ → Ehefrau
weiblich: feminin, frauenhaft
weich: samtig, samtartig, seidig, flaumig, flauschig, wollig, mollig, daunen-, feder-, samtweich, zart ‖ → elastisch ‖ → schwabbelig ‖ → empfindsam ‖ → nachgiebig ‖ → weichlich ‖ → mürbe ‖ → gar ‖ **w. werden** → nachgeben ‖ **w. machen:** *ugs.:* gar kochen ‖ → überreden
weichen → nachgeben
weichherzig → gütig
weichlich: verzärtelt, -weichlicht, weich, empfindlich, mimosenhaft, zimperlich, wehleidig, unmännlich, feminin; *ugs.:* weibisch, pimpelig ‖ → nachgiebig
Weichling → Schwächling ‖ → Feigling
Weide: Weideland, -platz, Viehweide, Trift, Koppel, → Wiese; *öster.:* Senne
weiden: äsen, Gras fressen, grasen ‖ grasen lassen, hüten, beaufsichtigen, zur Weide führen ‖ **sich w. an** → sich freuen ‖ → schadenfroh sein
Weidenkätzchen: Palmkätzchen
Weidmann: Jäger(smann)
weigern, sich → ablehnen
Weigerung → Ablehnung ‖ → Widerstand
Weihe → Festlichkeit ‖ Einweihung, Enthüllung, Taufe ‖ Weihung, Segen, Konsekration
weihen: heiligen, segnen, die Weihe erteilen, konsekrieren ‖ → einweihen ‖ → widmen

Weiher: Teich, Tümpel, Pfuhl, See, Gewässer; *abwertend:* Pfütze
weihevoll → feierlich
Weihnachten: Heiliger Abend, Heiligabend, Christ-, Weihnachtsfest, -abend, Heilige Nacht; *dicht.:* Weihnacht ‖ Feier-, Festtage
Weihnachtsbaum: Christ-, Tannen-, Lichterbaum
Weihnachtsrose: Christrose; *volkst.:* Schneeblume, Schneerose
weil: da, zumal, → wegen
Weile: Augenblick, Moment, Nu, Weilchen ‖ **eine W.:** einige/kurze Zeit
weilen → s. aufhalten
Wein: Reben-, Traubensaft; *scherzh.:* Sorgenbrecher; *gehoben:* edles Nass
Weinbauer: Winzer; *reg., öster.:* (Wein)hauer; *reg., schweiz.:* Rebbauer, Wingerter
Weinbeere: (Wein)traube ‖ Rosine, Sultanine; *reg.:* Zibebe
weinen: Tränen vergießen, s. in Tränen auflösen, in Tränen zerfließen/schwimmen, s. der Tränen nicht erwehren können, feuchte Augen bekommen, schluchzen, wimmern; *ugs.:* heulen, flennen, greinen, plärren, Konzert machen, quarren, quäken, jaulen; *reg.:* plinsen, piensen
Weinlese: (Trauben-, Beeren)lese, (Wein-, Trauben)ernte
Weinrebe: Wein-, Rebstock, (Edel-, Kultur)rebe; *ugs.:* Wein
Weintraube: Weinbeere, Traube
weise: welterfahren, -klug, lebenserfahren, -klug, abgeklärt, überlegen, philosophisch, gereift, reif, wissend, → klug
Weise → Art ‖ → Melodie ‖ **in dieser W.** → wie ‖ **auf welche W.** → wie ‖ **in gleicher W.** → ebenso
weisen → zeigen ‖ → schicken ‖ **w. auf** → hinweisen ‖ **von sich w.** → abstreiten
Weisheit → Erfahrung ‖ → Klugheit

weismachen → einreden
weiß → blass ‖ → grau
weissagen → prophezeien
Weissager → Prophet
Weissagung → Voraussage
weißen: weiß machen/streichen/malen, tünchen, kalken; *reg.:* weißeln
Weißkäse → Quark
Weißkraut: Weißkohl; *volkst.:* Kabbes; *schweiz.:* (Weiß)kabis
Weisung: Verhaltensmaßregel, Direktive, Instruktion, Reglement, Unterrichtung, Belehrung, Statut, Satzung, Regulativ ‖ Auftrag, → Befehl
weit → fern ‖ → ausgedehnt ‖ → sehr ‖ **w. und breit** → überall
weitaus: bei weitem, ganz und gar, sehr viel, ungleich
Weitblick: Vorausschau, Scharfblick ‖ → Erfahrung
weit blickend: weitsichtig, weit schauend, voraussehend, -schauend, -blickend ‖ → klug
Weite → Ferne ‖ → Ausmaß
weiten → ausdehnen ‖ **sich w.** → s. ausdehnen
weiter: sonstig, übrig, zusätzlich, neu (Fragen) ‖ → außerdem ‖ → weiterhin ‖ → vorwärts
weiterbestehen → fortbestehen
weiterbilden → s. fortbilden
weiterentwickeln: entwickeln, ausbauen, weiterbringen, vorwärtsbringen, -treiben, vervollkommnen, -bessern, -edeln, intensivieren, vergrößern, -stärken, fördern, steigern, erweitern, optimieren ‖ **sich w.** → fortschreiten
weitererzählen → ausplaudern
weiterführen → fortfahren
weitergeben → übergeben ‖ weiterreichen, -leiten, durchgeben, -sagen, -funken, übermitteln, senden, melden, mitteilen ‖ → ausplaudern ‖ → überliefern
weitergehen: weiterlaufen, -rennen; *ugs.:* zugehen ‖ → fortfahren

weiterhin: weiter, nach wie vor, wie bisher, noch immer, auch jetzt noch ‖ → künftig
weiterkommen → Erfolg haben ‖ vorankommen, -schreiten, weitergehen, vom Fleck kommen
weiterleiten → weitergeben
weitermachen → fortfahren ‖ → bleiben bei
weiterreichen → weitergeben
weitersagen → ausplaudern
weit gehend: vieles umfassend, fast vollständig, → beträchtlich ‖ → überwiegend ‖ → generell
weitherzig → tolerant ‖ → freigebig
weithin → generell
weitläufig → ausführlich ‖ → ausgedehnt ‖ entfernt (Verwandter); *ugs.:* um die Ecke
weit reichend → folgenschwer
weitschweifig → ausführlich
weitsichtig → weitblickend
weit tragend → folgenschwer
welk: verwelkt, nicht mehr frisch, verblüht, -dorrt, -trocknet, schlaff geworden ‖ → faltig
welken: verwelken, welk/schlaff werden, ver-, abblühen, verdorren, -trocknen, -gilben, nicht mehr grünen, absterben, verkümmern, eingehen ‖ → altern
Welle: Woge, Brecher; *pl.:* Gischt, Brandung, Seegang, Wellenschlag, Dünung ‖ Locke
wellen: locken, kräuseln, ondolieren ‖ **sich w.:** s. verziehen, s. (auf)werfen
wellig → lockig ‖ hügelig, gebirgig, bergig, uneben; *ugs.:* buck(e)lig
Welt: Erde, Erdkreis, -ball, Diesseits ‖ **zur W. bringen** → gebären ‖ **zur W. kommen** → geboren werden ‖ **aus der W. scheiden** → sterben ‖ **alle W.** → alle
Weltall → All
Weltanschauung: Weltbild, Lebensansicht, Anschauungsweise, Denkweise, -art, Philosophie, Einstellung,

Sinnesart, Ideologie, Meinung, Gesinnung

Weltbild → Weltanschauung

Weltbürger: Kosmopolit

weltfremd: weltabgewandt, -entrückt, -verloren, lebensfremd, -fern, wirklichkeitsfern, unrealistisch, idealistisch, versponnen, verträumt, verstiegen

weltläufig → gewandt

weltlich: der Welt zugewandt, nicht geistlich/kirchlich/sakral, irdisch, diesseitig, profan, säkular

Weltmacht: Groß-, Supermacht

weltmännisch → gewandt

Weltraum → All

Weltraumfahrer: Kosmonaut, Astronaut, Raumfahrer; *schweiz.:* Lunaut

Weltreisender: Globetrotter, Weltenbummler

Weltruf → Ruhm

Weltruhm → Ruhm

Weltschmerz → Trauer

Weltverbesserer: Idealist, Utopist, Weltveränderer, Revolutionär, Anarchist, Illusionist

weltweit → global

Wende: Wendung, Umschwung, (entscheidende) Veränderung, Wandel, Wechsel, Umbruch, -kehr, -stellung, -sturz, -wälzung || → Wendepunkt || → Biegung

wenden: umkehren, -drehen, -wenden, -schwenken, kehrtmachen, zurückgehen, -fahren || **sich w.** → s. ändern || **sich w. an** → bitten || → fragen || **den Rücken w.** → abwenden

Wendepunkt: Wende, Mark-, Meilenstein, Grenzpunkt, Ende, Höhe-, Tiefpunkt, Krise

wendig → gewandt

Wendung → Wende || → Biegung || → Redewendung

wenig: nicht viel/genug/genügend, kaum etwas, zu wenig, bitter-, spottwenig; *ugs.:* lächerlich (wenig), ein

Fingerhut voll, für den hohlen Zahn, nicht zum Fettwerden || → minimal || → kaum || **ein w.** → etwas

weniger: minder, nicht so sehr, geringer || → abzüglich

wenigstens → mindestens || → jedenfalls

wenn: so-, wofern, falls, für den Fall, gesetzt den Fall, im Falle, angenommen, vorausgesetzt, gegebenenfalls || sofort/sobald/direkt wenn, kaum dass, sowie || **jedesmal w.:** sooft, wann (auch) immer, immer wenn || **w. auch** → obgleich

wenngleich → obgleich

werben → inserieren || dingen, mieten, heuern || **w. für:** für etwas zu gewinnen suchen/gewinnen wollen, überreden, -zeugen, interessieren für, anlocken, -werben || propagieren, Propaganda treiben/machen, Werbemittel einsetzen, Reklamefeldzug starten, Reklame machen für, Kunden besuchen, agitieren; *ugs.:* Kunden fangen/einwickeln/aufreißen, die (Werbe)trommel rühren || **w. um:** umwerben, s. bewerben/anhalten/freien/bemühen um, den Hof/die Cour machen, die Ehe antragen, einen (Heirats)antrag machen, um jmds. Hand anhalten, Brautschau halten, auf Brautschau/Freiersfüßen gehen, heiraten wollen, s. eine Frau suchen, s. nach einer Frau umsehen, heiratslustig sein; *ugs.:* baggern, nachlaufen; *abwertend:* buhlen um

Werbung: Reklame, Propaganda, Publicity, Werbefeldzug, -kampagne, Einsatz von Werbemitteln, Kundenwerbung, Bedarfslenkung, Marktbeeinflussung; *ugs.:* Kundenfang

Werdegang → Laufbahn || → Biografie

werden → s. entwickeln || → entstehen || → gelingen

werfen: schleudern, (durch die Luft) fliegen lassen, schnellen, schmettern;

ugs.: schmeißen, feuern, pfeffern ‖ → hinwerfen ‖ Junge bekommen (Tiere), gebären, hecken, jungen, frischen; *ugs.:* Junge kriegen ‖ **sich w.:** s. wellen, s. verziehen, s. aufwerfen ‖ **sich w. auf** → angreifen ‖ → anfangen
Werk → Schöpfung ‖ → Buch ‖ → Fabrik ‖ → Tat ‖ **ins W.** setzen → inszenieren ‖ → veranlassen
werken → arbeiten
Werkstatt: Werkstätte, Atelier, Studio, Arbeitsraum
Werkstoff: Roh-, Grundstoff, Roh-, Naturprodukt, Baumaterial, -stoff, Material, Baustein, Element, Mittel
Werktag: Wochen-, Arbeitstag, Alltag
werktags: wochentags, in der Woche, alltags
werktätig: einen Beruf ausübend, berufs-, erwerbstätig, arbeitend, schaffend
Werkzeug: (Arbeits)gerät, Handwerkszeug, Gerätschaften, Instrumente, Rüstzeug, Hilfsmittel, Utensilien ‖ → Marionette
wert → lieb ‖ → verehrt ‖ **viel w.** → kostbar
Wert → Bedeutung ‖ → Preis ‖ → Nutzen ‖ → Qualität
wertbeständig → dauerhaft
werten → beurteilen
wertfrei → objektiv
Wertgegenstand → Kleinod
werthalten → achten
wertlos: ohne Wert, keinen Pfennig/Heller/nichts wert; *ugs.:* keinen Pfifferling/Schuss Pulver wert, nichts dran ‖ → minderwertig ‖ → nutzlos
Wertpapiere: Effekten, Aktien, Pfandbriefe; *schweiz.:* Wertschriften
wertschätzen → achten
Wertschätzung → Ansehen
Wertstück → Kleinod
Wertung → Kritik
wertvoll → kostbar ‖ → nützlich ‖ → gut

Wertzeichen: Frei-, Briefmarke, Postwertzeichen, Marke
Wesen: Kern (einer Sache), Kernstück, Substanz, das Wesentliche/Wichtigste, (Haupt)gehalt, -inhalt, -gedanke, das A und O, der springende Punkt, worauf es ankommt, Sinn, (Quint)essenz, Extrakt, Hauptsache, Grundgedanke ‖ → Wesensart ‖ → Mensch
Wesensart: Wesen, Natur(ell), Charakter, Typ, (Eigen)art, Veranlagung, Beschaffenheit, Anlage, Gepräge, Gemüts-, Sinnesart, Disposition, Temperament, Struktur
Wesenszug → Merkmal
wesentlich: essenziell, substanziell, substanzhaft, signifikant, → wichtig ‖ → grundlegend
weshalb → warum
Westen → Abendland
Western: Wildwestfilm
weswegen → warum
Wettbewerb → Wettkampf
wetteifern → konkurrieren
wetten: eine Wette (ab)schließen, tippen, setzen, losen, würfeln
Wetter: Wetterlage, Witterung, Klima ‖ Gewitter, Unwetter
wettern: gewittern, wetterleuchten, blitzen, donnern, grollen, stürmen, toben; *ugs.:* donnerwettern ‖ → schimpfen
wetterwendisch → launisch
Wettkampf: Wettstreit, -bewerb, -spiel, Match, Turnier, Treffen, Spiel, Kampf(spiel), Partie, Wettlauf, -rennen, -fahrt, Rennen; *ugs.:* Jagd ‖ → Konkurrenz
Wettlauf → Wettkampf
wettmachen → ausgleichen
Wettrennen → Wettkampf
Wettspiel → Wettkampf
Wettstreit → Preisausschreiben ‖ → Wettkampf
wettstreiten → konkurrieren
wetzen → schärfen ‖ → laufen

wichsen → polieren ‖ → schlagen ‖ → masturbieren

Wicht → Zwerg

wichtig: ernst, dringend, brisant, gewichtig, akut, aktuell, brennend, belangvoll, ernst(haft), von Wichtigkeit/Belang/Gewicht, bedeutend, -deutungsvoll, -deutsam, drängend, entscheidend, lebenswichtig, unerlässlich, -umgänglich, erforderlich, einschneidend, unentbehrlich, triftig, ausschlaggebend, bestimmend, inhalt-, folgenschwer, schwer wiegend, (vor)dringlich, gravierend, weit tragend/reichend, relevant, zentral, → wesentlich ‖ → beachtlich ‖ grundlegend, elementar, fundamental, maßgebend, -geblich, beherrschend, einflussreich ‖ **w. sein:** Bedeutung/Gewicht haben, von Bedeutung/Wichtigkeit sein, ins Gewicht fallen, eine Rolle spielen, etwas wiegen/zählen, großgeschrieben werden, nicht versäumen wollen, am Herzen liegen ‖ **sich w. machen** → angeben

Wichtigkeit → Bedeutung

wichtigtuerisch → prahlerisch

Wickel: Umschlag, (Ein)packung, Kompresse, Verband

Wickelkind → Säugling

wickeln: (auf)rollen, -spulen, winden, haspeln, abrollen, -spulen, entrollen ‖ → einpacken

Widder → Schaf

wider: gegen, kontra, im Widerspruch/Gegensatz zu

widerborstig → widerspenstig

widerfahren: zustoßen, geschehen, passieren, zuteil werden, begegnen, -treffen, unterlaufen, hereinbrechen ‖ erleben, (an sich) erfahren, erleiden, -dulden

Widerhall → Echo

widerlegen: das Gegenteil be-/nachweisen, entkräften, ad absurdum führen, Lügen strafen, entwaffnen, (einem Verdacht) den Boden entziehen; *ugs.:* jmdm. den Wind aus den Segeln nehmen

Widerlegung: Gegenbeweis, Entkräftung

widerlich → ekelhaft

Widerling → Scheusal

widernatürlich → abartig

Widerpart → Gegner

widerrechtlich → gesetzwidrig

Widerrede → Widerspruch

Widerruf: Zurücknahme, -ziehung, Absage, Dementi, Gegenerklärung, Rückzug, Revokation ‖ → Echo

widerrufen: zurückziehen, -nehmen, rückgängig machen, dementieren, revozieren, abstreiten, ver-, ableugnen, (wieder) umstoßen, abrücken von, aufheben, für ungültig erklären, revidieren

Widersacher → Gegner

Widerschein: Spiegelung, (Licht)reflex, Reflexion, Rückstrahlung, Abglanz; *dicht.:* Abschein

widersetzen, sich → aufbegehren ‖ → aushalten

Widersinn: Unlogik, Absurdität, Ungereimtheit, Abwegigkeit, Paradoxie, Inkonsequenz, Sinnlosigkeit ‖ → Unsinn

widersinnig: sinn-, folge-, vernunftwidrig, absurd, ohne Sinn und Verstand, unverständlich, -logisch, -sinnig, paradox, abwegig, ungereimt, töricht, lächerlich, sinnlos, grotesk; *ugs.:* blödsinnig, hirnverbrannt, -rissig, stussig, verrückt

widerspenstig: widerborstig, renitent, störrisch, bock(bein)ig, trotz-(köpf)ig, starr-, dickköpfig, verstockt, unzugänglich, eigensinnig, -willig, starrsinnig, halsstarrig, verbohrt, stur, rechthaberisch, aufsässig, -müpfig, unnachgiebig, hartnäckig, obstinat, kompromisslos, ungehorsam, -folgsam, -willig; *ugs.:* querköpfig, dickschädelig, zickig, stachelig, igelig

Widerspenstigkeit → Trotz
widerspiegeln: reflektieren, zurückwerfen, -strahlen ‖ → ausdrücken
widersprechen: widerreden, im Gegensatz sein zu, für unrichtig/unzutreffend/falsch/unwahr erklären, bestreiten, in Abrede stellen, nicht gelten lassen, verneinen, negieren, anfechten, s. verwahren gegen; *ugs.:* Kontra geben ‖ → protestieren ‖ im Widerspruch sein/stehen zu, nicht übereinstimmen, unvereinbar sein, hohnsprechen, ins Gesicht schlagen ‖ **sich w.:** s. in Widersprüche verwickeln, das Gegenteil behaupten, unlogisch sein, unstimmig/unkonsequent argumentieren
Widerspruch: Einspruch, -wand, -wendung, -wurf, Widerrede, Widerstand, Protest, Gegenargument, -meinung ‖ Antinomie, Kontradiktion, Widersprüchlichkeit, Widerstreit, Unvereinbarkeit, -gleichartigkeit, Gegensätzlichkeit, -teiligkeit, Unstimmigkeit, Missverhältnis, Disparität, Polarität, Polarisierung
widersprüchlich → gegensätzlich
widerspruchslos → anstandslos
Widerstand → Widerspruch ‖ Gegenwehr, -druck, Resistenz, Verzögerungs-, Verschleppungstaktik ‖ Widerspenstig-, Widerborstigkeit, Widerstreben, Obstruktion, Renitenz, Auflehnung, Protest, (Gehorsamsver)weigerung ‖ Trotz, Eigen-, Starrsinn, Halsstarrigkeit, Bockigkeit, Ungehorsam, -folgsamkeit ‖ Widerspruchsgeist, Opposition, Rebellion, Streik ‖ Reibung(swiderstand), Gegendruck, -kraft, Hemmung
widerstandsfähig → kräftig ‖ → fest
Widerstandskämpfer → Partisan
widerstandslos: kampflos, ohne Widerstand/Gegenwehr/sich zu wehren
widerstehen → aushalten ‖ → anwidern

widerstreben: zuwider/widerlich sein, anwidern, -ekeln; *ugs.:* über haben, zum Hals heraushängen ‖ → missfallen
widerstrebend → widerwillig
Widerstreit → Konflikt ‖ → Widerspruch ‖ → Streit
widerwärtig → ekelhaft
Widerwille → Abscheu ‖ Abneigung, Unlust, Lustlosigkeit, Unwilligkeit
widerwillig: widerstrebend, ungern, unwillig, -lustig, lustlos, abgeneigt, mit Unlust, der Not gehorchend; *ugs.:* zähneknirschend ‖ angewidert, -geekelt, abgestoßen
widmen: zueignen, -denken, dedizieren, verehren, weihen, schenken ‖ verwenden (Zeit), gebrauchen für, einsetzen ‖ **sich w.** → s. annehmen ‖ → s. beschäftigen mit
Widmung: Dedikation, Zueignung
widrig → nachteilig ‖ → unangenehm ‖ → ekelhaft
wie: auf welche Art/Weise, wodurch, -mit, auf welchem Weg ‖ gleichwie, so wie, nach Art ‖ → als
wieder: abermals, wiederum, noch einmal, nochmals, erneut, aufs Neue, neuerlich, von vorn/neuem, zum x-ten Mal, wiederholt, wieder einmal, zum andern/zweiten Mal(e) ‖ **immer w.** → wiederholt ‖ **hin und w.** → manchmal
wiederaufarbeiten, -bereiten → recyclen
wiederbeleben: wieder ins Leben (zurück)rufen ‖ erneuern, neu gestalten/machen, auffrischen
Wiederbelebung: *med.:* Reanimation ‖ → Wiedergeburt
wiedererinnern, sich → s. erinnern
wiedererkennen → identifizieren ‖ → s. erinnern
wiedererstatten → zurückzahlen
wiedererzählen: nacherzählen, wiedergeben, -holen, referieren ‖ → ausplaudern

wiedergeben → reproduzieren ‖ → darstellen ‖ → darlegen ‖ → referieren ‖ → zurückgeben ‖ → spiegeln
Wiedergeburt: Neu-, Wiederbelebung, Aufleben, Wieder-, Auferstehen, Erneuerung, Innovation, Renaissance, Comeback ‖ Reinkarnation, Wiederverkörperung, Palingenes(i)e
wiedergutmachen → entschädigen ‖ → bereinigen
wiederherstellen: rekonstruieren, wiederherrichten, -aufbauen, restaurieren, → erneuern ‖ → heilen
wiederholen: nochmals tun/machen/aufzählen/sagen, wiedertun, von vorn/neu/wieder anfangen/beginnen, repetieren, rekapitulieren, resümieren; *ugs.:* wiederkäuen ‖ → üben ‖ erneuern, (wieder)aufnehmen, zurückkommen/-greifen auf, bekräftigen ‖ wieder in seinen Besitz bringen, zurückholen ‖ sitzen bleiben, nicht versetzt werden, das Klassenziel nicht erreichen; *ugs.:* hängen/kleben bleiben; *reg.:* hocken bleiben; *öster.:* picken bleiben ‖ **sich w.:** immer wieder geschehen/eintreten, wieder(um) vorkommen, wiederkehren, -kommen
wiederholt: mehrfach, -mals, -malig, vielfach, -mals, nicht nur einmal, aber-, nochmalig, etlichemal, einige/ein paar/viele Male, immer wieder, wiederkehrend, häufig, oft, ein um das andere Mal, ein paarmal, → wieder; *öster.:* mehrenteils; *ugs.:* x-mal, hundertmal, Dutzend Mal(e), dutzendfach, zigmal
wiederkehren → zurückkommen ‖ → s. wiederholen
wiederkommen → zurückkommen ‖ → s. wiederholen
wiedersehen → begegnen ‖ **sich w.** → s. treffen
Wiedersehen: (erneute) Begegnung, Treffen, Meeting, Beisammensein ‖

auf W.: leb(e) wohl, gehaben Sie sich/gehab dich wohl, ade, adieu, bis bald/gleich, ich empfehle mich, bye-bye, arrivederci, tschau, adios; *ugs.:* mach's gut; *reg.:* tschüs, servus, habe die Ehre, behüt dich Gott, pfüeti; *öster.:* baba; *schweiz.:* grüezi (Gott), auf Wiederluege ‖ **auf W. sagen** → s. verabschieden
wiederum → wieder ‖ → dagegen
Wiege → Ursprung
wiegen: ab-, auswiegen, das Gewicht feststellen, auf die Waage legen ‖ das Gewicht haben, schwer sein ‖ → schwingen ‖ **sich w.:** sein Gewicht kontrollieren/(über)prüfen ‖ → schwingen
wiehern → lachen
Wiese: Gras(fläche), Wiesenfläche, -aue, -stück, -land, Gras-, Wiesenteppich, → Rasen, → Weide
wieso → warum
wie viel: welche Anzahl/Menge, welches Maß
wie weit: bis zu welchem Grad/Maß
wiewohl → obgleich
wild: wild wachsend, wildwüchsig, nicht angebaut/gezüchtet, in der freien Natur wachsend/lebend, primitiv, ungezähmt, -gebändigt, -zivilisiert ‖ → aufbrausend ‖ → leidenschaftlich ‖ turbulent, tumultuarisch ‖ → durcheinander ‖ → unwegsam ‖ → öde
Wilddieb → Wilderer
Wilder → Kannibale
Wilderer: Wilddieb, -schütz, Jagdfrevler
wildern: ohne Berechtigung jagen ‖ dem Wild nachstellen
Wildfang → Gör(e) ‖ → Frechdachs
Wildnis: Urwald, Dschungel, (Ein)öde, Ödland, Wüste(nei), unbewohnte Gegend
Wildschwein: *f.:* Bache; *m.:* Keiler; *jung:* Frischling
Wildwestfilm: Western

Wille: Willen, Willensstärke, -kraft, Tat-, Entschlusskraft ‖ Wollen, Entschluss, Vorsatz, -haben, Absicht, Plan, Bestreben, Wunsch ‖ Ausdauer, Beharrlichkeit, -ständigkeit, Unnachgiebigkeit, Zähigkeit ‖ **letzter W.**: Testament, letztwillige Verfügung

willenlos → nachgiebig

willens: willig, gewillt, -neigt, -sonnen, entschlossen, bereit

willensschwach → nachgiebig

willensstark → entschlossen

willentlich → absichtlich

willfahren → nachgeben

willfährig → gefügig

willig → willens ‖ → folgsam

willkommen → gelegen ‖ → angenehm ‖ **w. heißen** → begrüßen

Willkür: Belieben, Gutdünken, Ermessen, Laune ‖ Rücksichtslosigkeit, Eigenmächtigkeit, -willigkeit, Herrschsucht, Selbstherrlichkeit, -sucht, Bedenken-, Erbarmungslosigkeit, Unbarmherzig-, Schonungslosigkeit, Rigorosität, Brutalität, Macht

willkürlich → beliebig ‖ → eigenmächtig

wimmeln: krabbeln, schwärmen, s. drängen; *reg.:* wuseln ‖ s. häufen, s. ansammeln, voll sein von, überhand nehmen, s. ballen

wimmern → weinen ‖ → jammern

Wimpel → Fahne

Wind: (Wind)hauch, Luftzug, Lüftchen ‖ Brise, Bö, Windstoß, Sturm(wind), Wirbelwind, Orkan ‖ **wie der W.** → schnell

winden → binden ‖ → wickeln ‖ **sich w.:** (auf-, empor)ranken, s. ringeln, s. schlingen, s. schlängeln, klettern ‖ s. (vor Schmerzen) krümmen, s. hin und her werfen ‖ → ausweichen

windig → luftig

Windstille: Flaute, Kalme

Windung → Biegung

Wink: Signal, Zeichen, Fingerzeig ‖ Hinweis, Tipp, Rat(schlag), Empfehlung, Vorschlag, Hilfe(stellung), Beistand

Winkel: Ecke ‖ Gegend, Bereich, → Ort

Winkelzug → Schachzug ‖ → Ausflucht

winken: zuwinken, grüßen; *Kinderspr.:* winke-winke machen ‖ → signalisieren ‖ zu erwarten sein (Belohnung), bevorstehen; *ugs.:* lachen

winseln → jammern

winterlich → kalt ‖ → verschneit

Winzer → Weinbauer

winzig → klein

Wipfel: (Baum)krone, Spitze, Gipfel

wippen → schaukeln

Wirbel: Strudel, Sog ‖ → Betrieb

wirbeln: s. drehen, kreiseln, strudeln, quirlen, schwirren ‖ stieben, wehen, fliegen ‖ → trommeln

Wirbelsäule: Rückgrat

wirken → arbeiten ‖ s. auswirken, wirksam werden, bewirken, zur (Aus)wirkung/Geltung/zum Tragen kommen, seine Wirkung tun, Wirkung zeigen/zeitigen, auf fruchtbaren Boden fallen, einschlagen, zünden, verfangen, hervorrufen, erzeugen; *ugs.:* hinhauen, ziehen, sitzen ‖ Wirkung/Effekt erzielen, Aufsehen erregen, Eindruck/von s. reden machen, Bewunderung hervorrufen, Wirkung haben auf, imponieren, bestechen, glänzen, brillieren; *ugs.:* etwas hermachen, eine gute Figur machen/abgeben, ankommen ‖ → ausschauen ‖ → nutzen

wirklich: existent, greif-, fassbar, seiend, gegenständ-, stoff-, ding-, körperlich, materiell, substanziell ‖ → wahr ‖ → tatsächlich ‖ → fürwahr

Wirklichkeit: Wahrheit, Tatsächlichkeit, Richtigkeit, Gewissheit ‖ Realität, tatsächliche Lage, Gegebenheit, Tatsache, Sachlage, -verhalt

wirklichkeitsfremd → weltfremd
wirklichkeitsnah → realistisch
wirksam → nützlich ‖ → drastisch ‖ → zugkräftig
Wirksamkeit: Stoß-, Schlag-, Zug-, Durchschlagskraft, Effekt, → Wirkung
Wirkung → Reiz ‖ → Wirksamkeit ‖ Einwirkung, -fluss, Gewicht, Geltung ‖ → Folge ‖ → Reaktion
Wirkungsbereich: Aktionsradius, -bereich, Reichweite, Einflusssphäre, -bereich ‖ → Arbeitsgebiet
Wirkungskreis → Arbeitsgebiet
wirkungslos → nutzlos
wirkungsvoll → zugkräftig ‖ ausdrucksstark, repräsentativ, dekorativ, effektvoll, farbig, wirkungsreich, → eindrucksvoll
wirr: verworren, -heddert, -wickelt, -schlungen, strubbelig, zerzaust; *ugs.:* kraus ‖ → durcheinander
Wirrkopf → Chaot
Wirren → Ausschreitung
Wirrwarr → Unordnung
Wirsing: Welsch-, Blasenkohl, Savoyer
Wirt → Gastwirt
Wirtschaft: Handel(swelt), Geschäftswelt, Industrie, Gewerbe, Ökonomie ‖ → Gaststätte ‖ → Haushalt ‖ → Schlendrian
wirtschaften → sparen ‖ → arbeiten
Wirtschafterin → Hausangestellte
wirtschaftlich → ökonomisch
Wirtshaus → Gaststätte
wischen: scheuern, (ab)reiben, schrubben, (auf)waschen, aufwischen, sauber machen, putzen, reinigen, den Schmutz entfernen ‖ **eine w.** → ohrfeigen
wispern: flüstern, hauchen, fispern, tuscheln, säuseln, raunen, murmeln
wissbegierig: voll Wissbegier(de)/ Lerneifer, lerneifrig, -begierig, -beflissen, wissensdurstig, bildungshungrig, -beflissen, -eifrig, neugierig

wissen → kennen ‖ s. im Klaren/sicher sein, sichergehen, nicht verborgen sein ‖ → s. erinnern ‖ **w. lassen** → informieren
Wissen: Kenntnis(se), Gelehrtheit, -lehrsamkeit, Bildung, (geistiger) Überblick, Einsicht, -blick, Beschlagen-, Vertraut-, Überlegenheit, Know-how, Bewusstsein, (Lebens)erfahrung, Über-, Weitblick, Reife, Menschen-, Weltkenntnis, Klug-, Weisheit, Routine, Praxis ‖ Überzeugung, Sicher-, Gewissheit
Wissenschaft: Forschung, Lehre
Wissenschaftler → Gelehrter
Wissensgebiet → Fach
wissenswert → lehrreich
wissentlich → absichtlich
wittern: Geruch wahrnehmen (Tiere), riechen; *ugs.:* schnuppern ‖ → ahnen
Witterung: Wetter(lage) ‖ → Spürsinn
Witz → Scherz ‖ Schlagfertigkeit, Esprit, Scharfsinn, Humor, Mutterwitz ‖ Geist, Würze, Pfeffer
Witzbold → Spaßvogel
witzeln → scherzen ‖ → spotten
witzig → spaßig ‖ → geistreich
witzlos → langweilig ‖ → geistlos
wo: an welchem Ort, an welcher Stelle
Wochenbett: Kindbett
Wochenende: Weekend
Wochentag: Werk-, Arbeitstag, Alltag
wochentags: werktags, in der Woche, alltags
wodurch → wie
wofür → warum
Woge: Welle, Brecher; *pl.:* Wellenschlag, Seegang, Brandung, Dünung
wogen → fließen
woher: von wo/welcher Stelle, aus welchem Ort
wohin: in welche Richtung, an welchen Ort, an wen

wohl: wohlauf, gesund, in bester Verfassung, auf der Höhe, frisch, gut, munter, auf dem Posten, blühend, strotzend; *ugs.:* gut beieinander, auf dem Damm, pudel-, sauwohl ‖ → freilich ‖ → wahrscheinlich

Wohl → Gesundheit ‖ → Glück

Wohlbefinden → Gesundheit

Wohlbehagen → Zufriedenheit

wohlbehalten: heil, gesund, unverletzt, -versehrt, ohne Unfall/Verletzung, wohl(auf)

Wohlergehen → Gesundheit

wohl erzogen → anständig

wohlfeil → billig

wohl fühlen, sich: s. heimisch/behaglich/wie zu Hause fühlen, in zufriedener Stimmung sein; *ugs.:* s. fühlen wie der Fisch im Wasser

Wohlgefallen → Zufriedenheit ‖ → Freude

wohlgefällig → freudig

wohlgemut → freudig

wohl genährt → dick

wohl gesinnt: gut/freundlich gesinnt, wohlmeinend, -wollend, zugetan, gewogen, (zu)geneigt, huldreich, -voll, gnädig ‖ → freundlich

wohlhabend → reich

wohlig → wohl tuend ‖ → gemütlich

wohlmeinend → wohl gesinnt ‖ → freundlich

wohl riechend: duftend, gut riechend, aromatisch, parfümiert

wohl schmeckend → schmackhaft

Wohlstand → Reichtum

Wohlstandsgesellschaft: Konsum-, Überfluss-, Wegwerfgesellschaft

Wohltat → Labsal ‖ → Trost

Wohltäter: Gönner, Förderer, (Geld)geber, Sponsor, (edler) Spender, Mäzen, Protektor

wohltätig → gütig ‖ → selbstlos

wohl tönend → melodisch

wohl tuend: angenehm, -nehmlich, willkommen, erfreulich, -quicklich, wohlig, erfrischend, gut

wohlweislich → absichtlich

Wohlwollen: Geneigtheit, -wogenheit, Jovialität, Zuneigung, -wendung, Gunst, Sympathie, Huld ‖ → Güte

wohlwollend → wohl gesinnt ‖ → freundlich

wohnen: wohnhaft/ansässig/beheimatet/daheim sein, seinen Wohnsitz/-ort/seine Wohnung haben, ein-, bewohnen, residieren, domizilieren, zu Hause sein, seine Behausung haben, leben, weilen, s. aufhalten, siedeln, ver-, zubringen, s. befinden, verharren; *ugs.:* hausen, sitzen/stecken in, verschlagen worden sein, ein Dach über dem Kopf haben

Wohngemeinschaft: Kommune, Wohngruppe, WG

wohnhaft → ansässig

wohnlich → behaglich

Wohnort → Wohnsitz

Wohnsitz: Wohnort, Aufenthalt(sort), Heimatort, Standort, -quartier, Residenz, Domizil, Sitz, Heimat

Wohnung: Wohnstätte, Heimstatt, -stätte, Behausung, Quartier, Heim, Unterkunft, Logis, Zuhause, Bleibe, Zuflucht, Asyl, Suite, Appartement, Flat, Zimmerflucht; *ugs.:* Dach überm Kopf, Bau, Höhle, Bunker, die vier Wände

Wohnungseinrichtung → Einrichtung

Wohnwagen: Haus auf Rädern, Campingwagen, Wohnanhänger

Wohnzimmer: Wohnraum, -stube, gute Stube, Herrenzimmer, Salon; *ugs.:* Paschazimmer

wölben: runden, ausbuchten, -bauchen, beulen, wellen ‖ **sich w.:** s. runden, s. bauchen, s. schwingen ‖ → schwellen

Wölbung: Rundung, Bauch, Buckel, Wulst, Kuppe, Gewölbe, Kuppel

Wolf: *volkst.:* Isegrim

Wolkenbruch → Regenschauer
Wolkenkratzer: Hochhaus, Skyscraper
Wolkenkuckucksheim: Luftschloss, Fantasie-, Traumreich, -gebilde, -schloss
wolkenlos: unbewölkt, aufgeklart, klar, sonnig, strahlend, heiter, ungetrübt, schön, hell
wolkig → trüb(e)
wollen → beabsichtigen ‖ → erstreben ‖ → wünschen ‖ → fordern
wollig: wollen, flauschig, weich
Wollust: (Sinnes-, Sinnen-, Liebes)lust, Sinnenrausch, -reiz, sinnlicher Genuss, Sinnestaumel, Sinnlichkeit, Erotik, Lüsternheit, Begierde, Gier, Trieb(haftigkeit), Fleischeslust; *ugs.:* Geilheit
wollüstig → sinnlich ‖ → lüstern
womit → wie
womöglich → möglicherweise
Wonne → Freude
wonnig(lich) → ausgezeichnet
Wort: Vokabel, Bezeichnung, -nennung, Ausdruck, Begriff, Terminus; *ugs.:* Brocken ‖ → Ehrenwort ‖ **geflügeltes W.** → Ausspruch
wortbrüchig → untreu
Wörterbuch: Lexikon, Nachschlagewerk, Wörterverzeichnis, Vokabular(ium), Diktionär
Wortfügung → Redewendung
Wortführer: Sprecher, Diskussionsleiter ‖ → Anführer
Wortgefecht → Gespräch
wortgetreu → wörtlich
wortgewandt → redegewandt
wortkarg → einsilbig
Wortklauber: Haarspalter, Rabulist, Kasuist, Sophist, Silbenstecher, Splitterrichter, Paragraphen-, Prinzipienreiter, Kritikaster, Nörgler, Besserwisser, Rechthaber, Tüftler, Wortverdreher; *ugs.:* Krittler, Meckerer ‖ → Pedant
Wortklauberei → Haarspalterei

wortklauberisch → spitzfindig
Wortlaut: Text, Formulierung, (Ab)fassung, Inhalt
wörtlich: wortgetreu, Wort für Wort, im Wortlaut, wortwörtlich, buchstäblich, verbaliter
wortlos → einsilbig
Wortschatz: Wortbestand, -material, -gut, Vokabular(ium), Sprachschatz, -gut
Wortschwall: Redeschwall, -fluss, Tirade, Suade, Erguss, Beredsamkeit; *ugs.:* Gewäsch
Wortwechsel → Gespräch
wortwörtlich → wörtlich
wozu → warum
Wrack → Trümmer
wringen: ausdrücken, -pressen, -winden
Wucher: Preistreiberei, Überteuerung, Geld-, Beutelschneiderei, Ausbeutung; *ugs.:* Nepp; *öster.:* Wurzerei
Wucherer → Halsabschneider
wuchern: Wucher treiben mit, überhöhen, -teuern (Preis), zu viel Geld verlangen; *öster.:* wurzen ‖ üppig wachsen / gedeihen / werden, ins Kraut/aus der Saat schießen, überhand nehmen
Wucherung → Geschwulst
Wuchs → Gestalt
Wucht: Stärke, Kraft, Gewalt, Vehemenz, Heftigkeit, Schwung, Druck ‖ → Menge
wuchten → stemmen
wuchtig → gewaltig ‖ → schwer
wühlen: graben, bohren, aushöhlen, schürfen, scharren, schaufeln ‖ → suchen
Wulst → Wölbung
wund: wund gescheuert, aufgescheuert, -geschürft, -gerissen, entzündet, verletzt
Wunde: Verletzung, -wundung, (Haut)abschürfung, Blessur, Schnitt, Riss, Kratzer, Schramme

Wunder: Mirakel, Kuriosum, Spektakulum, Phänomen, Mysterium, Unerklärliches, Übersinnliches, Metaphysisches
wunderbar: märchen-, traum-, feen-, fabel-, sagen-, zauberhaft, fantastisch, mirakulös ‖ → großartig
Wunderkind: Schnell-, Frühentwickler, → Talent
wunderlich → schrullig ‖ → merkwürdig
wundern: verwundern, erstaunen, in Verwunderung/Erstaunen setzen, eigenartig/seltsam/befremdend anmuten, befremden, verblüffen, -wirren, überraschen; *veraltet:* wundernehmen ‖ **sich w.** → staunen
wunderschön → schön ‖ → großartig
wundervoll → großartig ‖ → schön
wundliegen, sich: s. durchliegen, s. aufscheuern, s. wundreiben
Wunsch: (Wunsch)traum, Herzenswunsch, Sehnsucht, Illusion, Begehren, Verlangen ‖ (Wunsch)ziel, Streben, Vorhaben, Vorsatz ‖ Bitte, Anliegen, -sinnen, An-, Ersuchen ‖ Gratulation, Glück-, Segenswunsch
wünschen: den Wunsch hegen/äußern, (haben) wollen, mögen, erträumen, -hoffen, -sehnen, begehren, sein Herz hängen an, erbitten ‖ → fordern ‖ **sich w.** → s. sehnen
wünschenswert: erstrebens-, begehrens-, nachahmenswert, desiderabel
wunschlos: ohne (weiteren) Wunsch, (ganz) zufrieden, (selbst)genügsam, bescheiden, anspruchslos, bedürfnislos, wunschlos glücklich
Würde: Erhaben-, Vornehmheit, Würdigkeit, Hoheit, Majestät, Gravität, Dignität, Grandezza ‖ Ehre, Ehr-, Wertgefühl, Wert, Stolz, Selbstachtung ‖ → Ansehen
würdelos → ehrlos
würdevoll → majestätisch ‖ → feierlich

würdig → repräsentativ ‖ → majestätisch ‖ → ehrenhaft
würdigen → anerkennen ‖ → loben
Würdigung → Lob ‖ → Nachruf
würfeln: Würfel spielen; *ugs.:* knobeln; *reg.:* trudeln, knöcheln
würgen: die Kehle zusammendrücken/zuschnüren ‖ → schlucken
wurmen → ärgern
wurmstichig → madig
Würze: Geschmack, Aroma ‖ Witz, Geist, Pfeffer
Wurzel → Mohrrübe ‖ → Ursprung ‖ → Ursache
wurzellos → heimatlos
würzen: schmackhaft machen, salzen, pfeffern, veredeln, -feinern
würzig: gewürzt, herzhaft, kräftig, aromatisch, scharf ‖ → schmackhaft
Wust → Menge ‖ → Unordnung
wust → öde ‖ → durcheinander ‖ → ausschweifend ‖ → brutal
Wüste: (Ein)öde, Ödland, Wüstenei
Wüstling → Grobian ‖ → Lüstling
Wut: Zorn, (In)grimm, Entrüstung, Empörung, Erregung, Raserei, Furor, Aufgebrachtheit, Erbitterung, Ärger; *ugs.:* Rage, Stinkwut
Wutausbruch: (Wut-, Tobsuchts)anfall, Zorn(es)ausbruch, Aufwallung, Erregung, Anwandlung, Explosion, Entladung; *ugs.:* Koller, Rappel
wüten → rasen ‖ → stürmen
wütend: wutentbrannt, -schäumend, -schnaubend, (jäh)zornig, zürnend, zähneknirschend, erzürnt, -bost, -bitter, (in)grimmig, gereizt, aufgebracht, aggressiv, heftig, ärgerlich, verärgert, böse, empört, entrüstet, außer sich, rabiat, wild, giftig, blindwütig, tobsüchtig, rasend, furios, wie eine Furie/ein Berserker; *ugs.:* in Fahrt, geladen, fuchsteufelswild, fuchtig, kochend, siedend ‖ **w. sein** s. → ärgern ‖ **w. machen** → aufregen ‖ **w. werden** s. → aufregen

X

Xanthippe: Drache(n), Ehedrachen, Hausdrachen, Hausteufel, Hauskreuz, Hyäne, Furie, Megäre; *ugs.:* Hexe, Giftschlange, Giftspritze, Giftnudel, Kratzbürste, Zankteufel, Besen, Beißzange, Mist-, Weibsstück, Schreckschraube, Biest, Bestie, Luder, Aas, Kanaille, Vogelscheuche; *reg.:* Reff, Ripp, Bisgurn, Zwiderwurz(e)n

xerokopieren → kopieren

x-mal → oft

Z

Zacke(n): Spitze, Zinke(n), Zahn; *Jägerspr.:* Ende ‖ → Nase

zackig: zackenförmig, gezackt, -zähnt, -zahnt, spitz(ig) ‖ → forsch

zaghaft: ängstlich, furchtsam, scheu, unsicher, bang, bänglich, schüchtern, unentschlossen, -entschieden, -schlüssig, entschlusslos, wankelmütig, zweifelnd, zögernd, zwiespältig

zäh: lederartig, ledrig, ledern, sehnig; *reg.:* zach ‖ widerstandsfähig, zählebig, unempfindlich, stabil, abgehärtet, resistent ‖ → beharrlich ‖ zäh-, dickflüssig, fest, stockig; *ugs.:* → pampig

Zähigkeit → Beständigkeit

Zahl: Ziffer, Nummer ‖ → Anzahl

zahlbar: fällig, zu zahlen/leisten, offen stehend, nicht beglichen

zahlen → bezahlen

zählen: ab-, durch-, zusammen-, zu-, überzählen, die Anzahl von etwas feststellen ‖ die Größe/den Umfang/das Alter haben, betragen, s. beziffern, s. belaufen, ausmachen, angegeben werden mit ‖ gelten, von Bedeutung sein, ins Gewicht fallen, wert sein, schwer wiegen, Gewicht haben, etwas bedeuten, wichtig sein, anerkannt werden ‖ **z. auf:** s. verlassen/s. stützen/vertrauen/bauen auf, rechnen mit, Vertrauen haben zu, seine Hoffnung setzen auf, glauben an ‖ **z. zu:** halten/ansehen/erachten für, verstehen/betrachten/bewerten/beurteilen/interpretieren/einschätzen/auffassen als, denken über/gehören zu, zugeordnet/zugerechnet werden, integriert/eingegliedert sein

zahllos: zahlreich, unzählbar, -endlich, -ermesslich, -gezählt, grenzen-, endlos, unbegrenzt, sehr viele, Dutzende, Hunderte, Tausende, Millionen, Myriaden, mehr als genug, in Hülle und Fülle, eine Menge/Masse/Unzahl/Vielzahl, massenhaft, haufen-, scharenweise, Heerscharen, Legionen, eine breite Palette von, wie Sand am Meer; *ugs.:* massig, ein Berg/Haufen/Rattenschwanz von

zahlreich → zahllos ‖ aus vielen Mitgliedern/Teilnehmern bestehend, groß (Familie), vielköpfig

zahlungsfähig: liquid, solvent, flüssig

Zahlungsmittel → Geld

zahlungsunfähig: illiquid, insolvent, bankrott, finanzschwach, finanziell ruiniert; *ugs.:* knapp bei Kasse, abgebrannt, pleite, blank, machulle, schwach auf der Brust, am Ende, fertig, erledigt, abgewirtschaftet ‖ **z. sein:** nicht mehr zahlen können, den Konkurs anmelden; *ugs.:* aus dem letzten Loch pfeifen ‖ **z. werden:** bankrottieren, Bankrott machen, in Konkurs gehen, den Offenbarungseid leisten; *ugs.:* Pleite machen, jmdm. geht der Atem/die Luft aus, bei jmdm. sitzt der Pleitegeier auf dem Dach, baden gehen

zahm: gebändigt, nicht wild, zutraulich, an den Menschen gewöhnt, gezähmt, domestiziert, abgerichtet; *ugs.:* kirre ‖ willig, gefügig, -horsam, folg-, fügsam, brav, artig, manierlich ‖ mild (Kritik), gemäßigt, sanft, sacht, behutsam, vorsichtig, schonungs-, rücksichtsvoll, gelinde, lind

zähmen: zahm machen, bändigen, abrichten (Tiere), domestizieren, an den Menschen gewöhnen, dressieren, drillen; *ugs.:* kirre machen, ducken ‖ s. gefügig/willig/folgsam/ fügsam machen ‖ **sich z.** → s. beherrschen

Zahn → Mädchen ‖ Zacke, Spitze, Zinke(n) ‖ → Geschwindigkeit ‖ *pl.:* Kauwerkzeuge, Gebiss; *ugs.:* Hauer; *Kinderspr.:* Beißerchen, Hauerle, Hackerchen

Zank → Streit

Zankapfel: Streitobjekt, -gegenstand, -punkt, -ursache, -grund; *ugs.:* Stein des Anstoßes

zanken → schimpfen ‖ → s. streiten

zänkisch: streit-, zank-, hader-, händelsüchtig, streitlustig, -bar, rechthaberisch, reizbar, bissig, böse, aggressiv, angriffslustig, unverträglich, kampflustig, -bereit, kämpferisch, herausfordernd, militant, feindselig, provokatorisch, provokant, polemisch, zankhaft, unfriedlich

zapfen: ab-, anzapfen, abfüllen, -ziehen, (durch einen Spund) entnehmen, ablassen, schröpfen

Zapfen: Stöpsel, Stopfen, Spund, Pfropfen, Verschluss

zapp(e)lig: unruhig, nervös, lebhaft, ruhe-, rastlos, ungeduldig, fahrig, kribbelig, quirlig, flatterig, hektisch, aufgeregt, fiebrig, zerfahren, unstet; *ugs.:* fickrig, fipsig

zappeln: schlenkern, hampeln, strampeln, nicht still sitzen, hin und her wippen, wackeln

zart: weich, fein (gesponnen), locker, leicht, dünn, duftig, spinnwebfein ‖ zierlich, zart-, feingliedrig, fragil, grazil, zerbrechlich, schlank, zart gebaut, gazellenhaft, durchsichtig, schmal, schmächtig, wie aus Porzellan ‖ schwach, schwächlich, kraftlos, nicht widerstandsfähig, widerstandslos, gebrechlich, anfällig; *ugs.:* klapprig ‖ sanft(mütig), mild, sacht, schonend, schonungsvoll, behutsam ‖ → empfindsam ‖ → zärtlich ‖ → schonend

zart besaitet → empfindsam

Zartgefühl: Feingefühl, -sinn, Spürsinn, Gespür, Empfindsamkeit, Feinfühligkeit, Einfühlungsvermögen, Sensibilität, Sensivität, Takt, Höflichkeit, Empfindungsfähigkeit, Diskretion, Takt-, Mitgefühl, Fingerspitzengefühl, Rücksichtnahme; *ugs.:* richtige Antenne, feine Nase, gutes Organ

zärtlich: zart, liebevoll, lieb, von Liebe erfüllt, rührend, hingebungsvoll, -gebend, mit/voller Hingebung/ Liebe, liebend, innig, weich, sanft, gefühlvoll, empfindsam, sensibel

Zäsur: Einschnitt, Unterbrechung, (Ruhe)pause, Ruhepunkt, Bruch

Zauber → Reiz ‖ → Zauberei ‖ Zauberformel, -spruch, Bannspruch, Abrakadabra, Hexeneinmaleins

Zauberei: Zauber(kunst), Hexerei, Hexenwerk, schwarze Kunst, Magie, Gaukelkunst, Gaukelei, Teufelswerk, -kunst, Hokuspokus, Taschenspielerkunst, Eskamotage, Blendwerk, Täuschung

Zauberer: Zauberkünstler, Hexenmeister, Hexer, Schwarzkünstler, Magier, Taschenspieler

zauberhaft → reizend ‖ → wunderbar

Zauberin: Hexe, böse Frau, Drude ‖ → Xanthippe

zaubern: hexen, Hokuspokus machen/treiben, Zauberei (be)treiben, den Zauberstab schwingen, beschwören, -sprechen, verwünschen, Wunder tun

zaudern → zögern

Zaum: Zaum-, Riemenzeug ‖ **im Z. halten** → s. beherrschen

Zaun: Gitter, Gatter, Hecke, Ein-, Umzäunung, Einfriedung

Zebrastreifen → Fußgängerübergang

Zeche: Bergwerk, Mine, Grube ‖ Verzehr; *schweiz.:* Konsumation

zechen → trinken

Zechtour: Kneipenbummel, -tour; *ugs.:* Bierreise, Tournee, Sause, Sauftour

zehren → erschöpfen ‖ **z. von** → leben

Zeichen: Signal, Hinweis, Wink, Fingerzeig ‖ An-, Vorzeichen, (Vor)bote, Omen, Erscheinung, Auspizien ‖ Merkmal, Symptom, Anhaltspunkt, Beweis, Kriterium, Mahnung, Kennzeichen, Ausdruck, Charakteristikum, Wesenszug, Eigenschaft, Signum ‖ Geheimzeichen, Chiffre, Code, (Gauner)zinke ‖ Marke, Erkennungs-, Güte-, Handels-, Warenzeichen, Stempel

Zeichensetzung: Interpunktion, Anwendung von Satzzeichen

Zeichensprache: Verständigung durch Zeichen, Klopf-, Finger-, Gebärden-, Gesten-, Mienensprache

zeichnen: ab-, nach-, auf-, einzeichnen, abbilden, wiedergeben, darstellen, skizzieren, porträtieren, illustrieren, auf dem Papier festhalten ‖ ein-, be-, kennzeichnen, markieren, ankreuzen, kenntlich/ein Zeichen/erkennbar machen, mit einem Kennzeichen versehen ‖ unterzeichnen, -schreiben, signieren, abzeichnen, seine(n) Unterschrift/Namen setzen unter

zeigen: (hin)deuten, hinzeigen, (hin)weisen, aufmerksam machen auf, ins Blickfeld rücken, mit dem Finger zeigen auf ‖ vor-, herzeigen, vorweisen, -führen, sichtbar machen, sehen lassen, Einblick geben, zugänglich machen, anbringen, demonstrieren, vor Augen führen ‖ aufzeigen, -weisen, demonstrieren, dokumentieren, darstellen, -legen, -tun, -bieten, erklären, unterrichten, anleiten, -lernen, beibringen, einweihen, lehren, schulen; *ugs.:* vormachen ‖ ausdrücken, offenbaren, besagen, -deuten, verraten, manifestieren ‖ anmerken/erkennen lassen, zur Schau tragen/

stellen, nicht verbergen/-stecken ‖ nach-, beweisen, den Beweis ablegen für, unter Beweis stellen, den Nachweis erbringen, bezeugen, -legen ‖ be-, erzeigen, bekunden, erweisen, entgegenbringen ‖ **sich z.:** s. darstellen, s. bieten, s. produzieren, s. präsentieren, s. sehen lassen, s. zur Schau stellen ‖ → s. herausstellen ‖ → s. äußern

zeihen → beschuldigen

Zeit: Ablauf allen Geschehens/der Stunden/Tage/Jahre ‖ → Dauer ‖ → Zeitraum ‖ → Zeitpunkt ‖ **zur rechten Z.** → pünktlich ‖ **für alle Z.** → ewig ‖ **zu jeder Z.** → immer ‖ **vor kurzer Z.** → kürzlich ‖ **von Z. zu Z.** → manchmal

Zeitalter → Zeitraum

zeitgemäß: modern, neuzeitlich, mit der Zeit, gegenwarts-, zeitnah, aktuell, en vogue, up to date, fortschrittlich, progressiv, aufgeschlossen; *ugs.:* von heute, heutig, gang und gäbe

Zeitgenosse: Mitmensch, -bürger, -lebender, -welt

zeitgenössisch: der gleichen Zeit angehörend, gegenwärtig, heutig, jetzig ‖ → modern

zeitig → früh ‖ → pünktlich

zeitigen → bewirken

zeitlebens → dauernd

zeitlich: in der Zeit, der Zeit nach ‖ vergänglich, endlich, zeitgebunden, flüchtig, irdisch, sterblich, vorübergehend, veränderlich, kurzlebig, von kurzer Dauer, begrenzt

zeitlos: in jede Zeit passend, nicht zeitgebunden, nicht der Mode unterworfen, klassisch ‖ → ewig

zeitnah → zeitgemäß

Zeitpunkt: Zeit, Termin, Frist, Stichtag, (Fälligkeits)datum, der Tag X ‖ Augenblick, Sekunde, Minute, Moment ‖ **günstiger Z.:** Gelegenheit, Chance, Möglichkeit

zeitraubend: viel Zeit in Anspruch nehmend/kostend, langwierig, -atmig, umständlich, lang, geraume Zeit dauernd, s. in die Länge ziehend

Zeitraum: Zeitalter, -abschnitt, -spanne, Zeit, Epoche, Periode, Phase, Ära

Zeitschrift: Wochen-, Monatsschrift, Vierteljahresschrift, (Fach)organ, Periodikum, Journal, Magazin, Illustrierte, Revue

Zeitung: Tageszeitung, Tag(e)blatt, Blatt, Organ, Gazette; *abwertend:* Blättchen, Revolverblatt, Wurstblatt, Käseblatt ‖ Zeitungswesen, Pressewesen, Presse

Zeitvertreib: Unterhaltung, Ablenkung, -wechslung, Zerstreuung, Kurzweil, erholsame Beschäftigung, Vergnügen, Amüsement, Belustigung, Lustbarkeit, Spaß, Freude, Geselligkeit; *ugs.:* Gaudi

zeitweilig → vorübergehend ‖ → manchmal

zeitweise → vorübergehend ‖ → manchmal

zelebrieren: feiern, festlich/feierlich begehen

Zelle → Zimmer ‖ Gefängnis-, Gefangenenzelle, Kerker, Verlies

zelten: im Zelt wohnen, sein Zelt/Lager aufschlagen, campen, auf dem Campingplatz übernachten, biwakieren, lagern; *öster., schweiz.:* campieren; *ugs.:* Camping machen

Zeltlager: Zeltplatz, Camp, Camping-, Ferienlager ‖ Biwak

zementieren → festigen

Zenit: Scheitelpunkt ‖ → Krönung

zensieren: eine Note/Zensur geben, benoten, -werten, -urteilen, -gutachten ‖ der Zensur unterziehen (Film, Buch), staatlich kontrollieren/überwachen/-prüfen

Zensur: Note, Benotung, -wertung, -urteilung, Prädikat ‖ staatliche Kontrolle/Aufsicht/Überwachung

zentral: im Zentrum/Mittelpunkt/Herzen/Kern, in der Mitte, innen, in günstiger Lage, günstig gelegen ‖ → wichtig

zentralisieren: von einem Zentrum aus organisieren/leiten, in einem Mittelpunkt vereinigen, zusammenziehen, -fassen, konzentrieren, komprimieren

Zentrifugalkraft: Fliehkraft

Zentrum → Mittelpunkt ‖ Innenstadt, Stadtmitte, -kern, -zentrum, City, das Stadtinnere; *schweiz.:* Innerstadt

Zeppelin: Luftschiff, -fahrzeug

zerbrechen: in Stücke brechen, (entzwei-, auseinander brechen), durchbrechen, zerstören, -schlagen, -hauen, -klopfen, -schmettern, -trümmern; *ugs.:* zerschmeißen, -teppern, kaputtmachen ‖ in Stücke zerfallen, in die Brüche gehen, entzweigehen, (zer)platzen, (zer)splittern, (zer)springen, (zer)bersten, zerschellen, -spellen, in Scherben gehen; *ugs.:* zerkrachen, kaputtgehen ‖ z. an: zugrunde gehen, (innerlich) nicht bewältigen können, → scheitern

zerbrechlich: leicht brechend ‖ → zart

zerdrücken: (zer)quetschen, -stampfen, breit-, zusammendrücken, zermalmen, -kleinern, -stoßen, -treten, zu Brei/Mus machen; *ugs.:* zermatschen ‖ → passieren

Zeremonie: feierliche Handlung, festlicher Akt/Brauch, Zeremoniell, Ritus, Ritual

zeremoniell → feierlich ‖ → förmlich

zerfahren → fahrig

Zerfall → Niedergang

zerfallen: auseinander fallen/brechen, s. in die einzelnen Teile auflösen, zerbröckeln, in Trümmer fallen, zusammenfallen, -stürzen, -brechen, einstürzen, verkommen, -wittern ‖ s. zersetzen, in Auflösung begriffen sein, dissoziieren, zergehen, -fließen, -rinnen, -laufen ‖ → untergehen ‖ entzweit, zerstritten, verfeindet, entfremdet, uneins, -einig, gespalten, verzankt, getrennt ‖ z. in: s. gliedern, s. zusammensetzen aus, s. unterteilen, eingeteilt/-geordnet sein

zerfetzen → angreifen ‖ → zerreißen

zerfleddert: zerfetzt (Bücher), zerlesen, abgenutzt, -gegriffen, verschlissen, unansehnlich

zerfließen → schmelzen

zerfressen → zersetzen

zerfurcht → runz(e)lig

zergehen → schmelzen

zergliedern: zerlegen, -pflücken, (zer)teilen, entwirren, -flechten, analysieren, auseinander nehmen, auf den Grund gehen, untersuchen, zerdenken

zerkauen: zerbeißen, -malmen, -kleinern

zerkleinern: kleine Stücke machen, in Stücke teilen, zerhacken, -stückeln, -hauen, -schlagen, -stoßen, -splittern, -spalten, -legen, -bröckeln, -bröseln, -pflücken, -stampfen, -mahlen, -malmen, -schneiden, -klopfen, schnitzeln; *schweiz.:* schnetzeln; *ugs.:* klein machen

zerknirscht → reumütig

zerknittern: (zer)knüllen, knittern, zusammenknüllen, -drücken, -ballen; *ugs.:* (zer)knautschen, verkrumpeln

zerknüllen → zerknittern

zerlassen → schmelzen

zerlaufen → schmelzen

zerlegen → zergliedern ‖ auseinander nehmen/legen, demontieren, abbauen, auflösen ‖ (zer-, auf)teilen, (zer-, auf)schneiden, in Stücke schneiden, zerstückeln, transchieren ‖ → sezieren

zerlesen → zerfleddert

zerlumpt: in Lumpen, → abgenutzt

zermahlen → mahlen

zermalmen: zerbeißen, -kauen ‖ → zerdrücken ‖ → zerstören

zermürben: mürbe/nachgiebig machen, jmds. Widerstandskraft brechen, aufreiben, -zehren, zerrütten, aushöhlen, entnerven, enervieren, strapazieren, belasten; *ugs.:* klein kriegen, weich machen

zerpflücken: in Teile zerlegen, zerkleinern, -rupfen; *ugs.:* zerzupfen ‖ kritisch auseinander nehmen, widerlegen, kritisieren, unter Beschuss nehmen, (in der Luft) zerfetzen, scharfer Kritik aussetzen, aus den Angeln heben; *ugs.:* vernichten, -reißen ‖ → beanstanden

zerquetschen → zerdrücken

Zerrbild: entstellte/verzerrte Wiedergabe, Zerrspiegel, Verzerrung, -fälschung, -unstaltung, -höhnung, Entstellung, Karikatur, Spottbild, Fratze

zerreden: weitschweifig/ausladend werden, ausführlich erzählen, auswalzen, alles besprechen/-reden müssen, durchdiskutieren, ausladend schildern; *ugs.:* totreden, breittreten

zerreiben → mahlen

zerreißen: in Stücke/Fetzen reißen, zerfetzen, -stückeln, durchreißen, auseinander reißen, ein-, entzweireißen, zerfleddern, -rupfen, -fleischen (Tier); *ugs.:* kaputtreißen ‖ → angreifen ‖ **sich z. für** → eintreten für

zerren → ziehen

zerrinnen → schmelzen ‖ → dahinschwinden

zerrissen → abgenutzt ‖ → zwiespältig

zerrütten → zermürben ‖ in Unordnung bringen, → ruinieren ‖ → zersetzen

zerrüttet: (stark) gestört, in Unordnung geraten, defekt, brüchig, zerstört, fertig, am Ende, erledigt, ruiniert, gebrochen; *ugs.:* kaputt

zerschellen → zerbrechen

zerschlagen → zerstören ‖ → zerkleinern ‖ → erschöpft ‖ **sich z.** → scheitern

zerschmeißen → zerstören

zerschmelzen → schmelzen

zerschmettern → zerstören

zerschneiden: durch-, auseinander schneiden, entzweischneiden, in Stücke teilen, zerstückeln; *ugs.:* zerschnippeln, -schnipseln

zersetzen: auflösen, zerfallen lassen, zerfressen, -stören ‖ untergraben, -höhlen, -minieren, ins Wanken bringen, erschüttern, aufweichen, zerrütten, demoralisieren ‖ **sich z.** → s. auflösen

zersplittern: in Splitter zerfallen, → zerbrechen ‖ → zerstreuen

zersprengen → zerstreuen

zerspringen → zerbrechen ‖ → platzen

zerstampfen → zerstören ‖ → mahlen

zerstäuben → sprühen

zerstören: beschädigen, unbrauchbar machen, zerbrechen, -schlagen, -schmettern, -trümmern, -stampfen, einschlagen, -treten, zusammenschlagen, demolieren; *ugs.:* ein-, zerschmeißen, -teppern, -trampeln, -hauen, kaputtmachen, Kleinholz machen, alles kurz und klein schlagen ‖ → ruinieren ‖ zugrunde richten, destruieren, der Vernichtung anheim geben, vernichten, -wüsten, -heeren, zerrütten, -malmen, dem Erdboden gleichmachen, in Schutt und Asche legen, keinen Stein auf dem anderen lassen, zerbomben, -schießen, in die Luft sprengen, → ausrotten, (ver)tilgen, niederwalzen, -mähen, -metzeln, hinwegfegen; *ugs.:* den Rest geben, hinmachen

zerstoßen → mahlen

zerstreiten, sich: s. entzweien, s. verfeinden, s. überwerfen, s. verzanken, uneins werden, s. entfremden; *ugs.:* s. verkrachen

zerstreuen: (aus-), umher-, auseinander streuen, verstreuen, zerwehen, verteilen ‖ auseinander treiben/jagen, verjagen, -treiben, (zer-, ver)sprengen, zersplittern, auflösen, trennen, separieren ‖ ablenken, auf andere Gedanken bringen, aufmuntern, -heitern ‖ durch Argumente/ Zureden beseitigen, ausräumen, -merzen, außer Kraft setzen, zum Verschwinden bringen, auf-, beheben, auslöschen, eliminieren ‖ **sich z.:** auseinander gehen/laufen/stieben, s. verlaufen, s. verstreuen, s. ausbreiten, s. verteilen, s. vereinzeln ‖ → s. vergnügen

zerstreut → fahrig ‖ → geistesabwesend

zerteilen → zergliedern ‖ → zerlegen

Zertifikat → Bescheinigung

zertrennen → trennen

zertreten: zerstampfen, -stören; *ugs.:* zertrampeln

zertrümmern → zerstören

Zerwürfnis → Streit ‖ Entzweiung, Bruch, Riss in der Beziehung, Distanzierung, Entfremdung, Verfeindung, Spaltung, Trennung

zerzaust → struppig

zetern → schimpfen

Zettel: Stück Papier, Blatt

Zeug → Ramsch ‖ → Kleidung ‖ → Fähigkeit ‖ Stoff, Tuch, Gewebe, Material ‖ → Unsinn ‖ **dummes Z.** → Unsinn ‖ **sich ins Z. legen** → s. anstrengen

Zeuge: Augen-, Ohren-, Tat-, Kronzeuge, Zuschauer, Beobachter, -trachter

zeugen: ein Kind in die Welt setzen, schwängern, befruchten, -gatten; *ugs.:* ein Kind machen; *derb:* jmdn. dick machen ‖ **z. für** → bezeugen ‖ **z. von** → beweisen

Zeugnis: Schul-, Prüfungszeugnis; *öster.:* Ausweis ‖ → Bescheinigung ‖ → Gutachten ‖ Beispiel, Muster(beispiel), Vorbild, Beweis, Exempel, Beleg, Ausweis ‖ (Zeugen)aussage, Geständnis, Eingeständnis, Angabe, Versicherung, Bekundung, -zeugung ‖ **Z.** ablegen für → bezeugen

zeugungsfähig: potent, geschlechtsreif, fortpflanzungsfähig, fruchtbar, fertil

zeugungsunfähig: impotent, unfruchtbar, infertil; *med.:* steril(isiert)

zickig → widerspenstig

Ziege: Geiß; *ugs.:* Zicke, Hippe, Heppe; *m.:* (Ziegen-, Geiß)bock; *jung:* Zicklein, Zickel ‖ **dumme Z.** → Dummkopf

Ziegel: Ziegel-, Backstein, Klinker(stein), Mauer-, Lehmziegel

ziehen → schleppen ‖ zerren, reißen, zupfen, rupfen; *ugs.:* ziepen ‖ (schnell) herausnehmen, -ziehen, zücken ‖ blasen, wehen, von Wind/Luft durchströmt sein ‖ marschieren, zugehen/s. zubewegen auf ‖ → fliegen ‖ → wandern ‖ → züchten ‖ → wirken ‖ **nach sich z.** → bewirken ‖ **den Kürzeren z.** → unterliegen ‖ **sich in die Länge z.** → andauern ‖ → aufschieben ‖ **den Schluss z.** → folgern ‖ **in Erwägung z.** → berücksichtigen ‖ **in Zweifel z.** → bezweifeln ‖ **ins Vertrauen z.** → einweihen ‖ **zur Verantwortung z.** → belangen ‖ **sich z.** → s. dehnen

Ziehharmonika → Akkordeon

Ziel: Bestimmungs-, Zielort, Reiseziel, Endstation ‖ Ziel-, Visierpunkt ‖ Endziel, (End)zweck, Zielsetzung, -vorstellung, Absicht, Plan, Bestreben, Wollen, Vorsatz, -haben, Intention, Sinnen, Trachten, Wunsch ‖ **ans Z. kommen** → s. durchsetzen

zielbewusst → beharrlich ‖ → energisch

zielen: auf ein Ziel richten, ein Ziel ins Auge fassen, die Waffe richten auf, (an)visieren, anpeilen, anlegen auf, aufs Korn nehmen ‖ **z. auf** → abzielen auf ‖ → ansteuern

ziellos: ohne (festes) Ziel, kreuz und quer, richtungslos ‖ ohne Plan/Überlegung/Sinn und Verstand, planlos, unüberlegt, -besonnen, -bedacht, wahl-, gedankenlos, unorganisiert, -methodisch, -systematisch, impulsiv, chaotisch

zielstrebig → beharrlich ‖ → energisch

Zielstrebigkeit → Beständigkeit

ziemen, sich: s. geziemen, s. gehören, s. gebühren, s. schicken, angebracht/angemessen sein, anstehen

ziemlich → angemessen ‖ → beträchtlich ‖ → recht

Zierde: Zier, Zierrat, Verzierung, -schönerung, -schnörkelung, Putz, Schmuck, Rankenwerk, Ornament, Dekor, schmückendes Beiwerk

zieren → schmücken ‖ **sich z.:** s. spreizen, s. genieren, gekünstelt/zimperlich/prüde/schüchtern sein, s. anstellen; *ugs.:* Theater/Geschichten machen, s. haben, zimperlich tun

Ziererei → Gehabe

zierlich: zart, zerbrechlich, fein(gliedrig), fragil, gazellenhaft, durchsichtig, schmächtig, schlank, schmal, wie aus Porzellan, grazil; *ugs.:* schnuck(e)lig ‖ klein (gewachsen), winzig, kurz, zwergenhaft; *ugs.:* fipsig; *reg.:* lütt

Ziffer: Zahl, Nummer

Zigarette: *ugs.:* Glimmstängel, Stäbchen, Sargnagel, Lulle, Lunte, Zige; *öster.:* Tschik

Zigarre: Stumpen; *ugs.:* Lötkolben, Giftnudel; *öster.:* Trabuk(k)o

zigeunern → s. herumtreiben

Zimmer: Raum, Stube, Kammer, Kabinett, Räumlichkeit, Innenraum; *gehoben:* Gemach, -lass; *ugs.:* (Bruch)bude, Loch, Kabuff, Klause, Kemenate, Zelle

zimmern: herstellen, (an)fertigen, fabrizieren, schaffen, produzieren, bauen, basteln ‖ tischlern, schreinern

zimperlich: (über)empfindlich, wehleidig, weichlich, unleidlich, heikel; *ugs.:* pimpelig ‖ → prüde

Zinke: Zacke, Spitze

Zinken → Nase

Zinnober: Nichtigkeit(en), Wichtigtuerei ‖ → Ramsch ‖ → Unsinn ‖ → Zirkus

Zipfel: Ende, Ecke, (Eck)stück ‖ Vorsprung, Ausläufer, Spitze, Zunge

zirka → annähernd

Zirkel → Forum ‖ → Gruppe

zirkulieren → kursieren

Zirkus: *(ugs.):* Umstand, -stände, Aufsehen, -ruhr, Spektakel, Trubel, Lärm, Ziererei; *ugs.:* Getue, Theater, Gehabe(n), Spiel, Komödie, Trara, Tamtam, Faxen, Mätzchen, Zinnober, Rabatz, Rummel, Aufstand; *reg.:* Gedöns

zirpen → singen

zischeln: zischen, rascheln, flüstern, tuscheln

zischen: zischeln, fauchen, einen scharfen Laut hervorbringen ‖ durch Zischen seinen Unmut/sein Missfallen zeigen, nicht einverstanden sein

Zitadelle → Festung

Zitat: (Text)stelle, Ausspruch, -schnitt, Spruch, Äußerung, Satz, Sentenz, Diktum, (wörtliche) Stelle

zitieren: eine Quelle heranziehen, wörtlich wiedergeben, belegen, anführen ‖ beordern, -rufen, -stellen, -scheiden, (heran-, herbei)rufen, herbeizitieren, (vor)laden, delegieren, zu s. bitten, herbestellen, -bitten, kommen lassen, zum Erscheinen auffordern/befehlen, einbestellen

Zitrone: Limone, Zitrusfrucht

zittern: frieren, frösteln, schlottern, beben, schauern, mit den Zähnen klappern, durchgeschüttelt werden; *ugs.:* bibbern, schnattern, Gänsehaut bekommen ‖ erzittern, -beben, vibrieren, wackeln, zucken ‖ flirren, flattern ‖ → s. ängstigen

zitt(e)rig → aufgeregt ‖ → gebrechlich ‖ → ängstlich

zivil: bürgerlich, geordnet, ordentlich, solid, sicher ‖ *ugs.:* mäßig (Preise), angemessen, preisgünstig, -wert, erschwinglich, bezahlbar

Zivilcourage → Mut

zögern: zaudern, schwanken, Bedenken haben / tragen, s. bedenken, unsicher / unentschlossen / unentschieden / unschlüssig sein, wankend / schwankend werden, mit s. kämpfen/ ringen, innehalten, verweilen, s. besinnen, (ab)warten, s. Zeit lassen, s. zurückhalten, stocken, s. nicht entschließen können, auf der Stelle treten, keine Entscheidung treffen, offen lassen; *gehoben:* säumen, zagen; *ugs.:* fackeln

Zögling → Schüler

Zoll: Douane ‖ Abgaben/Steuer/ Tribut/Gebühren an der Grenze

Zöllner: Zollbeamter; *öster.:* Zollwachbeamter; *ugs.:* Finanzer; *schweiz.:* Zoller

Zone → Gebiet

Zoo: Zoologischer Garten, Tierpark, -garten, Menagerie

Zorn → Wut

Zote: unanständiger/anstößiger/ schlüpfriger/frivoler/unflätiger/obszöner Witz, Unanständigkeit, -flätigkeit; *ugs.:* Ferkelei, Schweinigelei, Schweinerei, Sauerei

zotig → anstößig

zu → geschlossen ‖ à, je, pro, per ‖ bis zu, an, nach, gegen, heran, -bei, -zu

Zubehör: das Zugehörige, Requisit, Utensilien, Accessoires; *ugs.:* Drum und Dran, Klimbim, Kinkerlitzchen ‖ Beiwerk, -lage, -gabe, Zutat ‖ Bestandteil, Element, Ingrediens, Komponente

zubereiten: anrichten, vorbereiten, zu-, herrichten, anfertigen, bereitmachen, fertig machen, präparieren; *ugs.:* (an-, zurecht)machen

zubilligen → erlauben

zubinden: zu-, verschnüren, (mit einer Schnur) verschließen

zubringen → s. aufhalten || → ausplaudern || *ugs.:* schließen können, zubekommen, -kriegen

Zucht: Züchtung, Aufzucht, Kultur || Erziehung, Kinderstube; *ugs.:* Schliff, Politur || Ordnung, Drill, Dressur, Disziplin, → Selbstbeherrschung

züchten: (auf-, heran)ziehen, kreuzen, veredeln, -bessern, pfropfen, okulieren, kultivieren

Zuchthaus → Gefängnis || → Freiheitsentzug

züchtig → keusch || → sittlich

züchtigen → schlagen || → bestrafen

zuchtlos → hemmungslos || → anstößig

zucken: rucken, wackeln, zappeln (Fisch) || (er)zittern, (er)beben, vibrieren, zusammenfahren, -zucken, erschrecken, (er)schaudern || → flackern

zücken: schnell herausnehmen/-ziehen

zuckern: süßen, ein-, ver-, überzuckern, kandieren

Zuckerrübe: Runkel-, Futterrübe

zudecken: ab-, be-, über-, verdecken, -hüllen, -hängen, schützen || → verschweigen

zudem → außerdem

zudrehen: aus-, abdrehen, -stellen, aus-, abschalten, schließen, stoppen || **sich jmdm. z.:** s. zu-/hinwenden, s. von vorne zeigen

zudringlich → aufdringlich

zueignen: widmen, dedizieren, zudenken, verehren, weihen, schenken

zuerkennen: zusprechen, -erteilen

zuerst: in erster Linie, an erster Stelle, fürs Erste, als Erstes / Nächstes, vorerst, -ab, -weg, -läufig, vorderhand, zunächst, vor allem, zuvor, voraus, am Anfang, anfänglich

Zufahrt: Auffahrt, -gang, Zugang, Rampe || (Tor-, Haus)einfahrt, Tor-, Einfahrtsweg

Zufall: Zufälligkeit, Glück(ssache, -sfall), Gelegenheit || **durch Z.** → zufällig

zufallen: s. (schnell) schließen, ins Schloss fallen, zuschlagen, -klappen, ein-, zuschnappen; *ugs.:* zufliegen || (unverdient/unerwartet) zuteil werden/erlangen/bekommen, anheim fallen, zufließen, -strömen, zugesprochen/zugeteilt/zuerkannt werden, jmdm. in den Schoß fallen || jmdm. aufgetragen/auferlegt/aufgegeben werden (Aufgabe), Auftrag/ Anweisung/Order/Befehl erhalten

zufällig: durch Zufall, auf Zufall beruhend, absichtslos, unbeabsichtigt, -erwartet, -vorhergesehen, -willkürlich, -gewollt, schicksalhaft, blind(lings), unbewusst, von selbst || wahllos, beliebig, willkürlich || **wie z.** → nebenbei

zufassen → anfassen || → helfen

zufliegen → zufallen || mühelos erlangen / erwerben / erreichen / bewältigen, s. nicht anstrengen müssen, keine Schwierigkeiten haben, in den Schoß fallen; *ugs.: a*lles wie im Schlaf machen

Zuflucht: Zufluchtsort, -stätte, Freistätte, Unterschlupf, Schlupfloch, -winkel, Refugium, ruhiger/sicherer Hafen, Schutz, Asyl, Versteck || → Unterkunft

Zufluss: Zustrom, -lauf, -wachs, -nahme, -gang, Eindringen, -strömen, Verstärkung, -mehrung, Steigerung, Anstieg

zuflüstern: vorsagen, einflüstern, zuraunen || → ausplaudern

zufolge: gemäß, laut, nach, entsprechend

zufrieden: zufrieden gestellt, befriedigt || → satt || → bescheiden || → ausgeglichen

zufrieden geben, sich → s. begnügen

Zufriedenheit: Wohlbehagen, -gefühl, -gefallen, Genugtuung, Befriedigung, Behagen, Seelenfrieden ‖ Genügsamkeit, Anspruchslosigkeit, Bedürfnislosigkeit, Bescheidenheit, Wunschlosigkeit

zufrieden lassen: in Ruhe lassen, nicht behelligen / belästigen / lästig fallen / stören / genieren; *veraltet:* nicht inkommodieren; *ugs.:* nicht belämmern/auf den Wecker fallen / die Nerven gehen

zufrieden stellen → befriedigen ‖ → gefallen

zufügen → antun

Zug → Eisenbahn ‖ → Gruppe ‖ Ziehen, Wandern, Flug (Vögel) ‖ → Luftzug ‖ Prozession, Fest-, Auf-, Umzug ‖ Schluck ‖ → Merkmal ‖ → Neigung

Zugabe: Beigabe, -lage, Zulage, -satz, -tat, Einlage; *ugs.:* Dreingabe, Extra; *öster.:* Draufgabe, Zuwaage

Zugang → Eingang ‖ → Einfahrt ‖ → Zunahme

zugänglich → offen ‖ → aufgeschlossen ‖ → gesellig

zugeben: frei/rundweg sagen, kein Hehl machen aus, → gestehen ‖ → billigen ‖ → beisteuern

zugegen → anwesend

zugehen: s. schließen lassen (Tür), verschließbar sein ‖ gesandt/zugestellt / überreicht /-bracht / geschickt werden (Post) ‖ → geschehen ‖ **z. auf:** s. nähern, herantreten, s. zubewegen auf ‖ **z. lassen** → schicken

Zugehfrau → Putzfrau

zugehörig: dazugehörend, anliegend, -geschlossen, integriert ‖ jmdm. selbst gehörend, eigen, privat

zugeknöpft → unzugänglich

Zügel: Leine, Riemen, Zaum ‖ **Z. anlegen** → zügeln ‖ **die Z. in der Hand haben** → herrschen ‖ **die Z. in die Hand nehmen** → führen

zügellos → hemmungslos

zügeln: Zügel/Zaum/die Kandare anlegen, im Zaum halten, an die Kandare nehmen, mäßigen, drosseln, bremsen, eindämmen, zurückhalten, nicht frei gehen/gewähren lassen ‖ sich z. s. → beherrschen ‖ sparen

zugeneigt → wohl gesinnt ‖ **z. sein** → mögen, → sympathisch finden

zugeschneit → verschneit

zugesellen, sich → s. anschließen

zugestehen: Zugeständnisse/Konzessionen machen, zugeben ‖ → erlauben

zugetan → wohl gesinnt ‖ **z. sein** → mögen

zugig → luftig

zügig → fließend ‖ → reibungslos

zugkräftig: (werbe)wirksam, wirkungsvoll, schlagkräftig, reißerisch, (das Publikum) anziehend, attraktiv, magnetisch, erfolgreich, effizient

zugleich: zur gleichen Zeit, im selben Augenblick, gleichzeitig, zusammen ‖ in gleicher Weise, in einer Person, ebenso, auch

zugreifen: zu-, anpacken, zu-, anfassen, zulangen, Hand anlegen, → helfen ‖ s. bedienen, s. nehmen, eine günstige Gelegenheit nutzen; *ugs.:* ein Schnäppchen machen ‖ → essen

zugrunde gehen → sterben ‖ (seelisch) zerbrechen an, (innerlich) nicht bewältigen können, → scheitern ‖ → verwahrlosen

zugrunde legen → voraussetzen

zugrunde liegen → stammen von

zugrunde richten → ruinieren

zugunsten: zum Vorteil von, für, zuliebe

zugute halten → anrechnen

zugute kommen → nutzen

zuhalten: (mit der Hand) verschließen, zumachen ‖ **z. auf:** zufahren auf, ansteuern, -peilen, zielen auf, Richtung/Kurs nehmen auf, anlaufen, -segeln, zum Ziel nehmen

Zuhälter: *ugs.:* Stenz, Strizzi, Schlepper, Louis, Loddel, Lude, Zubringer; *scherzh.:* Rennstallbesitzer; *schweiz.:* Mädchenhirt

Zuhause → Heim

zuhören: (s.) anhören, hinhören, horchen auf, jmdm. Gehör schenken/ sein Ohr leihen, ganz Ohr sein, lauschen, an jmds. Lippen hängen; *ugs.:* die Ohren/Löffel spitzen/aufsperren, lange Ohren machen ‖ → aufpassen

Zuhörer(schaft) → Publikum

zujubeln → applaudieren

zuklappen → schließen

zuknallen → zuschlagen

zukommen → zustehen ‖ s. (für jmdn.) gehören, s. gebühren, s. schicken, s. ziemen, zu etwas berechtigt sein ‖ angemessen/angebracht/angezeigt/zutreffend sein, als Eigenschaft/besonderes Merkmal besitzen ‖ **z. auf** → kommen ‖ **jmdm. etwas z. lassen** → schicken ‖ zugute kommen/ zuteil werden/angedeihen lassen, zuschieben, -stecken, -spielen, (heimlich) geben, als Vergünstigung gewähren ‖ → schenken ‖ **etwas auf sich z. lassen** → abwarten

Zukunft: die kommende/spätere Zeit, das Kommende/Nachher, Folgezeit ‖ Nachwelt, -kommen, nachfolgende Generation(en)/Geschlechter ‖ Perspektive, Aussicht (auf Erfolg), Hoffnung, Chance, Möglichkeit

zukünftig → künftig

Zulage: zusätzliche Zahlung, finanzielle Mehrleistung, Zuschlag, Geldzulage, Gratifikation, (freiwillige) Vergütung/Entschädigung, Zuwendung, Prämie ‖ → Zugabe

zulangen → zugreifen ‖ → essen

zulassen: dulden, zugeben, geschehen lassen, tolerieren, respektieren, schalten und walten lassen, → erlauben ‖ → anerkennen

zulässig: erlaubt, statthaft, gestattet, -nehmigt, zugestanden, bejaht, -willigt, rechtmäßig, berechtigt

Zulauf → Zustrom

zulaufen: zufließen, zu-, einströmen ‖ s. anschließen (Tier), s. jmdm. anhängen, s. einfinden

zulegen → beisteuern ‖ *ugs.:* steigern (Tempo), erhöhen, verstärken, -größern, anheben ‖ **sich z.:** annehmen (neuen Namen), s. aneignen (Gewohnheit), s. zu Eigen machen ‖ → kaufen

zuleide tun → antun

zuleiten → schicken

zuletzt: als letzter, zuallerletzt, an letzter Stelle, ganz hinten, zuhinterst, am Ende/Schluss ‖ zu guter Letzt, letztens, nach längerer Zeit/längerem Warten, im Lauf der Zeit, nach Jahr und Tag ‖ endlich, schließlich, letztlich, eigentlich

zuliebe: mit Rücksicht auf, um jmdm. einen Gefallen zu tun, zugunsten, für

zumachen → schließen

zumal → besonders ‖ vor allem/besonders da, weil

zumauern → verbarrikadieren ‖ **sich z.** → s. abkapseln

zumessen → zuteilen

zumindest → mindestens

zumuten → abverlangen ‖ → aufbürden ‖ **sich zuviel z.** → s. anstrengen

zunächst → zuerst ‖ → einstweilen

Zunahme: Zugang, -wachs, -strom, Steigerung, Anstieg, Vermehrung, -stärkung, -dichtung, -größerung, Erhöhung, Hebung, Wachstum, Intensivierung, Verbesserung, Eskalierung, Eskalation, Progression ‖ → Zustrom ‖ → Fortschritt

Zuname: Familienname, Nachname

zünden → anzünden ‖ Stimmung/ Begeisterung hervorrufen, → wirken

Zunder → Geld ‖ → Prügel

Zündholz: Streichholz; *reg.:* Reibholz; *ugs.:* Hölzchen; *öster.:* Zünder

Zündstoff: Dynamit, Sprengstoff ‖ Explosiv-, Konfliktstoff, Brisanz

zunehmen → dick werden ‖ s. vermehren / -größern / -vielfachen / -stärken / -dichten / -schlimmern / -schlechtern, (an)steigen, s. steigern, s. erhöhen, anwachsen, -schwellen, an Ausdehnung gewinnen, s. ausdehnen/-weiten, s. erweitern, eskalieren

Zuneigung → Neigung ‖ → Liebe ‖ → Wohlwollen ‖ → Güte

Zunft: Innung, Gilde, Handwerkerverein

zünftig: bodenständig, ursprünglich, urwüchsig, ungekünstelt, unverfälscht, echt, stramm; *ugs.:* waschecht, urig ‖ → gehörig

Zunge: Vorsprung, Ausläufer, Zipfel, Spitze

züngeln: unruhig brennen, flackern, lodern, zucken, flacken, wabern, lecken (Flammen)

zunichte machen → vereiteln

zunutze machen, sich → ausnutzen

zuordnen → einordnen

zupacken → zugreifen

zupfen: ziehen, rupfen, reißen, zerren

zuprosten → zutrinken

zuraten → raten ‖ → überreden

zurechnungsfähig: (geistig) gesund, mit gesundem/klarem Menschenverstand, normal, klar, fit, bewusst, urteilsfähig

zurechtfinden, sich: den rechten Weg/die richtige Lösung finden, Zusammenhänge erkennen, s. durchfinden, s. orientieren können ‖ **sich z. mit** → bewältigen

zurechtkommen: zur rechten Zeit kommen/eintreffen, pünktlich sein ‖ → bewältigen ‖ **z. mit** → auskommen mit

zurechtlegen: passend hinlegen, bereitlegen, -stellen, -halten, fertig machen, zurechtmachen, (her)richten, vorbereiten ‖ **sich z.** → s. ausdenken

zurechtmachen → zurechtlegen ‖ **sich z.** → s. herausputzen, → (s.) schminken

zurechtrücken: an die richtige Stelle rücken, zurecht-, geradestellen, -rücken, ordnen, in Ordnung bringen, Ordnung machen/schaffen, auf-, wegräumen ‖ → bereinigen

zurechtweisen: maßregeln, in die Schranken weisen, (auf Pflicht und Ordnung) hinweisen, eine Lehre/Lektion erteilen, s. jmdn. vornehmen, seine/die Meinung sagen, Bescheid sagen, zur Vernunft/Räson bringen, → tadeln, → schimpfen; *ugs.:* eine Standpauke/Gardinenpredigt halten, aufs Dach steigen, eins aufs Dach geben, ab-, herunterkanzeln, heimleuchten, -geigen, einen Dämpfer aufsetzen, es jmdm. (gründlich) geben, Fraktur reden mit, den Kopf waschen/zurechtsetzen, auf die Finger klopfen, die Leviten lesen, den Marsch blasen, eins auf den Hut/Deckel/die Haube geben, zusammenstauchen, s. jmdn. vorknöpfen/kaufen/greifen

Zurechtweisung → Tadel

zureden → raten ‖ → überreden

zurichten → zubereiten ‖ → beschädigen ‖ → verletzen

zürnen: böse/zornig/wütend/gram/spinnefeind/aufgebracht/entrüstet/erbost sein, wüten, hadern, grollen, schmollen, s. ärgern, übel nehmen, verargen, -übeln; *ugs.:* ankreiden, krumm nehmen

zurück: rückwärts, retour, rückläufig, nach hinten, in umgekehrter Richtung ‖ heim(wärts), nach Hause, heimzu

zurückbegeben, sich → zurückgehen

zurückbilden, sich: degenerieren, zurückgehen, regredieren, verkümmern

zurückbleiben: (s.) langsamer entwickeln/vorwärtskommen, in Rückstand geraten, zurück-, abfallen, ab-

gehängt werden, hintanbleiben, nicht
Schritt halten können, erlahmen,
nachlassen, s. verschlechtern; *ugs.:*
nach-, hinterherhinken, nicht mitkommen, hängen, schlappmachen ∥
als Folge bleiben, (übrig) bleiben,
übrig sein
zurückblicken → s. erinnern ∥ → s.
umsehen
zurückdenken → s. erinnern
zurückdrängen → unterdrücken
zurückerinnern, sich → s. erinnern
zurückfahren → zurückschrecken
zurückfallen → zurückbleiben ∥
jmdm. als Fehler/Schuld angerech-
net/angelastet werden, ein Licht werfen auf, sprechen für ∥ **z. in:** wieder
verfallen in, rückfällig werden, noch
einmal/wieder tun, nicht lassen können, wiederholen
zurückfinden → zurückkommen
zurückführen → ableiten
zurückgeben: wiedergeben, wieder-,
zurückbringen, -senden, -schicken;
öster.: zurückstellen, retournieren ∥
→ zurückzahlen ∥ → antworten
zurückgeblieben: un(ter)entwickelt,
infantil, (geistig) nicht voll entwickelt, beschränkt, kindisch, kindlich
unreif; *ugs.:* zurück, geistig minderbemittelt
zurückgehen: s. zurückbegeben, zu-
rücklaufen, s. auf den Rückweg/
Nachhauseweg/Heimweg begeben,
heim-, zurückkehren, heimgehen, s.
heimbegeben, nach Hause gehen,
umkehren ∥ s. zurückbilden, regredieren, verkümmern, degenerieren ∥
→ abflauen ∥ **z. auf** → stammen von
zurückgezogen → einsam
zurückgreifen, auf: s. beziehen/-ru-
fen/stützen auf, anknüpfen an, zu-
rückkommen/Bezug nehmen/ver-
weisen auf
zurückhalten: bei s. behalten/-las-
sen, (da)behalten, (hierbe)halten ∥
→ unterdrücken ∥ → aufhalten ∥

→ behalten ∥ **sich z.** → sparen ∥ s. abwartend verhalten, Abstand/Zu-
rückhaltung/Distanz wahren, s. Zurückhaltung auferlegen, im Hintergrund bleiben, s. in Grenzen halten;
ugs.: s. vom Leibe halten ∥ → s. beherrschen
zurückhaltend → bescheiden ∥ → reserviert ∥ dezent, taktvoll, höflich,
unaufdringlich, -fällig, vornehm
Zurückhaltung → Reserve ∥ → Scheu
zurückkehren → zurückkommen
zurückkommen: wieder-, heimkommen, wieder-, heim-, umkehren, zurückkehren, -gehen, -fahren, -reisen,
-fliegen, heim-, zurückfinden ∥ **z. auf:**
zurückgreifen auf, wieder aufgreifen,
wiederaufnehmen
zurücklassen: nach-, hinter-, dalassen, stehen lassen ∥ → vererben ∥
→ überholen ∥ übrig lassen, als/ei-
nen Rest lassen
zurücklegen: hinter s. bringen (Wegstrecke), bewältigen, schaffen ∥ → reservieren ∥ → sparen
zurückliegen: in der Vergangenheit
geschehen sein, vergangen/vorbei/
entschwunden / vorüber / gewesen /
lange her sein
zurücknehmen → widerrufen
zurückprallen: zurückspringen,
-schnellen, abprallen ∥ → zurückschrecken
zurückrufen: (durch Rufen) zum
Umkehren auffordern, noch einmal
zu s. rufen, zurückholen; *ugs.:* zurückpfeifen ∥ wieder anrufen/antele-
fonieren ∥ → abberufen
zurückschauen s. → erinnern ∥ s.
→ umsehen
zurückschlagen → abwehren
zurückschrecken: (erschreckt) zurückweichen, s. plötzlich abwenden,
zurückfahren, -prallen, -schaudern,
zusammenfahren ∥ → scheuen
zurücksehen → s. umsehen
zurücksenden → zurückgeben

zurücksetzen → benachteiligen

zurückstecken → s. begnügen ‖ → nachgeben

zurückstehen → nachstehen

zurückstellen: hint(en)anstellen, -setzen; *ugs.:* auf Eis legen ‖ → aufschieben ‖ → benachteiligen ‖ → reservieren ‖ → befreien

zurückstoßen: abstoßen, anwidern, ekeln, widerwärtig/unsympathisch sein, missfallen ‖ wegstoßen, abwehren, -schütteln, von s. weisen, zurückweisen

zurücktreten → kündigen ‖ **z. von** → aufgeben ‖ → abbestellen

zurückversetzen, sich → s. erinnern

zurückweichen: (nach hinten) ausweichen, rückwärts/aus dem Weg/ beiseite gehen, Platz machen ‖ → nachgeben ‖ → s. zurückziehen

zurückweisen → ablehnen ‖ → abwehren

zurückwerfen: (wider)spiegeln, reflektieren, zurückstrahlen, wiedergeben, projizieren ‖ in der Entwicklung behindern / hemmen / bremsen / zurück- / ab- / aufhalten / beschränken, zurückschlagen, in Verzug bringen, beeinträchtigen, -nachteiligen; *ugs.:* ins Hintertreffen geraten

zurückzahlen: zurück-, wiedergeben, (zurück-, wieder)erstatten, (rück)vergüten, Verbindlichkeiten erfüllen, ver-, ab-, entgelten, ausgleichen, entschädigen, Schulden tilgen, begleichen ‖ vergelten

zurückziehen → widerrufen ‖ → abberufen ‖ **sich z.** → kündigen ‖ → s. abkapseln ‖ in den Ruhestand treten, s. zur Ruhe/aufs Altenteil setzen, das Berufsleben aufgeben, in Pension gehen ‖ → nachgeben

Zusage → Erlaubnis ‖ → Versprechen

zusagen → versprechen ‖ passen, passend erscheinen, recht sein, nicht unlieb sein, wie gerufen kommen,

jmds. Vorstellung entsprechen ‖ → gefallen ‖ → schmecken

zusammen → gemeinsam ‖ → insgesamt ‖ → zugleich

Zusammenarbeit: gemeinsames Arbeiten/Wirken, Gemeinschafts-, Kollektiv-, Gruppenarbeit, Teamwork, Kooperation

zusammenarbeiten: zusammenwirken, im Team/in der Gruppe arbeiten, gemeinsam/an der gleichen Sache/auf demselben Gebiet arbeiten, kooperieren, Hand in Hand arbeiten, s. die Bälle zuwerfen

zusammenballen: zu einem Klumpen/einer Kugel ballen, zusammenknüllen ‖ → konzentrieren ‖ **sich z.:** s. zusammenziehen (Unwetter), heran-, (her)aufziehen, herankommen, -nahen, s. nähern, aufkommen, im Anzug sein, s. zusammenbrauen, drohen, s. ankündigen, s. entwickeln, bevorstehen ‖ s. anhäufen/-sammeln, immer mehr werden, s. (auf-, an)stauen, zusammenkommen, s. aufspeichern, s. stapeln

zusammenbrauen → mischen ‖ → kochen ‖ **sich z.** → s. zusammenballen ‖ → s. ankündigen

zusammenbrechen: zusammenstürzen, -fallen, einstürzen, -fallen; *ugs.:* zusammensacken, -klappen, -krachen ‖ → ohnmächtig werden ‖ → scheitern

zusammenbringen → anhäufen ‖ → bekannt machen ‖ → fertig bringen

Zusammenbruch: Einsturz, -bruch, Zusammensturz, Crash, Kollaps ‖ Ruin, Bankrott ‖ → Unglück ‖ → Niederlage

zusammendrängen: zusammenpferchen, -drücken, -zwängen, -pressen, -schieben; *ugs.:* zusammenquetschen ‖ → konzentrieren

zusammenfahren → erschrecken ‖ → zusammenstoßen ‖ *ugs.:* beschä-

digen, verletzen, töten; *ugs.:* über den
Haufen fahren
zusammenfallen → zusammenbrechen ‖ → übereinstimmen ‖ → s.
überschneiden ‖ → abmagern ‖
→ schrumpfen
zusammenfassen → konzentrieren ‖
resümieren, zusammenfassend formulieren, das Fazit ziehen, einen
Überblick geben, das Wichtigste
noch einmal wiedergeben
Zusammenfassung → Resümee
zusammenfügen: zusammensetzen,
-bauen, koppeln, aneinander fügen,
verknüpfen, -binden, -zahnen, -eini-
gen, -ketten, montieren; *ugs.:* zusammenstückeln, -flicken, -schustern
‖ **sich z.:** s. (zu einem Ganzen) verbinden, s. zusammenschließen, s.
vereinen, s. kombinieren, s. paaren
zusammenführen → bekannt machen
zusammengehören: eine Einheit bilden, in enger Beziehung zueinander
stehen, Beziehungen unterhalten,
→ zusammenhalten, -stehen, -hän-
gen, ein Herz und eine Seele/
Freunde sein, einig/eins sein, übereinstimmen; *ugs.:* an einem Strang
ziehen ‖ zusammen wohnen, gemeinsam einen Haushalt führen
Zusammengehörigkeit → Solidarität
‖ → Einheit
Zusammenhalt → Solidarität
zusammenhalten: verbunden sein,
einander beistehen, s. gegenseitig
helfen, unzertrennlich sein, s. nicht
trennen lassen, aneinander hängen,
zusammenbleiben, → zusammengehören ‖ aneinander halten, dagegen-,
danebenhalten, nebeneinander halten, vergleichen ‖ **Geld z.** → sparen
Zusammenhang: Bezug, (Ver)bin-
dung, Relation, Konnex, Nexus,
Kommunikation, Beziehung, Verhältnis ‖ Hinsicht, Punkt, Richtung,
Hinblick, Aspekt, Blickwinkel, Perspektive, Hintergrund ‖ → Kontext

zusammenhängen → zusammengehören ‖ in Zusammenhang/Bezie-
hung/Verbindung stehen, s. bezie-
hen/Bezug nehmen auf ‖ zusam-
menkoppeln, -kuppeln, aneinander
hängen, verbinden
zusammenhanglos → konfus ‖
→ stotterig
zusammenklappen → zusammenbrechen ‖ → ohnmächtig werden
zusammenkommen: s. (ver)sammeln,
zusammentreffen, -treten, s. treffen,
s. (wieder)sehen, s. zusammenfin-
den/-setzen, tagen, s. ein Stelldichein
geben ‖ → s. anhäufen
zusammenkrachen → zusammenbrechen ‖ → zusammenstoßen ‖
→ ohnmächtig werden
zusammenkratzen: (mit Mühe) zu-
sammentragen/-bringen/(an)sam-
meln; *ugs.:* zusammenscharren
Zusammenkunft: (Zusammen)tref-
fen, Treff, Begegnung, Beisammensein, Wiedersehen ‖ Verabredung,
Rendezvous, Stelldichein, Tete-a-
tete, Date, Termin, Meeting ‖ Versammlung, Tagung, Kongress, Konferenz, Besprechung, Gespräch, Sitzung, Teach-in
zusammenlaufen: zusammenströmen, -fließen, s. treffen, s. vereinigen,
(ein)münden ‖ herbeieilen, s. (zusammen)scharen, s. (ver)sammeln,
zusammentreffen ‖ → gerinnen ‖
→ einlaufen
zusammenleben: in Gemeinschaft/
gemeinsam leben, zusammenwoh-
nen, -gehören, gemeinsam wirtschaf-
ten/einen Haushalt führen
zusammenlegen → konzentrieren ‖ s.
finanziell beteiligen, gemeinsam
Geld geben; *ugs.:* in einen Topf werfen, gemeinsame Sache machen ‖ falten, zusammenschlagen
zusammennehmen → konzentrieren
‖ **sich z.** → s. beherrschen ‖ → s. anstrengen

zusammenpassen → passen

Zusammenprall → Zusammenstoß ‖ → Streit

zusammenprallen → zusammenstoßen

zusammenpressen → zusammendrängen

zusammenraffen → raffen ‖ **sich z.** → s. beherrschen ‖ → s. überwinden

zusammenrasseln → zusammenstoßen

zusammenreimen (sich) → deuten

zusanmenreißen, sich → s. beherrschen ‖ → s. überwinden

zusammenrotten, sich → s. verbünden

zusammenrufen: heran-, herbeirufen, (herbei)zitieren, bestellen, -ordern, kommandieren, zu sprechen wünschen, versammeln; *ugs.:* zusammentrommeln

zusammenrumpeln → zusammenstoßen

zusammensacken → ohnmächtig werden

zusammenscharen, sich → s. verbünden ‖ → s. vereinigen

zusammenscharren → sammeln ‖ → raffen

Zusammenschau → Überblick

zusammenschlagen → zerstören ‖ → schlagen ‖ falten, zusammenlegen

zusammenschließen → konzentrieren ‖ **sich z.** → s. verbünden ‖ → s. vereinigen

Zusammenschluss → Bund

zusammenschütten → mischen

zusammensetzen → zusammenfügen ‖ → anordnen ‖ **sich z.:** s. konstituieren, s. bilden, zusammentreten ‖ → s. besprechen ‖ **sich z. aus:** bestehen aus, gebildet/gemacht sein aus, enthalten, umfassen, einschließen

zusammenstauchen → schimpfen

zusammenstellen → ordnen ‖ gestalten (Ausstellung), aufbauen, einrichten; *ugs.:* aufziehen ‖ → vergleichen

Zusammenstellung → Aufstellung ‖ → Auswahl

zusammenstimmen → passen ‖ → harmonieren

Zusammenstoß: Zusammen-, Aufprall, Kollision, (Massen)karambolage, (Auffahr)unfall, Crash ‖ → Streit

zusammenstoßen: zusammenfahren, auffahren auf, aneinander prallen, zusammenprallen, kollidieren, karambolieren, s. ineinander verkeilen, rammen; *ugs.:* zusammenrasseln, -rumpeln, -rumsen, -rauschen, -krachen, -knallen ‖ zusammentreffen, s. berühren ‖ → s. streiten

zusammenströmen → zusammenlaufen

zusammenstürzen → einstürzen

zusammentragen → anhäufen ‖ → raffen

zusammentreffen: zusammenstoßen, s. berühren ‖ → zusammenkommen ‖ → s. überschneiden

Zusammentreffen → Zusammenkunft

zusammentreten → zusammenkommen ‖ s. konstituieren, s. bilden, s. zusammensetzen

zusammentrommeln → zusammenrufen

zusammentun, sich → s. verbünden ‖ → s. vereinigen

zusammenwachsen → verwachsen

zusammenzählen: addieren, dazuzählen, summieren, zusammenziehen, -rechnen, hinzufügen

zusammenziehen → konzentrieren ‖ → zusammenzählen ‖ **sich z.** → s. zusammenballen ‖ → schrumpfen

zusammenzucken → erschrecken

Zusatz → Zugabe ‖ → Anhang ‖ → Anmerkung

zusätzlich → außerdem

zuschanzen → zustecken ‖ → beschaffen

zuschauen → zusehen

Zuschauer: Besucher, Teilnehmer, Betrachter, -obachter, Publikum, Schlachtenbummler, Schaulustige, Umstehende, Anwesende, Zaungast, Zuhörer, Auditorium; *ugs.:* Gaffer ‖ Anhänger, Jünger, Getreue, Gefolgsleute, Verehrer, Fans

zuschicken → schicken

zuschieben → zustecken ‖ → beschaffen

zuschießen: finanziell unterstützen/helfen, Geld zuwenden, subventionieren, sponsern, beisteuern, zusetzen, -steuern, -geben, -legen, dazuzahlen, -tun, bezuschussen, beitragen, spenden; *ugs.:* zubuttern, -schustern, drauflegen, -zahlen, unter die Arme greifen

Zuschlag → Zulage ‖ → Aufschlag

zuschlagen: zustoßen, -werfen, -schmettern, -schleudern, mit einem Knall zumachen/schließen; *ugs.:* zuknallen, -ballern, -schmeißen ‖ → zufallen ‖ → schlagen ‖ → s. bedienen

zuschließen: ab-, verschließen, ab-, zusperren, ab-, zu-, verriegeln, zumachen, den Riegel/das Schloss vorlegen

zuschnappen → zufallen ‖ → beißen

Zuschnitt: Schnitt, Form, Fasson, (Mach)art, Design, Styling, Stil

zuschnüren: zubinden, verschnüren, (mit einer Schnur) verschließen

zuschreiben: beimessen, -legen, halten/erachten für, nachsagen, in den Mund legen ‖ überschreiben, -tragen, zu-, überweisen, zuteilen

Zuschrift → Brief

Zuschuss: Unterstützung, finanzielle Hilfe, Beitrag, -hilfe, Zuwendung, Subvention, Förderung

zusehen: zuschauen, beobachten, -trachten, mit den Augen folgen, ins Auge fassen; *ugs.:* zugucken, glotzen, gaffen; *abwertend:* Maulaffen feilhalten ‖ ab-, zuwarten, s. gedulden, harren, (mit der Entscheidung) zö-

gern ‖ s. bemühen um, sorgen für, s. anstrengen, s. Mühe geben ‖ **z. dass** → achten auf

zusehends → merklich

zusetzen → hinzufügen ‖ → verlieren ‖ → bedrängen ‖ → erschöpfen

zusichern → versprechen

Zusicherung → Versprechen

zusperren → zuschließen

zuspielen: zuwerfen, -schießen, an-, abspielen, bedienen ‖ → zustecken

zuspitzen: (an)spitzen, spitz machen, schärfen ‖ **sich z.:** spitz zulaufen, s. verjüngen, schmaler werden, s. verengen ‖ → s. verschärfen

zusprechen: zuerkennen, -erteilen ‖ → einreden auf ‖ → s. bedienen

Zuspruch → Trost

Zustand: Kondition, Beschaffenheit, Verfassung, Befinden, Ergehen, Leistungsfähigkeit, Form ‖ → Lage ‖ → Stimmung

zustande bringen → bewältigen ‖ → fertig bringen

zustande kommen → gelingen

zuständig: kompetent, maß-, ausschlaggebend, maßgeblich ‖ befugt, verantwortlich, berechtigt, ermächtigt, autorisiert

zustatten kommen → nutzen

zustecken: zukommen/zugute kommen/zuteil werden/angedeihen lassen; heimlich geben/in die Hand drücken, zuschieben, -spielen, schenken; *ugs.:* zuschanzen

zustehen: ein Anrecht/einen Anspruch haben auf, mit Recht gehören, jmds. Recht sein, zukommen, jmdm. gebühren

zustellen: aushändigen, überreichen, -eignen ‖ → liefern

Zusteller: Briefträger, -zusteller, Post-, Eil-, Telegrammbote, Paketzusteller; *reg.:* Briefbote, Zubringer

zusteuern → zuschießen ‖ **z. auf** → zuhalten auf ‖ → zielen auf

zustimmen → billigen ‖ → ermutigen

Zustimmung → Lob ‖ → Einigkeit ‖ → Einverständnis

zustoßen → zuschlagen ‖ widerfahren, passieren, geschehen, zuteil werden, begegnen, -treffen, unterlaufen, hereinbrechen

Zustrom: Zulauf, -fluss, -wachs, -nahme ‖ Andrang, (An)sturm, Ansammlung, Getriebe, Gedränge ‖ → Zunahme

zutage fördern → aufspüren

Zutat → Zugabe ‖ → Beiwerk

Zutaten: Ingredienzien, Bestandteile, Beimengungen, -mischungen, -werk, Elemente, Komponenten, Zubehör

zuteilen: vergeben (Arbeit), übertragen, auf-, ver-, austeilen, verabfolgen, -abreichen, geben, überantworten ‖ zumessen, -weisen, zuerteilen, -erkennen, -sprechen, kontingentieren, rationieren, dosieren, einteilen

zutiefst → sehr

zutragen → ausplaudern ‖ → geschehen

Zuträger → Denunziant ‖ → Spion

zuträglich → bekömmlich

zutrauen: jmdn. für fähig/imstande halten, glauben an, vertrauen auf, Vertrauen schenken

Zutrauen → Vertrauen

zutraulich → zahm ‖ vertrauensvoll, voll Vertrauen, ohne Scheu/Ängstlichkeit/Fremdheit, anschmiegsam ‖ → arglos

zutreffen: s. als wahr/richtig/zutreffend erweisen/herausstellen, stimmen, s. bestätigen, s. bewahrheiten ‖ → passen

zutreffend → richtig

zutrinken: auf jmds. Wohl trinken/anstoßen, einen Trinkspruch/Toast/ein Hoch ausbringen, jmdn. hochleben lassen

Zutritt: Eingang, -lass, -tritt ‖ (Berechtigung zum) Ein-/Betreten/Hineingehen

Zutun → Hilfe

zuverlässig: glaub-, vertrauenswürdig, Vertrauen erweckend, verlässlich, ehrlich, aufrichtig, wahr(haftig) ‖ → gewissenhaft ‖ → rechtschaffen ‖ sicher, gesichert, verbürgt, garantiert, authentisch, echt, unfehlbar

Zuversicht → Vertrauen ‖ → Optimismus

zuversichtlich: voller Zuversicht, hoffnungsfroh, -freudig, -voll, optimistisch, lebensbejahend, guten Mutes, getrost, unverzagt, -verdrossen, siegessicher, -bewusst, -gewiss, sicher, positiv, vertrauensvoll, ohne Furcht, zukunftsgläubig

zu viel → übermäßig

zuvor: vorher, davor, vordem ‖ → zuerst

zuvorkommen: vorwegnehmen, vorgreifen, -bauen ‖ schneller sein/handeln/agieren, vorangehen

zuvorkommend → entgegenkommend

Zuwachs → Zunahme ‖ → Zustrom

zuwandern → immigrieren

zuwarten → s. gedulden

zuwege bringen → bewältigen ‖ → fertig bringen

zuweilen → manchmal

zuweisen: über-, anweisen, überschreiben ‖ → zuteilen

zuwenden: s. hinwenden/-drehen, s. hin-/zukehren ‖ → s. beschäftigen mit

Zuwendung: Anteilnahme ‖ → Zuschuss ‖ → Schenkung ‖ → Güte

zuwerfen → zuschlagen

zuwiderhandeln: verstoßen gegen, verletzen, übertreten, sündigen, freveln, abweichen, etwas unterlaufen/-graben, entgegenhandeln, Befugnisse überschreiten, das Recht antasten, s. etwas zuschulden kommen lassen, Unrecht tun, widerrechtlich handeln, eine strafbare Handlung begehen, s. richten gegen

zuwider sein → anwidern || → verabscheuen

zuzahlen → zuschießen

zuziehen → immigrieren || → heranziehen || **sich z.:** auf s. ziehen, bekommen, davontragen, s. einhandeln, s. anstecken, befallen/krank werden, s. infizieren; *ugs.:* s. holen, etwas (auf)fangen/aufschnappen/ -gabeln/ausbrüten || → s. eintrüben

zuzüglich → einschließlich

Zwang: Druck, Nötigung, Gewalt, Vergewaltigung, Pression, Bedrängung, Muss, Fessel, Kette, Unterdrückung, Unfreiheit, Knechtschaft, Sklaverei || Erfordernis, Pflicht, Gebot, Unerlässlichkeit, Unabwendbarkeit, zwingende Notwendigkeit || seelische Belastung, Hemmung, Zwangsvorstellung, fixe Idee || **Z. ausüben** → zwingen || **sich Z. antun** → s. beherrschen

zwängen: drücken, drängen, quetschen, pressen, klemmen

zwanglos: ungezwungen, -befangen, -zeremoniell, -verkrampft, -verbindlich, formlos, informell, familiär, locker, aufgelockert, leger, nonchalant, frei, offen, lässig, salopp, natürlich, gelöst, -lockert, ungeniert, -gehemmt; *ugs.:* hemdsärmelig

Zwangsarbeit: *hist.:* Fron(arbeit, -dienst), Knechtschaft, Sklaverei

Zwangslage: Notfall, -lage, Prokrustesbett; *ugs.:* Zwangsjacke || → Not

zwangsläufig → notgedrungen

zwar → freilich

Zweck: Sinn, Bedeutung || → Absicht

zweckdienlich → zweckmäßig

zwecklos → nutzlos

zweckmäßig: zweckdienlich, -gemäß, -entsprechend, -voll, sinnvoll, -reich, vernünftig, → nützlich, nütze, von Nutzen/Wert, wertvoll, behilflich, hilfreich, brauchbar, geeignet, verwend-, anwend-, verwertbar, tauglich, praktisch, praktikabel, gut zu gebrauchen/handhaben, passend, richtig, wie geschaffen für, rationell

zwecks: zum Zwecke von, um ... zu, wegen, weil

zweideutig → doppeldeutig || → anstößig

zweierlei → verschieden

zweifach → doppelt

Zweifel: Bedenken, Skrupel, Unsicherheit, -gewissheit, -entschiedenheit, -schlüssigkeit, Zwiespalt, -spältigkeit, Zerrissenheit, Zaudern, Zögern, Schwanken, Wenn und Aber, Für und Wider, Hin und Her, Entweder – oder || Misstrauen, Skepsis, Befürchtung, Argwohn, Ungläubigkeit, Vorbehalt, Verdacht, -mutung, Mutmaßung

zweifelhaft: fraglich, -würdig, ungewiss, -sicher, -bestimmt, -glaubwürdig, -glaubhaft, -wahrscheinlich, -bewiesen, dunkel, ungeklärt, -gesichert, dubios, problematisch, bedenklich, strittig, umstritten, nicht klar || rätselhaft, viel sagend, verdächtig, -fänglich, undurchschaubar, -durchsichtig || → anrüchig

zweifellos → gewiss

zweifeln: Zweifel hegen, in Zweifel ziehen, an-, bezweifeln, unsicher/ zwiespältig/zerrissen sein, wanken, schwanken, irre werden || → misstrauen

zweifelsohne → gewiss

Zweig: Ast; *dicht.:* Arm; *pl.:* Geäst, Astwerk || → Fach

zweigeschlechtig → zwitterhaft

Zweigstelle → Filiale

Zweikampf → Duell

zweischneidig → heikel

zweitrangig → unbedeutend

Zweitschrift → Abschrift

Zwerg: Wicht, Wichtel(männchen), Gnom, Kobold, Heinzelmännchen, Däumling, Liliputaner, Pygmäe || kleiner Mensch, kleines Wesen; *ugs.:* halbe Portion, Knirps, Stöpsel

Zwetschge: *ugs.:* Pflaume; *reg.:* Zwetsche; *öster.:* Zwetschke

zwicken: kneifen, zwacken; *reg.:* petzen ‖ be-, einengen, -schnüren, -schneiden, -zwängen

Zwickmühle → Not

zwiebeln → quälen ‖ → drillen

Zwiegespräch → Gespräch

Zwielicht → Dämmerung

zwielichtig → anrüchig

Zwiespalt → Zweifel ‖ → Konflikt

zwiespältig: zerrissen, gespalten, zweifelnd, widerstrebend, -streitend, entscheidungsunfähig, unentschieden, -entschlossen, -eins, -einig, -schlüssig, unausgeglichen, labil, disharmonisch, -krepant

Zwietracht → Auseinandersetzung

zwingen: Druck/Zwang ausüben/anwenden, Gewalt antun/-wenden, vergewaltigen, mit Gewalt/Terror unterdrücken, gefügig machen, terrorisieren, tyrannisieren, erpressen, nötigen, unter Druck setzen, keine andere Wahl/nicht in Ruhe lassen, (be)drängen, bedrohen, jmdm. zusetzen, das Messer an die Kehle setzen; *ugs.:* die Pistole auf die Brust setzen, Daumenschrauben ansetzen ‖ **sich z.**

zu → s. überwinden

zwingend → stichhaltig ‖ → nötig

zwinkern: blinzeln, blinkern; *reg.:* zwinzeln, plinke(r)n

zwischen: in(mitten), innerhalb, mittendrin, unter, dazwischen, zwischendurch, -hinein

Zwischenfall → Ereignis

Zwischenraum: Abstand, Distanz, Entfernung, Lücke

Zwischenruf: Einwurf, Zwischenbemerkung, -frage

Zwischenspiel: Intermezzo, Interludium, Vorfall, Zwischenfall, Episode

Zwischenton: Unter-, Neben-, Halbton, Nuancierung, Feinheit ‖ Misston, -klang

Zwist → Auseinandersetzung

zwitschern → singen

zwitterhaft: doppel-, zweigeschlechtig, zwitt(e)rig, bisexuell, androgyn, hermaphroditisch

Zyklus: regelmäßiger Ablauf, Kreislauf, (Reihen)folge ‖ → Menstruation

Zylinder: Chapeau claque; *scherzh.:* Angströhre

zynisch: verletzend spöttisch, sarkastisch, ironisch, bissig, höhnisch, voller Verachtung, menschenverachtend, wegwerfend, beißend, scharf

Nachschlagewerke zur deutschen Sprache

im Bertelsmann Lexikon Verlag

DIE NEUE DEUTSCHE RECHTSCHREIBUNG

Das neue Standardwerk · benutzerfreundlich, preisgünstig und zuverlässig · konsequente Orientierung an den neuen amtlichen Rechtschreibregeln · umfassend, klar gegliedert und einfach in der Nutzung · alle Neuregelungen farbig · verlässliche Auskunft für korrektes Schreiben in Schule, Studium, amtlichen, professionellen oder sonstigen geschäftlichen Bereichen · über 600.000 Eintragungen · mehr als 20.000 Angaben zu neuen Schreibungen und Worttrennungen · 400 Orientierungshilfen bei Zweifelsfällen · Angabe von Aussprache, Herkunft und Bedeutung der Wörter · Erläuterung der wichtigsten Grammatik- und Zeichensetzungsregeln · Deklinations- und Konjugationstabellen

1040 Seiten
Format: 12,4 x 19,5 cm, gebunden
ISBN 3-577-10625-5

Wahrig DEUTSCHES WÖRTERBUCH

Das Standardwörterbuch der deutschen Sprache · 6., neu bearbeitete und aktualisierte Auflage · auf der Grundlage der neuen amtlichen Rechtschreibregeln · alle neuen Schreibweisen und Worttrennungen farbig hervorgehoben · alte/weiterhin gültige und neue Schreibweise nebeneinander zum direkten Vergleich · über 250.000 prägnant erklärte Stichwörter mit vielen Anwendungsbeispielen und Redewendungen · 500.000 ausführliche Angaben zum richtigen Gebrauch der deutschen Sprache · ein unentbehrliches Nachschlagewerk zur Bedeutung, Grammatik und Schreibweise!

1420 Seiten
Format: 20,3 x 27,0 cm, gebunden
ISBN 3-577-10677-8

HERKUNFTSWÖRTERBUCH

Etymologie, Geschichte und Bedeutung von Fremdwörtern, Lehnwörtern und interessantem Wortgut der deutschen Gegenwartssprache · mehr als 10.000 Stichwörter aus den verschiedensten Bereichen von Wissenschaft und Alltag · systematische Ergänzung der erfolgreichen Generation der Bertelsmann Wörterbücher in der neuen deutschen Rechtschreibung

656 Seiten
Format: 12,4 x 19,5 cm, gebunden
ISBN 3-577-10648-4

Hermann Zabel DIE NEUE DEUTSCHE RECHTSCHREIBUNG Überblick und Kommentar

Grundlegende Orientierung über die neue deutsche Orthographie und das amtliche Regelwerk · eingehende Erläuterung aller Regeln und Schreibweisen · zahlreiche Anwendungsbeispiele mit Verweisen auf die einzelnen Regeln · die neuen Regeln im Zusammenhang der Gesamtrechtschreibung und Grammatik · Gegenüberstellung von alten und neuen Schreibweisen in übersichtlicher tabellarischer Form · umfangreiches Wörterverzeichnis

320 Seiten
Format: 14,8 x 22,5 cm, Broschur
ISBN 3-577-10694-8

BERTELSMANN LEXIKON VERLAG

Gütersloh /München